DR. HEINZ KÜPPER

ILLUSTRIERTES LEXIKON DER DEUTSCHEN UMGANGS SPRACHE

BAND 7

DR. HEINZ KÜPPER

ILLUSTRIERTES LEXIKON DER DEUTSCHEN UMGANGS SPRACHE

IN 8 BÄNDEN

BAND 7
SARDELLE—SUSI

KLETT

Bildnachweis

Bildarchive und Museen
Archiv für Kunst und Geschichte, Berlin: 2425, 2433, 2519,
  2524, 2534, 2606, 2608, 2748, 2749, 2756, 2778 (2).
Bibliothèque Nationale, Paris: 2584.
BBC, London: 2410 (l.), 2554, 2653, 2714, 2718.
Civica Raccolta Stampe Bertarelli, Mailand: 2545.
County Museum of Art, Los Angeles: 2789.
dpa, Frankfurt/M.: 2614.
Germanisches Nationalmuseum, Nürnberg: 2701.
Imperial War Museum, London: 2613.
Kodak, Stuttgart: 2468.
Novosti Press Agency: 2705.
Rabe Archiv, Stuttgart: 2431, 2539, 2541, 2557, 2721.
Städtisches Museum, Wiesbaden: 2511.
„Stern", Hamburg: 2463.
Ullstein Bilderdienst, Berlin: 2751.

Freie Fotografen:
Bob Aylott: 2691 (l.).
Ivy Bahrt: 2679.
Harry Benson: 2723.
Jaap Teding van Berkhout: 2459.
Oscar Burriel: 2434 (r.).
Peter Caine: 2593.
Peter Campion: 2473.
Carlo Chinca: 2408.
Ole Christiansen: 2503.
Stephen Coe: 2523.
Brian Duff: 2421.
James Elliot: 2698.
Tony Evans: 2568.
Adrian Flowers: 2729.
Joachim Giebel: 2769 (l.).
Allan Grainger: 2451.
Frieder Grindler/Dieter Zimmermann: 2615.
G. Gruber: 2477.
Olaf Gulbransson: 2710.
E + U Hiestrand: 2671.
Dennis Hutchinson: 2419.

Janeart Ltd.: 2601, 2617.
Jesper Jørgen: 2406/7
Art Kane: 2657 (o.).
Konrad Karkosch: 2585.
Heide Kratz: 2634.
Ola Lager: 2719 (l.).
Lelli + Masotti: 2710 (l.).
Rafael L. Lequerica: 2411.
Peter Lindbergh: 2617.
Uwe Manthey: 2647.
Georges-Yves Massart: 2434 (l.).
Harald Mayer: 2516.
Will McBride: 2531.
Norbert Mehler: 2409.
Studio Milling: 2560.
Klaus Mitteldorf: 2733.
Rudy Muller: 2691 (r.).
Masaaki Nishimiya: 2678.
Don Ormitz: 2769 (r.).
Pan Books Ltd.: 2703.
Frank Peeters: 2756 (u.).
Sergio Petrelli: 2626.
M. Etn. Pigorini: 2565.
Mark Pilkington: 2756 (o.).
Clive Postlethwaite: 2681.
Pedro Luis Raota: 2667.
Marc Riboud: 2674.
Terry Ryan: 2770.
Henry Sandbank: 2515.
Danny Singer: 2494.
Smith/Klitten: 2410 (r.).
Jorgen Svendsen: 2693.
Hans Traxler: 2422.
D. Villiers: 2764.
Jozef Vissel: 2657.
Howard Walker: 2757.
Terry Why: 2683.
Studio C. J. Winter: 2486.
Myron Zabol: 2512.

CIP-Kurztitelaufname der Deutschen Bibliothek
Küpper, Heinz:
Illustriertes Lexikon der deutschen Umgangssprache:
in 8 Bd./Heinz Küpper. – Stuttgart: Klett
NE: HST
Bd. 7. Sardelle – Susi. – 1984
ISBN 3-12-570070-1 Kunststoff
ISBN 3-12-570170-8 Hldr.
ISBN 3-12-570270-4 Ldr.

© Ernst Klett Verlag GmbH u. Co. KG, Stuttgart 1984. Alle Rechte vorbehalten.
Konzeption und redaktionelle Durchführung:
VGSI Verlagsgesellschaft Gemeinden Städte Industrie mbH, Stuttgart
Bildauswahl und Bilderläuterungen:
Martin Rabe, unter Mitarbeit von Dr. Norbert Sorg und Iris Steinhäuser.
Umschlaggestaltung und Layoutkonzeption: Ulrich Kolb.
Reproduktionen: Litho-Service C. Berg, Stuttgart.
Fotosatz und Druck: Ernst Klett Druckerei
Printed in Germany.

INHALT

LEXIKON

ANHANG

Bild und Bildschirm

Umgang kommt von umgehen. Und so wie die Menschen miteinander umgehen, sprechen sie auch. Umgangssprache wird mittlerweile allerdings in einem zunehmenden Maße über die elektronischen Medien vermittelt; und was dort Eingang findet und millionenfach verbreitet wird, kommt natürlich vom Bildschirm 'rüber ins alltägliche Sprachbewußtsein. Doch während üblicherweise von der Anschauung und gesellschaftlichen Praxis zum Wort, zum Begriff fortgeschritten wird, dominiert hier nicht selten der umgekehrte Fall: Die Progression vom Begriff, dem Wort hin zur Anschauung und gesellschaftlichen Wertung. Das Bild gerät zur Illustration, wobei indes in den seltensten Fällen dem Abgebildetem ästhetische Bedeutsamkeit zukommt. Jenes Defizit wird dort, wo es als solches erkannt wird, durch ein es vergessen machen sollendes Dekor kompensiert: Zum Bildschirm gesellt sich das abstrakte Bild.

Sardelle *f* **1.** kleinwüchsiger oder hagerer Mensch. Übertragen vom Aussehen des Fischs. Seit dem 19. Jh, *österr.*

2. *pl* = von der Seite über die Glatze gelegte spärliche Haarsträhnen. Im Aussehen erinnert es an die Sardellen auf dem Brötchen. 1870 *ff.*

3. wie eine ~ aussehen = sehr mager sein. *Österr.* seit dem 19. Jh.

4. sich ~n auf die Semmel legen = die Haare von der Seite über die Glatze kämmen. 1870 *ff.*

Sardellenbrötchen (-semmeln) *pl* über die Glatze gekämmte Seitenhaare. ↗Sardelle 2. 1870 *ff.*

Sardellenfrisur *f* wenige Haarsträhne über die Glatze frisiert. 1870 *ff.*

Sardine *f* **1.** -Pastorin. Sie predigt „↗ölig". 1950 *ff.*

Die, zumindest was die ihr zugedachte Funktion anbelangt, reichlich überdimensionierte Sardine gehört zu den großen Fischen, denen ansonsten mehr Flossenfreiheit vergönnt ist; denn eine Sardinenbüchse bleibt auch verbal den kleinen Fischen vorbehalten (vgl. **Sardinenbüchse 1.–7.**). *Oft ist sie ihnen nicht nur eine beengte, sondern zudem noch die letzte Heimstatt, und so findet ein Prunksarg wie der auf der Abbildung oben wiedergegebene Reliquienschrein des Hl. Anselm in Burghausen auch kein umgangssprachliches Pendant (vgl.* **Sarg**).

2. wie ~n in einer Büchse = eng zusammengepfercht. 1900 *ff.*

Sardinenbüchse *f* **1.** Straßenbahn. Die Fahrgäste sitzen und stehen gedrängt, wie die Sardinen in einer Dose liegen. 1920 *ff.*

2. engbesetztes Strandbad. Berlin 1920 *ff.*

3. Unterseeboot. *Marinespr* 1939 *ff.*

4. Panzerkampfwagen. *Sold* 1939 *ff.*

5. Kleinauto. 1920 *ff* allgemein; um 1908 auf das Kaiserliche Hofautomobil bezogen. *Vgl engl* „sardine box".

6. Massengrab. *Sold* 1939 *ff.*

7. fliegende ~ = Flugzeug. *Sold* 1939 *ff; ziv* 1950 *ff.*

Sardinendose *f* **1.** dichtbesetzter Straßen-, Eisenbahnwagen. 1920 *ff.*

2. Kleinauto. 1920 *ff.*

3. Spähpanzer. *BSD* 1965 *ff.*

Sardinenkiste *f* Spähpanzer. *BSD* 1965 *ff.*

Sardinen-Klasse *f* kleiner Schulraum für vierzig und mehr Schüler. 1960 *ff.*

Sardinenschachtel *f* Kleinauto. *Halbw* 1955 *ff*, *österr.*

Sardinenschlucker *m* Auto. *Halbw* 1955 *ff*, Ruhrgebiet.

Sarg *m* **1.** Flugzeug. *Sold* 1914 *ff.*

2. Panzerkampfwagen. *Sold* 1939 *ff.*

3. Unterseeboot. *Marinespr* 1914 *ff.*

4. enges Zimmer. *Halbw* 1955 *ff.*

„Man darf wohl ohne Zögern behaupten, daß kein Ereignis so entsetzlich dazu angetan ist, das Äußerste und Letzte an körperlicher und geistiger Qual hervorzurufen, als es die Bestattung vor dem Tode ist" – schrieb Edgar Allan Poe (1809–1849) in seiner Erzählung „Das vorzeitige Begräbnis". Jene Angst spiegelt sich auch in der Vokabel **Sarg** *der Umgangssprache wider, allerdings in leicht ironisierter Form. Und es fällt des weiteren auf, daß dieser galgen-*

humorige Sarg *sich fast durchgängig auf militärische Fortbewegungsmittel wie Panzer (***Sarg 2., 10., 11., 13., 14., 16 b.***), Unterseeboote (***Sarg 3., 5., 6., 9., 15 b., 16 a.***) oder Flugzeuge (***Sarg 1., 12.***) bezieht. Weniger gewalttätig und todbringend erscheint zunächst einmal der* **Sargbesitzer,** *eine umgangssprachliche Bezeichnung für einen Violinspieler, der sein Instrument in dem sargähnlichen Violinkasten verschwinden läßt. Da aber in bestimm-*

5. ∼ aus Eisen = Unterseeboot. 1914 *ff.*

6. ∼ mit Metalleinsatz = a) Unterseeboot. 1914 *ff.* – b) Truppentransporter; bewaffnetes Handelsschiff. *Sold* 1939 *ff.*

7. alter ∼ = altes, leckes, nicht mehr betriebssicheres Schiff. 1900 *ff.*

8. blecherner ∼ = Auto. 1950 *ff.*

9. eiserner ∼ = a) Unterseeboot. *Sold* 1914 *ff.* – b) Kampfpanzer. *BSD* 1965 *ff.*

10. fahrbarer ∼ = Panzerkampfwagen. *Sold* 1939 bis heute.

11. fahrender ∼ = Schützenpanzerwagen. *Sold* 1939 *ff.*

12. fliegender ∼ = mangelhaft konstruiertes Flugzeug; durch Abstürze berüchtigter Flugzeugtyp; Flugzeug mit geschlossener Kabine; Dreidecker usw. *Sold* 1914; Spanienkrieg; 1939 *ff.*

13. gepanzerter ∼ = Kampfpanzer. *Sold* 1939 *ff.*

14. rollender ∼ = a) Panzerkampfwagen. Der Aufbau ist sargähnlich. *Sold* 1939 *ff.* – b) Kabinenroller. 1955 *ff.*

15. schwimmender ∼ = a) altes, dem Untergang geweihtes Schiff. 1900 *ff.* – b) Unterseeboot. *Sold* 1914 *ff.*

16. stählerner ∼ = a) Unterseeboot. 1939 *ff.* – b) Panzerkampfwagen. 1939 *ff.*

17. immer ran an den ∼ und mitgeweint! = schließe dich nicht aus und mach's wie die anderen! Berlin 1930 (?) *ff.*

18. jm einen ∼ hinstellen = einer Sportmannschaft die unabwendbare Niederlage voraussagen. *Sportl* 1950 *ff.*

19. im ∼ liegen und nichts tun, das könnte dir so passen!: Redewendung auf einen Trägen. 1920 (?) *ff.*

20. ich haue dich, daß du in keinen ∼ mehr paßt!: Drohrede. Berlin 1840 *ff.*

21. wenn das mein Großvater wüßte, er drehte sich im ∼ rum! = wüßte dies mein toter Großvater, er würde sehr unwillig sein! ↗Grab 3. 1900 *ff.*

22. laß den ∼ zu! = laß das Vergangene ruhen! 1920 *ff.*

Sargbesitzer *m* Violinspieler. Der Geigenkasten ist sargähnlich. 1955 *ff.*

Sargdeckel *m* schwererziehbarer Junge. Er beschleunigt den Tod des Erziehers. 1920 *ff.*

Sargkutscher *pl* Panzertruppe. *BSD* 1965 *ff.*

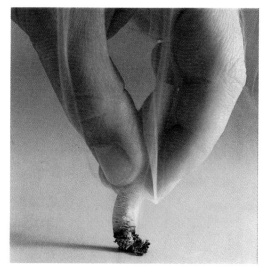

ten Filmen zumeist us-amerikanischer Herkunft dem Geigenkasten indes eine ganz andere Funktion zugedacht wird, ist ein Sargbesitzer von der auf dem Foto oben links wiedergegebenen Spezies dann schon eher einer, der andere – und nicht sein Instrument – in jene letzte Wohnstatt zu befördern pflegt. Ähnliches sagt die Umgangssprache auch der Zigarette nach, die ihrer Gesundheitschädlichkeit und ihrer äußeren Form wegen zum Sargnagel wird (**Sargnagel 1., 5.**).

Sargnagel *m* 1. Zigarette; starke Zigarre. Die Zigarette oder Zigarre gilt wegen ihrer Gesundheitsschädlichkeit als Nagel zum Sarg. *Vgl engl* „coffin-nail". 1900 *ff,* vorwiegend *sold* und *halbw.*
2. Sache, die viel Arbeit und Kummer bereitet. ↗ Nagel 23. 1900 *ff.*
3. Mensch, der anderen das Leben schwer macht; Sorgenkind. 1900 *ff.*
4. *pl* = Schularbeiten. *Schül* 1950 *ff.*
5. gesiebter ∼ = Filterzigarette. 1948 *ff.*

Sargnagelinstitut *n* Schulgebäude. ↗ Sargnagel 4. 1950 *ff.*

Sarotti-Flieger *pl* Heeresflieger. Hergenommen von den Reklamefliegern für die Schokoladenfirma Sarotti. *BSD* 1968 *ff.*

Sarottimohr-Hose *f* Überfallhose. Benannt nach der Hose der Werbefigur der Schokoladenfirma Sarotti. 1968 *ff.*

Sarrasani-Frack *m* Waffenrock für Parade, Urlaub und Sonntag. Anspielung auf die großen Ärmelaufschläge usw. des bunt livrierten Personals

des Zirkus Sarrasani. *Sold* 1939 bis heute.

Sarrasani-Rock *m* Ausgehuniform. *Sold* 1939 *ff.*

Satanorium *n* Sanatorium. Im frühen 20. Jh. aufgekommen. Die Kurgäste, vor allem die Raucher und Trinker, empfinden den Zwang zur Aufgabe ihrer liebgewordenen Gewohnheiten als satanisch, und die Leiterin erscheint ihnen als Satan.

Satansbraten *m* 1. Schimpfwort; auch halbgemütliche Schelte. Man wünscht dem Betreffenden, der Teufel möge ihn in der Hölle braten. Seit dem 17. Jh.
2. Kosewort für die Geliebte, Ehefrau o. ä. 1930 *ff.*

Satansdrache *m* Bösewicht. Seit dem 19. Jh.

Satanskerl *m* 1. sehr niederträchtiger Kerl. Seit dem 19. Jh.
2. sehr tüchtiger Mann. Seit dem 19. Jh.

Satansklepper *m* ungestümes Rennpferd. ↗ Klepper. Turfspr. 1950 *ff.*

Satansknochen *m* Schimpfwort (zuweilen milderer Art). ↗ Knochen. Seit dem 19. Jh.

Satansmädel *n* tüchtiges, flinkes, anstelliges, pfiffiges Mädchen. Es hat den „↗ Teufel im Leibe". Seit dem 19. Jh.

Satansweib *n* böse Frau. Seit dem 19. Jh.

Satellit *m* 1. einflußloser Politiker; Staatsmann in Abhängigkeit von einem anderen. Vom Begleitplaneten weiterentwickelt zum willenlosen Gefolgsmann. 1957 *ff.*
2. Angehöriger des Gefolges. 1957 *ff.*

Satellitchen *n* intime Freundin eines jungen Mannes; Mädchen, das stets in Begleitung desselben Mannes gesehen wird. 1957 *ff.*

satt *adj* 1. reichlich, viel. 1500 *ff.*
2. außerordentlich, eindrucksvoll. Der Gesättigte hat den Höchstgrad der Sättigung erreicht. Künstler sprechen von „satter" Farbe, wenn sie dick aufgetragen ist. 1900 *ff.*
3. kraftvoll, wuchtig. *Sportl* 1950 *ff.*
4. volltrunken. Seit dem 18. Jh.
5. sich ∼ gaffen (sich sattgaffen) = die Neugierde ausgiebig befriedigen. ↗ gaffen. 1870 *ff.*
6. etw (jn) ∼ haben = einer Sache oder Person überdrüssig sein. Sättigung benimmt einem den Appetit auf Fortsetzung. 16. Jh.
7. es bis obenhin (bis zum Halskragen ∼ haben = einer Sache völlig überdrüssig sein. 1900 *ff.*
8. ∼ Geld (Zeit) haben = reichlich Geld (Zeit) haben. Seit dem 16. Jh.
9. etw ∼ kriegen (es ∼ werden) = von einer Sache angewidert werden. Seit dem 16. Jh.
10. ∼ auf der Straße liegen = schleuderfest fahren. Kraftfahrerspr. 1950 *ff.*
11. jn ∼ machen = jn heftig prügeln; jn k. o. boxen. Man schlägt so heftig zu, daß der Betreffende keinen Appetit auf weitere Prügel hat. 1920 *ff.*
12. ∼ schlafen (sich ∼ schlafen) = ausgiebig schlafen. 1700 *ff.*
13. sich etw ∼ sehen (sattsehen) = etw nicht län-

ger sehen mögen; einen Anblick nicht länger ertragen können (dieses Kleid habe ich mir satt gesehen). 19. Jh.

14. ~ sein = a) bezecht sein. Seit dem 18. Jh. – b) noch genug Vorrat haben. Vertreterspr. 1920 *ff.* – c) im sportlichen Wettkampf besiegt sein. *Sportl* 1950 *ff.* – d) bei Geld sein; sich reichlich mit Geld versehen haben. 1950 *ff.*

15. etw ~ sein (es ~ sein) = einer Sache überdrüssig sein. Seit dem 18. Jh.

16. sich an etw ~ stoßen = an einer Sache viel verdienen. Man stößt eine Ware ab und kann sich damit „↗gesundstoßen". 1945 *ff.*

Satte *f* weibliche Brust. Eigentlich das Gefäß, in dem man Milch zum Entrahmen aufbewahrt. *Halbw* 1950 *ff.*

Sattel *m* **1.** unerlaubter Übersetzungstext. Solch ein „Sattel" verleiht dem Schüler Festigkeit und ermöglicht ihm bequemes Vorankommen. Der Schüler wird „↗sattelfest". 1950 *ff.*

2. Dame im Kartenspiel. *Vgl* ↗Reiter 2. Kartenspielerspr. 1850 *ff.*

3. in allen Sätteln gerecht sein = Erfahrungen auf allen Gebieten haben; zu allem zu gebrauchen geschickt sein. Übertragen vom geschickten Reiter. 1500 *ff.*

4. in vielen Sätteln gerecht sein = vielseitiger Fachmann sein. 1920 *ff.*

5. jn aus dem ~ heben = jn verdrängen, besiegen, zum Verlierer machen. Stammt aus dem mittelalterlichen Turnierwesen: der Gegner wurde durch den Lanzenstoß aus dem Sattel gehoben und in den Sand geworfen. 1600 *ff.*

6. im ~ sitzen = eine gute Stellung haben. Seit dem 16. Jh.

7. gut (fest) im ~ sitzen = eine sichere Stellung haben; seiner Sache gewiß sein. Seit dem 16. Jh. *Vgl franz* „être ferme sur ses étriers".

8. in den ~ steigen = koitieren. ↗reiten 3. 1500 *ff.*

9. jn aus dem ~ werfen (schmeißen) = jn aus seiner Stellung verdrängen. ↗Sattel 5. 1800 *ff.*

10. das wirft ihn aus dem ~ = das übermannt ihn; das veranlaßt ihn zur Aufgabe seiner bisherigen Lebensweise. Seit dem 19. Jh.

Sattelakrobat *m* Kunst-, Springreiter. 1970 *ff.*

Sattelbraut *f* Motorradmitfahrerin. 1955 *ff.*

sattelfest *adj* seiner Sache gewiß; schlagfertig; unerschütterlich; von widerstandsfähiger Gesundheit. Bezieht sich eigentlich auf einen Reiter, der nicht aus dem Sattel fällt. Seit dem 18. Jh.

Satteljockei *m* würdelos liebedienerischer Mann. Er hilft einem Reiter in den Sattel und ist daher eine Abart des Steigbügelhalters; doch kann er auch dem Radfahrer beim Besteigen des Fahrrads behilflich sein, wodurch er dem „↗Radfahrer" naherückt. *Vgl* ↗Sattelrutscher. 1955 *ff.*

satteln *refl* sich ausgehfertig machen. Vom Satteln der Pferde übertragen. 1900 *ff.*

Sattelrutscher *m* Radfahrer. 1955 *ff.*

Satteltasche *f* Vagina. Versteht sich nach ↗reiten 3. Sattel = Frauenschoß. 1955 *ff.*

sattgaffen. ↗Satt 5.

Sattmacher *m* schneller ~ = Imbißbetrieb. 1960 *ff.*

sattsehen. ↗Satt 13.

Saturnring *m* Hula-Hoop-Reifen. Aus der Astronomie übertragen. 1958 *ff.*

Satz *m* **1.** einen ~ machen = verschwinden; entweichen. Satz = kräftiger Sprung. 1910 *ff.*

2. jm einen ~ heiße Ohren ansagen = jm mit einer Ohrfeige drohen. *Jug* 1970 *ff.*

Satzbandwurm *m* Schachtelsatz. 1900 *ff.*

satzen *intr* eilen. Man bewegt sich in „Sätzen = weiten Sprüngen". 1910 *ff.*

Sau *f* **1.** unreinlicher, schmutzender Mensch; unflätiger Mensch; liederliche Frau. Die Schweine gelten sinnbildlich als unsauber und geil. 1500 *ff.*

2. Klecks, Tintenklecks. Wer einen Fleck macht, wird familiär „Ferkel", „Schwein" usw. tituliert. 1600 *ff*, vorwiegend *oberd.*

3. Fehler, Verstoß. Die Sau war früher der Trostpreis für den schlechtesten Schützen. 1600 *ff*, *schül, sold* und keglerspr.

4. unverdientes, zufälliges Glück. ↗Schwein 36. Seit dem 18. Jh.

5. ~ mit Roßhaar = Schweinefleisch mit Sauerkraut. Anspielung auf wirre Verfilzung. 1910 *ff.*

6. alte ~ = a) erfahrene Prostituierte. Seit dem 19. Jh. b) Zotenerzähler; amoralisch lebender Mann. Seit dem 19. Jh.

7. arme ~ = bedauernswerter Mensch; armer Mensch. 1900 *ff.*

8. barmherzige ~ = Prostituierte ohne Entgeltsforderung. 1930 *ff.*

9. besengte ~ = sehr dummer Mensch. ↗besengt. 1930 *ff.*

10. blöde (dämliche) ~ = dumme Person; kräftiges Schimpfwort. 1900 *ff.*

11. dicke ~ = beleibte, schwerfällige, unordentliche Frau. Seit dem 19. Jh.

12. dumme ~ = dummer Mensch. 1700 *ff.*

13. faule ~ = a) träger Mensch. Seit dem 19. Jh. – b) unfairer Fußballspieler. ↗faul 1. *Sportl* 1950 *ff.*

14. feige ~ = Feigling. 1900 *ff.*

15. fette ~ = beleibter Mensch. 1900 *ff.*

15 a. geile ~ = liebesgieriger Mensch. 1950 *ff*; wohl älter.

16. gemeine ~ = sehr niederträchtiger Mensch. 1900 *ff.*

17. grobe ~ = verkommene weibliche Person; Hure. 1870 *ff.*

18. gute ~ = gutmütiger, hilfsbereiter, freigebiger Mensch. *Bayr* 1900 *ff.*

19. keine ~ = niemand. Gemeint ist eigentlich „keine Sau im Stall". 1800 *ff.*

19 a. lahme ~ = träger Mensch. 1960 *ff.*

19 b. lasche ~ = Versager. ↗lasch 1. 1960 *ff*, *jug.*

19 c. linke ~ = unsympathischer, niederträchtiger Mensch. ↗link 1. 1960 *ff, jug.*

20. schwule ~ = Homosexueller. ↗schwul. 1920 *ff.*

21. solide ~ = sich nicht prostituierende Frau. 1967 *ff, prost.*

22. träge ~ = langsam fahrendes Auto. 1930 *ff.*

23. trichinenfreie ~ = von Geschlechtskrankheiten freie Prostituierte. 1900 *ff.*

24. verfressene ~ = gefräßiger Mensch. 1920 *ff.*

25. volle ~ = Bezechter. 1600 *ff.*

26. vollgefressene ~ = beleibter Mensch. 1900 *ff.*

27. wilde ~ = a) Angriff von Flugzeugen, wobei jedem Jäger die Wahl seines Ziels überlassen ist; Luftkampf ohne Trennung der Einsatzbereiche für Abwehr und Nachtjäger. Wilde Sau ist das Wildschwein; gereizte Wildschweine können blindlings angreifen, sind in ihrer Wut hemmungslos. Fliegerspr. 1939 *ff.* – b) schweres Gefecht; Bewegungsgefecht. *Sold* 1939 *ff.* – c) schreiender Vorgesetzter. *BSD* 1965 *ff.*

28. zahme ~ = Luftkampf, bei dem die Einsatzbereiche für die Flak und die Nachtjäger der Höhe nach voneinander getrennt sind. Fliegerspr. 1939 *ff.*

29. unter aller ~ = sehr schlecht; unter aller Kritik. Die Leistung ist noch schlechter als die des untauglichsten Schützen, der als Trostpreis eine Sau erhält. Studenten latinisieren „sub omne su". Seit dem späten 19. Jh.

30. kalt wie eine ~ = sehr kalt. Hergenommen von dem erkalteten Schlachttier. Seit dem 19. Jh.

31. voll (o. ä.) wie eine ~ = schwerbezecht. Schweine saufen und fressen viel. Seit dem 19. Jh.

32. wie eine wilde ~ = wütend; vor Zorn uneinsichtig. ↗Sau 27. 1900 *ff.*

33. wie eine gesengte ~ = a) sehr schnell. Hat nichts mit „sengen" zu tun (es sei denn in der Bedeutung „prügeln"), sondern mit „senken = kastrieren". Kleinlandwirte nahmen diese Operation früher eigenhändig vor; dabei mußte das Tier sehr große Schmerzen erdulden, weswegen es hinterher seinen Peinigern wie wild davonrannte. 1850 *ff.* – b) überaus schlecht (er fährt Auto wie eine gesengte Sau; er spielt Klavier wie eine gesengte Sau). Vom schreiend davonlaufenden Tier übertragen auf eine ungestüme, draufgängerische Handlungsweise. 1870 *ff.*

34. Benehmen wie eine gesengte ~ = überaus schlechtes Benehmen; grobe Anstandswidrigkeit. 1910 *ff.*

35. die ~ abgeben = sich schlecht, ungesittet, unflätig benehmen; Zoten erzählen. Abgeben = darstellen. 1900 *ff.*

36. ankommen wie die ~ ins Judenhaus = ungelegen kommen. Juden ist der Genuß von Schweinefleisch verboten. 1800 *ff.*

37. sich wie eine gesengte ~ benehmen = sich höchst ungesittet aufführen; ungestüm handeln. ↗Sau 33. 1910 *ff.*

38. sich benehmen wie fünfhundert Säue = sich völlig anstandswidrig benehmen. Abgewandelt aus Goethes „Faust I" („Uns ist ganz kannibalisch wohl / Als wie fünfhundert Säuen"). Im frühen 20. Jh aufgekommen; *sold* 1915 *ff.*

39. sich benehmen wie eine wildgewordene ~ = sich hemmungslos, dreist-herausfordernd benehmen. 1900 *ff.*

40. bluten wie eine ~ = viel Blut vergießen. Seit dem 16. Jh.

41. nicht auf der ~ dahergeritten sein = von achtbarer Abkunft sein. Seit dem 19. Jh.

42. fahren wie eine gesengte ~ = undiszipliniert, draufgängerisch fahren. ↗Sau 33. 1920 *ff.*

43. Herr, gestatte mir, daß ich in diese Säue fahre!: Verwünschungsausruf des unterliegenden Kartenspielers. Geht zurück auf die Bibel (Matthäus 8, 31 *ff*). Seit dem 19. Jh.

44. nicht der ~ vom Arsch gefallen sein = nicht von schlechter Abkunft sein. Seit dem 19. Jh.

45. das fühlt eine blinde ~ mit dem Arsch = das ist für jedermann eindeutig klar. 1900 *ff.*

46. mit etw eine ~ füttern können = über etw in großer Menge verfügen. Seit dem 19. Jh.

47. von der tollen (wilden) ~ gebissen sein = von Sinnen sein. 1900 *ff.*

48. da hat eine ~ gefrühstückt = Mißgeschick häuft sich auf Mißgeschick; die Erfolgsaussichten sind geschwunden. Gemeint ist, daß Unreinlichkeit und Unordnung sich ausbreiten. 1900 *ff, sold* und kartenspielerspr.

49. vor die Säue gehen = verkommen, umkommen, untergehen, sterben. Geht zurück auf die biblische Geschichte vom verlorenen Sohn (Lukas 15, 11 *ff*). Seit dem Ende des 19. Jhs.

50. mit jm nicht die Säue gehütet haben = keinen Anlaß zu plumpen Vertraulichkeiten haben; mit jm nicht auf gleicher gesellschaftlicher Stufe stehen. Schweinehüten galt als niedrige, geringgeachtete Tätigkeit. ↗Schwein 35. 1500 *ff.*

51. die falsche ~ geschlachtet haben = einen schwerwiegenden Fehler gemacht haben und ihn nicht wiedergutmachen können. Zur Herleitung *vgl* ↗Schwein 44. 1945 *ff.*

52. das kannst du der ~ vor den Arsch gießen: Ausdruck, mit dem man eine minderwertige Leistung zurückweist. 1800 *ff.*

53. da könnte einer ~ grausen (da kommt einer ~ das Grausen an) = das ist schrecklich, sehr schlecht, sehr schmutzig, sehr unansehnlich. *Bayr* und *österr,* 1900 *ff.*

54. ~ haben = großes Glück haben. ↗Sau 4. Seit dem 18. Jh.

55. wie eine ~ auf dem Apfelbaum hocken = eine sehr schlechte Körperhaltung haben. Seit dem ausgehenden 19. Jh.

56. das imponiert keiner ~ = das macht auf niemanden Eindruck. ↗Sau 19. Seit dem 19. Jh.

57. etw in die ~ jagen = etw schlecht ausführen;

etw verderben, entzweimachen. Wohl vom Schlachtmesser hergenommen. Seit dem 19. Jh.

58. wie die ~ vom Trog laufen (weglaufen) = ohne Dank vom Essen aufstehen. Seit dem 19. Jh.

59. das kann keine ~ lesen = das ist unleserlich. ↗Sau 19. Seit dem 19. Jh.

60. die wilde ~ loslassen (rauslassen) = etw Besonderes tun, veranstalten, vorführen; sich ausleben; keine Hemmungen mehr kennen. Verstärkende Analogie zu „einen ↗Hund losmachen". *Halbw* 1950 *ff*; auch *sportl.*

61. jn zur ~ machen = a) jn entwürdigend anherrschen; jn beschimpfen, moralisch vernichten, stark kritisieren. Der Betreffende wird moralisch so zugerichtet, daß er einer geschlachteten Sau gleicht. Seit dem späten 19. Jh; vor allem *sold* und handwerkerspr. – b) jn erschießen; dem Gegner schwere Verluste zufügen. *Sold* 1939 *ff*.

62. etw zur ~ machen = etw völlig vernichten. 1939 *ff*.

63. jn zur kalten ~ machen = jn moralisch erledigen. 1920 *ff*.

64. mit jm wilde ~ machen = jn schikanös drillen. ↗Sau 27. *Sold* 1939 *ff*.

65. das merkt keine ~ (keine alte ~) = das wird nicht aufgedeckt. ↗Sau 19. 1900 *ff*.

66. das paßt wie die ~ ins Judenhaus = das kommt sehr ungelegen, ist völlig unpassend. ↗Sau 36. Spätestens seit 1700. Ähnlich schon in den Fastnachtsspielen des 15. Jhs.

66 a. die ~ rauslassen = sich unbeherrscht aufführen; ungestüm handeln. Gemeint ist der „innere ↗Schweinehund" *Vgl* ↗Sau 60. 1950 *ff*.

67. aus dem Hals riechen wie die ~ aus dem Arschloch = sehr üblen Mundgeruch ausatmen. 1900 *ff*.

68. schießen wie eine gesengte ~ = schlecht schießen. ↗Sau 33. 1870 *ff*.

69. wie eine ~ schreiben = schlecht, unleserlich schreiben. Seit dem 19. Jh.

70. schreien wie eine gesengte ~ = laut schreien. ↗Sau 33. 1920 *ff*.

71. schwitzen wie eine ~ = sehr stark schwitzen. Leitet sich her von der toten Sau, die beim Braten „schwitzt". 1900 *ff*.

72. das sieht eine blinde ~ mit dem linken Hinterbein = das leuchtet jedermann ein. 1900 *ff*.

73. eine ~ ist satt (ist voll)!: Ausruf, wenn einer nach dem Essen laut aufstößt. 1840 *ff*.

74. das ist unter der gesengten ~ = das ist außerordentlich schlecht. ↗Sau 29. 1900 *ff*.

75. eine gebrannte ~ sein = schlechte Erfahrungen gemacht haben. Derbe Variante zu „gebranntes ↗Kind". 1920 *ff*.

76. wie eine gesengte ~ spielen = sehr schlecht spielen. ↗Sau 33. 1900 *ff*, kartenspielerspr., *sportl* u. a.

77. die wilde ~ spielen = a) wütend sein; toben; Untergebene gröblichst schikanieren. ↗Sau 23.

1925 *ff*. – b) sich undiszipliniert benehmen; Verkehrsregeln nicht beachten. 1925 *ff*.

78. jn zur ~ stempeln = jn moralisch vernichten. 1930 *ff*.

79. da wird schon morgen wieder eine andere ~ durchs Dorf getrieben = das gerät schon bald in Vergessenheit. 1930 *ff*.

80. sich vorkommen wie die ~ im Judenhaus = sich nicht am rechten Platz fühlen; sich überflüssig vorkommen. ↗Sau 36. 1840 *ff*.

81. zur ~ werden = a) völlig vernichtet, aufgerieben werden. ↗Sau 61. *Sold* 1939 *ff*. – b) wütend, grob werden; unflätige Worte gebrauchen. Meint entweder die Sau als Sinnbildtier des Unflats oder das angriffslüsterne Wildschwein. 1943 *ff*.

82. ich werde zur ~!: Ausdruck der Verwunderung. Vor Überraschung verliert man das Gleichgewicht und fällt zu Boden wie eine getötete Sau. 1900 *ff*.

83. etw vor die Säue werfen = Wertvolles Unwürdigen zuteil werden lassen. ↗Perle 9. 1700 *ff*.

84. jm zureden wie einer kranken ~ = jn nachdrücklich zu überreden suchen. 1910 *ff*.

Sau- als erster Bestandteil einer meist doppelt betonten Zusammensetzung gibt dem Grundwort die Bedeutung „sehr schmutzig", „sehr schlecht", „sehr minderwertig", „charakterlich tiefstehend", überhaupt die Geltung einer vorwiegend geringschätzigen Verstärkung. Die Sau gilt als unreinlich, als geil und geradezu als Sinnbild des Unflats.

'Sau'aas *n* sehr derbes Schimpfwort. ↗Aas. Seit dem 18. Jh.

'Sau'angst *f* große Angst. Seit dem 19. Jh.

Sauäpfelchen *n* leckeres ~ = Kosewort für eine weibliche Person. „Sauapfel" bezeichnet eine Apfelsorte, also etwas Wohlgerundetes. 1930 *ff*.

'Sau'arbeit *f* **1.** mühselige Arbeit. Seit dem 19. Jh. **2.** schlechte, unsaubere Arbeit. Seit dem 19. Jh.

'Sau'arsch *m* Schimpfwort auf einen schmutzigen oder niederträchtigen Menschen. 1935 *ff*.

'Sau'backe *f* Schimpfwort. 1900 *ff*.

'Sauba'gage (Grundwort *franz* ausgesprochen) *f* Gesindel; Leute ohne Zucht und Ordnung. ↗Bagage. 1890 *ff*.

'Sau'balg *n m* ungezogenes Kind; lästiges, schreiendes Kind. ↗Balg 1. Seit dem 19. Jh.

'Sau'bande *f* widriges Gesindel; sehr unsympathische Gruppe. ↗Bande 1. Seit dem 19. Jh.

'Sau'bär *m* unreinlicher Mensch; charakterloser Mann; Lüstling; Wüstling; Zotenreißer; Rohling. Bezeichnung für den Eber, das männliche Wildschwein. Vorwiegend *bayr*, seit dem 19. Jh.

'Sau'bart ('Saubartel) *m* schmutziger, charakterloser Mann. Bartel ist Verkürzung des Vornamens Bartholomäus. 1700 *ff*.

'Sau'bauer *m* ungebildeter, grober Mann. ↗Bauer. Seit dem 19. Jh.

'Sau'bazi *m* schmutziger Mann; Schimpfwort.

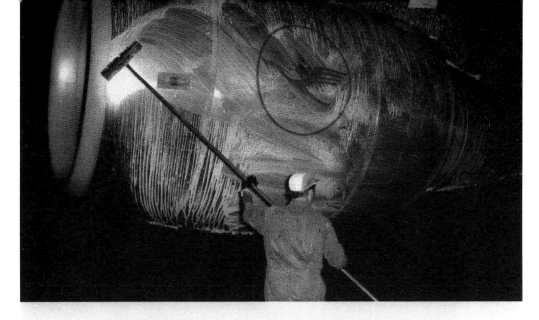

Wir kümmern uns um jeden Dreck.

Der **Saubermann** *der Umgangssprache geht auf eine Wortschöpfung der Werbung zurück und bezeichnet ursprünglich einen Mann, der Putzfrauenarbeit verrichtet und für Sauberkeit sorgt.* **Sauber** *ist umgangssprachlich indes eine weitgefächerte Vokabel; und so wird auch der Saubermann recht schnell zum Sittenwächter, zum Sprachreiniger oder zum Parteiideologen. Denn in einer Vokabel wie sauber und ihren Komposita schwingen hierzulande immer noch andere Konnotationen mit Ordnung, Anstand, Sitte, Moral und manchmal sogar recht sonderbare asketische Anwandlungen (* vgl. **sauber 6.***).*

Vgl ↗ Bazi. *Bayr* seit dem 19. Jh.

'**Saubeller** *m* Vorgesetzter, der vornehmlich zu zetern pflegt. Eigentlich der Hund, der für die Jagd auf Schwarzwild abgerichtet ist. 1900 *ff.*

'**Sau'bengel** *m* ungezogener Junge; gewissenloser Bursche. Seit dem 19. Jh.

sauber *adj* **1.** tüchtig. Hergenommen von einem, der eine saubere Arbeit liefert. Seit dem 19. Jh.

2. sehr angenehm; hochwillkommen; sehr fein; ausgezeichnet. Im ausgehenden 19. Jh aufgekommenes Modewort zur Kennzeichnung eines positiv Superlativischen im Sinne von „reinlich = mustergültig".

2 a. nicht mehr im Besitz des Diebesguts. 1960 *ff.*

3. ~, ~!: Ausdruck des Erstaunens über eine unangenehme Sache. *Iron* Äußerung. 1920 *ff, jug.*

4. schmutzig, schlimm, schlecht, vertrauensunwürdig, gemein. *Iron* gemeint seit dem 17. Jh.

5. nicht ~ = nicht ehrlich; nicht aufrichtig. Seit dem 19. Jh.

6. jn ~ machen = jn völlig ausrauben. Diebische Naturen betrachten die widerrechtliche Wegnahme als ein Reinigen ihres Opfers vom Überfluß. 1930 *ff.*

7. nicht ~ sein = nicht recht bei Verstand sein. Sauber = klar. Der Betreffende kann nicht klar denken. 1930 *ff.*

8. jn ~ waschen = jn für schuldlos erklären. Analog zu ↗ reinwaschen. Seit dem 19. Jh.

Saubermann *m* **1.** Mann, der Putzfrauenarbeit verrichtet. Geht zurück auf die von der Putzmittelindustrie (Omo) geschaffene Werbefigur gleichen Namens. 1965 *ff.*

2. Sittenwächter; untadeliger Mann; Moralist. 1970 *ff.*

3. Gegner chemischer Zusätze in Nahrungsmitteln. 1970 *ff.*

4. Angehöriger einer städtischen Reinigungskolonne. 1970 *ff.*

5. Frau ~ = Reinmachefrau. 1970 *ff.*

6. Sprachreiniger, Fremdwortfeind. 1976 *ff.*

7. Verfechter der Parteigrundsätze. 1978 *ff.*

8. Umweltschützer. 1979 *ff.*

'**Saube'scherung** *f* böse Überraschung. ↗ Bescherung. 1940 *ff.*

'**Sau'besen** *m* Prostituierte. ↗ Besen 1. 1800 *ff.*

Saubetrieb *m* Bordell. ↗ Sau 1. Seit dem 19. Jh.

'**Saube'trieb** *m* **1.** schlechte Ordnung; Undiszipliniertheit; *milit* Einheit ohne Zucht. 1900 *ff.*

2. schlecht geleiteter Geschäftsbetrieb o. ä. 1910 *ff.*

3. anrüchiges Lokal. 1920 *ff.*

'**Sau'beutel** *m* **1.** schmutziger Mann; schmutzender Mann. Beutel = Hodensack. Seit dem 19. Jh.

2. verschlagener, listiger Mann; Mann, dem man nicht trauen kann. 1920 *ff.*

'**Sau'biest** *n* **1.** Schimpfwort auf ein Tier. ↗ Biest 1. Seit dem 19. Jh.

2. Schimpfwort auf eine schmutzige oder bösartige weibliche Person. Seit dem 19. Jh.

'**Sau'blatt** *n* **1.** schlechte Verteilung der Spielkarten. Kartenspielerspr. Seit dem 19. Jh.

2. Hetzzeitung. ↗Blatt 1. Seit dem 19. Jh.

'**sau'blöde** *adj* **1.** sehr einfältig, dümmlich. Seit dem 19. Jh.

2. sehr langweilig; minderwertig; unsympathisch. *Jug* 1950 *ff.*

'**Sau'bock** *m* Schimpfwort. ↗Bock 1. 1920 *ff.*

Saubohnenstroh *n* grob wie ~ = grob, rücksichtslos, ohne Mitgefühl. ↗Bohnenstroh. Seit dem 18. Jh.

saubohnenstrohgrob *adj* roh, grob, frech, barsch. Seit dem 19. Jh.

'**Sau'braten** *m* Schimpfwort. Eigentlich der Wildschweinbraten. Seit dem 16. Jh.

'**Sau'bube** *m* frecher, ungezogener, schmutziger Junge. *Oberd* seit dem 19. Jh.

'**Sau'bucht** *f* Sofa, breites Bett, Liege o. ä. ↗Bucht 1. 1900 *ff.*

'**Sau'bude** *f* **1.** schlechte, ärmliche, schmutzige Unterkunft. ↗Bude. 1920 *ff.*

2. Bordell. ↗Sau 1. 1920 *ff.*

Sauce (*franz* ausgesprochen) *f* **1.** unangenehme Lage; Gefahr; Not; Unannehmlichkeit. Analog zu „↗Brühe 4". Seit dem 18. Jh.

2. aufgeweichter Weg. Seit dem 19. Jh.

3. Sperma. 1920 *ff.*

4. ~! (Soß!): warnender Zuruf des Kellners im Gedränge. *Bayr* und *österr* seit dem 19. Jh.

5. fade ~ = langweilige Sache. 1900 *ff.*

6. die ganze ~ = das Ganze; das alles (*abf*). vielleicht beeinflußt von „↗Schose 3". 1900 *ff.*

7. lange ~ = umständliche, weitschweifige Erzählung. Hergenommen von der Tunke, die um so gehaltloser ist, je mehr sie verdünnt wird. 1840 *ff.*

8. rote ~ = a) Blut. Seit dem 19. Jh. – b) Menstruation. 1920 *ff.*

9. seichte ~ = weitschweifiger, aber nichtssagender Bericht (Vortrag). 1900 *ff.*

10. danke, dito mit ~!: Erwiderung eines Wunsches. 1920 *ff.*

11. in eine ~ fallen = in eine üble Lage geraten. ↗Sauce 1. Seit dem 19. Jh.

12. in die ~ kommen = in Verlegenheit kommen. Seit dem 19. Jh.

13. das macht die ~ nicht fett = das bessert die Sache nicht. 1920 *ff.*

14. eine ~ machen = weitschweifig erzählen; das Beiwerk herrichten. 1820 *ff.*

15. eine ~ reden = umständlich reden. Seit dem 19. Jh.

16. das ist dieselbe ~ = das ist dasselbe; das macht keinen Unterschied. Hergenommen von der Einheitstunke, die in Kantinen und kleinen Restaurants wahllos zu jedem Essen serviert wird. 1820 *ff.*

17. in der ~ sein (sitzen) = sich in Not befinden.

↗Sauce 1. *Vgl franz* „être dans la sauce". Seit dem 18. Jh.

'**Sau'dackel** *m* **1.** sehr dummer Mensch. ↗Dackel. 1900 *ff.* 1956 in Schwaben in einer Beleidigungsverhandlung mit 100 DM geahndet.

2. starkes Schimpfwort. 1900 *ff.*

'**sau'dämlich** *adj* sehr dümmlich. ↗dämlich 1. 1900 *ff.*

'**Sau'deutsch** *n* sehr schlechtes Deutsch; üble Sprachverwilderung. 1950 *ff.*

'**Sau'ding** *n* schmutziges Kind. ↗Ding II 1. 1920 *ff.*

'**sau'doof** *adj* **1.** sehr dumm. 1920 *ff.*

2. sehr minderwertig. *Jug* 1950 *ff.*

'**Sau'dreck** *m* **1.** arger, überhandnehmender Schmutz. Seit dem 19. Jh.

2. völlig wertlose Sache. 1500 *ff.*

'**sau'dreckig** *adj* **1.** sehr schmutzig. Seit dem 19. Jh.

2. sehr schlecht; sehr elend. ↗dreckig 3. Seit dem 19. Jh.

'**sau'dumm** *adj* sehr dumm. 1800 *ff.*

'**Sau'dummheit** *f* sehr große Dummheit. Seit dem 19. Jh.

'**Sau'durst** *m* sehr großer Durst. 1900 *ff.*

'**Sau'dusel** *m* großes, unverhofftes Glück. ↗Dusel. 1900 *ff.*

'**saue'gal** *adv* völlig gleichgültig. 1900 *ff.*

'**sau'elend** *adj adv* sehr elend; sehr niedergeschlagen. 1900 *ff.*

sauen *intr* **1.** klecksen, schmutzen; schlecht arbeiten. ↗Sau 2. Seit dem 17. Jh.

2. unflätige Reden führen; Zoten erzählen. ↗Sau 1. 1800 *ff.*

3. rennen, eilen, springen; schlecht oder zu schnell fahren. Hergenommen vom ungestümen Lauf des Schweins, vor allem des Wildschweins. ↗Sau 27. 1920 *ff.*

4. es saut = es regnet ausgiebig; es regnet kalt. ↗sauen 1. 19. Jh.

sauer *adj* **1.** mißgestimmt, verärgert, wütend. Herzuleiten von der „sauren Miene", die der Mürrische aufsetzt, als hätte er Essig getrunken. 1500 *ff.*

2. unausstehlich, widerlich. 1920 *ff.*

3. langweilig, unangenehm, schlecht, unsicher, mißlungen o. ä. Hergenommen von Speisen, die säuern. Seit dem frühen 20. Jh.

4. erschöpft. *Sportl* 1920 *ff.*

5. mühsam, beschwerlich. Herzuleiten vom sauren Schweiß. Spätestens seit 1500.

6. es kommt ihn ~ an = es strengt ihn sehr an; er tut es ungern. 1500 *ff.*

7. jn ~ anschielen = jn mißgünstig anblicken. 1500 *ff.*

8. das stößt ihm ~ auf = das erweckt seinen Unmut. Hergenommen vom säuerlichen Aufstoßen aus dem Magen. 1800 *ff.*

9. es sieht ~ aus = Bedenken und Befürchtungen stellen sich ein. 1920 *ff.*

10. ein Kraftfahrzeug ~ fahren = durch übermäßige Beanspruchung einen Motorschaden herbeiführen. Vermenschlichung der Technik: das Auto ist verdrossen und erschöpft wie ein Mensch. 1920 *ff.*

11. ~ gucken (blicken, sehen o. ä.) = ungehalten, mürrisch dreinsehen. ↗sauer 1. 1500 *ff.*

12. die Maschine ~ haben = am Kraftfahrzeug einen Motorschaden verschuldet haben. ↗sauer 10. Kraftfahrerspr. 1920 *ff.*

13. das kann er sich ~ kochen!: Ausdruck der Abweisung. Sauer kochen = in Essig kochen (damit es länger haltbar bleibt). 1800 *ff.*

14. jn ~ kochen = jn zurückweisen, heftig kritisieren. 1900 *ff.*

15. ein saures Gesicht machen = verdrießlich dreinblicken. ↗sauer 1. 1500 *ff.*

16. jn ~ machen = a) jn verärgern, vergrämen. Seit dem 19. Jh. – b) einen Schüler, einen Verdächtigen gründlich ausfragen. Das verdrießt beide. Seit dem 19. Jh.

17. jm etw ~ machen = jm etw beschwerlich machen; jm etw verleiden. ↗sauer 5; ↗Leben 25. 1500 *ff.*

18. etw ~ nehmen = etw übelnehmen. 1910 *ff.*

19. auf etw ~ reagieren = über etw unwillig werden; etw abweisen; eine Zumutung zurückweisen. Stammt aus der Fachsprache der Chemiker: man spricht von saurer Reaktion, wenn blaues Lackmuspapier in gelöster Substanz sich rot färbt. Seit dem ausgehenden 19. Jh.

20. es riecht ~ = es steht bedenklich um diese Sache; man hat schlimme Ahnungen, Befürchtungen. Übernommen vom Geruch faulender oder schimmelnder Lebensmittel. 1910 *ff.*

21. ~ sehen = pessimistisch sein. ↗sauer 1. 1500 *ff.*

22. zu etw ~ sehen = etw nicht mögen; über etw ungehalten sein. Anspielung auf die unfreundliche Miene. Seit dem 19. Jh.

23. auf etw (jn) ~ sein = eine Sache oder Person nicht leiden können; Abneigung gegen bestimmte Dinge oder Personen haben. Mißfallen spiegelt sich im Gesichtsausdruck wider. 1945 *ff.*

24. ~ sein = a) wütend sein; sich benachteiligt fühlen; gekränkt sein; schmollen. ↗sauer 1. 1945 *ff.* – b) müde, abgespannt, überanstrengt sein. 1920 *ff.*

25. die Kiste (der Motor) ist ~ = das Auto hat einen Motorschaden. ↗sauer 10. Kraftfahrerspr. 1920 *ff.*

26. sich ~ tun = sich hart anstrengen. ↗sauer 5. Seit dem 19. Jh.

27. sein Geld (Brot) ~ verdienen = seinen Lebensunterhalt mühsam verdienen. 1800 *ff.*

28. es kommt ihm ~ vor = es erscheint ihm heikel. ↗sauer 3. 1920 *ff.*

29. es wird ihm ~ = es wird ihm beschwerlich. ↗sauer 5. Seit *mhd* Zeit.

30. ~ werden = a) die Lust verlieren. 1900 *ff.* – b) verärgert reagieren; sich gekränkt fühlen. *Vgl engl*

„to get sour". *Stud* 1950 *ff.* – c) ermüden. 1920 *ff.* – d) im Wettrennen zurückfallen; den Kampf aufgeben. *Sportl* und kraftfahrerspr. 1920 *ff.*

31. es wird ~ = a) es mißglückt. Übertragen von faulenden oder schimmelnden Lebensmitteln. 1935 *ff.* – b) es verliert an Neuigkeitswert. Journalistenspr. 1935 *ff.*

32. sich etw ~ werden lassen = sich mit etw viel Mühe geben. ↗sauer 5. Seit dem 15. Jh.

Sauer *n* **1.** laß es dir in ~ einkochen!: Ausdruck der Ablehnung. ↗sauer 13. 1800 *ff.*

2. laß dich in ~ einkochen!: Redewendung auf einen Versager. Seit dem 19. Jh.

3. jn in ~ einwecken = jn bewußtlos schlagen. Der Betreffende liegt lange Zeit in Ohnmacht. 1920 *ff.*

4. leg ihn dir in ~! = halte du zu ihm, ich will mit ihm nichts zu tun haben! Seit dem 19. Jh.

Sauerampfer *m* **1.** schlechter, billiger Wein. Sauerampfer schmeckt sauer. Seit dem 19. Jh, vor allem in den Weinbaugebieten Deutschlands und Österreichs verbreitet.

2. mürrischer Mensch. 1900 *ff.*

Sauer'anski (Sauer'inski) *m* saurer Wein. Um die *poln* Familiennamens-Endung erweitertes Adjektiv „sauer". Seit dem 19. Jh.

Sauer'bier *n* ↗Bier 6.

Saue'rei *f* **1.** grobe Unreinlichkeit; wüstes Durcheinander. Kraftwort für Verwünschtes aller Art, fußend auf „↗Sau 1". 1600 *ff.*

2. Unflätigkeit; grobe Unmanierlichkeit; Unsittlichkeit; Orgie. 1600 *ff.*

3. regnerisches, unfreundliches Wetter. Seit dem 19. Jh.

4. sehr widerwärtige Unannehmlichkeit. Seit dem 19. Jh.

5. dicke ~ = sehr arger Mißstand; Skandal 1975 *ff, schül.*

Sauerfleisch *n* koch' ihn dir in ~! = Ausdruck der Zurückweisung eines Menschen, von dem der andere nicht ablassen will. „Sauerfleisch" nennt man die in Essig eingemachten „edlen Eingeweide" von Schwein oder Rind. Seit dem 19. Jh.

Sauerfratz *m* mißgestimmter, nörglerischer Mann. Er setzt eine mürrische „↗Fratze" auf. 1900 *ff.*

Sauerkocher *m* störrisches Rennpferd. Es ist wie ein Motor, der infolge Überbeanspruchung heißgelaufen ist und aussetzt. (↗sauer 10). 1950 *ff.*

Sauerkohl *m* **1.** struppiger Vollbart; erster Bartflaum; schlechtes Rasiertsein. Übertragen vom strähnigen Sauerkraut. 1900 *ff.*

2. Schamhaare. 1920 *ff.*

Sauerkohlbart *m* struppiger Bart; Seemannsbart. 1920 *ff.*

Sauerkohlstampfer *pl* **1.** große, breite Füße oder Schuhe. Sie sind verwendbar beim Einstampfen des Sauerkrauts in Fässer. 1914 *ff.*

2. dicke Waden. Sauerkraut wurde früher mit einem Rundholz eingestampft. 1920 *ff.*

Sauerkopf *m* mißmutiger, nörglerischer Mensch. *Vgl* ↗sauer 1 1600 *ff.*

Sauerkraut *n* **1.** Deutscher. Diesen Namen verdanken wir im Ausland unserer Vorliebe für Sauerkraut. Scheint im 19. Jh aufgekommen zu sein. Dazu der Spruch: „Der Deutsche nichts lieber kaut als Bratwurst und Sauerkraut" oder „Will man keine Prügel han, muß man dem Deutschen Knödel und Sauerkraut lan". **2.** ungepflegter Vollbart; Stoppelbart; unrasiertes Gesicht. ↗Sauerkohl. 1900 *ff.* **3.** erster Bartflaum. 1910 *ff.* **4.** dünnes, zotteliges Haar bei Frauen. 1930 *ff.* **5.** bronziertes ~ = Lametta. 1933 *ff.* **6.** blond wie ~ = fahlgelb bis gelbrötlich. 1900 *ff.* **7.** er ist auf dem Dachboden und hängt ~ auf: Antwort auf die Frage, wo einer ist. *BSD* 1965 *ff.*

Sauerkrautbart *m* herabhängender Schnurrbart o. ä. 1900 *ff.*

sauerkrautblond *adj* fahlgelb bis gelbrötlich. 1900 *ff.*

Sauerkrautblondine *f* weibliche Person mit fahlgelber Haarfarbe. 1900 *ff.*

Sauerkrautfransen *pl* in Strähnen herabhängendes Haupthaar. ↗Sauerkraut 4. 1930 *ff.*

Sauerkrautfresser *m* Deutscher *(abf).* ↗Sauerkraut 1. 1840 *ff.*

Sauerkrautgestrüpp *n* ungepflegter Backen- und Kinnbart. 1920 *ff.*

Sauerkrauthaare *pl* strähniges Haar. 1920 *ff.*

Sauerkrautkopf *m* langes, ungekämmtes Haupthaar. 1955 *ff.*

Sauerkrautschnurrbart *m* struppiger Schnurrbart. ↗Sauerkohl 1. Seit dem ausgehenden 19. Jh.

Sauerkrautstampfer *pl* **1.** große, breite Füße oder Schuhe. ↗Sauerkohlstampfer 1. 1914 *ff.* **2.** dicke Beine mit stark ausgeprägten Waden. 1920 *ff.*

Sauerland *n* vom (aus dem) ~ kommen = eine verdrossene Miene machen. Wortspiel mit „sauer = mürrisch". 1969 *ff.*

säuerlich *adj* leicht mißmutig; lebensunfroh; prüde. Seit dem 19. Jh.

Säuerling *m* **1.** saurer Wein. Name des „↗Sauerampfers". 1600 *ff.* **2.** mürrischer Mensch; schlechtgelaunter Vorgesetzter. ↗sauer 1. 1900 *ff.*

Säuernis *f* Verärgerung. ↗sauer 1. 1960 *ff.*

Sauerstoff *m* ~ tanken = am offenen Fenster tief atmen. ↗tanken. 1950 *ff.*

Sauerstoffgebläseritter *m* Einbrecher; Geldschrankausrauber. Gebläse = Schweißbrenner. 1920 *ff.*

Sauerstoff-Tankstelle *f* Sommerfrische mit waldreicher Umgebung; freie Natur. 1950 *ff.*

Sauertopf (-pott) *m* griesgrämischer Mensch. Meint eigentlich das Gefäß mit gestockter Milch; ihre Oberfläche ähnelt dem Gesicht eines Mürrischen. *Vgl engl* „sour pan". 1500 *ff.*

sauertöpfig (-töpfisch, -pöttig) *adj* griesgrämisch. 1500 *ff.*

Sauertöpfigkeit *f* Verdrießlichkeit, Freudlosigkeit. 1500 *ff.*

Sauerverdientes *n* mühsam erworbener Lebensunterhalt. ↗sauer 27. 1900 *ff.*

Sauf *m* Gesamtheit der Getränke. *Jug* 1950 *ff, bayr.*

Saufabend *m* regelmäßig zusammentretender abendlicher Zecherkreis. 1900 *ff.*

'sau'fad ('sau'fade) *adj* überaus langweilig. ↗fad. *Bayr* und *österr* seit dem 19. Jh.

'Saufahre'rei *f* beschwerliches Fahren auf schlechten oder verstopften Straßen; sehr schlechte Fahrweise. 1920 *ff.*

Sau'falien *pl* Getränke. Nach dem Muster von „↗Fressalien" gebildet. *Jug* 1960 *ff.*

Saufa und Fressa *f* Nahrungs- und Genußmittel-Ausstellung. ↗Fressa 1. Berlin 1970 *ff.*

'Sauf'aus *m* Zecher. 1500 *ff.*

Saufbähnle (-bähnchen) *n* Moseltalbahn. Die Strecke führt durch bekannte Weinorte. 1903 *ff.*

saufbar *adj* trinkbar. Vergröberung seit dem 19. Jh.

'Sauf'bazi *m* Trinker. ↗Bazi. *Bayr* 1900 *ff.*

Saufbeutel (-beitl) *m* Trinker. Seit dem 19. Jh.

Saufbold *m* Zecher; Trunksüchtiger. Dem „Raufbold" nachgeahmt. 1800 *ff.*

Saufbruder *m* Trinkgenosse; Zecher; Trunkenbold. „Bruder" tritt früh an die Stelle von „Genosse" (Skat-, Kegelbruder u. a.). 1600 *ff.*

Saufbruderschaft *f* Zecherkreis. 1920 *ff.*

Saufbude *f* Kantine, Gastwirtschaft 1965 *ff, halbw.*

Saufe *f* = a) Wirtshaus. Kinderspr. 1938 *ff.* – b) Zecherei. 1960 *ff, jug.*

saufen *tr intr* **1.** trinken; viel trinken; trunksüchtig sein; ungesittet trinken. Seit *mhd* Zeit. **2.** sauf' wieder een! = auf Wiedersehen! Hieraus schüttelreimerisch entstanden, im Sinne einer Aufforderung zum Trinken. 1914 *ff.* **3.** sauf qui peut!: Aufforderung zum Mittrinken. Umgeformt aus *franz* „sauve qui peut = rette sich, wer kann". 1920 *ff.* **4.** sich blöde ~ = durch übermäßigen Alkoholgenuß verblöden. 1900 *ff.* **5.** jn ~ lassen = a) jn belasten. *Vgl* ↗eintauchen. 1900 *ff, rotw.* – b) jm in der Not nicht helfen. Anspielung auf den Tod durch Ertrinken. 1920 *ff.*

Säufer *m* **1.** Trinker; Trunksüchtiger. Seit *mhd* Zeit. **2.** Auto mit hohem Kraftstoffverbrauch. 1920 *ff.*

Säuferbibel *f* Getränkekarte. Der Kenner vertieft sich in sie mit der Andacht, die der Bibel zukommt. 1900 *ff.*

Sauferei *f* **1.** fortgesetztes Trinken von Alkohol; Trinklust. Seit *mhd* Zeit. **2.** Trinkgelage. Seit dem 15. Jh. **3.** alkoholische Getränke (auch „Säuferei"). 1850 *ff.*

Säuferfibel *f* Getränkekarte. 1900 *ff.*

Säuferiges *n* alkoholisches Getränk. Säuferig = saufbar. 1935 *ff.*

Die Hegelsche Dialektik kennt den Begriff des Maßes, der ja auch dem Biertrinker, dem bayrischen zumal, nicht fremd sein dürfte. Dieses philosophische Maß beschreibt den Sachverhalt, daß die qualitative und quantitative Bestimmtheit der Dinge in jedem Fall ein ganz bestimmtes Verhältnis bilden. Einer gegebenen Qualität ist also immer nur eine begrenzte quantitative Veränderlichkeit zu eigen. Das beim Überschreiten dieses Maßes erfolgende Umschlagen in eine neue Qualität, der Sprung vom Zecher zum Säufer, hängt indes nicht allein vom Quantum ab, sondern hat zudem noch eine unmittelbar soziale Komponente: Das ‚gesellige' Trinken wird auch umgangssprachlich bei weitem nicht so abschätzig taxiert wie der stumme und triste Alkoholgenuß eines einzelnen und vereinsamten Säufers. Zwischen einem **Saufspezi** *und einem* **Saufloch** *liegen nicht nur Nuancen.*

'Sau'gosche (-goschn) *f* Mensch, der rasch in Beschimpfung verfällt; Mensch mit unflätiger Redeweise. ↗Gosche. *Oberd* seit dem 19. Jh.

'sau'grantig *adj* sehr mürrisch; barsch, schroff. ↗grantig. *Bayr* und *österr,* seit dem 19. Jh.

'sau'grob *adj* sehr ungesittet, barsch, unhöflich. Seit dem 19. Jh.

'Sau'grobian *m* sehr grober Mann. ↗Grobian. Seit dem 19. Jh.

'sau'gut *adj* sehr gut; hochherzig, großzügig; sehr kameradschaftlich. Seit dem 19. Jh.

'Sau'hammel *m* **1.** unreinlicher Mensch. Hergenommen vom Hammel, in dessen Fell Exkremente kleben. Seit dem 19. Jh.
2. unmoralisch lebender Mann; ungesitteter Dümmling. Seit dem 19. Jh, *bayr.*

Sauhändler *m* Zuhälter, Kuppler. ↗Sau 1. 1920 *ff.*

Sauhatz *f* **1.** sittenpolizeiliche Fahndung auf nicht-registrierte Prostituierte oder auf solche, die auf verbotenen Straßen ihrem Gewerbe nachgehen oder der amtsärztlichen Untersuchungspflicht nicht nachgekommen sind. Meint eigentlich die Jagd mit Hunden auf Wildschweine. 1910 *ff.*
2. Nachexerzieren. *BSD* 1965 *ff.*

'Sau'haufen *m* **1.** Gruppe ohne Ordnung, ohne Angriffsgeist, ohne Kameradschaftlichkeit. ↗Haufen 2. Im späten 19. Jh unter Soldaten und Kadetten aufgekommen.
2. sehr große Menge Geld o. ä. 1920 *ff.*
3. Kreis von Leuten, die sich an Obszönitäten weiden. 1935 *ff.*
4. aus einem ~ einen anständigen Laden machen = in einer regellosen Gruppe Zucht und Ordnung einführen. *Sold* 1935 *ff.*

'Sauhaufen'vorsteher *m* Klassensprecher. *Schül* 1960 *ff.*

'Sau'haut *f* **1.** Schimpfwort. ↗Haut. Seit dem 16. Jh.
2. alte ~ = kameradschaftlich-derbe Anrede. *Stud* 1920 *ff.*

'sau'heiß *adj* drückend heiß. 1900 *ff.*

Sauherdenton *m* grobe, obszöne Ausdrucksweise. Hängt wahrscheinlich mit dem biblischen Bericht nach Matthäus 8, 28 *ff* zusammen: Jesus erlaubt den bösen Geistern, in eine Schweineherde zu fahren. 1900 *ff.*

Sauhieb *m* sehr grobe Rede; wütende Erwiderung. Bezeichnet eigentlich den Schlag, der ein Wildschwein zu Boden streckt. 1850 *ff.*

'Sau'hitze *f* drückende Hitze. 1900 *ff.*

Sauhund *m* **1.** tüchtiger, gewitzter Mann. Eigentlich der bei der Jagd auf Wildschweine angesetzte Hund. 1870 *ff.*
2. Aschenbecher. Wohl Anspielung auf den Geruch des ungereinigten Gefäßes. 1890 *ff.*
3. Hund (sehr *abf*). 1900 *ff.*
4. unreinlicher Mann. 1960 *ff, jug.*

'Sau'hund *m* niederträchtiger Mann. ↗Hund 3. Seit dem 18. Jh.

sauig (säuig) *adj* **1.** sittlich anstößig; obszön, zotig. ↗Sau 1. Seit dem 19. Jh.
2. sehr minderwertig. *Jug* 1960 *ff.*

'Sau'igel *m* unreinlicher Mann; perverser Lüstling; Zotenerzähler. Analog zu ↗Schweinigel. 18. Jh.

'Sauige'lei *f* Obszönität, Zote; unanständiges Benehmen. 1900 *ff.*

Hans Traxler

Der Sauhaufen

„Uns ist ganz kannibalisch wohl als wie fünfhundert Säuen", singt die in Auerbachs Keller versammelte Runde lustiger Zecher in Goethes *„Faust I"*, nachdem Mephisto sie mit Wein, der aus in den Tisch gebohrten Löchern floß, bewirtet hat. Fünfhundert Säue ergeben einen ganz schönen **Sauhaufen**, und umgangssprachlich ist der in erster Linie beim Militär anzutreffen (**Sauhaufen 1., 4.**); denn nur dort, wo alles streng nach dem simplen Prinzip von Befehl und Gehorsam geordnet ist und Sekundärtugenden wie Sauberkeit und Ordnung an die erste Stelle gesetzt werden, kann das geringste Abweichen von der geforderten Norm oder gar ein Reflektieren dessen, was dieser ganzen Zucht zugrundeliegt, ein solches Bild evozieren: Sich nicht voll und ganz den Anforderungen militärischer Ordnung subordinierende Menschen erscheinen im Licht dieser Vokabel als eine Herde grunzender und sich im Dreck wälzender Schweine. Die links abgebildete Karikatur aus der satirischen Monatszeitschrift „pardon" wird wie folgt eingeleitet: „Die Bundeswehr ist eine ,zerfallende Armee' . . . Journalisten und Wehrexperte beklagen das ,schlechte Erscheinungsbild', die ,zunehmende Unlust und Unpünktlichkeit, vor allem bei den Kampftruppen' (CDU-MdB Manfred Wörner), ,verstärkte Absenzen vom Dienst', ja sogar ,tätliche Angriffe auf Vorgesetzte'. Hans Traxler illustriert hier die bittere Wahrheit über unsere haltlose Friedenswacht."

sauigeln *intr* **1.** zotige Reden führen. 1900 *ff.*
2. geschlechtlich pervers verkehren. 1920 *ff.*
3. unappetitlich essen. 1935 *ff, sold* bis heute.
sauiglisch *adj* schmutzend; charakterlos, niederträchtig. 1935 *ff.*
sauisch (säuisch) *adj* **1.** unreinlich; sittlich anstößig; unflätig; obszön. ↗ Sau 1. 1500 *ff.*
2. sehr minderwertig; unkameradschaftlich. 1960 *ff, schül.*
'Sau'junge *m* flegelhafter Halbwüchsiger. 1950 *ff.*
'sau'kalt *adj* **1.** bitterkalt. Dazu die unter Jugendlichen verbreitete Redewendung: „mir ist saukalt; ist dir Sau auch kalt?" Seit dem 19. Jh.
2. gefühlsroh. 1900 *ff.*
'Sau'kälte *f* sehr große Kälte. Seit dem 19. Jh.
'Sau'karre (-karren) *f (m)* Auto, Omnibus *(abf)*. ↗ Karre. 1920 *ff.*
'Sau'kerl *m* **1.** unreinlicher Bursche. Seit dem 18. Jh.
2. Schimpfwort auf einen niederträchtigen Mann. 1500 *ff.*
'Sau'klaue *f* **1.** sehr unsaubere Handschrift. ↗ Klaue. 1900 *ff.* Meint ohne doppelte Betonung den Schweinsfuß.
2. Hand mit schmutzigen Fingernägeln. 1900 *ff.*
'Sau'knochen *m* Schimpfwort auf einen Mann. ↗ Knochen. 1920 *ff.*
'Sau'knoten *m* ungesitteter, grober, barscher Bursche. ↗ Knote. Seit dem frühen 20. Jh.

'sau'komisch *adj* **1.** überaus komisch. 1920 *ff.*
2. sehr seltsam. ↗ komisch. 1920 *ff.*
Saukopf (-kopp) *m* Schimpfwort auf einen störrischen Menschen, auf einen groben Burschen o. ä. Meint mit dem „Schweinskopf" den dicken Kopf und dann den eigensinnigen Menschen. Vorwiegend *südd* und *mitteld*, seit dem 19. Jh.
'Sau'krach *m* ohrenbetäubender Lärm; heftige Zurechtweisung; großer politischer (gesellschaftlicher) Skandal. ↗ Krach. Seit dem 19. Jh.
'Sau'kram *m* **1.** unliebsame Angelegenheit. ↗ Kram. 1900 *ff.*
2. schwere Unsittlichkeit. 1900 *ff.*
'Sau'krieg *m* schlimmer, verfluchter Krieg. *Sold* und *ziv* 1914 bis heute.
'Sau'krüppel *m* Schimpfwort. ↗ Krüppel. *Bayr* 1900 *ff.*
'Sau'lackel *m* Schimpfwort. ↗ Lackel. *Oberd*, seit dem 19. Jh.
'Sau'laden *m* schlecht funktionierender Betrieb; mangelhaft organisierte oder disziplinierte militärische Einheit; Unternehmen, das Mißfallen erregt. ↗ Laden 4. 1900 *ff.*
'Sau'laune *f* sehr schlechte Stimmung; starke Mißvergnügtheit. 1900 *ff.*
Säule I *n* junge, nette Prostituierte. Verkleinerungsform von „ ↗ Sau 1". 1920 *ff.*
Säule II *f* **1.** Klassenbester. Er gilt als Hauptstütze der Klasse. 1920 *ff.*
2. Rekordinhaber. *Sportl* 1936 *ff.*
3. *pl* = sehr kräftig entwickelte Frauenbeine. 1900 *ff.*
'Sau'leben *n* elendes Leben; ärmliche Lebensweise. Seit dem 16. Jh.
'Sau'leder *n* **1.** Schimpfwort auf einen wüsten Mann, einen Zotenerzähler o. ä. Analog zu ↗ Sauhaut. Seit dem 16. Jh.
2. alte Prostituierte; liederliches Weib. 16. Jh.
3. übler Trunksüchtiger. 1900 *ff.*
'sau'leicht *adj* unschwer zu meistern. 1970 *ff, jug.*
Säulenbeine *pl* dicke, plumpe Beine. ↗ Säule II 3. 1900 *ff.*
Säulenheiliger *m* **1.** an (bei, hinter) einer Säule stehender Besucher des Gottesdienstes. Eigentlich ein frommer Mann, der auf einer Säule fastet; hier der „Heilige" an einer Säule. 1900 *ff, westd.*
2. Tankwart. Die Säule dieses „Heiligen" ist die Tanksäule. Berlin 1955 *ff.*
'Sau'leute *pl* minderwertige, mißliebige Leute. *Österr* seit dem 19. Jh.
Sauliebe *f* schlechte Behandlung der Kinder durch die Mutter. Bei den Schweinen kommt es vor, daß das Muttertier sogar die eigenen Ferkel auffrißt. 1900 *ff.*
'Sau'lied *n* unanständiges Lied. 1800 *ff.*
'Sau'loch *n* **1.** üble, wüste Wohnung. ↗ Loch 1. Seit dem 19. Jh.
2. Gaststätte übler Art mit lauschigen Winkeln und flirtsuchenden Mädchen. 1870 *ff.*

3. Prostituierte niederster Art. ↗Loch 18. Seit dem 19. Jh.

'Sau'luder *n* Schimpfwort auf einen verkommenen Menschen. ↗Luder. 1600 *ff.*

'Sau'lümmel *m* flegelhafter Halbwüchsiger. ↗Lümmel. 1800 *ff.*

'Sau'lump *m* niederträchtiger Mensch. ↗Lump. Seit dem 19. Jh.

'Saumagen *m* **1.** Magen, der alles verträgt. Seit dem 19. Jh.

2. Allesesser; eßgieriger Mensch. Seit dem 19. Jh.

'Sau'magen *m* unreinlicher, unflätiger, geiler Mann. 1600 *ff.*

Saumarkt *m* **1.** Straßen oder Plätze, auf denen die Prostituierten Kunden suchen. Eigentlich der Schweinemarkt; hier ist gemeint, daß die „↗Sau 1" ihren Körper zu Markt trägt. 1870 *ff.*

2. Versammlungsraum der Prostituierten im Bordell, wo der Besucher seine Wahl treffen kann; Bordell. 1870 *ff.*

'sau'mäßig *adj adv* sehr schlecht; sehr unerquicklich; überaus (ihm geht es saumäßig; er verdient saumäßig viel Geld; die saumäßige Musik macht einen wie taub). Eigentlich „nach Art einer Sau"; dann in allgemein verstärkender Bedeutung mit abfälliger Bewertung. 1800 *ff.*

'Sau'mensch I *m* sehr übler Mensch; höchst mißliebiger Mensch. Seit dem 19. Jh.

'Sau'mensch II *n* kräftiges Schimpfwort auf ein liederliches Weib; niederträchtige Prostituierte; Beischlafdiebin. ↗Mensch II. Seit dem 18. Jh.

'Sau'michel *m* unreinlicher Mann. Seit dem 19. Jh.

'sau'mies *adj adv* sehr schlecht. ↗mies. 1920 *ff.*

'Sau'mist *m* Minderwertiges, Unbrauchbares; verwünschte Lage. Verstärkung von „↗Mist 1". 1900 *ff.*

'sau'müde *adj* sehr müde. 1900 *ff.*

Sauna *f* **1.** Frontabschnitt mit heftigem Beschuß; heiß umkämpftes Gebiet. Im finnischen Dampfbad herrscht große Hitze; hier übertragen auf die Hitze des Gefechts. Hier wie dort bricht der Schweiß aus. *Sold* 1941 *ff.*

2. Turnhalle; Klassenzimmer. *Schül* 1955 *ff.*

3. Vernehmungszimmer. Verbrecherspr. 1950 *ff.*

4. fahrbare (rollende) ~ = geschlossenes Auto mit mehreren Insassen; Auto in sommerlicher Hitze. 1960 *ff.*

Saunagel *m* Eckkegel. Eigentlich der Hauer des Ebers. Keglerspr. Seit dem 19. Jh.

'Sau'naht *f* übergroße Fahrgeschwindigkeit. ↗Naht 2. 1925 *ff,* kraftfahrerspr.

Saunastall *m* Turnhalle. ↗Sauna 2. 1955 *ff.*

saunen *intr* ein Saunabad nehmen. Nach 1955 aufgekommenes Neuwort zu „Sauna".

'Sau'nest *n* **1.** unreinlicher Ort; verwünschte Stadt. ↗Nest. Seit dem 19. Jh.

2. schlechtes, hartes Bett. Seit dem 19. Jh.

'sau'nett *adj* sehr liebenswürdig; urgemütlich. 1950 *ff.*

'Sau'nickel *m* unreinlicher Mann; unflätiger Mann; Zotenerzähler. ↗Nickel. 1800 *ff.*

'sau'nickelig *adj* unsittlich, zotig o. ä. 1900 *ff.*

saunickeln *intr* sittenlos handeln; zoten. 1900 *ff.*

'sau'nobel *adj* **1.** sehr elegant gekleidet. *Bayr* seit dem 19. Jh.

2. vornehm, großzügig. *Bayr* 1900 *ff.*

'Sau'pack *n* schmutziges Gesindel; mißliebige Leute. ↗Pack. Seit dem 19. Jh.

'Sau'pansch *m* unschmackhaftes Getränk oder Essen. ↗panschen. Seit dem 19. Jh.

'Sau'pech *n* sehr großes Mißgeschick, Unglück. ↗Pech. Seit dem 18. Jh, *stud.*

'Sau'pfote *f* schlechte Handschrift. ↗Pfote. 1900 *ff.*

'Saupinse'lei *f* minderwertiges Gemälde. ↗pinseln. 1900 *ff.*

'Sau'preuße ('Sau'preiß) *m* Schimpfwort auf Nord-, Westdeutsche, auf die Berliner o. ä. Eine in Bayern gegen 1850/70 aufgekommene, unausrottbare Schimpfvokabel (*vgl* ↗Preuße 1).

'sau'preußisch *adj* norddeutsch, berlinisch, (westdeutsch). Seit dem 19. Jh.

'Sau'rammel *m* plumper Mann; Wüstling, Lüstling. ↗Rammel. *Südd* seit dem 19. Jh.

'Sau'ranzen *m* dicker Bauch; beleibter Mensch. ↗Ranzen. Seit dem 19. Jh.

'Sau'rausch *m* schwere Bezechtheit. Seit dem 19. Jh.

säurefest *adj* unbestechlich. 1955 *ff.*

Sauregurkenprogramm *n* mittelmäßiges Fernsehprogramm in den Sommermonaten. *Vgl* das Folgende. 1960 *ff.*

Sauregurkenzeit *f* Geschäftsstille im Sommer. Herzuleiten von den Gurken, dem Lieblingsessen der Berliner in den Sommermonaten. Aufgekommen im späten 18. Jh. Parallel zu dieser Bezeichnung liegen *engl* „cucumbertime" und „season of the very smallest potatoes". Andere Erklärer gehen zurück auf *rotw* „zarot", *jidd* „zoress" im Sinne von „Sorgen" und auf *rotw* „jakrut", *jidd* „jokress" soviel wie „Teuerung". „Sauregurkenzeit" wäre also die „Zeit der Sorgen und der Teuerung".

Sau'remus *m* saurer Wein. Aus dem *lat* „oremus = laßt uns beten!" entstellt mit Einfluß von „saurer". 1800 *ff.*

Saures *n* **1.** jm ~ geben = a) jn prügeln. Hergenommen von der Vorstellung der scharfen Säure im Gegensatz zu der Geltung von „süß" als „angenehm" (süßer Kuß; süße Schmeichelei). 1840 *ff.* – b) jn beschießen, niederkämpfen. Beschuß und Niederlage sind in volkstümlicher Auffassung Prügel. *Sold* in beiden Weltkriegen; *sportl* 1950 *ff.* – c) jn schikanös behandeln. 1914 *ff.* – d) jn beschimpfen, entwürdigend anherrschen; gegen jn schwere Vorwürfe erheben. 1914 *ff.* – e) jm heftige Boxhiebe versetzen. 1920 *ff.* – f) den Kartenspieler gründlich besiegen. 1900 *ff.*

*Der Vokabel **Sauregurkenzeit** als Bezeichnung für eine Geschäftsflaute liegt neben der Ableitung, die auf die besondere Vorliebe der Berliner für diese Art eingemachten Gemüses ausgerechnet zur umsatzschwachen Sommerzeit abhebt (vgl. Stichwortartikel), indes sicher noch die bildhafte Vorstellung der leicht verzogenen, säuerlichen Gesichtszüge dessen zugrunde, der in diese saure Gurke beißen muß. Jene andere Ableitung, die diesen umgangssprachlichen Ausdruck etymologisch aus den jiddischen Wörtern für Leiden und Teuerung, zoro und joker, erklärt, spielt im alltäglichen Sprachbewußtsein keine Rolle, wohl aber die Bedeutungsnuancen, die darin zum Tragen kommen: Zeit der Sorgen und der Teuerung. Das Foto zeigt einen seine sauren Gurken anpreisenden Händler im Berlin der zwanziger Jahre.*

2. es gibt ∼ = es kommt zum Angriff, Gefecht usw. *Sold* in beiden Weltkriegen.

3. ∼ kriegen = a) Prügel erhalten. Seit dem 19. Jh. – b) beschossen werden. *Sold* 1914–1945.

'Sau'rüpel *m* sehr flegelhafter Bursche. ↗Rüpel. Seit dem 19. Jh.

Saurüssel *m* **1.** Mund. Eigentlich die Schweineschnauze. 1900 *ff.*
2. Gasmaske; ABC-Schutzmaske. *Sold* 1914 bis heute. *Vgl gleichbed franz* „museau de cochon".

'Sau'rüssel *m* Mensch mit unflätiger Ausdrucksweise. *Bayr* 1900 *ff.*

Saus *m* in ∼ und Braus leben = sorgenlos, üppig leben. Erweitert aus *mhd* „in dem suse leben" unter Hinzunahme von „Braus" aus Reimgründen. Wind und Wellen sausen und brausen ohne Hindernis. 1600 *ff.*

'Sau'sack *m* **1.** Unreinlicher; dickbauchiger Mann. ↗Sack. Seit dem 19. Jh.
2. Mensch, der gern in obszönen Ausdrücken schwelgt. Seit dem 19. Jh.

'Sau'säckel *m* Schimpfwort. ↗Säckel. *Schwäb* 1900 *ff.*

'Sausakra'menter *m* niederträchtiger Mann. ↗Sakramenter. Seit dem 19. Jh.

'Sau'schaden *m* großer Schaden; schwerer Verlust; erhebliche Geldeinbuße. 1920 *ff.*

'Sauschinde'rei *f* schwere, mühsame Arbeit. ↗Schinderei. Seit dem 19. Jh.

'sau'schlecht *adj* sehr schlecht; sehr elend (bei dem sauschlechten Wetter kann einem sauschlecht werden). Seit dem 19. Jh.

'Sau'schnauze *f* derbe, unflätige Ausdrucksweise. ↗Schnauze. 1900 *ff.*

'sau'schnell *adj* überaus schnell. 1950 *ff.*

'sau'schön *adj* sehr schön. *Schweiz* 1940 *ff.*

'Sau'schwabe *m* Schimpfwort auf einen Schwaben. Schweizer Schwabenschelte; Zusammenhang unbekannt. 1900(?) *ff.*

'Sau'schwanz *m* Schimpfwort auf einen unreinlichen Menschen. 1700 *ff.*

Sauschwänzchen *n* umgekehrtes ∼ = Note 6. *Südwestd* 1955 *ff.*

'Sau'schwein *n* kräftiges Schimpfwort. Eigentlich das junge Mutterschwein. 1930 *ff.*

'Sauschweine'rei *f* sehr unangenehmer Vorfall; schwere Ordnungswidrigkeit; unerträglicher Zustand. ↗Schweinerei. 1900 *ff.*

'sau'schwer *adj* sehr schwer von Gewicht; schwierig; mühselig. 1900 *ff.*

Der 1981 von Bertrand Tavernier gedrehte Film „Coup de torchon" kam hierzulande unter dem Titel „Der Saustall" in die Kinos. Er zeigt die Geschichte eines Polizeibeamten, der im Jahr 1938 in eine französische Kolonie abkommandiert wird, um in diesem heruntergekommenen Landstrich wieder für Recht und Ordnung zu sorgen. Er soll diesen Saustall ausmisten (Saustall 4.), hat dabei aber bei weitem weniger Erfolg als sein antikes Vorbild Herkules, der die riesigen Viehställe des Königs Augias in nur einem Tag zu säubern verstand.

Sause *f* **1.** alkoholische Ausschweifung leichterer Art; Besuch verschiedener Wirtschaften; fröhlichausgelassenes Treiben. ↗Saus = üppiges Leben. 1920 *ff*.
2. tiefer Sturz. Man saust abwärts. 1970 *ff*.
3. Schulverweisung. 1970 *ff*.
4. große ~ = sehr hohe Fahrgeschwindigkeit. 1970 *ff*.
5. feuchte (nasse) ~ = ausgedehnter Besuch mehrerer Wirtshäuser. 1920 *ff*.
6. eine ~ machen = zum Zechen ausgehen. 1920 *ff*.
Sausebraus *m* **1.** ausgelassenes Kind; mutwilliger, ungestümer Mensch. ↗Saus. Bezieht sich eigentlich auf den heftig wehenden Wind. Älter ist „Sausewind". Beliebte Vokabel der „Gartenlaube". Seit dem 19. Jh.

2. Prahler, der sich ein leichtlebiges Aussehen zu geben sucht. 1920 *ff*.
Säuselbruder *m* Einschmeichler, dem es an einschlägigen Worten nicht fehlt. *Vgl* das Folgende. 1930 *ff*.
säuseln *intr* **1.** gewinnend reden; Schmeicheleien sagen; flirten. Meint soviel wie „leicht wehen"; von da übertragen auf eine angenehme, sanft eingehende Sprechweise. 1870 *ff*.
2. dummschwätzen; sich mißvergnügt äußern. Das Nörgeln geschieht vorsichtig, wie flüsternd. 1955 *ff*, *halbw*.
sausen *v* **1.** *intr* = eilen. Man bewegt sich so schnell, daß man die Luft sausen hört. Seit dem 19. Jh.
2. *intr* = in der Prüfung versagen. Immer schneller nähert man sich dem negativen Endergebnis. 1900 *ff*, *schül* und *stud*.
3. was ist in dich gesaust? = warum bist du so verändert? Verstärkung von ↗fahren 4. 1930 *ff*.
4. jn ~ lassen = den Umgang mit jm abbrechen; jn freigeben; auf jds Verbleiben verzichten. Den Davoneilenden hält man nicht zurück. 1870 *ff*.
5. etw ~ lassen = etw versäumen; einen Termin unbeachtet verstreichen lassen; eine Gelegenheit ungenutzt vorübergehen lassen. 1870 *ff*.
6. eine Karte ~ lassen = eine Spielkarte nicht stechen. Kartenspielerspr. 1870 *ff*.
7. den Beruf (o. ä.) ~ lassen = den Beruf (o. ä.) aufgeben. 1920 *ff*.
8. einen ~ lassen = einen Darmwind laut entweichen lassen. 1870 *ff*.
Sausen *n* ~ in der Rosette haben = mutlos sein; Angst haben. ↗Rosette. *Sold* in beiden Weltkriegen.
Sauser *m* **1.** junger Wein; gärender Most. Wegen der stürmischen Gärung. Vorwiegend *südwestd*, seit dem 19. Jh.
2. Rausch, Weinrausch. ↗Saus. Seit dem 19. Jh.
3. einen ~ machen = an einer Zecherei teilnehmen. 1900 *ff*, *stud*.
sausern *intr* jungen gärenden Wein trinken. ↗Sauser 1. *Schweiz* seit dem 19. Jh.
'Sau'spiel *n* schlechtes, obszönes Theaterstück. 1870 *ff*.
Sauspieler (Sauschpieler) *m* schlechter Schauspieler. Wortspielerischer Buchstabentausch. 1870 *ff*.
Sauspielhaus *n* minderwertiges Theater. Aus „Schauspielhaus" umgeformt. 1870 *ff*.
Sausprache *f* derbe Ausdrucksweise. 1930 *ff*.
Saustall *m* **1.** unreinlicher Raum; verwahrloste Wohnung; Unordnung; Mißstand jeglicher Art; grobe Disziplinlosigkeit. Leitet sich her vom Aussehen der Schweineställe. 1500 *ff*. *Vgl engl* „pigsty".
2. Klassenzimmer. *Schül* 1950 *ff*.
3. Gruppe, in der Obszönitäten geäußert werden. 1900 *ff*.

4. den ~ ausmisten (ausräuchern) = einen Mißstand gründlich beseitigen. Geht zurück auf die griechische Sage von Herakles und dem Augiasstall. 1800 *ff*.

Saustallpfosten *pl* dicke Beine. Eigentlich der stämmige Pfosten, an dem sich der Eber reibt. 1920 *ff*.

'sau'stark *adj* hervorragend; sehr eindrucksvoll. ↗stark 1. *Jug* 1960 *ff*.

Sausteg *m* üblicher Weg der Straßenprostituierten. ↗Sau 1. 1960 *ff*.

'Sau'stift *m* Schimpfwort auf einen Lehrling. ↗Stift. 1930 *ff*.

'Sau'stück *n* **1.** niederträchtiger Mann; gemeine weibliche Person. ↗Stück. 1900 *ff*.
2. schlechtes Theaterstück. 1850 *ff*.

'sau'teuer *adj* sehr kostspielig. Seit dem 19. Jh.

'Sau'teufel *m* niederträchtiger Mensch. Seit dem 19. Jh.

'Sau'thema *n* schwieriges Aufsatzthema. *Schül* seit dem späten 19. Jh.

'Sau'tier *n* **1.** Schimpfwort auf ein Tier. Seit dem 19. Jh.
2. schmutziger Mensch; sittlich minderwertiger Mensch. 1900 *ff*.

'sau'toll *adj* unübertrefflich. ↗toll. *Halbw* 1950 *ff*.

'Sau'torkel *m* großer Glücksfall. ↗Torkel. Seit dem 19. Jh.

Sautreiber *m* **1.** Zuhälter. Eigentlich der Schweinehirt; ↗Sau 1. 1800 *ff*.
2. Soldatenausbilder. Er treibt die Rekruten über den Kasernenhof usw. *BSD* 1965 *ff*.
3. Beamter der Sittenpolizei im Außendienst. Er verscheucht die Prostituierten von solchen Straßen, auf denen ihnen die Ausübung ihres Gewerbes verboten ist. Berlin 1920 *ff*.
4. Schimpfwort auf einen Dümmling, auch auf einen Mann mit derber Ausdrucksweise. Seit dem 19. Jh.
5. grob wie ein ~ = sehr grob; unflätig. Seit dem 19. Jh.

'sau'übel *adv* sehr unwohl. 1900 *ff*.

'Sauver'ein *m* schlechte Gesellschaft; mißliebige Gruppe. ↗Verein. 1920 *ff*.

'Sau'vieh (-viech) *n* Schimpfwort auf ein Tier oder auf einen Menschen. Seit dem 19. Jh.

'Sau'volk *n* üble Gesellschaft. ↗Volk. 1870 *ff*.

'Sau'wafen (-wafn) *f* Lästerzunge. ↗wafen. *Bayr* 1900 *ff*.

'Sau'watz *m* Schimpfwort auf einen schmutzigen, unsittlichen Mann. ↗Watz. Seit dem 19. Jh.

'Sau'weg *m* sehr beschwerlicher Weg. 1900 *ff*.

'sau'weh tun *impers* heftig schmerzen. 1900 *ff*.

'Sau'weib *n* niederträchtige, sittenlose Frau. 1900 *ff*.

'Sau'wetter *n* sehr schlechtes, unfreundliches Wetter. Seit dem 19. Jh.

'Sau'wind *m* heftiger Wind; Sturm; Regen-, Westwind. Seit dem 19. Jh.

'Sau'wirtschaft *f* schlechtes Wirtschaften; große Unordnung; schwerwiegende Nachlässigkeit; große Unannehmlichkeit. ↗Wirtschaft. Seit dem 18. Jh.

'Sau'witz *m* obszöner Witz; Zote. 1900 *ff*.

'sau'wohl *adv* **1.** äußerst behaglich; kerngesund. Übernommen von der Sau, die sich wohlig wälzt. Seit dem 18. Jh.
2. mir ist ~, ist dir Sau auch wohl?: Scherzfrage nach dem Befinden. *Schül* 1920 *ff*.

'sau'wurscht (-wurst) *adv* völlig gleichgültig. ↗wurscht. Seit dem 19. Jh.

'Sau'wut *f* große Wut; heftige Mißstimmung. 1900 *ff*.

'sau'wütend *adj* sehr zornig. 1900 *ff*.

'Sau'zagel *m* **1.** Zotenerzähler. Zagel = Schwanz; Zeugungsglied des Stiers. Analog zu ↗Sauschwanz. Seit dem 19. Jh.
2. Zuhälter. Seit dem 19. Jh.

Sauzahn *m* **1.** kurze Tabakspfeife. Formverwandt mit dem Hauer des Ebers. 1850 *ff*.
2. kleiner Penis. 1900 *ff*.

'Sau'zahn *m* **1.** Mensch, der Freude an zotigen Redewendungen hat. 1910 *ff*.
2. sehr hohe Fahrgeschwindigkeit. ↗Zahn. Kraftfahrerspr. 1930 *ff*.

'Sau'zeit *f* sehr unangenehme Zeitläufte. 1920 *ff*.

'Sau'zeug *n* minderwertige Dinge. Seit dem 18. Jh.

'Sau'zucht *f* große Unordnung; grobe Diszplinwidrigkeit; Niedertracht. ↗Zucht. 1870 *ff*.

'Saxen'di ('Saxen'die) *interj* Ausruf des Unwillens, auch der Be- und Verwunderung. „Sachsen, saxen" ist aus „↗sacker" entstellt, und „-di" fußt auf *lat* „domini" oder „dei". *Bayr* 1900 *ff*.

'Saxendi'bix *interj* Verwünschung. „-bix" ist aus „Kruzifix" entstellt. *Bayr* 1900 *ff*.

'Saxi'fix *interj* Verwünschung. Entstellt aus „↗sakker" und „Kruzifix". *Bayr* 1900 *ff*.

Schab *m* **1.** Anteil an der Diebesbeute, am Prostituiertenentgelt. *Vgl* ↗schaben 3. *Rotw* 1850 *ff* (wenn nicht älter).
2. einen ~ machen = an einem Geschäft viel verdienen; auf Gewinn arbeiten. *Österr* 1940 *ff*.

Scha'bau *m* Schnaps; alkoholisches Getränk. Geht zurück auf *lat* „vinum sabaudum = Savoyer Wein". *Westd* seit der zweiten Hälfte des 17. Jhs.

Schau'bauskopp *m* Schnapstrinker. *Westd* seit dem 19. Jh.

Schabber (Schabberer) *m* Stemmeisen. *Jidd* „schibar = er hat zerbrochen, gebrochen". *Rotw* 1735 *ff*.

Schabbermaul *n* Schwätzer. ↗schabbern 2. Seit dem 19. Jh.

schabbern *intr* **1.** mit dem Stemmeisen einbrechen. ↗Schabber. *Rotw* 1750 *ff*.
2. lebhaft schwatzen; viel reden; keifen. Variante zu ↗sabbeln. Vorwiegend *ostpreuß*, seit dem 19. Jh.

Schabbes *m* sich aus etw einen ~ machen = sich

einen guten Tag machen; etw gut verwerten. *Jidd* „Schabbes = Sabbat". 1900 *ff.*

Schabbesdeckel *m* **1.** Zylinderhut; steifer schwarzer Hut. An Feiertagen gehen die Juden im Zylinder oder steifen Hut. Seit dem 18. Jh. **2.** Hut, Sonntagshut; schlechter, abgetragener Hut. Beeinflußt von „schäbig" und *franz* „chapeau". Seit dem 19. Jh.

Schabbesschickse *f* Mädchen für das Wochenende. ↗Schickse. 1920 *ff.*

Schabbesschmus *m* leeres Gerede; Schmeichelworte. ↗Schmus. 1920 *ff.*

Schabe *f* Mädchen, Gelegenheitsfreundin. Analog zu ↗Motte. *Schweiz* 1950 *ff, halbw.*

Scha'belle *f* alte ~ = alte Frau. Geht zurück auf *lat* „scabellum = Fußschemel". Dieser Gegenstand ist bei alten Frauen beliebt. Seit dem 18. Jh.

Schabemesser *n* Rasiermesser. ↗schaben 10. 1900 *ff.*

schaben *v* **1.** *intr* = betteln. Schaben = durch Kratzen an sich bringen. Hunde, Katzen, Pferde und andere Tiere machen sich durch Kratzen oder Scharren bemerkbar, wenn sie Hunger haben. Kundenspr. Seit dem 19. Jh. **2.** *intr* = liebedienern; sich einschmeicheln. Leitet sich her entweder vom Kratzen der Haustiere an der Tür, an der Kleidung des Menschen, oder ist über „↗schaben 10" Variante zu „jm um den ↗Bart gehen". 1910 *ff.* **3.** *intr* = die Beute teilen; dem Zuhälter seinen Anteil an der Einnahme der Prostituierten geben. Schaben = die obere Schicht durch Kratzen entfernen; hieraus weiterentwickelt im Sinne der Wegnahme des zustehenden Anteils. *Rotw* seit dem 19. Jh. **3 a.** *intr* = das gemeinsam erarbeitete Bedienungsgeld aufteilen. Wien 1900 *ff.* **4.** *tr* = jm Geld abnötigen; jn erpressen. Variante zu „über den ↗Löffel balbieren". Seit dem 19. Jh. **5.** *tr* = jn übertölpeln, betrügerisch schädigen. Seit dem 19. Jh. **6.** *tr* = jm beim Spiel viel Geld abgewinnen. Seit dem 19. Jh. **7.** *tr* = etw entwenden. 1900 *ff.* **8.** *tr* = jn ärgern, veralbern. Verkürzt aus „↗Rübchen schaben". *Halbw* 1955 *ff.* **9.** das schabt mich mächtig = das ärgert mich sehr. Analog zu „es ↗kratzt mich". *Halbw* 1955 *ff.* **10.** *refl* = sich rasieren. Die Vokabel verdrängt mehr scherzhaft als ernsthaft das *franz* „rasieren", das seinerseits an die Stelle von „den Bart schaben" getreten ist. 1820 *ff.*

Schaber *m* Herrenfrisör. Verkürzt aus ↗Bartschaber. 1800 *ff.*

Schäbian *m* charakterloser, niederträchtiger, geiziger Mann; ärmlich gekleideter Mann. Auf der Grundlage von „↗schäbig" entstanden nach dem Muster von „↗Grobian" o. ä. *Österr*, 19. Jh.

schäbig *adj* armselig, geizig. Gehört zu „Schabe = Räude". Räudige Tiere werden gemieden und verachtet. 1500 *ff.*

Schäbigkeit *f* **1.** armselige Gesinnung. Seit dem 19. Jh. **2.** verschlissene Bekleidung. Seit dem 19. Jh.

Schablone *f* Vulva, Vagina. Meint eigentlich die Form für wiederholte Verwendung. 1960 *ff.*

Scha'bracke *f* **1.** altes Pferd (alte Kuh). Meint eigentlich die Satteldecke, die man auf den Pferderücken legt. Wohl unter dem Einfluß von „schäbig" und „Racke = Kot" weiterentwickelt zur Bezeichnung für alte, mindergeachtete Lebewesen. Seit dem 19. Jh. **2.** alte (häßliche) Frau. Seit dem 19. Jh. **3.** veraltetes Theaterstück. Theaterspr. 1920 *ff.*

Schabrackenhyäne *f* Wachtmeisterin in einem Häftlingslager. In der NS-Zeit aufgekommene und in den Haftanstalten der DDR beibehaltene Vokabel, die dem zoologischen Begriff eine neue Bedeutung unterlegt im Zusammenhang mit „Baracke" und „Hyäne".

Schäbs *m* unbrauchbare Farbe auf der Palette. Man schabt sie ab. Schabsel = Schabeabfall. Künstlerspr. 1910 *ff.*

Schächer *m* Schachspieler. 1920 *ff.*

'schach'matt *adj* sehr abgespannt, abgearbeitet, erschöpft. Dem Schachspiel entlehnt: persisch „esch-schah mat = der König ist gestorben". In übertragener Bedeutung wird die erste Silbe als Verstärkung aufgefaßt. Seit dem 16. Jh.

Schacht *pl* Prügel. Meint im *Nordd* die Stange und den Prügelstock. Seit dem 19. Jh.

Schachtel *f* **1.** kleines Haus; kleines Schiff. Eigentlich das kleine Behältnis. 1930 *ff.* **2.** Kleinauto. 1925 *ff.* **3.** Kasten Bier. Dosenbier wird im Karton geliefert. *BSD* 1965 *ff.* **4.** Gehäuse des Rundfunk-, Fernsehgeräts. Technikerspr. 1950 *ff.* **5.** Frau (*abf*). Eigentlich Bezeichnung für die Vagina. Seit dem ausgehenden 15. Jh. **6.** alte ~ = alte Frau. 1500 *ff.* **7.** wie aus der ~ (wie aus dem Schächtelchen; wie aus dem Schachterl) = sauber gekleidet. Hergenommen von der Schachtel, in der die Spielpuppe verkauft wird. 1840 *ff.*

Schächtelchen *n* ↗Schachtel 7.

Schachtelhalme *pl* **1.** schütteres Kopfhaar einer älteren Frau. Hier ist der *bot* Name überlagert von „↗Schachtel 6". 1920 *ff.* **2.** falsche Haare einer älteren Frau. 1920 *ff.* **3.** es rauscht in den ~ = a) es bahnt sich eine Entwicklung an. Übernommen von den Anfangsworten des Gedichts „Der Ichthyosaurus" von Joseph Victor von Scheffel (1854). Durch studentische Vermittlung in die Umgangssprache eingegangen; spätestens seit 1900. – b) hier geht es ausgelassen zu. 1920 *ff.* – c) die Geschäfte gehen gut.

1920 *ff.* – d) es wird hart durchgegriffen. *Sold* 1939 *ff.*

schachten *tr* jn prügeln. ↗Schacht. *Nordd* 1800 *ff.*

Schachtmeister *m* **1.** Lehrer. ↗schachten. Seit dem 19. Jh.

2. Angestellter der Untergrundbahn. Anspielung auf den Untergrundbahnschacht. 1970 *ff.*

schackeln *v* einen ~ = ein Glas Alkohol zu sich nehmen. Verwandt mit ↗schicker. *BSD* 1965 *ff.*

schackern *intr* Unmut laut äußern. Stammt aus der Jägersprache: aufgescheuchte Wildvögel (z. B. die Elstern) „schackern". 1900 *ff.*

Schadchen *m* **1.** Heiratsvermittler. Fußt auf *jidd* „schudchon = Ehestifter, Kuppler". 1840 *ff.*

2. Kuppler. 1840 *ff.*

schade *adv* du bist zu ~ für diese Welt = du bist überaus dumm, viel zu wenig welterfahren. *Iron Ausdruck.* 1900 *ff.*

Schädel *m* **1.** ihm brummt der ~ = er hat Kopfschmerzen. ↗Kopf 25. Seit dem 17. Jh.

2. jm etw über den ~ brummen = jm die Kosten aufbürden. Eigentlich „einen heftigen Schlag auf den Kopf versetzen". 1935 *ff.*

3. das geht ihm nicht in den ~ = das kann (will) er nicht begreifen. 1900 *ff.*

4. einen dicken ~ haben = a) eigensinnig sein. ↗Dickkopf. Seit dem 19. Jh. – b) begriffsstutzig sein. ↗Kopf 50 b. Seit dem 19. Jh. – c) unter den Nachwehen des Rausches leiden. Seit dem 19. Jh.

5. seinen eigenen ~ haben = eigensinnig sein. ↗Kopf 48. Seit dem 17. Jh.

6. einen harten ~ haben = eigensinnig sein. Seit dem 18. Jh.

7. ihm platzt der ~ = a) er hat heftige Kopfschmerzen. 1870 *ff.* – b) er ist mit Sorgen, mit Arbeit überhäuft. 1870 *ff.*

8. ihm raucht der ~ = a) er hat sehr viel zu arbeiten. ↗Kopf 107. Seit dem 19. Jh. – b) er ist hochgradig wütend. 1900 *ff.* – c) er ist betrunken. 1900 *ff.*

9. sich etw in den ~ setzen = starrköpfig von etw nicht ablassen. ↗Kopf 132. Seit dem 18. Jh.

10. es will ihm nicht in den ~ = er kann es nicht begreifen. *Vgl* ↗Schädel 3; ↗Kopf 166. Seit dem 19. Jh.

11. sich den ~ zerbrechen = angestrengt überlegen. ↗Kopf 168. Seit dem 18. Jh.

Schädelbazillen *pl* Kopfläuse. *Sold* in beiden Weltkriegen.

Schädelbruch *m* er kann einen ~ nicht von einem Dezimalbruch unterscheiden = er ist ein unfähiger Arzt; zum ärztlichen Beruf hat er kein Talent. 1900 *ff.*

Schädelbrummen *n* Kopfweh (als Folge alkoholischer Ausschweifung). Seit dem 19. Jh.

Schädeldecke *f* **1.** die ~ hebt sich bereits = man verspürt heftigen Stuhldrang. Groteske Physiologie: der Kot hat bereits den Scheitel erreicht. *BSD* 1965 *ff.*

2. die ~ absenken = koten. *BSD* 1965 *ff.*

3. jm die ~ lockern = jn heftig ohrfeigen. 1910 *ff.*

Schaden *m* **1.** fort (weg) mit ~! = unter allen Umständen fort damit! Stammt aus der Kaufmannssprache: man muß einen Verkaufsstand räumen und gibt daher die Ware billiger ab. 1820 *ff.*

2. tu dir bloß keinen ~ an! = a) Zuruf, wenn einer einen zerbrechlichen Gegenstand fallen läßt. 1830 *ff.* – b) bilde dir nicht zuviel ein! Der Betreffende trägt die Nase sehr hoch; hebt er sie noch weiter, ist zu befürchten, daß er auf den Rücken fällt. 1830 *ff.*

3. wer den ~ hat, spottet jeder Beschreibung = wer den Schaden hat, braucht für den Spott nicht zu sorgen. Hieraus entstellt durch die Wendung „das spottet jeder Beschreibung" im Sinne von „das ist unbeschreiblich". 1950 *ff.*

schaden *v* der schadet nicht mehr: Redewendung, wenn man eine hochwertige Karte gestochen hat. Kartenspielerspr. Seit dem 19. Jh.

Schadenfreude *f* ~ ist die reinste (schönste) Freude: scherzhafte Redewendung, wenn einer (sich selbst) einen Schaden verursacht hat und die anderen ihn verulken. 1920 *ff, schül.*

Schädlingsbekämpfungsmittel *n* heftige Prügel wegen unkameradschaftlichen Verhaltens. 1910 *ff; sold* in beiden Weltkriegen.

Schaf *n* **1.** dummer Mensch. Das Schaf gilt international als einfältig, gutmütig und dumm. 1500 *ff.*

2. Untertan. Fußt auf dem durch die Bibel bekannten Verhältnis zwischen Hirt und Herde, wobei die Herde vielfach als unkritische und willenlose Masse aufgefaßt wird. 1500 *ff.*

2 a. dummes ~ = dummer Mensch. ↗Schaf 1. Seit dem 16. Jh.

3. ehrliches ~ = zu seinem Schaden aufrichtiger Mensch. Ehrlichkeit wird hier als Dummheit gewertet. 1870 *ff.*

4. geduldiges ~ = gutmütiger Mensch, der sich ausnutzen läßt. *Vgl* ↗Lamm 2. Seit dem 19. Jh.

5. gutmütiges ~ = ein zu seinem Schaden gutmütiger Mensch. *Vgl* das Vorhergehende. 1870 *ff.*

6. schwarzes ~ = a) Einzelgänger. Geht zurück auf 1. Moses 30, 32, wo vom Aussondern der schwarzen Schafe die Rede ist. Schwarze Schafe wurden in der Antike den Gottheiten der Unterwelt geopfert; Schwarz galt als unheilvolle Farbe. 1920 *ff.* – b) Mensch, der seinen Berufsstand schädigt. 1920 *ff.*

7. schwarzes ~ in der Familie = Familienmitglied, das sich durch seine Lebensweise unvorteilhaft von den anderen abhebt und ihnen viel Kummer und Sorgen bereitet. Seit dem 19. Jh.

8. zweibeiniges ~ = dummer Mensch. Seit dem 19. Jh.

9. du bist wohl vom ~ gebissen?: Frage an einen, der törichte Ansichten vertritt. 1900 *ff.*

10. dich hat wohl ein ~ gepackt? = du bist wohl nicht bei Verstand? 1900 *ff.*

Schlaf, Kindchen, schlaf!
Da draußen gehn zwei Schaf,
ein schwarzes und ein weißes.
Und wenn das Kind nicht schlafen will,
so kommt das schwarze und beißt es.

Obwohl das Schaf gemeinhin als dumm, einfältig, geduldig und gutmütig gilt, wird es umgangssprachlich zusätzlich noch mit Attributen belegt, deren Bedeutung in dieser Vokabel selbst bereits enthalten sind (vgl. **Schaf 2 a.**–**5.**). Das schwarze Schaf dagegen (**Schaf 6.**, **7.**) ist kein solcher Pleonasmus und fällt auch noch in einer anderen Beziehung auf: Es trägt zwar ebenfalls negative Konnotationen, doch sorgen die wiederum dafür, daß das weiße Schaf jetzt im schönen Lichte der Normalität erscheint – vielleicht ein Hinweis darauf, daß Stumpfsinn und Unterdrükkung nicht so sehr auffallen, solange sie von allen geteilt werden. Insofern hat die Illustration oben sicherlich eine ganz eindeutige Funktion.

11. ein ~ scheren = einen Dummen oder Gutmütigen ausnutzen. Seit dem 18. Jh.

12. sich wie ein ~ scheren lassen = widerstandslos sich fügen; aus Gutmütigkeit nachgeben. Seit dem 19. Jh.

13. kein weißes ~ sein = nicht unbescholten sein. Weiß als Sinnbildfarbe der Unschuld. 1920 *ff.*

schaf *adj adv* dumm; sehr geistesbeschränkt. Aus dem Substantiv gegen 1900 entstandenes Adjektiv.

Schafbeutel *m* Schimpfwort auf einen dummen Menschen. Beutel = Hodensack. 1900 *ff.*

Schäfchen *n* **1.** Schaumwelle der See. Wegen der Ähnlichkeit mit den „Wolkenschäfchen" oder „Schäfchenwolken". Seemannsspr. Seit dem 19. Jh.

2. Mädchen. Jungschafe sind zutraulich, arg- und harmlos und angenehm anzufassen. 1920 *ff.*

3. *sg pl* = Geld; Geldmünzen. Fußt auf der Redewendung „das Schäfchen geschoren haben" = seinen Vorteil eingeheimst haben" (*vgl* ↗Schaf 11). Kann auch zusammenhängen mit der Gleichung „Weiß = Silber" (eine ostfriesische Silbermünze wurde 1554 „Schäfchen" genannt). 1840 *ff.*

4. *pl* = die Untergebenen. ↗Schaf 2. 1500 *ff.*

5. *pl* = Sportmannschaft (im Verhältnis des Trainers zu ihr). ↗Schaf 2. *Sportl* 1920 *ff.*

6. *sg* = Mensch, der leicht auszubeuten ist. ↗Schaf 1. 1600 *ff.*

7. Kosewort auf eine weibliche Person. ↗Schäfchen 2. 1920 *ff.*

8. sein ~ aufs (ins) Trockene bringen = a) sich seinen Gewinn, seinen Vorteil sichern. Hängt zusammen mit der Infektionsgefahr: auf trockenen, hochgelegenen Weiden bleiben die Schafe gesund, wohingegen in sumpf- und wasserreichen Niederungen die Leberegel den Tieren sehr schwer zusetzen. 16. Jh. – b) eine vermögende Frau heiraten. 1920 *ff.*

9. alle ~ beisammen haben = alle Familienmitglieder (alle anvertrauten Personen) um sich versammelt haben. Hergenommen von Schäfer, der die Tiere um sich schart. 1900 *ff.*

10. sein ~ im Trockenen haben = a) seinen Gewinn in Sicherheit gebracht haben; sein Vermögen gut angelegt haben. 1700 *ff.* ↗Schäfchen 8. – b) sein Geld verdient haben; seinen Lebensunterhalt erworben haben. Seit dem 19. Jh.

Wer sich wie ein Schaf scheren läßt, wird betrogen und ausgenutzt (**Schaf 12.**), und der, dessen Profession es ist, ein Schaf zu scheren (**Schaf 11.**), der Schäfer nämlich, erscheint so nur folgerichtig als Betrüger (**Schäfer 1.**). Beim Militär schließlich wird nur Schäfer gespielt (**Schäfer 3.**), weil den dort auf die Weide geführten Schäfchen (**Schäfchen 14.**) alles andere ohnehin unglaubwürdig erschiene. Die Tatsache, daß der Aspekt des Beschützens hier überhaupt keine Rolle spielt, läßt auf ein tiefes Ressentiment gegenüber allen Handlungen und Gesten schließen, bei denen die Ziele solchen Tuns zu offen zu Tage treten. Die Vokabel Schäfer (**Schäfer 2.**) meint nur dann den Schutz, wenn sie sich auf diese Person selbst bezieht, auf den **Schäfermantel**.

11. sein ~ scheren = seinen Vorteil wahrnehmen. ↗Schaf 11. 1700 ff.

12. ~ spielen = sich unschuldig stellen; nichtbeteiligt tun. Sold in beiden Weltkriegen.

13. sein ~ steht im trockenen Stall = er hat seinen Gewinn in Sicherheit. Weiterentwicklung von „↗Schäfchen 8", nachdem die Grundvorstellung verlorengegangen war. 1900 ff.

14. ~ weiden = Rekruten einexerzieren. Der Ausbilder ist der Hirt, die Rekruten sind seine willenlosen Schafe. Sold 1935 ff.

Schäfer m **1.** Betrüger, Falschspieler. Er „schert" seine Opfer. Vgl ↗Schaf 11. 1920 ff.

2. Wach-, Postenmantel. ↗Schäfermantel. BSD 1965 ff.

3. ~ spielen = Rekruten ausbilden. ↗ Schäfchen 14. *Sold* 1935 *ff.*

Schäferhund *m* **1.** Unteroffizier; Vorgesetzter, der auf Ordnung hält. Er hält die „Herde" der Untergebenen zusammen. *Sold* 1935 *ff.*
2. gedackelter (mopsgedackelter) ~ = Hund unbestimmbarer Rasse. 1920 *ff.*
3. treu wie ein ~ = unbedingt zuverlässig. 1900 *ff.*

Schäfermantel *m* Wach-, Postenmantel. Er ist lang und gefüttert wie der Mantel des Schäfers. *BSD* 1965 *ff.*

Schäferplane *f* Umhang des Wachhabenden. Eigentlich die Wagendecke des Schäfers; hier Anspielung auf die Ärmellosigkeit. *BSD* 1965 *ff.*

Schäferstellung *f* Stellung eines Mannes, der die Hände auf sein gestieltes Arbeitsgerät (Hacke, Spaten o. ä.; entsprechend dem Hirtenstab) stützt und sich ausruht. 1935 *ff.*

Schaff *m* seinen ~ haben = sich anstrengen müssen. „Schaff" ist aus „schaffen" substantiviert. 1920 *ff.*

Schaffe *f* **1.** Verdienstmöglichkeit; Arbeitsstelle; Arbeitspensum. 1950 *ff.*
2. sehr eindrucksvolle Sache; Höchstleistung. Neues Substantiv zu „schaffen = leisten". 1950 *ff*, halbw.
2 a. harte Anstrengung. ↗ schaffen 7. 1960 *ff.*
3. dufte ~ = sympathische Sache. ↗ dufte 1. *Halbw* 1950 *ff.*
4. saure ~ = minderwertige Leistung. ↗ sauer 3. *Halbw* 1950 *ff.*
5. spitze ~ = großartige Sache. ↗ spitz. *Halbw* 1950 *ff.*
6. trübe ~ = minderwertige Leistung; Sache, die keinen Beifall findet. Sie reizt ebensowenig wie trüber Wein. *Halbw* 1950 *ff.*
7. eine dufte schau ~ = Sache, die ausgezeichnet gefällt. ↗ dufte; ↗ schau. *Halbw* 1950 *ff.*
8. eine ganz miese ~ sein = ein völliger Versager sein. ↗ mies. *Halbw* 1950 *ff.*
9. auf die ~ gehen = zur Arbeit gehen. ↗ Schaffe 1. 1950 *ff.*

schaffe *adj adv* (unflektierbar) sehr eindrucksvoll; sehr nett; unübertrefflich. Aus dem Substantiv entwickeltes Adjektiv. *Halbw* 1955 *ff.*

Schaffeln *pl* es gießt aus tausend ~ = es regnet sehr stark. Schaffel = Kübel. *Österr* 1900 *ff.*

schaffen *v* **1.** *intr* = fleißig arbeiten. Seit *mhd* Zeit.
2. *intr* = viel, hemmungslos essen. Schaffen = bewältigen. Gehört zur Vorstellung des Einbringens der Ernte. 1600 *ff.*
3. *tr* = etw befehlen, anordnen, bestimmen, vermachen. Seit *mhd* Zeit; vorwiegend *oberd.*
4. *tr* = jn bezwingen, im Wettkampf besiegen; bei jm seinen Willen durchsetzen; bei jm erreichen, was man sich vorgenommen hat. *Südd* 1930 *ff.*
5. *tr* = jn zum Geschlechtsverkehr bewegen; jds Orgasmus herbeiführen. 1900 *ff.*
6. *tr* = jn übertölpeln, betrügen. *Südd* 1930 *ff.*

6 a. *tr* = jn nervös machen; jm die Fassung rauben. 1930 *ff, südd.*
7. es schafft ihn = a) es erschöpft ihn. 1950 *ff.* – b) es ärgert ihn. *Halbw* 1950 *ff.*
8. *refl* = sich ärgern. Beruht wohl auf der Gleichung „schaffen = gären" (der Wein gärt); „schaffen" heißt auch soviel wie „im Saft steigen". *Vgl* ↗ Saft 18. *Halbw* 1950 *ff.*
9. *refl* = hemmungslos sein; in Ekstase geraten; sich verausgaben; sich in etw hineinsteigern. Aus der Musikersprache gegen 1950 in den Halbwüchsigenwortschatz übergegangen.
10. *refl* = sich anstrengen; fleißig lernen. *Halbw* 1950 *ff.*
11. *refl* = sich zum Erfolg verhelfen. 1950 *ff.*
12. sich dufte ~ = zu allgemeinem Wohlgefallen, mitreißend musizieren. ↗ dufte. *Halbw* 1955 *ff.*

Schaffer *m* Schwerarbeiter; sehr tüchtiger, fleißiger Arbeiter. ↗ schaffen 1. Seit *mhd* Zeit.

Schaffner *m* **1.** Ohrenschützer. Post- und Eisenbahnschaffner, auch Rangierer u. a. tragen im Winter Ohrenschützer. *BSD* 1965 *ff.*
2. eiserner ~ = automatischer Fahrscheinentwerter. 1965 *ff.*

Schaffnerhut *m* Schirmmütze. Anspielung auf die breite Kopfform der Schirmmütze. *BSD* 1965 *ff.*

Schaffnermütze *f* Schirmmütze. *Vgl* das Vorhergehende. *BSD* 1965 *ff.*

schafig *adj* dumm. ↗ Schaf 1. Seit dem 19. Jh.

Schafkötel *pl* Rosinen, Korinthen. Wegen der Form- und Farbähnlichkeit, 1830 *ff.*

Schafleder *n* ausreißen wie ~ = davonlaufen, entweichen. Wortspiel mit zwei Bedeutungen von „ausreißen": einmal soviel wie „löcherig werden" und zum anderen „wegeilen". 1600 *ff.*

Schafmist *m* Unsinn; schwerer Irrtum. Verstärkung von „↗ Mist". 1870 *ff.*

Schafott *n* zum ~ schreiten = heiraten. Auf diesem „Schafott" wird dem sogenannten „freien Leben" der Garaus gemacht. *BSD* 1965 *ff.*

Schafsack *m* dummer Mensch. Seit dem 19. Jh.

Schafsäckel *m* dummer Bursche. ↗ Säckel. Seit dem 19. Jh.

Schafschinken *m* **1.** Geige. Wegen einer gewissen Formähnlichkeit. Seit dem späten 19. Jh.
2. Mandoline. Im frühen 20. Jh in der Wandervogelbewegung aufgekommen.

Schafsdackel *m* dummer Mann. ↗ Schaf 1; ↗ Dackel. 1900 *ff.*

Schafsdämel *m* dummer Mensch. ↗ Dämel 1. 1840 *ff.*

'schafs'dämlich *adj* überaus dümmlich. ↗ dämlich 1. 1800 *ff.*

schafsdösig *adj* benommen. ↗ dösig. Seit dem 19. Jh.

'schafs'dumm *adj* sehr dumm. Seit dem 19. Jh.

'Schafs'dussel *m* unaufmerksamer, geistesbeschränkter Mensch. ↗ Dussel. Seit dem 19. Jh.

'Schafs'esel *m* dummer Mensch. „Schaf" und

Die Komposita mit **Schaf** sind natürlich eindeutig. Und so war es vermutlich eine **Schafsidee** ansonsten vielleicht gar nicht **schafsinniger** Herrschaften, die **Schafsgeduld** dieser Tiere derart **schafsköpfig** auszunutzen, wie das auf dem Foto oben zu sehen ist. Man fragt sich, wo die größeren Schafe sind, vor oder auf dem Wagen? Von Schafen, die immer einen Wagen hinter sich herziehen, und das zu ihrem eigenen Schutz, berichtet Claudius Aelianus (2./3. Jh.) im zehnten seiner siebzehn Bücher „Über die Eigenart der Tiere“: „Die Schafe Arabiens haben ungewöhnliche Schwänze . . ., die nicht weniger als drei Ellen lang sind, wenn man sie nachmißt. Ließe man die Schafe diese Schwänze nachschleifen, würden sie am Boden aufgescheuert und verletzt werden. Die Hirten, die darin sehr geschickt sind, bauen daher Wägelchen, die die Schwänze der Tiere stützen und sie vor Verletzungen bewahren.“

„Esel“ meinen den Dummen. Ihre Verbindung dient der Verstärkung. Seit dem 19. Jh.

'Schafsge'duld *f* übergroße Langmut. ↗ Schaf 4. Spätestens seit 1800.

Schafsgesicht *m* dümmlicher, harmloser, argloser Gesichtsausdruck. 1800 *ff*.

schafsgesichtig *adj* dümmlich aussehend. Seit dem 19. Jh.

Schafsidee *f* törichter Einfall. 1960 *ff*.

Schafsinn *m* Dummheit. Dem „Scharfsinn“ nachgebildet. 1800 *ff*.

schafsinnig *adj* dumm. 1800 *ff*, wenn nicht älter.

Schafskälte *f* Kälteeinbruch im Juni. Er ist bedenklich für die im Mai geborenen Schafe. Seit dem 19. Jh.

Schafskerl *m* Dummer. 1900 *ff*.

Schafskopf (-kopp) *m* einfältiger, dummer Mensch. Analog zu „Dummkopf“. 17. Jh.

schafsköpfig *adj* geistesbeschränkt. 1800 *ff*.

Schafsköpfigkeit *f* Dummheit, Unüberlegtheit. Seit dem 19. Jh.

schafsmäßig *adv* dümmlich. 1800 *ff*.

Schafsmichel *m* Dummer. 1900 *ff*.

Schafsnase *f* dummer Mensch. Eigentlich die bei Pferden gelegentlich vorkommende auswärtsgebogene Nase, die dem Tier ein ungewöhnlich dummes Aussehen verleiht. 1840 *ff*.

Schafstall *m* 1. Sonderschule für geistig behinderte Kinder. ↗ Schaf 1. 1910 *ff*.
2. Lehrerzimmer. Seit dem ausgehenden 19. Jh.

Schafswanze *f* platt wie eine ∼ = flachbusig. 1950 *ff*.

Schafszipfel *m* dummer Mann. Zipfel = Zeugungsglied des Schafbocks. 1800 *ff*.

Schaft *m* 1. Penis. Meint eigentlich die Stange oder den Stiel. 1500 *ff*.
2. ∼ geben = prügeln. Von der Bedeutung „Prügelstock“ übertragen. 1870 *ff*.
3. ∼ kriegen = Prügel erhalten. 1870 *ff*.
4. mit dem ∼ schaffen = koitieren; Kinder zeugen. ↗ Schaft 1. 1900 *ff*.

schäften *tr* jn prügeln. ↗ Schaft 2. 1870 *ff*.

Schafzähler *m* gut als ∼ zu verwenden sein = nach außen gebogene Beine haben. Wer mit solchen Beinen im Tor des Stalls oder des Pferchs steht, kann die zwischen seinen Beinen hereinströmenden Schafe bequem zählen. *Vgl* die Sage von Odysseus und Polyphem. 1920 *ff*.

*Schale meint in der Regel das Äußere des Menschen, seine Kleidung (vgl. **schalen**). Wer sich dagegen in seine eigene Schale zurückzieht (**Schale 10.**), schließt sich vom gesellschaftlichen Leben, indem eben jene Schale eine so große Rolle spielt (vgl. **Schale 4.**), bewußt aus. Die Fotomontage oben gibt diesen Prozeß gut wieder, indem sie die in einer solchen Situation oft eingenommene Eihaltung, auch tiefenpsychologisch interessant, mit der embryonalen Lage des Menschen kombiniert.*

Schäke *f* **1.** ältere, geschwätzige Frau. ↗Schöke. Seit dem 19. Jh.
2. liederlich gekleidete Frau. Seit dem 19. Jh.
Schakal *m* Schlagersänger. Schakale sind bekannt für klagendes Heulen. *Halbw* 1970 *ff.*
Schäker *m* **1.** kosender Liebhaber; Komplimentemacher. ↗schäkern. Seit dem 19. Jh.
2. kleiner ~ = listiger Fragesteller; gemütliches Scheltwort. Seit dem 19. Jh.
Schäkeraugust *m* Conferencier, Vortragskünstler. 1920 *ff.*
Schäkerchen *n* Kosename für ein Mädchen. 1920 *ff.*
Schäke'rei *f* Flirt. 1700 *ff.*
schäkern *intr* **1.** kosen, flirten. Schallnachahmender Herkunft, bezogen auf die Zischlaute des Flüsterns. Doch *vgl* ↗schäkern 3. 1700 *ff.*
2. spaßen; mutwillig scherzen; sich einen Scherz erlauben. Seit dem 18. Jh.
3. falsch reden; lügen. Geht zurück auf *jidd* „scheker = Lüge". Seit dem frühen 19. Jh.
4. einander ärgern. 1900 *ff.*
Schale (Schaln) *f* **1.** Anzug, Kleidung, Uniform. Schale ist eigentlich die Fruchthülle, Hülse, Rinde (Eierschale). Etwa seit 1840; anfangs *rotw*, später auch *sold, prost* und *halbw*.
2. Tasse. Aus „Trinkschale" verkürzt. Seit dem 17. Jh.
3. ~ Gold = ziemlich heller Kaffee mit (ohne) Sahne. Wien seit dem 19. Jh.
4. in feiner ~ (fein in ~) = gut, vorschriftsmäßig

gekleidet. 1840 *ff.*
5. flotte ~ = elegante Kleidung. 1900 *ff.*
6. über Land nach ~n fahren = Hamsterfahrten unternehmen. Meint scherzhaft die Kartoffelschalen mit ihrem Inhalt. 1917 *ff.*
7. aus der ~ fahren = aufbrausen. Parallel zu „aus der ↗Haut fahren". 1930 *ff.*
8. sich in ~ schmeißen (werfen) = sich festlich kleiden. 1900 *ff.*
9. in ~ sein = gut, tadellos, vorschriftsmäßig gekleidet sein. *Vgl* ↗Schale 4. Seit dem 19. Jh.
10. sich in seine ~ zurückziehen = ein zurückgezogenes Leben führen. Vom Schneckenhaus o. ä. übertragen.1950 *ff.*
schalen *v* **1.** *tr refl* = anziehen, kleiden. ↗Schale 1. 1930 *ff.*
2. *tr intr* = Begehrtes zu beschaffen wissen; etw erbetteln. „Schalen gehen" meint „Müllkästen o. ä. nach Abfällen durchstöbern". *Vgl* ↗Schale 6. Berlin 1918 *ff.*
schälen *refl* (*österr:* schölln) sich entfernen; sich fernhalten. Geht zurück auf *mhd* „scheln = spalten, schälen, trennen": man trennt sich von den anderen. *Oberd* 1500 *ff.*
Schalenjule *f* Durchstöberin von Abfalleimern o. ä. Schale = Abfall. Berlin 1870 *ff.*
Schalentier *n* Bettler, Gelegenheitsdieb. ↗schalen 2. 1920 *ff.*
Schälhengst *m* kinderreicher Vater. In der Pferdezucht ist Schälhengst der Hengst mit nachgewiesener Zuchteignung. 1910 *ff.*
Schallboß *m* Manager einer Musikkapelle. ↗Boß 1. 1950 *ff.*
Schalldämpfer *m* **1.** Bett. Es dämpft den Lärm der entweichenden Darmwinde. *BSD* 1965 *ff.*
2. Filter einer Zigarette. Er dämpft das Einatmen des Nikotins. *BSD* 1965 *ff.*
3. *pl* = auffallend große Ohren. *Jug* 1960 *ff.*

schallen v jm eine ~ = jn ohrfeigen. Entwickelt aus der Metapher „schallende Ohrfeige". 1920 ff.

Schaller (Schallerer) m Lehrer , Kantor, Küster. ↗schallern 1. Der Dorfschullehrer war früher gleichzeitig auch Küster und hatte für das Läuten der Kirchenglocken zu sorgen. 1750 ff.

Schallerer m Mann, der in Hinterhöfen singt. ↗schallern 1. 1920 ff.

schallern v **1.** intr = singen. Gehört zu „Schall = vernehmbarer Klang". Seit dem 19. Jh. **2.** jm eine ~ = jn ohrfeigen. ↗schallen. 1900 ff.

schallern gehen intr als Straßensänger umherziehen. 1900 ff.

Schallgrenze f **1.** Höchstgrenze. ↗Schallmauer 1. 1960 ff. **2.** Pensionsalter. 1970 ff. **3.** an eine ~ stoßen, eine unerträgliche Lage schaffen. 1970 ff. **4.** unter der ~ sein = geringes Einkommen haben. 1965 ff.

Schallkonserve f Schallplatte, Tonband. ↗Konserve. 1950 ff.

Schallmauer f **1.** die persönlichen Referenten von Ministern und hochgestellten Beamten. Übertragen von der Stauung komprimierter Luft bei Erreichen der Schallgeschwindigkeit. 1955 ff. **2.** Leistungs-, Preishöchstgrenze. 1960 ff. **3.** die ~ durchbrechen = a) einen neuen Weltrekord aufstellen. Sportl 1960 ff. – b) den bisherigen Höchststand übersteigen (Goldpreis, Inflationsrate o. ä.). 1960 ff.

Schallöffnung f Mund. Eigentlich die Schallöffnung der Orgel, des Glockenturms o. ä. 1910 ff.

Schallplatte f **1.** Mensch, der stets dasselbe schwätzt. ↗Platte 9. 1950 ff, jug. **2.** Abortdeckel. Wegen der Formähnlichkeit; auch dämpft er das Geräusch des Wassers. 1930 ff. **3.** Gesicht wie eine ~ = rundliches, dümmliches Gesicht. 1920 ff. **4.** mit der ~ telefonieren = die Schallplatte mittels Kopfhörer abhören. 1950 ff.

Schallplatte'lei f Vorführung von Schallplatten. 1960 ff, bayr.

schallplatteln intr Schallplatten vorführen. Dem „Schuhplatteln" nachgebildet. Bayr 1955/60 ff.

Schallplattenautomat m Musikbox. 1955 ff.

Schallplattenbar f Tisch mit vielen Abhörgeräten für Schallplatten. 1950/55 ff.

Schallplattengesicht n rundes Gesicht mit dümmlichem Ausdruck. ↗Schallplatte 3. 1920 ff.

Schallplattengewaltiger m Schallplattenproduzent. ↗Gewaltiger. 1955 ff.

Schallplattenjockei m Schallplattenansager. Aus engl „disk jockey" übersetzt. 1955 ff.

Schallplattenpirat m Raubpresser von Schallplatten. 1965 ff.

Schallplattenschmuggler m Schirmmütze. In dem Rund ihrer Kopfform kann man Schallplatten in die Kaserne einschmuggeln. BSD 1965 ff.

Schallplattenschnulze f anspruchslos-rührseliger Schallplattenschlager. ↗Schnulze. 1955 ff.

Schalltrichter m **1.** Mund. Als Megafon aufgefaßt. 1960 ff. **2.** Ohr. Hergenommen vom Schalltrichter auf Grammophonen, gegen 1910. **3.** jm eine vor den ~ feuern = jm eine heftige Ohrfeige geben. 1960 ff.

Schalltüte f **1.** Schalltrichter. Er sieht tütenförmig aus. 1930 ff. **2.** Ohr. ↗Schalltrichter 2. 1930 ff.

Schallwelle f Prahlerei. Prahler. ↗tönen 4. 1930 ff.

schalten intr **1.** erkennen, begreifen. In den zwanziger Jahren dieses Jhs übernommen aus dem Wortschatz der Elektro- bzw. Kraftfahrttechniker. **1 a.** auf sauer (unmutig, zornig, stur o. ä.) ~ = mißmutig (zornig, stur o. ä.) werden. Vgl das Vorhergehende. 1920 ff. **2.** falsch ~ = mißverstehen. 1930 ff. **3.** nicht richtig ~ = falsch verstehen. 1930 ff. **4.** schnell (langsam) ~ = schnell (langsam) begreifen, sich umstellen. 1925/30 ff. **5.** blitzschnell ~ = sehr schnell begreifen und entsprechend handeln. 1930 ff. **6.** zu spät ~ = zu spät begreifen. 1930 ff. **7.** und drinnen schaltet die züchtige Jungfrau: Redewendung auf eine junge Autofahrerin. Scherzhaft umgeformt aus Schillers „Das Lied von der Glocke" mit der Zeile: „und drinnen waltet die züchtige Hausfrau". 1965 ff.

Schalter m **1.** automatischer ~ = Penis. Er erigiert und erschlafft selbständig. 1930 ff. **2.** die ~ schließen = sich zur Ruhe begeben. Übertragen vom Schließen der Post- oder Bankschalter. Sold in beiden Weltkriegen. **3.** bei jm am falschen ~ sein = irrigerweise auf jn gerechnet haben. 1950 ff.

Schalterflegel m ungefälliger, abweisender Beamter am Schalter. 1900 ff.

Schalterlöwe m herrschsüchtiger Schalterbeamter. 1920 ff.

Schalterschluß m **1.** Zapfenstreich. Sold in beiden Weltkriegen. **2.** Polizeistunde. 1914 ff.

Schaltjahre pl alle ~ einmal = selten. Nachgebildet der Metapher „alle ↗Jubeljahre einmal". 1910 ff.

Schaltpause f **1.** geistige Ausspannung; Unaufmerksamkeit. Dem Rundfunkwesen entlehnt: Schaltpause ist die Pause zum Umschalten auf einen anderen Sender. 1930/35 ff. **2.** eine ~ einlegen = sich Zeit zum Überlegen oder Antworten nehmen. 1950 ff. **3.** ~ haben = sprachlos sein. 1935 ff.

Schaltwerk n Gehirn; Denk-, Auffassungsvermögen. ↗schalten 1. 1950 ff.

Scha'luppe f Frau, Mädchen (abf). Eigentlich das einmastige Küstenfahrzeug, auch das Beiboot oder der Rettungsnachen. Analog zu „↗Dampfer", „↗Fregatte" o. ä. 1900 ff.

Scha'mäle n ↗Jamäle.

Schambeinantilopen pl Filzläuse. Antilopen sind gute Springer. *BSD* 1965 *ff*.

Schambergantilopen (-gemsen) pl Filzläuse. *Sold* 1935 bis heute.

schamblau werden sich überaus schämen. Variante zu „↗schamviolett". 1900 *ff*.

Schäme f 1. Prüderie; Schämigsein. Substantivische Nebenform von „Scham". Seit dem 19. Jh. **2.** weibliches Geschlechtsorgan. 1900 *ff*.

Schamgürtel m Papierstreifen einer (minderwertigen) Zigarre. 1914 *ff*.

Schamkapsel f Unterteil des zweiteiligen Damenbadeanzugs. Eigentlich das den sehr engen Beinkleidern des 15. Jhs vorgenähte Säckchen, bei der Plattenrüstung des 16. Jhs eine Kapsel aus Metall. 1955 *ff*.

Schamlippenantilopen pl Filzläuse. ↗Schambeinantilopen. *BSD* 1965 *ff*.

Schamlippen-Optiker m Polizeiarzt für die Untersuchung der Prostituierten. „Optiker" spielt auf das „Speculum vaginae" an. 1950 *ff*.

Schamlippenstift m Penis. Zusammengesetzt aus „Schamlippen" und „Lippenstift", wobei „Stift" den Penis meint. 1960 *ff*.

Schammerl n Moped, Kleinauto. *Österr* Verkleinerungsform von „↗Schemel". *Halbw* 1950 *ff*.

Schammes m Gehilfe; (Kirchen-, Gerichts-)Diener. Geht zurück auf *jidd* „schammesch = Synagogendiener; Schulhausmeister". Seit dem frühen 19. Jh, vorwiegend *rotw*.

Scha'mott m n 1. Bauschutt; Trümmer. Eigentlich steht „Schamotte" *(f)* für gebrannte, feuerfeste Tonerde; hier der zerkleinerte Stein. Seit dem 19. Jh. **2.** Geld. Analog zu „↗Kies", „↗Bims", „↗Schotter" usw. 1900 *ff*. **3.** das alles; alte Restbestände; alte Ware; Wertloses; Essen *(abf)*. 1840 *ff*.

Scha'motterich m Töpfer. 1900 *ff*.

Scha'mottler m Baustoffhändler. 1940 *ff*.

schampeln intr 1. schlendern; ziellos umhergehen und die Schaufensterauslagen betrachten. Geht vielleicht auf *franz* „champ = Feld" zurück: man schlendert über Land. Möglicherweise beeinflußt von „↗ampeln". 1890 *ff*. **2.** dem Schulunterricht fernbleiben. Man geht stattdessen spazieren. 1890 *ff*.

schampern intr zotige Reden führen. Geht zurück auf „schandbar". 1955 *ff*, *halbw*.

Schampus m Schaumwein. Aus „Champagner" entstellt unter Verwendung einer *lat* Endung. 1850/60 *ff*.

'schamvio'lett adj schamrot. 1900 *ff*.

schandbar adj adv schändlich (er hat eine schandbare Schnauze; der Preis ist schandbar hoch). Eigentlich soviel wie „schandebringend". Seit dem 19. Jh.

Schande f 1. ach du ∼!: Ausruf des Entsetzens, der Verwunderung o. ä. „Schande" meint hier weniger die Unehre als vielmehr den Jammer und das Bedauern. Zuweilen auch verhüllend für „ach du Scheiße!". 1930 *ff*. **2.** sich zu ∼n fressen = sehr großen Appetit entwickeln. 19. Jh. **3.** sich zu ∼n graulen = sich sehr ängstigen. Seit dem 19. Jh.

schänden tr 1. schlecht von jm reden. Man bringt ihn in Schande. 1400 *ff*. **2.** jn grob beschimpfen. Seit *mhd* Zeit.

Schandfleck m unehrlicher, ehrloser Mensch. Eigentlich der sittliche Makel. Seit dem 16. Jh.

schandflecken v über jn ∼ = über jn üble Nachrede führen. Seit dem 19. Jh.

'Schand'geld n großer Geldbetrag, den man unwillig hergibt. Eigentlich das schändlich erworbene Geld; dann soviel wie „unmäßig viel Geld". 1600 *ff*.

Schandgosche (-goschn) f lästerliche Ausdrucksweise. ↗Gosche. 1600 *ff, oberd*.

Schandi (Schanti) m Polizeibeamter. Geht auf „Gendarm" zurück oder auf „Sergeant". *Bayr* und *österr*, spätestens seit 1900.

Schandlappen m niederträchtiger Mensch. ↗Labbe. 1600 *ff*.

Schandmauer f 1. Berliner Mauer. 1961 *ff*. **2.** Rückwand der Fernsehgeräte. Technikerspr. 1961 *ff*.

Schandmaul n schmähsüchtiger Mensch; Verleumder. ↗schänden 1. 1600 *ff*.

schandmaulen intr lästern; üble Nachrede führen. Seit dem 19. Jh.

schandmäulig adj schmähsüchtig. Seit dem 19. Jh.

Schandnickel m geiziger Mensch. ↗Nickel. 1900 *ff*.

Schandpflaster n verleumderischer Mensch. „Pflaster" ist als Schimpfwort auf Mädchen in Bayern gebucht. Seit dem 19. Jh.

schandpflastern intr verleumden. Seit dem 19. Jh.

Schandschnauze f 1. freche, unehrerbietige, verleumderische Ausdrucksweise. 1900 *ff*. **2.** schmähsüchtiger Mensch. 1900 *ff*. **3.** die ∼ aufreißen = sehr lästerlich reden. 1900 *ff*.

Schandschnäuzler m Lästerer, Verleumder. 1930 *ff*.

Schandtat f zu jeder ∼ aufgelegt (bereit, fähig) sein = unbedenklich mitmachen. Scherzhaft gemeint. 1850 *ff*.

Schangel m 1. Franzose; französischer Soldat. Geht zurück auf den beliebten Vornamen Jean. 1870 *ff*. **2.** ungebleichter ∼ = farbiger französischer Soldat. *Sold* in beiden Weltkriegen. *Vgl* ↗Ami I.

schanghaien tr 1. jm falsche Versprechungen machen; jn mittels Alkoholverabreichung beschwatzen. Hergenommen von einer rohen Seemannssitte: in der chinesischen Hafenstadt machte man Arbeitskräfte betrunken, brachte sie kurz vor der

Ausfahrt aufs Schiff und zwang sie zu Matrosendiensten. 1910 *ff.*

2. jn für den Kriegsdienst mustern. *Sold* 1939 bis heute.

Schani *m* **1.** leichtlebiger junger Mann; Zuhälter. Geht zurück auf den Vornamen Jean. Seit dem 18. Jh, *prost.*

2. Kellner. Seit dem 19. Jh, *österr.*

3. unterwürfiger Mann. 1900 *ff.*

4. Wiener; Österreicher. Berlin 1900 *ff, rotw.*

Schanigarten *m* Gasthausgarten mit Kübelpflanzen o. ä. *Österr* 1920 *ff.*

Schank'tage (Endung *franz* ausgesprochen) *f* Gelderpressung durch Drohung mit einer Strafanzeige o. ä. wegen Homosexualität. Aus *gleichbed franz* „chantage" entwickelt mit Anlehnung an „Schank" und „schenken". 1930 *ff.*

Schank'tör *m* Mann, der Homosexuelle erpreßt. *Gleichbed franz* „chanteur". 1930 *ff.*

Schanti *m* ↗Schandi.

Schantinger *m* Landgendarm. ↗Schandi. *Österr* 1900 *ff.*

Schanz *m* Gewinn, Verdienst. Übernommen aus *franz* „chance = Glücksfall". *Rotw* Seit dem 19. Jh.

Schanzbock *m* strebsamer Schüler. ↗schanzen 1. 1900 *ff, bayr.*

schanzen *v* **1.** *intr* = angestrengt lernen, arbeiten. Hergenommen vom Aufrichten einer militärischen Schutzbefestigung (Wall; Wehrbau). 1820.

2. *tr intr* = essen. Man füllt in sich hinein wie in einen Schanzkorb. 1750 *ff, rotw* und *sold* bis heute.

Schanzenhupser *m* Skispringer. Hupsen = springen. 1955 *ff, sportl.*

Schanzer *m* ehrgeiziger Schüler; starker Arbeiter. ↗schanzen 1. Seit dem 19. Jh.

Schanzfach *n* Lernfach. ↗schanzen 1. 1900 *ff.*

Schanzkiste *f* fleißiger Schüler. 1955 *ff.*

Schanzknochen *m* fleißiger Schüler; unablässig Arbeitender. ↗Knochen. *Schweiz* 1920 *ff.*

Schanznoten *pl* Leistungsnoten. 1955 *ff, schül.*

Schanzzeug *n* Eßbesteck, -geschirr; Kochgeschirr. Meint eigentlich die Klapphacke oder den Feldspaten. Um 1850 im *Rotw* aufgekommen; etwa seit 1870 *sold* bis heute.

Schapp *m* **1.** Arrest(-anstalt); Gefängnis. Eigentlich der Schrank; dann bezogen auf die enge Zelle (Einzelarrest). *Sold* 1914 bis heute.

2. enger Raum. *Sold* in beiden Weltkriegen.

Schappi *n* ↗Chappi.

scharf *adj* **1.** überaus streng; peinlich genau. Von dem, was man beim Tasten als schneidend empfindet, übertragen auf das Geistige. 1500 *ff.*

2. militärisch. Vom strengen Drill übertragen auf militärische Straffheit und Zucht. 1910 *ff.*

3. angriffslustig; rasch zur Gewalttat bereit. Hergenommen vom bissigen Hund. 1920 *ff.*

4. sinnlich veranlagt; geil. Man ist auf etw scharf,

wenn man seine Sinne darauf schärft. 1900 *ff.*

5. gewagt gekleidet. 1920 *ff.*

5 a. unübertrefflich, schwungvoll, hochinteressant. *Jug* 1960 *ff.*

6. hochprozentig (auf alkoholische Getränke bezogen). Eigentlich soviel wie „scharfschmeckend". 1900 *ff.*

7. ~ angezogen = a) elegant, auf Taille gekleidet (auf Männer bezogen). Die Umrisse des Körpers werden hervorgehoben. 1910 *ff.* – b) gewagt gekleidet (auf weibliche Personen bezogen). 1920 *ff.*

8. ~ arbeiten = angestrengt, ohne Unterbrechung arbeiten. 1920 *ff.*

9. etw ~ bleiben = Schulden nicht zurückzahlen. „Scharf" steht hier im Gegensatz zu „glatt = schuldenfrei". 1900 *ff.*

10. etw zu ~ finden = etw für unpassend, ungehörig halten. 1900 *ff.*

11. ~ haben = nach geschlechtlicher Befriedigung verlangen. ↗scharf 4. 1900 *ff.*

12. es ~ auf jn haben = es auf jn abgesehen haben (in gutem oder schlechtem Sinne). Hergenommen vom Schützen, der mit geladenem Gewehr auf den Betreffenden anlegt. Seit dem 19. Jh.

13. es auf etw ~ haben = begierig nach etw fragen. Seit dem 19. Jh.

14. jn ~ haben = jn nicht mögen; jn hassen. Übernommen vom scharfen Hof- oder Jagdhund. 1935 *ff.*

15. ~ einen nehmen = sich betrinken. 1900 *ff.*

16. ~ schießen = a) rücksichtslos vorgehen; schwerwiegende Ansprüche stellen. Aus dem Militärischen übernommen: man schießt mit „scharfer" Munition, nicht nur mit Platzpatronen. 1870 *ff.* – b) schwängern. 1900 *ff.*

17. so ~ schießen die Preußen nicht. ↗Preußen II 3.

18. etw (für etw) ~ sein = etw schulden; mit etw im Rückstand sein. ↗scharf 9. 1900 *ff,* anfangs *österr;* gegen 1950 mit der Halbwüchsigensprache nordwärts gedrungen.

19. auf (nach) etw ~ sein = etw gern besitzen wollen; lebhaftes Interesse an einer Sache zeigen; auf die Festnahme einer Person drängen. Wie in den Wendungen „scharfer Angriff", „scharfer Ritt" o. ä. meint „scharf" hier soviel wie „heftig, angestrengt, erbittert". 1900 *ff.*

20. auf jn ~ sein = jn geschlechtlich begehren. 1900 *ff.*

21. auf etw ~ sein wie der Teufel auf eine arme Seele = etw eifrig verlangen. 1900 *ff.*

22. ~ hinter jm hersein = jn rücksichtslos verfolgen. 1920 *ff.*

23. ~ tanzen = mit wilden Körperverrenkungen tanzen. Scharf = leidenschaftlich; geschlechtlich aufreizend. 1955 *ff.*

24. ~ verkaufen = mit Überpreis verkaufen. 1930 *ff.*

25. jn ~ weghaben = jn grob verulken. Man

treibt mit ihm seinen schneidenden Spott. 1920 *ff*.

schärfen 1. *intr* = Hehler sein. Herleitung unbekannt. *Rotw* seit dem frühen 19. Jh.

2. es schärft mich = es interessiert mich lebhaft; es macht mich begierig. ↗Scharfmachen. 1980 *ff*, *halbw*.

Scharfer *m* **1.** hochprozentiger Schnaps. ↗scharf 6. 1920 *ff*.

2. Gewalttäter. *Rotw* 1920 *ff*, österr.

3. verschärfter Arrest. 1940 *ff*.

Schärfer *m* Hehler. ↗schärfen. Seit dem 19. Jh, *rotw*.

Scharfhandel *m* Raub. Scharf = gewalttätig. *Rotw* 1850 *ff*.

scharfhandeln *intr* rauben. *Rotw* 1850 *ff*.

Scharfhändler *m* Gewaltverbrecher; Räuber. *Rotw* seit dem 19. Jh.

scharfkantig *adj* herrisch; schwer zu behandeln. 1950 *ff*.

scharfmachen *v* **1.** jn ~ = jn aufhetzen, aufwiegeln. Dem Wortschatz des Hundezüchters entlehnt: er richtet den Hund auf den Mann ab. Im späten 19. Jh als politisch-soziales Schlagwort aufgekommen. – b) jn geschlechtlich aufreizen. ↗scharf 4. 1900 *ff*. – c) jds Angriffswillen steigern. *Sportl*. 1950 *ff*.

2. jn auf etw ~ = jn auf etw aufmerksam machen. Man rät ihm scharfes Beobachten an. 1935 *ff*.

Scharfmacher *m* **1.** Aufwiegler, Aufhetzer. ↗scharfmachen 1. 1870 *ff*.

2. Gewalttäter. *Rotw* 1920 *ff*.

3. strenger Vertreter der Anklage; Urteilsverschärfer in der Berufungsinstanz; strenger Vorgesetzter. 1900 *ff*.

4. schikanöser Ausbilder. *BSD* 1965 *ff*.

5. Koch, der gern scharf würzt. 1955 *ff*.

6. geschlechtlich aufreizender Mensch; Frauenheld. ↗scharfmachen 1 b. 1900 *ff*.

7. Sellerie, Paprika, Senf, Pfeffer o. ä. Angeblich regen sie den Geschlechtstrieb an. 1955 *ff*.

8. Büstenhalter, Damenslip o. ä. 1955 *ff*.

Scharfmacherei *f* Verhetzung, Aufwieglung. ↗scharfmachen 1. 1870 *ff*.

Scharfnehmer *m* Erpresser. *Rotw* 1920 *ff*.

Scharfrichter *m* strenger Punktrichter. Eigentlich der Henker. *Sportl* 1970 *ff*.

Scharfschuß *m* **1.** strenges Vorgehen. ↗scharf 16. 1920 *ff*.

2. heftig getretener Fußball. ↗Schuß. *Sportl* 1920 *ff*.

Scharfschütze *m* **1.** Vater zahlreicher Kinder. ↗scharf 16 b. 1900 *ff*.

2. Fußballspieler mit sehr kräftigem Tritt. *Sportl* 1920 *ff*.

3. ~ ohne Gewehr = Versager. *Schül* 1930 *ff*.

Scharfschützenstempel *pl* kräftig entwickelte Beine eines Fußballspielers. ↗Stempel. *Sportl* 1950 *ff*.

Schärfstes *n* Bestes, Ausgezeichnetes. 1930 *ff*.

scharfzüngig *adj* angriffslüstern mit Worten. ↗Zunge. Seit dem 19. Jh.

Scharnier *n* **1.** Talent, Begabung. Scherzhaft entstellt aus „Genie". 1950 *ff*.

2. wacklige ~e = schlotternde Gelenke. 1910 *ff*.

3. zwischen die ~e geraten = von zwei Seiten in Ungelegenheiten kommen. Analog zu „zwischen ↗Tür und Angel". 1950 *ff*.

Scharnierl *n* gute Begabung. Verkleinerungsform von „↗Scharnier 1". 1950 *ff*, österr.

scharren *intr* **1.** betteln. Analog zu „↗schaben 1". 1900 *ff*.

2. Fehlendes listig zu beschaffen verstehen. *Sold* 1939 *ff*.

3. ein Mädchen umwerben. Vom Verhalten des Hahns übernommen. *Halbw* 1955 *ff*.

Schar'teke *f* **1.** altes Buch; Buch *(abf)*. Verkleinerungsform von mittel-*niederd* „scarte = Urkunde" mit Betonungsverlagerung, etwa in Anlehnung an „Apotheke". 1500 *ff*.

2. beliebiger Gegenstand *(abf)*. Seit dem 19. Jh.

3. alte ~ = ältliche Frau. 1800 *ff*.

Scharwenzel *m* **1.** Allerweltsdiener; Schmeichler. ↗scharwenzeln. Seit dem 19. Jh.

2. Herzbube. Kartenspielerspr. Seit dem 19. Jh.

Scharwenzeler *m* Schmeichler, Liebediener; eleganter Nichtstuer. Seit dem 19. Jh.

scharwenzeln *intr* **1.** um jn ~ = sich jm dienstbeflissen zeigen; jm würdelos schmeicheln. Im 17. Jh drang mit dem Kartenspiel das *tschech* „schervenek = Herzbube" in Österreich ein und wurde dort durch „Wenzel" zu „Scharwenzel" umgebildet. Aus der Bedeutung „Trumpfkarte" ergab sich die Bedeutung „Allerweltsdiener". Seit dem 18. Jh.

2. geziert-anmutig durch die Straßen gehen, um jungen Männern aufzufallen. Wohl verquickt mit „schwänzeln". Seit dem 19. Jh.

3. streunen. 1930 *ff*, österr.

Scharwenzler *m* ↗Scharwenzeler.

Schas *m* abgehender Darmwind. Nebenform von ↗Scheiß. *Österr* und *bayr*, seit dem 19. Jh.

Schaschlik *n* **1.** Dienstgradabzeichen des Humanmediziners und des Zahnarztes sowie der in diesen Bereichen eingesetzten Soldaten. Die Äskulapschlange wird zeitgemäß als Fleischstückchen am Spieß gedeutet. *BSD* 1965 *ff*.

2. ich mache ~ aus dir!: Drohrede. 1965 *ff*.

Schäse *f* **1.** Fahrzeug, Kutsche. Mit den mundartlichen Varianten „Schäsn", „Schesn", „Tschesn" usw. im ausgehenden 19. Jh aus *franz* „chaise de poste = Postwagen" entwickelt, anfangs im Sinne von „Pferdefuhrwerk".

2. veralteter Flugzeugtyp. *Sold* 1944/45; *ziv* 1950 *ff*.

3. Kinderwagen. Verkürzt aus ↗Kinderschäse. 1900 *ff*.

4. alte ~ = alte Frau. Vorwiegend *bayr* und österr, 1920 *ff*.

5. unter die ~ kommen = sittlich sinken; verkommen. Analog zu „unter die ↗Räder kommen". 1930 *ff.*

schaskeln *tr intr* trinken. Geht mit ähnlichlautenden Vokabeln zurück auf *jidd* „schasjenen = trinken". Seit dem 19. Jh.

schaskenen (schasken) *tr intr* zechen. *Vgl* das Vorhergehende. Seit dem frühen 19. Jh; anfangs *rotw.*

schaskern *tr intr* trinken. ↗schaskeln. 1900 *ff.*

Schaß *m* **1.** entweichender Darmwind. ↗Schas. Seit dem 19. Jh.
2. nichts; Wertlosigkeit. Seit dem 19. Jh.

schasseln *tr* jn fortschicken, fortschaffen. ↗schassen 1. Seit dem 19. Jh, *österr.*

schassen *tr* **1.** jn schimpflich entlassen, wegjagen. Im späten 18. Jh von Studenten aus *franz* „chasser = fortjagen" entlehnt.
2. jn hetzen, jagen. *Sold* 1939 *ff.*

schasteln *intr tr* trinken, zechen. ↗schaskeln. 1900 *ff.*

Schatten *m* **1.** Sicherheitsbeamter, der eine möglicherweise gefährdete Person zu ihrer Sicherheit begleitet; Leibwächter. 1933 *ff.*
2. Kriminalpolizeibeamter in Zivil beim Beobachten eines Verdächtigen. 1935 *ff.*
3. Fußballspieler, der den Gegenspieler eng deckt. *Sportl* 1950 *ff.*
4. weiblicher Kurgast, der Männerbekanntschaft sucht. Verkürzt aus ↗Kurschatten. 1955 *ff.*
5. ~ im Bauch (Magen, Ranzen) = Hunger. Übernommen von der Röntgenaufnahme, die „einen Schatten in der Lunge" o. ä. erkennen läßt. 1935 *ff.*
6. ewiger ~ = Adjutant o. ä. *Sold* 1939 *ff.*
7. ständiger ~ = Mensch, der stets in Begleitung desselben Menschen gesehen wird. 1960 *ff.*
8. im ~ fechten = von anderen errungene Vorteile nutzen, ohne selber zum Gewinn beigetragen zu haben. Dem „↗Schattenboxen" nachgebildet. 1955 *ff.*
9. du hast einen ~ = du redest töricht. Vom Röntgenbild übernommen. 1950 *ff, halbw.*
10. keinen ~ einer Ahnung haben = unwissend sein. Verstärkung von „nicht den ↗Schimmer einer Ahnung haben". 1950 *ff.*
11. einen langen ~ haben = überall zugegen sein oder seinen Einfluß spüren lassen. 1955 *ff.*
12. willst du den (deinen) ~ messen?: Scherzfrage an einen, der zu Boden gefallen ist. 1930 *ff.*
13. im ~ sein (hocken, wohnen) = sich im Gefängnis befinden. Beruht auf der Vorstellung vom (dunklen) „↗Loch". *Rotw* 1850 *ff.*
14. über seinen ~ springen = sich über eigene Bedenken hinwegsetzen; seine Wesensart zu ändern suchen (ohne es zu können). Eigentlich Umschreibung für eine Unmöglichkeit, für ein sinnloses Tun. 1920 *ff.*
15. seinen ~ zurückkaufen = seinen guten Ruf

wiedererlangen; für schuldlos erklärt werden. Fußt auf Adelbert von Chamissos Geschichte von „Peter Schlemihl". 1950 *ff.*

Schattenboxen *n* heftige Äußerung gegen Leute, die man persönlich nicht kennt; verdeckte Bekämpfung untereinander. Stammt aus der Boxersprache und meint im Training den Kampf gegen einen nur gedachten Gegner. *Vgl* „Tai-chi-chuan" in China. 1955 *ff.*

Schattenkabinett *n* von der Opposition einstweilen aufgestelltes Regierungskollegium. Aus England übernommen. 1955 *ff* (etwa schon 1944?).

Schattenminister *m* mutmaßlicher Minister in einem künftigen Kabinett der Opposition. 1955 *ff.*

Schattenmorelle *f* Mädchen, das mangels geschlechtlicher Reize keine (nur geringe) Beachtung findet. Man will sagen, daß es im Schatten der anderen Mädchen verbleibt, und meint, das Wort hinge mit „Schatten" zusammen; in Wirklichkeit heißt die Frucht nach „Château Morelle". 1950 *ff, halbw.*

Schattenpflanze *f* unbeachtete weibliche Person. Analog zur Vorstellung vom „↗Mauerblümchen". 1900 *ff.*

Schattenriß *m* jm den ~ nachzeichnen = jm heftig ins Gesicht schlagen. Analog zu ↗Konturen 2. 1915 *ff.*

Schattensprecher *m* Synchronsprecher. Nach vorgeführtem Bild spricht er einen festgelegten Text lippensynchron. 1955 *ff.*

Schatten-Tagung *f* Tagung des „↗Schattenkabinetts". 1955 *ff.*

Schätter *m* Durchfall. ↗schättern. 1900 *ff, nordd.*

Schätterie *f* starker Durchfall; Ruhr. 1900 *ff.*

schätterig *adj* elend, ärmlich, alt, unansehnlich, schlecht. Gehört ablautend zu *niederd* „schieten = scheißen": wer an heftigem Durchfall leidet, fühlt sich elend und schwach. Seit dem 19. Jh.

Schätterliese *f* Schwätzerin. ↗schättern 2. *Nordd* 1900 *ff.*

Schätterling *m* **1.** Kothaufen. ↗schättern 1. *Nordd* 1900 *ff.*
2. übler Schwätzer; Verleumder. ↗schättern 2. 1900 *ff, nordd.*

schättern *intr* **1.** koten. Nebenform zu *niederd* „↗schieten". Seit dem 19. Jh.
2. schwatzen. Schallnachahmend für Hühnergakkern, Enten- und Gänseschnattern, Elsternkreischen usw. *Niederd* 1900 *ff.*
3. üble Nachrede führen. 1900 *ff.*

schattieren *tr* jn heftig schlagen. Die Prügel schaffen Farbenübergänge und werfen wortwitzelnd einen „Schlagschatten". 1955 *ff, jug.*

Scha'tulle *f* **1.** Vagina. Aufgefaßt als Behältnis für den Penis. Seit dem ausgehenden 19. Jh.
2. Weltraumrakete. 1957 *ff.*
3. alte ~ = a) alte Frau. Analog zu „alte ↗Schachtel". 1870 *ff.* – b) Geliebte, intime Freundin; Bettgenossin. 1920 *ff.*

Nicht schauen, Schätzchen, dreimal darfst Du raten ▾▾▾

Schätzchen (*vgl. auch* **Schatzi** *und* **Schätzle**) *ist der Diminutiv von* **Schatz**, *und es ist zu fragen, ob dieser Verkleinerung auch eine entsprechend verringerte Zuneigung entsprechen muß. Rein grammatikalisch betrachtet scheint das der Fall zu sein; allerdings steht dem entgegen, daß dem Kleinen fast durchgängig eine Aura des Niedlichen und Kuscheligen zu eigen ist, und so selbst die größte Liebe sich in einem Vokabular ausdrücken läßt, das sie auf Zwergenformat reduziert. Eine andere Frage ist, ob dem eine Infantilisierung zugrunde liegen muß.*

4. aus der ~ plaudern = Interna erzählen. Analog zu „aus dem ↗Nähkästchen plaudern". 1950 *ff.*

Schatz *m* **1.** Geliebte(r); Kosewort. Die betreffende Person ist eine Kostbarkeit besonderer Art. Seit dem 15. Jh.

2. ~, mach' Kasse! = bezahle! Im ausgehenden 19. Jh in der Prostituiertensprache aufgekommen; um 1920 durch die „Stettiner Sänger" bekannt geworden als Couplet: „Schatz, mach' Kasse, du bist zu schade fürs Geschäft".

Schatzalp *f* Treffpunkt, an dem man auf seinen „↗Schatz" wartet. Übernommen vom Namen eines Bergs bei Davos. *Schweiz* 1955 *ff.*

Schätzchen *n* Geliebte(r); Kosewort. Seit dem 18. Jh.

schätzeln *intr* flirten. *Schweiz* 1920 *ff.*

schätzen *v* **1.** sich ~ = mit sich zufrieden sein. Verkürzt aus „sich glücklich schätzen". *Österr* 1930 *ff.*

2. ich habe mich sehr geschätzt (es hat mich geschätzt) = es hat mir sehr gut gefallen. *Österr* 1930 *ff.*

Schatzi *m n* Geliebte(r). Seit dem 19. Jh.

Schatzilein *n* Kosewort für Ehefrau und Ehemann. Seit dem 19. Jh.

Schatzimann *m* Kosewort für einen Mann. Seit dem 19. Jh.

Schatzimaus *f* Geliebte (Kosename). ↗Maus. Seit dem 19. Jh.

Schatzkästchen *n* **1.** hübsches, gemütliches Wohnhaus. 1900 *ff.*

2. Motorrad-Beiwagen. Er ist klein und eng, aber hat Platz für den „↗Schatz". 1930 *ff.*

Schätzle *n* Kosewort. *Oberd*, seit dem 19. Jh.

Schätzler *m* bei den Lehrern beliebter Schüler. 1940 *ff.*

Schatztruhe *f* **1.** Klassenzimmer. In diesem Behältnis versammelt der Lehrer seine „Schmuckstücke" um sich. 1950 *ff.*

2. eine ~ öffnen = deflorieren. 1870 *ff.*

Schau *f* **1.** prächtiges Ereignis; Schaugepränge. Stammt aus England und den USA, wo „show" die Aufführung, vor allem die Revue meint. Im *Dt* spätestens gegen 1930 aufgekommen, vor allem in Verbindung mit „Modenschau" u. a.

2. Sache, mit der man Aufsehen erregt. *Halbw* 1955 *ff.*

3. eitle, auffällige Selbstdarstellung. *Halbw* 1955 *ff.*

4. hervorragender Soldat. *BSD* 1965 *ff.*

5. einsame ~ = bisher unerreichte Leistung. *Halbw* 1960 *ff.*

6. die letzte ~ = a) das Allerbeste. 1955 *ff.* – b) sehr Minderwertiges. 1955 *ff, jug.*

7. steile ~ = hervorragende Darbietung. ↗steil. *Halbw* 1960 *ff.*

8. eine ~ abreißen = etw darbieten. ↗abreißen 4. *Halbw* 1950 *ff.*

9. eine ~ abziehen (aufstellen, aufziehen) = a) etw eindrucksvoll vorführen (auf der Bühne, auf dem Laufsteg o. ä.). ↗abziehen 1. Wahrscheinlich seit 1930; geläufiger seit 1950/55. – b) sich sehr stark aufspielen; sich zur Schau stellen; sich sehr elegant kleiden; in betrügerischer Absicht einen vorteilhaften Eindruck hervorrufen. 1955 *ff.* – c) die Soldaten vorexerzieren lassen. *BSD* 1960 *ff.*

10. die große ~ abziehen = mit äußerlichen Mitteln eine wirkungsvolle Leistung vollbringen; etw geräuschvoll vorführen; Lärm schlagen; aufsässig werden. *Halbw* 1950 *ff.*

11. eine ~ bringen = etw gekonnt vorführen. *Halbw* 1950/55 *ff.*

11 a. eine ~ draufhaben = sich übertrieben benehmen; sich aufspielen. 1965 *ff.*

12. auf ~ fahren = den anderen zeigen, was der Motor des eigenen Autos leisten kann. 1955 *ff.*

13. diese ~ läuft bei mir nicht = dieses selbstgefällige Verhalten macht auf mich keinen Eindruck; diese Tränen rühren mich nicht. 1955 *ff.*

14. auf ~ machen = a) eine künstlerisch wertlose Darbietung vorführen, deren äußere Aufmachung auf anspruchslose Gemüter wirken soll. 1955 *ff.* – b) sich wirkungsvoll kleiden; die große Dame spielen (ohne eine zu sein). 1955 *ff.* – c) durch Prahlerei arglose Leute betören. 1950 *ff.*

15. ~ machen = durch Ausschreitungen auffallen wollen; durch Ausschreitungen auf Mißstände aufmerksam machen. 1965 *ff.*

16. mach' keine ~! = ziere dich nicht! benimm dich natürlich! 1950 *ff.*

17. das ist eine ~ = das ist eine sehr eindrucksvolle Sache. *Schül* 1950 *ff.*

18. sie ist eine ~ = sie ist eine wundervolle Erscheinung. 1960 *ff.*

19. jm die ~ stehlen (klauen) = a) den Hauptbeifall ernten, der eigentlich einem anderen gebührte; jm zuvorkommen, den Erfolg streitig machen; jn aus dem Vordergrund verdrängen. Übersetzt aus *angloamerikan* „to steal someone's show". 1950 *ff.* – b) als jüngere vor der älteren Schwester heiraten. 1964 *ff.* – c) jn eines schönen Anblicks berauben; jm die Sicht versperren. Schau = ungetrübte Sicht. 1960 *ff.*

schau I *adj präd* ausgezeichnet, großartig; wirkungsvoll; gut aussehend. Adjektiv zu „↗Schau 1". *Halbw* spätestens seit 1945.

schau II *interj* auf Wiedersehen! Stammt aus *ital* „ciao". ↗tschau. *Jug* 1950 *ff.*

Schaubox *f* Fernsehgerät. *Engl* „box = Kasten, Kiste". 1955 *ff.*

Schauboxer *m* Fernsehzuschauer. 1955 *ff.*

Schaubusen *m* freigebig zur Schau gestellter, üppig entwickelter Busen. 1920 *ff.*

Schaubusenbesitzerin *f* weibliche Person mit üppigem Busen. Der „Schaubudenbesitzerin" nachgebildet. 1955 *ff.*

Schaubusenfigur *f* Mädchen in oberteillosem Kleid. 1964 *ff.*

schauderbar *adj* schauderhaft. Analog gebildet wie „sonderbar" zu „sonderlich" u. a. 1850 *ff.*

schaude'rös *adj* schauderhaft, fürchterlich, häßlich. Von Studenten im ausgehenden 18. Jh zusammengesetzt aus „schauderhaft" und der *franz* Endung „-euse" („-ös"). Bekannt geworden durch das Schwanklied „Der schauderöse Ferdinand".

Schauderschinken *m* Gruselroman o. ä. ↗Schinken. 1955 *ff.*

Schauerdrama *n* Gruselfilm. 1955 *ff.*

Schauerfetzen *m* künstlerisch minderwertiger Gruselfilm. ↗Fetzen. 1955 *ff.*

Schauerklamotte *f* Gruseldrama. ↗Klamotte 1. 1955 *ff.*

Schauerkrimi *m* gruseliger Kriminalroman oder -film. ↗Krimi. Nach 1950 aufgekommen.

Schauerlappen *m* **1.** Aufwischtuch. Schauern = scheuern. *Ostd* und *nordd,* seit dem 19. Jh. **2.** Gesichtsschleier der Damen. „Lappen" ist der Theatervorhang, der hier wohl vor einem unschönen Gesicht hängt. 1870 *ff.*

Schauermann *m* Verfasser von Gruselgeschichten. Eigentlich (seemannsspr.) Bezeichnung des Hafen-, des Schiffslade- und -lagerarbeiters. 1955 *ff.*

Schauerprahm *m* Schiff *(abf).* „Prahm" ist das kleine Flußschiff, auch die Fähre. „Schor" ist das flache Ufer und das seichte Wasser; daher Anspielung auf geringen Tiefgang. *Marinespr* seit dem frühen 20. Jh.

Schauerroman *m* Räuberroman. 1870 *ff.*

Schauerschinken *m* künstlerisch minderwertiger Großfilm. ↗Schinken. 1955 *ff.*

Schauerweib *n* häßliche Frau. 1870 *ff.*

Schauerzicke (-ziege) *f* reizlose Frau. ↗Zicke. 1900 *ff.*

Schaufel *f* **1.** plumpe, breite Hand. Der Handteller läßt an das Schaufelblatt denken. 1920 *ff.* **2.** langer Fingernagel. 1910 *ff.* **3.** Löffel. Seit dem 19. Jh. **4.** jn auf die ~ nehmen = jn veralbern; mit jm seinen Spott treiben. Analog zu „jn auf die ↗Schippe nehmen". 1920 *ff.*

schaufeln *v* **1.** *tr intr* = stark essen; große Bissen in den Mund stecken. 1700 *ff.* **2.** es ist geschaufelt (auch: „ist geschaufelt" oder „geschaufelt") = es ist abgemacht; die Abmachung gilt. Dabei schlägt man Hand in Hand (↗Schaufel 1). 1950 *ff.* **3.** Geld ~ = viel Geld einnehmen. Versteht sich nach ↗schaufeln 1. 1920 *ff.*

Schaufelwerkzeug *n* Eßbesteck. ↗schaufeln 1. *Sold* 1939 bis heute.

Schaufenster *n* **1.** Fernglas, Scherenfernrohr o. ä. 1910 *ff.* **2.** Brille. 1920 *ff.* **3.** tiefes Dekolleté. Analog zu ↗Auslage. 1920 *ff.* **4.** wie aus dem ~ = sehr reinlich gekleidet. 1930 *ff.*

Schau-Fenster *pl* ungewöhnliche Brille. Man trägt sie zur Schau, um aufzufallen. 1960 *ff.*

Schaufensterantrag *m* im Parlament eingebrachter Antrag, der keine Aussicht auf mehrheitliche Zustimmung hat. Er ist ein bloßes Ausstellungsstück für die öffentliche Meinungsbildung. 1965 *ff.*

Schaufensterbummel *m* Entlangschlendern an den Schaufenstern. ↗Bummel 1. 1900 *ff.*

schaufensterbummeln *intr* ziellos schlendern und dabei die in den Schaufenstern ausgestellten Waren besehen. 1950 *ff.*

Schaufensterbummler *m* Betrachter der ausgestellten Waren ohne Kaufabsicht. 1950 *ff*.

Schaufensterknacker *m* Schaufenster-Einbrecher. ↗knacken. 1955 *ff*.

Schaufensterkrankheit *f* schwere Kreislaufstörung. Bei einem Anfall stellen sich die Kranken vor das erste beste Schaufenster, um nicht auf sich aufmerksam zu machen. 1950 *ff*; wohl älter.

schaufensterln *intr* Schaufensterauslagen betrachten. Scherzhaft dem „↗Fensterln" nachgebildet. 1850 *ff*.

Schaufenstermarder *m* Ausrauber von Schaufensterauslagen. ↗Marder. 1920 *ff*.

schaufenstern *intr* durch die Geschäftsstraßen schlendern und die Auslagen betrachten. 1850 *ff*.

Schaufensterrede *f* von persönlicher Eitelkeit getragene Rede. Es ist eine „↗Fensterrede" zur Schau. 1960 *ff*.

Schaufenstersendung *f* Fernsehsendung, an der sich die Zuschauer daheim beteiligen können. 1972 *ff*.

Schau-Frau *f* gutaussehendes Mädchen. Halbw 1960 *ff*.

schauig *adj* hochmodern, schwungvoll. ↗schau I. Halbw 1955 *ff*.

Schaukasten *m* sehr tiefes Dekolleté. Analog zu ↗Auslage. 1900 *ff*.

Schaukel *f* **1.** Auto, Motorrad o. ä. Wegen der Schaukelbewegung, die das Kopfsteinpflaster hervorruft. 1914 *ff*.
2. (schwankendes) Flugzeug. 1914 *ff*.

Schaukelbursche *m* **1.** Tanzpartner, Tänzer *(abf)*. Er schaukelt mit dem Körper und schaukelt die Partnerin. 1919 *ff*.
2. Eintänzer o. ä. 1919 *ff*.

Schaukelei *f* **1.** schwankendes Vorgehen; Wankelmütigkeit. 1870 *ff*.
2. Autofahren. 1920 *ff*.

schaukeln *v* **1.** *intr* = autofahren; fahren. ↗Schaukel 1. 1920 *ff*.
2. *intr* = im Flugzeug reisen. ↗Schaukel 2. 1950 *ff*.
3. eine Sache ~ = eine schwierige Angelegenheit gut erledigen. Beim Schaukeln ist anfangs eine größere Kraftanstrengung vonnöten, bis der gewünschte Schwung erreicht ist; danach muß nur noch wenig Kraft aufgewandt werden, um den Schwung beizubehalten. 1900 *ff*.
4. jm etw ~ = jm etw eindeutig klarmachen. 1920 *ff*.
5. sich nach oben ~ = erfolgreich, berühmt werden. 1950 *ff*.
6. jn nach vorn ~ = jn zum Publikumsliebling machen. „Nach vorn" bezieht sich eigentlich auf die Bühnenrampe vor dem Vorhang. 1950 *ff*.
7. jn ins ~ bringen = jds Machtstellung gefährden. Hier gilt „schaukeln = schwanken, wanken". 1950 *ff*.

Schaukelpferd *n* **1.** Motorrad. Vom Kinderspiel-

Mit dem **Schaum** *verhält sich's wie mit so vielen anderen Dingen auch: Aufs rechte Maß kommt es an. Zu viel oder zu wenig davon stört. Wer Schaum schlägt* (**Schaum 3.,** **Schaumschläger**)*, und nicht gerade, wie auf dem Foto oben, für ein Schaumbad zu werben hat, der versucht zu verbergen, daß sich darunter wohl nur wenig Substanz verbirgt. „Schaum ist kein Bier", sagt der Volksmund, doch ließe sich umgekehrt auch sagen, daß Bier ohne Schaum zwar Bier ist, dieses aber recht fad und abgestanden schmeckt. Unter diesem Gesichtspunkt eines auffälligen Mankos erhält Schaum dann wieder positive Konnotationen (vgl.* **Schaum 1.***).*

zeug übernommen mit Einwirkung von „↗Schaukel 1". 1940 *ff*.
2. ein Gemüt haben wie ein ~ = herzlos sein. 1920 *ff*.
3. grinsen wie ein frischlackiertes ~ = über das ganze Gesicht strahlen. 1930 *ff*.

Schaukelpferdchen *n* Kleinauto. ↗Schaukelpferd 1. 1955 *ff*.

Schaukelpolitik *f* wankelmütige Politik. Im späten 19. Jh aufgekommen.

Schaukelstuhl *m* Motorrad. Sold 1935 *ff*.

Schaukelwasser *n* Schnaps. Sein Genuß verursacht „Schaukeln = Schwanken". 1925 *ff*.

Schaul *m* Mensch, der kein Vertrauen verdient. Fußt auf *jidd* „schaw = falsch, schlecht". 1950 *ff*.

Schau-Leute *pl* Zuschauer einer „Schau". 1960 *ff*.

Schauleute *pl* Männer, die weniger durch Leistung und mehr durch ihr Äußeres vorteilhaft wirken. ↗Schau 3. 1960 *ff*.

Schaum *m* **1.** ~ auf den Ätherwellen = interessantes, wertvolles Rundfunk-, Fernsehprogramm. Übertragen vom Bild der Schaumkrone auf den Wellen. 1961 *ff.*

2. gebremster ~ = gedämpftes Temperament. Geht zurück auf die Werbung der Waschmittelindustrie mit dem Werbespruch: „Dixan mit gebremstem Schaum für die moderne Waschmaschine". 1965 *ff.*

3. ~ schlagen = a) etw vortäuschen; sich brüsten; lebhaft schwätzen ohne ernstliches Anliegen. Hergenommen vom Eierschaumschlagen in der Küche: das Volumen nimmt zu, aber die Substanz bleibt dieselbe. Seit dem späten 19. Jh. – b) Claqueur sein. 1910 *ff.*

Schaumänner *pl* Zuschauer; Betrachter von Waren ohne Kaufabsicht. 1960 *ff.*

Schaumkelle *f* **1.** ärztliches Instrument zur Ausschabung bei Frauen. Formähnlich mit dem Küchengerät. 1920 *ff.*

2. Kommandoscheibe des Aufsichtsbeamten bei der Eisenbahn. 1922 *ff.*

3. Kommandoscheibe (Fahrtrichtungsanzeiger) der motorisierten Truppe. *Sold* 1935 *ff.*

Schaumkrone *f* eine ~ haben = bezecht sein. Anspielung auf Sekt- oder Bierschaum. 1930 *ff.*

Schaumlöffel *m* **1.** Kommandoscheibe des Aufsichtsbeamten bei der Eisenbahn. Wegen der Formähnlichkeit mit dem Küchengerät. 1910 *ff.*

2. den Anstand mit dem ~ gegessen haben = keinen gesellschaftlichen Anstand besitzen. Der Schaumlöffel entfernt lediglich den Schaum und läßt die eigentlich wertvolle Substanz durch die Löcher zurückfließen. Seit dem 19. Jh.

3. den Verstand mit dem ~ gegessen haben = dumm sein. 1850 *ff.*

Schaumritter *m* Herrenfrisör. Anspielung auf den Rasierschaum. Kundenspr. Seit dem 19. Jh.

Schaumschläger *m* **1.** Herrenfrisör. Seit dem 19. Jh.

2. Prahler; Mann, der leere Worte macht. ↗Schaum 3. Seit dem späten 19. Jh.

3. Schlagersänger. 1950 *ff.*

4. Hersteller von Waschmitteln. 1960 *ff.*

5. Leichthubschrauber. Anspielung auf die quirlende Bewegung der Luftschraube. *BSD* 1965 *ff.*

Schaumschlägerei *f* Prahlerei; Prahlsucht. ↗Schaum 3. 1870 *ff.*

schaumschlägerisch *adj* prahlerisch. 1900 *ff.*

Schaumstoff *m* Bier. Es ist „↗Stoff" mit Schaum. 1925 *ff.*

Schaupackung *f* hübsche Bekleidung. Eigentlich die unverkäufliche Ansichtsware, die Attrappe. 1960 *ff.*

schaurig *adv* **1.** sehr. Eigentlich soviel wie „schaudererregend"; hieraus weiterentwickelt nach dem Muster von „fürchterlich", „furchtbar" o. ä. zu einer allgemeinen Verstärkung. Seit dem ausgehenden 19. Jh.

2. es geht ~ rund = es geht ausgelassen, schikanös zu; es herrscht heftiger Beschuß. ↗rund 2. 1939 *ff.*

Schauseite *f* jm die ~ zeigen = mit vorzüglichem Benehmen einen vorteilhaften Eindruck zu erwecken suchen. *Vgl* ↗Schokoladenseite. 1930 *ff.*

Schauspiel *n* ein ~ für Götter = ein herrlicher Anblick. Stammt aus Goethes Singspiel „Erwin und Elmire" (1775): „Ein Schauspiel für Götter, zwei Liebende zu sehen!". Im 19. Jh verallgemeinert, oft auch in *iron* Bedeutung angewandt.

Schauspielerei *f* Vortäuschung einer Unpäßlichkeit, einer Verletzung o. ä. In volkstümlicher Auffassung ist das Theater unwahr, der Bühnenkünstler ein Schwindler. 1900 *ff.*

Schauspielerhase *m* alter ~ = erfahrener Schauspieler. ↗Hase. 1920 *ff*, theaterspr.

Schauspielerin *f* ~ für tragende Rollen = Kellnerin. ↗Rolle 16. 1950 *ff.*

Schausport *m* Fernsehen. 1958 *ff.*

Schaustück *n* **1.** unwichtiger Mensch; Mensch, den man vorschiebt, um von der eigentlichen Person abzulenken. In seiner Bedeutung ähnelt er dem unverkäuflichen Muster einer Ware. 1900 *ff.*

2. mustergültiger Soldat. Er ist einer zum Vorzeigen. *BSD* 1960 *ff.*

Schaute *m* **1.** lächerlicher Mensch; dummer, unfähiger, widerlicher Mensch. Stammt aus *jidd* „schote = Narr". Seit dem 16. Jh.

2. ~ mit vergnügten Sinnen = stillvergnügter Dümmling; Mensch, der nicht ernst zu nehmen ist. Stammt aus der zweiten Zeile von Schillers Ballade „Der Ring des Polykrates" und ist vom Vorhergehenden beeinflußt. Um 1900 von Schülern aufgebracht, zu deren Lesestoff die Ballade zählt.

Schauter *m* **1.** Spitzel; Polizeibeamter. Fußt auf *jidd* „schauter = Aufseher, Vorsteher". *Rotw* seit dem frühen 19. Jh.

2. lustiger, zu Streichen aufgelegter Junge. Entstellt im Rheinland aus „↗Schaute 1". 1900 *ff.*

Schautermann *m* Dummer; Witzbold; Mann, der auf Streiche aller Art verfällt. *Vgl* das Vorhergehende. 1930 *ff*, vor allem an Rhein und Ruhr verbreitet.

schautig *adj* **1.** närrisch. ↗Schaute 1. 1900 *ff.*

2. charakterlos, hinterlistig. Gehört wohl zu „↗Schauter 1". Spätestens seit 1900.

Schautyp *m* gut aussehender Mensch. ↗Typ. *Jug* 1955 *ff.*

Scheck *m* **1.** dicker ~ = Scheck über eine hohe Summe. 1900 *ff.*

2. fauler ~ = ungedeckter Scheck. 1920 *ff.*

3. fetter ~ = Scheck über einen großen Betrag. 1920 *ff.*

4. der ~ heiligt die Mittel = a) bringt ein Geschäft viel ein, ist jedes Mittel erlaubt. Umgeformt aus „der Zweck heiligt die Mittel" (= ist der Zweck gut, haben auch die Mittel zu seiner Erreichung für gut zu gelten). 1955 *ff.* – b) mit einer hohen Bestechungssumme erhält man einen Staatsauftrag. Aufgekommen um 1958 im Zusammenhang mit Bestechungsprozessen gegen führende Angehörige der Ministerialbürokratie.

5. der ~ platzt = der Scheck wird mangels Deckung nicht eingelöst. ↗platzen. 1920 *ff.*

Scheck-Blüte *f* gefälschter Scheck. ↗Blüte. 1920 *ff.*

Scheckbuch *n* **1.** dickes ~ = großes Bankguthaben. 1920 *ff.*
2. das ~ hat keine Falten = bei einer sichtlich bejahrten, aber reichen Dame sieht der Geliebte über die Alterserscheinungen hinweg. 1930 *ff.*

schecken *tr* ↗checken.

scheckig *adv* **1.** sich ~ kränken = a) sich schwer beleidigt fühlen. Scheckig = „gefleckt, geschenkt": man wechselt die Gesichtsfarbe (erbleicht oder läuft rot an). 1870 *ff.* – b) sich große Sorgen machen. 1920 *ff.*
2. sich ~ lachen = heftig lachen. Das Gesicht des Lachers wird fleckig. 1600 *ff.*
3. ~ reden = unverständlich, töricht reden. Analog zu ↗kariert. 1900 *ff.*

Scheeks *m* ↗Scheks.

scheesen *intr* ↗schesen.

scheese sein = betrunken sein. Gehört wohl zu „↗schaskeln" und verwandten Wörtern für „trinken". 1900 *ff.*

Scheffel *m* etw unter den ~ stellen = etw bescheiden verdecken. Fußt auf der schriftsprachlichen Wendung „sein Licht unter den Scheffel stellen" (Matthäus 5, 15). 1930 *ff; wohl erheblich älter.*

Scheibchen *n* **1.** Pfennig- oder Groschenmünze. Formähnlich mit der dünnen, kleinen Scheibe Wurst. 1930 *ff.*
2. Glatze. Ist über die Gleichung „Scheibe = Schallplatte" Analogie zu „↗Platte 3". 1950 *ff.*

scheibchenweise *adv* in Fortsetzungen; nach und nach. *Vgl* ↗Salamitaktik. 1965 *ff.*

Scheibe *f* **1.** Teller. Wegen der Formähnlichkeit. *Rotw* seit dem frühen 19. Jh.
2. Schallplatte. Übersetzt aus *engl* „disk", das sowohl die Scheibe als auch die Schallplatte meint. Nach 1950 von der Schallplattenindustrie eingeführt und seitdem eine sehr beliebte Halbwüchsigenvokabel im gesamten deutschen Sprachgebiet.
3. Frau *(abf).* Gehört zu „scheiben" in der Bedeutung „spalten" und spielt auf die Vulva an. *Vgl* „Scheibe = Geschlechtsteil der Kuh". 1920 *ff.*
4. leichtere Geistesstörung. Verkürzt aus ↗Mattscheibe. 1950 *ff.*
5. Treffpunkt. Hergenommen vom Begriff „Drehscheibe des Verkehrs". *Halbw* 1955 *ff.*
6. Bordell. Versteht sich nach dem Vorhergehenden, nur mit dem Unterschied, daß „Verkehr" hier den Geschlechtsverkehr meint. 1955 *ff.*
7. beleibter Mensch. Fußt auf der Vorstellung der kreisrunden Platte. *Österr* 1945 *ff, jug.*

8. eine ~ Lokuspapier = ein Blatt Abortpapier. Hergenommen von der Blockform des Papiers. 1900 *ff.*
9. ~ (ja, ~)! *interj* Irrtum! Ausdruck der Verneinung. Stammt aus der militärischen Schießlehre: trifft bei der Ringscheibe (12 Ringe) ein Schuß außerhalb der Ringe, so wird das Ergebnis durch den Ruf „Scheibe!" zum Schützenstand gemeldet; dieser Treffer der Ringscheibe wird nicht bewertet. Daraus entwickelte sich „Scheibe" zum Hehlwort für „↗Scheiße" 1840 *ff*, Berlin.
10. ~, mein Herzchen! = du irrst dich! 1870 *ff.*
11. ~ blau! = Irrtum! mißglückt; ausgeschlossen! Beim Fehlschuß meldet der Soldat „Scheibe links blau". 1870 *ff.*
12. ~ hoch links! = mißglückt! 1900 *ff, sold.*
13. ~ links (~ rechts; ~ linksrum): Redewendung, wenn eine Sache fehlgeschlagen ist; große Unannehmlichkeit. Mit diesen Worten wird beim Übungsschießen angegeben, nach welcher Richtung der Fehlschuß ging. „Scheibe links" besagt, daß die Zielscheibe links außerhalb der Ringe getroffen wurde. *Sold* 1870 *ff.*
14. ~ matt! = Irrtum! alles verkehrt! Verdreht aus „Mattscheibe" unter Einwirkung der drei vorhergehenden Ausdrücke. *Stud* 1955 *ff*, Berlin.
15. ach du ~!: Ausruf des Entsetzens. Hehlausdruck für „ach du Scheiße!". *Sold* 1939 *ff.*
16. alles ~ (so eine ~)!: kräftiger Ausdruck der Unerträglichkeit, des Unmuts, der Verzweiflung o. ä. Aus „Scheiße" entstellt. *Sold* 1939 *ff.*
17. flotte ~ = Schallplatte mit Tanzmusik. *Halbw* 1950 *ff.*
18. geile ~ = sehr beliebte Schallplatte. ↗geil 6; ↗Scheibe 20. *Halbw* 1950 *ff.*
19. große ~ = große Unannehmlichkeit. Hehlausdruck für „große Scheiße". 1939 *ff.*
20. heiße ~ = Schallplatte mit hochmoderner Tanzmusik. Heiß = leidenschaftlich, temperamentvoll. 1950 *ff, halbw.*
20 a. absolut höchste ~ = allerbeste Schallplatte. 1960 *ff.*
20 b. kalte ~ = Schallplatte mit ernster Musik. 1960 *ff, jug.*
21. scharfe ~ = Schallplatte mit rhythmisch stark akzentuierter Schlagermusik. 1955 *ff, halbw.*
22. schwarze ~ = Schallplatte. *Halbw* 1950 *ff.*
23. dabei fällt für ihn eine ~ ab = an dem Gewinn wird er beteiligt. Hergenommen von der Scheibe Brot oder Wurst, die man dem Beteiligten zukommen läßt. 1920 *ff.*
24. sich von etw eine ~ abschneiden (abschnippeln, runterschneiden) können = sich an etw ein Beispiel nehmen können; sich etw zu Herzen nehmen sollen. Von der Wurst- oder Brotscheibe übernommen. 1900 *ff.*
25. einer die ~ einschmeißen = deflorieren. Analog zu ↗Fenster 8. 1910 *ff.*
26. laß dir eine ~ einsetzen!: Ausruf an einen, der

dem Sprecher im Licht steht oder die Aussicht versperrt. Spätestens seit 1900.

26 a. eine ~ haben = Verständnisschwierigkeiten haben. ↗Mattscheibe 1. 1970 ff.

27. ~n klauen = ein guter Schütze sein. Er „stiehlt" den Kameraden die „↗Schau". BSD 1960 ff.

28. die ~ knacken = die Fensterscheibe einschlagen. ↗knacken. 1950 ff.

29. es ist ~ = es ist minderwertig, übel, widerlich. Hehlwörtlich für „Scheiße". 1900 ff.

30. das ist mir ~ = das ist mir völlig gleichgültig. Entstellt aus „Scheiße". 1920 ff.

31. auf der ~ sein (auf ~ sein) = schlagfertig, gewitzt, lebenserfahren, rührig sein. Hergenommen vom Schützen, der immer die Zielscheibe trifft. 1900 ff.

Scheibendoktor m Glaser. ↗Doktor. 1920 ff.

Scheibendreher m Schallplattenansager; Plattenspieler. Jug 1965 ff.

Scheibenhonig m **1.** üble Lage. Euphemismus für „Scheiße". Eigentlich Bezeichnung des in Scheiben zu schneidenden türkischen Honigs. Sold in beiden Weltkriegen.

2. Lüge. Gehört zu „↗bescheißen = übertölpeln". 1950 ff.

3. ~!: Ausdruck der Abweisung. Hehlwort für „Scheiße", wobei „Honig" auf die Färbung des Kots anspielt. 1914 ff.

4. jetzt schreist du ~!: Ausruf der Verwunderung. 1939 ff.

Scheibenkleister m **1.** zähe Milchspeise; Mehlsuppe. Gemeint ist, man könne sie als Scheibenkitt oder als Kleister verwenden, mit dem man die Einschüsse auf der Zielscheibe verschließt. Sold und kundenspr. 1870 ff.

2. Minderwertiges, Unsinniges; auch Ausdruck der Ablehnung. Hehlwörtlich für „Scheiße". Sold in beiden Weltkriegen; auch ziv.

3. heikle, gefährliche Lage. Sold 1914–1945.

Scheibenkratzer (-maschine, -mühle) m f Plattenspieler. ↗Scheibe 2. Halbw 1955 ff.

Scheibenschießen interj Ausdruck der Ablehnung. Steht verhüllend für gleichbed „Scheiße". 1870 ff.

Scheibenschlenderer m Plattenspieler. Halbw 1955 ff.

Scheibenschneiden n Luft, dick zum ~ = stark verbrauchte, von Tabakwolken erfüllte Zimmerluft. ↗Luft 85. 1900 ff.

Scheibenschoner m schlechter Schütze. Durch Fehlschüsse schont er die Zielscheibe. Sold 1935 ff.

Scheibenwischer m **1.** Augenlid. Vom Kraftfahrzeug übertragen. 1930 ff.

2. Fensterputzer. 1960 ff.

3. den ~ ausschalten = schlafen. 1930 ff.

Scheibling m trockene Kommißbrotschnitte. Sold und kundenspr. 1870 ff.

Scheich m **1.** hoher Offizier; hochmütiger Offizier. Stammt aus dem Arabischen und meint dort wörtlich „(Stammes-)Ältester, Greis", in übertragener Bedeutung soviel wie „Unterbefehlshaber". Durch die Romane von Karl May bekanntgeworden. Sold in beiden Weltkriegen.

2. Anführer, Könner. 1920 ff.

3. arabischer Student. Stud 1950 ff, österr.

4. Bräutigam; Liebhaber; Partner; intimer Freund. Etwa ab 1920.

5. Mann mit viel Geld. 1950 ff.

6. Schimpfwort auf einen Mann mit ungewohntem Benehmen. 1900 ff.

7. mieser ~ = unsympathischer Mann. 1920 ff.

8. trüber ~ = unzuverlässiger Mann. Bei ihm sieht man nicht klar. 1920 ff.

Scheidemünze f Prostituiertenentgelt. Meint eigentlich die Geldmünze, das Kleingeld; hier Anspielung auf „Scheide = Vagina". 1914 ff.

Scheidenkrampf m Versuch, die Prostituierte zu prellen. Eigentlich der Vaginismus; hier beeinflußt von „↗Krampf 3 u. 4". 1910 ff.

Scheidenprinzipal m Chefarzt in einer Frauenklinik. 1930 ff.

Scheidewasser n wie ~ = sehr sauer oder scharf (auf Wein bezogen). Scheidewasser ist Salpetersäure; es löst Metalle auf und dient chemisch zur Trennung von Gold und Silber. Seit dem 19. Jh.

Scheidungsparadies n Reno im US-Bundesstaat Nevada. Bekanntgeworden um 1950 durch wohlhabende Bürger von Staaten, in denen die Ehescheidung erschwert oder verboten ist.

Scheidungswaise f in fremder Hut aufwachsendes Kind geschiedener Eltern. 1960 ff.

Scheidungswitwe f nicht wiederverheiratete geschiedene Frau. 1960 ff.

Schein m **1.** Hundertmarkschein. 1950 ff, prost und rotw.

2. Scheinwerfer. 1955 ff, halbw.

3. Leistungsnachweis an den Hochschulen. Er ist die Bescheinigung über die erfolgreiche Teilnahme an einer Übung. Stud 1920 ff.

4. ganzer ~ = Tausendmarkschein. Wegen der Grundfarbe. 1965 ff.

5. fauler ~ = gefälschte (nicht mehr gültige) Banknote. ↗faul 1. 1850 ff.

6. ganzer ~ = Hundertmarkschein. 1955 ff, prost und rotw.

7. grüner ~ = Zwanzigmarkschein. Wegen der Grundfarbe. 1950 ff.

8. halber ~ = Fünfzigmarkschein. 1950 ff, prost und rotw.

9. heißer ~ = aus einer Erpressungssumme herrührende Banknote. ↗heiß. 1965 ff.

scheinbar adj es ist alles schei...nbar = es ist alles überaus verwünscht, widerwärtig, schlimm o. ä. Verhüllend ist „Scheiße" gemeint. 1900 ff.

Scheinchen pl Geldscheine, Papiergeld. Halbw 1950 ff.

Scheine *f* **1.** Taschenlampe, Laterne, Lampe. Substantivbildung zu „scheinen". *Halbw 1955 ff.*

2. Prostituierte, die sich in Kreisen wohlhabender Bürger bewegt. Nur dem Schein nach ist sie eine vornehme Dame. *1965 ff.*

3. dufte ~ = zärtliches Beisammensein des jungen Mädchens mit seinem Freund. Anspielung auf „trauliches" Licht. *1950 ff, halbw.*

Scheinheiligenschein *m* scheinheiliges, heuchlerisches Wesen. Zusammengewachsen aus „scheinheilig" und „Heiligenschein". *1900 ff.*

scheinig sein bei Geld sein. ↗Schein 1. *BSD 1960 ff.*

Scheinjäger *m* Student, der sich um Leistungsnachweise bemüht. ↗Schein 3. *1945 ff.*

scheintot *adj* **1.** alt, betagt. *Halbw 1955 ff.*

2. zwischen ~ und verwesend sein = sehr betagt sein. *Halbw 1955 ff.*

Scheintot-Lippen *pl* bleich- oder in unnatürlichen Farben geschminkte Lippen. *1955 ff.*

Scheinwerfer *m* **1.** runde Deckeldose; kleiner Kochtopf. Wegen der Formähnlichkeit. *Marinespr 1914 ff.*

2. Zahlmeister, Rechnungsführer. Wortspiel mit „Lichtschein" und „Geldschein". *Sold 1914* bis heute.

3. wohlhabender Mann; Geldgeber. Er wirft mit Geldscheinen um sich. *1939 ff.*

4. Kassierer. *1960 ff.*

5. üppiger Busen. Wegen der Formähnlichkeit; *vgl* ↗Scheinwerfer 1. *1920 ff.*

6. Glatze. *1920 ff.*

7. *pl* = große Augen. *Halbw 1955 ff.*

8. sie haben wohl mit schwarzen ~n ausgeleuchtet: Redewendung, wenn es auf der Bühne zu dunkel ist. *Theaterspr. 1920 ff.*

Scheiß *m* **1.** hörbar entweichender Darmwind. Seit dem 15. Jh.

2. Kot. Vorwiegend *oberd,* seit dem 15. Jh.

3. das Ganze *(abf);* Wertlosigkeit; Belanglosigkeit; Unannehmlichkeit. *1500 ff.*

4. kein ~ = nichts. Seit dem 19. Jh.

5. aus lauter ~ = aus lauter Spaß; aus einer Laune heraus. *1950 ff.*

6. ~ bauen = unsinnig handeln. *Rocker 1967 ff.*

7. ~, ich glaub's!: Redewendung, wenn man eine Behauptung nicht glaubt, aber eine fruchtlose oder in Streit ausartende Erörterung beenden (vermeiden) will. Meint etwa soviel wie „es ist zwar Unsinn, aber um des lieben Friedens willen glaube ich deinen Worten". *Berlin 1950 ff.*

8. mach' keinen ~ = benimm dich natürlich, kameradschaftlich! mach' uns keine Ungelegenheiten! *BSD 1965 ff.*

9. red' keinen ~! = rede keinen Unsinn! *1950 ff.*

10. in einen ~ treten = sich vergeblich bemühen; nichts erreichen. Scheiß = Kothaufen. *Wien 1920 ff.*

Scheiß- (scheiß-) mit nachfolgendem Substantiv

(Adjektiv) kennzeichnet das Grundwort als überaus schlecht, minderwertig und unangenehm. Das Kraftwort verleiht dem Ganzen eine sehr verächtliche Bedeutung. Die Wörter tragen in der Regel zwei Akzente.

'Scheiß'angst *f* sehr große Angst. Meint ursprünglich und ohne Doppelbetonung die Befürchtung, daß man den Kot nicht länger zurückhalten kann. Der Bezug auf die Notdurftverrichtung ist heute meist verlorengegangen. *1700 ff.*

'Scheißapparat *m* Gesäß. Es gilt als eine technische Konstruktion zum Koten. *BSD 1965 ff.*

'Scheiß'appa'rat *m* Schimpfwort auf einen Apparat, der den Erwartungen nicht entspricht. *1900 ff.*

'Scheiß'arbeit *f* höchst widerwärtige, mühselige Arbeit. *1900 ff.*

'Scheiß'arsch *m* blöder ~ = Schimpfwort. 1972 in einem Mainzer Kindergarten aus dem Munde eines Dreijährigen gehört.

'Scheißautori'täten *pl* mißliebige, anmaßende Autoritätspersonen. *1965 ff, halbw.*

Scheißbach *m* den ~ runtergehen = verlieren. „Scheißbach" ist die Abflußrinne des Aborts. *1930 ff.*

'Scheiß'bande *f* unsympathische Gruppe. ↗Bande 1. *1920 ff.*

'Scheiß-'Barras *m* Wehrdienst *(abf).* ↗Barras. *1935 ff.*

'Scheißbe'fehl *m* unsinniger, dümmlicher, widerwärtiger Befehl. *Sold* in beiden Weltkriegen.

'scheißbe'soffen *adj* volltrunken. Seit dem 19. Jh.

'scheiß'billig *adj* sehr wohlfeil. *1900 ff, schwäb.*

'Scheiß'blatt *n* minderwertige Zeitung. ↗Blatt. *1920 ff.*

Scheißbolzen *m* Zigarette nach dem Frühstück. ↗Bolzen. Angeblich fördert sie den Stuhlgang. *Sold 1935 ff.*

Scheißbrille *f* Abortöffnung. Verdeutlichung von „Brille". *1900 ff.*

Scheißbude *f* Abort. *1920 ff.*

'Scheiß'bulle *m* Polizeibeamter *(abf).* ↗Bulle 1. *1920 ff.*

'Scheiß-'Bund *m* Bundeswehr. ↗Bund. *BSD 1955 ff.*

'Scheiß'bürger *m* Bürger ohne revolutionäre Gesinnung; Bürger, der den politischen Reformbestrebungen der jungen Leute ablehnend gegenübersteht. *1965 ff.*

'scheiß'dick *adj* volltrunken. ↗dick 4. *1930 ff.*

'Scheiß'dienst *m* schwerer, verhaßter Dienst; Dienst, der nur wenig Freizeit läßt. *BSD 1960 ff.*

'Scheiß'ding *n* unbrauchbares Gerät. 19. Jh.

Scheißdreck *m* Kothaufen. *1800 ff.*

'Scheiß'dreck *m* **1.** wertloser, unbrauchbarer Gegenstand; Wertlosigkeit. Seit dem 19. Jh.

2. das geht ihn einen ~ an = das geht ihn überhaupt nichts an. Seit dem 19. Jh.

3. das interessiert ihn einen ~ = das interessiert ihn überhaupt nicht. *1900 ff.*

4. sich um jeden ~ kümmern = sich um jede Belanglosigkeit kümmern. Seit dem 19. Jh.

5. sich um etw einen ~ kümmern = sich um etw überhaupt nicht kümmern. 1900 *ff.*

scheißdufte *adj* hervorragend. *Jug* 1955 *ff*, bayr.

'scheiß'duhn *adj* volltrunken. ↗duhn. Seit dem 19. Jh.

Scheiße *f* **1.** Kot, Durchfall. Seit dem späten Mittelalter.

2. Abort. *Schweiz* 1900 *ff.*

3. große Unannehmlichkeit; üble Lage. 1500 *ff.*

3 a. sehr Minderwertiges. 1900 *ff.*

4. nichts; Ausdruck derber Abfertigung. Seit dem späten Mittelalter.

5. ~ hoch drei (Scheiße³) = allerschlimmste Lage; Unannehmlichkeit sehr großen Ausmaßes. *Sold* 1939 *ff.*

6. ~ am Baum = vergebliche Mühegabe; Mißerfolg. Kot am Baum nützt dem Baum nichts; ihn dahin zu praktizieren, ist verlorene Liebesmühe. 1910 *ff.*

7. ~ auf der ganzen Linie = sehr große Widerwärtigkeit; Mißerfolg in jeder Hinsicht. ↗Linie 1. 1920 *ff.*

8. ~ im Quadrat = außerordentliche, große Unannehmlichkeit. Quadrat = 2. mathematische Potenz. *Sold* in beiden Weltkriegen.

9. ~ mit Reis = a) sehr schlimme Lage. „Scheiße" meint hier vielleicht den zu „↗Gaularsch" entstellten „Gulasch", den es bei den Soldaten gar zu oft zu essen gab. 1914 *ff.* – b) Unsinn; Ausdruck der Mißbilligung. 1914 *ff.* – c) unschmackhaftes, schlechtes Essen. *Sold* 1939 *ff.* Für 1914/18 war bisher kein Zeugnis zu finden.

10. ~ im Teich!: Ausdruck heftigen Unwillens. Sollte „Teich" hier den „Teig" meinen? 1973 *ff.*

11. ~ im Trompetenrohr = sehr große Widerwärtigkeit. Scheint vor 1900 aufgekommen zu sein, wahrscheinlich im Zusammenhang mit folgender Reimerei: „Scheiße, ins Gewehr geschossen,/gibt die schönsten Sommersprossen./Scheiße in der Kuchenform/vollendet den Geschmack enorm./Scheiße in der Lampenschale/gibt gedämpftes Licht im Saale./Scheiße im Trompetenrohr/kommt bestimmt ganz selten vor."

12. ach du ~ (ach du große ~)!: Ausdruck des Entsetzens, der Verzweiflung o. ä. *Sold* 1939 *ff.*

12 a. ach du gepflegte ~!: Ausdruck der Verwunderung. *Jug* 1960 *ff.*

12 b. ach du liebe (meine) ~: Ausdruck des Erstaunens, des Entsetzens o. ä. 1910 *ff.*

13. klar wie dicke ~ = völlig einleuchtend. *Iron* Ausdruck. *Stud* 1960 *ff.*

14. blanke ~ = große Widerwärtigkeit; barer Unsinn. *Sold* 1939 *ff.*

15. dicke (dickste) ~ = überaus heikle Lage; Lage, aus der es kein Entrinnen gibt. *Sold* 1939 *ff.*

16. ganze ~ = Gesamtheit von Mißliebigkeiten. 1900 *ff.*

17. große ~ = a) sehr übles Vorkommnis. *Sold* 1939 *ff.* – b) Krieg. 1938 *ff.*

18. liebliche ~ = sehr böse Unannehmlichkeit. *Iron* Ausdruck. 1935 *ff.*

19. verdammte ~!: Fluch. 1920 *ff.*

20. alles ~ = alles unbrauchbar, wertlos, vergeblich. Seit dem 18. Jh.

21. alles ~, deine Elli (Erna, o. ä.): Ausruf der Enttäuschung über Mißlungenes. Wird gedeutet als Schluß eines Feldpostbriefs an Frau an den Mann. Die Frau hat „alles Gute!" gemeint, aber „alles Scheiße!" geschrieben. *Sold* 1939 *ff.*

22. du siehst ~ aus!: Äußerung, mit der man einen herausfordern will. Rocker 1967 *ff.*

23. ~ bauen = einen Unfall verursachen; ungeschickt, unzweckmäßig vorgehen; schlechte Arbeit leisten; Ungelegenheiten verursachen; Unsinniges tun. 1914 unter den Soldaten aufgekommen; seitdem allgemein verbreitet, vor allem unter Schülern und Kraftfahrern.

24. ~ unter das Volk bringen (mischen) = Gerüchte in Erfahrung bringen und verbreiten. *Sold* in beiden Weltkriegen; auch Politiker- und Journalistendeutsch.

25. die ~ dampft (ist am Dampfen) = a) es wird unerträglich; die Lage ist hoffnungslos. *Sold* 1939 *ff.* – b) es wird heftig gestritten. 1950 *ff.*

26. die eigene ~ fressen = sehr geizig sein. 1700 *ff.*

27. du hast wohl ~ gefressen?: Frage an einen, der unsinnige Behauptungen aufstellt. *Sold* 1939 *ff.*

28. ~ am Bein haben = nicht unbescholten sein; nicht schuldlos sein. Analog zu „↗Dreck am Stecken haben". 1950 *ff.*

29. ~ im Blut haben = feige sein. *Sold* in beiden Weltkriegen; auch *jug*.

30. ~ im Gehirn haben = sehr dumm sein. 1910 *ff.*

31. ~ im Kopf haben = den Kopf voll Dummheiten haben; nicht ernst sein können. 1910 *ff.*

32. du hast wohl ~ in den Ohren? = kannst du nicht hören? willst du nicht gehorchen? 1900 *ff*, *sold.*

33. ~ an den Pfoten haben = kein Glück haben; etw unbeabsichtigt zum Scheitern bringen. Analog zu „↗Pech an den Fingern haben". 1900 *ff.*

34. du hast wohl ~ an den Pfoten?: Frage an einen, der einen Gegenstand zu Boden fallen läßt. 1900 *ff.*

35. du hast wohl ~ im Schalltrichter? = das hast du wohl überhört? das kannst du wohl nicht begreifen? 1900 *ff.*

36. jn aus der ~ holen = jn aus arger Notlage befreien. 1940 *ff.*

37. jn durch die ~ holen (schleifen, ziehen) = jn grob verhöhnen; mit jm seinen Spott treiben. Analog zu „jn durch den ↗Kakao ziehen". 1900 *ff*, vorwiegend *sold*, *schül* und *stud.*

38. ~ kehren = Ersatzdienst leisten. Anspielung

auf den Dienst in Krankenhäusern. *BSD* 1965 *ff*.

39. daran klebt ~ = das ist eine gefährliche Sache. *Sold* 1939 *ff*.

40. ihm kocht die ~ im Hintern = er ist sehr wütend; vor Zorn weiß er nicht, was er als nächstes tun soll. *Sold* 1939 *ff*.

41. in der ~ liegen = sich in unheilvoller Lage befinden; im Granatfeuer, in schlechter Frontstellung liegen. *Sold* in beiden Weltkriegen.

42. dicke ~ liegt in der Luft = Unangenehmes steht zu erwarten; man hat sich auf Verschlimmerung der Lage einzustellen. *Sold* 1939 *ff*.

42 a. ~ machen = versagen. 1914 *ff*.

43. aus ~ Geld machen = alles meistern; Mißlingen nicht kennen. 1930 *ff*.

44. die ~ qualmt (ist am Qualmen) = die Lage ist äußerst unerquicklich. ↗Scheiße 25 a. *Sold* 1939 *ff*.

45. ~ quatschen (reden o. ä.) = sich unsinnig äußern. 1930 *ff*.

46. Sie reden einen ganz schönen Eimer ~, wenn der Tag lang ist: Redewendung auf einen Dummschwätzer. *BSD* 1960 *ff*.

47. und wenn es ~ regnet = auch bei schlechtestem Wetter; unter allen Umständen. *Sold* 1939 *ff*.

48. jn in die ~ reiten = jn in große Unannehmlichkeit bringen. ↗reiten 4. 1939 *ff*.

49. in der ~ rühren = Anrüchiges zur Sprache bringen. 1950 *ff*.

50. jn in (durch) die ~ schicken = jm einen gefährlichen Auftrag geben; jm einen undurchführbaren Auftrag erteilen (um ihn wegen Unfähigkeit entlassen oder herabsetzen zu können). *Vgl* ↗Scheiße 37. *Sold* 1939 *ff*.

51. ~ schleudern = Aborteimer leeren. ↗Honig 5. Haftanstaltsvokabel 1950 *ff*.

52. ~ schreiben = Lügen zu Papier bringen. 1933 *ff*.

53. ich schreie ~!: Ausdruck höchsten Unwillens. *Sold* 1939 *ff*.

54. ich könnte ~ schreien!: Ausdruck höchsten Vergnügens. 1950 *ff*.

55. in die ~ segeln = in schlimme Lage geraten. *Sold* in beiden Weltkriegen.

56. sich in die ~ setzen = Ungelegenheiten selber verschulden. *Sold* in beiden Weltkriegen.

57. in der ~ sitzen (stecken) = in Not, in sehr übler Lage sein. 1900 *ff*.

58. heute steht ~ im Kalender = heute mißlingt mir alles. 1920 *ff*.

59. da hört die ~ auf zu stinken!: Ausdruck sehr heftigen Unwillens. *Sold* 1940 *ff*.

60. mir stockt die ~!: Ausdruck größter Verwunderung. 1930 *ff*.

61. ~ wittern = eine böse Ahnung haben. *Sold* in beiden Weltkriegen.

62. etw durch die ~ ziehen = etw verächtlich machen. ↗Scheiße 37. 1900 *ff*.

63. eine dicke ~ braut sich zusammen = Ver-

schlimmerung bahnt sich an. ↗zusammenbrauen. *Sold* 1939 *ff*.

64. eine ganz schöne ~ zusammenreden = dummschwätzen. *Vgl* ↗Scheiße 45. 1930 *ff*.

scheiße *adj adv* (unflektierbar) **1.** schlecht, minderwertig, ungünstig. Aus dem Substantiv entwickelt. *Halbw* 1960 *ff*.

2. es ist mir ~ = es ist mir gleichgültig. Verkürzt aus ↗scheißegal. 1910 *ff*.

Scheißebauer *m* Versager. ↗Scheiße 23. 1910 *ff*.

Scheißebohrer *m* Homosexueller. 1900 *ff*.

Scheißebrüllen *n* es ist zum ~!: Ausdruck der Verzweiflung. ↗Scheiße 53. 1939 *ff*.

Scheißefresser *m* **1.** Geiziger (grobes Schimpfwort). ↗Scheiße 26. 1700 *ff*.

2. Ärmster der Armen. 1930 *ff*.

'scheiße'gal *adv* gleichgültig. Derbe Verstärkung von „egal". 1900 *ff*.

Scheißelon'gü *f* Sofa, Liege. Aus *franz* „chaiselongue" scherzhaft eingedeutscht. 1920 *ff*, *schül*.

'Scheiß'eltern *pl* Schimpfwort auf die Eltern. *Jug* 1950/55 *ff*.

scheißen *v* **1.** *tr intr* = koten. Seit dem späten Mittelalter.

2. *tr intr* = einen Darmwind abgehen lassen. Seit dem 15. Jh.

3. *intr* = dummschwätzen; sich ungebeten in anderer Leute Angelegenheiten einmischen; ohne Sachverstand über alles und jedes reden. Das Gesagte ist nicht mehr wert als Kot. 1900 *ff*.

4. lieber scheiße ich mir selbst in die Fresse, als daß ich . . .: kräftige Abweisung eines unzumutbaren Ansinnens. 1930 *ff*.

5. jm etw ~ = jm etw ablehnen. Seit dem 19. Jh.

6. auf etw ~ = etw gründlich verachten. 1500 *ff*. *Vgl engl* „to shit on something".

7. scheiß' drauf! = nimm es nicht wichtig! nimm es dir nicht zu Herzen! 1600 *ff*.

8. sich um etw nicht (nichts) ~ = sich um etw nicht scheren; sich nicht einschüchtern lassen. *Bayr* und *österr*, seit dem 19. Jh.

9. hoch ~ = a) sehr großwüchsig sein. Der Kot fällt aus großer Höhe. 1930 *ff*. – b) sich aufspielen; schwülstig reden. 1930 *ff*.

10. immer noch besser als in die hohle Hand geschissen = es hätte schlimmer kommen können. ↗Hand 36. 1900 *ff*.

11. da möchte man vor Wut kerzengerade in die Luft ~!: Ausdruck größter Wut. 1920 *ff*.

12. jetzt scheißte Beweid = jetzt weißt du Bescheid. Wortspielerei, um eine Verbindung mit „scheißen" herzustellen. 1900 *ff*.

13. so was scheiße ich in den Schnee bei Nacht!: Redewendung angesichts eines künstlerisch wertlosen Bildes. Steht im Zusammenhang mit dem *lat* Spruch „cacatum non est pictum" (= gekackt ist nicht gemalt). 1900 *ff*.

14. geh ~! = geh fort! Wien 1900 *ff*.

Scheißen *n* **1.** das große ~ = Durchfall. 1900 *ff*.

2. zum ~ zu blöde (dümmlich, dumm o. ä.) sein = überaus dumm sein; zu nichts tauglich sein. 1900 *ff.*

3. zum ~ schön = scheußlich. 1950 *ff.*

Scheißer *m* **1.** Gesäß. 1920 *ff.*

2. Mann *(abf)*; unsympathischer Vorgesetzter. *Vgl* ↗scheißen 3. 1900 *ff.*

3. Feigling; ängstlicher Mann; Schimpfwort. Vor Angst verliert er die Gewalt über den Schließmuskel des Afters. *Vgl* ↗Scheiße 29. 1500 *ff.*

4. kleines Kind. Seit dem 19. Jh.

5. autoritärer ~ = anmaßende Autoritätsperson. 1965 *ff, halbw.*

6. kleiner ~ = a) kleines Kind. Seit dem 19. Jh. – b) unbedeutender Mann; Mann in untergeordneter Stellung. 1920 *ff.*

7. liberaler ~ = Liberalgesinnter *(abf)*; Mensch, der Radikalismus ablehnt. *Halbw* 1965 *ff.*

Scheißerchen *n* Kosewort für ein kleines Kind, für einen Mann oder eine Frau. 1900 *ff.*

Scheiße'rei *f* **1.** Durchfall. Spätestens seit 1700.

2. Nichtigkeit; Unannehmlichkeit. 1700 *ff.*

scheißerig *adj* **1.** Kotdrang verspürend. 1800 *ff.*

2. feige. ↗Scheißer 3. Seit dem 19. Jh.

Scheiße'ritis *f* Durchfall. Medizinischen Krankheitsbezeichnungen nachgebildet (Rachitis, Meningitis). Im späten 19. Jh bei den Soldaten aufgekommen; seit 1900 allgemein.

Scheißerl (Scheißerle) *n* **1.** kleines Kind (Kosewort). Verkürzt aus ↗Nestscheißerl. Eine Umfrage des Autors unter den Hörern des Westdeutschen Rundfunks ergab 1971, daß diese Vokabel häufiger vorkommt als alle anderen Kosewörter. Seit dem 19. Jh, vorwiegend *oberd.*

2. Kosewort für Mann oder Frau. *Vgl* das Vorhergehende. Seit dem 19. Jh, *oberd.*

scheißern *v* es scheißert mich = ich verspüre Stuhldrang. Seit dem 19. Jh.

Scheißerührer *m* Homosexueller. *Vgl* ↗Scheißebohrer. 1900 *ff.*

'scheiß'faul *adj* sehr müde; sehr arbeitsunlustig. 1900 *ff.*

'scheiß'fein *adj* vornehmtuend; zimperlich-fein. Auf die Vornehmheit des Betreffenden „scheißt" man (man gibt nichts auf sie). Auch ist anzunehmen, daß der Betreffende bei der Notdurftverrichtung übertrieben vornehm und prüde handelt. Seit dem späten 19. Jh, vorwiegend *stud* und *schül.*

Scheißfigur *f* tückischer Mensch o. ä. 1950 *ff.*

'Scheiß'fotze *f* weibliche Person (sehr *abf*). ↗Fotze. 1700 *ff.*

'Scheiß'fraß *m* minderwertiges Essen. ↗Fraß. 1920 *ff.*

'scheiß'frech *adj* sehr unverschämt. 1920 *ff.*

'scheiß'freundlich *adj* heuchlerisch-freundlich. Seit dem 19. Jh, stark in Österreich verbreitet.

'Scheiß'friede *m* Friede unter aufgezwungenen Bedingungen. 1919 *ff.* (Jakob Wassermann, 1928).

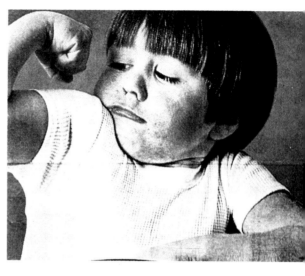

Daß der oder die Liebste oft zum **Scheißerle** *wird, läßt tief blicken und bedarf nun wirklich nicht mehr des Verweises auf die Psychoanalyse. Einmal jener intimen Sphäre entzogen, ist diese Vokabel in einen nicht pejorativen Sinn, dann aber eigentlich nur noch auf Kinder anwendbar und erfreut sich dabei, wie eine Umfrage gezeigt hat, sogar größter Beliebtheit. Es kann gut sein, daß sich darin der Wunsch äußert, das Verhältnis des Heranwachsenden zu seinen Eltern möge doch immer vor jener Abhängigkeit bestimmt sein, wie sie in der Phase der Entwicklung gegeben ist, wo das Scheißerle wirklich noch ein Scheißerle ist, und von einem Gebaren, dem ähnlich, welches das Foto zeigt, noch nichts weiß.*

'Scheiß'fuchs *m* **1.** Student im ersten Semester. ↗Fuchs 3. Seit dem 19. Jh, *stud.*

2. Nichtverbindungsstudent. *Österr,* spätestens seit 1900.

'scheiß'fürnehm *adj* unecht-vornehm; vornehmtuend. ↗fürnehm. 1900 *ff.*

Scheißgasse *f* **1.** in die ~ kommen = in Bedrängnis geraten. „Scheißgasse" ist entweder die Jaucherinne im Stall oder eine enge Gasse, in der man seine Notdurft verrichten kann. Seit dem 19. Jh, vorwiegend *oberd.*

2. in der ~ sein (sitzen) = sich in übler Lage, in höchster Verlegenheit befinden. *Oberd,* 19. Jh.

'Scheiß-Ge'labere *m* langweiliges Geschwätz. ↗labern. 1970 *ff, jug.*

Scheißgeld *n* Benutzungsgebühr in öffentlichen Bedürfnisanstalten (ebenda entrichtetes Trinkgeld). 1870 *ff.*

'Scheiß'geld *n* Geld *(abf)*; unwillig gezahlter Betrag. 1900 *ff.*

'Scheißge'schäft *n* widerliche, lästige, ungeliebte Tätigkeit. 1935 *ff.*

'Scheiß'hammel *m* Feigling; minderwertiger Mann. ↗Hammel. 1930 *ff.*

Scheißhaufen *m* Kothaufen. Seit dem 19. Jh.

'Scheiß'haufen *m* **1.** Schimpfwort auf einen Menschen. 1930 *ff.*
2. militärische Einheit ohne Zucht und Ordnung. ↗Haufen 2. *Sold* 1914 bis heute.

Scheißhaus *n* **1.** Abort (auch in den Formen „Scheißhaisl; Scheißhäuslein" o. ä.). Seit dem 15. Jh.
2. gemeiner, niederträchtiger Mensch. 1920 *ff.*
3. langes ~ = großwüchsiger, hagerer Mann. *Oberd* seit dem 19. Jh.
4. mach' dein ~ zu! = halt' endlich deinen Mund! hör endlich auf mit deinen unflätigen Reden! *Sold* 1939 *ff.*

'Scheiß'haus *n* Haus *(abf).* 1900 *ff.*

Scheißhausbewohner *pl* Primaner, die um das Rauchverbot zu umgehen, auf dem Schulabort rauchen. ↗S.H.B. 1940 *ff.*

Scheißhausjahrgang *m* Geburtsjahrgang 1900. ↗Null-Null = Abort. Unter Soldaten gegen 1916/18 aufgekommen.

Scheißhauspapier *n* **1.** Abortpapier. *BSD* 1960 *ff.*
2. schlechtes Schulzeugnis. 1960 *ff, bayr.*

Scheißhausparole *f* unverbürgte Nachricht. Analog zu ↗Latrinenparole. *Sold* 1914 bis heute.

'scheiß'höflich *adj* unecht-höflich; übertrieben höflich. 1920 *ff;* wohl älter.

'Scheiß'höflichkeit *f* unechte Höflichkeit. 1920 *ff.*

Scheißholz *n* Querlatte der Feldlatrine. *Sold* in beiden Weltkriegen.

'Scheiß'hono'rar *n* geringes Honorar; leidiges Honorar. 1920 *ff.*

'Scheiß'hund *m* **1.** Schimpfwort auf einen Hund. Seit dem 19. Jh.
2. Feigling; charakterloser Mann. ↗Hund 3. 1900 *ff.*
3. höchst widerwärtiger Mann. 1930 *ff.*

scheißig *adj* **1.** niederträchtig, heimtückisch, feige. ↗Scheißer 3. 1930 *ff.*
2. höchst minderwertig, langweilig o. ä. Seit dem 19. Jh.

Scheißjob *m* Zivildienst. Man leistet ihn z. B. im Krankenhaus ab, wo man Abortkübel, Bettflaschen usw. entleert und reinigt. *BSD* 1965 *ff.*

'Scheiß'job *m* verwünschte Arbeit. 1965 *ff.*

'Scheiß'kacke *f* große Widerwärtigkeit. ↗Kacke. 1965 *ff.*

'scheiß'kalt *adj* bitterkalt. 1920 *ff.*

'Scheiß'kälte *f* strenge Kälte. 1920 *ff.*

'Scheiß'kapita'list *m* Kapitalist *(abf).* 1920 *ff.*

'scheiß'kapita'listisch *adj* kapitalistisch *(abf).* 1965 *ff.*

'Scheiß'karre (-karren) *f (m)* minderwertiges Auto, Motorrad; Auto mit Defekt, ↗Karre. 1920 *ff.*

'Scheiß'kasten *m* **1.** Rundfunkgerät. 1933 *ff.*
2. Fernsehgerät. 1960 *ff.*

Scheißkerl *m* Ruhrkranker. *Sold* 1939 *ff.*

'Scheiß'kerl *m* Schimpfwort auf einen ängstlichen, feigen, charakterlich minderwertigen Mann. Seit *mhd* Zeit.

'Scheiß'kind *n* kleines Kind (sehr *abf).* 1920 *ff.*

'scheiß'klar *adj präd* bis zur Peinlichkeit deutlich. 1935 *ff.*

'scheiß'klein *adj* unwichtig. 1930 *ff.*

'scheiß'klug *adj* so klug, daß es die anderen unsicher macht. 1920 *ff.*

Scheißkorb *m* Bett. Abgeleitet vom Kinderkörbchen, in das der Säugling auch seine Notdurft verrichtet. *Vgl* aber auch „↗scheißen 2". *Sold* seit dem frühen 20. Jh bis heute.

'Scheiß'kram *m* wertlose Ware; verhaßte Tätigkeit. Seit dem 19. Jh.

'Scheiß'krieg *m* verhaßter Krieg. Spätestens seit Anfang des 20. Jhs.

'Scheiß'laden *m* **1.** verhaßter Betrieb; üble, gefährliche Lage; verwünschte Zeitumstände. ↗Laden 6. 1925 *ff.*
2. Elternhaus. *Jug* 1955/60 *ff.*

'Scheiß'lage *f* verzweifelte Lage. 1914 *ff.*

'scheiß'langweilig *adj* überaus langweilig; sehr spannungsarm. 1900 *ff.*

'Scheiß'lappen *m* Feigling. ↗Lappen 7. 1930 *ff.*

'Scheiß'leben *n* verhaßte Lebensumstände. 1920 *ff.*

'Scheiß'lehrer *m* unsympathischer Lehrer. 1955 *ff, schül.*

Scheißleithen *n* kleines primitives Provinztheater. Die Leitha ist ein Fluß im Südosten des Wiener Beckens. Der Ausdruck bezieht sich auf die kleineren Theater in der Umgebung Wiens. Theaterspr. 1920 *ff, österr.*

scheißlich *adj* scheußlich. Wortspielerei um des fäkalistischen Bezugs willen. 1935 *ff.*

'scheiß'libe'ral *adj* liberal *(abf).* *Vgl* ↗Scheißer 7. 1965 *ff.*

'Scheiß'long *f* Sofa, Liege. Scherzhaft eingedeutscht aus *franz* „chaiselongue". 1900 *ff.*

'Scheiß'ma'loche *f* schwerer Dienst. ↗Maloche. *BSD* 1965 *ff.*

'Scheiß'mann *m* übler Bursche; widerwärtiger Kerl; Prostituiertenkunde. 1935 *ff.*

'Scheiß'mampfe *f* unschmackhaftes Essen. ↗Mampfe. *BSD* 1965 *ff.*

'Scheiß'mist *m* höchst Minderwertiges. 1920 *ff.*

'Scheiß'mühle *f* Motorfahrzeug *(abf).* ↗Mühle. 1920 *ff.*

'Scheiß'mu'sik *f* unerwünschte, störende Musik. 18. Jh (Mozart).

'scheiß'nobel *adj* vornehmtuend. 1920 *ff.*

'scheiß'nötig *adj* dringend notwendig. 19. Jh.

'Scheiß'olle *f* bejahrte Frau. ↗Olle. 1900 *ff.*

Scheißpapier *n* Abortpapier. 1960 *ff.*

Scheißpille *f* Abführmittel. 1900 *ff.*

'Scheißpro'gramm *n* sehr schlechtes Programm. 1955 *ff.*

Das Gesicht des anscheinend sehr hungrigen Herren gibt zu erkennen, daß das, was da eigentlich zumindest den kulinarischen Höhepunkt des Abends hätte abgeben sollen, nur noch als **Scheißmampf** zu bezeichnen ist. Dabei hätte er eigentlich wissen müssen, daß man eine Dame, die sich wie die Monroe kleidet, frisiert und schminkt und zudem noch weiß, was sie ihrem Image schuldig ist, am besten gar nicht erst in die Küche läßt. Aber vielleicht geht er nie ins Kino und kann deshalb nicht ahnen, daß in solcher Gesellschaft ein **Scheißfraß** noch keinen **Scheißtag** macht.

Scheißpulver n Abführmittel. 1900 ff.

Scheißrinne f Abortrinne. Seit dem 19. Jh.

'Scheiß'sache f sehr minderwertige Sache; Skandalgeschichte. 1900 ff.

'Scheiß'sack m Feigling. ↗Sack. 1930 ff.

'Scheiß'socken pl lange getragene Socken. Sold 1939 ff.

'Scheiß'spiel n ungutes, unschönes, unerfreuliches Spiel; hochgradige Widerwärtigkeit; üble Machenschaft. 1930 ff.

'Scheiß-'Staat m Staat (abf). 1920 ff.

'Scheiß'stadt f verhaßte Stadt. 1900 ff.

Scheißständer pl Beine. Analog zu ↗Kackstelzen. Sold seit den späten 19. Jh.

Scheißtag ('Scheiß'tag) m Großkampftag. Sold in beiden Weltkriegen.

'scheiß'teuer adj sehr teuer. 1960 ff.

Scheißtrommel f 1. Gesäß. 1900 ff.

2. beleibter Mensch. 1900 ff.

'Scheiß'typ m sehr widerwärtiger Mensch. 1955 ff, jug.

Scheiß- und Wischgesellschaft f Wach- und Schließgesellschaft. Stud 1925 ff, österr.

Scheißverdruß m Reißverschluß. Bei falscher Handhabung erzeugt er Verdruß. 1930 ff.

'scheiß'ver'gnügt adj sehr lustig, ausgelassen. 1920 ff.

'scheiß'voll adj volltrunken. Seit dem 19. Jh.

'scheiß'vornehm adj auf unangenehme Weise vornehm; steif-förmlich. 1900 ff.

'Scheiß'ware f minderwertige, unbrauchbare Ware. 1920 ff.

'Scheiß'weib n Frau (sehr abf); Prostituierte. 1935 ff.

'Scheiß'welt f verhaßte Welt. 1920 ff.

'Scheiß'wetter n schlechtes Wetter. 1900 ff.

'Scheiß'wurst ('scheiß'wurst) f (adv) das ist mir ~ = das ist mir völlig gleichgültig. Derbe Steigerung von „das ist mir ↗Wurst". 1939 ff.

'Scheiß'zeitung f minderwertige Zeitung. 1920 ff.

'Scheiß'zeug n minderwertiges, unbrauchbares Zeug. Seit dem 19. Jh.

'Scheißzivi'list m Zivilist (abf). 1955 ff (aber wohl erheblich älter: 1900?).

Scheitel m 1. breiter ~ = Mittelkopfglatze. Euphemismus. 1910 ff.

2. totaler ~ = Vollglatze. 1920 ff.

3. jn über den ~ bügeln jm einen derben Schlag auf den Kopf versetzen; jn niederschlagen. 1910 ff.

4. einen breiten ~ haben (lieben) = eine Teilglatze haben; kahlköpfig sein. 1910 ff.

5. jm den ~ nachziehen (ziehen) = jn auf den Kopf schlagen. 1870 ff.

6. jm den ~ mit's Beil ziehen = jm einen kräftigen Schlag auf den Kopf versetzen. Gern in der Form: „lang' (reich') mir das Beil von der Kommode, ich will dem Herrn einen Scheitel ziehen!". Seit dem späten 19. Jh, Berlin.

Scheitelschoner m Kopfbedeckung für Männer; Stahlhelm; „Schiffchen". 1920 ff.

Scheiterhaufengeneral m Hauptgefreiter. Auf dem Uniformärmel hat er als Dienstgradabzeichen drei „↗Balken". BSD 1965 ff.

Scheks (Scheeks) *m* flegelhafter Halbwüchsiger. Fußt auf *jidd* „schekez = Abscheu vor dem Unreinen"; von da weiterentwickelt zur Bedeutung „nichtjüdischer Bursche". *Rotw* 1753 *ff*.

Schelle (Schelln) *f* **1.** Schlag auf den Mund; Ohrfeige. Verkürzt aus ↗ Maulschelle. 1700 *ff*.
2. Hodensack; Penis. Wegen der Glockenform des Hodensacks. 1500 *ff*.
3. sinnlich veranlagtes Mädchen. Schelle ist der Name verschiedener Arten von Schnecken; ↗ Schnecke = Mädchen. 1960 *ff*.

schellen *intr* **1.** es hat bei ihm geschellt = er hat endlich begriffen. Hergenommen vom Spielautomaten: der Groschen fällt durch den Schlitz nach unten und löst ein Klingelzeichen aus. Analog zu „der ↗ Groschen ist gefallen". 1900 *ff*.
2. jetzt hat es geschellt = jetzt hat die Geduld ein Ende; jetzt ist's genug. Hergenommen vom Schellen als Zeichen der Beendigung einer Pause o. ä. Seit dem 19. Jh.
3. es hat geschellt = die Frau ist schwanger geworden. Versteht sich nach ↗ schellen 1. 1900 *ff*.

Schellenfahrer *m* Mann, der an den Türen fremder Leute klingelt, um Diebstahlsmöglichkeiten zu erkunden. ↗ Klingelfahrer. *Rotw* 1910 *ff*.

Schellenkönig *m* jn über den ~ loben = jn übermäßig loben. „Schellenkönig" heißt der König der Farbe „Schellen" im deutschen Kartenspiel. Seit dem 19. Jh.

Schellfisch *m* **1.** dumm wie ein ~ = sehr dumm. Wohl Anspielung auf den dümmlichen Schellfischblick. 1910 *ff*.
2. wie ein ~ gucken = erstaunt, ratlos blicken. 1910 *ff*.

Schellfischaugen *pl* große, hervortretende Augen; Augen mit dümmlich-erstauntem Ausdruck. 1870 *ff*.

Schelln *f* ↗ Schelle.

Schem *m* **1.** Name, Ruf. Stammt gleichlautend und *gleichbed* aus dem *Jidd. Rotw* 1700 *ff*.
2. sich einen ~ machen = sich einen Namen machen; berühmt werden. 1920 *ff*.
3. seinen ~ verlieren = seinen guten Ruf verlieren. 1920 *ff*.

Schema *n* nach ~ F = nach starrer Form; nach gleichem Muster; ohne Nachdenken; unpersönlich; förmlich; mechanisch. Leitet sich her von den seit 1861 durch Verfügung des preußischen Kriegsministeriums vorgeschriebenen Stärkenachweisungen und Frontrapporten (daher der Buchstabe F); die ersten nach Buchstaben geordneten Vordrucke wurden in Berlin von der Druckerei des Ernst Litfaß (gest. 1874) hergestellt. Seit dem ausgehenden 19. Jh.

Schembeis *n* Gefängnis. „Beis" geht zurück auf *jidd* „bajis = Haus". „Schem = (Ruf = Verruf;) schlechter Ruf". 1920 *ff*.

Schemel *m* **1.** Kegelwurf, bei dem nur der vordere und die beiden Eckkegel gefallen sind. Fußt auf der Vorstellung vom dreibeinigen Schemel. Keglerspr. Seit dem 19. Jh.
2. Moped. Es gilt als (motorisierter) Hocker. *Halbw* 1955 *ff*.

Schemelfurzer *m* Büroangestellter; Schreibstubensoldat. Schemel ist die Sitzgelegenheit am Stehpult. 1900 *ff*.

Schemelreiter *m* Beamter, kaufmännischer Angestellter. *Vgl* das Vorhergehende. 1900 *ff*.

Schemm *m* **1.** Gefängnisgenosse. Zu „Schem" *vgl* „↗ Schembeis". 1750 *ff*, *rotw*.
2. Mittäter. 1920 *ff*.

Schemmel *m* Kamerad; Beifahrer; zweiter MG-Schütze. ↗ Schemm 1. *Sold* 1940 *ff*.

Sche'nier (Sche'nierer) *m* Scheu, Befangenheit, Schamgefühl. Fußt auf *franz* „se gêner = sich genieren; verlegen sein". Seit dem 19. Jh, vorwiegend *österr*.

Schenkel *m* **1.** die ~ auseinandernehmen = koitieren. 1930 *ff*.
2. sonst zeige ich dir die oberen ~!: Ausdruck der Abweisung. Hehlausdruck für das Götz-Zitat. 1925 *ff*.

Schenkelbürste *f* kleiner Oberlippenbart. Hängt mit dem Liebesspiel zusammen. 1960 *ff*.

schenkeldick *adj* ↗ Aufschnitt 3.

schenkelsatt *adj* der Revuedarbietungen überdrüssig. Berlin 1925 *ff*.

Schenkelparade *f* Vorführung von Revuetänzerinnen. 1925 *ff*.

Schenkelschau *f* **1.** Revue; Schönheitskonkurrenz. 1955 *ff*.
2. Mode der kurzen Mädchenröcke, der „Hot Pants". 1967 *ff*.
3. eine ~ abziehen = eine Revue oder Schönheitskonkurrenz veranstalten. ↗ abziehen 1. 1960 *ff*.

Schenkelschieber *m* Tango. *Halbw* 1960 *ff*.

schenken *tr* **1.** auf ein Spiel, einen Stich verzichten. Man schenkt es den Mitspielern. Kartenspielerspr. 1900 *ff*.
2. sich (jm) etw ~ = sich (jm) etw erlassen (ich habe mir Bremen geschenkt = ich habe Bremen nicht besucht). Seit dem 18. Jh.
3. sich etw ~ lassen = etw unredlich zu beschaffen wissen; etw entwenden. Hehlausdruck. *Sold* 1914 *ff*.
4. ↗ geschenkt.

Schenkungsurkunde *f* gerichtliche Mitteilung über Straferlaß, -nachlaß, -zusammenziehung. 1920 *ff*, *rotw*.

schepp *adj* **1.** schief. Hierzu eine mundartliche Nebenform. Vorwiegend *südwestd* und *fränk*. Seit dem 18. Jh.
2. sich ~ lachen = heftig lachen. *Vgl* „sich ↗ schief lachen". 1800 *ff*.

Schepperkarre (-karren) *f (m)* altes Fahrzeug. Scheppern = klappern. 1920 *ff*.

Schepperkasten *m* altes Gerät (Rundfunk-, Fernsehgerät; Klavier, Auto o. ä.). 1920 *ff*.

Scheppermänner *pl* Leute, die Verkehrsunfälle herbeiführen und die Versicherungsprämien kassieren. ↗scheppern 4. 1970 *ff.*

scheppern *intr* **1.** blechern klingen; klappern, klirren. Lautmalender Natur. Seit dem 17. Jh.
2. trinken, zechen. Hergenommen vom Anstoßen der Gläser. 1900 *ff.*
3. laut lachen. *Österr* 1940 *ff.*
4. es scheppert = zwei Kraftfahrzeuge stoßen zusammen. 1920 *ff.*
5. sonst scheppert es!: Drohrede. Man droht Dreinschlagen an. 1935 *ff.*
6. ~ lassen = koitieren. Übertragen vom Zusammenprall von Fahrzeugen. 1955 *ff.*

scheppig *adj* schief. ↗schepp 1. *Westd* 1900 *ff.*

Scheppigkeit *f* Schiefheit; Schräge. *Westd* 1900 *ff.*

Scheps *m* minderwertiges Bier. ↗Schöps. Seit dem 17. Jh, *oberd.*

scheps *adj adv* schief, schräg, krumm. ↗schepp 1. *Südwestd* und *fränk*, 1800 *ff.*

Schepsel *m* Taugenichts; unbedeutender Mensch. Meint entweder „Schöps = Hammel" (und = Dummer) oder den schiefgewachsenen Menschen. 1900 *ff.*

Scherbe (Scherbn) *f* **1.** irdener Topf; Nachtgeschirr. Vorwiegend *oberd* Bezeichnung für das Tongeschirr. 1500 *ff.*
2. kleines Weinglas. 1950 *ff, österr.*
3. alter, abgenutzter Gegenstand; Wertlosigkeit. 1500 *ff, oberd.*
4. Monokel. Eigentlich das abgebrochene Stück einer Glasscheibe. Leutnants- und Studentensprache seit dem späten 19. Jh.
5. Spiegel in der Schauspielergarderobe. Theaterspr. 1900 *ff.*
6. vervielfältigtes Vorlesungsmanuskript. Es enthält nur die wichtigsten „Bruchstücke" der Vorlesung. 1967 *ff, stud.*
7. weibliche Person *(abf)*. Aus der Bedeutung „Bruchstück, Trümmer" übernommen zur Kennzeichnung einer alten, verlebten Frau. Seit dem 19. Jh, *südd* und *fränk.*
8. *pl* = Geldmünzen. Analog zu ↗Schamott. 1920 *ff.*
9. er hat sich eine ~ ins Auge getreten = er trägt ein Monokel. ↗Scherbe 4. 1890 *ff*, Berlin.

Scherbe'lei *f* Tanzerei. ↗scherbeln. 19. Jh.

Scherbelherzchen *n* Tanzpartnerin. *Vgl* das Folgende. 1850 *ff.*

scherbeln *intr* tanzen. Wohl zusammengewachsen aus „sich scharen = sich zusammenfinden" und „scharren" nach Art des Hahns, wenn er sich dem Huhn nähert. „Scherbeln" sagt man auch, wenn man Scherben so über das Wasser wirft, daß sie wiederholt aufhüpfen. Nördlich der Mainlinie, etwa seit 1850.

Scherben *m* **1.** Nachtgeschirr. ↗Scherbe 1. *Oberd* 1800 *ff.*
2. abgenutzter Gegenstand; Wertlosigkeit. 1500 *ff.*

3. Taschenuhr. Anspielung auf das Uhrglas im Sinne von „Scherbe = Monokel". 1950 *ff.*
4. den ~ aufhaben = Mißerfolg erlitten haben; sich in Not befinden; einer unangenehmen Sache gegenüberstehen. „Aufhaben" steht *iron* für „zertrümmert haben": man steht vor den Trümmern eines irdenen Topfes oder eines „Sparschweins" mit enttäuschendem Inhalt. *Österr* 1950 *ff.*

Scherbenschwenker   *m*   Krankenpfleger. ↗Scherben 1. 1940 *ff.*

Scherbn *f* ↗Scherbe.

Schere *f* **1.** scharf wie eine ~ = liebesgierig. ↗scharf 4. 1950 *ff.*
2. jn in der ~ haben = jm hart zusetzen. Analog zu „jn in der ↗Zange haben". Seit dem 19. Jh.
3. sich in die ~ legen = koitieren. Anspielung auf die Beinstellung. 1930 *ff.*
4. ~ machen = mit scherenartig gehaltenen Zeige- und Mittelfingern Taschendiebstahl begehen. *Rotw* 1687 *ff.*
5. jn in die ~ nehmen = a) jm hart zusetzen; jn von zwei Seiten bedrängen. ↗Schere 2. Seit dem 19. Jh. – b) jn einem strengen Verhör (Kreuzverhör) unterziehen. 1920 *ff.*
6. in die ~ springen = koitieren. ↗Schere 3. 1930 *ff.*

scheren *tr* jm Geld abgewinnen, abnötigen; jn erpressen. Hergenommen vom Scheren des Schafs; *vgl* ↗Schaf 11. Verwandt auch mit „über den ↗Löffel barbieren". Seit dem 16. Jh.

Scherenglotzophon *n* Scherenfernrohr. ↗Glotzophon. *BSD* 1965 *ff.*

Scherenmacher   *m*   Taschendieb. ↗Schere 4. 1900 *ff.*

Scherenschleifer *m* **1.** Dieb, Taschendieb, Betrüger. Hängt sowohl mit dem schlechten Ruf der landfahrenden Scherenschleifer zusammen, als auch mit „↗Schere 4". 1900 *ff.*
2. Versager; unordentlicher Mann; Mann, dem man kein Vertrauen schenken kann. Wegen der Ausübung eines Wandergewerbes steht der Scherenschleifer in ebenso schlechtem Ruf wie der Landstreicher, Müßiggänger u. a. 1900 *ff.*
3. Radfahrer. Er setzt sein Fahrzeug ähnlich in Bewegung wie der Scherenschleifer den Schleifstein. Seit dem ausgehenden 19. Jh.
4. verbrauchtes Fahrrad. 1920 *ff.*
5. altes Auto. Wegen der quietschenden und knarrenden Geräusche. 1960 *ff.*
6. Hund ohne reinen Stammbaum. Das Streunen des Hundes ähnelt dem Umherziehen des Scherenschleifers. 1870 *ff.*
7. einen Mund (ein Mundwerk) haben wie ein ~ = redegewandt sein; die Leute beschwatzen können. Seit dem 19. Jh.
8. wie ein ~ reden (o. ä.) = geschwätzig sein; viel und rasch reden. Seit dem 19. Jh.

Scherenschleiferwauwau *m* Hund ohne reinen Stammbaum. ↗Scherenschleifer 6. 1900 *ff.*

Scherenschnitt *m* **1.** Eröffnung einer Verkehrsstraße mittels Zerschneidens des an ihrem Anfang angebrachten Bandes. Wortwitzelnd dem Begriff „Silhouette" unterlegt. 1960 *ff.*
2. einen ~ zelebrieren = eine Straße amtlich für den Verkehr freigeben. Anspielung auf das zeremonielle Gehabe, mit dem Minister die theatralische Handlung vollziehen. 1960 *ff.*

Schere'rei *f* **1.** Verdrießlichkeit, Beschwerlichkeit. Versteht sich nach „sich um etw scheren = um etw Kummer haben". 1700 *ff.*
2. Hantieren mit der Schere; lästiges Scheren. 1930 *ff.*

scher'wenzeln *intr* ↗ scharwenzeln.

Scherz *m* **1.** Eintragung ins Klassenbuch. Beschönigende Vokabel. *Schül* 1955 *ff.*
2. oder (und) ähnliche ~e = oder (und) Ähnliches. Im ausgehenden 19. Jh unter Studenten aufgekommen.

Scherzartikel *m* **1.** Mensch, den man nicht ernst nehmen kann. 1930 *ff,* Berlin.
2. unbrauchbarer Gegenstand. Analog zu „↗ Witz". 1950 *ff.*
3. selbstgefertigter Täuschungszettel. Tarnwort. *Schül* 1960 *ff.*
4. Mensch, der die Liebe nicht ernst nimmt; Mensch, der nur kurzlebige Liebesabenteuer eingeht. 1950 *ff.*
5. und ähnliche ~ = und dergleichen. Erweiterung von ↗ Scherz 2. 1950 *ff.*

Scherzbold *m* Spaßmacher. Dem „Witzbold" nachgebildet. 1930 *ff.*

scherzboldig *adj* humoristisch. 1950 *ff.*

Scherzkeks *m* alberner Mensch; Witzbold. ↗ Keks 1. 1950 *ff.*

Scherzl *n* **1.** Anfangs-, Endstück des Brotlaibs, von Käse u. ä. Geht zurück auf *ital* „scorza = Rinde". Das Brot- oder Käsestück hat mehr Rinde als die anderen Stücke. *Oberd* seit dem 15. Jh.
2. Gesäßhälfte, Gesäß. Meint beim Rind den Fleischteil zwischen den Hinterbeinen und Hüften. *Bayr* und *österr,* seit dem 19. Jh.
3. Verweis, Strafe. Meint eigentlich die Prügel auf das Gesäß. *Österr* 1930 *ff.*
4. davon kann er sich ein ~ abschneiden = daraus kann er lernen; das sollte er beherzigen. Analog zu „sich von etw eine ↗ Scheibe abschneiden". 1900 *ff, österr* und *bayr.*

schesen (scheesen) *intr* eilen; gehen. Da dieses Wort gegen 1830/40 aufgekommen und damit etliche Jahrzehnte älter ist als „↗ Schäse", ist für die Herleitung *engl* „to chase = jagen" heranzuziehen.

schetterig *adj* ↗ schätterig.

Scheuch *m* langweilige Sache (Veranstaltung o. ä.). Sie verscheucht die Besucher. *Halbw* 1960 *ff,* Berlin.

scheuchen *tr* **1.** jn im Laufschritt über den Kasernenhof oder das Übungsgelände hetzen; jn streng,

schikanös drillen. Übertragen vom Hund, der das Wild scheucht. *Sold* 1914 bis heute.
2. jn antreiben; jm Arbeit auferlegen. *Stud* und *sportl* 1920 *ff.*
3. jn vertreiben; jm das Verbleiben verleiden. 1930 *ff.*
4. einen ~ = ein Glas Alkohol zu sich nehmen. Man „scheucht = jagt" seinen Inhalt durch die Kehle. *BSD* 1960 *ff.*

Scheuche'rei *f* rücksichtsloses Drillen. ↗ scheuchen 1. *Sold* 1914 bis heute.

Scheuerbambel (-bambler, -bammel) *m* selbstangebauter Tabak. Er „bambelt" (= bammelt, baumelt) in der „Scheuer" (= Scheune). 1945 *ff,* vorwiegend in Hessen.

Scheuerbesen *m* Hausfrau, die unermüdlich (übertrieben) scheuert und putzt. 1900 *ff.*

Scheuerlappen *m* Gesichtsschleier der Damen. Meint wohl den löcherigen Putzlappen; doch *vgl* auch „↗ Schauerlappen". 1900 *ff.*

Scheuerlieschen *n* Ehefrau, die ganz in der Haushaltsarbeit aufgeht. 1900 *ff.*

scheuern *v* **1.** *tr* = jn prügeln, ohrfeigen. Parallel zu ↗ reiben, zu ↗ abreiben. Seit dem frühen 19. Jh.
2. jm eine ~, daß er meint, vom Pferd getreten worden zu sein = jn heftig ins Gesicht schlagen. 1935 *ff.*
3. das scheuert mich nicht = das betrifft mich nicht; das berührt mich nicht. Analog zu „das ↗ kratzt mich nicht". 1900 *ff.*
4. *intr* = wild tanzen; keinen Tanz auslassen. Der Tänzer scheuert gewissermaßen den Tanzboden. 1960 *ff.*
5. sich an jm ~ = mit jm Streit suchen; jn herausfordern. Analog zu „sich an jm ↗ reiben". 1890 *ff.*

Scheuklappe *f* **1.** Augenlid. Es ist hochempfindlich und schließt sich bei geringster Berührung. 1910 *ff.*
2. Sonnenbrille. Sie schützt vor grellen Sonnenstrahlen und vor dem Erkanntwerden. 1935 *ff.*
3. kleiner Balkon an der Vorderfront eines Wohnhochhauses. Er ist so angeordnet, daß man nur ein begrenztes Blickfeld hat. 1948 *ff.*
4. *pl* = Ohrenschützer. *BSD* 1965 *ff.*
5. ~n haben = das Naheliegende nicht sehen; einen beschränkten geistigen Gesichtskreis haben. Übertragen von den Klappen, mit denen man das Scheuen der Pferde verhindert. Seit dem späten 19. Jh.
6. ~n tragen = geschlechtlich unnahbar sein (auf weibliche Personen bezogen). Hierzu befragte Halbwüchsige geben die Erklärung, daß die betreffende Person Scheu hat, „daß es (nämlich die Schwängerung) klappen könnte". 1960 *ff,* Berlin.

Scheuklappen-Optik *f* begrenzter geistiger Gesichtskreis. 1933 *ff.*

Scheuklappenpolitik *f* Handlungsweise ohne die erforderliche Umsicht. 1950 *ff.*

Scheune *f* **1.** Konzerthaus, Theater. Analog zu ↗Schuppen. 1955 *ff.*

2. Filmtheater. *Halbw* 1955 *ff.*

3. Schulgebäude. 1950 *ff.*

4. Klublokal. *Halbw* 1955 *ff.*

5. alte ~ = bejahrte Frau mit heftigen Liebesgefühlen. Versteht sich aus der sprichwörtlichen Redensart: „Wenn alte Scheunen brennen, sind sie schwer zu löschen." Seit dem 19. Jh.

6. große ~ = Plenarsaal des Bundestags in Bonn. Entweder läßt sie an eine „Scheuer" denken, oder man spielt auf die Bedeutung „Theater" an. 1965 *ff.*

7. trübe ~ = Party-Keller. Anspielung auf das gedämpfte Licht. *Halbw* 1955 *ff.*

8. vor der ~ abladen = die Empfängnis verhüten. Die Ernte wird nicht eingefahren. Seit dem 19. Jh.

9. eine ~ in Brand stecken = eine Frau liebestoll machen. ↗Scheune 5. Seit dem 19. Jh.

Scheunenbambel *m* selbstangebauter Tabak. ↗Scheuerbambel. Hessen 1945 *ff.*

Scheunendrescher *m* **1.** hungrig wie ein ~ = heißhungrig. Scheunendrescher droschen in der Scheune das Getreide mit dem Dreschflegel; sie verrichteten schwere Arbeit und verlangten entsprechende Verpflegung. 1800 *ff;* wohl älter (*vgl* das Folgende).

2. essen (fressen, reinhauen o. ä.) wie ein ~ = sehr viel essen. 1500 *ff.*

3. fluchen wie ein ~ = unmäßig, unflätig fluchen. 1950 *ff.*

Scheunentor *n* **1.** Mund des Hungrigen oder Vielessers. 1900 *ff.*

2. lächeln wie ein ~ = breitmundig lächeln. 1950 *ff.*

3. mit einem (mit dem) ~ winken = jm etw plump, unmißverständlich zu verstehen geben. Solch ein Wink ist angesichts der Größe des Scheunentors nicht zu übersehen. Seit dem 19. Jh.

Scheusal *n* **1.** häßlicher Mensch. Meint eigentlich die Vogelscheuche. 18. Jh.

2. werft das ~ in die Wolfsschlucht! = weg damit! Entnommen dem Textbuch von Friedrich Kind zur Oper „Der Freischütz" von Carl Maria von Weber. Seit dem 19. Jh.

scheußlich *adv* auf sehr unangenehme Weise; sehr schlecht; sehr (die Ohrfeige tat scheußlich weh; er hat sich scheußlich benommen). Entwicklung einer allgemeinen Steigerung aus der Grundbedeutung „ekelerregend". Seit dem 19. Jh.

'schiach *adj* ↗schiech.

'Schiach *m* mir geht der ~ an = es widert mich an; es macht mir schweren Kummer. ↗schiech. *Österr* 1900 *ff.*

schibbelig *adv* sich ~ lachen = heftig lachen. Schibbelig = rund. Analog zu „sich ↗kugelig lachen". Vorwiegend *niederd,* seit dem 19. Jh.

schibbeln *v* **1.** *tr* = rollen, wälzen. *Niederd* Wiederholungsform zu „schieben". Seit dem 18. Jh.

2. sich vor Lachen ~ = heftig lachen. Parallel zu „sich vor Lachen ↗kugeln". Seit dem 19. Jh.

3. es ist zum ~ = es ist überaus erheiternd. Seit dem 19. Jh.

Schicht *f* **1.** blaue ~ = Feierschicht. Gehört zu ↗blaumachen. 1965 *ff.*

2. eine vierte ~ einlegen = auf Diebstahl gehen o. ä. Der Arbeitstag hat drei Schichten zu je 8 Stunden; der Dieb macht also Überstunden. 1965 *ff.*

3. ~ machen = eine Arbeitspause machen; die Arbeit niederlegen; streiken. Meint eigentlich „am Ende der Schicht den Arbeitsplatz verlassen". 1600 *ff.*

4. deine ~ ist zu Ende! = verschwinde schleunigst! *Sold* in beiden Weltkriegen.

5. ~ schieben = Schichtdienst verrichten. ↗schieben 1. 1900 *ff.*

Schichtarbeiter *m* ~ der Liebe = Mann, der gleichzeitig mehrere Frauen für seinen Lebensunterhalt sorgen läßt. Meint eigentlich den Mann mit wechselnder Arbeitszeit. 1950 *ff.*

Schichtarbeiterin *f* ~ der Liebe = Bordellprostituierte. Sie hat eine geregelte Arbeitszeit von 8 Stunden. 1950 *ff.*

Schichtl *m* auf geht's beim ~! : Aufforderung zum Anfangen. Hergenommen von August Schichtl, einem volkstümlichen Schaubudenbesitzer (Attraktion der Guillotine, erstmals 1872) auf dem Münchner Oktoberfest.

Schichtwechsel *m* Klimakterium. Bezeichnet eigentlich die Ablösung der Schichtarbeiter durch die nachfolgenden; hier bezogen auf den biologischen Zeitspannenwechsel. 1900 *ff.*

schick *adj* **1.** ausgezeichnet, schön. Von der Bezeichnung für elegante Kleidung übertragen auf alles, was man eindrucksvoll und begehrenswert findet. 1900 *ff,* vor allem unter jungen Mädchen verbreitet.

2. nett, umgänglich (besonders auf junge Mädchen bezogen). 1900 *ff.*

Schick *m* **1.** etw in (zu) ~ bringen = etw in Ordnung bringen. „Schick" meint „was sich schickt", „die schickliche Ordnung". Seit dem 19. Jh.

2. zu etw einen ~ haben = zu etw Talent haben. Schick = worin man geschickt ist. 19. Jh.

3. einen ~ machen = ein gutes Geschäft machen. Schick = Ordnung, willkommene Fügung; weiterentwickelt zur Bedeutung „vorteilhafte Lage", „Glücksfall". *Südwestd* 1900 *ff.*

4. gut im ~ (auf seinem ~) sein = gesund, wohlauf sein. Der Begriff „Ordnung" bezieht sich hier auf den guten Gesundheitszustand. 1700 *ff.*

Schicke *f* schick gekleidete Frau. 1920 *ff.*

schicken (schickern) *intr* Tabak kauen. Fußt auf *franz* „chiquer". Seit dem 19. Jh.

schicker *adj* betrunken. Stammt aus *jidd* „schikkern = trinken; sich betrinken". *Rotw* 1750; von da in die Mundarten vorgedrungen.

Schickerbold *m* Trinker. Dem „Witzbold" nachgeahmt. 1930 *ff.*

Schickerdraht *m* für Alkoholika vorgesehenes Geld. ↗Draht 1. 1965 *ff, prost.*

Schicke'ria *f* modebestimmende Gesellschaftsschicht; die „oberen Zehntausend". Die Vokabel ist zusammengesetzt aus „schick = elegant" und der *ital* Endung von Sammelbezeichnungen (enageria). 1955 *ff.*

Schicke'ritis *f* Bestreben, den eleganten Gesellschaftskreisen ebenbürtig zu sein. Die Nachbildung medizinischer Krankheitsbezeichnungen läßt dieses Bestreben als krankhaft und ansteckend erscheinen. 1965 *ff.*

Schickermann *m* Zecher, Bezechter. ↗schicker. *Westfäl* 1950 *ff.*

Schickermoos *n* Geld zum Vertrinken. ↗Moos. *Westfäl* 1950 *ff.*

schickern *intr* trinken, zechen. ↗schicker. 1800 *ff,* vorwiegend *westfäl.*

'Schickerte *f* Trinkerin. 1950 *ff.*

'schicko'bello *adv* äußerst elegant gekleidet. Nach dem Muster von „↗picobello" gebildet. 1955 *ff.*

Schicksalsbratpfanne *f* Gitarre. „Bratpfanne" spielt auf die Formähnlichkeit an und „Schicksal" auf die wehmütigen Texte. ↗Sehnsuchtsbratpfanne. *Jug* 1960 *ff.*

Schicksalsspiel *n* Fußballspiel, das über den Verbleib der Mannschaft in der Bundesliga oder über den Abstieg entscheidet. *Sportl* 1964 *ff.*

Schickse (Schicks, Schicksel, Schicksl) *f* 1. Frau *(abf).* Stammt aus *jidd* „schekez = Greuel" und meint in der Form „schickzo, schickzel" die junge Christin, auch überhaupt das Mädchen. Seit dem 17. Jh.
2. Prostituierte. Seit dem 19. Jh.
3. junges Mädchen; geliebtes Mädchen. Seit dem 18. Jh.
4. schicke ~ = elegant gekleidete Dame. 1920 *ff.*

Schiebe *f* Freiheitsstrafe. Substantiviert aus „↗Knast schieben". 1920 *ff,* Berlin.

Schiebebrot *n* ~ essen = auf größerer Brotschnitte ein kleines Stück Wurst essen, das bei jedem Bissen weiter nach hinten geschoben wird. 1910 *ff.*

Schiebebutter *n* Schnitte Brot, am einen Ende mit einem flachen Stück Butter belegt, das bei jedem Biß mit den Zähnen weitergeschoben wird. „Das Butter = das Butterbrot". 1910 *ff.*

Schiebedach *n* Perücke. Von der Autokarosserie übernommen. 1960 *ff.*

Schiebedach-Beatle (Grundwort *engl* ausgesprochen) *m* perückentragender Glatzköpfiger. ↗Beatle. 1964 *ff.*

schieben *v* 1. *tr* = etw tun, machen (man „schiebt" Arrest, Knast, Dienst, Kohldampf usw.). Fußt auf „schaffen" und ist überlagert von *rotw* „scheften = sein, sitzen, liegen, machen". Seit dem 18. Jh.

2. *intr* = gehen, lässig gehen; weggehen. Meint eigentlich ein schwerfälliges Sichbewegen, als schöbe man ein Fahrzeug vor sich her. Man schiebt Fuß vor Fuß. Schon in *mhd* Zeit.

3. *intr* = unlautere Handelsgeschäfte betreiben. Kurz nach 1870 aufgekommen in Börsenkreisen: der Spekulant wartet auf einen besonders günstigen Kursstand, um erst dann sein Geschäft abzuwickeln. Beeinflußt von „↗schieben 1" im Sinne einer heimlichen Machenschaft, die das Tageslicht scheut. Vielleicht ist außerdem gemeint, daß das Geld, durch die Hand verdeckt, über den Tisch geschoben wird.

4. *tr* = einen Erfolg oder Mißerfolg (für den Gegner) im geheimen vorbereiten. Hergenommen von Brettspielen, bei denen man die Figuren hin- und herschiebt. 1890 *ff.*

5. eine gesetzwidrige Handlung begehen. 1890 *ff.*

6. *tr intr* = koitieren. Hergenommen von der Hin- und Herbewegung. *Vgl* ↗Schieber 4. 1600 *ff.*

7. jm eine ~ = jm eine Ohrfeige versetzen. Schieben = stoßen (man stößt die Hand oder Faust ins Gesicht). 1910 *ff.*

8. mit jm ~ = mit jm Umgang haben. Analog zu „mit jm ↗gehen". 1900 *ff.*

9. sich ~ = davongehen. Seit dem 19. Jh.

Schieber *m* 1. unlauterer Geschäftsmann; Schleichhändler; Betrüger. ↗schieben 3. Nach 1870 aufgekommen.
2. Mann, der Erfolg oder Mißerfolg (für andere) im geheimen vorbereitet. ↗schieben 4. 1890 *ff.*
3. parteiischer Schiedsrichter. *Sportl* 1920 *ff.*
4. Penis. ↗schieben 6. 1600 *ff.*
5. Beischlaf. ↗schieben 6. 1900 *ff.*
6. Schiebetanz, Foxtrott, Onestep. 1920 *ff.*

Schiebe'rei *f* Betrug. ↗schieben 3. Spätestens seit 1900.

Schiebermütze *f* Sport-, Reisemütze mit Schirm und breiter Form. Verkürzt aus ↗Wolkenschiebermütze. 1900 *ff.*

schiebern *intr* koitieren. ↗Schieber 4. *Rotw* 1800 *ff.*

schiebes *adv* 1. ~ gehen = in wirtschaftliche Schwierigkeiten geraten; bankrottieren; zugrunde gehen. Von „schief" beeinflußtes „schieben" im Sinne der „schiefen Bahn". 1800 *ff.*
2. ~ machen (sich ~ machen) = entweichen. *Rotw* seit dem 18. Jh.

Schiebestulle *v Vgl* ↗Schiebebrot; ↗Stulle. 1910 *ff.*

Schiebeweg *m* Straße mit dichtem Fahrzeugverkehr. Ein Auto scheint das andere zu schieben. 1958 *ff.*

Schiebewurst *f Vgl* ↗Schiebebrot. 1910 *ff.*

Schiebung *f* unlautere Machenschaft; heimlich verabredete Täuschung; Intrige; unredliche Begünstigung; parteiische Entscheidung des Schiedsrichters. ↗schieben 3. Kurz nach 1870 aufgekommen, wahrscheinlich in Berlin.

schiech ('schiach) *adj* **1.** widerwärtig, häßlich; scheel; schief. Geht zurück auf *mhd* „schiech = scheußlich" und „schiec = schief, verkehrt". 1400 *ff.* Heute vorwiegend *bayr* und *österr.* **2.** mit jm ~ sein = jn nicht leiden können; mit jm entzweit sein. Seit dem 19. Jh.

schiedsen *intr tr* Schiedsmann sein; als Schiedsmann entscheiden. 1960 *ff.*

Schiedsrichter *m* ~ ans (zum) Telefon!: Zuruf, mit dem die Entscheidung des Schiedsrichters bespöttelt wird. Man unterstellt dem Unparteiischen, daß er parteiisch entschieden hat. Deswegen soll er das Spielfeld verlassen, zu welchem Zweck man einen Telefonanruf erfindet. *Sportl* 1945 *ff.*

Schiedsrichterheini *m* Schiedsrichter *(abf).* ↗Heini. *Sportl* 1950 *ff.*

Schiedunter *m* Unterschied. Scherzhafte Vertauschung der Wortbestandteile. Im 18. Jh von Studenten ausgegangen.

schief *adj* **1.** charakterlich minderwertig; unaufrichtig, unzuverlässig. Der Betreffende ist kein „gerader" Charakter; er ist auf die „schiefe Bahn" geraten im Sinne eines sittlichen Sinkens. Seit dem 19. Jh.
2. in veralteten Anschauungen befangen; Neuerungen ablehnend; reformfeindlich; verständnislos gegenüber den Auffassungen und Ansprüchen der Jugend. ↗schief liegen. *Halbw* 1950 *ff.*
3. gefälscht (auf Banknoten, Urkunden, Unterschriften bezogen). 1950 *ff.*
4. ~ und scheel = völlig schief; schlecht gearbeitet. Schief = bucklig; scheel = schielend. 1700 *ff.*
5. ~ ankommen = sich eine Abfuhr holen. Schief = nicht gerade; von der Seite her. Fußt auf der Vorstellung vom Turnier: die Lanze (o. ä.) trifft den Gegner seitlich und gleitet ab. Seit dem 19. Jh.
6. bei jm ~ anlaufen = von jm abgewiesen werden. Versteht sich wie das Vorhergehende. Seit dem 19. Jh.
7. jn ~ ansehen = jn verächtlich, mißbilligend, mißtrauisch anblicken; jn in moralischer Hinsicht gering einschätzen. Der seitliche Blick drückt Verachtung und Mißtrauen aus. Seit dem 19. Jh.
8. sich ~ ärgern = sehr unwillig sein. Kummer und Ärger bereiten empfindlichen Menschen Magenbeschwerden, weswegen sie leicht vornübergeneigt gehen. Seit dem 17. Jh.
9. etw ~ auffassen = etw falsch auffassen, mißverstehen. Seit dem 19. Jh.
10. es geht ~ = es mißlingt; es nimmt eine ungünstige Entwicklung. Hergenommen vom Schuß, der sein Ziel verfehlt, oder von der Fechtwaffe, die vom Gegner abgeleitet. 1700 *ff. Vgl franz* „aller de travers".
11. nur Mut, die Sache wird schon ~ gehen!: Redewendung, mit der man einen ermutigen will. Die Ermunterung ist ehrlich gemeint, aber *iron* eingekleidet. Spätestens seit 1870, Berlin.

12. ~ geladen haben = bezecht torkeln. Fußt auf dem Bild vom unausgewogen beladenen Erntewagen oder Schiff. 1700 *ff.*
13. du hast wohl ~ gelegen?: Frage an einen Mißgestimmten. 1900 *ff.*
14. ~ gewickelt sein = a) von falschen Voraussetzungen ausgehen; sich gröblich irren. Wohl hergenommen von der falsch gewickelten Zigarre, vielleicht auch vom Garn, das schief auf der Spule liegt. Seit dem frühen 19. Jh. – b) mißgestimmt sein; sich unbehaglich fühlen. Hier ist vom falsch gewickelten Säugling auszugehen. 1900 *ff.* c) homosexuell sein. 1920 *ff.*
15. sich ~ lachen = kräftig lachen. Vor Lachen biegt und krümmt man sich. Spätestens seit 1800.
16. es läuft ~ = es scheitert. ↗schief 10. Vielleicht von der Kegelkugel hergenommen oder vom schiefen Radstand. 1920 *ff.*
17. sich ~ legen = sein Leben verderben. Hängt zusammen mit der Metapher „schiefe Bahn". 1910 *ff.*
18. ~ liegen = a) von falschen Voraussetzungen ausgehen; sich irren. Übernommen von der börsensprachlichen Bedeutung „falsch spekulieren". Etwa seit 1900. – b) im Verdacht stehen. 1935 *ff.*
19. etw ~ nehmen = etw übelnehmen. Analog zu „etw ↗krumm nehmen". Seit dem 18. Jh.
20. etw ~ sehen = etw falsch beurteilen; etw verkennen. Seit dem 19. Jh.
21. ~ ist englisch: Redewendung, wenn man darauf aufmerksam gemacht wird, daß ein Gegenstand schief sitzt, hängt oder steht. Leitet sich her entweder allgemein von der englischen Sitte, den Hut schief aufzusetzen, oder im besonderen von der den englischen Matrosen erteilten Erlaubnis, ihre Mützen schief zu tragen. Gern in der Form „schief ist englisch, und Englisch ist modern". 1840 *ff.*
22. ~ sein = mißgestimmt, verärgert sein. Der Mißvergnügte „zieht einen schiefen Mund". 1930 *ff.*

Schiefe *pl* mehrere Glas Bier, die man nicht bezahlt. 1950 *ff.*

Schiefer *m* **1.** Geld, Kleingeld. Analog zu ↗Kies, ↗Schamott usw. 1870 *ff.*
2. Holzsplitter unter (in) der Haut. *Mhd* „schiver = Holz-, Steinsplitter". 1500 *ff.*
3. sich bei jm einen ~ eintreten (einziehen) = von jm abgewiesen werden; es mit jm verderben. *Bayr* 1900 *ff.*

Schiefertafel *f* bei mir ~, auf mir kannst du rechnen! = auf mich kannst du dich fest verlassen! Berlin, spätestens seit 1920.

schiefgelaunt *adj* mißvergnügt, verstimmt. Der „schiefe Mund" verrät Verdrossenheit. 1900 *ff.*

Schieflachen *n* es ist zum ~ = es ist überaus belustigend. ↗schief 15. Seit dem 19. Jh.

Schielauge *n* Brillenträger. Wohl weil er über den oberen Brillenrand hinweg „schielt". 1945 *ff.*

Schielbock *m* **1.** Schielender. „Bock" steht schlicht für „Mann". *Südd* 1500 *ff.*
2. Brillenträger. 1920 *ff.*

Schieldoktor *m* Augenarzt. 1900 *ff.*

Schieleisen *n* **1.** Lorgnette. 1870 *ff.*
2. Brille. 1900 *ff.*

schielen *intr* vom Mitschüler abschreiben. 1900 *ff.*

Schieler *m* **1.** Neidischer. Er blickt mißgünstig, insgeheim von der Seite. Seit dem 19. Jh.
2. schlechte Nachahmung eines großen Vorbilds, eines Tricks o. ä. Nur flüchtig, nur von der Seite hat man es sich an- und abgeschaut. 1930 *ff.*

'Schiel'eule *f* Schielender. Seit dem 19. Jh.

Schielewippe (-wippchen) *f (n)* **1.** Schielender. Die Augenbewegungen des Schielenden nehmen sich wie Schaukelbewegungen aus. Seit dem 19. Jh.
2. hinterlistiger, unaufrichtiger Mensch. 1900 *ff.*

Schielkopf (-kopp) *m* Neidischer. ↗Schieler 1. 1900 *ff.*

Schielsystem *n* Absehen, Abschreiben vom Mitschüler. ↗schielen. 1950 *ff.*

Schienbein *n* **1.** jm die ~e geraderichten = jn heftig einexerzieren. Grundsätzlich hat der Rekrut „krumme" Gliedmaßen, ehe er entsprechend gedrillt ist. *Sold* 1935 *ff.*
2. ~e hauen = roh Fußball spielen. 1930 *ff.*
3. jn vor (an) das ~ treten = a) jn empfindlich treffen; jm Schwierigkeiten machen. Das Schienbein ist hochempfindlich. 1930 *ff.* – b) jn nachdrücklich mahnen, warnen. 1930 *ff.*

Schienbein-Polierer *m* Fußballspieler mit grober Spielweise. ↗Schienbein 2. *Sportl* 1950 *ff.*

Schiene *f* **1.** *pl* = Geld, Sold. Hergenommen von dem Stützgerät, mit dem gebrochene Glieder gerichtet werden. Ähnlich gibt das Geld dem Menschen Halt. *BSD* 1965 *ff.*
2. *pl* = Frauenbeine. Vor allem in der Redewendung: „wenn so die Schienen sind, wie muß da (erst) der Bahnhof sein?!". Mundartlich steht „Schiene" auch für „Schienbein". 1930 *ff.*
3. es geht (läuft wie) auf ~n = es geht reibungslos vor sich; kein Hindernis taucht auf. *Sold* 1939 *ff.*
4. auf der richtigen ~ laufen = in jeder Hinsicht denken und empfinden wie alle anderen. Hergenommen vom Eisenbahnzug, der auf ihm vorausbestimmten Schienenwegen läuft, oder von der normalen Spurweite der Eisenbahnschienen. Umgangssprachlich gilt „Schiene = Schienenpaar = Gleis". *BSD* 1965 *ff.*
5. auf dieser ~ läuft nichts mehr = auf diese Weise ist kein Vorankommen mehr. Leitet sich her von einer stillgelegten Eisenbahnstrecke. 1965 *ff.*

schienen *intr* betrügen, falschspielen. Fußt auf *jidd* „schin", wie man die Buchstabenverbindung „sch" nennt. Vielleicht Abkürzung von „↗schieben" oder von „↗(be)scheißen". 1955 *ff,* Berlin.

Schienenfee *f* **1.** Wartefrau in D-Zügen. Sie ist hilfreich wie die Märchengestalt. 1920 *ff.*

2. Eisenbahn-Stewardeß; Zugbegleiterin. 1950 *ff.*

Schienenhase *m* alter ~ = erfahrener Straßenbahnführer. ↗Hase. 1950 *ff.*

Schienenhengst *m* Straßenbahnführer. ↗Hengst. 1920 *ff.*

Schienenschaukel *f* Straßenbahn. 1950 *ff.*

Schienenschläfer *m* Schlafwagenreisender. 1920 *ff.*

Schienenwanze *f* Straßenbahn. Sie kriecht langsam und belästigt den Autoverkehr. 1950 *ff.*

Schienerwitzel *n* Wiener Schnitzel. Scherzhafte Buchstabenumstellung. 1920 *ff.*

Schießbude *f* **1.** Schlagzeug in Jazzkapellen. Der Schlagzeuger erzeugt mit seinen Instrumenten Geräusche, die wie Schüsse klingen. *Halbw* 1950 *ff.*
2. Entziehungsanstalt für Rauschgiftsüchtige. Schießen = Rauschgift einspritzen. 1961 *ff.*
3. Firma, in der einer den anderen zu verdrängen sucht. Abschießen = verdrängen. 1965 *ff.*
4. Chemiesaal in der Schule. Wegen des Explosionsknalls. 1920 *ff.*
4 a. Fuß-, Handballtor. ↗schießen 2. 1970 *ff.*
5. herbe in die ~ dreschen = kräftig das Schlagzeug bedienen. 1950 *ff, halbw.*

Das Foto rechts zeigt eine nicht gerade wie eine Putzfrau gekleidete junge Dame bei der, wie der Gesichtsausdruck verrät, sichtlich Vergnügen bereitenden Reinigung eines Schienenpaars. Surreal erscheint indes nicht nur die Ikonographie, etwa das Faktum, daß diese **Schienenfee** *sich dabei eines Staubsaugers bedient, und das ausgerechnet auf einer nicht elektrifizierten Strecke; auch in der umgangssprachlichen Bedeutung der derart versinnbildlichten Vokabel wird eine letztendlich nun wirklich nicht mit der Aura des Wunderbaren behaftete Handlung, das Reinigen eines Zugabteils oder andere Serviceleistungen während der Fahrt, in einen Bereich transponiert, wo eben jene irdischen Gesetze und Bedürfnisse üblicherweise schon von vornherein außer Kraft gesetzt sind. Eine Märchenfee gewährt in der Regel drei Wünsche oder verliebt sich tragischerweise in einen Sterblichen, wird aber in den seltensten Fällen drei Bierdosen entfernen und allein aus diesem Grund die Liebesblicke eines überglücklichen Reisenden auf sich ziehen. Die dieser* **Schienenfee** *der Umgangssprache innewohnende Ironie läßt, so besehen, tief blicken. Sie kommt sicherlich einer spöttischen Aufwertung sogenannter niedrigen Tätigkeiten seitens derer gleich, die sich dazu nicht verpflichtet glauben (vgl.* **Putzfee, Parkettkosmetikerin** *usw.). Und in der anderen Bedeutung dieser Vokabel – sie benennt auch eine Eisenbahn-Stewardess oder Zugbegleiterin (***Schienenfee 2.***) – schwingt außerdem noch eine erotische Komponente mit; die gute Fee hat hier in erster Linie die Konnotation des Bezauberns, was die Ironie relativiert und auf ein allzumenschliches Maß reduziert. Auch die* **Schiene** *gewinnt so eine neue Dimension (vgl.* **Schiene 2.***).*

Schießbudenfigur *f* **1.** massiger, plumper Mensch; steifer, ungeschickter Mensch. Auf den Zielscheiben in den Jahrmarktbuden waren (sind) Figuren grob und plump und in drastischen Stellungen dargestellt. Etwa seit 1880. **2.** widerwärtiger Mensch; schlechter Soldat. Ihr Verhalten weckt keine Sympathie: auf einer Schießscheibe in einer Kirmesbude wären sie besser angebracht. 1890 *ff*. **3.** bunt wie eine ~ = geschmacklos bunt. 1920 *ff*.

Schießding *n* Revolver, Gewehr. Seit dem 19. Jh.

Schieße ('Schiaßn) *f* Gewehr. *Bayr* und *schwäb* 1800 *ff*.

Schießeisen *n* **1.** Gewehr, Pistole, Revolver. Ein Stück Eisen, mit dem man schießt. *Sold* seit dem späten 19. Jh bis heute. **2.** Penis. Schießen = ejakulieren. 1950 *ff*.

Schießeisenstück *n* Filmhandlung mit häufigem Schußwechsel. 1955 *ff*.

schießen *v* **1.** *intr* = wer zuerst schießt, hat mehr vom Leben (wer schneller schießt, hat bedeutend mehr vom Leben; lebt länger); der (Überraschungs-)Angriff ist die beste Verteidigung. *Sold* 1939 *ff*. **2.** *tr intr* = den Fußball heftig treten. *Sportl* 1920 *ff*. **3.** *intr* = Rauschgift einspritzen. Übersetzt aus *angloamerikan* „to shoot". 1968 *ff*. **4.** *tr* = jn fotografieren. *Vgl* den Begriff „Schnappschuß". 1920 *ff*. **5.** auf jn ~ = jn fotografieren. 1950 *ff*. **6.** *tr* = jn verprügeln, ohrfeigen. Der Schlag trifft wie ein Schuß. 1930 *ff*, *österr*. **7.** jm eine ~, daß die Zähne Klavier spielen = jn heftig ohrfeigen. 1950 *ff*. **8.** auf jn ~ = jn mit Worten angreifen. 1920 *ff*. **9.** jn aus seinem Amt ~ = jn aus seiner Stellung verdrängen, entfernen. ⁊abschießen 3. 1948 *ff*. **10.** etw ~ = listig sich etw aneignen; Gelegenheitsdiebstahl verüben. Leitet sich vom Wilderer her. Seit dem 18. Jh. **11.** *intr* = koitieren. *Vgl* ⁊Schuß = Ejakulation. Seit dem 19. Jh. **12.** scharf ~ = schwängern. 1920 *ff*. **13.** zum ~ aussehen = lächerlich aussehen. Bei Gemüsepflanzen spricht man von „schießen", wenn sie hervor- oder auswachsen (der Salat schießt). Ähnlich bekommt einen Auswuchs, wer sich vor Lachen biegt und krümmt: er sieht dann aus wie ein Buckliger. Zur Herleitung kann auch „Kobolz schießen" herangezogen werden, nicht zuletzt die Ähnlichkeit mit der „⁊Schießbudenfigur". 1900 *ff*. **14.** etw zum ~ finden = etw sehr erheiternd finden. *Vgl* das Vorhergehende. 1900 *ff*. **15.** es ist zum ~ komisch = es ist überaus komisch. 1900 *ff*. **16.** es ist zum ~ = a) es wirkt sehr belustigend. ⁊schießen 13. 1880 *ff*. – b) Ausruf der Verzweif-

lung. Man möchte zum Gewehr greifen oder auch zum Prügelstock. 1900 *ff*. **17.** etw (jn) ~ lassen = etw absichtlich unterlassen, absichtlich übersehen; etw mit Verlust abstoßen; den Umgang mit jm aufgeben. „Schießen" drückt hier die schnelle Bewegung aus (der Bach schießt; die Wolken schießen am Himmel). Seit dem 18. Jh.

Schießer *m* **1.** nicht waidgerechter Jäger. Ihm geht es um Wildbret, nicht um Hege. Seit dem 19. Jh. **2.** schnelles Auto. Analog zu ⁊Flitzer. *Halbw* 1955 *ff*, *österr*. **3.** Mann, der sich Rauschgift spritzt. ⁊schießen 3. 1968 *ff*.

schießfreudig *adj* heftig getretenen Fußball (Torball) bevorzugend. *Sportl* 1950 *ff*.

Schießgewehr *n* Revolver. Meint eigentlich die Flinte. Seit dem 19. Jh.

Schießhund *m* **1.** aufpassen wie ein ~ = scharf aufpassen. Schießhund ist der Vorstehhund des Jägers; er spürt das angeschossene Wild auf. 1700 *ff*. **2.** hinter jm hersein wie ein ~ = jn verfolgen, nicht aus den Augen lassen. Seit dem 19. Jh. **3.** wie ein ~ warten = gespannt warten. 1900 *ff*.

Schießkerl *m* schießwütiger, verwegener Bursche. Nach 1945 aufgekommen im Zusammenhang mit Wild-West- und Kriminalfilmen.

Schießkino *n* Polizei-Kinoanlage, in der Polizeibeamte auf Leinwandfiguren zu zielen lernen. 1965 *ff*.

Schießkrieg *m* **1.** Krieg (im Gegensatz zum Manöver in Friedenszeiten). 1938 *ff*. *Vgl engl sold* „shooting war". **2.** Krieg an der Front (nicht in Etappen- oder Heimatdienststellen). 1940 *ff*. **3.** Krieg mit Schußwaffen (im Gegensatz zur Verwendung bakteriologischer oder chemischer Kampfmittel). 1965 *ff*.

Schießlehre *f* amerikanische ~ = Wild-West-Romanhefte oder -Filme. *BSD* 1970 *ff*.

Schießprügel *m* **1.** Gewehr, Karabiner *(abf)*. Ursprünglich eine Luntenmuskete, bei der sich an der Mündung des Laufs eine dicke eiserne Verstärkung zum Dreinschlagen befand. 1700 *ff*. **2.** Penis. ⁊schießen 11. 1935 *ff*.

Schießpulver *n* Hülsenfrüchte. Anspielung auf die laut abgehenden Darmwinde. *BSD* 1965 *ff*.

Schießstand *m* **1.** Kamerastand. ⁊schießen 4. 1960 *ff*. **2.** Latrine. „Schießen" steht hehlwörtlich für „scheißen". *BSD* 1965 *ff*. **3.** Kasernenküche. Man ulkt, das Fleisch werde mittels Schrotpatrone in die Suppe eingeschossen. *BSD* 1960 *ff*.

Schießstellung *f* in ~ gehen = a) die Kamera auf ein Objekt richten. Schuß = Schnappschuß. 1960 *ff*. – b) sich zum Geschlechtsverkehr anschicken. 1950 *ff*.

Schiet *m* **1.** Kot; entweichender Darmwind. *Niederd* Form von „Scheiße". Seit dem 14. Jh.
2. Schmutz, Schlamm. Seit dem 14. Jh.
3. minderwertige, unbrauchbare Sache; Belanglosigkeit. Seit dem 19. Jh.
4. Widerwärtigkeit. Seit dem 19. Jh.
5. nichts; Ausdruck der Ablehnung. 1700 *ff.*
6. ~ an Boom!: Ausdruck der Ablehnung. Analog zu ↗Scheiße 6. 1910 *ff.*

Schietbüdel *m* Schimpfwort. *Niederd* „Büdel = Beutel = Hodensack". Seit dem 19. Jh.

Schietding (-dings) *n* unbrauchbarer Gegenstand; Belanglosigkeit. Seit dem 19. Jh.

Schiete *f* Kot. ↗Schiet 1. Seit dem 14. Jh.

'schiete'gal *adv* völlig gleichgültig. Analog zu ↗scheißegal. 1900 *ff.*

schieteln *intr* obszöne Reden führen; Zoten erzählen. 1910 *ff.*

schieten *intr* koten. ↗Schiet 1. 14. Jh, *niederd.*

'schieten'dick *adj* volltrunken. ↗dick 4. 1930 *ff.*

Schieter *m* **1.** Säugling; kleiner Junge (Kosewort). ↗Scheißer 4. *Niederd* seit dem 19. Jh.
2. Mann (Kosewort). 1900 *ff.*
3. Freundin, Frau (Kosewort). 1900 *ff.*

Schiete'rei *f* Durchfall. 1700 *ff.*

Schieter'itis *f* Durchfall. ↗Scheißeritis. 1870 *ff.*

'Schiet'kerl *m* Feigling. ↗Scheißkerl. 14. Jh.

'Schiet'kram *m* unbrauchbare Ware; Wertlosigkeit; verhaßte Arbeit. Seit dem 19. Jh.

'Schiet'wetter *n* unfreundliches Wetter. 1900 *ff.*

Schiff I *n* **1.** Flugzeug. Verkürzt aus „Luftschiff". Fliegerspr. 1935 *ff.*
2. breitgebautes Auto. Analog zu ↗Dampfer. 1950 *ff, halbw.*
3. Liebesgabenpäckchen; Paket aus der Heimat; Sendung an einen Häftling. Wohl aufgefaßt als Rettungsschiff für einen Hungernden. Seit dem späten 19. Jh, *sold* und *rotw.*
4. Gymnasium. Im letzten Drittel des 19. Jhs in Südwestdeutschland aufgekommen, wohl weil man das Schiff auch „Kasten" nennt und „Kasten" auch das Schulgebäude meint.
4 a. Zehnmarkschein. Wegen der Abbildung auf der Rückseite. 1970 *ff, schül.*
5. ~ der Wüste = dummer Mensch. „Schiff der Wüste" steht für „Kamel", und den Dummen schimpft man „↗Kamel". 1920 *ff.*
6. dickes ~ = Kriegs-, Schlachtschiff. „Dick" bezieht sich sowohl auf die Panzerung und Bestückung als auch auf den Umfang (Wasserverdrängung). *Marinespr* 1914 bis heute.
7. schnelles ~ = schnelles Flugzeug. 1935 *ff.*
8. klar (rein) ~ machen = a) putzen, scheuern, Ordnung schaffen. Seemannsspr. 19. Jh. – b) eine Angelegenheit bereinigen; eine unumwundene Erklärung abgeben; ein volles Geständnis ablegen; abrechnen; den Verzehr begleichen. 1920 *ff.*
9. er wird das ~ schon richtig schaukeln = er wird die Lage meistern, die richtige Anordnun-

gen treffen. Meint eigentlich „den richtigen Kurs steuern". ↗schaukeln. *Sold* 1939 *ff.*

Schiff II *m* Harn. ↗schiffen 1. Seit dem 19. Jh.

Schiffahrt *f* **1.** (eiliger) Gang zum Abort. ↗schiffen 1. 1870 *ff.*
2. Gott segne die ~!: Redewendung auf einen, der viel auf einmal trinkt. Eigentlich die Bitte an Gott um eine Schiffsreise ohne Unglück. 1870 *ff.*

Schiffbau *m* öffentliche Bedürfnisanstalt. ↗schiffen 1. 1930 *ff.*

Schiffbruch *m* ~ erleiden = mit etw scheitern. Seit dem 15. Jh.

Schiffbude *f* Stehabort. ↗schiffen 1. 1930 *ff.*

Schiffchen *n* **1.** großes, stattliches Schiff. 1950 *ff, schül.*
2. Feldmütze; schirmlose Kappe (*bayr*: Schifferl). Die länglich-ovale Form hat sie mit dem Schiff gemeinsam. 1935 bis heute.
3. *pl* = Halbschuhe; lange, weite Schuhe. Analog zu ↗Kahn 8. 1920 *ff.*
4. ich erschlage dich mit meinem ~!: Drohrede. ↗Schiffchen 2. *BSD* 1965 *ff.*
5. ~ machen = harnen. Kindersp. 19. Jh.

Schiffe *f* **1.** Harn. ↗schiffen 1. Seit dem 19. Jh.
2. öffentliche Bedürfnisanstalt. *Südwestd* 1900 *ff.*

schiffen *intr* **1.** harnen. Beruht auf „Schiff = Wasserbehälter" (beispielsweise auf dem Küchenherd); dann verengt auf das Nachtgeschirr, wobei Schallnachahmung eingewirkt haben mag. Anscheinend von Studenten ausgegangen. 1750 *ff.*
2. es schifft = es regnet (in Strömen). 1840 *ff.*

Schiffer *m* **1.** Harnender. ↗schiffen 1. 1840 *ff.*
2. Penis. 1840 *ff.*
3. Lehrer an einer höheren Schule. ↗Schiff I 4. *Südwestd* 1870 *ff.*

Schiffe'rade *f* Bedürfnisanstalt für Männer. Zusammengewachsen aus „schiffen 1" und „Retirade = Zuflucht". 1910 *ff.*

Schiffe'randa *f* Stehabort. Hängt wohl zusammen mit der latein-schülersprachlichen Wendung „mihi schifferandum est = ich muß harnen". 1900 *ff.*

Schiffe'rei *f* Bedürfnisanstalt. 1900 *ff.*

Schifferfräse *f* von Ohr zu Ohr reichender Bartkranz. ↗Fräse. 1900 *ff, sold.*

Schifferklavier *n* Akkordeon; Ziehharmonika. Wertsteigerung: das Instrument ersetzt dem Seemann das Klavier. Berlin 1860 *ff.*

Schifferkneipe *f* Schenke, in der Seeleute und/oder Binnenschiffer verkehren. ↗Kneipe. 1800 *ff.*

Schifferkrause *f* Seemannsbart. ↗Schifferfräse. 1935 *ff, marinespr.*

Schifferl *n* ↗Schiffchen.

schiffern *v* mich schiffert es = ich habe Harndrang. *Mitteld* 1920 *ff.*

Schiffernachricht *f* unverbürgte Seemannsmitteilung. Derlei Gerüchte gehen in Schifferschenken von Mund zu Mund. 1850 *ff.*

Schiffernakel *n* **1.** Ruderboot. Entstellt aus ↗Schinakel. *Österr* 1910 *ff.*

2. Stehabort. Gehört zu ↗schiffen 1. 1910 *ff,* *österr.*

Schifferorgel *f* Ziehharmonika. ↗Schifferklavier. 1900 *ff.*

Schifferscheiße *f* **1.** dumm wie ~ = sehr dumm. Die Steigerung hat sich aus „↗Schifferscheiße 3" entwickelt. 1900 *ff.*

2. frech wie ~ = sehr frech, dreist, unverschämt, herausfordernd. 1900 *ff.*

3. geil (scharf) wie ~ = wollüstig. Hat vermutlich nichts mit „Schiffer" zu tun, sondern ist entstellt aus „die Schiffe = Harn" oder aus „Schafscheiße". „Scharf" bezieht sich eigentlich auf den strengen Geruch. 1900 *ff.*

4. klar wie ~ = völlig einleuchtend *(iron).* 1900 *ff.*

Schifferschnulze *f* rührseliges Seemannslied. ↗Schnulze 1. 1955 *ff.*

Schiffgewässer *n* Jauchegrube; Abflußgraben; stinkender Teich. 1910 *ff.*

Schiffhalle *f* Schulabort; Stehabort. ↗schiffen 1. Spätestens seit 1900.

Schiffhallenchef *m* Abortwärter. 1920 *ff.*

Schiffhallendirektor *m* Schulhausmeister. Er hat auch für die sanitären Anlagen zu sorgen; ↗Schiffhalle. 1900 *ff.*

Schiffhaus (-häuschen, -häusle) *n* Abort. 1900 *ff.*

Schiffo'drom *n* Stehabort. Dem „Hippodrom" nachgebildet gegen 1920 unter Einwirkung von „↗schiffen 1". *Bayr* und *österr.*

Schiffoir (Endung *franz* ausgesprochen) *n* Stehabort. Aus „Pissoir" umgeformt durch „↗schiffen 1". 1870 *ff.*

Schif'fonium *n* Bedürfnisanstalt. Halblateinische Wortbildung im Munde von Gymnasiasten. 1900 *ff.*

Schiffrinne *f* Abortrinne. ↗schiffen 1. 1920 *ff.*

Schiffsfledderer *m* Ausrauber gesunkener Schiffe. ↗fleddern. 1965 *ff.*

Schiffsfriedhof *m* Hafenbecken voller ausgedienter Schiffe. Dem „↗Autofriedhof" nachgebildet. 1945 *ff.*

Schiffsladung *f* Harnblase voller Harn. ↗Schiffen 1. *Marinespr* 1900 *ff.*

Schiffsmarder *m* Ausrauber von Schiffen. ↗Marder. 1965 *ff.*

Schiffsmettwurst *f* Tauende zum Verprügeln der Schiffsjungen; Lederkarbatsche. Wegen der Formähnlichkeit mit einer Wurst. Seemannsspr. seit dem 18. Jh.

Schiffsschaukelbremser *m* Versager. Zum Bremsen der Schiffsschaukel ist keine Geisteskraft erforderlich. 1939 *ff.*

Schiffsschraube *f* Frau des Kapitäns. ↗Schraube. 1920 *ff.*

Schiffsuntergang *m* ~, langsam vollaufen lassen = sich langsam betrinken. *BSD* 1965 *ff.*

Schiffswurst *f* Tauende. ↗Schiffsmettwurst. Seit dem 19. Jh, seemannspr.

Schikanen *pl* **1.** moderne ~ = moderne technische Errungenschaften; technische Neuerungen. Schikane ist eigentlich die Behinderung aus Mißgunst, auch die kleinliche Belästigung und die Quälerei. Durch den Exerzierdienst nahm das Wort den Sinn einer mit dem Dienst unlöslich verbundenen mißbräuchlichen Ausnutzung der Macht an. Hieraus entwickelte sich die Bedeutung des leidigen, aber untilgbaren Zubehörs und schließlich die der Gesamtheit alles dessen, was zu einer Sache gehört. In technischer Hinsicht sind es alle erdenklichen Mittel zur Bequemlichkeit und zur Leistungssteigerung. 1920 *ff.*

2. mit allen ~ = mit allem, was dazu gehört; ganz so, wie es sich gehört; heftig; kräftig; unübertrefflich. Am Übergang von der im Vorhergehenden skizzierten eigentlichen Bedeutung zur übertragenen steht die Stelle in Fontanes Roman „Cecile": „Die Nürnberger henken keinen nicht, sie hätten ihn denn zuvor, und dieser Milde huldigten auch die Quedlinburger. Aber wenn sie den zu Henkenden hatten, henkten sie ihn auch gewiß, und zwar mit allen Schikanen." Gegen 1840 in Berlin aufgekommen.

3. mit allen eingebauten ~ = vollgültig, vollwertig, mustergültig. 1920 *ff.*

Schikanierbude *f* Turnhalle. *Schül* 1950 *ff.*

Schikanierplatz *m* Exerzierplatz. *BSD* 1965 *ff.*

Schild *m* etw im ~e führen = etwas Unredliches beabsichtigen; einen unehrenhaften Plan verbergen. Bezog sich ursprünglich auf die Abzeichen, die der Ritter auf dem Schilde führte, später auch auf die hinter dem Schild verborgen gehaltenen Waffen. Seit dem 16. Jh.

Schilderdschungel *m* unübersichtliche Fülle von Verkehrszeichen. 1950 *ff.*

Schilder'itis *f* übertriebene Anbringung von Verkehrsschildern. Aufgefaßt als eine ansteckende Krankheit. 1950 *ff.*

Schildersalat *m* unübersichtliche Häufung von Hinweisschildern an einem einzigen Mast; Nebeneinander von (einander widersprechenden) Verkehrsschildern. ↗Salat 1. 1950 *ff.*

Schilderurwald *m* Überzahl von Verkehrsschildern. 1950 *ff.*

Schilderwald *m* **1.** wirre Gesamtheit von Verkehrsschildern. 1950 *ff.*

2. den ~ abholzen (lichten) = die Zahl der Verkehrsschilder deutlich verringern. 1950 *ff.*

Schildkröte *f* halbkugelige Bodenlampe auf einer Verkehrsinsel. Wegen der Formähnlichkeit. 1960 (?) *ff.*

Schildkrötenrücken *m* leicht gewölbter Rücken. 1955 *ff.*

Schilf-Casanova *m* Mann, der in der Uferbewachsung intime Szenen beobachtet. 1930 *ff.*

Schiller *Pn* **1.** Gedanke von ~ ↗Gedanke.

2. Idee von ~ ↗Idee.

3. frei nach ~ = a) Redewendung zur Begleitung

Die dem **Schilderwald** *zugrundeliegende Assozia-
tion eines Chaos oder eines Labyrinths sich widerspre-
chende Vorschriften (vgl.* **Schilderdschungel,
Schilderurwald***) evoziert ein Gefühl der Hilf- und
Orientierungslosigkeit, selbst wenn man hier den Wald
vor lauter Bäumen sieht. Dieses übertriebene Anbringen von Verkehrsschildern wird umgangssprachlich
zudem als Krankheit aufgefaßt, als* **Schilderitis.**

für jede beliebige Gebärde, für vorbereitungsloses
Handeln. Mit „frei nach Schiller" kennzeichnet
man ein nicht wörtliches Schillerzitat, die Anlehnung an ein Schillerzitat. Schiller wird viel zitiert,
aber gern in abfälligem Sinne. 1920 *ff.* – b) Weg-
schleudern des Nasenschleims mit der Hand (ohne Taschentuch). 1920 *ff.* – c) unverblümt, aufrichtig. 1920 *ff.*

4. so was lebt, und ~ mußte sterben: Redewendung angesichts eines Menschen, der eine unsinnige Äußerung getan hat. ⁊Goethe 1. 1920 *ff.*

Schillerkino *n* Breitwandkino. Geht zurück auf
Schillers „Sprüche des Konfuzius" (1799): „Mußt
ins Breite dich entfalten, soll sich dir die Welt gestalten." Berlin 1965 *ff.*

Schillerzigarre *f* minderwertige Zigarre. Hängt
zusammen mit der Zeile „Der Mann muß hinaus
(ins feindliche Leben)" aus Schillers „Lied von
der Glocke". 1870 *ff.*

Schillingfalle *f* Münzfernsprecher. Österreicher
behaupten, viele Schillingmünzen seien erforderlich, ehe man eine der ständig besetzten Vorwahl-
oder Amtsnummern erreiche. 1960 *ff.*

Schimmel *m* **1.** weißes Kopfhaar; hellblonder
Mann. Vom weißen Pferd übertragen. Seit dem
19. Jh.

2. Schablone, Schema, Lernbehelf. Geht zurück
auf die *österr* Bezeichnung „simile" für die amtlichen Vordrucke; *vgl* ⁊Amtsschimmel. 1920 *ff.*

3. unerlaubter Übersetzungsbehelf für träge Schüler. Entweder Nebenbedeutung des Vorhergehenden oder Analogie zu „⁊Pferd 4". *Österr* 1910 *ff.*

4. ~ ansetzen = a) graue Haare bekommen.
Übernommen vom Schimmelbelag auf Speisen.
1900 *ff.* – b) veralten (auf Literaturwerke bezogen). 1920 *ff.*

5. jn warten lassen, bis er ~ ansetzt = jn lange
warten lassen. 1930 *ff.*

6. den ~ halten = nicht zum Tanz aufgefordert
werden. Gemeint ist, daß das Mädchen das Pferd
betreut, während der Reiter tanzt. Seit dem 19. Jh.

7. den ~ scheu (wild) machen = jm etw vorgaukeln; jn einschüchtern. Seit dem 19. Jh.

8. jm zureden wie einem kranken (lahmen) ~ =
jm ausdauernd und nachdrücklich zusetzen.
⁊Gaul 14. 1840 *ff.*

schimmelig *adj* ~ werden = grauhaarig werden.
⁊Schimmel 1. Seit dem 19. Jh.

schimmeln *intr* **1.** keinen Tänzer haben; nicht zum
Tanz aufgefordert werden. ⁊Schimmel 6. Entfernt beeinflußt von der Vorstellung „schimmeln
= ältlich werden; reizlos werden". 19. Jh.

2. eine unerlaubte Übersetzung benutzen.
⁊Schimmel 3. *Österr* 1910 *ff.*

3. graues Haar bekommen. ⁊Schimmel 4. Seit
dem 19. Jh.

Schimmer *m* **1.** blasse Vorstellung; unklarer Gedanke. Vom blassen Lichtschein übertragen auf geringe Geistesklarheit. Seit dem 19. Jh.
2. ungefährer ~ = undeutliche Vorstellung. 1900 *ff*.
3. keinen (nicht den geringsten) ~ haben = keine Ahnung haben; nichts vermuten; unwissend sein. 1800 *ff*.
4. nicht den ~ einer Ahnung haben = nichts wissen. Seit dem 19. Jh.
5. nicht den ~ der Ahnung einer Idee haben = nicht die geringste Ahnung haben; gänzlich unwissend sein. Seit dem 19. Jh.
6. keinen ~ von einer Idee haben = nichts wissen. Seit dem 19. Jh.
7. keinen ~ von einer Spur haben = nicht das mindeste wissen. Seit dem 19. Jh.
8. keinen blassen ~ haben = völlig unwissend sein. Seit dem 19. Jh.
9. nicht den blassen ~ einer Ahnung (nicht den ~ einer blassen Ahnung) haben = etw sich nicht vorstellen können; die Zusammenhänge nicht erkennen. Seit dem 19. Jh.
10. nicht den blassesten (leisesten) ~ einer Ahnung haben = nicht die leiseste Ahnung haben. 1900 *ff*.
schimmerlos *adj* ohne jegliche Fachkenntnis; völlig unwissend. 1920 *ff*.
schimmern *v* ihm schimmert es = er beginnt zu begreifen; ihm erhellen sich die Zusammenhänge. ↗Schimmer 1. *Vgl* ↗dämmern. 1930 *ff*.
Schimpfe *f* das Gescholtenwerden; Beschimpfung. Spätestens seit 1900.
schimpfen *refl* sich nennen; heißen (er schimpft sich Meier). Der Familienname oder der Titel wird hier scherzhaft oder *iron* als Schimpfname aufgefaßt. 1800 *ff*.
Schimpfi'ade *f* Zetern. Aus „schimpfen" umgeformt nach dem Muster von „Olympiade", „Jobsiade" o. ä. *Schweiz* 1930 *ff*.
Schimpfkanonade *f* anhaltendes Beschimpfen. Kanonade = anhaltender heftiger Beschuß. 1910 *ff*.
Schimpfkanone (-kanonier) *f (m)* Schimpfender. 1950 *ff*.
Schimpfkonzert *n* vielstimmiges Beschimpfen. 1950 *ff*.
Schimpflitanei *f* langanhaltende Beschimpfung. ↗Litanei. 1935 *ff*.
Schimpforgie *f* unflätiges Beschimpfen. 1950 *ff*.
Schimpf-Schlacht *f* von heftigen persönlichen Angriffen begleitete Auseinandersetzung. 1960 *ff*.
Schimpfschreibe *f* Text mit abfälliger Kritik. 1950 *ff*.
Schimpfwort *n* sechs-etagiges ~ = schweres, unflätiges Schimpfwort. 1940 *ff*, *sold;* 1955 *ff*, *halbw*.
Schi'nakel (Schin'ackel, Schin'agel) *m* **1.** Kahn, Schiff, Ruderboot. Stammt aus *ung* „csonak" oder serbokroatisch „čunak", beide in der

Bedeutung „kleiner Kahn". Im späten 17. Jh als Vokabel der Donauschiffer aufgekommen.
2. großer Schuh. Schuhwerk gilt volkstümlich allgemein als „↗Kahn". *Österr* 1900 *ff*.
schi'nakeln *intr* **1.** arbeiten; sich abmühen. Hergenommen von der Fortbewegung (Treideln) des Kahns flußaufwärts. *Oberd* seit dem 18. Jh.
2. tölpelhaft, ungeschickt, schwankend gehen. Man geht mit rudernden Armbewegungen oder in zu großen Schuhen. Seit dem 19. Jh.
'Schind'aas *n* niederträchtiger, heimtückischer Mensch; auch Kosewort. Verkürzt aus „Schinderaas", dem für den Schinder bestimmten, verendeten Stück Vieh. Nach 1740 aufgekommen, anfangs Vokabel des Sturms und Drangs.
Schindel *f* ~n am Dach!: Ausruf der Warnung, etwa im Sinne von „Vorsicht, nicht drüber reden!" oder „nimm Rücksicht auf die Kinder, die derlei nicht hören sollen!". Die Schindeln am (auf dem) Dach versinnbildlichen eine selbstverständliche Zusammengehörigkeit, woher sich eine „stillschweigende Übereinkunft" o. ä. ableiten läßt. *Schwäb, bayr* und *österr*, seit dem 19. Jh.
schinden *v* **1.** etw ~ = etw ohne Bezahlung (auf Rechnung anderer) genießen (der Student schindet Kollegs, der Bettler schindet Wärme). Eigentlich soviel wie „enthäuten", dann auch „mißhandeln", „bedrücken" und schließlich soviel wie „prellen". Unter Studenten in der ersten Hälfte des 19. Jhs aufgekommen.
2. *intr* = eine gute Karte zurückhalten, um sie später zu verwenden. Dadurch kann man den Spielern hart zusetzen. Kartenspielerspr. Seit dem 18. Jh.
3. auf jugendlich ~ = durch kosmetische Mittel das wirkliche Alter verbergen. 1960 *ff*, *halbw*.
4. *refl* = sich abmühen; schwer arbeiten. Seit dem 18. Jh.
Schinder *m* **1.** grob und rücksichtslos handelnder Mensch; Leutepeiniger. Seit dem 19. Jh.
2. Arzt; Militärarzt; Arzt für Geschlechtskranke. Anspielung auf primitive Heil- und Hilfsmittel, auch auf den gelegentlich rohen Umgang mit den Patienten. Kundenspr. und *sold* 1870 *ff*.
3. rücksichtsloser, schikanöser Soldatenausbilder. Spätestens seit 1900.
4. Lehrer. 1920 *ff*, *schül*.
5. anstrengende Arbeit. 1900 *ff*.
'Schinder'aas *n* kräftiges Schimpfwort. ↗Schindaas. Der Betreffende ist reif für den Abdecker. 1900 *ff*.
Schinderei *f* **1.** harte Behandlung durch rücksichtslose Herren (Arbeitgeber o. ä.). Schinden = die Haut abziehen; mißhandeln. Seit dem späten Mittelalter.
2. schwere Arbeit. Seit dem 18. Jh.
3. Exerzierdienst. 1900 *ff*.
Schinderhannes *m* **1.** widersetzlicher Mann; böser, liederlicher Mann; Leutequäler. Übernom-

Jene zwei Lastträger auf dem Foto oben, die so tun, als trügen sie einen Personenwagen, müßten sich wohl schwer schinden, wenn dem wirklich so wäre (vgl. **schinden 4.**). *Die Vokabel bezieht sich auf den früher verachteten Beruf des Schinders, zu dessen Aufgaben es gehörte, dem Vieh die Haut abzuziehen, nicht selten dann, wenn dieses noch lebte, und der* dieser oft bewiesenen Grausamkeit wegen auch dem Henker assistieren durfte. „Zur größten Qual", schreibt Lutz Röhrich, „wurde dem Verurteilten die Haut in Streifen vom Leibe geschnitten, der danach völlig zerstückelt wurde." Wer sich dagegen auf jugendlich schindet (schinden 4.), läßt sich seine Haut nur straffziehen.*

men vom Spitznamen des Räuberhauptmanns Johann Bückler (1788–1803), dessen Vater „Schinder = Abdecker" war. 19. Jh.
2. Lehrer. Anspielung auf Leuteschinderei, aufgelebt durch den 1958 von Helmut Käutner gedrehten Film nach Carl Zuckmayers Drama „Schinderhannes" (1927).
3. Rekrutenausbilder. 1965 *ff.*
Schinderhöhle (-kiste) *f* Turnhalle. Im „Jahrhundert des Sports" betrachten Schüler den Turnunterricht als Mißhandlung. 1950 *ff.*
schindern *intr* **1.** schlecht arbeiten. Hergenommen von schwerer Arbeit, die man mit unzweckmäßigen Mitteln meistern will (soll). 1900 *ff.*
2. schlittern (ohne Schlittschuhe). *Ostmitteld* 1900 *ff.*
Schinderraum (-saal) *m* Turnhalle. ↗Schinderhöhle. *Schül* 1950 *ff.*
Schindersprache *f* unflätige Ausdrucksweise. Vom Abdecker hergenommen, dessen Handwerk auf seinen Wortschatz abfärbt. 1870 *ff.*
Schinderwiese *f* Exerzierplatz. *Österr* 1960 *ff*, *sold.*

Schindluder *n* **1.** Schimpfwort. Meint eigentlich das verendete Tier, das dem Abdecker überantwortet wird. Seit dem 18. Jh.
2. mit jm ~ treiben (spielen) = jm übel mitspielen; jn grob verhöhnen. Abgeschwächt aus der Grundbedeutung „mit jm umgehen wie mit einem verendeten Tier". In Mundarten bezeichnet man mit „Schindluder" die ungestüme Fröhlichkeit, auch das ausgelassene, übermütige Treiben. Seit dem 18. Jh.
3. mit etw ~ treiben = etw völlig unsachgemäß betreiben. Seit dem 19. Jh.
schindludern *intr* höhnen, necken. ↗Schindluder 2. Seit dem 19. Jh.
Schindmähre *f* **1.** schlechtes, abgetriebenes Pferd. Eigentlich das für das Abhäuten bestimmte Pferd. 1600 *ff.*
2. alte Frau. ↗Mähre 1. Seit dem 19. Jh.
Schindung *f* **1.** große Anstrengung. ↗schinden 4. *Sold* 1870 *ff.*
2. Schmarotzergesinnung. ↗schinden 1. 1920 *ff.*
Schinken *m* **1.** Oberschenkel des Menschen; Gesäßhälfte. Seit *mhd* Zeit.

2. Geige. Wegen der Formähnlichkeit. *Vgl* ↗Schafschinken. Seit dem späten 19. Jh.

3. Buch; großes, umfangreiches Buch. Im frühen 18. Jh unter Studenten aufgekommen mit Anspielung auf den Schweinsledereinband.

4. (abgenutztes dickes) Schulbuch. Seit dem späten 19. Jh.

5. minderwertiges Gemälde; großformatiges Bild; unverkäufliches Bild. Im Anschluß an die verächtliche Bezeichnung für das Buch gegen 1870/80 in Wien aufgekommen mit Bezug auf die Gemälde von Hans Makart.

6. künstlerisch wenig wertvoller Großfilm. 1950 *ff*.

7. minderwertige Kolossalskulptur. 1890 *ff*.

8. umfangreicher Roman von geringem Wert. 1900 *ff*.

9. dickes Aktenstück; langdauernder schwieriger Rechtshandel. 1890 *ff*.

10. alter, abgenutzter Gegenstand. 1880 *ff*.

11. Leichtmotorrad, Moped, Kleinauto o. ä. Bezeichnet ursprünglich wohl das alte Kraftfahrzeug. 1935 *ff*.

12. Prostituierte. Wohl aufzufassen als Schinken vom „↗Schwein". „Schwein" und „Sau" stehen für das liederliche Weib. Seit dem späten 18. Jh.

13. ~ in Öl = minderwertiges Ölgemälde, mit dem der Maler hohen künstlerischen Ansprüchen gerecht werden möchte. Spätestens seit 1900.

14. alter ~ = a) altes Buch; veraltetes Theaterstück. Dieser „Schinken" hat wohl zu lange im Rauch gehangen. Etwa seit dem frühen 18. Jh, *stud* und theaterspr. – b) altes, unbrauchbares Gerät. 1880 *ff*. – c) altes Kraftfahrzeug; altes Flugzeug. 1935 *ff*. – d) wertloses Gemälde. 1880 *ff*. – e) alte Sache; seit langem schwebender Rechtsstreit. 1890 *ff*.

15. müder ~ = altes Flugzeug. Fliegerspr. 1935 *ff*.

16. uralter ~ = Theaterstück aus vergangener Zeit. Theaterspr. 1920 *ff*.

17. bei jm einen ~ im Salz haben = mit jm etw noch zu bereinigen haben. Man hat von der Hausschlachtung einen Schinken verschenkt und wartet nun auf die Gegenleistung; aber dieser Schinken liegt noch in der Lake, kann also noch nicht „auf den Tisch kommen". Seit dem 16. Jh.

18. den ~ im Salz halten = eine Sache unentschieden lassen. *Vgl* das Vorhergehende. 1930 *ff*.

19. in ~ machen = a) Metzger sein. 1910 *ff*, Berlin – b) große, künstlerisch wenig wertvolle Gemälde herstellen. ↗Schinken 5. 1900 *ff*.

Schinkenärmel *pl* Puffärmel des Frauenkleides. Die Ärmel waren oben sehr weit und am Unterarm schmal; dadurch glichen sie der Schinkenform. „Schinken" übersetzt das *franz* „gigot = Hammelkeule". Für 1650 bezeugt, auch für die Biedermeierzeit und für 1900 *ff*.

Schinkenbeutel *m* **1.** Damenschlüpfer; Hemdhöschen; Unterhose für kleine Kinder. Meint ei-

gentlich den Leinenbeutel, in dem man den Schinken zum Schutz gegen die Fliegen hängend aufbewahrt. 1900 *ff*.

2. Unterhose für Männer. 1900 *ff*.

Schinkenbrett *n* **1.** Holzsitzgelegenheit (Stuhl, Hocker o. ä.). ↗Schinken 1. 1870 *ff*.

2. Sitzplatz (-bank) auf dem Omnibus-Oberdeck. Berlin 1883 *ff*.

Schinken-Etui *n* **1.** Damenschlüpfer. ↗Schinkenbeutel 1. 1900 *ff*.

2. Unterhose. 1900 *ff*.

3. Bett. 1920 *ff*.

Schinkenklopfen *n* Schlagen auf das Gesäß von jungen Burschen, die in der Beuge gehalten werden und den Schlagenden erraten müssen. Gehört wohl dem 19. Jh an.

Schinkenmaler *m* Maler umfangreicher, aber künstlerisch minderwertiger Gemälde. ↗Schinken 5. Seit dem Ende des 19. Jhs.

Schinkensack *m* Unterhose o. ä. ↗Schinkenbeutel 1. 1900 *ff*.

Schinkenservietten *pl* Abortpapier. *BSD* 1965 *ff*.

Schinkenstulle *f* Schinkenbutterbrot. ↗Stulle. Seit dem 19. Jh.

schinschen *intr* vom Mitschüler abschreiben. Geht zurück auf *engl* „to change = wechseln". Im Zweiten Weltkrieg ergab sich hieraus die Bedeutung „tauschhandeln" und „halblautere Geschäfte machen". ↗tschinschen. *Schül* 1950 *ff*.

Schippe (Schüppe) *f* **1.** Kartenfarbe Pik. Das Kartenzeichen ähnelt der Schaufel. Seit dem 19. Jh.

2. mißmutiges Gesicht; herabhängende Unterlippe. Die vorgeschobene Unterlippe ähnelt dem Schaufelblatt. Spätestens seit 1800.

3. ~n an den Fingern = lange Fingernägel. Sie sehen wie Schaufeln aus. Seit dem 19. Jh.

3 a. sich an der ~ festhalten = träge arbeiten. *Vgl* ↗Arbeiterdenkmal. 1900 *ff*.

4. jn auf der ~ haben = jn verulken; mit jm seinen Spott treiben. ↗Schippe 6. 1900 *ff*.

5. eine ~ machen = schmollen; mißmutig blicken. ↗Schippe 2. 1800 *ff*.

6. jn auf die ~ nehmen (laden) = jn verulken, grob verhöhnen; jn geheuchelt-höflich behandeln. Was man auf die Schippe nimmt, kann Kehricht sein: der Betreffende wird gewissermaßen wie Dreck behandelt. Vgl auch ↗Besen 15. Etwa seit 1900, vorwiegend *schül* und *sold*.

7. jn (etw) auf die leichte ~ nehmen = eine Person oder Sache nicht ernst nehmen; sich über eine Person oder Sache lustig machen. Hier ist das Vorhergehende mit der Redewendung „etw auf die leichte ↗Schulter nehmen" gekreuzt. 1950 *ff*.

8. nach der ~ riechen = dem Tod nahe sein. Anspielung auf die Schaufel des Totengräbers. Seit dem 19. Jh.

9. mit der ~ winken (~n winken) = eine verneinende Gebärde machen; etw heftig abweisen, ab-

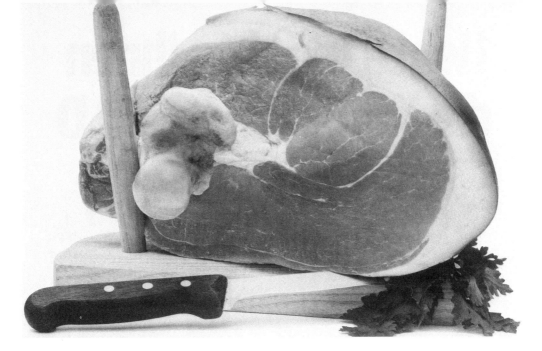

Daß der Genuß eines Schinkens umgangssprachlich nicht gerade ein Vergnügen ist, liegt wirklich nicht an dessen Geschmack, sondern daran, daß ein solches Stück in der Regel vom Schwein stammt, und das gilt nun einmal nicht gerade als ein sich bester Gewohnheiten befleißigendes Tier (vgl. **Schinken 12.**) *und hat zudem noch den Nachteil, seine Haut dem Einband so manchen Buches opfern zu müssen. Ein solches Procedere lohnt sich allerdings nur bei größeren Formaten, deren Inhalt aber wohl nicht immer ihren Äußeren entspricht. Der Schinken* (vgl. **Schinken 4.**) *wurde so zur bloßen Schwarte. Und da die ihm zugeordneten Attribute sich nicht nur auf Gedrucktes beziehen, wurden darunter auch bald Gemälde, Skulpturen oder Filme verstanden, die mehr durch ihre Größe als durch ihre Qualität auffallen* (vgl. **Schinken 5.–8., 13.**). *In der Umgangssprache meint Schinken natürlich auch jene Körperteile des Menschen, die denen entsprechen, wo beim Schwein der Schinken sitzt* (vgl. **Schinkenbrett**).

wehren. Hergenommen vom Anzeiger auf dem Schießstand. 1830 *ff.*

10. eine ~ ziehen = a) den Mund zum Zeichen des Unwillens verziehen. ↗Schippe 2. Seit dem 19. Jh. – b) mit dem Mund die Gebärde der Verneinung machen. 1870 *ff.*

Schippel *n* eine größere Anzahl. ↗Schüppel. Seit dem 19. Jh, *bayr* und *österr.*

schippen *intr* **1.** Schanzen anlegen; schaufeln. Schippe = Schüppe = Schaufel. *Sold* 1900 *ff.*
2. mißtrauisch, unwillig blicken und den Mund verziehen. ↗Schippe 2. 1900 *ff.*

Schipper *m* **1.** Schanz-, Armierungssoldat. ↗schippen 1. 1900 *ff*
2. Marineangehöriger. ↗schippern 1. *BSD* 1965 *ff* (wohl viel älter.)

Schippermütze *f* ↗Prinz-Heinrich-Mütze.

schippern *intr* **1.** auf dem Wasser (vor allem auf Binnengewässern) fahren. Gehört zu *niederd* „Schipper = Schiffer". Seit dem 18. Jh.
2. fliegen. Hängt zusammen mit dem „Luftschiff" und dem Umstand, daß Flieger „fahren" (nicht „fliegen"). 1935 *ff.*

Schip'pinski *m* ~ war ein Polenmann: Spielansage „Pik". Polonisierung von „↗Schippe 1". Kartenspielerspr. 1920 *ff.*

Schippkommando *n* Straßenreinigungstrupp im Winter. ↗schippen 1. 1920 *ff.*

schirgen (schergen) *tr* jn anzeigen, dem Lehrer melden. Gehört zu „Scherge = Gerichts-, Polizeidiener". *Oberd* seit dem 19. Jh.

Schiri *m* Schiedsrichter. Hieraus verkürzt. *Sportl* 1950 *ff.*

Schirks *m* kleinwüchsiger, unscheinbarer, schwächlicher Mensch. Mit „schirksen" wie mit „schilpen" ahmt man das Spatzenpfeifen nach. *Sold* 1910 *ff.*

Schirm *m* **1.** einen ~ aufspannen müssen: Redewendung, wenn einer einen übelriechenden Darmwind hat abgehen lassen. *Sold* 1935 *ff.*
2. über den ~ gehen = im Fernsehen gesendet werden. Schirm = Bildschirm. 1957 *ff.*
3. einen alten ~ in die Ecke stellen (stehen lassen) = einen Darmwind entweichen lassen. Der alte (feuchte) Schirm erzeugt einen unangenehmen Geruch. 1930 *ff.*
4. es ohne ~ tun = ohne Präservativ koitieren. Regen = Ejakulation. 1920 *ff.*
5. den ~ zuklappen = den Umgang mit einem Mädchen abbrechen. Leitet sich her von dem großen Schirm, unter dem der Jahrmarkthändler seine Waren verkauft; schließt er den Schirm, erklärt

Der **Schirm** der Umgangssprache rekurriert auf verschiedene so benannte Gegenstände. Da ist zum einen der Bildschirm (**Schirm 2.**) und davon abgeleitet der Schirmherr als Bezeichnung für einen Fernsehschauspieler oder -moderator (**Schirmherr 2.**) beziehungsweise den Fernsehintendanten (**Schirmherr 3.**): Der eine ist auf dem Schirm und der andere bestimmt darüber. Auf den Schirm in seiner Funktion als Schutzinstrument (vgl. **Schirmherr 1.**) bezieht sich die große Mehrzahl der anderen Wendungen mit dieser Vokabel, wenngleich in den damit beschriebenen Zusammenhängen Regen und Sonne oder sonstige Witterungseinflüsse natürlich die geringste Rolle spielen. Dieser umgangssprachliche Schirm wehrt üble Gerüche ab (**Schirm 1.**) und fungiert auf der anderen Seite, geschlossen und naß in eine Ecke gestellt, sogar als Metapher für solch unangenehme Belästigungen (**Schirm 3.**). Vor ungewünschten Folgen ganz anderer Art schützt er in seiner Bedeutung als Präservativ (**Schirm 4.**). Und da das Zumachen oder Zuklappen eines großen Jahrmarktsschirms in der Regel anzeigt, daß der betreffende Stand geschlossen wird, dies jedoch mindestens zwei Ursachen haben kann, heißt das, daß entweder eine Beziehung abgebrochen wird (**Schirm 5.**) oder die Konkurrenz einfach zu stark ist (**Schirm 6.**). So betrachtet kann das oben wiedergegebene Foto natürlich vieles ausdrücken.

er sein Geschäft für geschlossen. *Halbw* 1950 *ff*.

6. den ~ zumachen = a) überflügelt werden und daher nicht mehr konkurrenzfähig sein. *Vgl* das Vorhergehende. 1960 *ff*, *schül.* – b) sterben. 1960 *ff*.

Schirmgriff *m* ich haue dir eine Nase wie ein ~!: Drohrede. 1965 *ff*.

Schirmherr *m* **1.** Mann unter großem Gartenschirm; Schirmträger; Portier, der die Gäste unter einem großen Schirm zum Eingang geleitet. Eigentlich der Schutzherr. 1950 *ff*.
2. Mann, der im Fernsehen auftritt. Schirm = Bildschirm. 1958 *ff*.
3. Fernsehintendant. 1960 *ff*.

Schi'schi *pl* **1.** überflüssige, übertriebene Umstände. Kommt aus *franz* „chichi = Lärm" und meint die geräuschvolle Betriebsamkeit. Wahrscheinlich über die Schweiz und Österreich ins *Dt* vorgedrungen, etwa seit 1920.
2. sinnloser, unnützer Tand; unechter Schmuck. „Chichis" nennt man in Frankreich die falschen Haarlocken. 1950 *ff*.
3. ~ machen = eindrucksvolle Fotowirkung erzielen. Filmspr. 1920/30 *ff*.

Schiß *m* **1.** Kot; Kothaufen. ↗scheißen 1. 1700 *ff*.
2. abgehender Darmwind. 1700 *ff*.
3. Durchfall. 1700 *ff*.
4. Abort. 1900 *ff*.
5. Betrug. ↗bescheißen. 1900 *ff*.
6. ein ~ = Kleinigkeit; Belanglosigkeit; Ausdruck der Ablehnung und Verneinung. Seit dem 19. Jh.
7. ~ vor der eigenen Courage = Bedenken wegen der eigenen Beherztheit. ↗Angst 1. 1939 *ff*.
8. ~ aus 2 Meter in die Flasche = Durchfall. Der Ausdruck veranschaulicht die Vorstellung „äußerst dünn". *BSD* 1965 *ff*.
9. alle ~ = jeden Augenblick; immer von neuem; fast ständig. 1900 *ff*.
10. vor etw ~ haben = vor etw Angst haben; feige sein. Der Ängstliche verspürt heftigen Stuhldrang. 1700 *ff*, vorwiegend *stud* und *sold*.
11. ~ in der Hose haben = ängstlich, feige sein. Vor Angst verliert man die Kontrolle über den Afterschließmuskel. 1900 *ff*.
12. im ~ sein = sich in übler Lage befinden. 1900 *ff*.

Schißbruder *m* Ängstlicher; Feigling. ↗Schiß 10. 1900 *ff*.

Schißchen *n* **1.** leise Bänglichkeit. 1900 *ff*.
2. ein ~ = ein bißchen. 1900 *ff*.

schisseln *tr* etw erschwindeln, abnötigen; in der Schule täuschen. ↗Schiß 5. 1900 *ff*.

Schisser *m* **1.** in Verruf geratener Student. ↗Verschiß. Seit dem 18. Jh.
2. ängstlicher, feiger, energieloser Mensch. Seit dem 18. Jh.
3. kleines Kind (Kosewort). Seit dem 19. Jh.
4. Kosewort auf Frau und Mann. *Vgl* ↗Scheißerle. Seit dem 19. Jh.

schisserig *adj* **1.** Stuhldrang verspürend. Seit dem 18. Jh.
2. furchtsam, feige. Seit dem 19. Jh.
3. ihm ist ~ = er hat Durchfall. 1900 *ff*.

Schisserigkeit *f* Bänglichkeit. 1900 *ff*.

Schißhase *m* ängstlicher Mensch. Derbe Variante zu ↗Angsthase. 1920 *ff*.

schissig *adj* **1.** mit Kot beschmutzt. Seit dem 19. Jh.
2. ängstlich, feige. 1910 *ff*.

Schissigkeit *f* Ängstlichkeit. 1910 *ff*.

Schißka'long *f* Sofa, Liege. Umgeformt aus *franz* „chaiselongue". 1935 *ff*.

'Schiß'kerl *m* **1.** Feigling. Analog zu ↗Scheißkerl. Seit dem 19. Jh.
2. energieloser Mann. Seit dem 19. Jh.

'schißko'jenno *adv* **1.** gleichgültig. Fußt auf *poln* „wszystko jedno = gleichgültig". Volkstümlich geworden durch den Anklang an „Scheiße" und durch die Bedeutungsgleichheit mit „scheißegal". Im späten 19. Jh aufgekommen.
2. *interj* = Ausdruck heftigen Unwillens. 1910 *ff*.

Schißla'weng *m* Schwung; Kniff; Trick. ↗Cislaweng. Seit dem späten 19. Jh.

Schißmann *m* Schimpfwort auf einen Mann. 1920 *ff*.

Schißmeier *m* ängstlicher Mann. 1920 *ff*.

Schißmoll *n* unmusikalischer Gesang; mißtönende Musik. Entstellt aus „cis-moll". Seit dem späten 19. Jh.

Schissoir (Endung *franz* ausgesprochen) *n* öffentliche Bedürfnisanstalt. Durch „Schiß" umgeformtes „Pissoir". *Stud* 1960 *ff*, *schweiz*.

schittebön *adv* bitteschön. Scherzhafte Buchstabenumstellung um der Derbheit willen. 1920 *ff*.

Schi'wago *m* **1.** Mantel, Übermantel. Einen langen Mantel trägt „Dr. Schiwago" im gleichnamigen Film (1966) nach dem Roman von Boris Pasternak. *BSD* 1968 *ff*.
2. Doktor ~ = Oberstabsarzt. *BSD* 1968 *ff*.

Schiwago-Look (Grundwort *engl* ausgesprochen) *m* Pelzmütze. Anspielung auf die Kopfbedeckung des Dr. Schiwago im gleichnamigen Film. *Vgl* ↗Schiwago 1; ↗Look. 1967 *ff*.

Schlaaks *m* ↗Schlacks.

Schlabbe (Schlappe) *f* Mund; Mund mit herabhängender Unterlippe. Analog zu ↗Labbe. 1900 *ff*.

Schlabber (Schlabberchen) *m (n)* **1.** um den Hals gebundenes Mundtuch für kleine Kinder. ↗schlabbern 1. Seit dem 19. Jh.
2. dünner Kaffeeaufguß. 1900 *ff*.
3. Pudding. Wegen seiner schlaffen, unfesten Beschaffenheit. 1900 *ff*.
4. Kartoffelbrei. 1920 *ff*.
5. Mund. ↗schlabbern = schwätzen. 1900 *ff*.

Schlabbe'rei *f* **1.** Unordentlichkeit; Verlegenheit o. ä. Seit dem 19. Jh.
2. Geschwätz. 1800 *ff*.

Schlabberer (Schlabberfritze) *m* Schwätzer. ↗schlabbern 6. Seit dem 19. Jh.

Schlabberhose *f* sehr weit geschnittene Hose. 1925 *ff.*

schlabberig *adj* **1.** geräuschvoll essend. ↗schlabbern 2. Seit dem 18. Jh.
2. schwächlich, kraftlos, unfest, weichlich; wässerig; stark verdünnt. Seit dem 18. Jh.
3. füllig; zu weit geschneidert. Soviel wie „schlaff herabhängend". 1900 *ff.*
4. geschwätzig. 1500 *ff.*

Schlabberigkeit *f* Weichlichkeit, Substanzlosigkeit. 1900 *ff.*

Schlabberjan *m* **1.** schlürfend Essender. Zusammengesetzt aus „schlabbern" und der Kurzform Jan des Vornamens Johann. Seit dem 19. Jh.
2. Vielschwätzer. Seit dem 19. Jh.

Schlabberkasten *m* Prahler; Dummschwätzer. 1920 *ff.*

Schlabberkleid *n* weitgeschnittenes Kleid aus dünnem, weichem Stoff. 1900 *ff.*

Schlabberkörper *m* weichlicher, feister Körper. 1950 *ff.*

Schlabberkram *m* alkoholfreie Getränke. ↗schlabberig 2. *Jug* 1950 *ff.*

Schlabberlappen (-läppchen) *m (n)* kleinen Kindern beim Essen vorgebundenes Mundtuch. Seit dem 19. Jh.

Schlabberlätzchen *n* **1.** Latz, der kleinen Kindern beim Essen vorgebunden wird. 19. Jh.
2. Halstuch. *BSD* 1965 *ff.*

Schlabberlook (Grundwort *engl* ausgesprochen) *m* Mode der weitgeschnittenen Kleider. ↗Look. 1970 *ff.*

Schlabbermatsch *m* Schlagsahne. ↗Matsch. 1960 *ff.*

Schlabbermaul *n* Schwätzer. Seit dem 15. Jh.

schlabbern *v* **1.** *intr* = geräuschvoll essen und trinken; schlürfen. Schallnachahmender Herkunft seit dem 15. Jh. *Vgl engl* „to slabber" und dänisch „slabre".
2. *intr* = sich beim Essen beschmutzen; etw auf die Kleidung oder das Tischtuch fallen lassen, verschütten. Bei gierigem Essen fällt leicht etwas neben den Teller. *Niederd* seit dem 15. Jh.
3. einen ~ = ein alkoholisches Getränk zu sich nehmen. Man „schlürft" es genüßlich. 1800 *ff.*
4. *intr impers* = hin- und herschwanken; unfest, weichlich sein. Gehört zu „schlapp" und „schlaff". Seit dem 19. Jh.
5. etw ~ = etw unterlassen, weglassen, vergessen, verlieren. Das Gemeinte entfällt dem Gedächtnis, wie die Speise von der Gabel des hastigen Essers fällt. Seit dem 19. Jh, *westd.*
6. *intr* = schwätzen; viel reden; hastig und undeutlich sprechen. Aus der Vorstellung vom hastigen Essen übertragen auf hastiges Reden, zugleich mit dem Nebensinn der Substanzlosigkeit des Gesagten. 1500 *ff.*

Schlabberrock *m* langer, weitgeschnittener Mädchenrock, der um die Beine schlenkert. ↗schlabbern 4. 1967 *ff.*

Schlabbersachen *pl* weitgeschneiderte Kleidung. ↗schlabberig 3. 1925 *ff.*

Schlabbersahne *f* Schlagsahne. 1900 *ff.*

Schlabbersau *f* Mensch ohne feine Eßgewohnheiten. ↗schlabbern 1 und 2. 1950 *ff.*

Schlabberschnauze *f* unversieglicher Redeschwall ohne Substanz; Schwätzer(in). ↗schlabbern 6. Seit dem 19. Jh.

Schlabberschnute *f* unüberlegt redender Mensch. ↗schlabbern 6. *Niederd* seit dem 19. Jh.

Schlabbertasche *f* Schwätzerin. Parallel zu „Plaudertasche". 1700 *ff.*

Schlabberwasser *n* **1.** gehaltloses Getränk; Limonade; Mineralwasser. ↗schlabberig 2. 1870 *ff.*
2. Bier. *BSD* 1965 *ff.*

Schlabberzeug *n* alkoholfreie Getränke. *Jug* 1955 *ff.*

Schlabberzunge *f* geschwätziger Mensch. 1965 *ff.*

Schlabu *m* Mann, der bei jedem wichtigen Fußballspiel anwesend ist. Verkürzt aus ↗Schlachtenbummler. *Sportl* 1950 *ff.*

Schlacht *f* Klassenarbeit. Sie ist wie ein Kampf, bei dem es mehr „Verwundete" und „Tote" gibt als Sieger. 1900 *ff.*

Schlachtbank *f* **1.** Operationstisch. Eigentlich das Gestell zum Schlachten. 1870 *ff.*
2. Prüfungsraum. 1900 *ff.*
3. Sitzungssaal bei Gericht. 1900 *ff.*

Schlachtbemalung *f* starkes Geschminktsein. Analog zu ↗Kriegsbemalung. 1910 *ff, österr.*

Schlachtbesteck *n* chirurgische Instrumente. 1935 *ff.*

schlachten *v* **1.** *tr* = jn operieren. Vom Töten der Schlachttiere auf die ärztliche Operation am menschlichen Körper übertragen. *Sold* seit 1900.
2. *tr* = einen Gegenstand auseinandernehmen. 1920 *ff.*
3. *tr* = Großgrundbesitz in viele Einzelanwesen aufteilen. Seit dem 19. Jh.
4. *tr* = jn entwürdigend, vernichtend anherrschen. *Sold* in beiden Weltkriegen.
5. *tr* = jn aus seinem Posten verdrängen. 1900 *ff.*
6. *tr* = jm viel (alles) Geld abgewinnen. 1920 *ff.*
7. nach jm ~ = jm sehr ähnlich sein; jm gleichen. Fußt auf *ahd* „slahan = nacharten"; „Schlacht" ist auch „Rasse, Artung". 1600 *ff.*

Schlachtenbeschreiber *m* Berichterstatter eines Fußballspiels. Das Fußballspiel wird nach 1950 als eine Schlacht aufgefaßt. *Sportl* 1955 *ff.*

Schlachtenbummler *m* **1.** Zeitungsberichterstatter ohne militärische Stellung im Gefolge des Hauptquartiers. Bummler = Müßiggänger. Schelte der Soldaten auf die Zivilisten beim Heer. 1870 aufgekommen.
2. von Spiel zu Spiel reisender Fußballfreund. *Vgl* ↗Schlabu. *Sportl* 1950 *ff.*

Schlachter (Schlächter) *m* **1.** nicht weidgerechter Jäger. Er ist kein Heger, sondern ein Metzger, dem es nur um das Wildbret geht. 1900 *ff*.

2. Militärarzt, Chirurg. ↗schlachten 1. *Sold* 1914 bis heute.

3. Vorgesetzter, der seine Truppe sinnlos opfert. *Sold* 1942 *ff*.

Schlächte'rei *f* nicht weidgerechte Jagdausübung. ↗Schlächter 1. 1900 *ff*.

Schlachterhund (Schlächterhund) *m* **1.** ein Gemüt haben wie ein ~ = gefühllos, gefühlsroh sein. Vom angeblich rohen Metzger übertragen auf seinen Hund wegen der Gier nach Fleisch. 1917 *ff*.

2. ein Gewissen haben wie ein ~ = gewissenlos sein; niederträchtig, ehrlos handeln. 1870 *ff*.

Schlachterladen *m* Operationssaal; Hauptverbandplatz. *Sold* 1939 *ff*. *Vgl engl* „butcher's shop".

Schlachtermeister *m* Vorgesetzter, dem jedes Mitgefühl abgeht. *Vgl* ↗Schlachter 3. *Sold* 1942 *ff*.

Schlachterwerkzeug *n* Instrumentarium des Chirurgen. *Vgl* ↗Schlachtbesteck. 1935 *ff*.

Schlachtfeld *n* **1.** Gesicht mit vielen Schnittwunden nach der Rasur. 1930 *ff*.

2. Schularbeit, vom Lehrer mit vielen roten Strichen versehen. 1900 *ff*.

3. nicht abgedeckter Eßtisch nach der Mahlzeit. Seit dem 19. Jh.

4. unaufgeräumtes Zimmer. 1900 *ff*.

5. Klassenzimmer. 1950 *ff*.

6. in wüstem Zustand zurückgelassener Picknick- oder Campingplatz. 1950 *ff*.

Schlachtfest *n* **1.** ärztliche Operation. Eigentlich die Geselligkeit nach der Hausschlachtung. *Sold* 1914 bis heute.

2. Lehrer-, Zensurenkonferenz. Hier werden die Schüler „abgeschlachtet", d. h. sie werden nicht in die nächsthöhere Klasse versetzt oder gar von der Schule verwiesen. *Schül* seit dem späten 19. Jh.

3. Verprügelung eines Mitschülers wegen unkameradschaftlichen Verhaltens. 1900 *ff*.

4. heftige Prügelei, verbunden mit Messerstecherei usw.; Handgemenge mit der Polizei. 1925 *ff* (als die Straßen- und Saalschlachten aufkamen).

5. Mensurtag. *Stud* seit dem 19. Jh.

6. Gesichtsrasur, bei der viele Schnittwunden entstehen. 1930 *ff*.

7. Untersuchung, durch die man Schuldige moralisch erledigt. 1910 *ff*.

8. Fußball-Entscheidungsspiel. *Sportl* 1950 *ff*.

9. Aufbrechen des Sparschweins. 1950 *ff*.

10. es ist mir ein ~ = es freut mich sehr. Die Geselligkeit anläßlich der Hausschlachtung ist sehr beliebt, und es gilt als Vorzug, zu ihr eingeladen zu werden. 1920 *ff*.

11. mit jm ein ~ veranstalten = jn vor eine unlösbare Aufgabe stellen, um ihn zu erledigen und

von seinem Posten zu verdrängen. Der Betreffende wird beruflich oder ranglich „geschlachtet". 1910 *ff*.

Schlachtgewicht *n* Gewicht des unbekleideten Menschen. Eigentlich das Gewicht des geschlachteten Tiers ohne Haut, Eingeweide usw. 1900 *ff*.

Schlachthaus *n* **1.** Lazarett; chirurgische Abteilung. *Sold* 1914 bis heute.

2. Turnhalle. *Schül* 1960 *ff*.

Schlachthof *m* **1.** chirurgische Klinik; Lazarett. Eigentlich die Stätte, an der Vieh geschlachtet wird. *Sold* in beiden Weltkriegen.

2. Standesamt. Wohl wegen der Unfreiwilligkeit, mit der manche Ehe geschlossen wird. 1920 *ff*.

Schlachtkreuzer *m* **1.** schwerer Panzerkampfwagen. Eigentlich das Schlachtschiff. *Sold* 1939 *ff*.

2. beleibte Frau. Anspielung auf die stattliche Breite. *Vgl* ↗Schraubendampfer. 1940 *ff, schül*.

Schlachtopfer *n* Mensch, der für die Verfehlungen (Versäumnisse) anderer zur Verantwortung gezogen wird. Eigentlich das kultische Opfertier. 1950 *ff*.

Schlachtplan (Schlachtenplan) *m* Plan eines Vorgehens; Einkaufszettel. Vom *Milit* übertragen auf zivile Alltagsgegebenheiten. 1830 *ff*.

schlachtreif *adj* **1.** sehr beleibt (auf Personen bezogen). 1920 *ff*.

2. zur Amtsenthebung vorgesehen. ↗schlachten 5. 1910 *ff*.

3. zur Ausführung hinreichend vorbereitet (auf ein Vorhaben bezogen). 1950 *ff*.

Schlachtroß *n* **1.** dummer Mensch. Eigentlich ein Pferd, das an vielen Schlachten teilgenommen hat; dann auch übertragen auf einen Menschen, der sich seiner militärischen Leistungen rühmt, was man ihm als Zeichen von Dummheit auslegt. 1920 *ff*.

2. altes ~ = a) bewährter Frontkämpfer im Ruhestand; ehemaliger Berufssoldat. *Sold* in beiden Weltkriegen. – b) bejahrter Ehemann (gemütliche Schelte seitens seiner Frau). 1920 *ff*. – c) erfahrener Könner. 1950 *ff*.

Schlachtschiff *n* **1.** füllige Frau. ↗Schlachtkreuzer 2. 1950 *ff*.

2. breitgebautes Luxusauto. *Vgl* ↗Straßenkreuzer. 1945 *ff*.

3. Fischfangschiff, das noch auf See die Fische verarbeitet. 1960 *ff*.

Schlachtschwert *n* **1.** scharfe Lästerzunge. 1700 *ff*.

2. unversieglicher Redefluß. Seit dem 19. Jh.

3. Penis. Er ist eine „Waffe" beim „Kampf der Geschlechter": das „Schwert" wird in die „Scheide" gesteckt. 1955 *ff, halbw*.

4. ein Maul (eine Zunge) haben wie ein ~ = anzüglich, verletzend reden; gut, schlagfertig reden können. Seit dem 19. Jh.

Schlachtung *f* Amtsenthebung. ↗schlachten 5. 1900 *ff*.

Schlacke *f* **1.** Kot. Aufgefaßt als Verbrennungsrückstand. 1920 *ff.*

2. die ~n aus den Knochen schütteln = sich körperliche Bewegung verschaffen. 1960 *ff.*

schlackenfrei *adj* moralisch nicht anstößig; politisch unbedenklich. Meint im Zusammenhang mit der Ernährung soviel wie „frei von Stoffwechselrückständen im Organismus". 1930 *ff.*

Schlackenzahn *m* Dame gesetzten Alters, die sich jugendlich gibt. Schlacke ist die Abfallmasse bei Schmelzvorgängen: die Dame hat den „Schmelz der Jugend" seit langem verloren. ↗Zahn 3. Berlin 1960 *ff.*

Schlacker *m* **1.** aufgeweichter Straßenschmutz; mit Schnee vermischter Regen. ↗schlackern 1. 1700 *ff, nordd* und *mitteld.*

2. Feigling; Mann, der sich Anforderungen zu entziehen sucht. ↗schlackern 2. *Sold* in beiden Weltkriegen.

schlackerig *adj* **1.** feucht, regnerisch, kotig. ↗schlackern 1. 1700 *ff.*

2. nachlässig, schlotterig, energielos. ↗schlackern 2. 1700 *ff.*

schlackern *v* **1.** *impers* = durcheinander regnen und schneien. Gehört zu *germ* „slak = matt, schlaff" und bezieht sich auf die aufgeweichten Wege. *Nordd* und *mitteld,* 1700 *ff.*

2. *intr* = schlenkern, schlottern, wackeln. 1700 *ff.*

Schlackerschmuck *m* Gehänge, Schmuckketten, Ohrclips u. ä. ↗schlackern 2. 1970 *ff.*

Schlackerschnee *m* Schneeregen. ↗schlackern 1. 1900 *ff.*

Schlackerwetter *n* unfreundliches, regnerisches Wetter. ↗schlackern 1. 1700 *ff.*

Schlacks (Schlaaks, Schläks) *m* großwüchsiger, ungeschickter Mann ohne straffe Haltung. *Germ* „slak = schlaff" ergibt im *Niederd* und *Mitteld* „slaks (schlacks) = nachlässig, träge, unbeholfen". Seit dem 18. Jh.

schlacksen *intr* **1.** lässig gehen; schlendern. Seit dem 19. Jh.

2. sich träge dehnen und strecken; müßiggehen. Seit dem 19. Jh.

schlacksig *adj* unbeholfen; hager; ohne straffe Körperhaltung. Seit dem 19. Jh.

Schlacksigkeit *f* Ungelenkheit; hageres, schlaffes Aussehen. 1900 *ff.*

Schladder *m* Geschwätz. ↗schladdern. *Niederd* 1700 *ff.*

schladderig *adj* geschwätzig. 1700 *ff.*

Schladdermaul *n* Schwätzer. Seit dem 19. Jh.

schladdern *intr* schwätzen, plaudern. Schallnachahmend für das Geräusch des auf- und zuklappenden Mundes. *Niederd* 1700 *ff.*

Schlaf *m* **1.** nasser ~ = Traum geschlechtlichen Inhalts, der einen unfreiwilligen Samenerguß auslöst. 1910 *ff.*

2. sich im ~ bescheißen = a) unverdientes Glück haben. Das Sprichwort lehrt: „Wer Glück hat, bescheißt sich im Schlaf." In volkstümlich abergläubischer Vorstellung wehrt Kot die schadenstiftenden Dämonen ab. Seit dem 19. Jh. – b) trotz schlechter Karten gewinnen; beim Kartenspiel Fehler machen, die sich im weiteren Verlauf als günstig erweisen. Seit dem 19. Jh.

3. das fällt mir nicht einmal im ~ ein (das hätte ich mir nicht im ~ träumen lassen)!: Ausdruck der Ablehnung. Seit dem 19. Jh.

4. den Seinen gibt's der Herr im ~: Redewendung auf einen Kartenspieler, der unwahrscheinlich viel Glück hat, obwohl er schlecht spielt. Geht zurück auf Psalm 127,2. Kartenspielerspr. 19. Jh.

5. das kann man im ~ = das leistet man mühelos; das kann man auswendig. Seit dem 19. Jh.

6. den ~ aus den Knochen (Haxen) treiben = Morgengymnastik treiben. Übertragen von der Redewendung „sich den Schlaf aus den Augen reiben (wischen)"; wahrscheinlich aufgekommen gegen 1930/35 im Zusammenhang mit den morgendlichen Gymnastiksendungen im Rundfunk.

7. sich den ~ um die Ohren schlagen. ↗Ohr 74.

8. aus dem ~ sagen (sprechen) = töricht reden. Seit dem 19. Jh.

9. jn aus dem ~ trommeln = jn unsanft wecken. Geht zurück auf das Trommelsignal, mit dem die Soldaten früher geweckt wurden. Seit dem 19. Jh.

10. es im ~ wissen = es auswendig wissen; etw mühelos beherrschen. Seit dem 19. Jh.

Schlafaugen *pl* **1.** Augen mit auffallend langen Wimpern. Herzuleiten von den Puppenaugen, deren lange dunkle Wimpern beim Zuklappen besonders auffallen. 1930 *ff.*

2. versenkbare Autoscheinwerfer. 1963 *ff.*

Schlafboste *f* Frau, die Zimmer stundenweise vermietet. ↗Bosten. 1910 *ff.*

Schlafdienst *m* Kirchgang. Dem Soldaten ist alles „Dienst"; der Gottesdienst gilt als Schlaf-Gelegenheit. *BSD* 1965 *ff.*

Schlafe *f* **1.** mehr oder minder primitive Lagerstatt. Stammt aus der Wandervogelbewegung des frühen 20. Jhs; auch *sold.*

2. Bett. 1920 *ff.*

3. eine ~ machen = nicht aufpassen; mit offenen Augen schlafen; im Unterricht unaufmerksam sein. 1935 *ff.*

schlafen *intr* **1.** du wirst bald ~ gehen = du redest töricht. Der Gemeinte gilt als kleines Kind, das früh zu Bett gehen muß. 1960 *ff. jug.*

2. alles schläft, und einer spricht, – das nennt sich Unterricht: Redewendung auf die einseitige Art der Unterrichtserteilung. Nachgeahmt der Zeile „alles schläft, einsam wacht" aus dem Weihnachtslied „Stille Nacht, heilige Nacht." 1900 *ff.*

3. und so was schläft in einem Bett!: Ausruf der Verwunderung über einen Dummschwätzer. Von einem, der in einem Bett schläft, erwartet man wohl, daß er ausgeruht ist und klare Gedanken äußert. *Sold* 1939 *ff.*

4. er schläft am Tage und will nachts seine Ruhe haben = er ist überaus arbeitsscheu. *Sold* in beiden Weltkriegen; *ziv* 1945 *ff*.

5. ~ gehen = a) bewußtlos werden; knockout geschlagen werden. Übernommen aus dem *Engl* „to put to sleep = bewußtlos machen". 1920 *ff*, mit dem Boxsport aufgekommen. – b) Bankrott machen. 1920 *ff*.

6. jn ~ legen = jn bewußtlos schlagen; einen Wehrlosen zu Boden schlagen. Aus der Boxersprache wie „↗schlafen 5". 1920 *ff*.

7. sich ~ legen = bewußtlos zu Boden sinken. 1920 *ff*.

8. jn ~ schicken = jn bewußtlos schlagen. 1920 *ff*.

Schlafengel *m* **1.** Bettgenossin. 1910 *ff*.
  2. langweiliger, temperamentloser Mensch. 1920 *ff*.

Schläfer *m* Klassenschlechtester. Sein Geist ist schläfrig. Schül 1900 *ff*.

Schläferstündchen *n* **1.** kurzer Schlaf. Dem „Schäferstündchen" nachgebildet. 1950 *ff*.
  2. langweilige Unterrichtsstunde. 1950 *ff*.

Schläferstunde *f* militärischer Unterricht. *BSD* 1965 *ff*.

Schlafeule *f* schläfriger, verschlafener Mensch; Langschläfer. Eulen sind Nachtvögel, die den Tag verschlafen. Seit dem 19. Jh.

Schlaffächer *pl* Unterrichtsfächer. *Schül* 1920 *ff*.

Schlaffi *m* energieloser Mensch. Kosewörtliches Substantiv nach „schlaff = antriebslos, träge". Berlin, 1965 *ff*, *jug*.

Schlafgebäude *n* Schulgebäude. 1960 *ff*.

Schlafgefängnis *n* Abendgymnasium. 1950 *ff*.

Schlafgerät *n* Fernsehgerät. Dazu die Frage: „haben Sie auch ein Fernsehgerät?" mit der Witzantwort „nein, wir schlafen so (wir schlafen ohne)". 1955 *ff*.

Schlafhalle *f* Kirche. Auffassung derer, die sich dort unfreiwillig aufhalten: man kann dort schlafen, und die Predigt ist einschläfernd. *Sold* 1930 *ff*.

Schlafhaube *f* verschlafen, langsam tätiger Mensch. Analog zu ↗Schlafmütze. 1700 *ff*.

Schlafittchen *n* jn am (beim) ~ kriegen (packen o. ä.) = jn ergreifen, festnehmen. „Schlafittchen" ist aus „Schlagfittich" zusammengezogen und bezeichnet eigentlich die Schwungfedern des Gänseflügels. 1700 *ff*.

Schlafkatze *f* weibliche Person mit großem Schlafbedürfnis; verschlafener Mensch. 1920 *ff*.

Schlafkiste *f* Bett; Holzpritsche. ↗Kiste 12. 1870 *ff*.

Schlafkommode *f* Bett. Nach dem Muster von „↗Drahtkommode" werden viele Möbel zu Kommoden erklärt. 1920 *ff*.

Schlafkonzert *n* Schnarchen. Euphemismus. 1900 *ff*.

Schlafkranker *m* unaufmerksamer Mensch. 1910 *ff*.

*Anzeichen eines großen Schlafbedürfnisses sind nicht zu übersehen, und es ist anzunehmen, daß dieser Herr bald schlafen gehen wird, allerdings nicht in der umgangssprachlichen Bedeutung dieser Redewendung, einer Umschreibung für ein törichtes Gerede (***schlafen 1.***). Wenn schließlich alle schlafen, und nur einer spricht, meint dies den Schulunterricht, zumal in seiner antiquierten Form, die sich auf den Vortrag des Lehrers beschränkt, und die Schüler zur passiven Rezeption des ihnen Vorgesetzten verurteilt (***schlafen 2.***, vgl. ***Schlafmittel 4.***).*

Schlafläuse *pl* die ~ kommen (beißen) = ein Ermüdeter kratzt sich am Kopf; man wird schläfrig. Bei starker Ermüdung juckt die Kopfhaut, was man scherzhaft auf die Tätigkeit von Läusen zurückführt. 1700 *ff*.

Schlafleute *pl* Personen, die mangels eigener Wohnung in fremden Haushalten (ärmlicher Leute) gegen Entgelt eine Schlafstelle beziehen. Nach 1813/15 in Berlin aufgekommen, als die Aufhebung des Zunftzwanges im volkreichen Berlin schlimme Folgen zeitigte.

Schlafloch *n* **1.** ärmliche Schlafstelle. ↗Loch 1. 1820 *ff*.
  2. beliebige Stelle an der Front, wo man ein Schläfchen machen kann und vor Granatsplittern und Vorgesetzten sicher ist. *Sold* in beiden Weltkriegen.

Schlafmäuschen *n* Kosewort für eine weibliche Person. Mundartlich geläufig als Verkleinerungsform von „Siebenschläfer". ↗Mäuschen. 1900 *ff*.

Schlafmichel *m* schlafbedürftiger, unaufmerksamer, unkritischer Mann. 1930 *ff.*

Schlafmittel *n* **1.** langweiliger Mensch. Seine Gesellschaft wirkt wie die Einnahme einer Schlaftablette. 1920 *ff.*

2. Faust des Boxers. ↗schlafen 6. 1920 *ff.*

3. derber Knüppel o. ä., mit dem man einen bewußtlos schlagen kann. 1927 *ff.*

4. *pl* = uninteressante Unterrichtsfächer. 1920 *ff.*

schlafmuffig *adj* morgens schlechtgelaunt. ↗muffig. 1920 *ff.*

Schlafmutter *f* Schlafstellenvermieterin o. ä. *Vgl* ↗Schlafleute. 19. Jh.

Schlafmütze *f* **1.** unachtsamer, energieloser Mensch. Von der Kopfbedeckung im Bett übertragen auf ihren Träger. 1700 *ff.*

2. Langschläfer. Seit dem 19. Jh.

3. letztes Glas Alkohol vor dem Heim- oder Zubettgehen. 1910 *ff.*

4. Präservativ. 1950 *ff.*

5. *pl* = Elternbeirat. Ihn betrachten die Schüler als ein Gremium schwung- und tatenloser Leute. 1960 *ff.*

Schlafmützentum *n* Achtlosigkeit. 1830 (Heine).

Schlafmützerei *f* Unaufmerksamkeit. 1920 *ff.*

schlafmützig *adj* schläfrig, unaufmerksam. Seit dem 19. Jh.

Schlafmützigkeit *f* Unachtsamkeit. Seit dem 19. Jh.

Schlafpille *f* langweiliger Film; langweiliges Fernsehprogramm. 1960 *ff.*

Schlafpulver *n* geballtes ~ = sehr langweilige, einschläfernde Darbietung. Übernommen vom *milit* Begriff der geballten Handgranaten. 1950 *ff.*

Schlafratte (-ratz) *f (m)* Mensch mit großem Schlafbedürfnis; Langschläfer. Zur Erklärung *vgl* „↗Ratz I 2". 1600 *ff.*

Schlafraum *m* **1.** Klassenzimmer. *Schül* 1930 *ff.*

2. ~ mit Störsender = Musikzimmer in der Schule. Uninteressierte Schüler möchten da gern ein Schläfchen halten, fühlen sich aber durch die Musik gestört. 1950 *ff.*

Schlafrock *m* **1.** träger Mensch; Faulenzer. 1870 *ff.*

2. Sarg. 1900 *ff.*

Schlafrockfabrik *f* Sargmagazin. 1900 *ff*, Berlin.

Schlafsaal *m* **1.** Kirche. ↗Schlafhalle. *Sold* 1930 *ff.*

2. Klassenzimmer. 1940 *ff.*

3. Endstation ~ = Obdachlosenasyl. ↗Endstation. 1959 *ff.*

Schlafsaalproleten *pl* im Schlafsaal wohnende Heimschüler. 1930 *ff.*

Schlafsack *m* **1.** Mensch mit großem Schlafbedürfnis. 1900 *ff.*

2. Bettgenosse ohne geschlechtliches Verlangen. 1920 *ff.*

Schlafschule *f* Abendgymnasium. 1950 *ff.*

Schlafsilo *m* Wohnhochhaus für Arbeitnehmer o. ä. 1960 *ff.*

Schlafsofa *n* Holzpritsche in der Arrestzelle oder im Wachlokal. Euphemismus. 1900 *ff.*

Schlafspiel *n* schwungloses Fuß-, Handballspiel. 1970 *ff.*

Schlafstätte *f* Schule. 1930 *ff.*

Schlafstube *f* Klassenzimmer. 1930 *ff.*

Schlafstunde *f* **1.** militärischer Unterricht. *Sold* 1939 bis heute.

2. Schulfeier. 1950 *ff.*

3. Musikunterricht in der Schule. ↗Schlafraum 2. 1950 *ff.*

4. Strafstunde des Schülers. 1950 *ff.*

5. langweilige Unterrichtsstunde. 1920 (?) *ff.*

6. Abendgymnasium. 1950 *ff.*

7. Kirchgang, Gottesdienst. *Vgl* ↗Schlafdienst. *BSD* 1965 *ff.*

8. Großdeutsche ~ = Unterricht des NS-Führungsoffiziers, des NS-Parteiredners o. ä. 1939 *ff*, *sold* und *ziv.*

Schlafsuse *f* unaufmerksamer, energieloser Mensch. ↗Suse 1. 1950 *ff.*

Schlaftablette *f* **1.** langweilige Schulfeier. 1950 *ff.*

2. empfängnisverhütende Pille. 1965 *ff.*

Schlaftier *n* **1.** Mensch mit großem Schlafbedürfnis. ↗Schlafratte. 1920 *ff.*

2. Stofftier, das man beim Schlafen in den Arm nimmt. 1950 *ff.*

Schlaf- und Bummeltag *m* arbeitsfreier Feiertag ohne kirchlichen Anlaß. ↗bummeln. 1950 *ff.*

Schlaf- und Schliefgesellschaft *f* Wach- und Schließgesellschaft. *Stud* 1925 *ff.*

Schlaf- und Schnarchstunde *f* Putz- und Flickstunde. *Sold* 1939 bis heute.

Schlafunterricht *m* langweilige Unterrichtsstunde. 1950 *ff.*

Schlafvater *m* Schlafstellenvermieter; Herbergsvater. *Vgl* ↗Schlafleute. Seit dem 19. Jh.

Schlafwagen *m* **1.** Gruppe ohne inneren Schwung, ohne Unternehmungsgeist. 1950 *ff.*

2. Klassenzimmer. 1960 *ff.*

3. ~ fahren = sich nicht anstrengen. *Sportl* 1950 *ff.*

Schlafwagen-Fußball *m* Fußballspiel ohne herausragende Angriffsleistung. *Sportl* 1950 *ff.*

Schlafwagenkontrolleur *m* unaufmerksamer, schläfriger Mensch. 1920 *ff.*

Schlafwagenschaffner *m* **1.** Versager. 1920 *ff.*

2. Soldat, der als einziger wacht, während die Kameraden schlafen. *Sold* 1939 *ff.*

Schlafzelle *f* Amtszimmer, Büroraum. 1925 *ff.*

Schlafzimmer *n* **1.** Klassenzimmer. 1930 *ff.*

2. Musikzimmer in der Schule. 1950 *ff.*

3. (Unterrichtsraum im) Abendgymnasium. 1950 *ff.*

4. breitgebautes Luxusauto (für Geschlechtsverkehr geeignet). *Halbw* 1955 *ff.*

5. Kompanie-Geschäftszimmer. Bürotätigkeit erscheint in volkstümlicher Auffassung als Untätigkeit. *BSD* 1965 *ff.*

6. politische Untätigkeit der Regierung. 1965 *ff*.

7. gummibereiftes ~ = Luxusauto für Geschlechtsverkehrszwecke. 1960 *ff*.

8. sich ins politische ~ zurückziehen = sich aus dem politischen Leben zurückziehen. 1965 *ff*.

Schlafzimmeraugen (-blick) *pl (m)* geschlechtlich lüsterner Blick. 1925 *ff*.

Schlafzimmergeschichten *pl* Berichte über das geschlechtliche Verhalten. 1950 *ff*.

schlafzimmerig *adv* ~ blicken = nach Geschlechtsverkehr verlangen. 1925 *ff*.

Schlafzimmerkopf *m* Mädchenkopf mit wirren Haaren. Das Mädchen sieht aus, als käme es gerade aus dem Bett. 1955 *ff*.

Schlafzimmerschnüffelei *f* unangebrachte Neugier auf geschlechtliche Erlebnisse anderer. Journalistenspr. 1960 *ff*.

Schlafzimmerstimme *f* Stimme mit sehnsüchtig-verlangendem Klang. 1955 *ff*.

Schlafzimmerzeitung *f* Nachrichtenverbreitung über geschlechtliche Verhältnisse anderer. 1955 *ff*.

Schlag *m* **1.** Essensportion. Sie wird mit der Schlöpfkelle in den Eßnapf, in das Kochgeschirr oder auf den Teller geschlagen. *Sold* seit dem späten 19. Jh bis heute; auch *ziv* geläufig unter Kantinenessern.

2. Schlagsahne. Kellnerspr. Verkürzung in Österreich seit dem 19. Jh.

3. Hosenschlitz. Verkürzt aus ↗Taubenschlag. 1900 *ff*.

4. Privatunterkunft, Zimmer. Verkürzt aus „Taubenschlag": zu ihm kehren die Tauben immer wieder zurück. *Schweiz 1930 ff*.

5. ~ in die Erbse = Schlag auf den Kopf. ↗Erbse 1. 1930 *ff*.

6. ~ ins Gesicht = empfindliche Kränkung. Seit dem 19. Jh.

6 a. ~ unter die Gürtellinie = hämischer Angriff mit Worten. ↗Gürtellinie 5. 1950 *ff*.

7. ~ in die Knie = plötzlicher Schreck. Hergenommen vom Schlag mit der Handkante in die Kniekehlen: dadurch knickt man ein und sinkt zusammen. 1920 *ff*.

8. ~ ins Kontor = a) sehr unliebsame Überraschung. Hergenommen vom empfindlichen geschäftlichen Verlust. Vielleicht in Frankfurt am Main aufgekommen. 1830 *ff*. – b) wider Erwarten verlorenes Spiel; ein entscheidender Stich mit hoher Punktzahl zugunsten des Gegners. Kartenspielerspr. 1850 *ff*.

9. ~ ins Leere = erfolglose Bemühung. Seit dem 19. Jh.

10. ~ in den Porzellanladen = große Überraschung; schwere Enttäuschung. 1900 *ff*.

11. ~ ins Wasser = wirkungslose Anstrengung; Mißerfolg; viel Aufsehen um nichts. Metapher für zweckloses Tun. Seit dem 19. Jh.

12. alle ~ = alle Augenblicke. Schlag = Glockenschlag. Seit dem 19. Jh.

13. harter ~ = schwerer Verlust. Schlag = Schicksalsschlag. Kartenspielerspr. Seit dem 19. Jh.

14. kalter ~ = Kegelwurf, bei dem die Kugel das Vordereck stehen läßt. Hergenommen vom „kalten Blitzschlag." Keglerspr. Seit dem 19. Jh.

15. sich den ~ an den Hals ärgern = sich sehr ärgern. Schlag = Schlaganfall. Seit dem 19. Jh.

16. ein ~, und deine Familie ist ausgerottet!: Drohrede. 1925 *ff*.

17. du hast eine seltsame Art, um Schläge zu betteln!: Drohrede. Der Betreffende redet trotz Einspruchs so töricht weiter, daß man ihn offenbar nur mit Prügeln zum Verstummen bringen kann. *BSD* 1965 *ff*.

17 a. leichte Schläge auf den Hinterkopf erhöhen das Denkvermögen: ↗Hinterkopf 3.

18. der ~ gab Öl = dieser Stich zählt viele Augen. Kartenspielerspr. 1870 *ff*, Berlin.

19. wie vom ~ gerührt = steif, empfindungslos; regungslos entsetzt. Schlag = Schlaganfall. 1900 *ff*.

20. bei jm ~ haben = sich jds Wohlwollens erfreuen. Leitet sich her vom Essenausteiler, der dem begünstigten Soldaten einen Schlag Essen mehr gibt, oder vom Barlaufspiel, bei dem der Gefangene von einem Spieler seiner Partei durch Handschlag befreit werden kann. *Sold* seit dem späten 19. Jh; *jug* 1900 *ff*.

21. ~ haben = Erfolgsaussichten haben; Glück im Spiel haben. Meint eigentlich soviel wie „maßgebend sein", bezogen auf den Mann, der im Ruderboot die Kommandos gibt und das Tempo bestimmt. 1910/20 *ff*.

22. einen ~ haben = betrunken sein. Analog zu ↗Hieb 3. 1900 *ff*.

23. einen ~ im Gesicht haben = bezecht sein. Betrunkene haben oft einen verkrampft-verzogenen Gesichtsausdruck, wie mit einer heftigen Ohrfeige. *Halbw* 1955 *ff*.

24. einen ~ an der Mütze haben = nicht bei Verstand sein. *Halbw* 1960 *ff*.

25. einen ~ mit der Wichsbürste haben = töricht reden oder handeln. ↗Hau 2. 1900 *ff*.

26. einen ~ hacken = koitieren. *Sold* 1939 bis heute.

27. mit etw nicht zu ~ kommen = mit einer Sache nicht zurechtkommen; gegenüber einer Sache ratlos, hilflos sein. Vielleicht herzuleiten vom Drescher, der sich nicht dem Takt der anderen anpaßt. 1700 *ff*.

28. einen ~ machen = a) zechen, schlemmen; sich dem Vergnügen hingeben. Fußt wohl auf derselben Vorstellung wie „auf die ↗Pauke hauen". Seit dem frühen 20. Jh.

29. einen (seinen) ~ machen = a) ein gutes Geschäft machen; großes Glück haben. Hängt zusammen entweder mit dem Mähen des Getreides oder mit dem Handschlag zum Abschluß eines

Kaufs oder geht zurück auf *franz* „faire son coup". Seit dem 19. Jh. – b) beim Kartenspiel durch Trumpf gewinnen. Kartenspielerspr. Seit dem 19. Jh.

30. keinen ~ machen können = den Gegner gewinnen lassen müssen. *Vgl* das Vorhergehende. Kartenspielerspr. Seit dem 19. Jh.

31. einen tollen ~ machen = beim Kartenspiel viel wagen. Kartenspielerspr. Seit dem 19. Jh.

32. einen ~ putzen = Essen erbetteln. ↗Schlag 1; ↗putzen 3. 1935 *ff.*

33. einen ~ reinhauen = a) prahlen; auf gut Glück behaupten. Hergenommen von einem, der sich rühmt, eine große Essensmenge verzehren zu können. 1910 *ff.* – b) übermäßig loben. 1910 *ff.*

34. vom alten ~ sein = von den Gewohnheiten und Anschauungen früherer Zeit beherrscht sein. Schlag = Artung. Seit dem 19. Jh.

35. der erste ~ ist Katzengewinn = der erste Spielgewinn hält nicht an. Er ist „für die ↗Katze". Kartenspielerspr. 1900 *ff.*

36. ~ stauen = essen, viel essen. Stauen = die Schiffsladung einordnen. *Marinespr* 1939 *ff.*

37. der ~ soll dich treffen (rühren)!: Ausdruck des Unmuts über einen Menschen. Mit dem Schlag ist wohl der Blitzschlag gemeint oder der Schlagfluß. Seit dem 19. Jh.

38. mich trifft (rührt) der ~!: Ausdruck des Entsetzens oder der Überraschung. Seit dem 19. Jh.

39. der ~ soll mich treffen, wenn . . .!: Ausdruck der Beteuerung. 1900 *ff.*

40. keinen ~ tun = nichts arbeiten. Meint den Schlag mit der Axt, mit dem Hammer, dem Dreschflegel o. ä. Seit dem 19. Jh.

41. keinen ~ mehr tun = aufhören zu arbeiten; die Arbeit niederlegen; streiken. Seit dem 19. Jh.

42. einen ~ warten = eine kurze Zeit warten. „Schlag" meint hier den Glockenschlag, in der Schiffahrt auch die kurze Strecke. Seit dem 19. Jh.

43. einen ~ weghaben = a) einen Schlaganfall erlitten haben. ↗weghaben. 1900 *ff.* – b) betrunken sein. ↗Schlag 22. 1900 *ff.* – c) geistesbeschränkt sein. Analog zu ↗Hau. 1900 *ff.*

Schlagabtausch *m* Streitgespräch; Darstellung und Gegendarstellung. Nach 1950 aus der Sprache der Boxer übernommen.

Schlaganfall *m* **1.** nettes, begehrenswertes Mädchen. Sein Anblick bringt das Blut in Wallung. *Halbw* 1955 *ff.*

2. nicht vor dem ersten ~!: Redewendung, mit der der jüngere eine Hilfeleistung zurückweist (sich nicht in den Mantel helfen läßt). 1920 *ff.*

3. einen ~ kriegen = sehr überrascht sein. 1955 *ff.*

4. auf ~ trainieren = ein Schlemmerleben führen. 1955 *ff.*

schlagartig *adv* jm ~ begegnen = jn prügeln, ohrfeigen. Schlagartig = plötzlich (wie ein Blitz-, Donner-, Kanonenschlag); hier beeinflußt von „schlagen = prügeln". 1950 *ff.*

Schlagaustausch *m* Rede und Gegenrede. ↗Schlagabtausch. 1950 *ff.*

Schlagbolzen *m* Penis. Übertragen von der Waffentechnik. 1930 *ff.*

schlagen *v* **1.** wissen, was (wieviel) es (die Glocke) geschlagen hat = wissen, wie man sich zu verhalten hat; die Folgen einer Handlungsweise kennen. Einst gaben nur die Turmuhren mit ihrem Glockenschlag die Uhrzeit an. 1500 *ff.*

2. ehe ich mich ~ lasse!: Redewendung, mit der man auf eine (freundliche) Nötigung zum Essen einwilligt. 1870 *ff.*

Schlager *m* **1.** bedeutende Darbietung; marktbeherrschendes Produkt. Übertragen von der Wirkung einer einschlagenden Bombe. 1950 *ff.*

2. aufregendes Vorkommnis; aufsehenerregende Neuigkeit. 1950 *ff.*

Schläger *m* **1.** Raufbold. 1800 *ff.*

2. Klassenbester. Er schlägt wie ein Sportler alle Rekorde seiner Mitschüler. 1950 *ff.*

3. Lehrer. Anspielung auf Verwendung des Prügelstocks. 1920 *ff.*

Schlagerbrause *f* **1.** Potpourri beliebter Tanzschlager. Wie unter einer Dusche läßt man sich von den Melodien berieseln. *Halbw* 1950 *ff.*

2. unter die ~ gehen = Schlagerlieder anhören. *Halbw* 1950 *ff.*

Schlagerfuchs *m* erfahrener Schlagerkomponist. ↗Fuchs. 1930 *ff.*

Schlagerhäschen *n* jugendliche Schlagersängerin. ↗Häschen. 1950 *ff.*

Schlagerheini *m* Schlagersänger. ↗Heini. 1950 *ff.*

Schlagerheuler *m* mehr schreiend als musikalisch vortragender Schlagersänger. ↗Heuler. 1955 *ff.*

Schlagerkanone *f* erfolgreicher Schlagersänger. ↗Kanone 1. 1955 *ff.*

Schlägerkappe *f* flache Schirmmütze. Sie wurde seit der ersten Hälfte des 19. Jhs von Rauflustigen getragen.

Schlagerkasten *m* Musikautomat. 1950 *ff.*

Schlagerklamotte *f* abgespielter (veralteter) Schlager. ↗Klamotte. 1920 *ff.*

Schlagerkönig *m* Schlagersänger, dessen Schallplatten die Millionenauflage erreichen. 1955 *ff.*

Schlagerkrähe *f* Schlagersängerin, die keine einschmeichelnde Stimme hat. Krähen haben eine krächzende Stimme. 1955 *ff.*

Schlagerküken *n* sehr junge Schlagersängerin. ↗Küken. 1950 *ff.*

Schlagerl (Schlagl) *n* **1.** Schlaganfall. *Bayr* und *österr* seit dem 19. Jh.

2. ihn hat ein ~ gestreift = er hat einen leichten Schlaganfall erlitten. Übertragen vom Streifschuß. 1900 *ff.*

Schlagerlerche *f* Schlagersängerin. 1955 *ff.*

Schlagermacher *m* Texter, Komponist und Vortragender eigener Schlager. 1950 *ff.*

Schlagermieze *f* Schlagersängerin. ↗Mieze. 1965 *ff.*

Wer beim Golf nicht zum Schlag kommt (vgl. **Schlag 27.**) *oder aber nur so wie auf dem Foto oben, wo der Spieler mit der* **Schlägermütze** *dem Fotografen einen Schlag ins Gesicht zu verpassen scheint (* **Schlag 6.**), *wird sich wohl den Schlag an den Hals ärgern (* **Schlag 15.**) *und täte folglich gut daran, wenn er sich dazu entschließen könnte, keinen Schlag mehr zu tun (* **Schlag 41.**). *Neben diesen sehr schmerzhaften Schlägen bezieht sich der umgangssprachliche Schlag*

unter anderem auf den Schlag in seiner Bedeutung als Essensportion (**Schlag 1., 21.**), *in der Verkürzung von ,,Taubenschlag" meint diese Vokabel den Hosenschlitz (* **Schlag 3.**) *oder eine Unterkunft (* **Schlag 4.**), *vom Glockenschlag dagegen leitet sich der Schlag als Bezeichnung für einen Augenblick ab (* **Schlag 12.**), *und schließlich kann Schlag auch noch für Schlaganfall (* **Schlag 15**) *oder Artung (* **Schlag 34.**) *stehen. Wer vom alten Schlag ist, lebt in einer früheren Zeit und kultiviert, bewußt und voller Überzeugung, deren Gewohnheiten, Gebräuche und Sitten.*

Schlägermütze *f* **1.** tief (eng) auf dem Kopf sitzende Mütze. Seit dem frühen 19. Jh Bezeichnung für eine Mütze, wie sie Raufbolde bevorzugten, weil mit ihrem Verlust kaum zu rechnen war. **2.** Sportmütze. 1950 *ff.*

Schlägermützen-Louis *m* Zuhälter. ↗Louis. 1900 *ff.*

Schlager-Olympiade *f* Schlager-Wettbewerb o. ä. ↗Olympiade. 1964 *ff.*

Schlägerpfanne *f* **1.** Sturzhelm des Motorradfahrers. Die Kopfbedeckung ähnelt einem halbhohen Brattopf ohne Stiel, und der Träger wirkt wie ein ,,↗Schläger". *Halbw* 1955 *ff.* **2.** Freundin eines Rockers. ↗Pfanne 2. 1970 *ff.*

Schlagerrakete *f* erfolgreicher Schlagersänger. ↗Rakete 3. 1965 *ff.*

Schlagerschluchzer *m* Schlagersänger, der sich auf schluchzenden Gesangsvortrag spezialisiert hat. Dem *Angloamerikan* entlehnt. 1955 *ff.*

Schlagerschnulze *f* rührseliges Schlagerlied. ↗Schnulze. 1950 *ff.*

Schlagerschwarte *f* veraltetes Schlagerlied. ↗Schwarte. 1955 *ff.*

Schlagersternchen *n* jugendliche Schlagersängerin. ↗Sternchen. 1960 *ff.*

Schlagerstöhner *m* mit Stöhn- und Schluchzlauten vortragender Schlagersänger. 1955 *ff.*

Schlagerwimmerer *m* Schlagersänger, der mehr wimmert und schluchzt als singt. 1955 *ff.*

schlagfertig *adj* schnell bereit zur Verabreichung von Ohrfeigen und Prügeln. Meint eigentlich ,,schnell bereit zu einer treffenden Antwort". 1920 *ff.*

Schlagfertigkeit *f* rasche Bereitschaft zur Verabreichung von Prügeln und Ohrfeigen 1920 *ff.*

Schlaghammer *m* harter Schläger. Eigentlich Bezeichnung für einen schweren Schmiedehammer. *Halbw* 1955 *ff.*

'schlagka'putt sein völlig erschöpft sein. Man ist wie zerschlagen, gliederlahm. 1920 *ff.*

Schlagkraft *f* rasche Bereitschaft zur Verabreichung von Prügeln und Ohrfeigen. Übernommen aus dem Militärischen oder aus der Boxersprache. 1950 *ff.*

schlagkräftig *adj* rasch bereit zur Verabreichung von Prügeln und Ohrfeigen; hart zuschlagend. 1950 *ff.*

Schlagl *n* ↗Schlagerl.

Schlaglochfüller *m* Kleinauto. ↗Schlaglochsucher. *Halbw* 1960 *ff.*

Schlaglochmesser *m* Kleinauto. *Halbw* 1960 *ff.*

Schlaglochsucher *m* Kleinauto; BMW-Isetta. Die Räder stehen so dicht, daß ihnen kein Schlagloch entgehen kann. Scherzhaft stellt man es so dar, als könne man mit diesem Fahrzeug die Schlaglöcher am besten ausfindig machen. *Halbw* 1955 *ff.*

Schlaglochsuchgerät *n* 1. Motorrad ohne Beiwagen. *Sold* 1939 *ff.*
2. BMW-Isetta; Kleinauto. ↗Schlaglochsucher. *Halbw* 1955 *ff.*

Schlagpoppen *m n* Flirt, Geschlechtsakt. ↗poppen. *Halbw* 1960 *ff.*

Schlagsahne *f* 1. weiche, rührselige Töne. Musikerspr. 1920 *ff.*
2. die ~ auf dem Kuchen = die Hauptsache; die entscheidende Wichtigkeit; das Verlockende. 1950 *ff.*
3. einfach ~!: = unübertrefflich! 1950 *ff.*

Schlagsahnekahn *m* Ausflugs-, Vergnügungsdampfer. Anspielung auf das nachmittägliche Kuchenessen mit Schlagsahne. 1930 *ff.*

Schlagschuß *m* mit großer Kraft ausgeführter Stoß auf das Hockeytor. *Sportl* 1950 *ff.*

Schlagseite *f* 1. linke Wange. Normalerweise wird die linke Gesichtshälfte geschlagen; sie hat soviel auszuhalten wie die Wetterseite des Hauses. 1900 *ff.*
2. ~ haben = a) betrunken torkeln. Stammt aus der Seemannssprache: Schlagseite ist die Seite, nach der sich das Schiff bei falsch gestauter Ladung, schlecht gesetzten Segeln oder infolge eines Lecks im Rumpf neigt. Etwa seit 1910. – b) nicht unbescholten sein. Das sittlich-gesellschaftliche Gleichgewicht ist gestört. 1920 *ff.*
3. geistig ~ haben = geistesgestört sein. Etwa seit 1910/20 *ff.*
4. eine linke ~ haben = Sozialist sein. Man neigt zur linken Partei. 1950 *ff.*
5. körperlich zuviel ~ haben = beleibt sein. 1950 *ff.*

Schlagwechsel *m* 1. gegenseitiger Beschuß. Dem Wortschatz der Boxsportler entlehnt. *Sold* 1939 *ff.*
2. Rede und Antwort; Brief und Antwortbrief; Behauptung und Gegenbehauptung. 1950 *ff.*

Schlagzeug *n* Hand, Faust. Aufgefaßt als ein „Gerät", mit dem man schlagen kann. 1900 *ff.*

Schlaks *m* ↗Schlacks.

schlaksig *ajd* ↗schlacksig.

Schla'massel (Schlam'massel) *n (m)* Mißgeschick; Notlage; große Unordnung; widriges Gemenge. Zusammengewachsen aus *dt* „schlimm" und *jidd* „masol = Stern, Gestirn". Die Bedeutung „Gemengsel" ist wohl von „Masse" und „↗Schlampamp" beeinflußt. Seit dem zweiten Drittel des 18. Jhs, anfangs *rotw*.

Schla'mastik *f* Notlage. Herleitung unbekannt. *Österr*, seit dem 19. Jh.

Schlamm *m* 1. minderwertiger Kaffeeaufguß. Man wertet ihn als Bodensatz in stehenden Gewässern. *Sold* seit dem späten 19. Jh.
2. feuchter Rückstand in der Tabakspfeife. 1900 *ff.*

3. Sperma. 1900 *ff.*
4. ~ haben = wohlhabend sein. Gehört wohl zu „schlemmen". 1970 *ff.*
5. ~ auf dem Kopf haben = verdächtig sein; nicht unbescholten sein. Falls „Schlamm" auf *jidd* „chemmoh = Butter" zurückzuführen ist, ergibt sich Analogie zu „↗Butter auf dem Kopf haben". 1920 *ff*, Berlin.
6. ~ auf der Pfeife haben = nach Geschlechtsverkehr verlangen. ↗Pfeife 2. 1900 *ff.*
7. keinen ~ mehr auf der Pfeife haben = keinen Mut mehr haben. *Vgl* das Vorhergehende. Kartenspielerspr. 1900 *ff.*

Schlammbad *n* Truppenübungsplatz. Anspielung auf morastigen Zustand. *BSD* 1955 *ff.* (Der Truppenübungsplatz Baumholder in der Pfalz wurde insgeheim in „Schlammholder" umgetauft.)

Schlammeule *f* Prostituierte. Mit „Eule" wird auf das Umherstreunen in der Dunkelheit angespielt, und „Schlamm" meint (wie „Morast" oder „Sumpf") die sittliche Niederung einer Stadt, den „Sündenpfuhl". *Vgl* aber auch „↗Schlamm 3 u. 6". 1950 *ff.*

Schlammfotze *f* unreinliche Prostituierte. ↗Fotze. 1960 *ff.*

Schlämmkreide-Stratege *m* Maurer, Verputzer. Nach 1945 aufgekommen.

Schlammkreuzer *m* 1. Unterseeboot. Es legt sich oft auf Grund in den Modder. *Marinespr* in beiden Weltkriegen.
2. Segelboot, Paddelboot; kleines Wasserfahrzeug. Unsicher, ob gegen 1930 aufgekommen oder erst nach 1945.

Schlammloch *n* 1. Vagina. ↗Schlamm 3. 1900 *ff.*
2. Truppenübungsplatz. ↗Schlammbad. *BSD* 1955 *ff.*

Schlammreiter (-rutscher, -schieber) *m* letzter Bordellbesucher. ↗Schlamm 3. 1920 *ff.*

Schlammscheißer *m* würdelos ergebener Mensch. Entstellt aus ↗Schleimscheißer. 1920 *ff.*

Schlammschlacht *f* Fußballspiel auf aufgeweichtem Spielfeld. *Sportl* 1950 *ff.*

Schlammstoßer (-stößer) *m* letzter Bordellbesucher. ↗Schlammreiter. 1920 *ff.*

Schlammwüste *f* Truppenübungsplatz. ↗Schlammbad. *BSD* 1955 *ff.*

Schlampagner (Schlampanjer) *m* Sekt. Scherzhaft gekreuzt aus „Champagner" und „↗schlampampen". Seit dem späten 19. Jh; vielleicht bei deutschen Truppen in Frankreich 1870/71 aufgekommen.

Schlam'pamp *m* 1. ekelhaftes Gemenge von Speisen. ↗schlampampen 2. 1700 *ff.*
2. dünner, weichflüssiger Schlamm; Straßenschmutz. *Niederd* 1800 *ff.*

Schlam'pampe *f* 1. nachlässig gekleidete, unordentliche Frau. Streckform zu ↗Schlampe. Seit dem späten 17. Jh.
2. aufgeweichter Boden; Straßenschmutz. 1800 *ff.*

schlam'pampen *intr* **1.** schwelgen; genüßlich speisen; genüßlich trinken. Streckform zu ↗ schlampen. Seit dem 14./15. Jh.

2. vielerlei zu einer Speise zusammenmischen. Von der Vielzahl der Speisen, die der genüßlich Speisende zu sich nimmt, weiterentwickelt zur Bedeutung eines Gemischs und Durcheinanders. Seit dem 18. Jh.

3. nachlässig gehen; schlendern; müßiggehen. Schlemmer und Müßiggänger sind nahe Verwandte. Seit dem 19. Jh.

Schlam'pamper *m* liederlicher Mann; Schlemmer; Lebensgenießer. Seit dem 16. Jh.

schlam'pampig *adj* **1.** schwelgerisch; genießerisch. Seit dem 16. Jh.

2. nachlässig, träge, müßiggehend. Seit dem 19. Jh.

Schlampe *f* **1.** nachlässig gekleidete, unordentliche Frau. ↗ schlampen 1. Seit dem 17. Jh.

2. in bezug auf Männer bedenkenlose Frau; Prostituierte. 1900 *ff*.

3. dünnes, gehaltloses Getränk; Mischgetränk. Meint eigentlich das flüssige Fressen für das Vieh, auch das ekelhafte Gemenge. Seit dem 14. Jh.

Schlampen *m* verwahrloste, sittlich tiefstehende weibliche Person; leichtes Mädchen; Prostituierte. *Oberd* Nebenform zu „↗ Schlampe 1 u. 2". Seit dem 17. Jh.

schlampen *intr* **1.** lässig umhergehen; sich in nachlässiger Kleidung bewegen; der Unordnung frönen. Geht zurück auf *mhd* „slampen = schlaff herabhängen" und meint anfangs wohl den nachlässig hängenden Frauenrock. Seit dem 17. Jh.

2. ein Schlemmerleben führen; sich keinen Lebensgenuß versagen. Erweitert aus „schlemmen" durch Schallnachahmung des Schlürf- und Schmatzgeräuschs. Seit dem 14./15. Jh.

3. wenig arbeiten; müßiggehen. Seit dem 19. Jh.

4. unsorgfältig arbeiten; unordentlich sein. Seit dem 19. Jh.

Schlampenschleuder *f* Mitfahrersitz auf dem Motorrad. „Schleuder" spielt auf die Stoß- und Schüttelbewegungen des Kraftrads an; ↗ Schlampen. 1920 *ff*.

Schlamper *m* **1.** nachlässiger Mensch; Feind von Ordnung und Sauberkeit; Müßiggänger. ↗ schlampen 1. Seit dem 18. Jh.

2. Nachlässigkeit; Ungeregeltheit. 1900 *ff*.

Schlamperei *f* Unordnung, Nachlässigkeit, Vergeßlichkeit, Unachtsamkeit. ↗ schlampen 1. Seit dem 18. Jh. Gilt zu Unrecht als *österr* Vokabel.

Schlamperl *n* leichtsinniges junges Mädchen. *Bayr* und *österr*, seit dem 19. Jh.

Schlamperladen *m* militärische Einheit ohne Zucht und Ordnung; unsorgfältige Handlungsweise. ↗ Laden 4. *Sold* 1939 *ff*.

schlampern *intr* schlendern, schlurfen. ↗ schlampen 1. Seit dem 19. Jh.

Schlampier (Endung *franz* ausgesprochen) *m*

nachlässiger Mann; Mann, der sich in Unordnung wohlfühlt. Seit dem 19. Jh.

schlampig (**schlampicht, schlamperig, schlampet, schlampert**) *adj* **1.** liederlich; unordentlich gekleidet; von Natur unordentlich. ↗ schlampen. 1500 *ff*.

2. genial ~ = bewußt nachlässig im Äußeren, aber sauber; ohne Sinn für Ordnungszwänge. 1920 *ff*.

Schlampigkeit *f* Nachlässigkeit in Kleidung, Arbeitsweise, Haushaltsführung usw.; Unordnung. Seit dem 18. Jh.

Schlam'pine *f* unordentliche Frau. Zusammengesetzt aus „schlampen" und der Endung von weiblichen Vornamen (Kathrine, Sabine, Rosine usw.). 1930 *ff*.

Schlange *f* **1.** listige, heimtückische Frau. Geht zurück auf die biblische Geschichte von Adam und Eva, wo die Schlange das böse Prinzip verkörpert. Undatierbar.

2. Reihe hintereinanderstehender Personen. Wohl gegen 1915 aufgekommen mit der Verschlechterung der Lebensmittelversorgung der Bevölkerung.

3. Kette; Uhrkette. *Rotw* 1687 *ff*.

4. falsch wie eine ~ = sehr heimtückisch; nicht vertrauenswürdig. 1500 *ff*.

5. jn anstarren wie die ~ das Kaninchen = jn starr, unablässig anblicken. 1950 *ff*.

6. ~ sitzen = a) in einer Gruppe, einer Reihe wartend sitzen, um vorgelassen zu werden, um Einlaßkarten zu erhalten usw. 1920 *ff*. – b) wegen Straßenverstopfung mit dem Auto nicht weiterkommen. 1960 *ff*.

7. ~ stehen (in der ~ anstehen) = in langer Reihe hintereinander stehen und warten. ↗ Schlange 2. 1915 *ff*.

schlängeln *refl* **1.** sich durchwinden. Man geht in Schlangenlinien. Seit dem 19. Jh.

2. nach Entwendbarem Ausschau halten. *Sold* in beiden Weltkriegen.

Schlangenbassin (Grundwort *franz* ausgesprochen) *n* Zusammenkunftsort von schwatzhaften Frauen; Warteraum der Schauspielerinnen. ↗ Schlange 1. Anspielung auf „giftige" Reden über Abwesende. 1920 *ff*, theaterspr.

Schlangenfraß *m* minderwertiges Essen; unschmackhaftes Restaurant-, Kantinenessen; Schulspeisung. Gegen Ende des 19. Jhs aufgekommen.

Schlangenfresser *m* Fernspäher. Er muß sich mit seinen Kameraden primitiv ernähren. *BSD* 1968 *ff*.

Schlangengrube *f* **1.** Lehrerzimmer. Den Schülern gelten die Lehrer als wandelnde Sinnbilder der Klugheit, List und Niedertracht. 1900 *ff*.

2. Heil- und Pflegeanstalt für Geisteskranke; Zelle für Tobsüchtige. Die Patienten gelten für so gefährlich wie giftige Schlangen. 1950 *ff*.

3. Gruppe, in der Karriere-Ehrgeiz, üble Nachrede, Verleumdung u. ä. vorherrschen. Spätestens seit 1900.

Schlangenschiß *m* Schimpfwort auf einen Ängstlichen. Der Betreffende hat „↗Schiß" vor Schlangen. Rocker 1967 *ff*.

Schlangenschlich *m* heimtückisches Verhalten. 1910 *ff*.

Schlangenturm *m* Damenstift; Altersheim für Frauen. 1900 *ff*.

Schlangenzug *m* Schlittschuhläufer, die sich an den Händen gefaßt halten und in Schlangenlinien über das Eis gleiten. 1900 *ff*.

Schlangerl *n* schlauer Mensch. Herzuleiten von der Schlange, die mal als listig, mal als klug gilt. *Vgl* „seid klug wie die Schlangen" (Matthäus 10, 16). Wien, seit dem 19. Jh.

Schlank *m* **1.** unaufrichtiger, unzuverlässiger, unkameradschaftlicher Mensch. Er macht sich „schlank" (↗dünnmachen), um sich der Arbeit zu entziehen und andere für sich arbeiten zu lassen. 1900 *ff*.
2. knapp bemessene Ration; Mahlzeit, von der niemand satt werden kann. Sie dient der Schlankheit. *Sold* 1939 *ff*.

schlank *adj adv* **1.** nicht vertrauenswürdig. ↗Schlank 1. 1920 *ff*.
2. *adv* = ohne Hindernis; mühelos; völlig. Analog zu ↗glatt. 1900 *ff*.
3. sich ~ machen = sich allen Anforderungen entziehen; weggehen. Parallel zu „sich ↗dünnmachen". 1910 *ff*.

Schlankel (Schlankl) *m* **1.** Dieb. ↗Schlangerl. *Österr* seit dem 19. Jh.
2. Schelm, Taugenichts. *Österr* seit dem 19. Jh.

schlänkeln *intr* Unliebsamkeiten ausweichen; Verpflichtungen sich listig entziehen. ↗schlank 3; ↗schlängeln 1. 1930 *ff*.

Schlanker *m* Mensch, der sich der Verantwortung stets zu entziehen sucht; Mensch, der dienstlichen Aufträgen auszuweichen sucht; Mensch, der alle Schwierigkeiten zu umgehen weiß. ↗Schlank 1. 1910 *ff*.

Schlankerl *m n* **1.** Schimpfwort auf einen arbeitsscheuen Mann. Gehört zu „schlänkern, schlenkern = die Arme hin- und herwerfen", weiterentwickelt zu „lässig gehen; müßiggehen". Wohl überlagert von „↗Schlangerl". *Österr* seit dem 19. Jh.
2. leichtsinniger Mensch. *Bayr* und *österr* seit dem 19. Jh.

Schlankheitskurhaus *n* Turnhalle. 1960 *ff*, *schül*.

Schlankheitsprotz *m* Mann, der sich mit seiner schlanken Gestalt brüstet. ↗Protz. 1960 *ff*.

Schlankster *m* du bist mir der Schlankste = du verstehst es, allen Anforderungen und Erschwerungen dich zu entziehen. ↗Schlank 1. 1910 *ff*.

'schlank'üppig *adj* angenehm füllig (auf die Körpergestalt bezogen). 1960 *ff*.

schlankweg *adv* kurz und bündig; ohne Umschweife; mühelos. *Vgl* ↗schlank 2. Seit dem 19. Jh.

Schlanz *m* guter Geschäftsgang; Wohlgelingen; Schwung; gehörige Ordnung. Gehört zu „schlenzen = müßiggehen" und meint hier die ohne eigenes Dazutun entstandene, angenehme Lebenslage; auch im Sinne von positiver Lässigkeit. Seit dem 19. Jh, vorwiegend *südd*.

Schlapfen *m* **1.** Mund. Ist wie „↗schlabbern" schallnachahmenden Ursprungs und bezieht sich entweder auf das Auf- und Zuklappen der Lippen oder auf das Schlürfen. *Österr* 1900 *ff*.
2. Pantoffel; alter ausgetretener Schuh. Analog zu ↗Schlappen. *Bayr* und *österr* seit dem 19. Jh.
3. leichtes Mädchen; Prostituierte. Gehört entweder zu „schlapp, schlaff" im Sinne von lockerer Moral oder wertet die Person als abgenutzten Schuh. *Österr* 1900 *ff*.

Schlapfenstadion *n* Fernsehübertragung eines Fußballspiels. Sachverwandt mit ↗Pantoffelkino. *Österr* 1960 *ff*.

schlapp *adj* **1.** schwunglos, haltlos, energielos; unmilitärisch; untüchtig; ängstlich. *Niederd* Lautform für *hd* „schlaff". Seit dem 16. Jh.
2. sich ~ ärgern = sich sehr ärgern. Der Ärger ist so heftig, daß er der Gesundheit zusetzt. 1930 *ff*.
3. sich ~ lachen = herzhaft lachen. 1900 *ff*.
4. ~ machen ↗schlappmachen.
5. ~ sein = nicht bei Geld sein. *BSD* 1965 *ff*.

Schlapparsch *m* **1.** energieloser Mensch. 1870 *ff*.
2. Feigling. 1870 *ff*.

schlapparschig *adj* energielos. 1900 *ff*.

Schlappe (Schlappen) *f* alte Frau; unordentliche Frau. ↗schlappen 1. 1800 *ff*.

Schlappen *pl* **1.** bequeme Hausschuhe; Pantoffeln; niedergetretene Schuhe. Gehört zu *niederd* „slappen = hängen lassen". Meint eigentlich Schuhwerk, an dem das Fersenstück niedergetreten ist, dann auch Schuhe ohne Fersenstück. Beim Gehen in solchen Schuhen entsteht der Laut „schlapp". Seit dem 17. Jh.
2. abgenutzte Autoreifen. Analog zu ↗Laatschen. 1950 *ff*.
3. jm auf die ~ treten = jn kränken. Analog zu „jm auf den ↗Fuß treten". 1900 *ff*.

schlappen *intr* **1.** schleppend gehen; schlurfen. ↗Schlappen 1. Seit dem 19. Jh.
2. zechen; gierig trinken. Schallnachahmender Natur, etwa für das Geräusch, das entsteht, wenn ein Hund Wasser aufschleckt. Seit dem 19. Jh.

Schlappenkino *n* **1.** einfaches Kino; nahegelegenes Kino. Man kann in Pantoffeln hingehen. 1920 *ff*.
2. Fernsehgerät daheim. Parallel zu ↗Pantoffelkino. 1960 *ff*.

Schlappenschammes *m* Nachtportier. Entstellt aus „↗Schlattenschammes", beeinflußt von „↗Schlappen 1". 1970 *ff*.

Schlapper *m* Mund. Lautmalend für das Auf- und Zuklappen der Lippen. Kann aber auch (über ↗schlapp 1) die herabhängende Unterlippe meinen. 1900 *ff.*

Schläpper *pl* Hausschuhe mit niedergetretenem Hinterleder. *Vgl* ↗Schlappen 1. Beim Gehen entsteht der Laut „schlapp". 1920 *ff.*

Schlapperanzug *m* Sportanzug. Nach Ansicht der Soldaten ist er zu weit geschneidert. ↗schlappern 2. *BSD* 1965 *ff.*

Schlapperbluse *f* Bluse aus weichfallendem, dünnem Stoff. 1965 *ff.*

Schlapperbuxen (-hosen) *pl* Hose mit weitgeschnittenen Beinen. ↗schlappern 2. ↗Buxe. 1955 *ff.*

Schlapperkleid *n* ↗Schlabberkleid.

Schlapperkram *m* dünne, fade Suppe. ↗schlappern 3. *BSD* 1960 *ff.*

schlappern *intr* **1.** klappern, schlottern; schwätzen; schnell reden. Nebenform zu ↗schlabbern 6. Seit dem 19. Jh.
2. schlaff hängen; zu weit geschneidert sein. Die Kleider schlottern um den Leib. Seit dem 19. Jh.
3. gierig essen, trinken; schlürfen. ↗schlappen 2. Seit dem 19. Jh.

Schlapperpulli *m* weiter, schlaff hängender, formloser „↗Pulli". 1965 *ff.*

Schlapphahn *m* energieloser Mann. ↗schlapp 1. Meint in übertragenem Sinne den geschlechtlich schwunglosen Mann. 1920 *ff.*

Schlapphans *m* energieloser Junge. 1900 *ff.*

Schlappheit *f* Energielosigkeit; Mangel an militärischer Straffheit. ↗schlapp 1. 1870 *ff.*

Schlapphut *m* Hut mit weicher, nicht aufgeschlagener Krempe. 1700 *ff.*

Schlappi *m* Energieloser. 1980, *halbw.*

Schlappier (Endung *franz* ausgesprochen) *m* energieloser Mensch. Um die *franz* Endung erweitertes „schlapp". 1870 *ff.*

schlappig *adj* energielos; feige; ohne aufrechte Gesinnung; unaufrichtig. ↗schlapp 1. 1700 *ff.*

Schlappigkeit *f* Schlaffheit, Nachlässigkeit. 1700 *ff.*

Schlappkopf *m* Energieloser; Versager. 1930 *ff.*

schlappmachen *intr* **1.** müde, kraftlos, ohnmächtig werden; langen Märschen nicht gewachsen sein. ↗schlapp 1. Seit dem frühen 19. Jh, anfangs *rotw*, später *sold* und *jug.*
2. das Auto macht schlapp = es kommt zu einem Motorschaden. 1925 *ff.*

Schlappmacher *m* **1.** Marschierer ohne Durchhaltekraft; Marschkranker. *Sold*, spätestens seit 1900.
2. Malzkaffee. Er übt keine anregende Wirkung aus und steht im Verdacht, mit geschlechtslustmindernden Chemikalien versetzt zu sein. *BSD* 1965 *ff.*

Schlappmann *m* **1.** energieloser Mann; Soldat, der keine Strapazen aushält. *Sold* 1939 *ff.*
2. nicht erigierender Penis. *Sold* 1939 *ff.*
3. dünner schwarzer Tee; Kräuterteeaufguß. Man verspürt keine anregende Wirkung. *BSD* 1965 *ff.*

Schlappmaul *n* **1.** Schwätzer; Mensch, der zu allem eine Meinung hat; unversieglicher Redestrom; Schlagfertigkeit. Schallnachahmend wie „↗schlappen 2". Vorwiegend west-*mitteld;* 1800 *ff.*
2. ungebildete Ausdrucksweise; unüberlegtes Schwätzen. 1900 *ff.*
3. verdrießlicher Mensch. Er läßt die Unterlippe hängen. West-*mitteld* seit dem 19. Jh.

schlappmäulig *adj* derb, unflätig im Reden. 1900 *ff.*

Schlappmäuligkeit *f* Derbheit der Rede. 1900 *ff.*

Schlappmeier *m* energieloser Mann; Feigling. Meier = Mann. Seit dem 19. Jh.

Schlappmichel *m* energieloser, träger Mann. 1900 *ff.*

Schlappohr *n* Schwächling, Feigling o. ä. Hängt zusammen mit „die ↗Ohren hängen lassen". 1900 *ff.*

Schlapp-Pfeife *f* energieloser Mann. Pfeife = Penis. Analog zu ↗Schlappmann 2. BSD 1955 *ff*; (1939 *ff?*).

Schlapps *m* **1.** energieloser, schwächlicher Mensch. ↗schlapp 1. Seit dem 19. Jh.
2. frecher, ungesitteter Mensch; Mensch mit derber, unflätiger Redeweise. 1800 *ff.*

Schlappsack *m* energieloser Mann. Sack = Hodensack, Penis. Seit dem 16. Jh.

schlappsackig *adj* schlaff. 1900 *ff.*

Schlappsau *f* **1.** energieloser Mensch. 1900 *ff.*
2. unordentlicher, unreinlicher Mensch; Mensch ohne Bedürfnis nach Ordnung. 1900 *ff.*

Schlappscheißer (-schisser) *m* **1.** Schwächling. 1900 *ff.*
2. Feigling; ängstlicher Mann. 1900 *ff.*

schlappscheißerig (-schissig) *adj* energielos, schwächlich. 1920 *ff.*

Schlappschuhwastl *m* energieloser Mann; von der Frau beherrschter Ehemann. Wastl ist Koseform des Vornamens Sebastian. *Bayr* 1900 *ff.*

Schlappschwanz *m* **1.** erschlaffter Penis. ↗Schwanz. Seit dem 19. Jh.
2. schlaffer, energieloser Mann. Seit dem 19. Jh, vorwiegend *sold* und *jug.*
3. temperamentloser Liebhaber. 1920 *ff.*

schlappschwänzig *adj* energielos, feige. 1900 *ff.*

Schlappschwänzigkeit *f* Energielosigkeit. 1900 *ff.*

schlappsig *adj* **1.** schlaff, kraft-, energielos. Adjektiv zu ↗Schlapps 1. Seit dem 19. Jh.
2. nachlässig; unordentlich in der Kleidung; liederlich. Seit dem 19. Jh.

Schlappstiefel *m* **1.** *pl* = zu große Stiefel. 1700 *ff.*
2. *sg* = energieloser Mann. Zu großes Schuhwerk verhindert energisches Auftreten. 1700 *ff.*

Schla'raffael *m* minderwertiger Kunstmaler. Zu-

FIXE FÜCHSE, ZEIT IST WIEDER GELD BIS ZUM 30.9.

Fixe Füchse sprinten jetzt los. Zu Schwäbisch Hall. Denn bis zum 30. 9. ist Zeit wieder Geld. Wer bis dahin mit Bausparen bei Schwäbisch Hall beginnt, kann fixer bauen, kaufen und die Miete künftig in die eigene Tasche stecken. Bis zum 30. 9. ist wieder die Zeit der Füchse. Also: Fix, Füchse, fix zu einer Volksbank, Raiffeisenbank, Spar- und Darlehnskasse oder unserem Außendienst-Mitarbeitern.

Auf diese Steine können Sie bauen

Schwäbisch Hall
Die Bausparkasse der Volksbanken und Raiffeisenbanken

Der Fuchs gilt schon seit mythologischen Zeiten als ein besonders schlaues und gerissenes Tier (vgl. **Schlaufuchs**), *und so nimmt es nicht Wunder, daß sich auch die Werbung gern dieses allegorischen Tiers annimmt, vor allen Dingen dann, wenn es sich um Geldgeschäfte handelt. Schlau meint umgangssprachlich nämlich auch ein angenehmes und bequemes Leben, und ein solches zeichnet sich in erster Linie durch ein Minimum an dafür aufgewendeter Arbeit und Mühe aus (vgl.* **schlau 1., 3.**)*. Dem von der Bauindustrie aufgebrachten Slogan „Sei schlau, lern beim Bau" dürfte wohl nicht zuletzt aus diesem Grund ein über das häufige und oft ironische Zitieren hinausgehender Erfolg versagt geblieben sein. Da hat man wohl etwas schlau gekriegt (* **schlau 2**)*.*

sammengesetzt aus „schladern" (Nebenform zu ↗schludern) und Raffael (1483–1520). 1920 *ff.*

Schlaraffenacker *m* kaltes Büffet mit erlesenen Delikatessen und Getränken. Schlaraffe = Schlemmer. Die Vokabel war früher Beiname des Weinrestaurants F. W. Borchardt in Berlin. 1960 *ff.*

Schlaraffenleutnant *m* Kellner, Geschäftsführer, Koch in einem Schlemmerlokal. Wohl wegen der Tressen am Frack. Seit dem ausgehenden 19. Jh.

Schlaraffenoberst *m* Besitzer eines Schlemmerlokals. 1950 *ff,* Berlin.

Schlarges *m* junger Mann mit schlechter Körperhaltung. Gehört zu „Schlarken = Pantoffel" und meint schallnachahmend das Geräusch, das beim „Schlurfen" entsteht. Seit dem 19. Jh.

Schlattenschammes *m* 1. Regievolontär, -assistent; Hilfsregisseur; Faktotum; Kaffeeholer o. ä. Geht zurück auf *jidd* „schliach = Geschickter" und „schammesch = Diener". Meint im *Rotw* den Gefängniskalfaktor, bei den Kaufleuten den Lehrling und Laufburschen. Theaterspr. 1900 *ff.*
2. untergeordneter Berufstätiger, der sich und seine Arbeit für überaus wichtig hält. 1920 *ff.*

Schlatz *m* Speichel, Schleim. Eigentlich soviel wie ein kleiner Schwall Wasser oder ein Schluck. *Bayr* und *österr* seit dem 19. Jh.

schlatzen *intr* 1. geifern; spucken. Analog zu ↗schlotzen. *Bayr* und *österr* seit dem 19. Jh.
2. wütend sein. Der Zornige versprüht Speichel. 1900 *ff.*

schlatzig *adj* weichlich, halbfest, wasserhaltig. *Bayr* und *österr* seit dem 19. Jh.

Schlatzpudding *m* weicher Pudding. 1900 *ff.*

schlau *adj adv* 1. es ~ haben = in angenehmen, bequemen Verhältnissen leben. Verkürzt aus „es sich schlau gemacht haben". „Schlau" im Sinne von „klug und listig zugleich" bezieht sich hier auf die Wahrung des eigenen Vorteils und auf die Gabe, unliebsamen Lebenslagen auszuweichen. Seit dem 19. Jh.
2. etw ~ kriegen = etw ergründen, begreifen, erkennen. 1900 *ff.*
3. es sich ~ machen (sich einen schlauen Tag machen) = sich sein Leben bequem, sorglos gestalten; andere für sich arbeiten lassen. Seit dem 19. Jh.
4. aus etw nicht ~ werden = etw nicht verstehen; den Sinn nicht erfassen. 1900 *ff.*
5. aus jm nicht ~ werden = nicht wissen, wie man jds Handlungsweise aufzufassen hat; jds Verhalten nicht enträtseln können. 1900 *ff.*

Schlau *n* aus etw kein ~ kriegen = etw nicht verstehen, nicht ergründen können. *Westfäl* 1920 *ff.*

Schlaubauch *m* listiger, heimtückischer Mensch. 1900 *ff.*

Schlauberger *m* pfiffiger, listiger Mensch. Scherzhaft läßt man ihn in dem fiktiven Ort „Schlauberg" geboren sein. 1840 *ff.*

Schlaubergerin *f* pfiffige weibliche Person. *Vgl* das Vorhergehende. 1900 *ff.*

Schlauch *m* **1.** große körperliche Anstrengung; mühevoller An-, Abstieg; strenger Drill; anstrengende Prüfung o. ä. ↗schlauchen 2. Seit dem späten 19. Jh, vorwiegend in Süddeutschland.

2. lange Arbeitszeit; sich lang hinziehende Arbeit. Kellnerspr. 1950 *ff.*

3. Sache ohne Aufhören. *Südd* 1950 *ff.*

4. langer schmaler Flur. 1900 *ff.*

5. schmales längliches Zimmer. 1900 *ff.*

5 a. enganliegendes (Häkel-)Kleid. 1960 *ff.*

6. Darm. Seit dem 19. Jh.

7. Bauch. 1400 *ff.*

8. Penis. Meint eigentlich das Zeugungsglied von Hengst und Bulle. Seit *mhd* Zeit.

9. *pl* = Beine. Meint vor allem die röhrenähnlichen, die keine ausgeprägten Waden haben. 1930 *ff.*

10. *pl* = Hängebusen. 1920 *ff.*

11. *pl* = Stiefel, Schuhe. Meint vor allem die Rohrstiefel mit engem Schaft, in den der Fuß schlüpft wie in einen Schlauch. 1900 *ff.*

12. Dr. ∼s Gesundheitshosen (Dr. ∼s Gesundheitshosen von der Kneipp'schen Tretkur) = enge Hosenbeine. Schlauch = enge Röhre. Angelehnt an die Markenbezeichnung „Dr. Lahmanns Gesundheitswäsche". Heinrich Lahmann (1860–1905), Gründer des Sanatoriums „Weißer Hirsch" bei Dresden, trat auch für eine Kleidungsreform ein. 1900 *ff.*

13. unerlaubte fremdsprachliche Übersetzung. Berührt sich in der Grundvorstellung mit dem „Nürnberger Trichter": mittels des Schlauchs wird der Wissensstoff aus fremder Quelle in den eigenen Kopf umgefüllt. Vorwiegend *oberd* seit dem späten 19. Jh.

14. Schimpfwort auf einen Trinker oder Trunksüchtigen. „Schlauch" steht schon im 15. Jh für „Schlund, Gurgel", auch für den dickleibigen Menschen. „Weinschlauch" nannte man damals den Weintrinker. 1800 *ff.*

15. dem Schein nach redlicher, im Grunde heimtückischer Mensch; schlechter Kamerad; erbärmlicher Bursche. Vielleicht ist er mit dem Schlauch geprügelt worden und also „verschlagen"; oder das Wort ist zu „schlau" zu stellen. 1800 *ff.*

16. leichtes Mädchen. Versteht sich nach dem Vorhergehenden. *Österr* Schülervokabel, etwa seit 1950.

17. *pl* = Feuerwehrleute (Berufsschelte). Benennung nach dem Arbeitsgerät. 1900 *ff.*

18. gut ∼!: Prost! *Vgl* ↗Schlauch 14. 1920 *ff.*

19. hohler ∼ = leerer Magen. ↗Schlauch 7. 1900 *ff.*

19 a. am ∼ hängen = zwangsernährt werden. 1970 *ff.*

20. saufen wie ein ∼ = viel trinken; trunksüchtig sein. ↗Schlauch 14. 1920 *ff.*

21. es ist ein elendiger (o. ä.) ∼ = es ist sehr anstrengend. ↗Schlauch 1. 1900 *ff.*

22. er steht auf dem ∼ = a) er hat Schwierigkeiten; er ist ratlos; bei ihm funktioniert es nicht. Schlauch = Wasserschlauch. 1935 *ff.* – b) er ist nicht bei Geld. Umschreibung für „er ist nicht ↗flüssig". *BSD* 1965 *ff.*

23. sich den ∼ vollschlagen = sich gründlich sättigen. ↗Schlauch 7; ↗Bauch 40. 1900 *ff.*

Schlauchboot *n* **1.** *pl* = breite, plumpe Schuhe. Wegen der Formverwandtschaft. *BSD* 1965 *ff.*

2. im ∼ sitzen = in der Gaststätte freigehalten werden. Umschreibung für „schlauchen = trinken", auch soviel wie „schmarotzen". 1940 *ff.*

Schlauchboothosen *pl* **1.** Knickerbocker, Überfallhosen. Vergleich der „Pumphose" mit dem aufgepumpten Schlauchboot. 1930 *ff.*

2. enge dreiviertellange (oder noch kürzere) Hosen. 1955 *ff, halbw.*

schläucheln *tr* **1.** jn eine Arbeit lange Zeit verrichten lassen. Iterativum zu ↗schlauchen. 1920 *ff.*

2. jn ausfragen, ausforschen. ↗Schlauch 1. 1920 *ff.*

schlauchen *v* **1.** *tr* = jn verprügeln. Meint wörtlich „mit dem Schlauch schlagen". Seit dem 19. Jh.

2. *tr* = jn sehr anstrengen, überanstrengen; jn einexerzieren; jn im Unterricht heftig plagen. Weiterentwicklung der Bedeutung „prügeln". Seit dem späten 19. Jh.

3. es schlaucht = es schwächt, entkräftet, strengt übermäßig an. Seit dem ausgehenden 19. Jh ein beliebter Ausdruck bei Alpinisten, Soldaten, Schülern und Studenten.

4. es schlaucht ihn = es ärgert ihn. 1900 *ff.*

5. *intr* = aufs Schmarotzen ausgehen; Geld erbetteln. Meint entweder „sich den Bauch füllen" (↗Schlauch 7) oder ist weiterentwickelt aus der Bedeutung „plagen" zu „lästig fallen". 1910 *ff.*

6. *intr* = unerlaubt eine fremdsprachliche Übersetzung benutzen. ↗Schlauch 13. *Oberd* seit dem späten 19. Jh.

7. *intr* = trinken, zechen. ↗Schlauch 14. 1500 *ff.*

8. *intr* = wählerisch im Essen sein. Nebenform zu „schlucken, schlecken". 1900 *ff.*

9. *intr* = harnen. ↗Schlauch 8. 1900 *ff.*

schläuchen *tr intr* trinken, zechen. ↗Schlauch 14. 1930 *ff.*

Schlaucher *m* **1.** überstrenger, schikanöser Soldatenausbilder. ↗schlauchen 2. *Sold* 1935 bis heute.

2. Ausgeh-, Tuchhose. Sie hängt ohne Bügelfalte wie ein Schlauch. *BSD* 1965 *ff.*

3. Trinker, Trunksüchtiger. ↗Schlauch 14. 1900 *ff.*

Schlauche'rei *f* **1.** große Anstrengung; strenger Drill. ↗schlauchen 2. 1900 *ff.*

2. Zechgelage. ↗Schlauch 14. 1900 *ff.*

3. Bettelei; Schmarotzerbenehmen. ↗schlauchen 5. 1910 *ff.*

4. Übervorteilung; Abfordern übergebührlicher Preise. Aus „↗schlauchen 2" weiterentwickelt zur Bedeutung „überfordern". 1910 *ff.*

Schlaucherl *n* schlauer, verschlagener Mensch (auch *iron*). ↗Schlauch 15. *Bayr* und *österr* seit dem 19. Jh.

Schlauchhose *f* **1.** Hose mit engen Beinen. Schlauch = enge Röhre. Etwa seit 1820.
2. ungebügelte Hose. Ohne Bügelfalten hängen die Hosenbeine wie schlaffe Schläuche nieder. *Sold* in beiden Weltkriegen.

schlauchig *adj* **1.** wählerisch im Essen. ↗schlauchen 8. Seit dem 19. Jh.
2. enganliegend. *Vgl* das Folgende. 1960 *ff.*

Schlauchkleid *n* taillenloses Kleid. *Vgl* ↗Schlauch 5 a. 1957 *ff.*

Schlauchmaul *n* schlechter Esser; wählerischer Esser. ↗schlauchen 8. 1900 *ff.*

Schlauchmühle *f* Tonbandgerät. Schlauch = Tonband. *Halbw* 1955 *ff.*

Schläue *f* Schlauheit. Seit dem 19. Jh.

Schlauenschule *f* **1.** Hauptschule. 1960 *ff.*
2. Sonderschule *(iron).* 1960 *ff.*
3. Gymnasium. 1960 *ff.*

Schlauer *m* ein ganz ~ = ein besonders raffinierter Mann (auch *iron*). 1900 *ff.*

Schlaufuchs *m* schlauer, listiger Mensch. ↗Fuchs 13. Seit dem 19. Jh.

Schlaukopf *m* schlauer Mensch (auch *iron*). Seit dem 18. Jh.

Schlaumeier *m* schlauer, pfiffiger Mensch. Zu „Meier" *vgl* „↗Angstmeier". 1850 *ff.*

Schlaumeie'rei *f* Pfiffigkeit. 1900 *ff.*

Schlaumeiertum *n* pfiffige Lebensbewältigung. 1900 *ff.*

Schlaumichel *m* schlauer Mann. 1850 *ff.*

schlaunen *intr* **1.** schlafen. Kundensprachliche Nebenform zu „schlummern" seit dem späten 18. Jh.
2. eilen. Seit *mhd* Zeit. Im Schriftdeutschen noch in „schleunig" erhalten.
3. nachdrücklich zu Werke gehen; tatkräftig vorgehen. 1930 *ff.*

schläunen *refl* ↗schleunen.

Schla'wak *m* unordentlicher Mensch; Taugenichts. Geht zurück auf „Slowak". Im 19. Jh waren Arbeitnehmer und Landstreicher aus der Slowakei häufig in Deutschland. Seit dem 19. Jh.

Schla'winer *m* listiger, schlauer, verschlagener Mann; Taugenichts. Meint eigentlich den Slowenen oder Slawonier, d. h. Angehörige eines südslawischen Volks, dessen Siedlungsgebiet heute den Nordwesten Jugoslawiens sowie Teile Süd-Kärntens *(österr)* und Nordost-Italiens umfaßt. Die mit Mausefallen u. a. hausierenden Slowenen – wie übrigens auch die Slowaken – galten als listig und geschäftstüchtig. Etwa seit dem späten 19. Jh.

schla'winerisch *adj* listig, gewitzt. 1920 *ff.*

schlawinern *intr* müßiggehen; energielos werden. 1900 *ff.*

schlecht *adj adv* **1.** egal, wovon es einem ~ wird: Redewendung eines Viel- oder Allesessers; zustimmende Erwiderung auf das Angebot eines Schnapses o. ä. 1840 *ff.*
2. du bist wohl ~?: Frage an einen, der unsinnige Behauptungen aufstellt. „Schlecht" spielt auf den Gesundheitszustand an, hier auf Geisteskrankheit. 1900 *ff.*
3. danke, auch ~!: Erwiderung auf die Frage nach dem Befinden. Man setzt stillschweigend voraus, daß es dem Fragesteller schlecht geht. Die Frage ist meistens ebenso bloße Förmlichkeit wie die Antwort. 1945 *ff.*

Schlechtwetterhülse *f* Regen-, Loden-, Gummimantel. 1920 *ff.*

Schleck *m* **1.** Leckerbissen, Naschwerk. ↗schlekken. Seit *mhd* Zeit.
2. gutes Essen. Seit dem 19. Jh.
3. Berührung des Geschlechtsteils mit der Zunge. 1900 *ff.*
4. das ist kein ~ = das ist eine unangenehme Sache, eine schwierige Angelegenheit. *Südwestd* und *bayr* seit dem 19. Jh.

schlecken *tr* **1.** lecken, naschen; wählerisch essen; schlürfend essen. Durch ein Vorschlag-„s" erweitertes „lecken". Seit *mhd* Zeit, vorwiegend *südd*.
2. das Geschlechtsteil mit der Zunge berühren. 1900 *ff.*

Schlecker *m* **1.** Feinschmecker. ↗schlecken 1. 1500 *ff.*
2. Zunge. 1800 *ff.*
3. Berührung des Geschlechtsteils mit der Zunge. 1900 *ff.*

Schleckerbär *m* Bonbon. Es hat die Form eines kleinen Bären. 1960 *ff.*

Schleckerfritze *m* kußfreudiger Mann. 1920 *ff.*

Schleckerli *f* Leckerei; Speise-Eis o. ä. *Südwestd* 1900 *ff.*

Schleckermaul *n* Feinschmecker; Mensch, der gern Naschwerk verzehrt. 1700 *ff.*

schleckermäulig *adj* feinschmeckerisch. Seit dem 19. Jh.

Schleckermäuligkeit *f* Feinschmeckerei. Seit dem 19. Jh.

Schleckhafen *m* das ist kein ~ = das ist eine schwierige, mühselige Sache. Schleckhafen ist der Topf mit einer Leckerei. *Oberd* seit dem 19. Jh.

Schlecks *m* ↗Schlicks.

Schleef *m* **1.** Großwüchsiger. Eigentlich Bezeichnung für den langstieligen Löffel. *Niederd* 1700 *ff.*
2. Mann ohne gutes Benehmen. *Niederd* 1700 *ff.*

Schlegel *m* **1.** Prügel. Eigentlich der starke Hammer (Holzhammer, Schlägel). 1900 *ff.*
2. Penis. Eigentlich der Pflock, durch den der der Abzug eines Teichs geschlossen wird. *Oberd* 1900 *ff.*

Schlehberger *m* saurer Wein. Er schmeckt wie die Beere des Schlehenstrauches. 1900 *ff.*

Schlei *m* Schilling. Herleitung unbekannt. *Österr* 1950 *ff.*

Schleibift *m* Bleistift. Wortspielerische Buchstabenumstellung nach Schülerart. 1920 *ff.*

Schleich *m* **1.** Schleichhandel. 1600 *ff.*
2. Schleichhändler. 1920 *ff.*
3. Einschleichdiebstahl. 1920 *ff.*

Schleiche *f* **1.** heimtückische, verleumderische weibliche Person. Verkürzt aus „Blindschleiche" und irrtümlich mit der „↗Schlange" gleichgesetzt. 1900 *ff.*
2. heimliche Flucht; Aufsuchen eines Verstecks, um der Verhaftung o. ä. zu entgehen. *Sold* 1914 *ff.*
3. Schülerlist. Verwandt mit ↗Schlich. 1960 *ff.*
4. die große ~ = langsames Kolonnenfahren auf der Autobahn. 1981, Berlin.
5. auf ~ gehen (eine ~ machen) = einen Spähtrupp ausführen. *Sold* in beiden Weltkriegen.

schleichen *v* **1.** *intr* = Schleichhandel treiben. ↗Schleich 1. 1920 *ff.*
2. ~ mit hundert = a) übertrieben vorsichtig fahren. Stammt aus der Sicht des Autofahrers, der mit einer Geschwindigkeit von deutlich mehr als hundert Stundenkilometern fährt. Kraftfahrerspr. 1950 *ff.* – b) sehr schnell und rücksichtslos fahren. Ironie. Kraftfahrerspr. 1950 *ff.*
3. *refl* = weggehen. Man entfernt sich schleichend. Vorwiegend *südd* seit dem 19. Jh.
4. einen ~ lassen = einen Darmwind unhörbar abgehen lassen. Seit dem 19. Jh.

Schleicher *m* **1.** *pl* = Hausschuhe, Pantoffel. Auf ihnen geht man fast lautlos. Seit dem 19. Jh.
2. *pl* = Schuhe mit Gummi-, Filzsohlen o. ä. Seit dem späten 19. Jh.
3. *pl* = militärische Spezialschuhe mit Gummi- oder Kreppsohlen für nächtlichen Spähtrupp oder lautlose Annäherung an den Feind. *Sold* in beiden Weltkriegen.
4. *sg* = langsamer Tanz. *Halbw* 1955 *ff.*
5. *sg* = langsamer Autofahrer. 1930 *ff.*
6. *sg* = heimtückischer Mensch; Liebediener. Er geht lautlos umher wie ein Diener oder Dieb. Auf die Vokabel hat auch die Vorstellung von der Fortbewegung der Schlangen eingewirkt. 1700 *ff.*
7. *sg* = lautlos entweichender Darmwind. Seit dem 19. Jh.

Schleichfahren *n* verkehrsbehinderndes Langsamfahren mit dem Auto. Kraftfahrerspr. 1950 *ff.*

Schleichgang *m* den ~ eingeschaltet haben = langsam, gemächlich arbeiten. Aus dem Marinedeutsch entlehnt. 1960 *ff*, kellnerspr.

Schleichpatrouille *f* **1.** behutsame Suche nach Ungeziefer. Eigentlich die Truppenabteilung, die durch Anschleichen die feindlichen Stellungen erkunden soll. *Sold* 1914 *ff.*
2. Nachtschwester. Auf leisen Sohlen taucht sie unerwartet im Krankensaal auf. *Sold* 1914 *ff.*
3. leise und vorsichtige nächtliche Heimkehr des Ehemannes. 1915 *ff.*

Ein **Schleckermaul**, *das diesen Namen wirklich verdient, wird sich in den seltensten Fällen mit einer Briefmarke, die ja auch solch schleckermäuliger Behandlung bedarf, zufrieden geben. Ihm steht der Sinn nach anderem (vgl.* **schlecken 1.–3.** *und* **Schlekker 1.–3.**), *wobei allerdings bezweifelt werden muß, ob ausgerechnet ein* **Schleckerbär** *das richtige* **Schleckerli** *für einen* **Schleckerfritz** *ist.*

4. aufsichtführende Lehrperson. 1920 *ff.*
5. abendlicher Rundgang durch den Quartiersort auf Suche nach weiblichem Anschluß. *Sold* 1939 *ff.*

Schleichrowdy (Grundwort *engl* ausgesprochen) *m* Langsamfahrer. ↗Rowdy. Die langsame Fahrweise wird ihm als Flegelhaftigkeit ausgelegt. Kraftfahrerspr. 1950 *ff.*

Schleich-Urlaub *m* amtlich geduldete Dienstbefreiung um Weihnachten und Neujahr. 1965 *ff.*

Schleichwerbung *f* Nennung von Firmen- und/ oder Markennamen im Rundfunk- oder Fernsehprogramm außerhalb der bezahlten Werbezeiten, im redaktionellen Teil von Presseerzeugnissen. Wortprägung von Schriftleiter Eduard Rhein 1955.

Schleichwurm *m* Kleinbahn. 1900 *ff.*

Schleier *m* es ist mir ~ (mir ist ~) = es ist mir unverständlich. Man hat einen Schleier vor den Augen und kann nur unklar sehen. *Österr*, spätestens seit 1900.

Schleier-Bibi *m* kleiner Damenhut mit Schleier. ↗Bibi. 1975 *ff.*

Schleierblick *m* Blick unter den ins Gesicht gekämmten Haaren hindurch. 1955 *ff.*

*Die auf dem Foto oben abgebildete Dame ist eine Schleiereule nur ihres Hutschleiers wegen (**Schleiereule 3.**, vgl. **Schleierkäfig**); und anders als bei den übrigen Bedeutungen dieser Vokabel liegt hier die Betonung auf Schleier und nicht auf Eule. Diesem Tier werden im wesentlichen zwei Eigenschaften zugesprochen, zum einen daß es des Nachts auf Beutefang geht und tagsüber vermeintlich kaum etwas sieht, zum zweiten, daß sein Gesichtsausdruck oft streng und abweisend, unschön wirken kann. Dementsprechend bezeichnet Schleiereule umgangssprachlich einen kurzsichtigen, etwas dümmlichen oder häßlichen Menschen sowie einen, der Leuten nachstellt, die aus gutem Grund das Licht scheuen (**Schleiereule 5.**).*

Schleiereule *f* **1.** Kurzsichtiger. Beruht auf der vermeintlichen Tagblindheit der Eule. Spätestens seit 1900.

2. begriffsstutziger Mensch. Vom Vorhergehenden weiterentwickelt in geistiger Richtung. Oder der Betreffende hat einen Schleier vor dem geistigen Auge. 1910 *ff*.

3. Frau mit Hutschleier. 1900 *ff*.

4. unansehnliche weibliche Person; liederliche Frau. Sie ist lichtscheu und/oder hat einen verschleierten Blick. 1500 *ff*.

5. Polizeibeamter. Er geht nachts auf Streife. ↗Eule. Seit dem 19. Jh.

6. langsam tätige Frau. 1920 *ff*.

7. mürrischer, barscher Mensch. Den Gesichtsausdruck der Eule deutet man als streng, abweisend und unzugänglich. 1920 *ff*.

8. Frau mit Lidschatten. 1975 *ff*.

schleierhaft *adj präd* rätselhaft, unklar, unverständlich. Das Gemeinte ist wie mit einem Schleier verhangen. Gegen 1850 in Studentenkreisen aufgekommen.

Schleierkäfig *m* Damenhut mit Gesichtsschleier. Mit dem „New Look" 1947 wiederaufgelebt.

Schleif *m* beschwerliche, weite Strecke. Meint die abwärts geneigte Fläche, die Gleitbahn, auf der man beispielsweise Holz talwärts befördern kann. In umgekehrter Richtung ist es ein beschwerlicher Anstieg. Seit dem 19. Jh.

Schleifacker *m* Exerzierplatz, Truppenübungsplatz. ↗schleifen 1. *Sold* seit dem frühen 20. Jh bis heute.

Schleife *f* **1.** Handfessel. Formähnlich mit der Schleife über einem Knoten. 1920 *ff*.

2. Umweg; Eigenmächtigkeit; unerlaubte Handlung; Ablenkungsversuch. Meint vom Bild der Windung oder Kehre einer Straße her ein Vorgehen, das nicht geradeaus führt, in übertragener Bedeutung also „↗krumm" verläuft. 1910 *ff*.

3. eine ~ machen = a) eine Dienstreise unerlaubt unterbrechen; wegen einer privaten Erledigung einen Umweg wählen. 1910 *ff*. – b) sich dem Dienst, der Verantwortung entziehen. *Sold* 1935 *ff*. – c) entweichen. 1920 *ff*.

Schleifeisen *pl* Schlittschuhe. Übernommen von der Bezeichnung für die Pflugsohle. *Oberd* seit dem 19. Jh.

schleifen *v* **1.** *tr* = jn zu gesittetem Betragen erziehen; jn scharf einexerzieren; einen Lehrling streng ausbilden; jn zu Ordnung, Zucht, Pflichtbewußtsein u. ä. erziehen. Schleifen = Unebenheiten beseitigen, eine glatte Fläche herstellen. In Frankreich ist der Höfliche „poli". Bei der Freisprechung der Handwerkslehrlinge oder bei der Gesellentaufe wurde den Anwärtern die Untugend mit den verschiedensten Werkzeugen scherzhaft ausgetrieben, wozu man – auch in Studentenkreisen – Scheren, Messer, Feilen usw. benutzte. Die für das 18. Jh im *ziv* Bereich bezeugte Voka-

bel gelangte in der zweiten Hälfte des 19. Jhs in den *milit* Bereich. Wie gängig der Ausdruck ist, ergibt sich aus den folgenden Erweiterungen:

2. jn ~, daß die Blümchen weinen (daß das Blut in den Stiefeln steht; bis ihm der Dampf aus allen Knopflöchern fährt; daß ihm das Wasser im Hintern kocht; daß ihm das Kaffeewasser im Arsch kocht; bis der Schweiß wie Kaffee in der Arschkerbe runterläuft; bis ihm der Schwanz nach hinten steht; daß ihm der Arsch tropft usw.) = jn sehr streng, rücksichtslos, roh, schikanös drillen. Die Wendung „daß die Blümchen weinen" geht zurück auf „Das Buch der Lieder" von Heinrich Heine (Lyrisches Intermezzo): „Und wüßten's die Blumen, die kleinen, / Wie tief verwundet mein Herz, / Sie würden mit mir weinen, / Zu heilen meinen Schmerz." Die vorgenannten Wendungen stammen aus der Zeit von 1900 bis 1945.

3. jn ~ = jn unter Mühen zu etw führen, bringen; jn heimbegleiten. Die betreffende Person sträubt sich und läßt die Füße über den Boden schleifen, oder es handelt sich um einen Betrunkenen, der sich allein nicht mehr auf den Beinen halten kann. Seit dem frühen 19. Jh.

4. etw ~ = etw mühsam schleppen. Seit dem 19. Jh.

5. jn ~ = jn verhaften. ↗Schleife 1. 1920 *ff*.

6. eine Sache geht ~ = eine Sache scheitert. Hier meint „schleifen" soviel wie „abwärtsgleiten". 1900 *ff*.

7. etw ~ lassen = etw ohne Energie betreiben; in eine bedenkliche Entwicklung nicht eingreifen; eine Sache vorerst nicht weiter berücksichtigen. Hergenommen von den Zügeln, die Reiter oder Kutscher nicht straff halten. 1900 *ff*.

8. sich ~ lassen = den (moralischen) Halt verlieren. 1900 *ff*.

Schleifer *m* **1.** (strenger, schikanöser) Soldatenausbilder. ↗schleifen 1. *Sold* 1900 bis heute.

2. strenger Lehrer. 1950 *ff*.

3. Trainer, der mit seinen Leuten streng verfährt. *Sportl* 1950 *ff*.

4. Mensch, dem nicht zu trauen ist. Hergenommen vom Scherenschleifer, der in keinem hohen Ansehen stand. 1900 *ff*.

5. altes Fahrrad. Die Kette schleift am Kettenschutz, der Reifen am Schutzblech, das verbeulte Rad an der Gabel, usw. Oder die Räder sind nicht mehr zu gebrauchen, und der Rahmen eignet sich nur noch als Antriebsgerät der Schleifscheibe des Scherenschleifers. 1935 *ff*, *jug*.

6. altes Auto. Analog zu ↗Schlitten. 1950 *ff*.

Schleiferei *f* Exerzier-, Formaldienst. *Sold* 1900 bis heute.

Schleiferplatz *m* Exerzierplatz, Kasernenhof o. ä. ↗Schleifer 1. *BSD* 1965 *ff*.

Schleifgelände *n* Truppenübungsplatz. *BSD* 1965 *ff*.

Schleifhengst *m* strenger Rekrutenausbilder; Jugendwanderleiter. ↗Hengst. *Sold* und *jug* 1935 *ff*.

Schleiflack *m* gesamte Ausrüstungsgegenstände des Soldaten. Eigentlich der Lack, der nach dem Trocknen geschliffen wird, damit der Überzugslack eine glatte Fläche erhält; hier Anspielung auf das glänzende Äußere. *Sold* 1935 *ff*.

Schleifmaschine *f* rücksichtsloser Soldatenausbilder. Er ist gefühllos wie eine Maschine und betreibt Serienfabrikation. 1910 *ff*.

Schleifmühle *f* 1. strenger Drill; Kasernengelände; militärische Einheit, in der übermäßig gedrillt wird. *Sold* 1900 *ff*.
2. Gymnasium mit strenger Zucht. 1535 für Zwickau bezeugt.

Schleifplatz *m* Kasernenhof, Truppenübungsplatz u. ä. *BSD* 1965 *ff*.

Schleifpiste *f* Ausbildungsgelände. *BSD* 1965 *ff*.

Schleifprogramm *n* Exerzierplan. *BSD* 1955 *ff*.

Schleifscheibe *f* Kasernenhof. Eigentlich die Scheibe, mit der geglättet wird, der rundlaufende Schleifstein. *BSD* 1960 *ff*.

Schleifschule *f* Kasenenhof, Manöver(gelände). 1900 *ff*.

Schleifschuppen *m* Exerzierhalle. 1920 *ff*.

Schleifspur *f* 1. eine ~ hinterlassen = eine unerwünschte Nachwirkung verursachen. „Schleifspur" nennt man die Spur eines Körpers, der über den Boden geschleift wurde: sie verrät die Wegstrecke von Anfang bis Ende. 1965 *ff*.
2. eine ~ legen = würdelos liebedienern. Man entfernt sich mit so tiefer Verbeugung, daß auf dem Boden eine Schleifspur verbleibt. *BSD* 1965 *ff*.

Schleifstein *m* 1. Exerzierplatz o. ä. Eigentlich der Wetzstein. *Sold* 1870 *ff*.
2. Soldatenausbilder. 1900 *ff*.
3. Motorrad. Hängt wohl zusammen mit der gekrümmten Haltung, in der man auf dem Motorrad sitzt „wie der ↗Affe auf dem Schleifstein". *Österr* 1930 *ff*.
4. Vulva, Vagina. Anspielung auf die Hin- und Herbewegung beim Geschlechtsakt. 1900 *ff*.
5. Prostituierte. 1930 *ff*.

Schleifsteinwasser *n* 1. saurer Wein. Das Spül- und Kühlwasser des Schleifsteins ist ungenießbar. In *dt* und *österr* Weinbaugebieten geläufig, etwa seit 1900.
2. beim Exerzierdienst vergossener Schweiß. ↗Schleifstein 1. 1910 *ff*.

Schleifstunde *f* Exerzierdienst. *Sold* 1935 *ff*.

Schleifwerkstätte *f* Turnhalle. 1950 *ff*, *schül*.

Schleifzeit *f* militärische Ausbildungszeit. 1935 *ff*.

Schleifzone *f* Kasernengelände. *BSD* 1965 *ff*.

Schleim *m* auf jn ~ haben = auf jn wütend sein. Der Zornige hat Schleim (= Schaum) vor dem Mund. *Oberd* und *westmitteld* seit dem 19. Jh.

schleimen *v* 1. *intr* = liebedienern; sich anpassen; mit möglichst geringem Aufwand möglichst gute Zensuren anstreben. Fußt auf dem Bild von der

auf ihrem Schleim kriechenden Schnecke. In übertragener Bedeutung ist Schleim das Sinnbild der bedenkenlosen und würdelosen Anpassungsfähigkeit. 1900 *ff*.
2. *intr* = salbungsvoll reden. Wie Schleim sondert der Redner seine Worte ab, und sie kommen langsam und langgedehnt hervor. 1910 *ff*.
3. *intr* = koitieren. Schleim = Sperma. 1930 *ff*.
4. *refl* = sich ärgern. ↗Schleim. Seit dem 19. Jh.

Schleimer *m* 1. würdeloser Liebediener. ↗schleimen 1. 1900 *ff*.
2. Mann, der salbungsvoll, aber substanzlos redet. ↗schleimen 2. 1920 *ff*.

Schleimi *m* 1. widerlicher Schmeichler. ↗schleimen 1. *Halbw* 1950 *ff*.
2. Klassensprecher, -bester. 1960 *ff*.

schleimig *adj* würdelos liebedienerisch; charakterlich geschmeidig. ↗schleimen 1. 1900 *ff*.

Schleimlecker *m* würdelos Ergebener; anpassungsfähiger Nützlichkeitsmensch. ↗schleimen 1. 1910 *ff*.

Schleimling *m* Mann, der sich um das Wohlwollen der Vorgesetzten würdelos bemüht. *BSD* 1965 *ff*.

Schleimpumper *m* Opportunist. ↗pumpen = einen Darmwind entweichen lassen. Selbst bei diesem Vorgang produziert der Betreffende Schleim. 1950 *ff*.

schleimscheißen *intr* sich einschmeicheln. *Vgl* das Folgende. 1900 *ff*.

Schleimscheißer *m* 1. Liebediener; Mann mit salbungsvoller Rednergabe; Feigling. Der Betreffende ist dermaßen schleimig, daß er sogar auf dem Abort nur Schleimiges zu Tage fördert. *Vgl* ↗schleimen 1. 1900 *ff*.
2. ängstlicher, energieloser Mann; Feigling. 1914 *ff*.
3. jugendlicher ~ = jugendlicher Liebhaber. Theaterspr. 1900 *ff*.

schleimscheißerisch *adj* liebedienerisch. 1900 *ff*.

Schleimschule *f* Heimschule. Hieraus umgewandelt unter Anspielung auf „Schleim = salbungsvolle Redeweise" oder auf die zahlreichen Schleimsuppen. 1950 *ff*.

schleißig *adj* 1. zerlumpt, abgetragen, verkommen. Gehört zu „verschleißen". Seit dem 19. Jh.
2. schlecht, unerfreulich, höchst bedenklich; anrüchig; ablehnenswert. Zerlumptes ist unansehnlich und widerwärtig. *Österr* seit dem 19. Jh.

Schle'mihl *m* 1. Mensch, dem nichts gelingt. Fußt auf *hebr* „Shê-lô-mô-il = der nichts taugt; Pechvogel". Bekannt durch „Peter Schlemihls wundersame Geschichte" von Adelbert von Chamisso (1814): der Mensch ohne Schatten ist sinngemäß nur ein „halber Mensch." Kundenspr. seit dem frühen 19. Jh.
2. pfiffiger Mensch. *Vgl* das Vorhergehende: „Peter Schlemihl" gelang es, seinen Schatten zu verkaufen. Seit dem 19. Jh.

Schlemm *m* gutes, reichliches Essen. Stammt aus „schlemmen". Kundenspr. 1930 *ff.*

Schlemmer-Expreß *m* Großküchenfahrzeug. 1950 *ff.*

Schlemmerwelle *f* steigendes Interesse der Wohlstandsgesellschaft an Schlemmereien, Feinkost u. ä. ↗Welle. 1965 *ff.*

Schlempe *f* dünner Kaffeeaufguß. Nebenform von ↗Schlampe 3. Seit dem 19. Jh.

'Schlendrian *m* **1.** gedankenlos ausgeübte Tätigkeit; altgewohnte Lässigkeit; langsamer, schleppender Geschäftsgang. Zusammengewachsen aus „schlendern" und „Jan = Reihe gemähten Grases; Arbeitsgang". Seit dem späten 17. Jh. **2.** saumselig tätiger Arbeiter. Hier ist die Endung aufgefaßt als Kurzform des männlichen Vornamens Johann. Also eigentlich „Schlender-Jan". Seit dem ausgehenden 18. Jh. **3.** Arbeitsscheuer; müßiggängerischer Lebenskünstler. 1920 *ff.*

Schlendrigkeit *f* nachlässige Handlungsweise. 1950 *ff.*

schlenken *tr* **1.** jn entlassen. Gehört zu „schlingen" in der Bedeutung „schwenken, schleudern". *Bayr* seit dem 19. Jh. **2.** jn übervorteilen, betrügen. Leitet sich wahrscheinlich vom Kaufmann her, der „Schleuderware" als hochwertige Ware absetzt. *Bayr* seit dem ausgehenden 19. Jh.

Schlenker *m* **1.** kurzer Spaziergang. Fußt auf „schlenkern = die Gliedmaßen hin- und herbewegen". Seit dem 19. Jh. **2.** Umweg, Abstecher. 1930 *ff.* **3.** Straßenbiegung. 1950 *ff.* **4.** Abweichung vom Üblichen und Gewohnten; Abschweifung; Neuerung; Reform. 1950 *ff.* **5.** unmißverständlicher Wink; knappe Hand-, Kopfbewegung; deutlich vorgetragene Nutzanwendung. 1900 *ff.* **6.** Fehler aus Nachlässigkeit; Unachtsamkeit. Spielt an auf ungelenke Bewegungen. 1800 *ff.*

Schlenkerbuxe *f* Hose mit weitem Bund. Sie hat viel Spielraum. 1900 *ff.*

Schlenkerer *m* (unerigierter) Penis. Kundenspr. 1900 *ff.*

Schlenkerjan *m* Mann, der mit Armen und Beinen schlenkert. Seit dem 19. Jh.

schlenkern *intr* (sich) hin- und herbewegen; schlendern. Seit dem 16. Jh.

Schlenkerpreis *m* Schleuderpreis. Schlenkern = schleudern. 1960 *ff.*

Schlenkertempo *n* Lebensweise ohne Hast. 1950 *ff.*

Schlenz *m* Faulenzer, Müßiggänger, Nichtsnutz. *Vgl* das Folgende. Vorwiegend *oberd* und *westmitteld.* 1900 *ff.*

schlenzen *v* **1.** *intr* = schlendern; müßiggehen; nichts arbeiten. *Hd* Entsprechung zu *mitteld* und *nordd* „schlendern". Seit dem 17. Jh.

2. *tr* = schleudern. Im Sinne von „schwingen machen; hin- und herschleudern". *Bayr* und *schwäb,* 1800 *ff.* **3.** *tr* = jn übervorteilen. ↗schlenken 2. Seit dem 19. Jh, *bayr.* **4.** *intr tr* = in der Schule täuschen. *Bayr* 1920 *ff.* **5.** den Fußball ~ = den von rückwärts kommenden Ball ohne ganze Körperdrehung aufnehmen und unter schwacher Richtungsänderung weitergeben. *Sportl* 1950 *ff.*

Schlenzer *m* Müßiggänger. Seit dem 18. Jh, *bayr.*

Schlepp *m* **1.** Anhang, Gefolge, Begleitung. Stammt aus der Binnenschiffersprache: Schlepp = Schlepptau, Schleppzug. „Im Schlepp" fährt der Lastkahn ohne eigene Antriebskraft. Seit dem 19. Jh. **2.** jn im ~ haben (jn am ~ hängen haben) = durch jn behindert sein; ständig von jm begleitet sein. Seit dem 19. Jh. **3.** jn in ~ nehmen = jn mitnehmen; bei jm einhaken. Seit dem 19. Jh.

Schleppdampfer *m* bejahrte Prostituierte. Sie ist eine Art „↗Schraubendampfer" und „schleppt" die Kunden auf ihr Zimmer. *Vgl* ↗abschleppen 1. 1920 *ff.*

Schleppe *f* **1.** Gefolge; Gesamtheit von Pressefotografen, die einer bestimmten Persönlichkeit des öffentlichen Lebens auf Schritt und Tritt folgen. Sie ähneln dem auf dem Fußboden nachschleifenden Teil eines Kleids. *Vgl* ↗Schlepp 1. 1930 *ff.* **2.** liederliche Frau. Sie dient als Zubringerin zu anrüchigen Lokalen. *Vgl* ↗Abschleppe. Seit dem 18. Jh. **3.** Penis. Als „Anhängsel" aufgefaßt. Seit dem 19. Jh. **3 a.** Ausdehnung einer Nachmittagsgesellschaft bis in die späten Abendstunden. 1920 *ff.* **4.** jm auf die ~ treten = jn empfindlich kränken; jn herausfordern. Analog zu „jm auf den ↗Schwanz treten". Seit dem 19. Jh. **5.** tritt dir nur nicht auf die ~! = tu nicht so übereifrig! sei nicht so albern-geziert! 1900 *ff.*

schleppen *v* **1.** sich mit was ~ = schwanger sein. Seit dem 19. Jh. **2.** sich miteinander ~ = ein Liebespaar sein. 1870 *ff.* **3.** *intr tr* = den Prostituierten, Falschspielern usw. Kunden (Opfer) zuführen. *Rotw* 1847 *ff.* **4.** jn ~ = jn führen, aus Freundschaft oder Gefälligkeit mitnehmen. Seit dem 19. Jh. **5.** jn ~ = jn geschlechtlich verführen (von einer Prostituierten gesagt). Eigentlich soviel wie „mühsam (ins Zimmer, aufs Bett) tragen"; doch ergibt sich auch Zusammenhang mit „↗Schleppe 3". 1950 *ff.* **6.** jn ~ = jn veralbern; mit jm seinen Spott treiben. Hergenommen vom kleinen Kind, das man auf dem Arm trägt. Parallel zu „jn auf den ↗Arm nehmen". 1950 *ff, österr.*

Schleppenträger *m* **1.** unterwürfiger Schmeichler. ↗Schleppe 1. Seit dem 19. Jh.
2. untergeordneter Begleiter einer hochgestellten Persönlichkeit. 1900 *ff. Vgl franz* „porte-queue".
Schlepper *m* **1.** Zubringer zu Falschspielern, Prostituierten u. ä. ↗schleppen 3. *Rotw* 1840 *ff.*
2. Zubringer zu Abtreibungsärzten u. ä. 1960 *ff.*
3. Mann, der vorgeblich sehr billige Händler kennt und Kauflustige wirbt. 1950 *ff.*
4. Aufkäufer von Antiquitäten. 1950 *ff.*
5. Fremdenführer. Er zieht die „Schleppe" (↗Schleppe 1) der Besucher hinter sich her. 1930 *ff.*
6. Klassenbester. Die Kameraden halten ihn wohl für einen „↗Schleppenträger", oder er zieht sie hinter sich her. 1955 *ff.*
7. Kellner. 1930 *ff.*
8. Einschleuser illegal einreisender Ausländer. 1967 *ff.*
Schlepperin *f* Zubringerin zu anrüchigen Lokalen, zu Falschspielern usw. ↗schleppen 3. Seit dem 19. Jh.
Schleppheimer *m* Dieb. Er schleppt die Beute heim. 1900 *ff.*
Schleppkoffer *m* schlechteste Note. Der Schüler hat an ihr schwer zu tragen. *Vgl* ↗Koffer 12. 1960 *ff, schül.*
Schleppsack *m* **1.** Frau, die der Mann überallhin mitnehmen muß; Mensch als lästiger Begleiter, der sich nicht abweisen läßt. An dieser Last schleppt man schwer. Seit dem 19. Jh.
2. Kind, das immer an der Hand geführt oder getragen sein will. Seit dem 19. Jh.
3. Aktenträger; Amtsbote. 1920 *ff.*
Schlepptau *n* **1.** in jds ~ geraten = in jds Abhängigkeit geraten; jds bestimmendem Einfluß unterliegen. Stammt aus der Schiffersprache: der Kahn ohne eigene Antriebskraft wird von einem Dampfer (o. ä.) an einem Tau gezogen. *Vgl* ↗Schlepp 1. Seit dem 19. Jh.
2. jn ins ~ nehmen = jn zu einem Unternehmen zulassen; für einen Schwächeren sorgen. Seit dem 18. Jh.
schlesisch *adv* ~ gucken (jn ~ angucken) = mißtrauisch, unaufrichtig, heimtückisch blicken. Der Ausdruck, der angeblich als schwere Beleidigung gilt, stammt aus der Zeit der preußischen Eroberung Schlesiens: die österreichischen Schlesier waren gegenüber den neuen Herren äußerst mißtrauisch und argwöhnisch. 1840 *ff.*
Schleuder *f* **1.** Flugabwehrgeschütz. *Sold* 1939 bis heute.
2. Gewehr. *BSD* 1960 *ff.*
3. Fernschnellzug; Trans-Europ-Express. Wahrscheinlich beeinflußt von der Startschleuder in der Fliegerei. 1955 *ff.*
4. schnelles Auto. *Halbw* 1955 *ff.*
5. Kraftrad. *BSD* 1960 *ff.*
Schleuderbusen *m* schlaffe Frauenbrüste. 1950 *ff.*

Bei traditionell ausgerichteten Hochzeiten pflegt die Braut einen Schleier zu tragen. Und selbst wenn dieser Brautschmuck den Boden berühren sollte, wäre es hier nicht angebracht, von einer Schleppe zu reden, denn dies könnte bestimmte Assoziationen hervorrufen (vgl. **Schleppe 2., schleppen 1.**)*, und so mancher könnte glauben, daß man ihm auf die Schleppe treten wolle (vgl.* **Schleppe 4.**)*.*

Schleudergefahr *f* bei ihr ist ~ = sie besitzt ausgeprägte Körperformen. Der Kraftfahrersprache entlehnt mit Anspielung auf die hin- und herschwingenden Körperteile. *Halbw* 1955 *ff.*
Schleuderhaufen *m* militärische Einheit ohne Zucht und Ordnung. Schleudern = schlenkern. Anspielung auf lässige Bewegung der Gliedmaßen. *BSD* 1965 *ff.*
Schleuderhonig *m* Sperma. Ejakulieren = schleudern. 1955 *ff.*
Schleuderkarre (-karren) *f (m)* Wohnwagen. Er schleudert hin und her. 1955 *ff.*
schleudern *v* **1.** *tr intr* = essen. Mit einem Schwung wird das Essen in den Mund geworfen. *BSD* 1965 *ff.*
2. *intr* = koitieren. *Vgl* ↗Schleuderhonig. 1955 *ff.*
3. sich einen ~ = onanieren. 1955 *ff.*
Schleudern *n* **1.** das große ~ bekommen = Angst bekommen. Die unerwartete Schleuderbewegung des Kraftfahrzeugs löst leicht einen Angstzustand aus. 1950 *ff.*
2. ins ~ kommen (geraten) = a) in eine Krise oder Notlage geraten. 1950 *ff.* – b) vor lauter Ar-

beitsanfall die Übersicht verlieren. *BSD* 1965 *ff.* – c) unsicher, ratlos werden. 1960 *ff.*

Schleudersitz *m* **1.** von Entlassung (Verdrängung) bedrohter Dienstposten. Hergenommen vom katapultierbaren Pilotensitz. 1965 *ff.* **2.** auf dem ~ sitzen = jederzeit mit (plötzlicher) Entlassung rechnen müssen. 1965 *ff.*

Schleudertuch *n* Trampolin. 1960 *ff.*

schleunen (schläunen) *refl* sich beeilen. ↗schlaunen 2. Seit *mhd* Zeit. Heute vorwiegend *bayr* und *österr.*

Schleuse *f* **1.** Kupplerin; Frau, die Zimmer stundenweise vermietet; Prostituierte. Eigentlich die Vorrichtung zur Regulierung des Wasserstands eines Wasserlaufs. *Vgl* ↗Schleusenkammer. 1900 *ff.* **2.** militärärztliche Untersuchung. Vom Verkehrswasserbau übertragen zur Vorstellung der unumgänglichen Kontrollstelle. 1939 *ff, sold.*

schleusen *tr* jn einer Überprüfung unterwerfen; jn einem Prüfverfahren unterziehen. In der NS-Zeit aufgekommen, allgemein geläufig seit 1945 mit den Maßnahmen zur Überprüfung der politischen Vergangenheit.

Schleusendeckel *m* Fünfmarkstück. ↗Kanaldeckel 2. 1900 *ff, prost.*

Schleusengatter *n* Schamlippen, -haare. 1900 *ff.*

Schleusenkammer *f* Vagina. 1900 *ff.*

Schleusentor *n* **1.** Mund. Der Schwätzer öffnet die Schleuse seiner Redeflut, seinem Wortschwall. *Marinespr* in beiden Weltkriegen. **2.** Vulva. 1900 *ff.*

Schleuser *m* Organisator der illegalen Einwanderung von arbeitsuchenden Ausländern. 1960 *ff.*

Schlich *m* **1.** Heimlichkeit; heimliches Unternehmen; Hinterhältigkeit. Eigentlich die Fährte des Wilds, dann auch der Schleichweg. Seit *mhd* Zeit. **2.** fauler ~ = Täuschung, Betrug, List; üble Handlungsweise. 1920 *ff.* **3.** alle ~e kennen = in allen Kunstgriffen und Ungesetzlichkeiten bewandert sein. 1700 *ff.* **4.** jm auf die ~e kommen (hinter jds ~e kommen) = jds heimliche Absichten und Machenschaften erkennen. 1700 *ff.* **5.** einen ~ machen = heimlich mit einem Mädchen ausgehen. *Halbw* 1950 *ff.*

schlicht *adv* ~ und doch so ergreifend = **1.** schwülstig, effekthascherisch *(iron)*. Hergenommen vom Urteil über eine Ansprache, Predigt, Grabrede usw. 1920 *ff.* **2.** unumwunden; offen gesagt. 1920 *ff.*

Schlichte *f* auf die ~ = ohne großen Aufwand; mit wenig Geld; sparsam (wir haben auf die Schlichte geheiratet). Hinter „schlichte" ergänze „Tour" o. ä. 1945 *ff.*

schlichten *tr* etw aufschichten. Meint eigentlich „glatt machen"; weiterentwickelt zur Bedeutung „in die gehörige Ordnung bringen'" *Bayr* und *österr,* seit dem 19. Jh.

Schlick *m* **1.** Pudding. Eigentlich der naß-klebrige Schlamm, Morast u. ä. 1900 *ff, sold.* **2.** Schleimsuppe; leichte Lazarettkost; Diätkost für Magenkranke. 1900 *ff, sold.*

Schlickrutscher *m* **1.** Schiff *(abf).* Eigentlich der Kahn mit plattem Boden. Das Schiff wird nur in der Nähe der Küste und im Hafendienst verwendet. *Marinespr* 1900 *ff.* **2.** Unterseeboot. ↗Schlammkreuzer. *BSD* 1965 *ff.* **3.** Landungsboot. *Marinespr* 1940 bis heute. **4.** Marineangehöriger. *BSD* 1965 *ff.*

Schlicks (Schlecks) *m* Schluckauf. *Rhein* und west-*mitteld* Nebenform zu „Schlucken". Seit dem 19. Jh.

schlicksen *intr* den Schluckauf haben. Seit dem 19. Jh.

Schlickser *m* Schluckauf. Seit dem 19. Jh, *rhein* und west-*mitteld.*

Schlicktown (Grundwort *engl* ausgesprochen) *n* Wilhelmshaven. Auch „Schlicktau" geschrieben. Anspielung auf den Schlickgrund des Hafens. *Marinespr* 1900 bis heute.

Schliefel *m* Heimtückischer; widerwärtiger, lästiger Mensch. *Vgl* das Folgende. *Bayr* und *österr,* 1500 *ff.*

schliefeln *intr* **1.** umherstreunen. Nebenform von *hd* „schleifen = schlendern, müßiggehen". Man schleift die Füße, d. h. man zieht sie nach. *Bayr* und *österr,* 1500 *ff.* **2.** heimtückisch handeln; unverschämt sein. *Bayr* und *österr,* 1500 *ff.*

Schlieferl *m n* **1.** Nichtstuer; verkommener Bursche; Zuhälter. *Bayr* und *österr* seit dem 19. Jh; wohl älter. **2.** Schmeichler, Liebediener, Frauenbetörer. *Bayr* und *österr* seit dem 19. Jh.

Schlieffen-Pimpf *m* Angehöriger des Generalstabs; Teilnehmer am Generalstabs-Lehrgang. Benannt nach Alfred Graf v. Schlieffen, dem preußischen Generalstabschef von 1891 bis 1906. ↗Pimpf 1. *Sold* 1935 bis heute.

Schliekenfänger *m* gewitzter Mensch; hinterhältiger Mann. *Niederd* „Schlieke = Blindschleiche, Schlange". Seit dem 19. Jh, *rhein* und *westf.*

schlierig *adj* gedämpft, gedeckt (von der Stimme gesagt). „Schliere" ist die schleimige, zähe Masse. *Nordd* und *ostmitteld* seit dem 19. Jh.

Schließblech *n* Regelbinde. Eigentlich Bezeichnung für den Keuschheitsgürtel. 1900 *ff.*

schließen *v* von sich auf andere ~ = die Menschen für heimtückisch, selbstsüchtig usw. halten. 1900 *ff.*

Schließfach *n* Gefängniszelle. Eigentlich das verschließbare Fach (Bank, Post). 1970 *ff.*

schließlicherweise *adv* schließlich. 1900 *ff.*

Schließmuskel *m* Mister ~ = ängstlicher Mann. Bei großer Angst kann leicht die Kontrolle über den Schließmuskel des Afters versagen. *BSD* 1960 *ff.*

Schließmuskeldruck *m* Stuhldrang. *BSD* 1960 *ff.*

Schliff *m* **1.** Drill. ↗schleifen 1. 1900 bis heute.

2. ~ haben = gute Umgangsformen besitzen. Seit dem 19. Jh.

schlimm *adj* **1.** krank, schmerzend (der schlimme Finger). Von „übel, schlecht, böse" eingeschränkt auf den Begriff „krank". Seit dem 19. Jh.

2. für ~ beischmeißen = mit einer schlechten Karte bedienen. Kartenspielerspr. 1900 *ff.*

3. ~ auf etw sein (~ hinter etw sein) = begierig nach etw verlangen. Berlin 1850 *ff.*

4. das ist nicht ~ = das ist kein großer Nachteil; das ist unbedeutend. Seit dem 19. Jh.

5. das ist nur halb so ~ = das ist ungefährlich, unbedeutend. Seit dem 19. Jh.

Schlimme *f* übermütige, mutwillige weibliche Person. Der Ausdruck hat die Geltung einer gemütlichen Schelte. 1910 *ff.*

Schlimme'augensuppe *f* Fleischbrühe. Das „schlimme Auge" ist entzündet, triefend und blutunterlaufen. *BSD* 1965 *ff.*

Schlimme'augenwurst *f* Blutwurst mit Speckstückchen; Jagdwurst. Die weißen Speckgrieben in der braunroten Wurstmasse lassen an ein „schlimmes Auge" denken. Seit dem ausgehenden 19. Jh, *sold* bis heute.

Schlimmer *m* Frauenschmeichler (scherzhaft). Etwa seit 1850.

Schlimmes *n* immer wieder rauf aufs Schlimme! = ein Unglück kommt selten allein; stets dieselbe Widerwärtigkeit. Übertragen von der schmerzenden Berührung einer körperlichen Wunde. Berlin 1900 *ff.*

Schlindebips *m* Selbstbinder. Verdreht aus „Bindeschlips". *Jug* 1920 *ff.*

Schlingdarm *m* Vielesser. ↗schlingen. *Rhein* 1900 *ff.*

Schlinge *f* **1.** jm eine ~ legen = jn übertölpeln. Wilddiebe legen Schlingen aus. Seit dem 19. Jh.

2. jn in der ~ zappeln lassen = einen Überführten in Ungewißheit lassen. 1900 *ff.*

3. sich aus der ~ ziehen = einer schwierigen Lage zu entgehen wissen. Verkürzt aus „den ↗Kopf aus der Schlinge ziehen". 1500 *ff. Vgl franz* „se tirer d'un piège".

Schlingel *m* **1.** halbwüchsiger Tunichtgut. Schlingen = sich in Windungen bewegen; schlendern. Vom Begriff „Müßiggänger" weiterentwickelt. Seit dem 15. Jh.

2. kleiner Junge (Kosewort). Seit dem 19. Jh.

3. Rufname des Hundes. 1900 *ff.*

Schlingelbank *f* Strafbank für ungezogene und faule Schüler. Seit dem späten 19. Jh.

schlingen *tr intr* hastig, gierig essen; widerwillig verzehren. Meint eigentlich das heißhungrige Fressen nach Art der Tiere. Seit dem 19. Jh.

Schlinger *m* junger Mann, der homosexuelle Bekanntschaften sucht. Benannt nach dem Mantel mit enggeschnalltem Gürtel. 1959 *ff,* Berlin.

Schlinggewächs *n* **1.** Speise, die man mühsam, widerwillig ißt. ↗schlingen. 1870 *ff.*

2. Viel-, Schnellesser. 1900 *ff.*

Schlingpflanze *f* **1.** gieriger Esser. 1900 *ff.*

2. anschmiegsames Mädchen. Eigentlich die sich windende Kletterpflanze. 1925 *ff.*

Schlipp *m* verwöhnter Junge; weibischer Bursche. *Nordd* „Schlipp = Rockzipfel": der Betreffende hält sich noch am Rockzipfel der Mutter. 1900 *ff.*

Schlippe *f* enger Durchgang. Gehört zu „schlüpfen". *Ostmitteld* seit dem 18. Jh.

schlippen *intr* frei ~ = der Bestrafung entgehen. *Vgl* das Vorhergehende. 1900 *ff.*

Schlips *m* **1.** Penis. Wegen des Niederhängens in Normalhaltung. 1900 *ff.*

2. ~ mit Flaschenzug = vorgeformter Einhängeschlips. ↗Flaschenzugkrawatte. 1920 *ff.*

3. armer ~ = bedauernswerter Mann. ↗Schlips 1. 1940 *ff.*

4. eiserner ~ = vorgeformte Krawatte mit kleinem Metallstück als Einlage. 1900 *ff.*

5. gelöteter ~ = vorgeformter Schlips, bei dem ein Metallstück in den Kragenknopf greift. 1900 *ff.*

6. gemauerter ~ = vorgeformte Krawatte. 1910 *ff.*

7. gußeiserner ~ = Einhängeschlips. 1910 *ff.*

8. junger ~ = junger Mann; Neuling; Lehrling; Rekrut; Seekadett; Soldat ohne Fronterfahrung. ↗Schlips 1. 1900 *ff.*

9. kuhscheißerner ~ = Einhängeschlips. „Kuhscheißern" ist aus „gußeisern" entstellt. 1910 *ff.*

10. sich vor Freude in den ~ beißen mögen = sich überaus freuen. Vor Freude möchte man sich zu etwas Unsinnigem hinreißen lassen. ↗Schlips 1. 1900 *ff.*

11. jm den ~ binden = jn erwürgen. Euphemismus. „Schlips" kann auch den Henkerstrick, die Schlinge am Galgen meinen. 1900 *ff.*

12. sich nicht an den ~ fassen lassen = sich nicht herausfordern lassen. Der Griff an die Krawatte gilt als Handgreiflichkeit. 1920 *ff.*

13. du hast wohl lange keinen blutigen ~ getragen?: Drohfrage. 1910 *ff.*

14. einen hinter den ~ gießen = ein Glas Alkohol zu sich nehmen. 1900 *ff.*

15. einen auf dem ~ haben = betrunken sein. 1950 *ff.*

15 a. jn beim ~ haben = jn dingfest gemacht haben. ↗ Schlips 18 b. Seit 1900.

16. das haut einen auf den ~ = das ist unerhört, ist eine schwere Zumutung. Hergenommen vom Schlag gegen die Brust im Sinne eines tätlichen Angriffs. 1900 *ff.*

17. einen hinter den ~ kippen = trinken, zechen. ↗kippen. 1900 *ff.*

18. jn beim ~ kriegen = a) jn zur Verantwortung ziehen; jn energisch zur Ordnung rufen. 1900 *ff.* – b) jn verhaften. 1900 *ff.*

*Schlips meint den Penis (**Schlips 1.**) und, pars pro toto, den ganzen Mann (**Schlips 3., 8.**), so daß, wie auf der oben wiedergegebenen Werbung, getrost auf alles andere verzichtet werden kann. Diese Reduzierung auf die Krawatte und das durch sie Repräsentierte wird in manchen Regionen Deutschlands, vor allem in den traditionellen Karnevalshochburgen, einmal im Jahr offen zum Ausdruck gebracht: Anläßlich der sogenannten Weiberfasnacht haben die närrischen, also sich den Zwängen des Üblichen und Hergebrachten entziehenden Frauen das Recht, den Männern den Schlips abzuschneiden, zweifelsohne ein symbolischer Kastrationsakt. Vielleicht kippen sich viele auch deswegen daraufhin einen hinter den nicht mehr vorhandenen Schlips (**Schlips 17.**).*

19. einen hinter den ~ rauschen = ein Glas Alkohol trinken. 1900 *ff.*

20. sich am ~ reißen = sich ermannen; sich Mühe geben. Veranschaulichung des Rucks, den man sich innerlich gibt. 1950 *ff.*

21. spuck' dir nicht auf den ~! = bilde dir nichts ein! sei nicht so überheblich! Zusammengewachsen aus „sich auf den ↗Schlips treten" und „große ↗Bogen spucken". 1900 *ff.*

22. jm auf den ~ treten = a) jn empfindlich kränken. „Schlips" meint hier den Rockzipfel, den Rockschoß, verwandt mit „Schleppe". 1900 *ff.* – b) jn energisch mahnen. Veranschaulichung des einfachen „↗treten". 1900 *ff.*

23. tritt (pedd') dir nicht auf den ~! = sei nicht so geziert! bilde dir nicht soviel ein! leg' dein hochfahrendes Gehabe ab! Schlips = Rockzipfel, -schoß. 1900 *ff.*

24. bind' dir einen ~ um!: scherzhafter Rat an einen Frierenden. 1900 *ff.*

Schlipsbandit *m* elegant gekleideter Verbrecher mit bescheidenem, biederem Auftreten. 1930 *ff.*

Schlipshalter *m* Hals. 1920 *ff.*

Schlipslude *m* **1.** elegant gekleideter Zuhälter. ↗Lude. 1920 *ff.* **2.** Müßiggänger, Umhertreiber. 1950 *ff.*

Schlipsmaxe *m* Krawattenhändler. 1910 *ff.*

Schlipsmuffel *m* Mann, der keinen Schlips trägt. ↗ Krawattenmuffel. 1970 *ff.*

Schlipssoldat *m* Angehöriger der Luftwaffe. Zu Parade- und Ausgehanzug gehört ein Schlips. *Sold* 1935 bis heute.

Schlipsstange *f* Männerhals. 1920 *ff.*

Schlipsträger *m* **1.** Zivilist in Diensten der Truppe. Die Krawatte wurde zum Erkennungszeichen und Sinnbild des Zivilisten und unmilitärischer Gesinnung. *Sold* 1920 *ff.* **2.** Luftwaffenangehöriger. ↗Schlipssoldat. *Sold* 1935 *ff.* **3.** uniformierter ~ = für eine kurze Übung einberufener Reservist. 1935 *ff.*

Schlipsträgerweg *m* Promenadenweg; bequemer Weg (kein Wanderweg). Schlipsträger sind für die Einheimischen alle Kurgäste, die keine Wanderungen unternehmen. 1930 *ff.*

Schlitten *m* **1.** Fahrzeug, Flugzeug (zuweilen *abf*). Anspielung auf die geringe Rutschfestigkeit der Autoreifen, beim Flugzeug auf Gleitkufen o. ä. 1900 *ff.* **2.** Panzerkampfwagen. *Sold* 1939 bis heute. **3.** Schiff. 1900 *ff.* **4.** Tablett. Kellnerspr. 1920 *ff.* **5.** vorragende Theaterloge. Sie ähnelt einem Bobschlitten. 1957 *ff.* **6.** Ehefrau. Anspielung auf den Geschlechtsverkehr; ↗Schlitten 17. Seit dem 19. Jh. **7.** liederliche Frau; Prostituierte. Seit dem 19. Jh. **8.** alter ~ = ältliche Frau. *Südd* seit dem 19. Jh. **8 a.** dicker ~ = Luxusauto. 1950 *ff.* **9.** dufter ~ = elegantes Auto. ↗dufte. 1950 *ff.* **10.** eingefahrener ~ = erfahrene Prostituierte. Sie ist „eingefahren", wie man ein Auto einfährt. 1920 *ff.* **11.** flotter ~ = Auto mit hoher Motorleistung. 1950 *ff.* **12.** heißer ~ = a) Auto mit hoher Stundengeschwindigkeit. Heiß = hoch favorisiert. 1960 *ff.* – b) Rennwagen. 1960 *ff.*

Das Foto links zeigt einen recht modernen Schlitten, der mit seinen nichtmotorisierten Vorgängern aber immerhin gemein hat, daß man auch mit einem solchen Gefährt in einer Art und Weise Schlitten fahren kann, die unwillkürlich an das Schlittenfahren der Umgangssprache denken läßt (vgl. **Schlitten 18.**, **Schlittenfahrer 2.**). *Da sitzt einer oben, malträtiert, was unter ihm ist, und hat vermutlich noch seinen Spaß dabei (vgl.* **Schlitten 17.**). *Allerdings ist jenem in einem nichtübertragenen Sinn verstandenen Tun immerhin noch eigen, daß die Reaktion des Vehikels auch auf den, der es lenkt, durchschlägt, wohingegen, derjenige, der auch ohne ein solches Instrument mit jemandem Schlitten zu fahren versteht, von dem, was seinem Mitfahrer so viel Verdruß bereitet, auf wundersame Weise ausgeschlossen scheint. Das kann natürlich daran liegen, daß er eine ganz andere Konstitution oder Position hat, die es ihm erlaubt, anderen Leuten an den Schlitten zu fahren (* **Schlitten 20.**), *ist vielleicht aber auch darauf zurückzuführen, daß das, was dem einen zum Nachteil gereicht, sich für ihn durchaus positiv auswirken kann, unter anderen auch in einem neuen Schlitten. Denn darunter ist umgangssprachlich nicht nur ein Fahrzeug zu verstehen, das sich auf Kufen fortbewegt (vgl.* **Schlitten 1.**-**3.**, **8 a.**-**16.**), *selbst wenn dessen Fahrverhalten dies manchmal nahelegen könnte.*

13. rascher ~ = schnelles Auto. 1950 *ff.*

14. schneller ~ = Auto mit hoher Motorleistung; Luxusauto. 1950 *ff.*

15. schwerer ~ = Luxusauto. 1955 *ff.*

16. toller ~ = sehr eindrucksvolles Auto im Hinblick auf Motorleistung und Innenausstattung. ↗toll. *Halbw* 1955 *ff.*

17. ~ fahren = koitieren. Anspielung auf die Normalstellung beim Geschlechtsakt. Seit dem 19. Jh.

18. mit jm ~ fahren = jn rücksichtslos behandeln; jn grob zurechtweisen. Leitet sich her entweder vom Rodeln, bei dem es nicht zimperlich zugeht, oder auch vom Bobsport oder von der Holzabfuhr mittels Hörnerschlitten. 1900 *ff.*

19. der Hund fährt ~ = der Hund rutscht auf dem Gesäß. Diese Angewohnheit haben manche Hunde nach dem Koten und auch, wenn sie Würmer haben. 1850 *ff.*

20. jm an den ~ fahren = jm zu nahe treten; jn zurechtweisen; jn zur Verantwortung ziehen. Parallel zu „jm an den ↗Wagen fahren". 1920 *ff.*

20 a. das haut einen von ~!: Ausdruck der Verwunderung. 1970 *ff.*

21. unter den ~ kommen = verkommen; übervorteilt werden; in Nachteil geraten. Analog zu „unter die ↗Räder kommen". Seit dem 19. Jh.

22. paß auf, daß du nicht unter den ~ kommst!: scherzhafter Abschiedsgruß an den Davongehenden. Seit dem 19. Jh.

23. unter dem ~ liegen = sich in Not befinden. 1900 *ff.*

Schlittenfahrer *m* **1.** Mann, der Waren auf Kredit nimmt und sie „verschleudert", ohne sie zu bezahlen. Herleitung unbekannt. *Rotw* 1870 *ff.*

2. Vorgesetzter, der seine Einheit drangsaliert. Er „fährt" mit seinen Leuten „Schlitten"; ↗Schlitten 18. 1914 *ff.*

Schlitterbahn *f* **1.** auf die ~ geraten = verkommen. Schlitterbahn ist die Eisbahn; auf ihr kommt man leicht ins Strauchein. 1900 *ff.*

2. sich eine ~ heulen = ausgiebig weinen und die Tränen samt Nasenschleim am Ärmel abwischen. Berlin 1900 *ff.*

Schlitterer *m* Rollbrettfahrer. 1977 *ff.*

Schlittschuhbahn *f* Glatzkopf. 1900 *ff.*

Schlittschuhstar *m* Eiskunstläufer(in). 1960 *ff.*

Schlitz *m* **1.** Vulva, Vagina. Eigentlich der lange schmale Einschnitt, die Spalte. Seit dem 17. Jh.

2. weibliche Person. Seit dem 19. Jh.

3. einen ~ im Charakter haben = einen Charakterfehler haben; unzuverlässig, nicht vertrauenswürdig sein. Analog zu ↗Knacks. 1930 *ff.*

4. einen ~ im Ohr haben = listig, verschlagen sein. *Vgl* ↗Schlitzohr. 1900 *ff.*

5. etw in den ~ schmeißen = etw essen, trinken. Schlitz = schmaler Mund; *vgl* auch ↗Briefkasten 3. *Sold* 1939 *ff.*

Schlitzauge *m* Japaner (seltener: Chinese). Spätestens seit 1900.

Schlitzaugenpolitik *f* unredliches Geschäftsgebaren. Schlitzaugen machen = spähen, äugen; unfrei, listig blicken. 1950 *ff.*

schlitzäugig *adj* listig, verschlagen. 1900 *ff.*

Schlitzdragoner *m* **1.** Prostituierte. ↗Schlitz 1; ↗Dragoner. Seit dem 19. Jh.
2. Hausangestellte. 1900 *ff.*
3. Schülerin. 1920 *ff.*
Schlitze *f* **1.** Vulva, Vagina. ↗Schlitz 1. *Ostmitteld* seit dem 19. Jh.
2. Prostituierte. *Ostmitteld* seit dem 19. Jh.
schlitzen *intr* heimlich, schnell weggehen. Man zwängt sich durch einen schmalen Spalt; analog zu „sich ↗dünnmachen". Seit dem späten 19. Jh.
Schlitzerl *n* Prostituierte. ↗Schlitz 1. Kundenspr. 1900 *ff*, *südd.*
Schlitzgabel *f* leichtes Mädchen; Prostituierte. *Österr* 1930 *ff.*
Schlitzhusar *m* Soldatenliebchen; weibliche Person. *Vgl* ↗Husar 1. Seit dem 19. Jh.
schlitzig *adj* hinterhältig, heimtückisch. Solche Untugenden sagt die Volksmeinung den Mongolen, vor allem den Japanern nach. Verquickt mit ↗schlitzohrig. 1900 *ff.*
Schlitzmatrose *m* Mädchen. ↗Schlitz 1. *BSD* 1965 *ff.*
Schlitzohr *n* **1.** listiger, hinterhältiger Bursche; Mann, der kein Vertrauen verdient; Betrüger. Betrüger wurden früher mit Ohrschlitzen bestraft. Seit dem 19. Jh.
2. Spürsinn, Pfiffigkeit, Schlauheit. 1900 *ff.*
schlitzohrig (-öhrig) *adj* listig, betrügerisch, verschlagen; unaufrichtig. Seit dem 19. Jh.
Schlitzohrigkeit (-öhrigkeit) *f* Pfiffigkeit; listiger Sinn; Hinterhältigkeit. Seit dem 19. Jh.
Schlitzpisser *m* weibliche Person. ↗Schlitz 1. 1950 *ff.*
Schlitzsoldat *m* **1.** Lazarettschwester. ↗Schlitz 1. *Sold* in beiden Weltkriegen.
2. Mädchen. 1930 *ff.*
3. Nachrichtenhelferin. 1940 *ff.*
4. japanischer Soldat. Wegen der Schlitzaugen. *Sold* 1939 *ff.*
Schlitzverschluß *m* Vulva. Dem „Reißverschluß" nachgebildet. *Sold* 1935 *ff.*
Schlockerjeans (Grundwort *engl* ausgesprochen) *pl* weite Hosen. Schlockern = schlottern. *BSD* 1965 *ff.*
schlodderig *adj* ↗schlotterig.
Schlorch *m* jm den ~ nach hinten drehen = a) jn geschäftlich zugrunde richten. „Schlorch" ist die Nase (wohl lautmalend für das Geräusch, das beim Einziehen des Schleims in die Nase oder beim Schnauben entsteht). Gemeint ist eigentlich „jm den Hals umdrehen". Berlin 1900 *ff.* – b) jn sehr rücksichtslos behandeln. 1900 *ff.*
schlorchen *intr* schlurfen. ↗schlorgen. Vorwiegend *fränk* und *schwäb*, 1800 *ff.*
Schlorcher *m* **1.** Mann mit schlurfendem Gang. 1800 *ff.*
2. *pl* = Schuhe; alte Schuhe; ausgetretene Schuhe. Seit dem 19. Jh.
schlorgen *intr* schlurfend gehen. Nebenform von

„schlurren, schlorren = schlurfen". *Schwäb* und *fränk*, 1800 *ff.*
Schlorger *m* **1.** Mann mit schlurfendem Gang. 1800 *ff.*
2. Pantoffel; alter, ausgetretener Schuh. 1800 *ff.*
Schlorren (Schlurren) *m* *pl* = Pantoffeln; Hausschuhe; schlechtes Schuhwerk. Nebenform von „schlurfen = die Schuhe nachziehen". *Nordd* und *ostpreuß*, 1800 *ff.*
2. *sg* = altes Schiff. Das Schiff ist so abgenutzt wie lange getragenes Schuhwerk. Zudem nennt man ein Schiff geringschätzig auch „Kahn", und „Kähne" sind ebenfalls ausgetretene Schuhe. *Marinespr* 1900 *ff.*
3. *sg* = Auto. Sachverwandt mit ↗Schlitten. *BSD* 1965 *ff.*
4. auf ~ gehen (die Zunge geht ihm auf ~) = stottern, lallen. *Ostpreuß* seit dem 19. Jh.
Schlorrengymnasium *n* Volksschule; Grundschule. Anspielung auf das schlechte Schuhwerk der Schüler armer Leute; zugleich scherzhafte Erhöhung zum Rang einer höheren Schule. *Ostpreuß* seit dem 19. Jh.
Schlorrenkonzert *n* schlechte Tanzmusik; Tanzmusik, die vom Sohlengeklapper übertönt wird. 1900 *ff.*
Schlorum *m* Wertlosigkeit; Wirrwarr. Fußt auf „Schlör = fader Kaffee", wahrscheinlich aus *niederl* „sleur" übernommen. 1900 *ff.*
Schloß *n* **1.** hinter ~ und Riegel = im Gefängnis. Seit dem 19. Jh.
2. ein ~ knacken = ein Türschloß aufbrechen. ↗knacken. 1900 *ff.*
Schlosser *m* akademischer ~ = Diplomingenieur. Stammt aus der Zeit, als die technischen Hochschulen nicht denselben Rang und dasselbe Ansehen besaßen wie die Universitäten. 1900 *ff.*
Schlossergymnasium *n* Realschule. Die meisten Schüler strebten früher einen technischen Beruf an. 1900 *ff.*
Schlosserschule *f* Realschule. 1900 *ff.*
Schloßhauptmann *m* Gefängnisdirektor. „Schloß" meint sowohl den Palast als auch die Schließvorrichtung. 1910 *ff.*
Schloßhund *m* heulen (weinen, jaulen) wie ein ~ = heftig weinen. Leitet sich her vom angeketteten Hund, der langgezogene, klagende Laute von sich gibt. Seit dem frühen 19. Jh.
Schloßköter *m* heulen wie ein ~ = heftig weinen. *Vgl* das Vorhergehende; ↗Köter. 1900 *ff.*
Schloßvogt *m* Arrestaufseher; niederer Gefängnisbeamter. ↗Schloßhauptmann. 1910 *ff.*
Schlot *m* **1.** ungesitteter Mann; Flegel; Mann ohne Sinn für Hygiene und Sauberkeit; unvorschriftsmäßig gekleideter Soldat. Fußt wahrscheinlich auf *niederd* „slut = nachlässiger Mensch", verwandt mit *engl* „slut = plump, massig". Seit dem späten 19. Jh.
2. Versager. Von einem nachlässigen Menschen

ist keine vollwertige Arbeitsleistung zu erwarten. 1870 *ff.*

3. Taugenichts; Tagedieb; leichtsinniger Mann. 1900 *ff.*

4. alberner, dummer Bursche. 1940 *ff, schül.*

5. erigierter Penis. Schlot = Schornstein. 1900 *ff.*

6. Zylinderhut. Wie ein Schornstein überragt er die Träger anderer Kopfbedeckungen. Seit dem 19. Jh.

7. starker Raucher. *Vgl* das Folgende. 1900 *ff.*

8. rauchen (qualmen, dampfen) wie ein ~ = stark rauchen. Übertragen vom rauchenden Fabrikschornstein. Seit dem ausgehenden 19. Jh. *Vgl engl* „he smokes like a chimney".

9. etw in den ~ schreiben = etw verloren geben; auf Rückerhalt nicht rechnen. ↗Kamin 2. Seit dem 19. Jh.

Schlotbaron *m* (sehr reicher) Gruben-, Zechenbesitzer. Nach Erwerb großer wirtschaftlicher Macht wurden Leute wie er gelegentlich geadelt. Schmähwort der Sozialdemokraten seit dem letzten Drittel des 19. Jhs.

schloten *intr* viel rauchen; den Tabaksrauch inhalieren. ↗Schlot 8. 1900 *ff.*

Schlotfeger *m* Mann. ↗Schlot 5; ↗fegen 3. 1900 (?) *ff.*

Schlotter I *f* geschwätziger Mund; Schwätzerin. Schlottern = sich schnell hin- und herbewegen; bezogen auf die Lippen. Seit *mhd* Zeit.

Schlotter II *m* Angst. Schlottern = zittern. *Südwestd* 1900 *ff.*

Schlotterbeine *pl* Hose aus weichem Stoff. 1900 *ff.*

Schlotterbuxe *f* **1.** schlotterige Hose. 1870 *ff.*

2. ~n anhaben = vor Aufregung zittern; Angst haben. *Sold* in beiden Weltkriegen; auch *ziv.* Wahrscheinlich älter.

Schlotterhose *f* **1.** aus weichem Tuch, füllig geschneiderte Hose. 1870 *ff.*

2. ängstlicher Mensch; Feigling. 1870 *ff.*

Schlotterich *m* einen ~ haben = vor Angst oder Kälte zittern. 1870 *ff.*

schlotterig (schlodderig) *adj* nachlässig in Kleidung und Benehmen. Bezieht sich eigentlich auf weitgeschneiderte Kleidung; von da weiterentwickelt zur Bedeutung „unfest, nicht straff". Parallel zu ↗locker. Seit dem 18. Jh, *niederd.*

Schlotterjacke *f* füllig geschneiderte Jacke. 1920 *ff.*

Schlotterknie *pl* ~ haben = sich ängstigen. *Vgl* das Folgende. 1900 *ff.*

schlottern *intr* in den Kleidern ~ = völlig erschöpft sein. Man zittert vor Schwäche. 1900 *ff.*

Schlotterstunde *f* Unterrichtsstunde, in der eine Klassenarbeit geschrieben wird. Man zittert vor Angst, Aufregung und Ehrgeiz. 1950 *ff.*

Schlotz *m* **1.** Schnuller. ↗schlotzen. *Oberd* seit dem 19. Jh.

2. Bonbon; Leckerei. *Oberd* seit dem 19. Jh.

schlotzen *intr* **1.** saugen; genießerisch im Mund zergehen lassen. Schallnachahmender Natur, ursprünglich auf das Saugen an der Mutterbrust bezogen. *Oberd,* 1600 *ff.*

2. genüßlich essen. 1920 *ff.*

3. sich einladen lassen; auf Kosten eines anderen feiern. 1920 *ff.*

Schlotzer *m* **1.** Schnuller; Saugflasche. ↗schlotzen 1. 1700 *ff, oberd.*

2. Zigarre o. ä. Sie ist der „Schnuller" der Erwachsenen. 1900 *ff.*

Schlubberchen *n* Schlückchen. 1700 *ff, nordd.*

schlubbern *v* **1.** schlürfen. Lautmalend für geräuschvolles Saugen, für geräuschvolles Hineinziehen der Speisen in den Mund. 1700 *ff.*

2. schlendern. Schlubbern = schlürfen = schlurfen. 1920 *ff.*

3. einen ~ = ein Glas Alkohol genüßlich zu sich nehmen. *Niederd* 1900 *ff.*

Schluchtenheuler (-jodler, -scheißer) *pl* Gebirgsjäger. Schlucht = enges Gebirgstal. *BSD* 1965 *ff.*

Schluck *m* **1.** alkoholisches Getränk; Schnaps. Tarnwort unter Halbwüchsigen. *Nordd* 1950 *ff.*

2. ~ Tabak = ein Zug aus der Zigarette. „Zug" ist auch der Schluck aus der Flasche oder aus dem Glas. *Sold* 1939 *ff.*

3. ~ aus der Buddel = ansehnlicher Spielgewinn. Er tut wohl wie der Schluck aus der Schnapsflasche. Seit dem 19. Jh.

4. ~ aus der Flasche = unverhoffter Glücksfall. Seit dem 19. Jh.

5. ~ aus der Pulle = freudige Überraschung; ermutigender Anfang; großartiger Erfolg; Spielgewinn. ↗Schluck 3. 1840 *ff,* kartenspielerspr., *sold, stud* usw.

6. guter ~ = hervorragender Trunk. 1950 *ff.*

7. warmer ~ aus einer kalten Pulle = freudige Feststellung. 1900 *ff.*

8. gut ~! = Prost! 1920 *ff.*

9. einen ~ frische Luft nehmen = ins Freie gehen. 1930 *ff.*

Schluckanzeiger *m* Adamsapfel, Kehlkopf. Analog zu ↗Bierzähler. 1930 *ff.*

Schluck-Appeal (Grundwort *engl* ausgesprochen) *m* unartikulierte Laute des Rock'n'Roll-Sängers. Es klingt, als habe er den Schluckauf. Dem „Sex-Appeal" (= geschlechtliche Anziehungskraft) nachgeahmt. 1955 *ff.*

Schluckaufgesang *m* Vortrag eines Schlagerlieds mit Grunz-, Schlucklauten o. ä. 1955 *ff.*

Schluckaufsänger *m* Schlagersänger, der seinem Gesang unartikulierte Laute beigibt. 1955 *ff.*

Schluckbruder *m* Zecher, Zechgenosse. 16. Jh.

Schluckbude *f* kleiner Alkoholausschank. *Westf* 1950 *ff.*

schlucken *v* **1.** *tr intr* = Alkohol zu sich nehmen. Seit dem 16. Jh; neuerdings sehr verbreitet unter Halbwüchsigen, Bundeswehrsoldaten usw.

2. *intr* = Rauschgiftdrogen nehmen. 1965 *ff.*

3. etw ~ = einen (unerwarteten) Gewinn einstreichen; unverhofft Erfolg haben; unverhofft erben. Seit dem 18. Jh.

4. etw ~ = etw widerspruchslos hinnehmen; etw ohne Widerstand ertragen; auf einen Vorwurf schweigen. Man schluckt es wie eine Arznei, wie eine „bittere ↗Pille". 1700 *ff.*

5. etw ~ wie eine bittere Medizin = gegen eine Kränkung oder Vorhaltung nicht aufbegehren. Seit dem 19. Jh.

6. an etw schwer ~ (schwer zu ~ haben) = etw ungern, widerwillig ertragen; etw nicht leicht verwinden. 1900 *ff.*

7. jm etw zu ~ geben = a) jn heftig tadeln, ohne daß der Betreffende Widerworte gibt (geben darf). 1900 *ff.* – b) jm böse mitspielen; jn in arge Verlegenheit bringen. 1900 *ff.*

8. einen ~ gehen = ein Wirtshaus aufsuchen. 1950 *ff.*

9. jn etw ~ lassen = jm schwere Vorwürfe machen und kein Widerwort dulden. 1900 *ff.*

Schlucker *m* **1.** Trinker, Trunksüchtiger. ↗schlukken 1. 1500 *ff.*

2. Rauschgiftsüchtiger. ↗schlucken 2. 1965 *ff.*

2 a. Häftling, der gefährliche Metallgegenstände o. ä. verschluckt, um aufs Krankenrevier verlegt zu werden. 1920 *ff.*

3. armer ~ = bedauernswerter Mensch. „Schlukker" war im 15./16. Jh der Schlemmer; daraus entwickelte sich der „arme Schlucker" als einer, der kein Schlemmerleben führt und aus Not mit allem vorliebnimmt, was man ihm vorsetzt. Heute vorwiegend eine mitleidige Bezeichnung für einen Armen, Bedürftigen und Hilfeheischenden.

4. junger ~ = Jugendlicher, der mehr Alkohol trinkt, als er vertragen kann. 1950 *ff.*

5. kleiner ~ = unbedeutender Mensch. 1950 *ff.*

Schlucke'rei *f* Trinklust; Trunksucht. 1950 *ff.*

Schluckerin *f* arme ~ = bedauernswerte weibliche Person. ↗Schlucker 3. Seit dem 19. Jh.

schluckern (schlückern) *intr* genüßlich trinken. 1930 *ff.*

Schluckeule *f* Zecher. „Eule" spielt auf Sitzen im Wirtshaus bis in die Nacht an. 1950 *ff.*

Schluckimpfung *f* Alkoholgenuß; Zecherei. Hergenommen von der Schutzimpfung gegen spinale Kinderlähmung: das Serum wird nicht mehr gespritzt, sondern geschluckt. 1963 *ff.*

Schlucklänge *f* Augenblick. 1940 *ff.*

schluckohrig *adj* schuldbewußt, beschämt. Man läßt „die ↗Ohren hängen" und „schluckt den Tadel" (= nimmt ihn widerspruchslos hin). ↗schlucken 4. 1850 *ff.*

Schluckort *m* Schwimmbad. Da schluckt man Wasser. *Schül* 1950 *ff.*

Schluckpulle *f* Schnapsflasche. ↗Pulle. 1960 *ff.*

Schlucks *m* vorlauter Junge. Seine Meinung wird als Schluckauf gewertet. 1950 *ff.*

Die besondere Vorliebe der Illustrierten „Stern" für umgangssprachliche Wendungen und ihre bildhafte Umsetzung führt zumal dann, wenn, wie das oft geschieht, diese auf neue soziale und gesellschaftliche Phänomene projiziert werden, in der Regel dazu, daß der tradierte Wortschatz in einem ganz neuen Licht erscheint. Das oben wiedergegebene Titelbild zu einer kritischen Untersuchung über den Einfluß der Pharmaindustrie und der Ärzteschaft auf den Arzneimittelgebrauch der Patienten fügt mehrere Konnotationen der Vokabeln **schlucken** *und* **Schlucker** *zu einem neuen Bedeutungsganzen zusammen: Da ist zum ersten das „etwas schlucken" im Sinne eines widerspruchslosen Hinnehmens bestimmter Maßnahmen oder Verordnungen (*schlucken 4.*), das dann in Korrelation gesetzt wird zum sukzessive süchtig machenden Schlucken bestimmter Medikamente (vgl.* **schlucken** 2.*). In der Substantivierung zum „Schlucker" schließlich wird diese Praxis eines übermäßigen und deshalb auch schädlichen Tablettengenusses aus dem Bereich individuellen Versagens in eine Sphäre intersubjektiver „Notwendigkeiten" gerückt; denn das in diesem Zusammenhang gebrauchte Attribut „arm" ist diesbezüglich bereits festgelegt (*Schlucker 3.*). Der „arme Schlucker" wird so den veränderten Zeitumständen gemäß neu gefaßt.*

schluck'schluck machen trinken, zechen. 1900 ff.

Schluckser *m* Schluckauf. Iterativum zu „schluk-ken". Seit dem 19. Jh.

Schluckspecht *m* 1. Vielesser, Vieltrinker; Raffer. Spechte sind eifrige Insektenvertilger. 1840 ff. 2. Auto mit hohem Benzinverbrauch. 1979 ff.

schluckzes'sive *adv* schluckweise; nach und nach; nacheinander. Scherzhaft dem *lat* „successive = nacheinander" nachgebildet und gern auf das „Schlucken" (= Trinken) bezogen. Wohl seit dem späten 19. Jh.

Schluderarbeit *f* unordentliche, nachlässige Arbeit. ↗schludern. Seit dem 19. Jh.

Schlude'rei *f* Unordnung, Nachlässigkeit, Versäumnis; minderwertige Arbeit. Seit dem 19. Jh.

Schluderer *m* 1. hastig, unsorgfältig tätiger Mann. Seit dem 19. Jh. 2. Vieltrinker. ↗schludern 3. Seit dem 19. Jh.

Schluderfritze *m* unsauber, nachlässig arbeitender Mann. ↗Fritze. 1920 ff.

Schludergeschichte *f* mißgünstiges Gerede; vorgeblich authentischer Bericht. 1950 ff.

schluderig *adj* nachlässig, ungepflegt, unordentlich. ↗schludern 1. Seit dem 17. Jh.

Schluderigkeit *f* Nachlässigkeit; hastiges Wesen. Seit dem 19. Jh.

Schluderjan (Schludrian) *m* nachlässig arbeitender Mann; ungepflegt Gekleideter. Zusammengewachsen aus „↗schludern 1" und der Kurzform Jan des Vornamens Johann; Einfluß von „↗Schlendrian 2" ist möglich. 1700 ff.

Schluderleben *n* ungeregelte, unsichere Lebensweise. 1950 ff.

schludern *intr* 1. unordentlich, nachlässig arbeiten. Geht zurück auf *mhd* „sludern = sich unruhig hin- und herbewegen"; von da bezogen auf einen, der bei der Arbeit unruhig und flüchtig handelt. Verwandt mit „schlottern" und „schleudern". Seit dem 17. Jh. 2. schwatzen; leichtfertig sich zu einer Sache äußern; hastig sprechen; ausplaudern. Von der oberflächlichen Arbeitsweise weiterentwickelt zum unüberlegten Reden. Seit dem 17. Jh. 3. zechen; trunksüchtig sein. Weiterentwickelt aus der Bedeutung 1 in Richtung auf liederliche Lebensweise. Wien, seit dem 19. Jh.

Schludertante *f* Zwischenträgerin, Ohrenbläserin. ↗schludern 2. 1950 ff.

Schluderweib *n* nachlässige, ungepflegte Frau. Seit dem 19. Jh.

Schludrian *m* ↗Schluderjan.

Schluf *m* flegelhafter Halbwüchsiger. Fußt auf *niederd* „schluf = faul, träge, unachtsam". 1900 ff.

Schluff *m* guter ∼ = harmloser, gutmütiger, leicht energieloser Mann. Gehört zu „schluffen = schlurfen; schleppend, nachlässig gehen" und berührt sich über das Folgende eng mit der Vokabel „↗Pantoffelheld". Seit dem 19. Jh.

Schluffe (Schluppe) *f* Pantoffel. ↗schluffen. 1700 ff.

Schlüffel *m* grober Bursche. Geht zurück auf *alem* „schlufe = träger, nachlässiger Mensch". *Südd* 1500 ff.

schluffen *intr* schlurfen; schleppend sich bewegen; die Füße nachziehen. *Mhd* „slupfen = schleifend gehen" ergibt im *Niederd* die Parallele „sluupen" und im *Westf* „sluffen". *Niederd* „sluf = träge, faul". 1700 ff.

Schluffenkino *n* nahegelegenes Kino. Man kann es in Pantoffeln aufsuchen. ↗Schluffe. 1920 ff, *niederd*.

Schluffer *m* Einschleichdieb. Er bewegt sich auf Pantoffeln, auf „leisen Sohlen". 1930 ff.

Schlummerglocke *f* Weckuhr. Seit dem 19. Jh.

Schlummerkasten *m* 1. Bett. ↗Kasten 3. 1900 ff. 2. Fernsehgerät. ↗Schlummerkiste 2. 1960 ff, *jug*.

Schlummerkätzchen *n* angenehme Partnerin im Bett. ↗Kätzchen. 1920 ff.

Schlummerkies *m* Schlafgeld. ↗Kies. Kundenspr. 1870 ff.

Schlummerkiste *f* 1. Bett, Hängematte o. ä. ↗Kiste. *Sold* 1900 ff. 2. Fernsehgerät. Anspielung auf langweilige Sendungen. 1955 ff.

Schlummerkopf *m* dümmlicher, träger, schläfriger Mensch. 1850 ff.

Schlummerkuhle *f* eingelegene (eingesessene) Stelle auf dem Sofa o. ä. ↗Kuhle. 1930 ff.

Schlummerleine *f* Schlafgeld. „Leine" geht vielleicht zurück auf das „Leinen" und steht dadurch in Parallele zu „↗Lappen = Papiergeld". Kundenspr. 1900 ff.

Schlummermutter *f* Schlafstellenvermieterin. ↗Schlafmutter. Seit dem 19. Jh.

Schlummerolsche *f* Schlafstellenvermieterin; Frau, die Zimmer stundenweise vermietet. ↗Olsche. Berlin 1900 ff.

Schlummerpüppchen *n* angenehme Bettgenossin. 1920 ff.

Schlummerrolle *f* 1. feister Nacken. Auf ihm kann man auch ohne Kissenunterlage bequem ruhen. 1900 ff. 2. Bauchfalte beleibter Menschen. 1955 ff. 3. träger, langweiliger Mensch. 1920 ff. 4. Mops. 1920 ff. 5. Katze. 1920 ff.

Schlummersarg *m* Bett. Pietätlos-grobe Vokabel als Ausdruck gespielter Gefühlsernüchterung. *Halbw* 1950 ff.

schlummersargen *intr* zärtlich umschlungen im Bett liegen; koitieren. *Halbw* 1950 ff.

Schlummerschatulle *f* Bett. 1930 ff.

Schlummervater *m* Quartiergeber, -macher. *Vgl* ↗Schlafvater. *Sold* 1910 ff.

Schlummi *m* 1. Rekrut. Läßt sich erklären wie die folgende Bedeutung oder fußt auf *engl* „slummy = Dienstmädchen". *BSD* 1965 ff.

2. Schütze. Kosewörtlich verkürzt aus ↗Schlumpschütze. *BSD* 1965 *ff*.

Schlump *m* **1.** unverhoffter Glücksfall; Zufallstreffer. Geht zurück auf mittel-*niederd* „slumpen = zufällig Glück haben; zufällig treffen". Seit dem 17. Jh.
2. Versager; schlechter Schütze. Der Betreffende schießt, ohne genau zu zielen, weswegen er einen Treffer nur durch Zufall erreicht. Jägerspr. und *sold* 1900 *ff*.
3. unkameradschaftlicher Bursche. Gemeint ist der Versager im Charakterlichen; hier beeinflußt von „↗Lump". 1910 *ff*.
4. an Körper und Kleidung unsauberer Mensch. 1910 *ff*.
5. Taugenichts; Flegel. 1910 *ff*.

Schlumpe (Schlumpen) *f (m)* nachlässig gekleidete Frau; unordentliche Frau. ↗schlumpen. 1500 *ff*.

Schlumpel *f* unordentliche, liederliche Frau; Frau, die sich wahllos mit Männern einläßt. Spätestens seit 1800, vorwiegend *oberd*.

schlumpen *intr* **1.** nachlässig gehen. Ablautende Nebenform von „↗schlampen". *Nordd* seit dem 16. Jh.
2. schlaff herabhängen. ↗schlampen 1. *Nordd* seit dem 16. Jh.
3. Glück haben; aus Zufall gut schießen; im allgemeinen ein schlechter Schütze sein. ↗Schlump 1 und 2. Seit dem 17. Jh.

Schlumper *m* unordentlicher, leichtsinniger, leichtlebiger Mann. ↗schlumpen 1. Seit dem 19. Jh.

schlumperig *adj* unordentlich, schlaff. 19. Jh.

Schlumperliese *f* liederliche, unordentliche Frau. Seit dem 19. Jh.

schlumpern *intr* **1.** müßiggehen; arbeitsscheu sein. Iterativ zu ↗schlumpen 1. Seit dem 16. Jh.
2. gehen; schlendern. Seit dem 16. Jh.
3. unsorgfältig arbeiten. 1900 *ff*.

Schlumpf *m* **1.** allgemeines Schimpfwort. Geht zurück auf den Namen einer Figur der „Fix und Foxi"-Comic-Hefte und -Zeichentrickfilme. *BSD* 1965 *ff*.
2. kleiner Junge (Kosewort). 1965 *ff*.
3. lustiger Junge. *Schül* 1970 *ff*.
4. beklagenswerter Schüler. *Schül* 1970 *ff*.
5. derselbe ~ = das Einerlei. 1972 *ff*.

schlumpfen *refl* wegeilen. Gehört zu „Schlumpf", der Figur aus den Bildergeschichten um „Fix und Foxi". ↗Schlumpf 1. 1972 *ff*.

schlumpfig *adj* ausgezeichnet. 1972 *ff*.

schlumpig (schlumpicht, schlumpet) *adj* unordentlich in der Kleidung. ↗schlumpen 2. Seit dem 16. Jh.

Schlumpigkeit *f* Nachlässigkeit in der Kleidung; Saumseligkeit. 1900 *ff*.

Schlumpliese *f* nachlässig gekleidete, unordentliche Frau. Seit dem 19. Jh.

Schlumpschuß *m* Zufallstreffer. ↗Schlump 1 und 2. 1700 *ff*.

Schlumpschütze *m* **1.** schlechter Schütze. *Vgl* ↗Schlump 1 und 2. Seit dem 19. Jh, *sold* und jägerspr.
2. Fußballspieler, der das gegnerische Tor verfehlt oder nur Zufallstreffer erzielt. *Sportl* 1950 *ff*.

schlumpsig *adj* unordentlich gekleidet. *Nordd* seit dem 19. Jh.

Schlumpsoldat *m* untauglicher Soldat. *Vgl* ↗Schlumpschütze 1. *Sold* 1935 *ff*.

Schlund *m* **1.** den ~ anfeuchten = ein Glas Alkohol trinken. 1900 *ff*. *Vgl franz* „se rincer le gosier".
2. den ~ aufweichen = Alkohol zu sich nehmen. 1950 *ff*.
3. etw in den falschen ~ kriegen = eine Äußerung falsch auffassen und auf sich selber beziehen. ↗Hals 3 und 40. 1920 *ff*.
4. den ~ gestrichen vollhaben = einer Sache oder Person sehr überdrüssig sein. Bezieht sich eigentlich auf den übersatten Menschen. 1900 *ff*.
5. den ~ waschen = zechen. 1900 *ff*.

Schlundbrenner *m* hochprozentiger Branntwein. 1900 *ff*.

Schlundschaber *m* hochprozentiges alkoholisches Getränk. Es kratzt im Hals. 1940 *ff*.

schlunen *intr* schlafen. Nebenform zu ↗schlaunen. Etwa seit den fünfziger Jahren des 19. Jhs, anfangs *rotw*, später *sold*.

Schlung (Schlunk) *m f* **1.** Kehle, Gurgel. Gehört zu ↗schlingen. *Mitteld* und *niederd* seit dem 14. Jh.
2. Taugenichts. Fußt auf „slunk = schlaff, locker"; *vgl* „↗Schlingel". Seit dem 19. Jh.
3. auf einen (in einem) ~ = auf einmal; im Nu. Etwa soviel, wie man auf einmal durch die Kehle befördern kann. Seit dem 19. Jh.

Schlunks *m* **1.** Tunichtgut. ↗Schlung 2. 1800 *ff*.
2. unkameradschaftlicher Mann. Ursprünglich wohl einer, der zusätzliche Lebensmittel nicht mit anderen teilt. *Sold* 1920 *ff*.

Schlunte *f* liederliche, ungepflegte, unordentlich gekleidete Frau. Fußt auf *niederd* „Slunte = zerlumptes Kleidungsstück". 1700 *ff*.

Schlunz *m* **1.** minderwertiges Essen; Wassersuppe; Gefängniskost; fades Getränk. Aus „↗schlunzen = schlendern" ergibt sich die Vorstellung von Schlaffheit und Kraftlosigkeit. Seit dem späten 19. Jh, *sold* und *rotw*.
2. Lazarett; Krankenstube in der Kaserne o. ä. Anspielung auf die unschmackhafte, kraftlose Verpflegung. *Sold* 1900 bis heute.
3. Arrestanstalt, Gefängnis. *Vgl* das Vorhergehende. *Sold* und *rotw* 1920 *ff*.
4. zerlumptes, durchlöchertes, verschmutztes Kleid; abgetragene Uniform. Fußt über die mit „-s-" erweiterte Form auf „schlumpen = schlaff herabhängen". Seit dem 19. Jh.

5. Schlaf. ↗schlunzen 2. 1920 *ff.*

Schlunze *f* **1.** zerlumptes Kleidungsstück. ↗Schlunz 4. Seit dem 18. Jh.
2. unordentliche, unreinliche Frau. ↗schlunzen 1. 1700 *ff.*
3. minderwertiger Kaffeeaufguß. ↗Schlunz 1. 1900 *ff.*

schlunzen *intr* **1.** nachlässig gehen; schlendern; unordentlich tätig sein. Geht zurück auf „↗schlumpen 2" (= schlaff herabhängen) mit s-Erweiterung. 1700 *ff.*
2. schlafen; in der Sonne liegen und vor sich hinträumen. Aus der vorhergehenden Bedeutung weiterentwickelt zu „müßiggehen". 1920 *ff.*

Schlunzer *m* Sanitätssoldat. ↗Schlunz 2. *Sold* seit dem späten 19. Jh.

Schlunzgast *m* Sanitätssoldat. ↗Schlunz 2. Seemannsspr. „Gast = Matrose mit Sonderausbildung, mit Sonderaufgaben an Bord". *Marinespr* 1914 bis heute.

Schlunzhammel *m* Gefängnis-, Kasernenkoch. ↗Schlunz 1; ↗Hammel 1 und 4. *Sold* und *rotw* seit dem späten 19. Jh.

schlunzig *adj* unordentlich, ungepflegt, nachlässig. ↗schlunzen 1. Seit dem 19. Jh.

Schlunzigkeit *f* Unordentlichkeit; Verkommenheit. Seit dem 19. Jh.

Schlunzkleid *n* einfaches, schlecht geschneidertes Kleid. *Vgl* ↗Schlunz 4. 1920 *ff.*

Schlunzmichel *m* **1.** Küchenunteroffizier. ↗Schlunz 1. *Sold* seit dem späten 19. Jh.
2. Sanitätsunteroffizier. ↗Schlunz 2. *Sold* in beiden Weltkriegen.

Schlunzsuppe *f* gehaltlose Suppe; Wassersuppe. ↗Schlunz 1. *Sold* in beiden Weltkriegen.

Schlüpfe *f* List, Trick. Im besonderen eine List, mit deren Hilfe man durch die „Maschen" der Gesetze schlüpft. *Sold* 1935 *ff.*

Schlüpfer *m* **1.** am ~ rütteln = ein Mädchen intim betasten. 1930 *ff.*
2. das zieht einem den ~ aus = das ist ein hochprozentiges alkoholisches Getränk. Anspielung auf geschlechtliche Enthemmung. 1930 *ff;* vielleicht älter.

Schlüpferstürmer *m* süßer Likör; süßer Sekt o. ä. Er kann den geschlechtlichen Widerstand der Mädchen brechen. 1914 *ff.*

Schlupfloch *n* Vagina. 1910 *ff.*

Schlupfschlauch *m* sehr enggeschnittenes Kleid. ↗Schlauchkleid. Wortbildung aus Stabreimfreude. 1955 *ff.*

Schluppe *f* Bandschleife. Ablautform zu „Schlippe = Zipfel", auch *niederd* Parallelform zu *hd* „Schlupf = Schlinge". 1600 *ff.*

Schlurcher *m* Mann mit schlurfendem Gang; alter Mann, der im Wald Liebespaare beschleicht. ↗Schlorcher. Seit dem 19. Jh.

Schlure *f* träge, unordentliche Frau. Gehört zu ↗schludern 1. *Oberd* 1800 *ff.*

schluren *v* **1.** *intr* = nachlässig arbeiten; säumig sein. ↗schludern 1. Vorwiegend *südd* seit dem 19. Jh.
2. etw ~ lassen = etw vernachlässigen, versäumen. Seit dem 19. Jh.

Schlurf *m* **1.** Müßiggänger. Gehört zu „schlurfen = die Füße nachziehen". Eine ursprünglich *österr* Vokabel des 19. Jhs, vereinzelt auch in Deutschland geläufig.
2. Halbwüchsiger mit langen Haaren und in enganliegenden Hosen. Zum mindesten im Äußeren ähnelt er dem Müßiggänger. *Österr* 1939 *ff.*
3. Stutzer, Geck. Wohlhabende Nichtstuer sind meistens auch Modenarren. Wien 1935 *ff.*
4. gutmütiger, harmloser Mann. Von „↗Schluff" überlagertes „Schlurf". 1950 *ff.*
5. Herrenfrisur, bei der die Haare bis tief in den Nacken reichen. *Österr* 1950 *ff.*

schlürfen *intr* zechen. Eigentlich soviel wie „schlürfend trinken"; dann auch „genießerisch kosten". 1870 *ff.*

Schlürfer *m* einsamer ~ = Einzelgänger. Er trinkt ohne Kameraden. *Halbw* 1960 *ff.*

Schlurffrisur *f* bis in den Nacken reichende Haartracht. ↗Schlurf 5. *Österr* 1950 *ff.*

Schlurfkatze *f* Freundin eines modisch gekleideten, aber wenig gesitteten Halbwüchsigen. ↗Katze. *Österr* 1950 *ff.*

Schlurfrakete *f* **1.** Moped, Motorrad. Um der Mehrgeltung willen entwickeln die jungen Leute eine hohe Fahrgeschwindigkeit und ein Übermaß an Lärm. ↗Schlurf 2. *Österr* 1950 *ff.*
2. Halbwüchsiger. Das Fahrzeug ist dermaßen zum Halbwüchsigengefährt geworden, daß vom Gegenstand der Name auf den Benutzer übergegangen ist. *Österr* 1962 *ff.*

Schlürfsachen *pl* Getränke. ↗schlürfen. *Jug* 1955 *ff.*

Schluri *m* benommen, gedankenlos tätiger Mensch; Vergeßlicher; Müßiggänger. ↗schluren. Seit dem 19. Jh, vorwiegend *fränk.*

Schlurian *m* nachlässiger, vergeßlicher Mann. Zusammengewachsen aus „↗schluren" und der Kurzform Jan des Vornamens Johann. Seit dem 19. Jh, *fränk.*

schlurig *adj* nachlässig. Seit dem 19. Jh.

Schlurren *m* **1.** Schiff. ↗Schlorren 2. *Marinespr* 1900 *ff.*
2. Auto. ↗Schlorren 3. *BSD* 1965 *ff.*

schlurren *intr* gleiten; auf dem Eis schleifen. Mit Vokalkürzung aus „↗schluren" entstanden. Seit dem 19. Jh.

Schlusen *pl* **1.** Falschgeld; entwertetes Geld. Fußt entweder auf der Bedeutung „Hülsen, Pellen" (für den Geprellten ist das Falschgeld die schöne Hülle um eine Wertlosigkeit) oder meint die Hagelkörner, die kein wirklicher Schnee sind; „Schnee" bezeichnet auch „Geld". Berlin 1945 *ff.*
2. Unechtes, Gefälschtes. 1945 *ff.*

Schluß *m* **1.** Oberstufe des Gymnasiums. Meint eigentlich den Schluß des Aufsatzes, so wie „Einleitung" die Unterstufe und „Hauptteil" die Mittelstufe bezeichnen. 1960 *ff.*

2. ~! Aus! Amen!: Redensart zum Abschluß einer Sache. 1930 *ff.*

3. ~ im Dom! = aus! laß mich damit in Ruhe! daraus kann nichts werden! mehr ist nicht zu erwarten! Leitet sich her von der abendlichen Ankündigung der Domschließung durch die Domschweizer. 1840 *ff.*

4. ~ der Vorstellung! = Schluß! Ende! nichts weiter! 1920 *ff.*

Schlußbremser *m* Klassenschlechtester. Stammt aus dem Eisenbahnwesen und meint dort den Bremser im letzten Wagen eines Güterzugs. 1930 *ff, schül.*

Schlüssel *m* **1.** Penis. Fußt auf der Vorstellung von der Zusammengehörigkeit von Schloß und Schlüssel. 1500 *ff.*

2. den ~ abziehen = den Penis zurückziehen. 1900 *ff.*

3. das paßt wie der ~ ins Loch = das trifft genau zu, paßt zueinander. 1900 *ff.*

Schlüsselarie *f* Trick, mit dem Bild einer angeblichen Filmschauspielerin und mit einem Schlüssel Fremden den Zugang zu einem Mädchen zu verschaffen. 1952 *ff.*

Schlüsselfotze *f* Gefängnisaufseherin. Sie hat die „Schlüsselgewalt". ↗Fotze 1. Häftlingsspr. 1970 *ff.*

Schlüsselgewalt *f* Hausschlüsselverwahrung durch die Ehefrau. Meint eigentlich die Berechtigung der Ehefrau zur Geschäftsführung in ihrem häuslichen Wirkungskreis. 1900 *ff.*

Schlüsselkind *n* Kind, das den Wohnungsschlüssel um den Hals trägt, weil die Mutter tagsüber berufstätig ist. Angeblich mit Ausbruch des Zweiten Weltkriegs aufgekommen.

Schlüsselknecht *m* Strafanstaltswachtmeister. 1950 *ff.*

Schlüsselloch *n* Vagina. ↗Schlüssel 1. Seit dem 16. Jh.

Schlüssellochfilm *m* Film mit intim-geschlechtlichen Szenen. 1955 *ff.*

Schlüssellochgucker *m* Mensch, der das Tun und Treiben anderer heimlich (heimtückisch) beobachtet. 1900 *ff.*

Schlüssellochguckerei *f* heimliches Beobachten der Lebensgewohnheiten anderer. 1900 *ff.*

Schlüsselrolle *f* tragende Bühnenrolle. Dem verwaltungstechnischen Begriff der „Schlüsselstellung" nachgebildet. *Vgl* das Folgende. Theaterspr. 1950 *ff.*

Schlüsselstellung *f* eine ~ einnehmen = a) Portier, Hauswart sein. Meint eigentlich die Amtsstellung, mit der eine Entscheidungsbefugnis verbunden ist; hier Anspielung auf den Hausschlüssel. Berlin 1950 *ff.* – b) Schlosser sein. 1950 *ff.* Berlin.

schlußendlich *adj adv* schließlich. Nach 1950 bekannt gewordene, pleonastische Vokabel.

Schlußläufer *m* Klassenschlechtester. 1950 *ff.*

Schlußleuchte *f* Klassenschlechtester. *Vgl* das Folgende. Auch beeinflußt von „Leuchte = Fach-, Geistesgröße". 1920 *ff.*

Schlußlicht *n* **1.** Letzter in marschierender Kolonne. Hergenommen vom Schlußlicht am Fahrzeug. Der Letzte trägt in der Dunkelheit eine rote Laterne. 1920 *ff.*

2. Klassenschlechtester. 1920 *ff.*

3. Kleinwüchsiger einer Klasse. 1940 *ff.*

4. Verlierer bei Wettkämpfen; Tabellenletzter der Fußball-Liga; schlechteste Sportmannschaft. 1950 *ff, sportl.*

5. Letzter in einer Aufzählung; Letzter unter vielen. 1950 *ff.*

6. Rothaariger als letzter Marschierender in einer Kolonne. 1940 *ff, sold.*

7. Soldat, der beim Antreten (zum Appell) gewöhnlich als letzter erscheint. 1940 *ff.*

8. letztgeborenes Kind einer Familie. 1950 *ff.*

9. Trinkernase. Ihre rote Färbung ersetzt das rote Licht. 1940 *ff.*

10. Benachteiligter unter allen. 1950 *ff.*

11. Kamerad ~ = Kahlköpfiger. Als Letzter in einer marschierenden Kolonne wäre er von Nutzen. 1930 *ff.*

12. das ~ machen = als Letzter hinterdreingehen. 1930 *ff.*

13. die ~er zeigen = ein Kraftfahrzeug überholen. Kraftfahrerspr. 1955 *ff.*

Schmacht *m* **1.** Hunger, Durst. Meinte im Mittelalter das Verschmachten. 1700 *ff.*

2. auf ~ machen = etw entbehren müssen; sich in Enthaltsamkeit üben. 1940 *ff.*

'Schmacht'amsel *f* Sängerin rührseliger Schlagerlieder. Die Amsel hat eine melodiöse Stimme. Schmachten = sehnsüchtig sein. 1955 *ff.*

Schmacht-Atoll *n* verträumtes Café mit heimeligen Nischen; Tanzcafé mit gemütlichen Ecken. Atoll ist eine Koralleninsel, die eine Lagune umschließt, und „Lagune" meint hier die Tanzfläche. *Halbw* 1955 *ff.*

Schmachtengel *m* stark geschminktes Mädchen. Meint in der bildenden Kunst den mit sehnsuchtsvollem Ausdruck aufwärtsblickenden Engel mit geröteten Wangen. Die Schminke kann dem Gesicht einen schmachtenden Ausdruck verleihen. *Halbw* 1920 *ff.*

Schmachter *m* Appetit, Gelüst. Neuwort zu „schmachten". *Halbw* 1955 *ff.*

Schmachtfee *f* **1.** liebessehnsüchtige Frau. 1920 *ff.*

2. Frau, nach der die Männer schmachten. 1920 *ff.*

Schmachtfetzen *m* **1.** schmachtender Liebhaber; energieloser Mann. Analog zu ↗Schmachtlappen. *Schül* und *stud* seit dem ausgehenden 19. Jh.

2. rührseliges Musikstück oder literarisches Machwerk; rührseliger Film o. ä. Fetzen = abgerissenes Stück Papier oder Stoff. Kann auch das Taschentuch meinen, zum Abwischen der Tränen der Rührung. Scheint um 1900 von Österreich ausgegangen zu sein.

schmachtfetzig *adj* rührselig. 1900 *ff.*

Schmachthahn *m* liebesschmachtender Halbwüchsiger. *Halbw* 1955 *ff.*

Schmachtjüngling *m* verliebter, liebessehnsüchtiger junger Mann. 1920 *ff.*

Schmachtkopf (-kopp) *m* Sänger rührseliger Schlagerlieder. Die Texte haben liebessehnsüchtigen Inhalt. 1956 *ff*, Berlin.

Schmachtlappen *m* **1.** Hungerleider. Meint eigentlich das ↗Hungertuch. 1700 *ff.*
2. schmachtender Liebhaber; energieloser, weibischer Mann; Schwächling. Aus dem Vorhergehenden weiterentwickelt unter Einfluß von „schmachten = sich verzehrend sehnen". Seit dem 19. Jh.
3. rührseliger Schlagertext. 1910 *ff.*

schmachtlappen *intr* schmachten; gierig nach etw verlangen; durch Schmeicheln zu schmarotzen suchen. Seit dem 19. Jh.

schmachtlappig *adj* schmachtend; energielos. Seit dem 19. Jh.

Schmachtlocke *f* **1.** seitliche Haarlocke am Frauenkopf; Stirnlocke; Haarschopf bei Männern. Um 1820 (in der Biedermeierzeit) als Mode aufgekommen. Bei den Frauen sollten die Locken dem Gesicht einen schmachtenden Ausdruck verleihen.
2. *pl* = kümmerliche Locken. Meint eigentlich die schmächtigen Locken. 1920 *ff.*

Schmachtreißer *m* Liebesfilm (*abf*). ↗Reißer 1 und 3. 1950 *ff.*

Schmachtriemen *m* **1.** Leibriemen, Leib-, Ledergürtel. Eigentlich der in Hungerzeiten enger geschnallte Gürtel. ↗Schmacht 1. 1700 *ff.*
2. Koppel des Soldaten. *Sold* seit dem späten 19. Jh bis heute.
3. den ~ enger schnallen (anziehen; zusammenschnüren) = das Hungergefühl zu unterdrükken suchen; hungern; sich auf Entbehrungen einrichten. Seit dem 19. Jh.

Schmachtschinken *m* rührseliges Machwerk. ↗Schinken. 1950 *ff.*

Schmachtschlager *m* rührselig-sehnsuchtsvolles Schlagerlied. 1955 *ff.*

Schmachtstreifen *m* rührseliger Film. ↗Streifen. 1950 *ff.*

Schmackes *m pl* Schläge; Hiebe; Schwung. Schallnachahmender Herkunft. *Niederd* „smakken = laut werfen; prügeln; mit der Peitsche knallen". Berührt sich mit der Vokabel „↗Schmiß" als Bezeichnung für etwas Wohlgelungenes. 1900 *ff.*

schmackhaft *adv* jm etw ~ machen = jm etw als günstig, verlockend darstellen. Von der Erregung

der Eßlust übertragen auf die Weckung des Besitzinteresses. 1870 *ff.*

Schmadder (Schmatter) *m* **1.** nasser Schmutz; aufgeweichter Erdboden. ↗schmaddern 1. *Nordd* und *mitteld* 1800 *ff.*
2. dummes Gerede; Geschwätz. Es ist soviel wert wie Schmutz. 1900 *ff.*

schmadderig *adj* schmutzig, unsauber. Seit dem 18. Jh.

schmaddern *v* **1.** *intr tr* = beschmutzen; mit schmutzigen Sachen hantieren. Nebenform zu „↗schmieren" und ablautend zu „↗schmuddeln". *Nordd* und *mitteld* seit dem 18. Jh.
2. *impers* = anhaltend regnen. Seit dem 19. Jh.
3. *intr* = unsauber schreiben. Seit dem 18. Jh.

Schmadderwetter *n* anhaltendes Regenwetter. Seit dem 19. Jh.

Schmadding *m* Bootsmann. ↗Schmarting. *Marinespr* 1900 *ff.*

schma'fu *präd* geringschätzig; minderwertig; geizig, neidisch. Fußt auf *franz* „je m'en fous = ich mache mir nichts daraus". *Österr* und *bayr* 1800 *ff.*

Schma'fu *m* Mensch, der sich kleinlich benimmt; rücksichtsloser Mensch. *Vgl* das Vorhergehende. *Österr* seit dem 19. Jh.

Schmäh *m* **1.** Lüge, charmante Lüge; Täuschung; Vortäuschung von Gediegenheit; Nörgelrede; Trick; Übertreibung. *Jidd* „schema = Gehörtes" ergibt *rotw* „Schmee = Lüge". *Österr*, spätestens seit 1900.
2. Verhöhnung. *Österr* 1900 *ff.*
3. Unsinn, Witz. *Österr* 1920 *ff.*
4. jn am ~ halten = jn veralbern, übertölpeln. *Österr* 1920 *ff.*
5. einen ~ machen = a) lügnerisch erzählen; die Leute anlügen. *Österr* 1920 *ff.* – b) beim sportlichen Wettkampf den Gegner täuschen. *Sportl* 1930 *ff*, österr.
6. jn mit ~ übernehmen = jn belügen, betrügen. *Österr* 1920 *ff.*

Schmähbinder *m* Krawatte mit Gummizug. ↗Schmäh 1. *Schül* 1950 *ff*, österr.

schmähen *intr* **1.** lügen. ↗Schmäh 1. *Österr* 1900 *ff.*
2. plaudern (wobei man nicht bei der Wahrheit bleibt). *Österr* 1900 *ff.*

Schmähführen *n* Veralberung. ↗Schmäh 1. *Österr* 1920 *ff.*

Schmähkrawatte *f* Einhängeschlips. *Vgl* ↗Schmähbinder. *Österr* 1950 *ff*, schül.

Schmähreißer *m* Lügner. *Österr* 1920 *ff.*

schmähtandeln *intr tr* vortäuschen. ↗Tandler. 1920 *ff.*

Schmähtandler *m* Erzähler von Lügengeschichten; Mensch, der sich in Tricks versucht. *Österr* 1920 *ff.*

Schmai (Schmei) *m* Schnupftabak. Geht zurück auf die Schnupftabaksmarke „Schmalzler". Der

Die Abbildung zeigt einen Zug der Dubrovnik–Sarajevo-Bahn, einer Schmalspurstrecke, die 1912 gebaut wurde. Eine engere Spurbreite bietet sich insbesondere in gebirgigen Gegenden an: Die Serpentinen können schärfer gezogen werden, was natürlich auch den Preis der Trasse senkt. Von solchen Überlegungen ist bei der umgangssprachlichen **Schmalspur** *nichts mehr zu spüren. Die Vokabel drückt eine verengte Perspektive aus, die in der Regel allerdings vom einzelnen Individuum abgelöst und auf dessen Ausbildung (*vgl. **Schmalspurakademiker***) oder Position (*vgl. **Schmalspurbeamter***) projiziert wird.*

Buchstabe „l" ist vokalisiert. Zum guten Schnupftabak verwendet man Butterschmalz. *Bayr* seit dem 19. Jh.

Schmalfuß *m* Katze. „Schmal" geht zurück auf *jidd* „semoli = links", und „link" steht im *Rotw* für „falsch". Kundenspr. seit dem 18. Jh.

Schmalhans *m* da ist ~ Küchenmeister = da herrschen ärmliche Zustände; da wird man nicht satt. „Schmalhans" meint ursprünglich wohl einen schlanken, mageren Mann mit dem Vornamen Hans. Wo er Koch ist, sind reichliche Mahlzeiten nicht zu erwarten. Seit dem 17. Jh.

schmalmachen *v* **1.** *intr* = betteln. *Rotw* „Schmal = Weg, Straße" ergibt die Vorstellung des Bettelns am Weg. Vielleicht auch macht sich der Bettler „schmal" (im Sinne von „dünn, schlank"), wenn er um Speise bettelt. Kundenspr. seit dem 19. Jh.
2. *refl* = sich unbemerkt entfernen. Analog zu „sich ↗dünnmachen". 1920 *ff.*
3. *refl* = sich fügen. Man duckt sich wie ein Hase o. ä. 1940 *ff.*

Schmalmacher *m* Bettler. ↗schmalmachen 1. Kundenspr. seit dem 19. Jh.

Schmalreh *n* Jungfrau; junge Frau. Eigentlich Bezeichnung für das Reh bis zur ersten Brunst. 1900 *ff*, jägerspr.

Schmalreh-Figur *f* Schlankwüchsigkeit. 1960 *ff.*

Schmalspur *f* **1.** Flachbrüstigkeit. Hergenommen von der Spurweite der Kleinbahn. 1955 *ff.*
2. unbedeutender Mensch; Mensch in untergeordneter Stellung. 1930 *ff.*

3. jn auf ~ ausbilden = jn nur für einige Teilgebiete eines Berufs ausbilden; jn anlernen. 1955 *ff.*
4. auf ~ laufen = a) nicht zugkräftig, langweilig, unbedeutend sein. 1960 *ff.* – b) keinen weiten Entwicklungsspielraum haben. 1960 *ff.*

Schmalspur-Abiturient *m* Schüler mit dem Abgangszeugnis der Wirtschaftsoberschule. Das Zeugnis berechtigt in einigen Bundesländern nur zum Studium der Wirtschaftswissenschaften. Dieser und die folgenden Ausdrücke sind hergenommen von der Bezeichnung für die Spurweite der Kleinbahnen und spielen teils *iron*, teils *abf* auf den Unterschied zur normalen Spurweite der Eisenbahn an. Seit dem ausgehenden 19. Jh.

Schmalspurakademie *f* **1.** Hilfs-, Sonderschule für geistig behinderte Kinder. 1920 *ff* aufgekommen mit der Vermehrung dieser Schulen.
2. Fachschule. 1960 *ff;* aber wohl älter.

Schmalspurakademiker *m* **1.** nicht vollwertiger Akademiker; Hochschüler, der nur sechs Semester studiert hat; Mensch ohne übliche akademische Vorbildung in einem gewöhnlich nur von Akademikern bekleideten Amt. 1920 *ff.*
2. Fachschulingenieur. 1920 *ff.*
3. Hilfsschullehrer. 1920 *ff.*
4. Volkswirtschaftler. *Vgl* das Folgende. Basel 1900 *ff.*
5. Jurist. Juristen und Volkswirtschaftler werfen einander vor, kein vollwertiges akademisches Studium zu absolvieren: für die einen fehlt es an volkswirtschaftlichen, für die anderen an juristischen Kenntnissen. Basel 1900 *ff.*

6. staatlich geprüfter Betriebswirt. 1960 *ff*.

Schmalspurarchitekt *m* Bauunternehmer. 1950 *ff*.

Schmalspurartillerie *f* Infanterie-Geschützkompanie. Von der Artillerie wurde sie nicht als gleichwertig betrachtet. *Sold* 1939 *ff*.

Schmalspurausbildung *f* Grundschullehrerausbildung an Pädagogischen Hochschulen. 1965 *ff*.

Schmalspurbeamter *m* **1.** Beamter des unteren und mittleren Dienstes. 1920 *ff*.
2. Wehrmachtbeamter auf Kriegsdauer. *Sold* 1939 *ff*.

Schmalspurbett *n* Junggesellenbett. 1950 *ff*.

Schmalspurbörsianer *m* Inhaber einer Kleinaktie. 1960 *ff*.

Schmalspur-Dämchen *n* Sekretärin ohne ausreichende fachliche Vorbildung, aber mit entsprechend anmaßendem Auftreten. 1955 *ff*.

Schmalspurdoktor *m* Feldunterarzt. *Sold* 1939 *ff*.

Schmalspurer *m* Kriegsverwaltungsinspektor. *Sold* 1939 *ff*.

Schmalspurfritze *m* Truppenverwaltungsbeamter. ↗ Fritze 1. *Sold* 1939 bis heute.

Schmalspur-Gallup *m* unbedeutender Meinungsforscher. G. H. Gallup gründete 1935 das American Institute of Public Opinion. 1960 *ff*.

Schmalspurganove *m* unerfahrener Verbrecher; Straftäter mit geringem Vorstrafenregister. ↗ Ganove. 1950 *ff*.

Schmalspurgauner *m* unbedeutender Straftäter. ↗ Gauner. 1950 *ff*.

Schmalspurgermanist *m* Professor der Germanistik an einer Technischen Hochschule. 1950 *ff*.

Schmalspurgymnasiast *m* **1.** vorzeitig abgegangener Gymnasiast. 1920 *ff*.
2. Gymnasiast, der nur die fachgebundene Hochschulreife erlangen kann. 1960 *ff*.

Schmalspurgymnasium *n* **1.** Fachschule. 1920 *ff*.
2. Sonderschule. 1960 *ff*.

Schmalspurhengst *m* **1.** Truppenverwaltungsbeamter. ↗ Hengst 1. *Sold* 1939 bis heute.
2. Dolmetscher, Sonderführer; Verwaltungsbeamter im Offiziersrang. *Sold* 1939 *ff*.
3. Leutnant zur See. Auf seinem linken Unterärmel befindet sich ein einziger gelber Streifen. *BSD* 1965 *ff*.
4. junger Mann. Er ist noch kein vollwertiger „↗ Hengst". 1955 *ff*.

Schmalspurhochschule *f* Hochschule mit nur wenigen Fakultäten. 1955 *ff*.

schmalspurig *adj* unbedeutend; inhaltsarm. 1955 *ff*.

Schmalspurigkeit *f* mangelnde Breite der Berufsausbildung (Berufserfahrung). 1960 *ff*.

Schmalspuringenieur *m* **1.** Fachschulingenieur. Seit dem ausgehenden 19. Jh.
2. Techniker ohne Ingenieurausbildung. Seit dem ausgehenden 19. Jh.

3. Zahnarzt. Er gilt nicht als Vollmediziner; seine Tätigkeit stuft man als handwerklich ein. *Österr* 1930 *ff*.

Schmalspurjurist *m* **1.** Volkswirtschaftler. ↗ Schmalspurakademiker 5. Seit dem ausgehenden 19. Jh.
2. Jurist ohne Assessorexamen; ungenügend ausgebildeter Jurist. 1900 *ff*
3. Rechtsberater, -konsulent. 1900 *ff*.

Schmalspurkanone *f* **1.** Gewehr, Karabiner. *Sold* 1940 *ff*, *schweiz*.
2. Revolver. 1950 *ff*, *schweiz*.

Schmalspurkasse *f* Vereinskasse mit wenig Inhalt. 1960 *ff*.

Schmalspurkaufmann *m* ungenügend ausgebildeter Kaufmann; Kleinhändler. 1950 *ff*.

Schmalspurkino *n* Fernsehgerät. 1955 *ff*.

Schmalspurlateiner *m* Philologe, der Lateinisch nur als Nebenfach studiert hat. 1920 *ff*.

Schmalspurleutnant *m* Oberfähnrich zur See. Auf dem linken Unterärmel trägt er unter dem Stern einen schmalen gelben Streifen. *Marinespr* 1965 *ff*.

Schmalspurmaler *m* Maler ohne viel Kunstverstand. 1930 *ff*.

Schmalspurmediziner *m* **1.** Zahnarzt. 1920 *ff*.
2. Feldunterarzt. *Sold* 1939 *ff*.
3. Heilpraktiker. 1950 *ff*.

Schmalspurnautiker *n* Binnenschiffer. 1970 *ff*.

Schmalspuroffizier *m* **1.** Verwaltungsbeamter im Offiziersrang; Dolmetscher o. ä. Nach einer Deutung spielt die Vokabel auf die schmalen Schulterstücke an; nach anderer Lesart will man zum Ausdruck bringen, daß der Betreffende nur aus Gründen der Autorität den Offiziersrang bekleidet, obwohl er nie Soldat gewesen ist. *Sold* in beiden Weltkriegen.
2. Leutnant zur See. ↗ Schmalspurhengst 3. *Marinespr* 1965 *ff*.

Schmalspurphilologe *m* Philologe, der nur eine der alten Sprachen beherrscht. 1920 *ff*.

Schmalspurreporter *m* Berichterstatter in untergeordneter Tätigkeit oder mit geringem Können. 1955 *ff*.

Schmalspurritter *m* Kraftfahrer, der auf Autobahnen die linke Fahrbahn einhält. Zum vollwertigen „Ritter" gehört auch die Benutzung der rechten Fahrspur. 1973 *ff*.

Schmalspurrocker *m* Mann, der sich aufspielt. *Jug* 1970 *ff*.

Schmalspursänger *m* Sänger, der nur gelegentlich auftritt; Schlagersänger ohne großes Können. 1960 *ff*.

Schmalspur-Schlagerstar *m* nicht wandlungsfähiger Schlagersänger. 1965 *ff*, *halbw*.

Schmalspur-Spielkasino *n* unbedeutendes Spielkasino. 1960 *ff*.

Schmalspurstudent *m* **1.** Fachschulstudent. 1950 *ff*.

2. Student der Pädagogischen Hochschule. 1950 *ff.*

Schmalspur-Studienrat *m* Gymnasiallehrer ohne Lehrbefähigung für die Oberstufe. 1955 *ff.*

Schmalspurstudium *n* **1.** juristisches, volkswirtschaftliches Studium. ↗Schmalspurakademiker 5. Basel 1900 *ff.*
2. engbegrenztes Fachstudium jeglicher Art. 1920 *ff.*

Schmalspurterrasse *f* **1.** Balkon. 1950 *ff.*
2. Anklagebank. 1950 *ff.*

Schmalspurtheologe *m* Theologe mit Berechtigung zur Erteilung von Religionsunterricht, aber ohne geistliche Würde; Laientheologe. 1930 *ff.*

Schmalspurtyrann *m* herrischer Mann in kleinem Wirkungskreis. 1950 *ff.*

Schmalspur-Universität *f* Hochschule, auf der keine akademischen Grade erworben werden können. 1945 *ff.*

Schmalspurwissen *n* engbegrenztes Fachwissen. 1950 *ff.*

Schmaltier *n* **1.** junges Mädchen in heiratsfähigem Alter. In der Jägersprache meint man mit „schmal" soviel wie „ungedeckt; bis zur ersten Brunft". 1900 *ff.*
2. Tanzschülerin. 1920 *ff.*

Schmaltierjäger *m* Mädchenheld. 1920 *ff.*

Schmalvieh *n* ledige Jugend. ↗Schmaltier 1. 1900 *ff.*

Schmalz *n* **1.** Körper-, Muskelkraft. Schmalz macht stark. 1500 *ff,* vorwiegend *oberd.*
2. mehrjährige Freiheitsstrafe; Strafausmaß. ↗schmalzen. *Österr* 1900 *ff.*
3. Geld, Sold. Dadurch gewinnt man Energie und Unternehmungslust. *Sold* 1935 *ff.*
4. Rührseligkeit; übertrieben Gefühlvolles; Sache, die einen innerlich rührt. Gehört zu „schmelzen = zerfließen machen"; übertragen auf echte oder geheuchelte, tränenreiche seelische Rührung. Wohl schon seit der ersten Hälfte des 19. Jhs, da für 1847 in Wien „Schmalzel" in der Bedeutung „Lieblingslied" bezeugt ist.
5. Verstand. Von der Muskelkraft ausgedehnt auf die Geisteskraft. 1900 *ff.*
6. etw mit ~ ausbraten = einen Vorfall stimmungsvoll, rührselig schildern. 1950 *ff.*
7. sein ~ kriegen = seine Strafe erhalten. Analog zu „sein ↗Fett kriegen". 1900 *ff.*
7 a. auf ~ machen = rührselig musizieren. ↗Schmalz 4. Etwa seit 1900.
8. wie ~ schmelzen = von einem Augenblick zum anderen eitel Liebenswürdigkeit an den Tag legen; unvermittelt liebesgierig werden. 1900 *ff.*

Schmalz-Amor *m* **1.** rührselig sprechender Liebhaber; Stutzer mit pomadisiertem Haar. ↗Schmalz 4. 1870 *ff.*
2. beleibter Liebhaber. 1840 *ff.*

Schmalzartikel *m* widerlich gefühlvoller Zeitungsaufsatz. 1950 *ff.*

Schmalzbacke *f* feiste Wange. 1920 *ff.*

Schmalzbauch *m* dicker Bauch. 1930 *ff.*

Schmalzbohrer *m* Miniaturmikrofon im Ohr. Es bohrt im Ohrenschmalz. 1930 *ff.*

Schmalzbruder (-bubi) *m* Schlagersänger. 1965 *ff, jug.*

Schmalzdackel *m* Schlagersänger. ↗Dackel. *Halbw* 1955 *ff.*

Schmalzeinlage *f* rührseliges Lied bei einem volkstümlichen Konzert. 1955 *ff.*

schmalzen *intr* **1.** rührselig singen. ↗Schmalz 4. 1900 *ff.*
2. einem Mädchen liebe Worte sagen; zärtlich flüstern. 1910 *ff.*
3. sich durch Geschenke und Gefälligkeiten beliebt machen; eine Bestechungsgabe anbieten. Analog zu ↗schmieren. 1910 *ff.*
4. rührselig schauspielern. 1910 *ff,* theaterspr.
5. strafen. ↗Schmalz 7. 1900 *ff, österr.*
6. prügeln. 1900 *ff, österr.*
7. eine Melodie ins Rührselige abändern. 1955 *ff.*

Schmalzengel *m* dralles Mädchen. 1900 *ff.*

Schmalzer *m* Schlagersänger. *Jug* 1965 *ff.*

Schmalzfabrik *f* Produktion gefühlvoller Schlager. 1960 *ff.*

Schmalzgabe *f* Bestechungsgabe, -geld. ↗schmalzen 3. 1910 *ff.*

schmalzgebacken *adj* rührselig. 1920 *ff.*

Schmalzgeiger *m* Kaffeehausgeiger. 1920 *ff.*

schmalzgelockt *adj* mit pomadisierten Locken. 1955 *ff.*

Schmalzgesang *m* gefühlvoller Gesang. 1900 *ff.*

Schmalzgesicht *n* breites, feistes Gesicht. 1920 *ff.*

Schmalzgitarrist *m* gefühlvoller Gitarrenspieler. 1955 *ff.*

Schmalzgondel *f* zu Spazierfahrten vermietetes Boot. Es wird vor allem von Liebespaaren bevorzugt. 1910 *ff.*

Schmalzhafen *m* **1.** beleibter Mensch. Eigentlich der Schmalztopf. ↗Hafen I. *Bayr* und *österr* 1900 *ff.*
2. Schlagersänger. *Südd,* 1965 *ff, jug.*
3. im ~ hocken = gut leben; ein Schlemmerleben führen. 1900 *ff.*

Schmalzheini *m* Sänger rührseliger Lieder. ↗Heini 1. 1955 *ff.*

Schmalzier (Endung *franz* ausgesprochen) *m* Sänger, der gefühlvollen Gesangsvortrag pflegt. 1960 *ff, journ.*

schmalzig *adj* **1.** rührselig; übertrieben gefühlvoll. ↗Schmalz 4. 1870 *ff.*
2. aufdringlich liebevoll; Liebesgefühle vortäuschend. 1910 *ff.*
3. kostspielig. Parallel zu ↗geschmalzen. *Österr* 1900 *ff.*

Schmalzjockel (-jodler; -junge) *m* Sänger rührseliger Schlagerlieder. *Halbw* 1955 *ff.*

Schmalzknabe *m* sentimental singender Künstler. 1955 *ff.*

*Jede Zeit hat ihre eigenen Schmalzköpfe (**Schmalzkopf 3.**). Und selbst Musikformen, die einst in Opposition zu dem entstanden, was die **Schmalzmolle** Tag für Tag in den Äther dudelte, kommen einmal an dem Punkt an, wo sie zu dem werden, wogegen sie sich einst selbst gewendet hatten. Dies trifft insbesondere auf die populäre Musik zu, wenngleich natürlich nicht zu überhören ist, daß auch die sogenannte ernste Musik oft genug vor Schmalz trieft (vgl.* **schmalztriefend**). *Die verschiedenen Trends lösen sich mittlerweile so schnell ab, daß jene Spielformen, die eine weitere Verbreitung finden, letzten Endes wohl immer Schmalz sind (**Schmalz 4.**). Dafür sorgen schon die Industrie und die **Schmalzartikel** der einschlägigen Gazetten. Anfangs mag da vielleicht durchaus noch ein leichter Hauch von Protest und Rebellion spürbar sein, der allerdings nur dann sanktioniert wird, wenn sich damit Geld verdienen läßt, und eine solche, dem Rezipientenkreis durchaus angemessene Haltung allmählich zur bloßen Attitüde erstarrt. So muß der im Stil der späten Sechziger gestylte Jüngling vor seinem Rolls Royce und dem Landsitz im Hintergrund einfach **schmalzig** wirken, und das nicht nur, weil die Attribute seines Erfolgs äußerst kostspielig sind (vgl. **schmalzig 3.**).*

schmalzknabig *adj* übertrieben gefühlvoll. 1955 ff.

Schmalzkopf (-kopp) *m* **1.** reichlich pomadisiertes Haar. 1920 ff.
2. feistes Gesicht. 1920 ff.
3. Schlagersänger. *Jug* 1965 ff.

Schmalzlächeln *n* auf Erregung von Rührung berechnetes Lächeln. 1955 ff.

Schmalzlappen *m* lyrischer Tenor; Sänger mit gefühlvollem Ausdruck in der Stimme. Dem „↗Schmachtlappen" nachgebildet. 1950 ff.

Schmalzlawine *f* **1.** sehr beleibter Mensch. 1920 ff.
2. überaus rührseliger Text. 1950 ff, halbw.

Schmalzler *m* **1.** Schnupftabak. ↗Schmai. *Bayr* und *schwäb* seit dem 19. Jh.
2. Tabakschnupfer. *Bayr* seit dem 19. Jh.
3. Schlagersänger. ↗Schmalz 4. 1965 ff, jug.

Schmalzler-Olympiade *f* Wettstreit im Tabakschnupfen. ↗Olympiade. 1966 ff, Gmunden (Österreich).

Schmalzlied *n* rührseliges Lied. ↗Schmalz 4. 1920 ff.

Schmälzling *m* Sänger gefühlvoller Lieder. 1955 ff.

Schmalzlocke *f* **1.** mit Öl und Pomade angelegte Locke. 1920 ff.
2. Schlagersänger. 1965 ff, jug.

schmalzlockig *adj* pomadisierte Locken tragend. 1920 ff.

Schmalzmolle *f* Rundfunksender; Senderaum. *Niederd* „Molle" (= *hd* „Mulde") meint den

Trog, vor allem den Futtertrog für das Vieh. Aus solch einem Trog voller Schmalz schöpfen die Sender und die Künstler wohl die Rührseligkeit für ihre Sendungen. Ursprünglich bezogen auf den ersten Berliner Senderaum (1923); später verallgemeinert.

Schmalzmusik *f* rührselige Musik. 1930 ff.

Schmalznudel *f* **1.** rührseliges Lied. Eigentlich das Schmalzgebackene. Es „trieft vor Schmalz". 1920 ff.
2. gefühlvoller Mensch. 1920 ff.

Schmalzorgel *f* Wurlitzer-, Kinoorgel. In Berlin 1929 aufgekommen im Zusammenhang mit der Kinoorgel im Ufa-Palast am Zoo.

Schmalzpfanne *f* Ohr des Menschen. Die Ohrmuschel ist pfannenförmig. Schmalz = Ohrenschmalz. 1900 ff.

Schmalzplatte *f* Schallplatte mit rührseligen Liedern o. ä. ↗Schmalz 4. 1960 ff.

Schmalzproduzent *m* Schlagersänger. *Jug* 1955 ff.

Schmalzroman *m* rührseliger Roman. 1900 ff.

Schmalzsänger *m* Sänger gefühlvoller Lieder. 1955 ff.

Schmalzscheitel *m* pomadisierter Scheitel. 1920 ff.

schmalzschmierig *adj* auf gefühlvolle Weise liebedienerisch. ↗schmierig; ↗schmalzen 3. 1960 ff.

Schmalzschnulze *f* anspruchslos gefühlvolles Schlagerlied. ↗Schnulze 1. 1955 ff.

Schmalzstimme *f* gefühlvolle Stimme. 1920 ff.

Schmalzstube *f* unsauberes Ohr. Anspielung auf das Ohrenschmalz. 1910 ff.

Schmalzstulle *f* 1. mit Schmalz bestrichene Brotschnitte. ↗Stulle. Seit dem 19. Jh.
2. weißer Kragen; Stehkragen. Berlin 1900 *ff.* Älter ist die Bedeutung „Chemisette".
3. Geld. Es verleiht Kraft wie die Schmalzschnitte. Berlin 1910 *ff*, kartenspielerspr.
Schmalzstullenkino *n* kleines Vorstadtkino. Während der Vorführung essen die Zuschauer die von daheim mitgebrachten Schmalzschnitten. 1910 *ff.*
Schmalzstullentheater *n* Vorstadtbühne. Der Name rührt angeblich von den sehr volkstümlichen Büffets her. 1840 *ff*, Berlin.
Schmalztante *f* Schlagersängerin. *Schül* 1965 *ff.*
Schmalztenor *m* lyrischer Tenor. Gegen 1910 aufgekommen.
Schmalztolle *f* pomadisiertes Haar; tief in die Stirn reichende Locke. ↗Tolle. Spätes 19. Jh.
Schmalztöne *pl* Liebesgeflüster; Koseworte. ↗schmalzen 2. 1910 *ff.*
Schmalztopf (-pott) *m* 1. Ohr des Menschen. Anspielung auf das Ohrenschmalz. 1900 *ff.*
2. tief in den ~ greifen = eine mehrjährige Freiheitsstrafe verhängen. ↗Schmalz 2. *Österr* 1920 *ff.*
Schmalztour *f* auf die ~ reisen = sich bei einem Mädchen durch nette Worte einschmeicheln. ↗Schmalz 4. 1910 *ff.*
schmalztriefend *adj* überaus rührselig; widerlich gefühlvoll. 1920/30 *ff.*
Schmalztyp *m* Schlagersänger. *Jug* 1965 *ff.*
Schmalzzahn *m* Schlagersängerin. ↗Zahn 3. 1965 *ff.*
Schmand (Schmant) *m* 1. Schaum auf dem Glas Bier. Übertragen von der Sahne auf der gekochten oder ungekochten Milch. 1900 *ff.*
2. Verzierung an Uniformstücken (Litzen, Schnüre, Stickereien o. ä.); Tressen. Hergenommen von der Tortenverzierung mit Schlagsahne. 1910 *ff.*
3. (klebriger) Schmutz; Bodensatz. Analog zu „Rahm", was sowohl die Sahne als auch den Ruß bezeichnet. 1900 *ff.* Vorwiegend *ostmitteld* und *niederd.*
4. den ~ abschöpfen = das Beste vorwegnehmen. Analog zu „den ↗Rahm abschöpfen". 1600 *ff.*
Schmandbuxen *pl* weiße Sommerhosen. *Ziv* und *sold*, 1870 *ff.*
Schmandengel *m* kleines Kind im Nachthemd. 1900 *ff.*
Schmandhosen *pl* weiße (Sommer-)Hosen. *Ziv* und *sold*, 1870 *ff.*
Schmankerl *n* 1. Leckerbissen; Leckerei. Meint ursprünglich wohl das, was von Mus oder Brei im Topf anbrät; sodann die Kruste, das Knusprige. Von da weiterentwickelt zur Bedeutung „was Appetit macht". Beeinflußt von „Gschmackerl" mit Nasal-Infix. *Bayr* und *österr* seit dem 19. Jh.
2. Liebling. Sachverwandt mit dem „↗knusprigen Mädchen". *Österr* 1920 *ff.*

3. liebenswürdig ausgeschmücktes Geschichtchen. *Österr* 1920 *ff.*
Schmant *m* ↗Schmand.
¹Schmarr'arsch *m* Schwätzer. ↗Schmarren 1. *Bayr* 1900 *ff.*
Schmarre *f* 1. Hiebwunde, Schramme, Narbe. Geht mit dem Verb „schmerzen" zurück auf ein Wurzelwort mit der Bedeutung „aufreiben". Seit dem 14. Jh, vorwiegend *niederd.*
2. ungesunde ~ = schwere Verwundung; körperlicher Dauerschaden. *Sold* 1939 *ff.*
Schmarren *m* 1. Belangloses; Geringwertiges; Unsinn; Nichts. Meint im *Oberd* die in der Pfanne gebackene und zerstückelte Mehlspeise. Es ist ein sehr beliebtes, aber einfaches Gericht und hat wegen der Nationalgültigkeit die Bedeutung der Alltäglichkeit und Durchschnittlichkeit angenommen; von hier ist nur ein kleiner Schritt zur Bedeutung der Nichtigkeit. 1600 *ff.*
2. rührseliges Theaterstück von geringem künstlerischem Wert; altes, nicht mehr zugkräftiges Bühnenstück. Theaterspr. 1870 *ff.*
3. aufgelegter ~ = völliger Unsinn. 1920 *ff*, *südd.*
4. ja, ~!: Ausdruck der Verneinung oder Ablehnung. 1900 *ff.*
5. das geht ihn einen ~ an = das geht ihn nichts an. Seit dem 19. Jh.
6. sich um etw einen ~ kümmern = sich um etw überhaupt nicht kümmern. Seit dem 19. Jh.
7. das kümmert ihn einen ~ = das ist ihm völlig gleichgültig. Seit dem 19. Jh.
schmarren *intr* dummschwätzen. ↗Schmarren 1. 1900 *ff*, bayr.
Schmarrenbeni *m* Schwätzer. Beni ist Kurzform des Vornamens Benedikt. *Bayr* 1900 *ff.*
Schmarrentante *f* Schwätzer(in). 1900 *ff.*
Schmarrer *m* Dummschwätzer. 1900 *ff.*
Schmarrkopf *m* Dummschwätzer. *Bayr* 1900 *ff.*
Schmarrwerk *n* dumme Rede. *Südd* 1920 *ff.*
Schmarting *m* Bootsmann. Eigentlich Bezeichnung für altes Segeltuch, mit dem man die Taue umkleidet, damit das Abwetzen verhütet wird; hier Name für den Matrosen, der diese Arbeit verrichtet. *Marinespr* 1900 *ff.*
Schmatt (Schmattes) *m n* Geld. Vielleicht aus gleichbed „↗Schamott" umgebildet unter Einwirkung von jidd „schmate = Lumpen, Lappen". Frühes 20. Jh, österr.
Schmatter *m* ↗Schmadder.
schmattig *adj* wohlhabend. *Vgl* ↗Schmatt. 1950 *ff.*
Schmatz *m* (laut schallender) Kuß. ↗schmatzen. Seit dem 15. Jh.
Schmatzbrett *n* Küchen-, Eßtisch. ↗schmatzen 2. *Halbw* 1955 *ff.*
schmatzen *intr* 1. laut küssen. Fußt mit s-Erweiterung auf „schmacken", einer Nebenform zu „schmecken", und auf Lautmalerei. Seit dem 15. Jh.

2. mit Geräusch essen; schlürfen. Seit dem 15. Jh.

3. plaudern, schwätzen. Lautmalend wie „klatschen", „quatschen", „tratschen" usw. *Bayr* seit dem 15. Jh.

Schmatzer *m* **1.** schallender Kuß. ↗schmatzen 1. 1500 *ff.*

2. Dummschwätzer. ↗schmatzen 3. *Bayr* seit dem 15. Jh.

Schmatzkrawatte *f* Halsbinde des evangelischen Geistlichen. Anspielung auf genüßliches Essen, wobei das „Beffchen" als vorgebundenes Mundtuch dient. 1930 *ff.*

Schmauch *m* Raucherware. Schmauchen = behaglich rauchen. *Halbw* 1955 *ff*, österr.

Schmeckefuchs *m* Mann, der gern den Mädchen nachschaut. ↗schmecken 8; *vgl* auch ↗füchseln 1. Hessen 1920 *ff.*

schmecken *v* **1.** *tr* = etw riechen. Von den Geschmacksnerven auf die Geruchsnerven übertragen. Vorwiegend *oberd*, 1500 *ff.*

2. *tr* = etw ahnen, wittern, bemerken, erraten. *Oberd* seit dem 19. Jh.

3. schmeck's! = merk' dir's! lege es dir selber zurecht, ich sage nichts dazu; auch Ausruf, wenn man keine Antwort geben will. Der Betreffende soll selber nachdenken oder raten, ohne auf fremde Hilfe zu rechnen. *Oberd* seit dem 19. Jh.

4. es schmeckt geschluckt wie gekotzt gleich = es schmeckt widerlich. Im Geschmack ist es von Erbrochenem nicht zu unterscheiden. 1900 *ff.*

5. es schmeckt rauf wie runter (es schmeckt rauf wie runter gleich) = es ist ein widerliches Essen. 1900 *ff.*

6. runterzu schmeckt's besser: *iron* Redewendung an einen, der sich erbricht. 1920 *ff.*

7. es schmeckt nicht = es behagt nicht, ist zu anstrengend. Von unschmackhafter Speise verallgemeinert. Seit dem 19. Jh.

8. es schmeckt ihm = das ist ihm willkommen; das hat er gern (auch *iron*). Seit dem 19. Jh.

9. es schmeckt mir nicht = es erweckt mein Mißtrauen; ich halte die Sache für bedenklich. Seit dem 19. Jh.

10. es schmeckt nach Ozean = es schmeckt ausgezeichnet; davon möchte man noch weiter essen. Fußt wortwitzelnd auf „es schmeckt nach mehr", wobei in der Aussprache „mehr" nicht von „Meer" zu unterscheiden ist. 1920 *ff, jug.*

11. jn nicht ~ können = jn nicht leiden können. Analog (über die Bedeutung 1) zu „jn nicht ↗riechen können". *Oberd* 1700 *ff.*

12. die Arbeit (der Beruf o. ä.) schmeckt nicht = man findet an der Arbeit keinen Gefallen. 1500 *ff.*

13. es schmeckt nicht nach ihm und nicht nach ihr = es schmeckt nach nichts, ist unschmackhaft, fade. Bezogen auf ungewürzte oder zu schwach gewürzte Speisen. 1870 *ff.*

14. es schmeckt nicht nach Mein und nicht nach Dein = es schmeckt fade. 1920 *ff.*

Schmecker *m* **1.** Mund, Zunge. Seit dem 18. Jh.

2. Kuß. 1800 *ff.*

3. Nase. ↗schmecken 1. *Oberd* 1700 *ff.*

Schmeck'lecker *m* **1.** Feinschmecker; Liebhaber von gutem Essen und Trinken. Zusammengesetzt aus *gleichbed* „Schmecker" und „lecken = naschen, schmausen". Seit dem späten 19. Jh.

2. Mann, der hübsche Frauen zu schätzen weiß. 1870 *ff.*

Schmei *m* ↗Schmai.

schmeichelbar *adj* schmeichelhaft. 1920 *ff.*

Schmeichelkätzchen *n* anschmiegsames Kind, Mädchen o. ä. Seit dem 18. Jh.

Schmeiße *f* **1.** Kot, Schmutz; mißliche Lage. Gehört zu „schmeißen = Kot absondern". In der Geltung bei den Soldaten beider Weltkriege durch *gleichbed* „Scheiße" beeinflußt.

2. Party o. ä. Substantiviert aus „ein Fest ↗schmeißen". *Halbw* 1955 *ff.*

schmeißen *v* **1.** *tr* = werfen. *Mhd* „smizen = streichen, schmieren; schlagen". Fußt auf dem *indogerm* Wurzelwort „smid = werfen". Seit dem 15. Jh.

2. *tr* = jn von der Schule weisen. Seit dem 19. Jh, *schül.*

2 a. *intr* = das Studium abbrechen. 1960 *ff.*

3. das hat mich geschmissen = das hat mich erledigt; daran bin ich gescheitert. Seit dem 19. Jh.

4. es hat ihn geschmissen = er wurde schimpflich aus der Schule oder Stellung entfernt. *Österr* seit dem 19. Jh.

5. etw ~ (ein Faß Bier, eine Runde, eine Lage ~) = etw auf eigene Kosten auftischen lassen; jn mit etw freihalten. Wohl weil man das Geld dazu auf den Tisch wirft. 1850 *ff.*

6. einen ~ = a) ein Glas Alkohol zu sich nehmen. Man wirft den Inhalt in den Mund. Meist bezogen auf einen Schnaps, den man mit einem Zug trinkt. Seit dem späten 19. Jh. – b) Rauschgift injizieren. *Halbw* 1970 *ff.*

7. jn ~ = jn prügeln. Im Mittelalter war „smiz" der Streich mit der Rute. Seit dem 15. Jh.

8. eine Sache ~ = eine Sache gut ausführen, meistern. „Schmeißen" bedeutet auch „besiegen", beruhend auf der Vorstellung, daß der Sieger seinen Gegner zu Boden wirft oder zu Boden streckt. 1910 *ff.*

9. einen ~ = eine Straftat begehen. Versteht sich nach dem Vorhergehenden. 1910 *ff.*

10. einen Akt (eine Szene; eine Rolle; eine Aufführung) ~ = einen Auftritt verderben; eine Aufführung zum Scheitern bringen. Durch eine Ungeschicklichkeit o. ä. macht man aus der vorgesehenen Ordnung eine Unordnung: man „wirft" die Szene „über den ↗Haufen". Theaterspr. seit dem späten 19. Jh.

11. schmeiß' freiwillig!: Zuruf an einen Kartenspieler, das aussichtslos gewordene Spiel aufzugeben. Kartenspielerspr. seit dem 19. Jh.

12. *intr* = koten. Als Hüllwort im 15. Jh aufgekommen.

13. sich auf etw ~ = etw eifrig betreiben; sich auf etw verlegen; sich einer bestimmten Erwerbsart zuwenden. Berlin 1850 *ff*.

14. jn nach vorn ~ = jn der Öffentlichkeit vorführen; jn berühmt zu machen suchen. Meint das angestrengte Bemühen, den Betreffenden an die Rampe vor den Theatervorhang zu bringen. 1933 *ff*.

15. sich nach vorn ~ = sich vordrängen; sich zu einer aussichtsreichen öffentlichen Tätigkeit drängen. 1933 *ff*.

Schmeißer *m* **1.** Straftäter. ↗schmeißen 9. 1910 *ff*.
2. Komiker, der den Zuschauern Beifallsstürme entlockt. Gehört zu ↗schmeißen 8. 1920 *ff*.
3. grober, rücksichtsloser Bursche. ↗schmeißen 7. Seit dem 19. Jh.
4. *pl* = Soldaten, die bei Besichtigungen im ersten Glied stehen und durch Aussehen und Drill angenehm auffallen. Die Besichtigung wird von ihnen „geschmissen" (↗schmeißen 8). *Sold* 1900 *ff*.

Schmeißfliege *f* **1.** Prostituierte. Das Insekt entwickelt sich auf faulem Fleisch, ist ein Schmarotzer. 1900 *ff*.
2. lästiger Mensch, der sich nicht abweisen läßt. 1900 *ff*.
2 a. übelwollender Kritiker. 1850 *ff*.
3. motorisierte ~ = lärmend fahrender Moped-, Motorradfahrer. Er bildet eine üble Plage. 1930 *ff*.
4. frech wie eine ~ = sehr aufdringlich. 1900 *ff*.

Schmeißhaus *n* Abort. ↗schmeißen 12. 16. Jh.

Schmeißküche *f* **1.** Jahrmarktstand, ausgestattet mit Keramik- und Porzellangegenständen, nach denen man gegen Entgelt werfen kann. 1940 *ff*.
2. Kriegsschauplatz. *Sold* 1940 *ff*.
3. Bombenabwurfstelle mehrerer Flugzeuge. *Sold* 1940 *ff*.

Schmeißwetter *n* unfreundliches, regnerisches Wetter. ↗schmeißen 12; überlagert von *gleichbed* „↗Scheißwetter". Seit dem 19. Jh.

Schmeling *Pn* Max ~ = Brotschnitte mit rohem Schinken und Spiegelei. Um 1960 aus der Bezeichnung „strammer Max" (↗Max 7 c) in der Kellnersprache umgeformt mit Anspielung auf Max Schmeling, den volkstümlichen deutschen Boxer.

schmelzen *intr* harnen, koten. Eigentlich soviel wie „flüssig machen; (Fett) auslassen". Im 18. Jh im *Rotw* aufgekommen; seit dem 19. Jh auch in anderen Kreisen geläufig, vorwiegend *oberd*.

Schmelzer *m* **1.** After; Gesäß. *Rotw* seit dem 19. Jh.
2. Abort. *Schweiz* 1950 *ff*.

Schmelzflußfolie *f* Abortpapier. ↗schmelzen. Folie meint das Blatt, den dünnen Streifen. *Österr* 1960 *ff, jug*.

Schmelzhütte *f* Abort. ↗schmelzen. *Österr* 1960 *ff, jug*.

Schmelzmittel *pl* Prügel oder andere drastische Maßnahmen, mit denen man einen Starrsinnigen nachgiebig machen will. Aus der Physik entlehnt: man beseitigt den starren Zustand durch Erwärmen. *Sold* in beiden Weltkriegen.

Schmerbauch *m* **1.** dicker Leib. Schmer = rohes Fett; Schmalz. Seit dem 16. Jh.
2. beleibter Mensch. Seit dem 18. Jh.

Schmerz *m* **1.** auch 'der ~ noch!: Redewendung, wenn zu allem sonstigen Mißgeschick noch ein neues tritt. 1870 *ff*.
2. ~, laß nach!: Redewendung, wenn man wünscht, daß ein Dummschwätzer endlich verstummt, oder daß ein unliebsames Gesprächsthema verlassen wird. 1870 *ff*.
3. hast du sonst noch ~en (sonst hast du keine ~en)? = möchtest du sonst noch etwas? Stammt aus dem verbesserten *dt* Text des W. Viol (Breslau 1858) zu Mozarts Oper „Don Juan" als Übersetzung von *ital* „E poi non ti duol altro?". Etwa seit 1860.
4. den ~ töten = trinken, zechen. Gilt als Ausrede des Durstigen. 1900 *ff*.

Schmerzensgeld *n* Sold. Aufgefaßt als Entschädigung für erlittene Schmerzen. *Sold* 1939 bis heute.

Schmerzensmann *m* Zahnarzt. Eigentlich Bezeichnung für den leidenden Christus in der bildenden Kunst. 1950 *ff*.

Schmetter *m* **1.** Rausch. ↗schmettern 7. Zürich 1930 *ff*.
2. Durcheinander, Wirrwarr; Widerwärtigkeit. Fußt auf „↗schmettern 10". 1900 *ff*.

Schmetterball *m* heftig geschlagener Tennisball; heftiger Fußballstoß. ↗schmettern 1. 1900 *ff*.

Schmetterball-Sirene *f* Tennisspielerin. ↗Sirene. *Journ* 1960 *ff*.

Schmetterer *m* **1.** Kraftvoller Faustball-, Tennisspieler. ↗schmettern 1. 1935 *ff*.
2. Lügner. ↗schmettern 5. 1950 *ff*.

Schmetterhalle *f* Latrine. ↗schmettern. *Sold* 1935 bis heute.

Schmetterkiste *f* **1.** Feldlatrine. *Sold* 1914 *ff*.
2. Abort ohne Wasserspülung. 1920 *ff*.

Schmetterling *m* **1.** Flieger. *Sold* in beiden Weltkriegen.
2. Leichthubschrauber. *BSD* 1965 *ff*.
3. unsteter Liebhaber. Er flattert von Blume zu Blume. 1800 *ff*.
4. flatterhaftes, leichtlebiges Mädchen. Seit dem 19. Jh.
5. schallende Ohrfeige. Schmettern = heftig schlagen. *Jug* 1950 *ff*.
6. Mann, der laut zu singen pflegt. Seit dem 19. Jh.
7. weggeworfener Fahrschein eines öffentlichen Verkehrsmittels, von einem anderen aufgelesen und benutzt. 1920 *ff*.
8. Banknote. Sie verbleibt nirgends lange. 1950 *ff*

9. Trinker, Trunksüchtiger. ↗schmettern 7. 1900 *ff.*

10. Schnaps. Kaum serviert, ist das Glas geleert. 1920 *ff.*

11. Querbinder. Analog zu ↗Fliege 3. 1900 *ff.*

12. lustig wie ein ∼ = vergnügt, unbeschwert. 1900 *ff.*

13. du bist wohl vom ∼ gebissen?: Frage an einen, der törichte Ansichten vertritt. 1920 *ff*, Berlin.

14. ∼e im Magen haben = überaus nervös sein. 1920 *ff.*

Schmetterlingsbüchse (-dose) *f* Gasmasken-behälter o. ä. Analog zu ↗Botanisiertrommel 1. *Sold* 1914 bis heute.

Schmetterlingsfliege *f* kleine Schleifenkrawatte; Querbinder. Analog zu ↗Fliege 3. 1900 *ff.*

Schmetterlingsjäger *m* Polizeibeamter auf Fahndung nach Landstreichern. Kundenspr. 1950 *ff.*

Schmetterlingssammlung *f* er fehlt mir noch in meiner ∼ = er ist mir unsympathisch. Den Betreffenden möchte man wohl aufspießen wie einen Schmetterling. 1920 *ff.*

schmettern *v* **1.** *tr* = heftig werfen oder treten; wuchtig schlagen. Seit *frühnhd* Zeit schallnachahmend für ein klatschendes Werfen.

2. *tr* = die Spielkarten auf den Tisch schlagen. Kartenspielerspr. seit dem 19. Jh.

3. *intr* = schwatzen. Parallel zu ↗posaunen. Seit *mhd* Zeit.

4. *intr* = prahlen; sich lautstark aufspielen. Vorwiegend *österr*, 1900 *ff.*

5. jm etw ∼ = jn dreist belügen. Die Lüge wird ihm gewissermaßen „an den Kopf geworfen", wie man ja ein Schimpfwort jm „an den Kopf werfen" kann. 1950 *ff.*

6. *tr* = jn freihalten. Parallel zu ↗schmeißen 5. 1850 *ff.*

7. einen ∼ = ein Glas Alkohol zu sich nehmen. Man wirft seinen Inhalt mit einem Schwung in die Kehle. Andererseits ist „zechen" auch soviel wie „musizieren" (*vgl* ↗dudeln; ↗zwitschern). Auch kann gemeint sein, daß man aus der Flasche trinkt, was aussieht, als bliese man Trompete. *Vgl* „einen ↗blasen". Seit dem frühen 19. Jh.

8. *intr* = laut singen. Dem Trompetenschmettern nachgebildet. Seit dem 19. Jh.

9. ∼, daß der Putz von den Wänden fällt = laut singen. 1920 *ff.*

10. *intr* = koten. Die Exkremente treffen geräuschvoll in der Abortgrube auf. 1800 *ff.*

11. *intr* = Schmetterlingsstil schwimmen. 1960 *ff*, österr.

Schmetterschlager *m* laut gesungener Schlager (Fastnachtslied o. ä.) ↗schmettern 8. 1950 *ff.*

Schmettertante *f* **1.** Schwätzerin. ↗schmettern 3. 1900 *ff.*

2. laut singendes weibliches Chormitglied. ↗schmettern 8. 1950 *ff.*

3. Frau, die gern ein Gläschen Alkohol zu sich nimmt. ↗schmettern 7. 1900 *ff.*

Schmettertheater *n* Catcher-, Ringkampfveranstaltung. Die Gegner „schmettern" sich gegenseitig zu Boden. 1920 *ff.*

Schmied *m* besser zum ∼ als zum Schmiedchen gehen = lieber den Könner als den Nichtkönner aufsuchen. 1500 *ff.*

Schmiede *f* **1.** Küche, Kombüse. Verkürzt aus ↗Fraßschmiede. *Vgl* auch ↗Suppenschmied. Die Vokabel spielt an auf die Arbeit am offenen (Schmiede-)Feuer und läßt über „Suppenkessel" auch an die Kesselschmiede denken. *Sold* in beiden Weltkriegen; auch *BSD*.

2. vor die rechte ∼ gehen (kommen) = sich an die richtige Stelle, an den Fachmann wenden (auch *iron*). 1600 *ff.*

3. vor der richtigen ∼ sein = bei der zuständigen Stelle, beim Fachmann sein. Seit dem 19. Jh.

Schmiedepratze *f* breite, plumpe Hand. ↗Pratze. 1920 *ff.*

Schmier *m* **1.** Polizeibeamter; Polizei. ↗Schmiere 13. Vorwiegend *österr*, 1930 *ff.*

2. polizeiliche Strafverfügung. Parallel zu ↗Wisch. 1950 *ff.*

3. der ganze ∼ = das alles *(abf)*. Vom unsorgfältigen Schreiben oder Malen übertragen auf Widerlichkeit aller Art. 1930 *ff.*

Schmieraffe *m* Liebediener. Schmieren = schmeicheln. *BSD* 1965 *ff.*

Schmierage (Endung *franz* ausgesprochen) *f* **1.** unsorgfältige Niederschrift. Um die *franz* Endung „-age" erweitertes Verbum „schmieren". Seit dem 19 Jh.

2. künstlerisch wertloses Bild. Gegen 1870 aufgekommen.

3. Brotaufstrich. Französierte Form von ↗Schmiere 2. 1870 *ff.*

4. Schminke. Theaterspr. 1900 *ff.*

5. minderwertiges Zeug; unbrauchbare Ware. 1945 *ff.*

6. Bestechung; Bestechungsgeld. ↗schmieren 11. Seit dem 19. Jh.

Schmie'rakel *n* **1.** schmutzender Mensch; Mensch mit unsauberer Handschrift. Zusammengewachsen aus „schmieren" und „Mirakel". Seit dem 19. Jh.

2. schlechte Handschrift; Schmutz; minderwertiges Gemälde o. ä. Seit dem 19. Jh.

schmie'rakeln *intr* schlecht, unsauber schreiben. Seit dem 19. Jh.

Schmie'ralie *f* **1.** *pl* = Bestechungsmittel, -geschenke. Im 15. Jh entwickelte latinisierende Mehrzahlform zum fiktiven Adjektiv „schmieralis" auf der Grundlage von „schmieren". Vorwiegend *oberd*.

2. *sg* = unsaubere schriftliche Arbeit; minderwertiges Bild. Seit dem ausgehenden 18. Jh.

3. *pl* = Brotaufstrich; Fette. Seit dem 19. Jh.

Das Gemälde „Der Schmetterlingsjäger" (Städtisches Museum Wiesbaden) von Carl Spitzweg (1808–1885) zeigt einen skurril-liebenswürdig gezeichneten Naturforscher, und man kann sich eigentlich kaum vorstellen, daß dessen Bemühen zu einem zählbaren Erfolg führen könnte. Vielleicht werden dabei aber die Emotionen frei, auf welche die **Schmetterlingssammlung** der Umgangssprache abzielt, die unter einem **Schmetterlingsjäger** einen nach ähnlich schillernden Gestalten fahndenden Polizisten versteht.

In der Novelle „Gretchen" von Heinrich Mann (1871–1950) versucht die Titelheldin den Zwängen ihrer kleinbürgerlichen Existenz und der baldigen Heirat mit dem dickleibigen und äußerst langweiligen Gerichtsassessors Klotzsche zu entfliehen, indem sie eine Liebschaft mit dem sich elegant und weltmännisch gebenden Schauspieler Stolzenfels eingeht. Und der weiß, was von ihm verlangt wird: Er beklagt sich bitter über die rückständigen Anschauungen der Kleinstadt, und als Gretchen dann fragt, ob er auch damals schon beim Theater gewesen sei, kommt die Antwort: „Versteht sich: an der Burg. Ich hätte es natürlich nicht nötig, mich hier bei den Schmieren herumzutreiben (vgl. **Schmiere 9.**); bloß daß man als Künstler den Wandertrieb mal in sich hat." Ein anderes **Schmierentheater** spielt dieser **Schmieren-komödiant**, als er sich für seine vermeintliche Zuneigung schmieren läßt (**schmieren 11.**) und Gretchen den Ring ihres Verlobten Klotzsche abfordert.

Schmie'rant m minderwertiger Journalist. 1950 ff.
Schmierbeutel m **1.** schmutziger Mensch. 1900 ff.
2. Schmeichler. ↗schmieren 2. 1900 ff.
3. Bestechlicher. ↗schmieren 11. 1900 ff.
Schmierblatt n **1.** minderwertige Zeitung. ↗Blatt 1. 1870 ff.
2. Täuschungszettel des Schülers. Eigentlich ein Zettel, auf den man knapp und unsorgfältig Notizen niederschreibt und den man später wegwirft. 1920 ff.
Schmierboß m Polizeibeamter. ↗Schmier 1; ↗Boß 1. 1950 ff.
Schmiere f **1.** unangenehme, anrüchige Sache; üble Lage; Unannehmlichkeit; Übertölpelung. Parallel zu „↗Dreck", „↗Patsche", „↗Scheiße" u. ä., alle ausgehend von der Vorstellung des fettig-klebrigen Schmutzes, in den einer gerät. 1840 ff.
2. minderwertiges Speisefett; Brotaufstrich (abf).

Meint eigentlich das Schmierfett. Berlin 1840 ff.
3. in den Stich gegebene hochwertige Karten. Dadurch wird der Stich „fetter". ↗schmieren 6. Kartenspielerspr. 1900 ff.
4. unsaubere, unleserliche Handschrift. ↗schmieren 1. Seit dem 19. Jh.
5. fettig-klebriger Schmutz am Kleidungsstück (Kragen, Hutrand). Seit dem 19. Jh.
6. Sperma. Seit dem 19. Jh.
7. Schaum auf dem Glas Bier. Nordd 1925 ff.
8. widerliches Machwerk. ↗schmieren 1. 1920 ff.
9. kleine Wanderbühne; Vorstadttheater. Um 1600 Bezeichnung für eine kleine Provinzdruckerei; von hier auf die Wanderschauspielertruppe übertragen, wohl weil sie Texte solcher Druckereien benutzte. Auch kann sich das Wort vom „Zusammenschmieren" der Theaterstücke herleiten. Jidd „semirah = Gesang, Spiel" wird für 1840 in Berlin als „smire = Gesang" bezeugt. Dieses Zeugnis entspricht dem Alter der Vokabel.
10. Bestechungsmittel, -geld. ↗schmieren 11. Seit dem 19. Jh.
11. fremdsprachliche Übersetzung für Schüler. Aufzufassen als Schmiermittel für den Denkmechanismus. 1960 ff.
12. Tracht Prügel. ↗schmieren 12. Seit dem 18. Jh.
13. Polizei; Polizeistreife; nicht uniformierter Polizeibeamter. Geht zurück auf jidd „schmiro = Bewachung". Seit dem frühen 18. Jh, rotw.
14. die ganze ~ = Sammelbezeichnung für Unerwünschtes, Schlechtes, Widerwärtiges o. ä. Seit dem 19. Jh.
15. teure ~ = kostspieliger Rechtsstreit; aufwendige Sache. ↗Schmiere 1. 1900 ff, Berlin.
16. ~ fahren = mit Funkwagen die Verbrecher vor der Polizei warnen. Modernisierung von „Schmiere stehen". 1965 ff.
17. es ist alles eine ~ = es ist alles gleichgültig. ↗Schmiere 1. Seit dem 19. Jh.
18. ~ stehen = a) bei einem Diebstahl Aufpasserdienste leisten. Im Rotw im frühen 18. Jh aufgekommen auf der Grundlage von jidd „schmiro = Bewachung". – b) Posten stehen. Sold 1939 bis heute.
19. die ~ strecken = a) den Brotaufstrich längen. ↗Schmiere 2. Im Ersten Weltkrieg aufgekommen im Zusammenhang mit der ungenügenden Lebensmittelzuteilung. – b) mit der Munition sparsam umgehen. Sold 1917 ff.
20. ~ sitzen = vom Auto aus für einen Einbrecher o. ä. Aufpasserdienste leisten. 1970 ff.
schmieren v **1.** intr = unordentlich unreinlich schreiben. Seit dem 16. Jh.
2. intr = jm schmeicheln; sich anbiedern; um des eigenen Vorteils willen unterwürfig tun. Verkürzt aus „↗Honig um den Mund schmieren". Seit dem 15./16. Jh.
3. intr = unordentlich musizieren (meist auf das

Geigenspiel angewandt). Die „Handschrift" eines solchen Musikers ist unsauber. 1900 *ff*.

4. *intr* = schlechtes Theater spielen; die Regieanweisungen nicht beachten. Diese Spielweise ist unsauber. 1920 *ff*.

5. *intr* = zechen. Man schmiert die ↗Kehle, die ↗Gurgel. Seit dem 19. Jh.

6. *intr* = dem Stich des Mitspielers Karten mit vielen Punkten beigeben. Dadurch wird die Punktzahl „fetter". Kartenspielerspr. seit dem 19. Jh.

7. *intr* = eine Kurve mit zu großer Verwindung fliegen und dadurch an Höhe verlieren. Diese Flugweise gilt als unsauber. Fliegerspr. 1935 *ff*.

8. *intr* = koitieren (vom Mann aus gesehen). ↗Schmiere 6. Seit dem 19. Jh.

9. mit jm ~ = mit jm flirten; intim betasten. Seit dem 19. Jh.

10. *intr* = aufpassen; bei einer Straftat den Täter vor der Polizei warnen. ↗Schmiere 18. *Rotw* seit dem frühen 19. Jh.

11. *tr* = jn bestechen. Dem Betreffenden werden die Hände mit Geld o. ä. geschmiert. Übertragen vom Fuhrwerk, das besser vorankommt, wenn man die Achsen gründlich schmiert. Seit dem 14. Jh. *Vgl* franz „graisser les pattes" und *engl* „to grease; to oil someone's palm".

12. *tr* = jn prügeln, ohrfeigen. Verkürzt aus „das ↗Leder schmieren". Seit dem 16. Jh.

13. eine Sache ~ = auf das Gelingen eines Vorhabens trinken. 1840 *ff*.

14. es jm ~ = jm etw zu verstehen geben; jm ernste Vorhaltungen machen. Verkürzt aus „jm etw unter die ↗Nase reiben". Seit dem 19. Jh.

15. es geht wie geschmiert. ↗geschmiert.

Schmierendirektor (-häuptling) *m* Direktor eines Wandertheaters. ↗Schmiere 9; ↗Häuptling. Seit dem späten 19. Jh, theaterspr.

Schmierenkomödiant *m* Schauspieler einer Wanderbühne o. ä.; Komiker, der anspruchslosderbe Szenen bevorzugt. ↗Schmiere 9. 1950 *ff*.

Schmierenschreiber *m* Journalist, der über anrüchige Vorgänge aus der oberen Gesellschaftsschicht berichtet. ↗Schmiere 8. 1920 *ff*.

Schmierentheater *n* Wanderbühne; Provinztheater. ↗Schmiere 9. Seit dem 19. Jh.

Schmierentruppe *f* wandernde Schauspielertruppe. ↗Schmiere 9. Seit dem 19. Jh.

Schmierenwagen *m* Streifenwagen der Polizei. ↗Schmiere 13. 1920 *ff*.

Schmierer *m* **1.** Streber, Einschmeichler, Liebediener. ↗schmieren 2. Seit dem späten 19. Jh, vorzugsweise *schül* und *sold*.

2. unerlaubter Übersetzungsbehelf fauler Schüler; Musterübersetzung. Der Schüler „schmiert ab" (= schreibt ab). Spätestens seit 1900.

3. gesinnungsloser Zeitungsschreiber; unredlicher Schriftsteller. Entweder hat er eine „↗schmierige" Gesinnung, oder er verfaßt seine Beiträge un-

sorgfältig, oder er schreibt von anderen ab, ohne es kenntlich zu machen. 1700 *ff*.

4. Mann auf der Suche nach Mädchenbekanntschaften. ↗schmieren 9. Vorwiegend *oberd* seit dem 19. Jh.

5. Aufpasser beim Diebstahl oder Einbruch. ↗Schmiere 18. Im 19. Jh aufgekommen.

6. Polizeibeamter. ↗Schmiere 13. 1900 *ff*, *rotw*.

7. Bestechung. ↗schmieren 11. *Österr* 1900 *ff*.

8. Mann, der Bestechungsgelder anbietet. ↗schmieren 11. 1900 *ff*.

9. Kugelschreiber. *Schül* 1960 *ff*.

10. Mann, der Wände, Denkmäler u. ä. mit aufreizenden Parolen beschmiert. 1968 *ff*.

Schmiere'rei *f* obszöne Schilderung. 1920 *ff*.

Schmieresteher *m* Aufpasser beim Diebstahl o. ä. ↗Schmiere 18. Seit dem 19. Jh.

Schmiere-Team (Grundwort *engl* ausgesprochen) *n* schlechte Fußballmannschaft. Dem „↗Schmierentheater" nachgebildet. *Sportl* 1955 *ff*.

Schmierfett *n* Brotaufstrich. Eigentlich das technische Fett. *BSD* 1960 *ff*.

Schmierfink *m* **1.** schmutziger Mensch; Mensch, der Schmutz macht. „Fink" bezeichnet im allgemeinen einen Mann, der sich im sittlichen Schmutz wohl fühlt. Von daher verallgemeinert, etwa seit 1800.

1 a. schlechter Kunstmaler. 1870 *ff*.

2. Skandaljournalist; gewissenloser Zeitungsschreiber; böswilliger Kritiker. 1850 *ff*.

3. Zotenerzähler. 1900 *ff*.

4. anonymer Schreiber obszöner Briefe; Pornograf. 1960 *ff*.

5. Schänder von Gotteshäusern, Ehrenstätten und Gräbern durch Anbringung von Zeichen und Inschriften der NS-Zeit; Farbattentäter 1959 *ff*.

Schmierfinkerei *f* Herstellung und Verbreitung obszöner Texte und Bilder (Filme). 1955 *ff*.

Schmierfirma *f* Firma, die auch unredliche Mittel (Bestechung o. ä.) anwendet. ↗schmieren 11. 1960 *ff*.

Schmiergehalt *n* regelmäßige Zuwendung von Bestechungsgeldern an Gehaltsempfänger des öffentlichen Dienstes. ↗schmieren 11. 1960 *ff*.

Schmiergeld *n* Bestechungsgeld. ↗schmieren 11. 1700 *ff*.

Schmiergriffel *m* Feder-, Füllfederhalter; Kugelschreiber. *Schül* 1900 *ff*.

Schmierhammel *m* **1.** schmutziger Mensch. Eigentlich der Hammel, der im Liegen mit der Wolle Exkremente aufnimmt. 1700 *ff*.

2. Schüler, der die schriftlichen Schularbeiten nachlässig erledigt. 1900 *ff*.

Schmierhans (-hansl) *m* unordentlicher Junge. 1700 *ff*.

schmierig *adj* **1.** niederträchtig; geizig; liebedienerisch (bis zur Würdelosigkeit). Von der eigentlichen Bedeutung übertragen auf charakterliche Minderwertigkeit im 18. Jh.

2. anrüchig; nicht unbescholten; vorbestraft; sittenlos. 1900 *ff.*

3. bestechlich. ↗schmieren 11. Seit dem 19. Jh.

4. ~ lachen = schadenfroh lachen. Analog zu „↗dreckig 7". Seit dem 19. Jh.

Schmieriger *m* Polizeibeamter. ↗Schmiere 13. *Österr* 1930 *ff.*

Schmierigkeit *f* Zote; Obszönität u. ä. 1900 *ff.*

Schmie'rist *m* schlechter Schauspieler. Er taugt nur für die „↗Schmiere 9". 1920 *ff.*

Schmierjockel *m* Kind, das sich beim Essen, Spielen oder Schreiben beschmiert; Schulkind, das unordentlich arbeitet. 1900 *ff.*

Schmierkatze *f* schmeichlerische Person. ↗Schmeichelkätzchen; ↗schmieren 2. 1600 *ff.*

Schmierkittel *m* schmutziger, schmutzender Mensch. Vom unsauberen Kittel auf dessen Träger übertragen. 1800 *ff.*

Schmierlappen *m* **1.** unsauberer, unordentlich schreibender Mensch. Eigentlich der Putzlappen und Aufnehmer; dann übertragen auf die Person, die Schmutzarbeit verrichtet, und schließlich weiterentwickelt unter Einfluß von „↗schmieren 1". 1800 *ff.*

2. Schmeichler; würdelos liebedienerischer Mensch. Von der eigentlichen Bedeutung übertragen auf charakterliche Minderwertigkeit unter Einwirkung von „↗schmieren 2". 1900 *ff.*

3. Polizeibeamter. Hehlwörtlich entstellt aus „↗Schmiere = Polizei". *Sold* 1935 *ff.*

Schmiermann *m* **1.** Mann, der den Straftäter vor Behelligungen sichert. ↗Schmiere 18. *Österr* 1930 *ff.*

2. Mann, der Bestechungsgeld anbietet oder annimmt. ↗schmieren 11. *Österr* 1930 *ff.*

Schmiermark *f* Bestechungsgeld. ↗schmieren 11. 1960 *ff.*

Schmiermaxe *m* **1.** Monteur bei Automobilrennen. Schmieren = fetten, ölen. Berlinische Bezeichnung seit 1920.

2. Mitfahrer im Motorrad-Beiwagen; Beifahrer im Motorradrennen. 1920 *ff.*

3. Bordwart, -monteur; Mechanikergast. Fliegerspr. und *marinespr* 1935 *ff.*

4. *pl* = Technische Truppe. Wegen der Verwendung technischer Öle und Fette. *BSD* 1965 *ff.*

Schmiermaxtag *m* technischer Dienst; Fahrzeugpflege. *BSD* 1965 *ff.*

Schmiermichel *m* **1.** schmutziger, schmutzender Mann. 19. Jh.

2. Polizeibeamter. ↗Schmiere 13. *Rotw* 1900 *ff.*

Schmiermittel *n* **1.** Bestechungsmittel. ↗schmieren 11. 1920 *ff.*

2. Schreibzeug des Schülers. 1960 *ff.*

Schmiernippel *m* **1.** Werk-, Schirrmeister. Nippel = Vorrichtung zur Öl- oder Fetteinspritzung an beweglichen Maschinenteilen. Fliegerspr. 1935 *ff.*

2. *pl* = Kraftfahrtruppe; Technische Truppe; Instandsetzungstruppe. *BSD* 1960 *ff.*

Schmiernippelsoldaten *pl* Technische Truppe. *BSD* 1960 *ff.*

Schmieröl *n* **1.** alkoholisches Getränk. ↗schmieren 5. Mit Alkohol wurde mancher Angriff „geschmiert"; *vgl* auch ↗Angriffsgeist. *Sold* 1939 *ff.*

2. Alkohol als Bestechungsmittel. 1950 *ff.*

3. du hast wohl ~ gesoffen? = du bist wohl nicht bei Verstand? 1910 *ff.*

Schmierpinsel *m* geschminktes Mädchen *(abf)*. Eigentlich der breite Pinsel zum Anstreichen großer Flächen. *Halbw* 1955 *ff.*

Schmierseife *f* **1.** Bestechungsmittel. ↗schmieren 11. Seit dem 19. Jh.

2. Betrug, Übertölpelung. Gehört zu ↗anschmieren 1. 1950 *ff.*

3. den habe ich gefressen wie 3 Pfund ~ = dieser Bursche ist mir äußerst unsympathisch. 1930 *ff.*

Schmierseifen-Olympiade (-Spektakel) *f (n)* „Spiel ohne Grenzen". Bei diesem internationalen (Fernseh-)Wettbewerb wurde zur Erschwerung der Aufgaben sehr viel Schmierseife verwendet. 1970 *ff.*

Schmierseifenstrecke *f* schlüpfrige Wegstrecke. 1940 *ff, sold.*

Schmiersubstanz *f* Bestechungsmittel. ↗schmieren 11. 1900 *ff.*

Schmiertiegel *m* **1.** schmutziger, schmutzender Mensch. Eigentlich der flache Topf zum Schmelzen von Fett. 1900 *ff.*

2. Mann, der Mädchen unsittliche Anträge macht. 1900 *ff.*

Schmiertopf *m* Polizeigewahrsam. ↗Schmiere 13. „Topf" fußt vielleicht auf *jidd* „tophus = Gefangener"; doch entspricht *hd* „Topf" dem *niederd* „Pott", und „Pott" meint auch das Gefängnis (↗Pott I 9). *Rotw* 1900 *ff.*

Schmierung *f* Prügelung. ↗schmieren 12. 1900 *ff.*

Schmierzeitschrift *f* Zeitschrift, die bevorzugt Skandalberichte aus der oberen Gesellschaftsschicht bringt. 1950 *ff.*

Schmierzettel *m* **1.** Schulzeugnis mit schlechten Noten. *Schül* 1950 *ff.*

2. Täuschungszettel. 1900 *ff.*

Schmierzeug *n* Schreibzeug, Malkasten o. ä. *Schül* 1920 *ff.*

Schminke *f* **1.** Gesamtheit der darstellenden Künstler. Weil sie sich für Bühnenaufführungen schminken. Theaterspr. 1900 *ff.*

2. Täuschungsmittel; Vorspiegelung; Heimtücke. 1930 *ff.*

3. Hausanstrich. *Vgl* umgekehrt „↗Fassadenanstrich = Make-up". 1950 *ff.*

4. viel ~ auflegen = die Wahrheit gröblich entstellen. 1930 *ff.*

5. aus der ~ fallen = von vielstündiger Filmaufnahmetätigkeit erschöpft sein. 1950 *ff.*

schminken *tr* etw ins Gefällige verändern. 1930 *ff.*

Schminkjule *f* Theaterfrisöse u. ä. ↗Jule. Theaterspr. (u. ä.), 1920 *ff.*

Schminkkasten *m* stark geschminkte weibliche Person. Analog zu ↗Farbkasten. 1930 *ff.*

Schminkmaxe *m* Theaterfrisör; Maskenbildner. Theaterspr. (u. ä.), 1920 *ff.*

Schmirgel *m* **1.** Koch. ↗schmirgeln 1. *Sold, marinespr*, seemannsspr. und *rotw* 1900 *ff.*

2. *pl* = Prügel. Parallel zu ↗Abreibung. 1900 *ff.*

schmirgeln *v* **1.** *intr tr* = braten, schmoren. Nebenform von ↗schmurgeln. 1900 *ff.*

2. *intr* = das Gesäß reinigen. Beruht auf einem Witz: auf die Frage des Kunden nach Toilettenpapier erklärt der einfältige Verkäufer, mit Toilettenpapier könne er augenblicklich nicht dienen, wohl aber mit Schmirgelpapier. 1900 *ff.*

3. *intr tr* = koitieren. Anspielung auf die Hin- und Herbewegung. 1900 *ff.*

4. *intr* = onanieren. 1900 *ff.*

5. *intr* = schlurfend gehen. Es klingt, als werde der Fußboden gescheuert. 1910 *ff.*

6. *intr* = schleifend tanzen. *Halbw* 1955 *ff.*

7. jm eine ~ = jm eine Ohrfeige geben; jn prügeln. Parallel zu „↗abreiben", zu „↗scheuern" usw. 1920 *ff.*

Schmirgelpapier *n* Abortpapier. ↗schmirgeln 2. 1900 *ff.*

Schmiß *m* **1.** Hieb-, Fechtwunde; Narbe. ↗schmeißen 7. Meint eigentlich den Schlag mit der Waffe, dann auch die hierdurch erzeugte Wunde. Spätestens seit 1800, *stud.*

2. Genauigkeit der Ausführung; wohlgefälliger, vorschriftsmäßiger Schwung. Hergenommen vom künstlerischen „Schmiß" oder „Wurf", womit man ursprünglich den Faltenwurf auf einem Gemälde bezeichnete; von daher weiterentwickelt zur Bedeutung „künstlerisch hervorragend gemeistert" und zum *milit* Begriff der Straffheit. 1850 *ff.*

3. gut ~!: Abschiedsgruß an die Angehörigen einer schlagenden Studentenverbindung. Anspielung auf „↗Schmiß 1". 1950 *ff, stud.*

4. Fehler auf der Bühne; falscher Ton des Sängers. ↗schmeißen 10. Theaterspr. 1900 *ff.*

5. Hinauswurf. ↗Rausschmiß. Seit dem 19. Jh.

6. ~ haben = eine gefällige Form haben; vortrefflich sein; schwungvoll dargestellt, vorgeführt sein. ↗Schmiß 2. 1850 *ff,* künstlerspr.

Schmisse *pl* Schläge, Prügel. *Vgl mhd* „smiz = Streich mit der Rute". ↗schmeißen 7. Seit dem späten 17. Jh.

Schmisser *m* Angehöriger einer schlagenden Studentenverbindung. ↗Schmiß 1. 1950 *ff, stud.*

schmissig *adj* **1.** voller Duell-, Mensurnarben. ↗Schmiß 1. Seit dem 19. Jh.

2. künstlerisch hervorragend; mitreißend gespielt; schwungvoll; vortrefflich. ↗Schmiß 2. Etwa seit 1850, künstlerspr., *schül* und *stud.*

3. militärisch-straff; diensteifrig. ↗Schmiß 2. *Sold* 1935 *ff.*

4. anmaßend; hochmütig; keck; geschlechtlich abweisend; unnahbar. Beruht einerseits auf der Re-

*Wer mit Schmiere traktiert wird, bekommt in jedem Fall etwas ab. Das trifft auf den, der sie sich aufs Brot schmiert (***Schmiere 2.***), ebenso zu wie auf den, der sie steht (vgl.* **Schmiere 18.***). Während jedoch bei jener ersten Schmiere gleich zu erkennen ist, wie es zu einer solchen Wortschöpfung gekommen sein mag, so hat jene zweite dagegen kaum etwas mit dem zu tun, was, wie das Foto oben erahnen läßt, manche Dame in einen* **Schminkkasten** *verwandelt, wenngleich es natürlich sehr wohl sein kann, daß ein solcher* **Schmiersteher** *seine Aufgabe dermaßen gekonnt erfüllt, daß man ihn mit Fug und Recht eigentlich der Schminke zuordnen müßte (***Schminke 1.***). Jene besondere Schmiere leitet sich nämlich vom hebräischen schmirah ab, was soviel wie Bewachung heißt. Auf eine andere, allerdings wieder nur inhaltlich bezogene Verwandtschaft der Schmiere mit der Schminke sei noch hingewiesen, denn schließlich ist es ja oft genug so, daß so mancher sich, der schmiert oder geschmiert wird (vgl.* **Schmiere 3., 4., 8., 9., 11.***) sich viel Schminke auflegt (***Schminke 4.***, vgl.* **Schminke 2.***).*

dewendung „sich in die Brust schmeißen = sich übermäßig viel zutrauen", andererseits auf der weitverbreiteten Ansicht, daß Leute mit Hiebwunden im Gesicht dünkelhaft sind. Gegen 1850 bei den Handwerksburschen aufgekommen, gegen 1900 von den Halbwüchsigen aufgegriffen.

5. mit Geld ~ sein = Geld leicht ausgeben. In Wien 1960 gehört.

schmißverziert *adj* durch Mensurnarben entstellt. ↗Schmiß 1. 1900 *ff.*

Schmoch *m* selbstverfertigtes Täuschungsmittel des Schülers. ↗Schmok. *Ostmitteld* seit dem späten 19. Jh.

Schmock *m* **1.** gesinnungsloser Zeitungsschreiber. Geht zurück auf das *Slaw* in der Bedeutung

Schmöker *leitet sich etymologisch vom niederdeutschen* **schmoken** *oder* **schmöken** *ab und meint so ein altes Buch, dessen Seiten im Laufe der Jahre einen bräunlichen Ton angenommen haben. In dieser Beziehung gleicht es dem Schinken, einer anderen umgangssprachlichen Bezeichnung für ein umfangreiches Druckwerk (vgl.* **Schinken 3.**). *Und auch wenn diese Vokabel in erster Linie auf den schweinsledernen Einband solcher Schinken anspielt, so hat ihr kulinarisches Urbild mit dem Schmöker doch gemein,* *daß es im Rauch eine ähnliche Farbe anzunehmen pflegt. Vielleicht tragen diese beiden Vokabeln auch deswegen oft recht negative Konnotationen, weil sie sich durchwegs auf leibliche Genüsse beziehen, und diese vor allem hierzulande noch immer von allem Ideellen streng geschieden werden. Diese etwas antiquierte Haltung kommt auf dem Foto oben gut zum Ausdruck, und es ist anzunehmen, daß diese Herrschaften ihre Schmöker nie als solche bezeichnen würden.*

„Narr" und gilt in Prag für den verschrobenen (jüdischen) Phantasten. Bei uns geläufig durch Gustav Freytags Drama „Die Journalisten" (1854), wo die Vokabel durch den Dichter ihren jetzigen Sinn erhalten hat.
2. schlechter Koch. Gehört wohl zu *engl* „to smoke = rauchen, qualmen, dampfen". 1910 *ff,* wandervogelspr. und *sold.*

Schmok *m* gedruckte Übersetzungshilfe; aus unerlaubter Quelle abgeschriebene Schularbeit. Verkürzt aus ↗Schmöker 2. *Niederd* seit 1860.

schmoken (schmöken) *intr tr* rauchen; genießerisch rauchen. Ein *niederd* Wort, dem *hd* „schmauchen" entsprechend. Seit dem 14. Jh.

Schmöker *m* **1.** altes Buch; Schulbuch; Buch *(abf);* Groschenheft. *Niederd* „smöken = räuchern". Fußt auf der Erfahrung, daß sich die Buchseiten mit zunehmendem Alter bräunen. Seit dem 18. Jh.
2. gedruckte Übersetzungshilfe. *Schül* seit dem späten 19. Jh.

3. Nachschlagewerk; Konversationslexikon. Leitet sich wohl von der Dicke des Bandes her. 1900 *ff.*

Schmökerladen *m* Antiquariat. Man kann dort „↗Schmöker" kaufen oder in Büchern „↗schmökern". 1950 *ff.*

schmökern *intr* **1.** lesen; viel lesen; genüßlich lesen; stichprobenweise lesen; Groschenhefte lesen. ↗Schmöker 1. Seit dem späten 19. Jh.
2. im Musikgeschäft sich Schallplatten vorführen lassen. Man spricht heute von „Schallplatte = Album", wohl hergeleitet von *engl* „volume = Band, Einband; Platte(nhülle)". 1955 *ff.*
3. rauchen. ↗schmoken. Seit dem 19. Jh.

Schmökerstunde *f* Lesestunde. 1920 *ff.*

schmökrig *adj* auf anspruchslos-spannende Unterhaltung zielend. 1950 *ff.*

Schmoll *m* das Schmollen. 1950 *ff.*

Schmollbett *n* einschläfriges Bett des Ehepartners im Ankleidezimmer. 1950 *ff.*

schmollieren *intr* Bruderschaft trinken. *Vgl* das Folgende. Seit dem 18. Jh, *stud*.

Schmollis *n* **1.** Zuruf unter Studenten beim Zutrinken. Ursprünglich möglicherweise Name eines nicht mehr bekannten Getränks. Hängt vielleicht zusammen mit „smullen = schlemmen". Gegen Mitte des 18. Jhs aufgekommen, *stud*.
2. jm ~ anbieten = jm Brüderschaft anbieten. Seit dem 19. Jh.
3. ~ machen = Brüderschaft schließen. Seit dem 19. Jh.
4. mit jm ~ machen = mit jm gemeinsame Sache machen. Seit dem 19. Jh.
5. ~ trinken = Brüderschaft trinken. Seit dem 18. Jh.

Schmollisbruder *m* Duzbruder. *Stud* seit dem 18. Jh.

Schmollschnute *f* Schmollmund. ↗Schnute. Seit dem 19. Jh.

schmollschnutig *adj* schmollend den Mund verziehend; die Lippen aufwerfend. Seit dem 19. Jh.

Schmollwinkel *m* **1.** Zimmerecke (Sessel o. ä.), wohin sich der Schmollende zurückzieht. Seit dem 18. Jh.
2. Haft-, Arrestzelle. 1930 *ff*.

schmölzen *intr* koten. ↗schmelzen. *Oberd* seit dem 19. Jh.

Schmontius *n* leeres Gerede. Latinisierend aus ↗Schmonzes. *Österr* 1920 *ff*.

Schmonz *m* unbedeutendes Geschwätz. 1920 *ff*.

Schmonzes *m* **1.** Geschwätz; unnützes, belangloses Gerede; Vorspiegelungen; Worte, die rühren und nachgiebig stimmen sollen. Fußt auf *jidd* „schmuoth = Gerücht" (↗Schmus). Etwa seit dem ausgehenden 19. Jh; vorwiegend *journ*.
2. wertlose Ware; Tand. 1920 *ff*.
3. *pl* = jüdische Witze. 1900 *ff*.
4. ~ Berjonzes = Weibergeschwätz; nichtige Worte. „Berjonzes" soll auf *jidd* „barjonios = leichtsinnige weibliche Person" zurückgehen. Berlin, seit dem 19. Jh.
5. ~ mit Lakritzen = Schmeichelrede mit Täuschungsabsicht. „Lakritzen" spielt auf „süßlich" im Sinne von „schmeichlerisch" an. 1900 *ff*.

Schmonzette *f* **1.** Stilnachahmung; unechter künstlerischer Stil; echtes Gefühl vortäuschendes Machwerk. ↗Schmonzes 1. *Journ* 1900 *ff*.
2. lange Ausführung über Belangloses; langer Zeitungsbeitrag ohne Gehalt; Zeilenfüllsel. *Journ* 1900 *ff*.

Schmook *f m* Zigarette. Aus *engl* „smoke" übernommen. *Halbw* 1950 *ff*.

Schmor *m* Feldküche; Feldkoch. Schmoren = dämpfen, dünsten. *Sold* seit dem 19. Jh bis 1945.

Schmoreisen *n* Lötkolben. Wegen der Lötdämpfe. Technikerspr. 1950 *ff*.

schmoren *v* **1.** *intr* = unter großer Hitze leiden; ein Sonnenbad nehmen. Eigentlich soviel wie „dämpfen, dünsten", auch „braten". 19. Jh.

2. *intr* = Untersuchungshäftling sein; sich in Polizeigewahrsam befinden; in der Schule eine Strafstunde absitzen. ↗schmoren 4. 1920 *ff*.
3. einen ~ = ein Glas Alkohol zu sich nehmen. Geht vielleicht zurück auf *jidd* „schmorem = starker Wein; Hefenwein" oder hängt zusammen mit *niederd* „smoren = ersticken" (man erstickt den Durst oder den Alkohol). Kundenspr. und *sold* seit dem späten 19. Jh.
4. jn ~ lassen = jn im Ungewissen lassen; durch Hinauszögern der Entscheidung jn mürbe machen. 1900 *ff*.
5. etw ~ lassen = eine Sache sich selbst überlassen; in eine Entwicklung nicht eingreifen. 1920 *ff*.
6. eine ~ = eine Zigarette rauchen. Anspielung auf die Rauchentwicklung; anfangs wohl nur auf Pfeifenrauchen beschränkt. Seit dem 19. Jh.
7. ~ = das männliche Glied mit dem Mund berühren. Seit dem 19. Jh.
8. sich ~ lassen = sonnenbaden. 1900 *ff*.
9. es schmort = es ist noch nicht entschieden, ist noch nicht spruchreif. 1900 *ff*.

schmörgeln *intr* kochen. Nebenform von ↗schmurgeln. 1900 *ff*.

Schmorgemüse *n* sonnenbadende Jugendliche. ↗schmoren 1. 1950 *ff*.

Schmorplatz *m* Liegewiese. ↗schmoren 1. 1950 *ff*.

schmorgen *intr* darben; hungern; sich Einschränkungen auferlegen. Analog zu „rauchen", „dampfen", „qualmen" im Sinne von „hungern"; *vgl* ↗Dampf 1, ↗Kohldampf 1, ↗Qualm 8. 1700 *ff*, *mitteld*.

Schmortopf *m* Ablagekorb für Akten. ↗schmoren 5. 1930 *ff*.

Schmorverein *m* Feuerbestattungsverein. 1950 *ff*.

schmotzen *intr* **1.** unsauber schreiben; ohne Können zeichnen. Nebenform von „schmutzen" und parallel zu „↗schmieren 1". *Schül* 1920 *ff*.
2. dem Stich des Mitspielers hohe Karten beigeben. Analog zu „↗schmieren 6". *Südd* 1920 *ff*.

Schmu (Schmuh) *m* **1.** unrechtmäßiger Gewinn; Gewinn durch Anschreiben höherer Ausgaben; Gewinn beim Haushaltseinkauf. Stammt entweder aus „↗schmusen" und meint das geldliche Ergebnis ablenkenden Schwätzens oder hängt zusammen mit *rotw* „schmu = Tasche", in die man den Geldgewinn steckt. Andere halten das Wort für eine Schwundform von „schmuggeln". 1700 *ff*.
2. Täuschung, Betrug, Lüge, Übertölpelung. Seit dem späten 19. Jh.
3. Täuschungszettel der Schüler; unerlaubte Übersetzungshilfe. *Schül* 1870 *ff*.
4. ~ treiben = in der Schule täuschen. 1950 *ff*.

schmu (schmuh) *adv* **1.** etw ~ machen = etw auf unlautere Weise beschaffen; etw heimlich einbehalten, veruntreuen. ↗Schmu 1. 1700 *ff*.
2. ~ laufen = ohne Arbeitspapiere bezahlter Arbeit nachgehen. 1970 *ff*.

Schmuck *m* **1.** ~, für den man einen Waffenschein braucht = kostbarer, sehr auffallender Schmuck. Mit der Waffe soll der Dieb abgewehrt werden. 1960 *ff.*

2. ~ haben = bei Geld sein. *BSD* 1965 *ff.*

Schmucke *f* nettes Mädchen. „Schmuck" kann „hübsch; erotisch anziehend" meinen; „Schmukke" ist auch die biegsame Gerte (das Mädchen ist also gertenschlank), und „schmucken" steht auch für „schmiegen". *Halbw* 1955 *ff.*

schmücken *intr* onanieren. Von Lateinschülern verballhornt zu „ornanieren" aus *lat* „ornare = schmücken". 1920 *ff.*

Schmuckkästchen *n* **1.** saubere, gemütliche Wohnung. 1900 *ff.*

2. altes, auf neu hergerichtetes Auto. 1950 *ff.*

3. Spind. Ausbilder wünschen, daß es wie ein Schmuckkästchen aussieht. *BSD* 1965 *ff.*

4. Vagina. Parallel zu anderen Bezeichnungen mit der Grundbedeutung „Behältnis". 1900 *ff.*

5. das ~ verrammeln = koitieren. *Vgl* „↗verrammeln = verstopfen", hier gekreuzt mit „↗rammeln 1". 1935 *ff.*

Schmucknarbe *f* lange Gesichtsnarbe, von einem Fechthieb herrührend. 1920 *ff, stud.*

Schmucknarbenträger *m* Student einer schlagenden Verbindung mit einem von einer Hiebwunde gezeichneten Gesicht. Meint eigentlich Eingeborene Afrikas und Ozeaniens sowie Indianer mit Narbenzier. 1920 *ff.*

Schmuckstück *n* **1.** Kosewort für den Geschlechtspartner. 1900 *ff.*

2. Schlagring. Beschönigung. 1920 *ff.*

Schmuckware *f* auf der Brust getragene Orden und Ehrenzeichen. *Sold* 1935 *ff.*

Schmuddel I *m* **1.** (klebriger) Schmutz; Unreinlichkeit. ↗schmuddeln 1. 1700 *ff, niederd.*

2. schmutziger, schmutzender Mann. Seit dem 19. Jh.

Schmuddel II *f* schmutzige weibliche Person; liederliche Frau. Seit dem 19. Jh.

Schmudde'lei *f* Unsauberkeit. *Niederd* 1700 *ff.*

Schmuddelfilm *m* pornografischer Film. 1965 *ff.*

schmuddelig *adj* **1.** schmutzig. ↗schmuddeln 1. 1700 *ff.*

2. sittlich sehr anrüchig; obszön. 1900 *ff.*

3. ~ warm = feuchtwarm, schwülwarm. Seit dem 19. Jh.

Schmuddeligkeit *f* Unreinlichkeit. Seit dem 19. Jh.

Schmuddelkind *n* schmutziges Kind; Straßenkind. 1900 *ff.* Weitverbreitet durch die Liedersammlung „Spiel' nicht mit den Schmuddelkindern" von Franz Josef Degenhardt (1967).

schmuddeln *intr* **1.** unreinlich verfahren; schmutzen, verunreinigen. Verkleinerungsform von *niederd* „smudden = schmutzen", verwandt mit „↗muddeln"; *vgl* „↗Modder". 1700 *ff.*

2. es schmuddelt = es regnet fein. 1700 *ff.*

Schmuddelwetter *n* regnerisches Wetter; Schmutzwetter. 1900 *ff.*

schmuen (schmuhen) *v* **1.** *intr* = vom Mitschüler abschreiben. ↗Schmu 1. *Schül* seit dem späten 19. Jh.

2. *tr* = jn betrügen. ↗Schmu 2. 1900 *ff.*

Schmugeld (Schmuhgeld) *n* **1.** bei betrügerischem Handel erlangtes Geld. ↗Schmu 1. Seit dem 19. Jh.

2. vom Haushaltsgeld ersparter Betrag; verheimlichtes Spargeld. 1900 *ff.*

3. vom Kellner dadurch erworbenes Geld, daß er dem Gast mehr auf die Rechnung setzt, als dieser verzehrt hat. Kellnerspr. 1920 *ff.*

Schmuggelblatt *n* Täuschungszettel des Schülers. 1930 *ff.*

schmuggeln *intr* in der Schule Täuschungsmittel benutzen. 1930 *ff.*

Schmugglerfritze *m* Schmuggler. ↗Fritze 1. 1920 *ff.*

Schmugroschen (Schmuhgroschen) *pl* Nebenverdienst; betrügerisch zurückgehaltenes Geld; veruntreutes Geld. ↗Schmu 1. 1840 *ff.*

Schmuh *m* ↗Schmu.

schmuh *adv* ↗schmu.

schmuhen *v* ↗schmuen.

Schmuhgeld *n* ↗Schmugeld.

Schmuhmacher *m* ↗Schmumacher.

Schmuhpfennige *pl* ↗Schmupfennige.

Schmuhzettel *m* ↗Schmuzettel.

Schmukasse (Schmuhkasse) *f* Kasse zur Aufbewahrung der vom Haushaltsgeld einbehaltenen (eingesparten) Beträge. ↗Schmu 1. 1900 *ff.*

schmulen *intr* **1.** schachern. Geht zurück auf „Schmul (Schmuel)" als Kurzform des Namens Samuel und gleichgesetzt mit „Jude". Seit dem 18. Jh.

2. verstohlen blicken; lüstern blicken; vom Mitschüler abschreiben. 1900 *ff.*

3. tändeln, flirten; zudringlich werden. Wahrscheinlich schallnachahmend für den Laut der Katze. Seit dem 18. Jh, *südd.*

Schmuler *m* Mann, der Mädchenbekanntschaften sucht. ↗schmulen 3. *Südd* seit dem 19. Jh.

Schmulgroschen *pl* einbehaltenes, eingespartes Geld. ↗schmulen 1. Seit dem 19. Jh.

Schmulzettel *m* Täuschungszettel des Schülers. ↗schmulen 2. 1930 *ff.*

Schmumacher (Schmuhmacher) *m* Mann, der durch Betrug einen Mehrgewinn erzielt. ↗Schmu 1. 1800 *ff.*

Schmunzelbrühe *f* dünner Kaffeeaufguß. Wie Schmunzeln nur ein behagliches Lächeln ist und kein herzhaftes Lachen, so ist der dünne Kaffeeaufguß kein herzhaftes Getränk. Kann auch *iron* gemeint sein: der Kenner schmunzelt über das gute Getränk. 1900 *ff.*

Schmupfennige (Schmuhpfennige) *pl* Pfennigbeträge, die man dem rechtmäßigen Eigentümer vorenthält oder vom Haushaltsgeld einspart. ↗Schmu 1. Seit dem späten 19. Jh.

Schmurgel *m* **1.** Koch, Küchenjunge. ↗schmurgeln 1. 1840 *ff; sold* in beiden Weltkriegen. **2.** Tabaksaft in der Pfeife. ↗schmurgeln 2. 1840 *ff.*

schmurgeln *intr* **1.** kochen, braten. Schallnachahmend für „brutzeln, glucksen" u. ä. 1840 *ff.* **2.** aus unreiner Pfeife rauchen. Anspielung auf das gurgelnde Geräusch. Seit dem 19. Jh.

Schmurgelpfeife *f* (ungesäuberte) Tabakspfeife. *Vgl* das Vorhergehende. Seit dem 19. Jh.

schmurkeln *intr* sieden, braten. *Südd* Nebenform zu „↗schmurgeln 1". 1920 *ff.*

Schmus *m* **1.** Geschwätz; Schmeichelrede; Lüge. Geht zurück auf *jidd* „schmuo = Gehörtes, Erzählung, Geschwätz" („Schmus" ist eigentlich Mehrzahl). Seit dem 18. Jh. **2.** Tätigkeit (Lohn) des Heiratsvermittlers. ↗schmusen 3. *Südd* seit dem 19. Jh. **3.** Flirt. 1900 *ff.* **4.** Geliebter. ↗schmusen 1 und 2. 1900 *ff.* **5.** (unrechtmäßiger) Gewinn. ↗Schmu 1. 1920 *ff.* **6.** ~ mit Fransen = aufdringliche Schmeichelei. „Fransen" meint hier etwa die blumenreiche Verbrämung. 1900 *ff.* **7.** ~ mit Löckchen = aufdringliche Schmeichelei. Aus den im Vorhergehenden genannten „Fransen" sind hier „Löckchen" geworden: die Schmeichelei hat sich zu gewundener Zierlichkeit entwickelt. 1900 *ff.* **8.** ~ mit Schmonzes = anspruchslos-rührseliges Geschwätz. ↗Schmonzes 1. 1960 *ff.* **9.** fauler ~ = leeres Geschwätz; widerliche Lobeserhebung. ↗faul 1. Seit dem späten 19. Jh. **10.** lauwarmer ~ = heuchlerische Worte; würdelose Schmeichelei. Lauwarm = fade, schwächlich. *Sold* 1910 *ff* (Kritik der Soldaten am hohlen Pathos der höchsten Vorgesetzten). **11.** bei jm einen ~ anlegen = sich bei jm einzuschmeicheln suchen. 1950 *ff.* **12.** den ~ bringen = flirten. *Schül, schweiz* 1960 *ff.* **13.** jn mit ~ besoffen machen = auf jn gewinnend einreden; jm mit heuchlerischem Geschwätz die klare Überlegung rauben; jm so verlockende Zukunftsaussichten vorgaukeln, daß ihm der Sinn für die Gegenwart abhanden kommt. *Sold* in beiden Weltkriegen; auch *ziv* (auf politische Redner bezogen). **14.** jn auf den ~ nehmen = jm durch freundliches Wesen ein Geständnis zu entlocken suchen. 1910 *ff, rotw.*

Schmusauto *n* **1.** Kleinauto; Kabinenroller. ↗Schmus 3. 1955 *ff.* **2.** Auto einer Prostituierten. 1955 *ff.*

Schmusbacke (Schmusebacke) *f* sich einschmeichelnder Mensch. Er sitzt gerne Wange an Wange. 1900 *ff.*

Auf der **Schmuse-Szene** *oben verabreicht ein pomadiger* **Schmuser** *seinem* **Schmuseken** *ein paar* **Schmuse-Einheiten.** *Diese sich größter Beliebtheit erfreuende Methode nonverbalen Kommunizierens hat allerdings eine weniger angenehme, doch dafür umso wortreichere Kehrseite, die indes auf den ursprünglichen Sinn der Vokabeln Schmus und schmusen verweist. Schmus ist der Plural des jiddischen „schmuo", was nur soviel wie Gehörtes oder Gerede heißt. Dieses Geschwätz ist jedoch immer einem ganz bestimmten Zweck untergeordnet (vgl.* **Schmu,** **Schmus 1.** *und* **schmusen 1.**). *Das Erotische muß dabei keine Rolle spielen, ist dabei aber nicht ausgeschlossen, insbesondere nicht bei denen, die ihren Lebensunterhalt mit dem Zusammenführen von Personen beiderlei Geschlechts zum Zwecke der Eheschließung verdienen (***Schmus 2., schmusen 3.**). *In jenen weniger romantischen Varianten des Schmusens ist dieses immer nur Mittel, und hat einen instrumentalen Charakter, egal jetzt ob zum Bösen oder zum Guten hin, und ein zynisch veranlagter Mensch könnte daraus durchaus den Schluß ziehen, daß das dann wohl immer der Fall sein könne. Jenes Moment der Berechnung spricht auch aus der fast schon technizistisch aufgefaßten* **Schmuse-Einheit***: Die ausgetauschten Zärtlichkeiten werden abgerechnet und eventuell auch noch gegeneinander aufgerechnet.*

Schmusbeutel (-büdel) *m* Schmeichler; Schwätzer. ↗Schmus 1. *Niederd* 19. Jh.

Schmusbruder *m* Schwätzer, Schwindler. 1910 *ff.*

Schmusbude *f* Party-Keller o. ä. ↗Schmus 3. *Halbw* 1955 *ff.*

Schmusdose *f* Kleinauto, Kabinenroller o. ä. ↗Schmus 3. *Halbw* 1955 *ff.*

Schmuseecke *f* lauschiger Winkel in einem Lokal. 1950 *ff, jug.*

Schmuse-Einheiten *pl* Bedarf an Zärtlichkeiten. *Vgl* ↗Streicheleinheiten. 1980 *ff.*

Schmusefox *m* langsamer Foxtrott; langsamer Tanz. *Jug* 1965 *ff.*

Schmusegemeinschaft *f* Liebesverhältnis. 1975 *ff.*

Schmusekater *m* **1.** anschmiegsamer, zärtlichkeitsbedürftiger Kater. 1900 *ff.*
2. anschmiegsamer kleiner Junge. 1900 *ff.*

Schmusekatze *f* **1.** Katze, die Zärtlichkeit liebt. 1900 *ff.*
2. zärtlichkeitsbedürftiger Mensch. Gern in Heiratswunschanzeigen. 1900 *ff.*

Schmuseken *n* Kosewort für Mann oder Frau. *Niederd* Verkleinerungsform zu ↗Schmus 3. 1900 *ff.*

Schmusekind *n* zärtlichkeitsbedürftiges Kind. 1900 *ff.*

Schmuselöwe *m* Schmeichler. *Vgl* ↗Löwe 2. 1975 *ff.*

Schmusemieze *f* weibliche Person, die zum Verzehr ermuntert. ↗Mieze. 1970 *ff.*

schmusen *intr* **1.** sich anbiedern; vertraulich, einnehmend reden; liebkosen; flirten; einander drücken und betasten. ↗Schmus 1. Seit dem 18. Jh, anfangs *rotw*, seit dem ausgehenden 18. Jh *stud.*
2. leidenschaftlich küssen. *Österr* 1900 *ff.*
3. Heiraten vermitteln. *Bayr* seit dem 19. Jh.
4. Unsinn reden; merkbar Unwahres erzählen. 1900 *ff.*

Schmuseplätzchen *n* gemütlicher Winkel für ein Liebespaar. 1920 *ff*

Schmusepuppe *f* **1.** junge Schmeichlerin; anschmiegsames Mädchen. 1920 *ff.*
2. weiche Stoff-, Schaumgummipuppe. 1920 *ff.*

Schmuser *m* **1.** Schmeichler. ↗Schmus 1. 1800 *ff.*
2. zärtlichkeitsbedürftiger Mensch; Kosewort. Seit dem 19. Jh.
3. Heiratsvermittler; Makler; Zwischenhändler; aufdringlicher Händler. ↗schmusen 3. 1800 *ff.*

Schmuse'rei *f* **1.** Umschmeichlung; Flirt. Seit dem 19. Jh.
2. Lüge; leeres Gerede, dem man besser nicht traut. *Rotw* 1726 *ff.*

Schmusergeld *n* Entlohnung des Heiratsvermittlers. ↗Schmuser 3. *Bayr* seit dem 19. Jh.

schmuserisch *adj* überaus zärtlich; zärtlichkeitshungrig. Seit dem 19. Jh.

Schmuserle *n* kleines Mädchen (Kosewort). *Schwäb* seit dem 19. Jh.

Schmusetanz *m* Kontakttanz. 1975 *ff.*

Schmusetier *n* Stofftier. 1920 *ff.*

Schmusewolle *f* flauschig-weiche Wolle. 1975 *ff*, werbetexterspr.

Schmusfeier (-fest; -fete) *f (n)* Party. ↗Schmus 3. *Halbw* 1950 *ff.*

Schmusfilm *m* Liebesfilm. 1950 *ff.*

Schmusgeld *n* **1.** Entgeld für den Heirats-, Geschäftsvermittler. ↗Schmuser 3. Vorwiegend *südd*, 1800 *ff.*
2. Bestechungsgeld. 1920 *ff.*

Schmus-Getue *n* unlautere Schmeichelei; verlogener Flirt. ↗Getue. 1950 *ff*, *halbw.*

Schmusi *f* Geliebte (Kosewort). ↗schmusen 1. 1900 *ff.*

schmusig *adj* schmeichlerisch; aufdringlich sich anbiedernd; zärtlichkeitsbedürftig. 1900 *ff.*

Schmusilein *n* Geliebte (Kosewort). 1900 *ff.*

Schmuskasten *m* heißer ~ = liebesgieriges Mädchen. 1955 *ff*, *halbw.*

Schmuskopf (-kopp) *m* Schmeichler. 1900 *ff.*

Schmuskugel *f* BMW-Isetta. ↗Schmus 3. *Halbw* 1955 *ff.*

Schmuslappen *m* Schmeichler; Mann, der salbungsvoll redet. ↗Lappen 7. Spätestens seit 1900.

Schmusparty *f* Jugendlichenveranstaltung mit Flirt usw. ↗Schmus 3. *Halbw* 1955 *ff.*

Schmuspeter *m* **1.** Schmeichler; zärtlichkeitsbedürftiger Mann. 1900 *ff.*
2. Schwätzer. ↗Schmusen 4. 1900 *ff.*

Schmus-Szene *f* Liebesszene. 1950 *ff.*

schmustern *intr* stillvergnügt vor sich hinlachen. Vorwiegend *niederd* Nebenform zu „schmunzeln". 1700 *ff.*

Schmus-Tour *f* Einschmeichelung; Schönrederei; Beschwatzung. ↗Tour. 1920 *ff.*

Schmutt *m* Koch. ↗Smutje. *Marinespr* 1900 *ff.*

Schmuttel *m* ↗Schmuddel.

schmutteln *intr* ↗schmuddeln.

Schmutz *m* **1.** Geiz. In volkstümlicher Meinung ist Geiz nicht nur unschön, sondern auch Zeichen einer sehr tiefstehenden Moral. Das Schmutzige, Schmierige, Dreckige usw. ist zugleich das Niederträchtige und Sittenlose. Seit dem 18. Jh.
2. das geht ihn einen ~ an = das geht ihn nichts an. Analog zu ↗Dreck 19. 1800 *ff.*
3. das geht ihn einen feuchten ~ an = das betrifft ihn nicht. *Vgl* ↗Kehricht. 1900 *ff.*
4. das interessiert (kümmert) ihn einen feuchten ~ = das interessiert ihn überhaupt nicht. 1900 *ff.*
5. sich um etw einen feuchten ~ kümmern = sich um etw überhaupt nicht kümmern. 1900 *ff.*
6. sich aus etw einen großen ~ machen = sich etw nicht zu Herzen nehmen; einer Sache überhaupt keine Bedeutung beimessen. Großer Schmutz = großer Dreck = große Belanglosigkeit. 1920 *ff.*
7. das ist kein feuchter ~ = das ist keine Kleinigkeit; das ist eine ernste Angelegenheit; das ist ein ansehnlicher Geldbetrag. 1900 *ff.*

8. sich keinen ~ ins Haus tragen lassen = nichts Ehrenrühriges dulden. 1900 *ff.*

Schmutzarbeit *f* regelwidriges Abwehrspiel eines Fußballspielers. Das „Foul" gilt als Zeichen verwerflicher Gesinnung. *Sportl* 1950 *ff.*

Schmutzblatt *n* Skandalzeitung. ↗Blatt 1. 1870 *ff.*

Schmutzfink *m* **1.** schmutziger Mann; sittenloser Mann; einer, der andere in unflätiger Weise verunglimpft. ↗Schmierfink. Seit dem 18. Jh.
2. Umweltverschmutzer. 1979 *ff.*

Schmutzfinkerei *f* Pornografie. 1955 *ff.*

Schmutzhammel *m* unreinlicher, schmutzender Mann. ↗Schmierhammel. 1800 *ff.*

Schmutzian *m* **1.** unreinlicher Mann. Zusammengewachsen aus „schmutzen" und der Kurzform Jan des Vornamens Johann. Seit dem 19. Jh.
2. Mensch mit minderwertigem Charakter. Seit dem 19. Jh.
3. geiziger Mensch. ↗Schmutz 1. *Österr* seit dem 19. Jh.

Schmutzier (Endung *franz* ausgesprochen) *m* Freund obszöner Äußerungen. 1955 *ff.*

schmutzig *adj* **1.** geizig. ↗Schmutz 1. Seit dem 18. Jh.
2. unwürdig, unehrenhaft, charakterlos. Analog zu ↗dreckig. Seit dem 19. Jh.

Schmutzkerl *m* charakterloser, niederträchtiger Mann. 1955 *ff.*

Schmutzkittel *m* unreinlicher Mensch. ↗Schmierkittel. 1800 *ff.*

Schmutzkübel *m* einen ~ umkippen = ehrenrührige Behauptungen aufstellen. 1918 *ff.*

Schmutzmann *m* Polizeibeamter. Scherzhaft umgewandelt aus „Schutzmann". 1920 *ff.*

Schmutztruppe *f* Straßenreinigungskolonne. Der „Schutztruppe" (in den einstigen deutschen Kolonien) nachgebildet. Berlin 1900 *ff.*

Schmuzettel (Schmuhzettel) *m* selbstverfertigtes Täuschungsmittel des Schülers. ↗Schmu 3. Seit dem späten 19. Jh.

schnabbelig *adj* geschwätzig, vorlaut. Adjektiv zu „Schnabel" mit Vokalkürzung und Konsonantenverdopplung. *Vgl* das Folgende. Seit dem 19. Jh.

schnabbeln *intr* **1.** vorlaut, hastig sprechen. Nebenform zu ↗schnabeln; beeinflußt von ↗babbeln, ↗schwabbeln u. ä. Seit dem 19. Jh.
2. essen; eilig essen. Seit dem 19. Jh.

schnabberig *adj* redselig. ↗schnabbern. Berlin, seit dem 19. Jh.

Schnabberliese *f* redselige Frau. Berlin, seit dem 19. Jh.

schnabbern *intr* schwätzen; vorlaut reden; Ohrenbläserei betreiben. Gehört zur lautmalenden Wortgruppe „schnattern" mit Anlehnung an „Schnabel". Vorwiegend Berlin, seit dem 19. Jh.

Schnabel *m* **1.** Mund. Vom Tier auf den Menschen schon in *mhd* Zeit übertragen.
2. vorlauter, geschwätziger Mund; lebhaft plaudernder Mensch. Spätestens seit 1700.

3. Penis des kleinen Jungen. Vergleichbar mit dem Kannenausguß. Seit dem 19. Jh.
4. den ~ aufreißen = großsprecherig sein. Seit dem 19. Jh.
5. den ~ aufsperren = zu reden beginnen. Seit dem 19. Jh.
6. ihm bleibt der ~ sauber = er bekommt nichts, hat das Nachsehen. Der Betreffende wird nicht zum Essen eingeladen. 1900 *ff.*
7. dabei bleibt einem der ~ trocken = dabei kommt man keinen Schritt weiter; das ist verlorene Liebesmühe. 1900 *ff.*
8. jm über den ~ fahren = jm das Wort verbieten; jn streng zurechtweisen. ↗Maul 24. Seit dem 19. Jh.
9. reden, wie einem der ~ gewachsen ist = unumwunden sprechen. Leitet sich her vom Singvogel, weswegen es ursprünglich nicht „reden", sondern „singen" hieß (Hans Sachs u. a.). Die heutige Wendung scheint gegen 1700 aufgekommen zu sein.
10. den ~ halten = schweigen, verstummen. Seit dem 19. Jh.
11. ihm juckt der ~ = er hat das Bedürfnis, sich über etw zu äußern; er kann nicht länger schweigen. ↗jucken. 1900 *ff.*
12. jn über den ~ legen = jn niederschlagen. Der Betreffende stürzt vornüber. 1920 *ff.*
13. einen über den ~ nehmen = etw verzehren. 1900 *ff.*
14. etw über den ~ nehmen = sich etw aneignen. 1900 *ff.*
15. jn über den ~ nehmen = a) jn nicht zu Wort kommen lassen; jn beschwatzen, übervorteilen. 1900 *ff.* – b) jn verhaften, gefangennehmen. 1920 *ff.*
16. sich den ~ verbrennen = sich durch Äußerungen schaden; unüberlegt sprechen. ↗Maul 83. Seit dem 19. Jh.
17. mit dem ~ vorneweg sein = vorlaut sein. Seit dem 19. Jh.

schnabeln *intr* **1.** viel schwatzen; vorlaut, schnippisch reden; schnell reden. 1800 *ff.*
2. essen. Seit dem 19. Jh.
3. diebisch sein. *Rotw* 1900 *ff.*

schnäbeln *intr tr* **1.** küssen, kosen. Seit *mhd* Zeit, fußend auf dem Verhalten der Turteltauben.
2. gegenseitig das Geschlechtsteil mit der Zunge berühren. 1900 *ff.*

Schnabelspiel *n* Austausch von Küssen. 1950 *ff.*

Schnabeltier *n* **1.** vorlauter Mensch. ↗schnabeln 1. 1900 *ff.*
2. Vielesser; gieriger Essender. 1900 *ff.*

Schnabelweide *f* festliche Schlemmerei; gutes, reichliches Essen; wohlhabende Manövergegend. Meint eigentlich das gute Futter für Vögel und andere Tiere. 1500 *ff.*

Schnabu'lierbude *f* kleines Speiselokal. *Vgl* das Folgende. 1900 *ff.*

schnabu'lieren *intr* genüßlich essen; schmausen. Verbal zu dem um die romanische Endung „-ieren" verlängerten Substantiv „Schnabel". Im 16. Jh in Studentenkreisen aufgekommen.

Schnabus *m* Schnaps. Scherzhafte Latinisierung mit Vokaldehnung. 1820 *ff, stud.*

schnack *adv* gerade; unumwunden. Gehört zu „schnacken = schnellen". Man erreicht das Ziel schnellend, nämlich geradlinig. 1800 *ff.*

Schnack *m* 1. Erzählung, Geplauder; törichtes Geschwätz; üble Nachrede. ↗schnacken. 1500 *ff.*
2. publikumswirksamer Werbespruch. 1960 *ff.*
3. das ist ein anderer ~ = so nimmt sich die Sache freundlicher aus; diese Äußerung kann man gelten lassen. *Nordd* 1900 *ff.*

schnackeln *intr* 1. es schnackelt = die Sache entwickelt sich günstig. Gehört ursprünglich dem Oberd an. „Schnackeln" heißt „schnalzen und mit den Fingern schnellen", wie es als Begleitgeräusch bei Volkstänzen üblich ist. 1900 *ff.*
2. es hat geschnackelt = a) es hat Lärm gegeben; man geht rücksichtslos vor. 1900 *ff.* – b) Liebe hat sich eingestellt. *Bayr* 1920 *ff.* – c) die Frau ist schwanger geworden. *Bayr* 1920 *ff.* – d) man hat sich eine Geschlechtskrankheit zugezogen. 1920 *ff.*
3. jetzt hat's geschnackelt = jetzt ist die Geduld zu Ende; jetzt ist das Erwartete (Befürchtete) eingetroffen. *Südd* 1900 *ff.*
4. bei ihm hat's geschnackelt = er hat endlich begriffen. 1900 *ff, bayr.*

schnacken *intr* 1. schwatzen, plaudern. Lautmalender Herkunft; mit Vokalkürzung auf *mitteld* und *niederd* „snaken = schwatzen" beruhend. 1600 *ff.*
2. keck reden. Seit dem 19. Jh.

Schnacker *m* Schwätzer, Plauderer. 1500 *ff.*

Schnacke'rei *f* 1. Geschwätz; Plauderstündchen; Ausplaudern. 1700 *ff.*
2. Neckerei; vergnügliche Unterhaltung. 1700 *ff.*

Schnackerl *n* 1. Schluckauf. Schallnachahmender Herkunft. *Bayr* und *österr* seit dem 18. Jh.
2. Ruck. *Bayr* und *österr* seit dem 19. Jh.
3. Leichtmotorrad. Der Klang des Motors ähnelt dem Schluckauf. *Österr* 1920 *ff.*
4. Belanglosigkeit. Das Gemeinte ist so unwichtig wie der Schluckauf. 1900 *ff, bayr* und *österr.*

'Schnackerlaf'färe *f* unbedeutende Angelegenheit. ↗Schnackerl 4. 1900 *ff.*

Schnackerlbetrieb *m* Geschäftsbetrieb mit sehr wenigen Mitarbeitern; Kleinfirma. ↗Schnackerl 4. *Bayr* und *österr* 1900 *ff.*

Schnackerl-Epidemie *f* Grippe-Epidemie. Zunächst hielt man sie für harmlos. 1920 *ff.*

'schnackerlfi'del *adj* munter, wohlauf. ↗fidel. „Schnackerl" ist hier Verkleinerungsform von „Schnack = lustiger Einfall". *Bayr* 1900 *ff.*

Schnackerlgesellschaft *f* unbedeutender Produktionsbetrieb. ↗Schnackerl 4. 1900 *ff.*

schnackerln *intr* den Schluckauf haben. ↗Schnackerl 1. *Bayr* und *österr* seit dem 18. Jh.

Schnackerlstoßen *n* Schluckauf. ↗Schnackerl 1. *Österr* 1800 *ff.*

schnackig (schnackisch, snaksch) *adj* 1. erheiternd, lächerlich; seltsam. ↗Schnack 1. 1500 *ff.*
2. eindrucksvoll; hochmodern. *Halbw* 1955 *ff.*

Schnackler *m* 1. Schluckauf. ↗Schnackerl 1. *Oberd* 1800 *ff.*
2. Lallen; Stottern. *Oberd* 1800 *ff.*
3. Kleinauto. Im Motorklang verwandt mit dem Schluckauf. *Bayr* 1930 *ff.*

Schnäddderä'täng *m n* ↗Schnätterätäng.

schnafte *adj adv* hervorragend. Ein berlinisches Wort dunkler Herkunft, etwa seit 1900/10. Dazu die Sprüche: „dreimal knorke ist einmal schnafte" und „wenn ick ne Zigarre paffte, sage ick: det Ding is schnafte".

Schnake *f* lustige Erzählung; lustiger Einfall; Witz. Geht mit Vokaldehnung zurück auf „↗Schnack 1". *Vgl* auch die auf Schallnachahmung beruhende *mitteld* und *niederd* Vokabel „snacken = schwatzen". 1700 *ff.*

Schnakenbändiger *m* wunderlicher Mann. *Mitteld* 1900 *ff.*

Schnakenfänger *m* Witzbold. 1900 *ff.*

Schnakenhascher *m* Mann, der Hirngespinste verfolgt. *Mitteld* 1900 *ff.*

schnakig (schnakisch) *adj* lustig, witzig, erheiternd. Gehört zu ↗Schnake; parallel zu ↗schnackig. 1700 *ff.*

Schnall *m* auf ~ und Fall = unversehens, plötzlich. „Schnall" gehört zu „schnellen = mit Schnellkraft wegbewegen" und steht in sächlicher und lautmalender Analogie zu „Knall". Seit dem 19. Jh, *bayr* und *schwäb.*

Schnällchen *n* (gußeisernes) ~ = vorgeformte Einhängekrawatte. Sie sitzt wie aus Gußeisen geformt. 1900 *ff, jug.*

Schnalle *f* 1. Suppe, Wassersuppe. Geht zurück auf „schnallen" im Sinne von „geräuschvoll schlürfen"; schallnachahmend. 1600 *ff, rotw* 1733 *ff.*
2. Vulva, Vagina. Aus der Jägersprache entlehnt, wo das Wort das Geschlechtsteil des weiblichen Wilds bezeichnet. Seit dem frühen 19. Jh, *rotw* und *prost.*
3. leichtes Mädchen; feste Freundin eines Halbwüchsigen; liederliche Frau; Prostituierte. Pars pro toto nach dem Vorhergehenden. Seit dem frühen 19. Jh, *rotw, sold* und *halbw.*
4. Schülerin. *(abf).* 1900 *ff.*
5. Täuschung, Unwahrheit, Betrug. Geht zurück auf „schnallen, schnellen" im Sinne von „mit den Fingern schnippen". *Vgl* „jm ein ↗Schnippchen schlagen". *Rotw,* spätestens seit 1840.
6. ~ am Schuh = intime Freundin. Wortspielerischer Tarnausdruck, sachverwandt mit „↗Klotz am Bein". *Halbw* 1955 *ff.*

Jene oben abgebildete Gürtelschnalle spielt in der Umgangssprache überhaupt keine Rolle. Wenn dort von einer Schnalle die Rede ist, so bezieht sich dies entweder auf den gleichlautenden Begriff der Jägersprache, eine Bezeichnung für das Geschlechtsteil des weiblichen Wildes (vgl. **Schnalle 2.**)*, auf das Verb schnallen, das neben koitieren (***schnallen 1.***) auch ein geräuschvolles Schlürfen meint (***schnallen 4.***, vgl.* **Schnalle 1.**)*, oder auf die Schnalle als Türklinke (***Schnalle 10.***, ***schnallen 5.***)*. Wenn unter Schnalle schließlich eine Täuschung oder eine Unwahrheit verstanden wird (***Schnalle 5.***)*, so ist dies auf jenes Schnippen mit den Fingern zurückzuführen, das oft eine erfolgreich verlaufende Handlung abschließt. Es bleibt so jedoch offen, ob dieses Wort einen solchen Vorgang aus der Perspektive des Täters oder des Opfers beschreibt, denn eine solche Schnalle gelingt nur dann, wenn der, auf den sie abzielt, nicht schnallt (***schnallen 2.***)*, daß ihm ein Schnippchen geschlagen werden soll.*

7. alte ~ = alte Frau; alte Prostituierte. 19. Jh.

8. vergammelte ~ = unansehnliches Mädchen. ↗vergammelt. *Halbw* 1955 *ff.*

9. eine ~ belegen = sich zieren. Das scheue Mädchen legt die Hände schützend auf die Schamgegend (↗Schnalle 2) oder vor die Brüste. Angeblich *halbw* 1955 *ff.*

10. ~n drücken gewesen sein = viel Kleingeld haben. Schnalle = Türklinke. Hier also eigentlich auf den Bettler bezogen, der an den Haustüren gebettelt hat. *Vgl* ↗Klinkendrücker 1. *Österr* Seit dem 19. Jh.

schnallen *v* **1.** koitieren. ↗Schnalle 2. *Rotw,* spätestens seit 1840.

2. *tr* = etw merken, ahnen, wittern, begreifen. Leitet sich vielleicht her vom männlichen Wild, das das weibliche Tier wittert; ↗Schnalle 2. Doch ist Schnalle auch die Verschlußklappe. *Sold* in beiden Weltkriegen. *halbw* 1955 *ff.*

3. *tr* = jn prellen, übervorteilen. ↗Schnalle 5. Seit dem 19. Jh.

4. *intr* = viel essen; schmausen. Schallnachahmend für das Schlürfen. Seit dem 19. Jh.

5. *intr* = (an den Haustüren) betteln. ↗Schnalle 10. Seit dem 19. Jh, *bayr* und *österr.*

Schnallendrücker *m* **1.** Bettler; Hausierer; Handelsvertreter, der von Wohnungstür zu Wohnungstür geht. Schnalle = Türklinke. ↗Schnalle 10. *Oberd* seit dem 19. Jh.

2. Bittsteller; Mensch, der sich in die Gunst eines einflußreichen Mannes einschleicht; Protektionshascher. *Vgl* ↗Klinkenputzer 3; ↗Klinke 6 c. Seit dem 19. Jh, *oberd.*

Schnallenputzer *m* **1.** saurer Wein. Metallene Türklinken reinigt man mit einem scharfen Putzmittel. Seit dem 19. Jh.

2. Bittsteller. Analog zu ↗Klinkenputzer 3; ↗Schnallendrücker 2. Seit dem 19. Jh, *oberd.*

Schnallenritt *m* **1.** Revier der Straßenprostituierten. ↗Schnalle 3. *Rotw* 1850 *ff.*

2. Koitus. ↗reiten 3. *Rotw* 1850 *ff.*

Schnallensilo *m* Bordell (in einem Hochhaus). ↗Schnalle 3. 1960 *ff.*

Schnallentreiber *m* **1.** Zuhälter. ↗Schnalle 3. *Oberd* seit dem 19. Jh.

2. Mann, der weiblichen Personen gern nachstellt. *Oberd* 1900 *ff.*

Schnaller *m* Zuhälter. ↗Schnallentreiber 1. Häftlingsspr. 1970 *ff.*

Schnallpille *f* **1.** keine ~ haben = kein Verständnis haben. „Schnallpille" ist ein fiktives Medikament, mit dem man „↗schnallen" (schnallen 2) kann. *Halbw* 1980 *ff.*

2. jm eine ~ verpassen = jm etw erklären, klarmachen. *Halbw* 1980 *ff.*

schnalzen *tr* **1.** jn betrügen. Meint eigentlich „mit der Zunge, den Fingern oder der Peitsche einen schnappenden Knall erzeugen"; analog zu „jm ein ↗Schnippchen schlagen". Seit dem 19. Jh.

2. jn verleumden, anzeigen. Seit dem 19. Jh.

3. jm eine ∼ = jn schlagen, ohrfeigen. Seit dem 19. Jh.

Schnapp *m* **1.** vorteilhafter Kauf; Gelegenheitskauf. Schnappen = erhaschen. Seit dem 19. Jh.

2. im ∼ = sehr rasch. 1500 *ff*.

3. mit einem ∼ = mit einem einzigen raschen Griff. 1700 *ff*.

4. einen guten ∼ machen (tun) = vorteilhaft einkaufen; durch einen Zufall jn dingfest machen. Seit dem 19. Jh.

Schnäppchen *n* vorteilhafter Gelegenheitskauf. *Dim* zu ↗Schnapp 1. Seit dem 19. Jh.

Schnäppchenjagd *f* Suche nach günstigen Warenangeboten; Einkauf bei Schluß- oder Räumungsverkäufen. 1955 *ff*.

Schnäppchenjäger *m* Mensch, der gezielt nach günstigen Kaufangeboten sucht und sie sich zunutze macht. 1955 *ff*.

Schnappe (Schnappen, Schnappn) *f* **1.** Mund; vorlauter Mund. Lautmalend für das Zusammenschlagen der Lippen; verwandt mit „Schnabel". *Oberd* seit dem 17. Jh.

2. unverträgliche, zänkische, keifende Frau. *Oberd* seit dem 17. Jh.

schnappen *v* **1.** *tr* = jn ergreifen, verhaften, gefangennehmen; jn auf frischer Tat ertappen. Meint eigentlich die ruckartige Bewegung, mit der ein Geöffnetes sich schließt. Spätestens seit 1900.

2. *tr* = jn überfallen und verprügeln; Straßenraub begehen. Fußt auf *mhd* „snap = Straßenraub". Seit dem 15. Jh.

3. sich etw ∼ = nach etw fassen; sich etw aneignen. 1900 *ff*.

4. ihn hat es geschnappt = er ist verwundet worden. Parallel zu ↗erwischen. *Sold* in beiden Weltkriegen.

5. *intr* = schwanger werden. Fußt im allgemeinen auf „↗schnappen 1", im besonderen auf der Vorstellung vom Schnappschloß. 1900 *ff*.

6. *intr* = hinken; ein steifes Bein haben. Gemeint ist, daß man mit dem gesunden Bein das Gewicht des Körpers auffängt; wohl auch schallnachahmend. 1700 *ff*.

7. *intr* = sich entfernen; flüchten. Wohl ebenfalls lautmalender Herkunft für die klappernden Sohlen oder Hufe. Kann auch verkürzt sein aus „frische Luft schnappen = ins Freie gehen". 1900 *ff*.

8. es ∼ = eine Sache richtig auffassen, begreifen. Man eignet es sich geistig an. 1920 *ff*.

9. jetzt hat es geschnappt = jetzt ist die Geduld zu Ende! länger ist Nachsicht nicht zu erwarten! Hergenommen von der Flinte, deren Hahn schnappt, oder vom Türschloß, das einschnappt. 1850 *ff*.

10. bei mir bist du geschnappt!: Ausdruck der Abweisung. Der Sprecher hat den Betreffenden bereits einmal „auf frischer Tat" ertappt. *Bayr* 1920 *ff*.

Es gibt Zeitungen, die leben vom Bild, und eine gibts, die nennt sich sogar so. Zwischen diesen Gazetten wie auch zwischen den Fotografen, die sie mit solchem Material beliefern, herrscht ein erbarmungsloser Kampf um die besten und erregendsten Sensationsaufnahmen. Umgangssprachlich erscheint ein solcher Mensch als **Schnappschußhyäne***: Er stützt sich auf sein Opfer und lebt, so besehen, von dem Unglück anderer und den kleinen oder großen Fehlern oder Fehltritten, die diese begehen, wobei noch hinzukommt, daß Hyänen gern das Aas der Tiere fressen, die bereits von anderen Jägern erlegt wurden, sie also Leichenfledderei betreiben. Die Abbildung zeigt eine Motorraddunkelkammer aus dem Jahr 1925.*

Schnapper (Schnäpper) *m* **1.** schwatzhafter Mund; Schwätzer(in). Der Mund schnappt auf und zu. Seit *mhd* Zeit.

2. Mann, der Falschspielern o. ä. Opfer zuführt. Er greift sie auf wie ein Wegelagerer. 1920 *ff*.

3. Straßenräuber. ↗schnappen 2. 1900 *ff*.

4. Polizeibeamter. ↗schnappen 1. 1920 *ff*.

5. kurze Begegnung. *Bayr* 1900 *ff*.

6. Schlüssel für das Schnappschloß. 1900 *ff*.

Schnappera'tismus (Schnäppera'tismus) *m* Mechanismus, den nur pfiffige Leute beherrschen. Zusammengesetzt aus „schnappen" und „Apparatismus". 1900 *ff*.

schnappern (schnäppern) *intr* schwatzen. ↗Schnapper 1. Spätestens seit dem 19. Jh.

Schnappmesse *f* kurzer katholischer Gottesdienst ohne Predigt und Gemeindegesang. Schnapp = hastiges Greifen. Seit dem 19. Jh.

Schnappn *f* ↗Schnappe.

schnappschießen *intr* eine Momentaufnahme machen. Verbal zu „Schnappschuß" nach dem *engl* Verb „to snapshot". 1930 *ff*.

Schnappschußhyäne *f* Bildreporter. Wie ein reißendes Tier stürzt er sich auf sein Opfer. 1960 *ff*.

Schnaprikaspitzel *n* Paprikaschnitzel. Ein sprachlicher Spaß. 1920 *ff*.

Schnaps *m* **1.** Kraftstoff. Parallel zu ↗Sprit. 1920 *ff*.
2. Hochspannung; elektrischer Strom. Technikerspr. 1950 *ff*.
3. Rüge. In ähnlicher Weise ein Hehlwort wie „↗Zigarre". Von der Hochprozentigkeit des Getränks übertragen auf die Schärfe der Zurechtweisung. *Sold* 1900 bis heute.
4. christlicher ~ = verwässerter Schnaps. Man hat ihn „getauft"; ↗taufen. 1920 *ff*.
5. frommer ~ = Klosterlikör. Seit dem 19. Jh.
6. harter ~ = Kornbranntwein. „Hart" steht im Gegensatz zu „mild; süß". 1910 *ff*.
7. minderjähriger ~ = schwachprozentiger Branntwein. Zum normalen Schnaps muß er erst noch „heranwachsen". 1910 *ff*.
8. schwarzer ~ = heimlich gebrannter Schnaps. ↗schwarz. 1945 *ff*.
9. weißer ~ = klarer Branntwein. 1950 *ff*.
10. welker ~ = Schnaps mit geringem Alkoholgehalt. Welk = schlaff; ohne Frische. 1940 *ff*, *sold*.
11. du hast wohl ~ gefrühstückt?: Frage an einen Unsinnschwätzer. 1920 *ff*.
12. ~ kriegen = getadelt werden. ↗Schnaps 3. 1900 *ff*.
13. ~ ist gut für die Cholera: Redewendung, wenn man einen Schnaps bestellt oder trinkt. Aufgekommen um 1830/40 im Zusammenhang mit einer Cholera-Epidemie, als man Alkohol als Vorbeuge- und Heilmittel empfahl.
14. jm einen ~ verpassen = jn heftig rügen. ↗Schnaps 3. 1914 *ff*, *sold*.

Schnapsamsel *f* Trinker(in). ↗Schnapsdrossel. 1900 *ff*.

Schnapsbeine *pl* Torkelgang des Bezechten. 1920 *ff*.

Schnaps-Brille *f* Sichttrübung des Betrunkenen. 1950 *ff*.

Schnapsbruder *m* Schnapstrinker. Seit dem 18. Jh.

Schnapsbuddel *f* Schnapsflasche. ↗Buddel. Seit dem 19. Jh.

Schnapsbude *f* Schnapsausschank; Schnapsbrennerei. Seit dem 19. Jh.

Schnapsbu'dike *f* Branntweinausschank. ↗Budike. 1840 *ff*.

Schnapsbudiker *m* Inhaber eines kleinen Branntweinausschanks. ↗Budiker. 1840 *ff*.

Schnapsdatum *n* Datum mit auffallender Zahlenfolge (7. 7. 77 o. ä.). 1960 *ff*.

Schnapsdrossel *f* **1.** Schnapstrinker(in); Trunksüchtige(r). Dem Namen der Wacholderdrossel (Turdus pilaris) im späten 19. Jh nachgeahmt.
2. Mensch, der für ein paar Schnäpse Verdächtige oder Täter verrät. 1920 *ff*.

schnapseln (schnäpseln) *intr* gern, genießerisch Schnaps trinken. Wiederholungsform zum Folgenden. 1900 *ff*.

schnapsen *intr* **1.** Schnaps trinken. 1700 *ff*.
2. trunksüchtig sein. Seit dem 19. Jh.
3. „Sechsundsechzig" spielen. Gilt als einfaches Spiel, vergleichbar mit der Leichtigkeit, mit der man einen Schnaps trinkt. *Österr* seit dem 19. Jh.

Schnapsen *n* Kartenspiel „Sechsundsechzig". ↗schnapsen 3. Seit dem 19. Jh, *österr*.

Schnapser *m* **1.** Schnapstrinker. Seit dem 18. Jh.
2. „Sechsundsechzig". ↗schnapsen 3. *Österr* seit dem 19. Jh.

Schnäpser (Schnapser) *m* Gefreiter. Bezüglich der Herleitung besteht Unsicherheit. Nach den einen Sachkennern bezog der Gefreite täglich 5 Pfennig mehr Löhnung als der Soldat ohne Rang, und dieser Betrag reichte damals gerade für einen Schnaps. Nach anderen Gewährsleuten hängt das Wort mit dem Einsteherwesen zusammen: man konnte sich vor Einführung der allgemeinen Wehrpflicht vom Wehrdienst loskaufen, indem man einen freiwilligen Stellvertreter benannte; diese „Einsteher" bekamen eine so geringe Löhnung, daß sie sich nicht einmal Bier leisten konnten, wohl aber die entsprechende Menge Schnäpse. *Sold* 1870 bis heute.

Schnapserker *m* Trinkernase. Ihre Eigenschaft als „Vorbau" wird durch die Färbung verdeutlicht. 1900 *ff*.

Schnapseule *f* Schnapstrinker(in). Die Eule als Nachttier spielt hier wohl auf das lange Verweilen im Wirtshaus an. Seit dem ausgehenden 19. Jh.

Schnapsfabrik *f* riechen wie eine vierstöckige ~ = stark nach Alkohol riechen. 1940 *ff*, *sold*.

Schnapsfahne *f* nach Schnaps riechender Atem. ↗Fahne. Seit dem 19. Jh.

Schnapsfahrer *m* Kraftfahrer mit Alkohol im Blut. 1955 *ff*.

Schnapsfahrt *f* ↗Butterfahrt.

Schnapsfaß *n* **1.** (Schnaps-)Trinker. 1900 *ff*.
2. Feldflasche. *BSD* 1960 *ff*.

Schnapsglasklasse *f* Kleinauto (Motorrad) mit geringem Hubraum und entsprechend geringem Kraftstoffverbrauch. 1955 *ff*.

Schnapsglasmotor *m* Motorrad der 50-ccm-Klasse. 1955 *ff*.

Schnapsgurke *f* Trinkernase. ↗Gurke. 1920 *ff*.

Schnapshöhle *f* kleiner, verrufener Branntweinausschank. 1900 *ff*.

Der Klare aus Wein – eine Schnapsidee?

Zinn 40 ist kein Schnaps, sondern ein sehr bekömmlicher, feiner Klarer. Aus Wein gemacht. (Und was ist schon edler als Wein?) Deshalb ist er so mild, und deshalb zergeht er so zart auf der Zunge.
Nein, dieser Klare aus Wein ist eine grandiose Idee. Eine Idee, die unsere Welt verändert. –
Wirklich? Probieren Sie mal ein Gläschen. In Nu sieht die Welt ganz anders aus.

Zinn 40 – zum Kippen zu schade

Die umgangssprachliche **Schnapsidee**, *eine Bezeichnung für einen verrückten oder törichten Einfall, wird auf der oben wiedergegebenen Werbung wieder auf den Stoff projiziert, aus dem solche Träume sind. Diese jetzt ganz konkreten Konnotationen werden durch die Fragezeichen allerdings relativiert, was dazu führt, daß diese beiden Bedeutungsnuancen sich überlagern. Zu einer solchen leicht ironischen Differenzierung paßt der Slogan „Zum Kippen zu schade", der insinuiert, daß der Konsument dieses Destillats kein einfacher* **Schnapssack** *sein kann.*

Schnapsidee *f* närrischer Einfall; verrückter Plan. Von diesem Gedanken nimmt man an, er stelle sich nach reichlichem Schnapsverzehr ein. Seit dem späten 19. Jh. Die Strafkammer des Landgerichts Stendal faßte 1907 das Wort als beleidigend auf und verurteilte den angeklagten Schriftleiter zu einer Geldstrafe von 30 Mark.

Schnapsinsel *f* Helgoland. Die Insel ist Zollausland. *Marinespr* und *ziv* 1930 *ff.*

Schnapsjule *f* Schnapstrinkerin. ↗ Jule. 1900 *ff*, Berlin.

Schnapskarline *f* Schnapstrinkerin. Karline = Karoline. Doch *vgl* ↗ Karline 1. 1920 *ff.*

Schnapskind *n* im Alkoholrausch gezeugtes Kind. 1900 *ff.*

Schnapsklaps *m* Säuferwahn. ↗ Klaps. 1900 *ff.*

Schnapsklinik *f* Trinkerheilanstalt. Seit dem letzten Drittel des 19. Jhs.

Schnapskönig *m* Inhaber einer bedeutenden Schnapsbrennerei. 1920 *ff.*

Schnapsladen *m* **1.** Stehbierlokal; Branntweinausschank. 1840 *ff.*
2. Kantinenfahrzeug; Verpflegungsauto, mit Kantinenwaren. *Sold* 1939 *ff.*

Schnapslage *f* den Zechern gestiftete Runde Schnaps. ↗ Lage 1. 1900 *ff.*

Schnapslaune *f* Unternehmungslust eines Leichtbezechten. 1920 *ff.*

Schnapsleber *f* Leberzirrhose. 1920 *ff.*

Schnapsleiche *f* Volltrunkener. ↗ Leiche 2. Seit dem 19. Jh.

Schnapsleichenfledderer *m* Mann, der bezechte Leute beraubt. ↗ fleddern. 1900 *ff.*

Schnapsleichenhalle *f* Kantine o. ä. Zusammengesetzt aus „↗ Schnapsleiche" und „Leichenhalle". *Marinespr* 1914 *ff.*

Schnapsliese *f* Trunksüchtige. Seit dem 19. Jh.

Schnapslord *m* Barmixer, Barkeeper. Er ist vornehm gekleidet wie ein „↗ Lord 2". 1935 *ff.*

Schnapsmarie *f* Trinkerin. Seit dem 19. Jh.

Schnapsmichel *m* Schnapstrinker. 19. Jh.

Schnapsmixer *m* Brennstoffmischer beim Automobilrennen. ↗ Mixer. 1930 *ff.*

Schnapsnase *f* **1.** gerötete Nase des Trinkers. Seit dem 19. Jh. *Vgl engl* „brandy nose" oder „whisky nose".
2. Schnapstrinker; Trinker. Seit dem 19. Jh.

Schnapsnummer *f* auffallende Reihenfolge von Ziffern (333, 1001, 45678 o. ä.). Meint eigentlich die doppelt oder dreifach vorkommende Ziffer (der Bezechte sieht doppelt). Bei Keglern und Kartenspielern kann sie dazu führen, daß der Betreffende die Mitspieler freihalten muß. 1900 *ff.*

Schnaps-Oase *f* zollfreier Bereich. 1930 *ff.*

Schnapsologie *f* Kunst des Schnapstrinkens; Schnapsverzehr. 1900 *ff.*

Schnapso'thek *f* **1.** hinter Büchern o. ä. versteckte Schnapsflasche. Zusammengezogen aus „Schnaps" und „Bibliothek". 1960 *ff.*
2. Hausbar. Spätestens 1960 *ff.*

Schnapspalast *m* **1.** Haus der Reichs-, Bundesmonopolverwaltung. Aufgekommen 1918 mit der Einführung des Branntweinmonopolgesetzes.
2. schwimmender ~ = Übersee-Passagierschiff; Luxusschiff. Anspielung auf den starken Verzehr zollfreier Alkoholika. 1900 *ff.*

Schnapspegel *m* Blutalkoholspiegel. Kraftfahrerspr. und polizeispr. 1950 *ff.*

Schnapsprodukt *n* unsinniger Gedanke. ↗ Schnapsidee. 1950 *ff.*

Schnapspulle *f* Schnapsflasche. ↗ Pulle. Seit dem späten 18. Jh.

Schnapspumpe *f* Herz. ↗ Pumpe 2. 1900 *ff.*

Schnapsregister *n* Kartei der wegen Fahrens in bezechtem Zustand bestraften Autofahrer. 1955 *ff.*

Schnapsreise *f* Besuch mehrerer Branntweinkneipen. 1900 *ff.*

Schnapsroute *f* Schiffsweg zwischen Deutschland und Dänemark, zwischen Schweden und Norwegen u. ä. Diese Strecken sind bekannt für hohen Umsatz von zollfreien Spirituosen. 1950 *ff*.

Schnapssack *m* Schnapstrinker. Seit dem 19. Jh.

Schnapsschwester *f* Trinkerin. Seit dem 19. Jh.

schnapsselig *adj* schnapstrunken. ↗selig. Seit dem 19. Jh.

Schnapssport *m* Schnapstrinken. 1940 *ff*.

Schnapssprößling *m* im Alkoholrausch gezeugtes Kind. 1900 *ff*.

Schnapstanke *f* Alkoholausschank; Wirtshaus, Kantine o. ä. Tanke = Tankstelle. 1940 *ff*.

Schnapsteufel *m* vom ~ besessen sein = ein leidenschaftlicher Schnapstrinker sein. Seit dem 19. Jh.

Schnapstrine *f* Trunksüchtige. ↗Trine. 19. Jh.

Schnapswolke *f* Schnapsgeruch im Zimmer; nach Schnaps riechender Atem. Der „Duftwolke“, „Tabakswolke“ o. ä. nachgebildet. 1920 *ff*.

Schnapszahl *f* **1.** Zahl mit auffallender Ziffernfolge. ↗Schnapsnummer. 1900 *ff*.
2. doppelte ~ = viermal dieselbe Ziffer. 1950 *ff*.

Schnapszentrale *f* Menschengehirn unter Alkoholeinwirkung. Der „Telefonzentrale“ nachgeahmt: sie stellt die unsinnigsten Gedankenverbindungen her. 1930 *ff*.

Schnarchbude *f* Abendgymnasium. 1960 *ff*, *schül*.

Schnarche *f* **1.** das Schnarchen. Seit dem 19. Jh.
2. Bett. Seit dem späten 19. Jh, *halbw* und *sold*.

Schnarchel *m* Nase. Ablautende Nebenform zu „↗Schnorchel“; umgebildet durch „schnarchen“. *Sold* 1935 *ff*.

schnarchen *intr* **1.** schlafen. Seit dem späten 19. Jh.
2. ~, daß sich die Balken biegen = sehr laut schnarchen. Entstanden nach dem Muster von „lügen, daß sich die ↗Balken biegen“. Seit dem 19. Jh.
3. der Motor schnarcht = der Motor schnarrt (läuft im Leerlauf). 1920 *ff*.

Schnarcher *m* **1.** Müßiggänger, Tunichtgut. 1870 *ff*.
2. Moped. Wegen des Motor- oder Auspuffgeräuschs. 1955 *ff*.
3. *pl* = zivile Bewacher militärischer Anlagen; Wach- und Schließgesellschaft. Man behauptet, sie schliefen, statt zu wachen. *BSD* 1965 *ff*.
4. *pl* = zivile Truppenverwaltungsbeamte. Fußt auf der weitverbreiteten Ansicht, daß Beamte Nichtstuer sind. *BSD* 1965 *ff*.

Schnarchhahn *m* Schnarchender. Hahn = Mann. 1965 *ff*, *halbw*.

Schnarchhaken *m* Nase. 1850 *ff*.

Schnarchkasten *m* Mund, Gesicht. *Marinespr* in beiden Weltkriegen; auch *ziv*.

Schnarchkommode *f* Bett. „Kommode“, steht verallgemeinernd für jegliches Möbelstück. 1950 *ff*, *jug*.

Schnarchkonzert *n* Schnarchgeräusche einer Gruppe Schlafender. Seit dem letzten Drittel des 19. Jhs.

Schnarchlänge *f* mehr oder minder kurze Zeit. 1910 *ff*.

Schnarchloch *n* Bett. *BSD* 1965 *ff*.

Schnarchschal *m* Kopfschützer. Eigentlich das unter dem Kinn angelegte, über dem Kopf zusammengebundene Tuch, damit der Mund geschlossen bleibt (damit der Schlafende nicht schnarchen kann). *BSD* 1965 *ff*.

Schnarchstunde *f* **1.** Arbeitsstunde am Nachmittag. Gemeinhin läßt dann die Konzentrationsfähigkeit nach, und das Schlafbedürfnis nimmt zu. 1900 *ff*.
2. Gottesdienst. 1900 bis heute, *sold*.
3. militärischer Unterricht. *Sold* 1914 bis heute.

Schnarre *f* Privatunterkunft des Studenten. „Schnarren“ und „schnarchen“ gehen auf dasselbe *indogerm* Wurzelwort mit der Bedeutung „knurren, knarren“ zurück; daher Analogie zu „↗Schnarche 2“. Kann auch auf *engl* „snare = Falle“ beruhen; denn auch „Falle“ bezeichnet das Bett. 1950 *ff*.

Schnas *n* Unsinn. ↗Geschnas 1. *Österr* seit dem 19. Jh.

schnasseln *intr tr* Alkohol zu sich nehmen. Umgebildet aus *gleichbed jidd* „schasjenen“, das zu einer Vielzahl von ähnlich klingenden *dt* Vokabeln gleicher Bedeutung geführt hat. 1900 *ff*.

Schnatter I *m* jegliches Wassergeflügel. Wegen des Schnatterlauts. *Sold* in beiden Weltkriegen.

Schnatter II (Schnätter) *f* Mund des Geschwätzigen; Schwätzer(in). Übertragen vom Schnattern der Enten und Gänse. Seit dem 16. Jh.

Schnätterä'täng *m n* freche Ausdrucksweise; unversieglicher Redefluß. Der erste Bestandteil geht auf „schnattern“ zurück; der zweite ahmt das Zusammenschlagen der Becken (Blechmusik) nach. 1900 *ff*.

Schnatterbüchse *f* **1.** Vielredner; Schwätzer(in). ↗schnattern 1. 1800 *ff*.
2. Maschinengewehr. Schuß folgt schnell auf Schuß wie beim „Schnattern“ Wort auf Wort. *BSD* 1965 *ff*.

Schnatte'rei *f* **1.** Geschwätz; Schwatzhaftigkeit. Seit dem 16. Jh.
2. Stimmengewirr. Seit dem 19. Jh.
3. Colloquium. Studenten fassen es als Geschwätz auf. 1960 *ff*.

Schnatterelster *f* kreischende Schwätzerin. ↗Elster. 1900 *ff*.

Schnatterer *m* Schwätzer. Seit dem 19. Jh.

Schnattergans *f* schwatzhafte Frau. ↗Gans; ↗schnattern 1. 1500 *ff*.

Schnatterkälte *f* grimmige Kälte. ↗schnattern 2. Seit dem 19. Jh.

Schnatterliese *f* geschwätzige Frau. Seit dem 19. Jh.

Schnattermaul *n* Schwätzer(in). Seit dem 17. Jh.

schnattern *intr* **1.** hastig, laut reden; kreischend schwätzen; plappern. Hergenommen von den Lauten von Frosch und Storch; später auch auf die Laute von Enten und Gänsen bezogen. Schallnachahmender Natur. Seit *mhd* Zeit. **2.** vor Kälte ∼ = vor Kälte mit den Zähnen klappern. 1700 *ff*.

Schnatternudel *f* zungenfertige Komikerin. ↗ Nudel. 1920 *ff*.

Schnatterplatz *m* beliebter Treffpunkt, wo man mit Bekannten plaudern kann. 1950 *ff*.

Schnatterpuste *f* Maschinengewehr. ↗ Puste 5. „Schnattern" bezieht sich auf die schnelle Schußfolge. *Sold* in beiden Weltkriegen.

Schnattertante *f* Schwätzer(in); Mensch mit unversieglichem Redefluß. ↗ schnattern 1. Seit dem 19. Jh.

Schnatz *m* kein ∼ = nichts. Fußt auf *mhd* „snatte = Schnitte". *Westd* und west-*mitteld*, 1900 *ff*.

schnatz *adj* ausgezeichnet. Gehört zu *mhd* und mittel-*niederd* „snatzen = putzen, frisieren". Hieraus entwickelte sich das Adjektiv in der Bedeutung „geputzt, hübsch, schmuck". Die heutige, verallgemeinernde Bedeutung setzt gegen 1900 ein.

schnatzig *adj* hervorragend, fein, elegant. *Vgl* das Vorhergehende. 1900 *ff*.

Schnau *m* Anherrschung. ↗ schnauen. Seit dem 18. Jh, *niederd*.

Schnauber *m* Nase. Gehört zu „schnauben = hörbar atmen". 1900 *ff*.

schnauen *tr* jn anherrschen. Gehört zu „schnauben". *Vgl niederd* „snau = Schnabel". *Niederd* seit dem 18. Jh.

schnaufen *v* jm etw ∼ = jm etw mitteilen. Eigentlich soviel wie „schwer atmen". Seit dem 19. Jh.

Schnaufer *m* Aufpasser. *Rotw* 1650 *ff*.

Schnauferl *n* **1.** Motorrad; Kleinauto; altes Auto. Schnaufen = schwer Atem holen; asthmatisch sein. Anspielung auf die nur unter „Schnaufen" mühsam bewältigte Überwindung einer auch nur mäßigen Steigung. Kurz vor 1900 aufgekommen, vielleicht durch Richard Braunbeck, einen Sportberichterstatter der „Münchner Zeitung". Schon 1900 wurde der „Allgemeine Schnauferl-Club" gegründet und 1902 die Zeitschrift „Das Schnauferl". **2.** Lokomotive. 1910 *ff*.

Schnauferlprotz *m* Mensch, der mit seinem hochmodernen Auto prunkt. ↗ Protz 1. 1920 *ff*.

Schnaufpause *f* Ruhe-, Marschpause. 1935 *ff*.

Schnauftag *m* Ruhetag nach großer Anstrengung. Er dient zum „Verschnaufen". *Sold* 1935 *ff*.

schnausen *intr* **1.** unbefugt in fremder Leute Sachen stöbern; in fremden Briefen lesen. Zusammenhängend mit „schnauben = schnüffeln". Seit dem 19. Jh. **2.** wählerisch essen. Vorwiegend *südd*, 19. Jh.

3. naschen; Leckereien an sich bringen. Seit dem 19. Jh.

Schnauz (Schnäuz) *m* Schnurrbart. Verkürzt aus „Schnauzbart" (zum Unterschied vom Kinnbart). Seit dem 19. Jh.

Schnauzbart *m* Schaumkrone der Bugwelle. Wegen der Formähnlichkeit. *Marinespr* 1900 *ff*.

schnauzbeißig *adj* frech, mit Worten angreifend. 1950 *ff*.

Schnäuzchen *n* **1.** kleines Kind (Kosewort). *Dim* verkürzt aus „↗ Zuckerschnauze". 1870 *ff*. **2.** Rufname des Hundes. Wohl auf einen Schnauzer bezogen. 1900 *ff*. **3.** frisiertes ∼ = geheuchelt höfliche Redeweise. Frisieren = betrügerisch verschönen. 1930 *ff*.

Schnauze *f* **1.** Mund. Von der Hundeschnauze gegen 1500 auf den Menschen übertragen. **2.** Flugzeugkanzel. 1935 *ff*. **3.** Bug des Schiffes. 1935 *ff*. **4.** Mundschutz des Chirurgen bei der Operation. *Ärztl* 1939 *ff*. **5.** Motorhaube des Autos. 1920/30 *ff*. **6.** freche Redeweise. 1850 *ff*. **7.** Kannenausguß; Ausgußstelle an Gefäßen. 1700 *ff*. **8.** ∼!: Aufforderung zum Verstummen. Verkürzt aus „halt' die Schnauze!". Wer der Aufforderung nicht nachkommt, erwidert „selber Schnauze!", woraufhin das Wortgefecht erst richtig einzusetzen pflegt. Spätestens seit 1900; wahrscheinlich von Berlin ausgegangen. **9.** ∼ mit Freilauf = unversieglicher Redefluß. 1920 *ff*. **10.** ∼ mit Hund = Boxerrüde. Sein grimmig-bissiges Aussehen erweckt den Anschein, als sei bei ihm die Schnauze vorherrschend. 1920 *ff*. **11.** ∼ mit Universalgelenk = unüberbietbare Schlagfertigkeit; wendiger Schmeichler. 1933 *ff*. **12.** dreckige ∼ = derbe Redeweise. ↗ dreckig. 1900 *ff*. **13.** freche ∼ = unverschämte Ausdrucksweise. 1900 *ff*. **14.** frisierte ∼ = gezierte Redeweise; geheuchelt vornehme Ausdrucksweise; unecht höfliche Sprache. ↗ Schnäuzchen 3. Berlin 1920 *ff*. **15.** große ∼ = Redefertigkeit; großsprecherisches Wesen. 1870 *ff*. **16.** künstlich große ∼ = Sprechtrichter, Megafon. Berlin 1910 *ff*. **17.** große ∼ und nichts in den Muscheln = Großsprecher; Mann, der viel verspricht und wenig hält. „Muschel" kann entweder den Muskel oder den Hoden meinen. *BSD* 1965 *ff*. **18.** koddrige ∼ = freche, grobe, unflätige Ausdrucksweise. ↗ koddrig. 1800 *ff*. **19.** kolorierte ∼ = geschminkte Lippen. Koloriert = angemalt, gefärbt. 1920 *ff*. **20.** liebevolle ∼ = zärtlicher Frauenmund; küssende, kußbereite Lippen. 1955 *ff*.

21. plombierte ~ = Redeverbot. Übernommen vom verplombten Güterwagen o. ä. 1900 *ff*.

22. saure ~ = a) Schmollen. ↗sauer 1. 1920 *ff*. – b) Wortkargheit. 1920 *ff*. – c) Sprachhemmung; Stottern; Mundspasmus. 1920 *ff*.

23. scharfe ~ = a) ausfallende, grobe Sprache. Scharf = bissig, beißend. 1900 *ff*. – b) cholerisch, zänkisch reagierender Mensch. 1900 *ff*.

24. unfrisierte ~ = unflätige, grobe Ausdrucksweise. ↗Schnäuzchen 3. 1930 *ff*.

25. nach ~ (frei nach ~; frei ~) = nach Gutdünken; dem eigenen Gefühl nach; oberflächlich, ungenau. Hergenommen vom Schwätzer, der mit dem Mund mehr leistet als mit der Hand, oder von einem, der unüberlegt, auf gut Glück redet. Seit dem späten 19. Jh; vermutlich in Berlin aufgekommen.

26. freiweg von der ~ = unvorbereitet; ohne Rücksicht auf die Wahl der Worte. 1920 *ff*.

27. alles eine ~ = Gesichtsausdruck eines demagogischen Redners. 1900 *ff*, Berlin.

28. eine kalte ~ anschlagen = gefühllos, ungerührt sprechen. „Anschlagen" ist vom Hund oder vom Klavierspiel hergenommen, vielleicht auch vom „Gewehr im Anschlag". Gebildet nach dem Muster von „eine Lache anschlagen = auflachen". 1930 *ff*.

29. die ~ weit aufreißen = prahlen; sich mehr zutrauen, als man leisten kann. Seit dem 19. Jh.

30. einen in die ~ beziehen = ins Gesicht, auf den Mund geschlagen werden. 1920 *ff*.

31. die ~ dichtmachen = verstummen. Gern in der Befehlsform gebraucht. 1900 *ff*, *sold* und *jug*.

32. dir drehe ich die ~ ins Genick!: Drohrede. Man droht, ihm den Hals umzudrehen wie einem Huhn o. ä. *Sold* 1939 *ff*.

33. nach ~ fahren = sich nicht an die Verkehrsregeln halten; fahren, wie es einem beliebt. ↗Schnauze 25. Kraftfahrerspr. 1925 *ff*.

33 a. jn voll auf die ~ fallen lassen = jn in sein Unglück laufen lassen.

34. auf die ~ fallen = a) mit dem Gesicht zu Boden fallen. Seit dem späten 19. Jh. – b) erkranken. *Vgl* „auf die ↗Nase fallen". 1900 *ff*. – c) geschäftlichen Rückgang erleiden; Mißerfolg ernten. Seit dem 19. Jh. – d) straffällig werden. 1920 *ff*. – e) mit dem Flugzeug abstürzen. Fliegerspr. 1939 *ff*.

35. auf die ~ fliegen = a) aufs Gesicht fallen. ↗fliegen 6. 1900 *ff*. – b) Mißerfolg erleiden. Seit dem 19. Jh.

36. jm die ~ frisieren = jm heftig ins Gesicht schlagen. 1930 *ff*.

36 a. jm eins (was) in (über) die ~geben = jm auf den Mund schlagen; jn grob behandeln. 1920 *ff*.

37. zuviel ~ geben = zu rasch steigen (auf das Flugzeug bezogen). Schnauze = Flugzeugkanzel. Fliegerspr. in beiden Weltkriegen.

38. auf die ~ gehen = zum Sturzflug ansetzen. Fliegerspr. 1935 *ff*.

39. ~ haben (eine ~ haben) = beredt, großsprecherisch sein. Seit dem 19. Jh.

40. die ~ auf dem rechten Fleck haben = redegewandt sein; wissen, wie man etwas zu sagen hat; das treffende Wort äußern. Nachahmung von „das ↗Herz auf dem rechten Fleck haben". 1920 *ff*.

41. eine große ~ haben = redegewandt, großsprecherisch sein; eine energische Sprache führen. 1870 *ff*. *Vgl franz* „avoir une grande gueule".

42. eine saure ~ haben = üblen Geschmack im Mund haben; unter den Nachwehen der alkoholischen Ausschweifung leiden. 1920 *ff*.

43. eine verfaulte ~ haben = a) unflätige Reden führen. Verfault = moderig, stinkend, anrüchig. *Sold* in beiden Weltkriegen. – b) für die Überbringung schlechter Nachrichten bekannt sein. *Sold* in beiden Weltkriegen.

44. die ~ halten = verstummen; nichts verraten; verschwiegen sein. 1600 *ff*.

45. die ~ tief halten = in Deckung gehen. *Sold* in beiden Weltkriegen.

46. für jn die ~ hinhalten = sich für andere opfern. Nachahmung von „den ↗Kopf hinhalten". *Sold* 1914–1945.

47. auf die ~ geknallt sein = unterlegen sein; Mißerfolg erlitten haben. Knallen = laut stürzen. 1920 *ff*.

48. jm die ~ lackieren = jm ins Gesicht schlagen. Parallel zu ↗Fresse 28. 1920 *ff*.

48 a. sich auf die ~ legen = beim Motorradrennen verunglücken.

49. auf der ~ liegen = a) auf dem Gesicht liegen. 1900 *ff*. – b) bettlägerig sein. Analog zu „auf der ↗Nase liegen". 1900 *ff*. – c) schwer beschuldigt sein. 1920 *ff*.

50. die ~ zum Abtritt machen = Tabak kauen. Anspielung auf den bräunlichen Tabaksaft. 1900 *ff*.

51. eine saure ~ machen = mißvergnügt blicken. ↗Schnauze 22. 1920 *ff*.

52. die ~ in den Dreck nehmen = den Kopf dicht an den Erdboden legen. *Vgl* ↗Schnauze 45. *Sold* in beiden Weltkriegen.

53. ihm müßte man mal die ~ plombieren = ihm sollte man Redeverbot erteilen. ↗Schnauze 21. Gegen 1900 aufgekommen mit Anspielung auf Kaiser Wilhelm II.

54. jm die ~ polieren = jm ins Gesicht schlagen. Parallel zu „jm die ↗Fresse polieren". 1920 *ff*.

54 a. eine ~ riskieren = freimütig reden. 1900 *ff*.

55. eine dicke (große) ~ riskieren = übermäßig prahlen. 1900 *ff*.

56. jm etw für die ~ sagen = jm etw unverblümt sagen. Vergröberung von „jm etw ins Gesicht sagen". 1900 *ff*.

57. jm auf die ~ singen = lautlos synchron „singen". (1920?) 1957 *ff*.

58. sich (das Flugzeug) auf die ~ stellen = zum

Sturzflug ansetzen. ↗Schnauze 2. Fliegerspr. 1935 ff.

59. dem muß die ~ extra totgeschlagen werden: Redewendung auf einen Menschen mit unversieglichem Redefluß. Gemeint ist, daß der Betreffende auch als Leiche weitersprechen würde, schlüge man ihm nicht den Mund entzwei. Spätestens seit 1900.

60. jm die ~ verbinden (luftdicht verbinden) = jn am Sprechen hindern; jn mundtot machen. Gegen 1900 aufgekommen mit Bezug auf den redefreudigen Kaiser Wilhelm II.

61. sich die ~ verbrennen = a) unbedacht sprechen. *Vgl* ↗Maul 83. Seit dem 19. Jh. – b) als Angreifer abgeschlagen werden. *Sold* 1939 ff.

62. von etw die ~ vollhaben = einer Sache überdrüssig sein. Hergenommen von einer Speise, von der man angewidert ist (weil man sie zu reichlich genossen hat). 1900 ff.

63. von etw die ~ gestrichen vollhaben = heftigen Widerwillen gegen etw haben. 1914 ff.

64. von etw die ~ vollkriegen = einer Sache überdrüssig werden. 1920 ff.

65. die ~ vollnehmen = heftig prahlen; zuviel versprechen. Parallel zu „das ↗Maul vollnehmen". Seit dem 19. Jh.

66. mit der ~ vorneweg sein = redegewandt sein; vorlaut sein. Seit dem 19. Jh.

67. dir haue ich die halbe ~ weg!: Drohrede. 1950 ff.

schnauzen *v* **1.** *intr* = laut schimpfen; grob reden. ↗Schnauze 1. 1500 ff.

2. sich ~ = einander küssen. 1900 ff.

Schnauzenakrobat *m* redegewandter Mensch. 1920 ff.

Schnauzenakrobatik *f* Redegewandtheit; Prahlerei. 1920 ff.

Schnauzenappell *m* gemeinsame Einnahme einer Mahlzeit. *Sold* und polizeispr. 1920 ff.

Schnauzenathlet *m* Prahler, Schwätzer; Mensch mit unversieglichem Redefluß. 1920 ff.

Schnauzenbesen *m* **1.** Rasierpinsel. 1900 ff.

2. Zahnbürste. 1930 ff.

schnauzendoll *adj* unaufhaltsam redselig. 1900 ff.

Schnauzenficker *m* Prahler. Meint ursprünglich wohl den Kenner von Obszönitäten aller Art, der jedoch beim Geschlechtsverkehr versagt. *Vgl* ↗Maulficker. 1935 ff.

Schnauzenfiedel *f* Mundharmonika. 1900 ff.

Schnauzenfunk *m* mündliche Nachrichtenübermittlung (gehässiger Art). Vergröberung von ↗Mundfunk. 1920 ff.

Schnauzengeige *f* Mundharmonika. Seit dem frühen 20. Jh.

Schnauzengerber *m* Herrenfrisör. ↗Schnauzenschinder. 1900 ff.

Schnauzenhelden *pl* Fronttheaterkünstler. Ihr Heldentum beschränkt sich auf das Deklamieren. ↗Maulheld. *Sold* 1939 ff.

Schnauzenhobel *m* Mundharmonika. Analog zu ↗Maulhobel 1. 1900 ff.

Schnauzenklavier *n* Mundharmonika. 1910 ff.

Schnauzenklempner *m* Zahnarzt, -techniker. Er gilt als Reparaturhandwerker. Spätestens seit 1900.

Schnauzenlack *m* Lippenstift, Schminke. 1925 ff.

Schnauzenmaurer *m* Zahnarzt. *Vgl* ↗Schnauzenklempner; vgl das Folgende. 1900 ff.

Schnauzenmonteur *m* Zahnarzt, -techniker. *Sold* in beiden Weltkriegen; wohl älter.

Schnauzenorgel *f* Mundharmonika. Seit dem frühen 20. Jh.

Schnauzenpinsel *m* Lippenstift. 1920 ff.

Schnauzenpolier *m* **1.** Zahnarzt. 1914 ff.

2. Herrenfrisör. 1914 ff.

Schnauzenputzer *m* Herrenfrisör. ↗Bartputzer. 1910 ff.

Schnauzenschaber *m* Herrenfrisör. ↗Bartschaber. 1900 ff.

Schnauzenschinder *m* **1.** Herrenfrisör. ↗Bartschinder. 1900 ff.

2. Zahnarzt. *Sold* 1914 bis heute.

Schnauzenschmied *m* Zahntechniker; Zahnarzt. 1900 ff, sold und *ziv. Vgl* engl „fang-farrier".

Schnauzenschrapper *m* Herrenfrisör. ↗Bartschrapper. 1700 ff.

Schnauzenschuster *m* Zahnarzt. ↗Schuster. *Sold* 1910 ff.

Schnauzentatterich *m* **1.** Sprechen mit lockeren Zähnen. ↗Tatterich. Berlin, seit dem späten 19. Jh.

2. Stottern. 1870 ff, Berlin.

Schnauzentischler *m* Zahnarzt. 1920 ff, Berlin.

Schnauzer (Schnäuzer) *m* **1.** Schnurrbart. Die Bezeichnung betont den Unterschied zum Kinnbart. Seit dem frühen 19. Jh.

2. vorzugsweise schimpfender Vorgesetzter. ↗schnauzen 1. 1900 ff.

3. Prahler. ↗Schnauze 29. 1900 ff.

schnauzgerecht *adv* jm etw ~ machen = jm etw auf die ihm verständliche Art erklären. Analog zu ↗maulrecht 2. 1900 ff.

Schnauzerl (Schnauzerle) *n* Kosewort für ein kleines Mädchen. ↗Schnäuzchen. 1900 ff.

Schnauzi *m* **1.** Kosewort für den Mann. 1900 ff.

2. Rufname des Hundes. 1900 ff.

3. Rufname der Katze. 1900 ff.

Schnauzibart *m* Kosewort für den Mann. 1900 ff.

schnauzig *adj* **1.** schimpfend, anherrschend. ↗schnauzen 1. Seit dem 19. Jh.

2. prahlerisch. ↗Schnauze 29. 1900 ff.

Schnauzilein *n* Kosewort für den Mann. 1900 ff.

Schnäuzl *m* **1.** Kosewort für einen kleinen Jungen. ↗Schnäuzchen. 1900 ff.

2. Rufname der Katze. 1900 ff.

Schnauzwerk *n* freche Sprache; unversieglicher Redestrom. *Vgl* ↗Maulwerk. 1930 ff.

Schneck *m* **1.** Mädchen (Kosewort). *Mhd* „der

Das Foto zeigt *Schneck* (*vgl.* **Schneck 3.**) *und Schnecke* (*vgl.* **Schnecke 1.**), *und es sieht so aus, als seien sie gerade dabei, aus ihrem Schneckenhaus zu kriechen, in das sie sich vor nicht allzu langer Zeit zurückgezogen haben dürften* (**Schneckenhaus 3.**). *Wenn dies wirklich eine Versöhnungsszene sein sollte, so sind hier, was die Bedeutung der Vokabel* **Schnecke** *in der Umgangssprache anbelangt, mehrere Interpretationen möglich: Sicher ist, daß dieser Prozeß der Annäherung äußerst langwierig sein wird, denn die Schnecke gilt schon seit jeher als Symbol eines allzu langsamen Fortschreitens* (*vgl.* **Schnek-**

ke 3., 4., 9., Schneckentempo, Schneckengalopp, Schneckengang *und* **Schneckenpost**). *Da die Schnecke sich außerdem platt auf dem Boden liegend fortzubewegen pflegt (und dabei nicht selten eine Ekel erregende Kriechspur hinterläßt, ist demjenigen, der zur Schnecke gemacht wird* (**Schnecke 13.**) *folglich so übel mitgespielt worden, daß er letztendlich nur noch zu kriechen vermag, und das nicht nur auf dem Kasernenhof. Die Schnecke wird so zum Sinnbild eines umfassenden Gefühls des Unterlegenseins, das in der Regel dann nur noch im* **Schneckengang** *überwunden werden kann.*

snecke = die Schnecke". Wohl übernommen von dem schneckenförmigen Haargeflecht, wie es früher bei jungen Mädchen üblich war; auch Anspielung auf Empfindlichkeit: bei Zudringlichkeit wird das Mädchen unnahbar wie die Schnecke, die sich in ihr Haus zurückzieht. *Oberd* seit dem 18. Jh.
2. hübsches, auffällig gekleidetes Mädchen. *Oberd* seit dem 19. Jh.
3. Lieblingsschüler; bester Freund. *Bayr* 1900 *ff.*
4. alter, langsamer Mann. Er bewegt sich mit Schneckengeschwindigkeit. *Oberd* seit dem 19. Jh.
5. einflußloser Mann. 1935 *ff.*
6. unsympathischer Mann; Sonderling. Fußt auf der weitverbreiteten Abneigung des Menschen gegen Schnecken. 1900 *ff.*

Schnecke *f* **1.** kleines Mädchen; junges Mädchen; Frau (Kosewort). ↗Schneck 1. Seit dem 18. Jh.
2. Vulva, Vagina. Wegen einer gewissen Formähnlichkeit. Seit dem 19. Jh.
3. langsames Verkehrsmittel. 1914 *ff. Vgl franz* „limaçon".
4. Langsamfahrer. Kraftfahrerspr. 1920 *ff.*
5. Versager; Mann, der langsam handelt. Seit dem 19. Jh.
6. um das Ohr gewickelter Zopf. Seit dem 19. Jh.
7. lahme ~ = langweiliges Mädchen. ↗lahm 1. *Halbw* 1955 *ff.*
8. miese ~ = unschöne, unsympathische Frau. ↗mies. *Halbw* 1955 *ff.*
9. müde ~ = Langsamfahrer. 1930 *ff*, kraftfahrerspr.

10. tolle ~ = nettes Mädchen. ↗Schneck 1; ↗toll. 1955 *ff, halbw.*

11. ja, Schnecken!: Ausdruck der Ablehnung. Im 19. Jh im *Oberd* aufgekommen. Wahrscheinlich verkürzt aus „ja, Schnecken in der Buttersauce", nämlich in Butter gebratene Weinbergschnecken, eine Speise für wohlhabende Feinschmecker. Oder auf eine unwahrscheinliche Behauptung erwidert man noch ein Grad unwahrscheinlicher mit „ja, Schnecken hat's geregnet".

11 a. eine ~ angraben = ein Mädchen zu betören, zu erobern suchen. „Angraben" meint hier „sich in intimer Absicht nähern". *Halbw* 1980 *ff.*

12. eine ~ machen = nicht Rede und Antwort stehen. Man zieht sich ins Schneckenhaus zurück. 1930 *ff.*

13. jn zur ~ machen = a) jm übel mitspielen; jn rücksichtslos behandeln; jn moralisch vernichten, schmähen, drangsalieren. Auf dem Kasernenhof entstanden: die Soldaten werden dermaßen streng und anhaltend gedrillt, daß sie am Ende nur noch wie Schnecken am Boden kriechen können. Von da verallgemeinert zur Bedeutung allgemeinen Unterlegenseins. Im Ersten Weltkrieg bei den Soldaten aufgekommen; später *schül* und *stud*. – b) jn lächerlich machen; mit jm seinen Spott treiben. 1920 *ff*. – c) aus jm den Verlierer machen. Kartenspielerspr. und *sportl* 1920 *ff.*

14. ~n hat's geregnet!: Erwiderung auf eine Unglaubwürdigkeit. ↗Schnecke 11. *Oberd*, 19. Jh.

15. auf eine ~ treten = a) ausschweifend leben. Parallel zu ↗ausrutschen. 1935 *ff*. – b) gegen die Anstandsregeln verstoßen. 1935 *ff*. – c) beim Reden zu weit gehen. 1935 *ff.*

16. die ~ vollhaben = schwanger sein. ↗Schnecke 2. Seit dem 19. Jh.

17. die ~ vollmachen = schwängern. ↗Schnecke 2. Seit dem 19. Jh.

18. zur ~ werden = unterliegen. ↗Schnecke 13 a. 1920 *ff.*

19. ich werde zur ~!: Ausdruck der Verzweiflung, des Erstaunens. 1930 *ff.*

Schneckel *n* geringelte Haarlocke. ↗Schnecke 6. *Oberd* seit dem 19. Jh.

schneckeln *v* **1.** *refl* = sehr langsam gehen. *Oberd* seit dem 18. Jh.

2. *refl* = sich niedlich kleiden. ↗Schneck 1. 1800 *ff.*

3. jn ~ = jn bevorzugen. ↗Schneck 3. *Bayr* 1900 *ff.*

4. *intr tr* = koitieren. ↗Schnecke 2. *Halbw* 1960 *ff.*

Schneckenblut *n* ~ (in den Adern) haben = ein Phlegmatiker sein. 1910 *ff.*

Schneckendompteur *m* langsamer Mensch. 1960 *ff.*

Schneckendorf *n* Campingplatz. 1955 *ff.*

Schneckenfahrplan *m* Geschwindigkeitsbegrenzung für Kraftfahrzeuge. 1960 *ff.*

Schneckengalopp *m* große Langsamkeit. 1900 *ff.* *Vgl engl* „snail's gallop".

Schneckengang *m* langsames Fortschreiten. Meint beim Militär das Marschtempo unter 114 Schritten in der Minute. 1800 *ff.*

Schneckenhaus *n* **1.** Bordell. ↗Schnecke 1 und 2. 1920 *ff.*

2. Wohnwagen. 1955 *ff.*

3. sich in sein ~ zurückziehen = sich gekränkt zurückziehen; schmollen; unverstanden sein. ↗Schnecke 12. 1900 *ff.*

Schneckenmama *f* Bordellbesitzerin; Kupplerin. ↗Schnecke 1. 1920 *ff.*

Schneckennudel *f* **1.** pralles Mädchen ohne jegliche Anmut. ↗Nudel. 1955 *ff, halbw.*

2. Note 6. Sie ähnelt dem Gebäck in Form einer flachen Spirale. 1950 *ff, schül.*

Schneckenpost *f* **1.** Briefzustellung, die lange auf sich warten läßt. Meint eigentlich die durch viele und lange Rastpausen verzögerte Fahrt mit der Postkutsche. Von da übertragen zum Sinnbildgriff der Langsamkeit. *Vgl* das Folgende. Wiederaufgelebt 1960.

2. mit der ~ = überaus langsam. Für 1637 bezeugt.

Schneckenstiege *f* Wendeltreppe. Sie ähnelt der Spirallinie des Schneckenhauses. *Oberd* 1800 *ff.*

Schneckentempo *n* Langsamkeit. Seit dem 19. Jh.

Schneckentrab *m* sehr langsamer Gang der Handlung; zögernder Fortschritt. Seit dem 19. Jh.

Schneckenzwinger *m* Schneckenzuchtanlage. 1960 *ff.*

Schnee *m* **1.** weiße Wäsche; Leinwand. *Rotw* 1733 *ff.*

2. Kokain; Heroin. Es handelt sich um weißes Pulver. Von nordamerikanischen Soldaten im Ersten Weltkrieg nach England eingeschleppt und von dort über Frankreich kurz nach 1918 in Deutschland verbreitet.

3. Geld. Meint vor allem die Silbermünzen und die silberähnlichen Münzen. *Rotw* 1850 *ff; sold* 1915; *halbw* 1948 *ff.*

4. Trübung des Fernsehbilds. 1955 *ff.*

5. ~ von gestern = Altbekanntes ohne Bezug zur Gegenwart. *Vgl* das Folgende. 1950 *ff.*

6. ~ vom vergangenen (vorigen) Jahr (vom Vorjahr) = längst erledigte Angelegenheit. Im späten 19. Jh aufgekommen, wohl unter Einfluß von François Villon: „où sont les neiges d'antan?".

7. ~ auf Klee: Redewendung, wenn die ausgespielte Karte gestochen oder überspielt wird. Die Bauernregel sagt: fällt Schnee auf Klee, geht die Pflanze ein. Kartenspielerspr. seit dem 19. Jh.

8. im Jahr ~ = vor langer Zeit; irgendwann. ↗Anno 9. 1920 *ff.*

9. das ist alter ~ = das sind altbekannte, längst abgetane Tatsachen. 1900 *ff.*

10. giftiger ~ = Rauschgift. ↗Schnee 2. 1960 *ff.*

11. heißer ~ = radioaktiver Schnee; radioaktiver (weißer) Staub. 1955 *ff.*

11 a. den ~ küssen = im Schnee stürzen. 1920 *ff.*

12. wo kein ~ liegt, darf gelaufen werden: Redewendung zum Anfeuern eines zu langsam Marschierenden oder Laufenden. *BSD* 1965 *ff.*

13. er ist zu dumm, um ein Loch in den ~ zu pinkeln = er ist überaus dumm; er ist nicht einmal zu einfachsten Dingen zu gebrauchen. *Sold* 1939 bis heute.

14. wie es der kleine Junge in den ~ pissen kann = unvollkommen, wenig formschön. Kinder formen mit dem Harnstrahl Umrisse in den Schnee. 1840 *ff.*

15. ~ saufen = unentgeltlich zechen. Die Zeche ist ebenso kostenlos wie der Schnee. 1920 *ff.*

16. jn zu ~ schlagen = jn heftig prügeln. Hergenommen von der Köchin, die das Eiweiß mit dem Besen schlägt. 1890 *ff.*

17. das ist allerhand ~! = a) Ausruf des Unwillens über eine Zumutung. Bezieht sich eigentlich auf heftigen Schneefall. 1930 *ff.* – b) das ist sehr wesentlich; das sind schwere Vorwürfe, Verdächtigungen o. ä. 1930 *ff.*

18. das ist auch nicht mehr der ~ wie früher = auch dies hat sich sehr verändert; auch dies ist nicht mehr von der gewohnten Qualität. 1930 *ff.*

19. und wenn der ganze ~ verbrennt = trotzdem; unter allen Umständen. Meist mit dem Zusatz: „die Asche bleibt uns doch!" Seit dem späten 19. Jh.

20. nun wird der ganze ~ verbrennt: Redewendung, wenn einer das Skatspiel gründlich verliert. Scherzhafte Abwandlung des Vorhergehenden. Kartenspielerspr. 1900 *ff.*

Schneeballkanonade *f* Schneeballschlacht. 1800 *ff.*

Schneebrunzer *m* **1.** alter Geck. Wie ein kleiner Junge schmilzt er mit seinem Harnstrahl Figuren in den Schnee. ↗brunzen. *Oberd* seit dem 19. Jh.

2. Feigling; Mann, der sich von einem gemeinschaftlichen Unternehmen ausschließt. Im Sinne des Vorhergehenden hat er nur Sinn für Spielereien und weicht ernsten Lagen aus. *Oberd* seit dem 19. Jh.

3. langweiliger, energieloser Mann. 1900 *ff.*

Schneebüffel *m* Skiläufer. Dem Büffel ähnelt er durch seine Kraftanstrengung. 1950 *ff.*

Schneefahrer *m* Wäschedieb. ↗Schnee 1. *Rotw* 1920 *ff.*

Schneefan (Endung *engl* ausgesprochen) *m* begeisterter Wintersportler. ↗Fan. 1955 *ff.*

Schneefanger *m* Wäschedieb. ↗Schnee 1. *Rotw* 1900 *ff.*

Schneeflocke *f* geöffneter Fallschirm. Wegen der Formähnlichkeit. *Sold* 1935 *ff.*

Schneegans *f* **1.** unsympathische weibliche Person; überhebliches Mädchen. Verstärkung von „Gans = dumme Frau" oder hervorgegangen aus dem Vergleich „alt wie eine Schneegans". Überheblichkeit ist auch in volkstümlicher Auffassung ein Zeichen von Dummheit. Seit dem frühen 19. Jh.

2. junge Skiläuferin. 1925 *ff.*

Schneegestöber *n* **1.** Eierschaum; Schlagsahne-Ersatz. Wegen der Ähnlichkeit im Aussehen. 1915 *ff*, *ziv* und *sold.*

2. Trübung des Fernsehbildes. 1955 *ff.*

Schneehäschen (-haserl) *n* nette, junge Wintersportlerin. ↗Häschen. 1955 *ff.*

Schneehase *m* **1.** Wintersportler(in). 1955 *ff.*

2. *pl* = Gebirgsjäger. Im Ersten Weltkrieg Bezeichnung für die Infanterie. *BSD* 1960 *ff.*

3. sich freuen wie die ~n = sich sehr freuen. Nachahmung von „sich freuen wie ein ↗Schneekönig". 1900 *ff.*

Schneehuhn *n* **1.** Skiläuferin. 1955 *ff.*

2. sich freuen wie ein ~ = sich sehr freuen. Analog zu „sich freuen wie ein ↗Schneekönig". 1950 *ff.*

Schneekavalier *m* Mann, für den der Wintersport nur Vorwand zur Anknüpfung von Liebesabenteuern ist. 1905 *ff.*

Schneekönig *m* **1.** Wäschedieb. ↗Schnee 1. *Rotw* 1930 *ff.*

2. Organisator von Scheeräumtrupps. 1960 *ff.*

3. hervorragender Wintersportler. 1955 *ff.*

4. sich wie ein ~ amüsieren = sich köstlich amüsieren. *Vgl* das Folgende. Seit dem 19. Jh.

5. sich freuen wie ein ~ = sich sehr freuen. Schneekönig ist ein anderer Name des Zaunkönigs; dieser ist kein Zugvogel, sondern bleibt im Land; er zeigt ein munteres Wesen und hat einen hübschen Gesang, auch bei Eis und Schnee. Seit dem 19. Jh.

Schneekönigin *f* erfolgreiche Skiläuferin; umworbene Wintersportlerin. 1955 *ff.*

Schneekuh *f* einfältige, ungeschickte, langsame Frau. Verstärkung von ↗Kuh. 1920 *ff.*

Schneemann *m* **1.** energieloser, weichherziger Mann; Versager. Sein Widerstand schmilzt rasch dahin; vor allem angesichts heißer Frauentränen. 1920 *ff.*

2. Wintersportler. 1955 *ff.*

Schneematsch *m* durch Tauwetter aufgeweichter Schnee. ↗Matsch. Seit dem 19. Jh.

Schneemensch *m* **1.** Bergführer. 1920 *ff.*

2. Wintersportler. 1955 *ff.*

3. Mann ohne menschenfreundliche Regungen. Er ist gefühlskalt. 1950 *ff.*

Schneemus *n* Schlagsahne. Seit dem frühen 20. Jh.

Schneeparkett *n* schnee-, eisbedecktes Spielfeld. *Sportl* 1950 *ff.*

Schneepisser *pl* **1.** Kraftfahrtruppen. Wegen der rosa Waffenfarbe. *Sold* 1939 *ff.*

2. Fernmeldetruppe. Wegen der gelben Waffenfarbe. *BSD* 1960 *ff.*

*Die Märchenfiguren der Umgangssprache haben mit ihren literarischen Vorbildern nur sehr wenig gemein. Meist sind es nur einzelne Charakteristika, die ihnen abgeschaut werden. So meint etwa Schneewittchen ein nettes und hübsches Mädchen (**Schneewittchen 1.**), aber nur dann, wenn diese Vokabel sich vorrangig auf das Äußere dieser Königstochter bezieht, die ja gerade ihrer außergewöhnlichen Schönheit wegen den Nachstellungen ihrer eifersüchtigen Stiefmutter ausgesetzt war. Pejorative Anklänge sind dagegen dann spürbar, wenn an das Verhalten dieses Mädchens angeknüpft wird. Es lebt hinter den Sieben Bergen an einem abgelegenen und einsamen Ort, ist arglos und naiv und läßt sich leicht hinters Licht führen (**Schneewittchen 2.**). Der Schneewittchensarg als Bezeichnung für ein Kleinauto mit einer Plexiglashaube (**Schneewittchensarg 1.**) oder eine Ausstellungsvitrine (**Schneewittchensarg 2.**) hat sein märchenhaftes Pendant in dem gläsernen Sarg, in dem Schneewittchen seiner überirdischen Schönheit wegen zu Grabe getragen werden sollte. Das sublimiert-ätherische solcher Märchengestalten wird umgangssprachlich-derb ins Gegenteil verkehrt: „Schneewittchen, kein Arsch und kein Tittchen" (**Schneewittchen 3.**).*

Schneeriecher *m* Wäschedieb. ↗Schnee 1. 1870 *ff, rotw.*

Schneesäufer *m* Schmarotzer. ↗Schnee 15. 1920 *ff.*

Schneeschaufler *m* Wäschedieb. ↗Schnee 1. *Rotw* 1850 *ff.*

Schneeschipper *m* ~ im Sommer = Müßiggänger; Arbeitsscheuer. Seit dem späten 19. Jh, kundenspr.

Schneeschuhbraut *f* Skiläuferin. 1910 *ff.*

Schneeschuhhäschen *n* Skiläuferin. ↗Häschen. 1910 *ff.*

Schneeverhältnis *n* Liebesverhältnis am Wintersportort. 1925 *ff.*

Schneewiesel *n* Motorschlitten zur Schneeräumung auf Spazier- und Skiwanderwegen. 1967 *ff.*

Schneewittchen *n* **1.** nettes Mädchen. Im Märchen der Brüder Grimm ist Schneewittchen lieblich, anmutig, arglos und reinen Herzens. *Halbw* 1955 *ff.*
2. rückständige Frau. Entweder lebt sie in einer Märchenwelt oder läßt sich von raffinierten Frauen leicht übertölpeln. *Halbw* 1955 *ff.*
3. ~, kein Arsch und kein Tittchen = weibliche Person ohne ausgeprägte Körperformen. ↗Titte. *Halbw* 1955 *ff.*
4. ~ und die dreißig Zwerge = Lehrerin vor dreißig Schülern. Im Märchen hat es Schneewittchen nur mit sieben Zwergen zu tun. *Schül* 1955 *ff.*

Schneewittchensarg *m* **1.** Kleinauto mit Plexiglashaube; Kabinenroller. Im Märchen wird Schneewittchen in einem gläsernen Sarg aufgebahrt: ähnlich viel Einsicht erlaubt die Plexiglashaube. 1953 *ff, halbw* und kraftfahrerspr.
2. Ausstellungsvitrine auf einer Fußgängerstraße; Kühltheke. 1950 *ff.*

Schneeziege *f* **1.** unsympathische Frau. ↗Ziege. Die Betreffende ist abweisend, unnahbar, gefühlskalt o. ä. 1920 *ff.*
2. Wintersportlerin. 1955 *ff.*

Schneid *f (m)* **1.** Tatkraft, Mut. Eigentlich die Schneidefähigkeit einer Waffe; von da verallgemeinert zum Begriff „Wirkungsfähigkeit", „Energie". Meint gelegentlich auch die Sexualkraft des Mannes. Vorwiegend *bayr* und *österr*, seit dem späten 18. Jh. Das Wort wird gelegentlich (und sehr zum Ärger der Bayern und Österreicher) als Maskulinum behandelt.
2. jm die (den) ~ abgewinnen (abkaufen) = jn entmutigen. Seit dem späten 19. Jh.

schneiden *v* **1.** *tr* = jn nicht grüßen; jn absichtlich übersehen. Im späten 19. Jh aus *engl* „to cut someone" übersetzt.
2. *tr* = jn übervorteilen, schröpfen. Von der Verwundung, die man einem beibringt, übertragen auf materielle Schädigung. 1500 *ff.*
3. *tr* = so spielen, daß der andere Spieler keine 30 Augen bekommt. ↗Schneider 13. Kartenspielerspr. seit dem 19. Jh.

4. *intr* = ein Glas nicht voll einschenken. Hängt zusammen mit „schneiden 2" unter Einwirkung von „Geld schneiden = Geld unredlich erwerben". Seit dem späten 19. Jh.

5. sich ~ = sich falsche Hoffnungen machen; sich irren; sich verrechnen. Verkürzt aus „sich in den ↗Finger schneiden". 1700 *ff*.

6. *refl* = einen Darmwind hörbar entweichen lassen. Die Glühung sollte eigentlich lautlos abgehen: man hat sich geirrt. 1900 *ff*.

Schneider *m* 1. schwächlicher Mann. Hergenommen von der sprichwörtlichen Hagerkeit der Schneider. 1600 *ff*.

2. Jagdgast, der zu keinem Schuß kommt; erfolgloser Jäger. Vom Kartenspielerausdruck „↗Schneider 13" übertragen. Seit dem 19. Jh.

3. Sportfischer ohne Beute. Wie das Vorhergehende. Seit dem 19. Jh.

4. rücksichtslos überholender Kraftfahrer. Er „schneidet" dem anderen die Fahrbahn. Kraftfahrerspr. 1925 *ff*.

5. Einbrecher, der ein Stück aus der Fensterscheibe schneidet. 1920 *ff*.

6. dem ~ ist der Zwirn ausgegangen = die Sache nimmt keinen Fortgang. 1900 *ff*.

6 a. im ~ bleiben = eine Niederlage nicht wettmachen. ↗Schneider 13. 1900 *ff*.

7. das bringt ihn aus dem ~ = das hilft ihm aus der Notlage auf. ↗Schneider 13. 1900 *ff*.

8. frieren wie ein ~ = heftig frieren, frösteln. In der volkstümlichen Spottmeinung sind alle Schneider hager und dünn und haben nur geringe Körperwärme. 1700 *ff*.

9. jn im ~ halten = jn nicht zu vollem Erfolg kommen lassen. ↗Schneider 13. 1950 *ff*.

10. es kommt ein ~ in den Himmel = a) in einer Gesellschaft stockt plötzlich die Unterhaltung. Über den Schneider, der in den Himmel kommt, muß man nach volkstümlicher Meinung ehrfürchtig staunen; denn Schneider sind als diebisch verschrien, weswegen für sie normalerweise kein Platz im Himmel ist. Seit dem 19. Jh. – b) zufällig sagen zwei Leute dasselbe. Seit dem 19. Jh.

11. aus dem ~ kommen = eine geschäftliche, gesundheitliche, familiäre (o. ä.) Krise überstehen. ↗Schneider 13. 1900 *ff*.

12. nicht aus dem ~ kommen = in einem Tischtennis-Satz nur elf Punkte erreichen. Der Kartenspielersprache nachgeahmt; ↗Schneider 13. *Sportl* 1950 *ff*.

13. jn zum ~ machen = den Spieler weniger als 30 Augen bekommen lassen. Die Punktzahl 30 bezeichnet der Skatspieler mit „Schneider"; denn zum Spott sagt man dem Schneider nach, er wiege höchstens 30 Lot. Seit dem 19. Jh.

14. jn ~ (zum ~) machen = den Tischtennisgegner nur elf Punkte erreichen lassen. ↗Schneider 12. *Sportl* 1950 *ff*.

15. ~ sein = nicht mehr als 30 Punkte bekom-

men. ↗Schneider 13. Kartenspielerspr. seit dem 19. Jh.

16. aus dem ~ sein = a) mehr als 30 Punkte erhalten. ↗Schneider 13. Kartenspielerspr. seit dem 19. Jh. – b) älter als 30 Jahre sein. 1850 *ff*. – c) die Notlage überwunden haben; Erfolgsaussichten haben; einer lästigen Sache enthoben sein. 1900 *ff*. – d) nicht verantwortlich gemacht werden können; wegen Verjährung gerichtlich nicht mehr belangt werden können. 1920 *ff*. – e) nicht länger in Verdacht stehen. 1920 *ff*.

17. zweimal aus dem ~ sein = älter als 60 Jahre sein. ↗Schneider 16 b. 1950 *ff*.

18. herein, wenn es kein ~ ist! = tritt ein! Leitet sich her vom Schneider, der auf Kredit arbeitet und seine Forderungen einzutreiben sucht. Seit dem 19. Jh.

19. ~ sind auch nette Leute (Menschen): Trostrede an den Spieler, der knapp 30 Punkte erreicht hat. ↗Schneider 13. Skatspielerspr. seit dem 19. Jh.

20. ~ werden = a) keine 30 Punkte erreichen. ↗Schneider 13. Kartenspielerspr. seit dem 19. Jh. – b) als Schauspieler vor leerem Zuschauerraum stehen. Theaterspr. seit dem 19. Jh, Wien. – c) keine Bestellung erhalten; unterliegen, erfolglos werden. Seit dem 19. Jh.

Schneiderfahrt *f* vergebliche Autofahrt. *Vgl* ↗Schneidergang. 1970 *ff*.

Schneiderfett *n* Schulterauflage im Herrensakko. Wien 1925 *ff*.

Schneiderforelle *f* Hering. Anspielung auf die kärgliche Lebensweise der Schneider. Seit dem 19. Jh.

Schneidergang *m* vergebliche Vorsprache. Hergenommen vom vergeblichen Bemühen des Schneiders, die Außenstände einzutreiben. Seit dem 19. Jh.

Schneidergehirn *n* Kleingeistigkeit, Engstirnigkeit. Nach landläufiger Meinung hat der Flickschneider nur geringe Intelligenz. 1900 *ff*.

Schneidergewicht *n* ein ~ haben = schwächlich, hager sein. Seit dem 19. Jh.

Schneiderkarpfen *m* Hering. Was den Wohlhabenden der Karpfen, ist dem als Hungerleider geltenden Schneider der Hering. 1600 *ff*.

Schneiderkotelett *n* Stück Schweizerkäse. Erklärt sich wie das Vorhergehende. Seit dem 19. Jh.

Schneiderlachs *m* Räucherhering. *Vgl* ↗Schneiderkarpfen. Seit dem 18. Jh.

schneidern *intr* koitieren. Analog zu ↗nähen 3. Seit dem 19. Jh.

Schneiderschultern *pl* reichlich wattiertes Achselpolster. Wien 1925 *ff*.

Schneidersitz *m* Sitz mit gekreuzten Beinen zu ebener Erde. Übernommen von der *trad* Sitzweise des Schneiders auf dem Tisch. 1900 *ff*.

Schneiderspiele *pl* Liebesspiele. ↗schneidern. 1900 *ff*.

Schneider- und Schusterorden *m* Kriegsverdienstkreuz. Nach Ansicht der Soldaten wurde es wahllos verliehen. „Schneider und Schuster" stehen hier für „beliebige Leute". *Sold* 1939 *ff.*

Schneidezahn *m* Mädchen auf Suche nach Männerbekanntschaften; aufdringliches Mädchen. Von den Schneidezähnen des Gebisses übertragen zum Begriff „Männerfresserin", unter Einwirkung von „Zahn = Mädchen" (↗Zahn 3). *Halbw* 1955 *ff.*

schneidig *adj* **1.** straff, schwungvoll, energisch, militärisch. ↗Schneid 1. Gegen 1850 im *Oberd.* aufgekommen und nordwärts gewandert.
2. *adj adv* = mit großer Fahrgeschwindigkeit. 1920 *ff.*

Schneidigkeit *f* tatkräftiges Vorgehen; mutige Handlungsweise. Seit dem späten 19. Jh.

Schneidling *m* **1.** Messer, Schere o. ä. Kundenspr. 1850 *ff.*
2. Mann, der Beherztheit vortäuscht. „-ling" als Verkleinerungssilbe ist an „↗Schneid" angehängt. 1900 *ff*, sold und *ziv.*

schneien *v* **1.** es schneit Briefe (o. ä.) = es kommen sehr viele Briefe (ö. ä.) ins Haus. Vom starken Schneefall übertragen. 1900 *ff.*
2. bei ihm schneit es eher (schneit es oben) = er ist sehr großwüchsig. 1940 *ff.*
3. jm ins Haus ~ (geschneit kommen) = jn überraschend besuchen. Beruht auf der Vorstellung vom unerwarteten Schneefall. 1870 *ff.*

schnell *adj* **1.** vorzüglich; elegant; schön; ansprechend o. ä. Die Bezeichnung für hohe Geschwindigkeit hat sich schon im Ersten Weltkrieg zu einem allgemeinen Superlativ entwickelt: durch die Vervollkommnung hochleistungsfähiger Fahrzeugmotoren sowie durch sportliche Schnelligkeitsrekorde ist das Erlebnis der Schnelligkeit immer weiter zu einem superlativischen Erleben geworden. *Sold* und fliegerspr. in beiden Weltkriegen; *halbw* 1945 *ff.*
2. etw ~ und schmerzlos erledigen = sich über eine Sache keine Gedanken machen; eine Angelegenheit mit ein paar Worten abtun. Parallel zu „↗kurz und schmerzlos". Seit dem 19. Jh.

Schnelläufer *pl* Ungeziefer. *Sold* in beiden Weltkriegen; *rotw.*

Schnellbleiche *f* sehr rasche berufliche Ausbildung; Kurzlehrgang. Hergenommen von der Kunstbleiche im Unterschied zur Rasenbleiche. Etwa seit 1820.

Schnellbleichverfahren *n* schnelle Beförderung zum Leutnant nach wenigen Reserveübungen. *Vgl* das Vorhergehende. 1935 *ff.*

Schnellboot *n* kein ~ sein = langsam arbeiten; nicht schneller handeln können. ↗Mann 90. *Marinespr* 1939 *ff.*

Schnellchen *n* vorgeformte Krawatte. ↗Schnällchen. Umgeformt unter Einwirkung von „schnell". 1900 *ff.*

Schnelldressur *f* Kurzlehrgang; verkürzte Ausbildungszeit. *Sold* in beiden Weltkriegen.

Schnelle *f* **1.** Durchfall. Verkürzt aus „schnelle Kathrine" (*vgl* ↗Schnellkathrine). 1914 *ff.*
2. Schnelligkeit. Seit dem 19. Jh.
3. auf die ~ = ohne besondere Umstände; ungenau; nach Gutdünken; in kürzester Zeit. 1920 *ff.*

schnellen *v* **1.** *intr* = in der Prüfung versagen; nicht versetzt werden. Eigentlich soviel wie „mit Schnellkraft fortbewegen". *Österr* 1900 *ff*, *schül.*
2. *tr* = jn betrügen, übervorteilen; mit jm seinen Spott treiben. Schnellen = mit den Fingern schnalzen. Sachverwandt mit „jm ein ↗Schnippchen schlagen". 1700 *ff.*

Schnellfahren *n* das fällt beim ~ nicht auf = über solche kleinen Mängel oder Widrigkeiten sieht man leicht hinweg. 1935 *ff.*

Schnellfeuer *n* **1.** Durchfall. Eigentlich die schnelle Schußfolge. *Sold* in beiden Weltkriegen.
2. rasches Fotografiertwerden durch mehrere Personen. 1950 *ff.*

Schnellfeuergewehr *n* Schnellsprecher. 1930 *ff.*

Schnellfeuerhose *f* Kinderhose mit herunterklappbarem Hinterteil. Besonders bei heftigem Durchfall leistet sie gute Dienste. Etwa seit 1900.

Schnellfeuerkonversation *f* gleichzeitiges Sprechen aller Anwesenden. 1935 *ff.*

Schnellfeuerschnauze *f* Redegewandtheit; unversieglicher Redefluß. 1930 *ff.*

Schnellfeuersprechweise *f* hastige Sprechweise. 1930 *ff.*

Schnellfick *m* rasch vollzogener Geschlechtsakt. ↗Fick. 1900 *ff.*

Schnellfickerhosen *pl* **1.** Reithose mit weiten Ausbuchtungen oberhalb der Knie; Hose mit Vorderklappe; Seemannshose. Die Weite der Oberschenkelpartien bzw. die Vorderklappe macht bei raschem Geschlechtsakt das Auskleiden überflüssig. Etwa seit 1900.
2. Damenunterhose mit sehr weiten Beinlingen. 1910 *ff.*

Schnellfunk *m* **1.** Liebe auf den ersten Blick. Zwischen beiden hat es schnell gefunkt; ↗funken 3. 1935 *ff.*
2. Geschlechtsverkehr am Abend des Kennenlernens. 1935 *ff.*

Schnellfurzer *m* Leichtmotorrad. Anspielung auf Motorgeräusche, die an lautes Entweichen von Darmwinden erinnern. 1935 *ff.*

Schnellgang *m* den ~ einschalten = sich sehr beeilen; rennen. Der Maschinentechnik entlehnt. 1920 *ff.*

Schnelligkeitsteufel *m* Kraftfahrer mit sehr hoher Fahrgeschwindigkeit. 1950 *ff.*

Schnell-Imbiß *m* Kurzbesuch im Bordell bzw. bei einer Prostituierten; Kurzfristiges Liebesabenteuer. 1910 *ff.*

Schnellkacke *f* Durchfall. ↗Kacke 1. *Sold* 1914 bis heute.

Schnellkacker *m* Ruhrkranker. *Sold* in beiden Weltkriegen.

Schnellkapierer *m* Mensch mit rascher Auffassung. ↗kapieren. 1920 *ff.*

Schnellkathrine (schnelle Kathrine; schnelle Kathi) *f* Durchfall. „Kathrine" ist unter Einfluß von „Katarrh" aus *griech* „katharma = Reinigung, Auswurf" entstellt. Wohl von Studenten ausgegangen. 1600 *ff.*

Schnellkocher *m* Choleriker. ↗kochen 1. Eigentlich das elektrische Gerät, mit dem Wasser schnell kocht. 1910 *ff.*

Schnellmacher *pl* Weckamine. Sie üben eine starke anregende Wirkung auf das zentrale Nervensystem aus. 1970 *ff.*

Schnellmachfix *m* Durchfall. Substantivierter Imperativ. 1900 *ff,* vorwiegend *ostmitteld.*

schnellmerkend *adj* du kommst zur ∼en Truppe: Redewendung auf einen Menschen mit rascher Auffassung (auch *iron*). Militarisierte Form des Folgenden. *Sold* 1939 *ff.*

Schnellmerker *m* **1.** Mensch, der rasch begreift. (auch *iron*). 1900 *ff.*
2. Besserwisser. 1900 *ff.*

Schnellpfefferer *m* Mensch, der schnell zu Handgreiflichkeiten übergeht. Pfeffern = schlagen. 1910 *ff.*

Schnellpresse *f* **1.** Gymnasium, in dem die Schüler schnell und mit Nachdruck auf die Abschlußprüfung vorbereitet werden. Eigentlich Bezeichnung für die 1811 von König erfundene Druckmaschine. ↗Presse. 1900 *ff.*
2. Offizierslehrgang. 1935 *ff.*
3. Lehrgang für vorzeitig beförderungswürdige Angehörige des Mannschaftsstandes. *BSD* 1970 *ff.*

Schnellquassel-Maschinengewehr *n* überaus redegewandter Schnellsprecher. ↗quasseln. 1950 *ff.*

Schnellrösterei *f* rasche Erzielung von Sonnenbräune. 1960 *ff.*

Schnellschalter *m* Mensch mit rascher Auffassungsgabe. Oft *iron* gemeint. Das Gehirn erscheint hier unter dem Bilde eines elektronischen Apparats mit Drucktasten, Drehknöpfen und -schaltern, mit deren Hilfe der Geistesstrom gelenkt werden kann. ↗schalten. 1920 *ff.*

Schnellscheißerhosen *pl* Reit-, Seemannshosen; Hose mit Vorderklappe. *Sold* 1939 *ff.*

Schnellschuß *m* **1.** sehr eilige Bestellung; Schnellveröffentlichung. Druckerspr. 1920 *ff.*
2. rasch zustande gekommene Schallplatte. 1955 *ff.*
3. nicht reiflich überlegte Äußerung. 1950 *ff.*
4. überhastet verabschiedetes Gesetz. 1970 *ff.*

Schnellschwätzer *m* **1.** Norddeutscher. Stammt aus der Sicht der Südwestdeutschen. 1900 *ff.*
2. Heimatvertriebener aus den Ostgebieten. 1950 *ff.*

Schnellsieder *m* **1.** Auto. Anspielung auf das schnell kochende Kühlerwasser. *Österr,* 1900 *ff.* Für 1905 als „neuester Scherzausdruck" bezeugt.
2. rasche Berufsausbildung mit Hilfe eines Sonderlehrgangs. 1920 *ff.*

Schnellsiederkurs *m* Kurzlehrgang. *Österr* 1920 *ff.*

Schnellspanner *m* Mensch mit sehr gutem Auffassungsvermögen. ↗spannen. *Südd* 1945 *ff.*

Schnellstarter *m* **1.** Mensch, der beruflich sehr rasch aufsteigt. Aus der Motortechnik übernommen. 1960 *ff.*
2. Mann, der mit Mädchen rasch zum Ziel kommt. 1960 *ff.*
3. politischer ∼ = Politiker, der rasch Minister wird. 1960 *ff.*

Schnell-Umsteiger *m* Mensch, der nach der Scheidung rasch eine neue Bindung eingeht. Er wechselt das „Verkehrsmittel". 1960 *ff.*

Schnellzug *m* kein ∼ sein = langsam handeln; nicht rascher arbeiten können. ↗Mann 86. 1920 *ff.*

Schnepfe *f* **1.** Straßenprostituierte. Fußt auf der Beobachtung des Verhaltens der Schnepfenvögel: in der Balzzeit befliegt das Männchen im Schutz der Abenddämmerung regelmäßig eine etliche Kilometer lange Strecke, vorzugsweise über (entlang von) Waldschneisen. „Schnepfe", auf „Schnabel" beruhend, kann auch den Mund bezeichnen und von den Lippen auf die Schamlippen übertragen werden; auch die Vorstellung „Schneppe = Fangende" mag eingewirkt haben (sie „schnappt" die Männer). 1600 *ff.*
2. Topfausguß. Verwandt mit *gleichbed* „Schnabel". 1600 *ff.*
3. unsympathisches Mädchen. Es bewegt wohl zuviel den „Schnabel", schwätzt zuviel. *Halbw* 1960 *ff.*
4. ja, Schnepfen!: Ausdruck der Abweisung. Einer unglaubwürdigen Behauptung tritt man mit einer noch unglaubwürdigeren entgegen. *Vgl* ↗Schnecke 11. *Österr* 1900 *ff.*
5. alte ∼ = alte Frau. Seit dem 19. Jh.

schnepfen *v* **1.** *intr* = von Prostitution leben. ↗Schnepfe 1. Seit dem 19. Jh.
2. *tr* = stehlen. Nebenform zu ↗schnipfen. *Österr* seit dem 19. Jh.

Schnepfenchor *m* Frauengesangverein. *Südwestd* 1920 *ff, schül.*

Schnepfenjagd *f* auf ∼ gehen = den Straßenprostituierten nachstellen. ↗Schnepfe 1. Spätestens seit 1800.

Schnepfenstrich *m* von Prostituierten begangene Straße; Arbeitsbezirk der Straßenprostituierten. ↗Schnepfe 1. 1800 *ff.*

Schnepferei *f* Diebstahl; Stehlsucht. ↗schnepfen 2. *Österr* seit dem 19. Jh.

Schnepper *m* ↗Schnapper.

Schneuzfahne *f* Taschentuch. ↗Fahne 2. 1930 *ff.*

Schneuzfetzen *m* Taschentuch. 1930 *ff.*

Schneuzhadern *m* Taschentuch. ↗Hadern 1. *Bayr* 1900 *ff.*

Schneuzquadrat *n* Taschentuch. *Bayr* und *österr,* 1920 *ff.*

Schneuztrompete *f* Nase. Wien 1920 *ff.*

Schneuztüchel *n* Taschentuch. *Österr* 1900 *ff.*

Schnibbel *m* Penis. ↗Schnippel. Seit dem 19. Jh.

schnibbeln *intr* koitieren. 1900 *ff.*

Schnick *m* das gewisse Etwas; das Auszeichnende, Charakteristische. Meint eigentlich das ruckartige Schleudern und steht also in Parallele zu „↗Schmiß 2". 1900 *ff.*

Schnicke *pl (f)* Prügel. ↗schnicken 1. 19. Jh.

Schnickel (Schniggl) *m* 1. Infanterist. Gehört zu „Schnecke" und spielt hier auf kriechende Fortbewegung an. *Sold* 1900 *ff, bayr.* 2. Penis. Kann sich beziehen auf Erektion oder Schleimaussonderung (*vgl* ↗Schnick) *Oberd* seit dem 19. Jh.

schnicken *tr* 1. prügeln. Eigentlich soviel wie „mit dem Finger schnellen" und „schnell bewegen". Seit dem 19. Jh. 2. jn mit Arbeit überhäufen; jn quälen; jn rücksichtslos drillen. Seit dem 19. Jh, *ziv* und *sold.* 3. jn wegjagen. 1900 *ff.*

Schnicker *m* strenger Soldatenausbilder. ↗schnicken 1. Seit dem späten 19. Jh.

schnicker *adj* hübsch, munter. Ein *niederd* Wort mit Varianten im Dänischen, *Engl* und *Ndl.* Wahrscheinlich verwandt mit „↗geschniegelt". 1700 *ff.*

Schnickschnack *m* 1. leeres Geschwätz. Verdoppelung von „↗schnacken" nach dem Muster von „Klingklang", „Singsang" u. ä. 1700 *ff.* 2. Beiwerk; wertlose Verbrämung. 1920 *ff.*

schnieben *intr* tief schlafen; schnarchen. Ablautende Nebenform zu „schnauben". Seit dem 19. Jh.

schniefeln *intr* den Schleim in die Nase ziehen. Nebenform zu ↗schnüffeln. Seit dem 19. Jh.

schniefen *intr* 1. leise vor sich hinweinen. Nebenform zu „schnauben, schnaufen". 1920 *ff.* 2. zu ergründen suchen, ob Gefahr droht. Nebenform zu „schnüffeln = riechen, wittern". *Sold* 1939 *ff.* 3. leise über etw ~ = sich leicht verwundern; vorsichtig eine gegenteilige Ansicht äußern. 1955 *ff, jug.* 4. Kokain schnupfen. 1970 *ff.*

Schniefer *m* kleiner Junge; Rekrut; sehr junger Soldat. Gehört zu „schnüffeln": er zieht den Nasenschleim ein, statt ins Taschentuch zu schneuzen. *Sold* 1900 bis heute.

Schniefköter *m* Polizeihund. Schniefen = schnüffeln; ↗Köter. 1960 *ff.*

Schniegel *m* Stutzer; elegant Gekleideter. Geht wohl auf „↗geschniegelt" zurück. *Vgl* auch ↗Schnicker. 1900 *ff.*

schnieglig *adj* nett, reizvoll; zärtlich. Hängt zusammen mit der Haartracht junger Mädchen (schneckenförmig um das Ohr gelegter Zopf). *Vgl* aber auch „↗schnuckelig". 1850 *ff.*

schnieke (schnicke) *adj* hübsch, elegant. Scheint gegen 1900 in Berlin aufgekommen zu sein, beruhend auf „↗schnicker" mit Vokaldehnung, die wohl durch „↗geschniegelt" hervorgerufen ist.

schniekig *adj* nett, elegant. *Vgl* das Vorhergehende. 1910 *ff.*

Schniepel *m* 1. Frack, Cut. Gehört zu *niederd* „sniepeln = abschneiden". Etwa seit 1820. 2. Penis. ↗Schnippel. Seit dem 19. Jh. 3. feiner ~ = elegant gekleideter Mann. 1820 *ff.*

Schniffel *f* unerlaubte Übersetzung zur fremdsprachlichen Lektüre. ↗schniffen 2. *Schül* seit dem späten 19. Jh, *sächs.*

schniffen *tr* 1. stehlen, rauben. Gehört zu „↗schnipfen = mit schneller Bewegung erhaschen; listig entwenden". *Rotw* 1687 *ff.* 2. vom Mitschüler abschreiben. Im Sinne des Vorhergehenden als geistiger Diebstahl aufgefaßt. Seit dem späten 19. Jh, *sächs.*

Schniffer *m* Dieb, Räuber. ↗schniffen 1. *Rotw* 1687 *ff.*

Schniffzettel *m* selbstverfertigtes Täuschungsmittel des Schülers. ↗schniffen 2. *Sächs* seit dem späten 19. Jh.

schnipfen *tr* stehlen, listig entwenden. ↗schniffen 1. 1600 *ff,* vorwiegend *oberd.*

Schnipfer *m* 1. Dieb. *Oberd* seit dem 17. Jh. 2. Mensch, der sich mit anderen einen Scherz erlaubt. *Vgl* das Folgende. *Österr* 1900 *ff.*

Schnippchen *n* jm ein ~ schlagen = jm einen Streich spielen; jm einen Plan vereiteln. Beruht auf „schnippen = den Mittelfinger gegen den Daumenballen schnellen" (schallnachahmend); dies gilt als Gebärde der Nichtachtung und Geringschätzung. Wer mit den Fingern schnalzt, bekundet dem Gegenüber Überlegenheit: nicht soviel wie ein Schnippchen gibt er um ihn. Seit dem späten 17. Jh.

Schnippel *m* 1. Penis; Knabenpenis. Eigentlich das abgeschnittene Stück; dann Stückchen überhaupt; spitzes Stück; Zipfel. Seit dem 19. Jh. 2. unreifer, unerfahrener Mann. Der geringen Größe des Penis entspricht die geringe Menge an Lebenserfahrung. 1920 *ff.* 3. Frisör. ↗schnippeln 1. Verkürzt aus ↗Schnippelfritze 1. 1950 *ff.*

Schnippe'lei *f* mühselige Kleinarbeit; Schnitzelei *(abf).* ↗schnippeln 1. Seit dem 19. Jh.

Schnippelfritze *m* 1. Frisör. ↗schnippeln 1. 1900 *ff.* 2. Schnittmeister bei Film und Funk. 1920 *ff.*

schnippeln *intr* 1. schneiden, schnitzeln. Frequentativum zu „schnippen = schnellen; kleine flinke Bewegungen mit der Schere machen". Seit dem 19. Jh.

2. beim Kartenspiel dem Gegner eine Karte mit hoher Augenzahl abnehmen. Seit dem 19. Jh.

3. auf den Mann ~ = in Mittelhand eine hohe Karte zurückhalten, um mit ihr eine beim Gegner vermutete Karte bei anderer Gelegenheit zu überspielen. Dadurch schadet man dem „Mann" (= Partner). Seit dem 19. Jh.

Schnippenstation f Krankenhausabteilung für Hals-, Nasen- und Ohrenkrankheiten. „Schnippe" ist mundartlich der Mund. *Vgl* ↗schnippeln 1. *BSD* 1965 ff.

'Schniprikapatzel n Paprikaschnitzel. Ein sprachlicher Spaß. Dazu Leo Slezak („Mein Lebensmärchen"): „Da war zum Beispiel der alte Knaak vom Karltheater. Der konnte das Wort ‚Paprikaschnitzel' auf 36 Arten so verdrehen, daß die Leute wieherten. Ich glaube, heute würden sie scharf schießen". 1920 *ff.*

Schnips m Kleinigkeit; Belanglosigkeit. Gehört zu „schnippen, schnippeln" und meint eigentlich das abgeschnittene Stück. 1800 *ff.*

schnipsen tr entwenden. Nebenform zu ↗schnipfen. Seit dem 19. Jh.

Schnipsgummi m kleine Schleuder aus Gummiband. Schnipsen = schnellend schleudern. 1900 *ff.*

Schnirre f Ausgehverbot; Urlaubssperre o. ä. „Schnirre" ist die Schleife, Schlinge: der Betreffende wird sinnbildlich wie ein Hund an die Kette gelegt. *Sold* in beiden Weltkriegen.

Schnitt m **1.** kleines Glas Bier. Es ist Teilstück des größeren Maßkruges o. ä. ↗schneiden 4. 19. Jh.

2. Durchschnitt. Hieraus verkürzt. Gehört dem Wortschatz der Kraftfahrer, Statistiker, Meinungsforscher usw. an. 1920 *ff.*

3. kalter ~ = mißglückter Versuch des Kartenspielers, eine hohe Karte abzufordern oder einen Trick anzuwenden. ↗schnippeln 2. „Kalt" meint wohl „nicht zündend", wie man es beispielsweise vom Blitzschlag sagt oder auch vom Blindgänger. Kartenspielerspr. Seit dem 19. Jh.

4. der zweite ~ = die heranwachsende Jugend. Vom Mähen nachgewachsener Pflanzen übertragen (Gras, Klee o. ä.). 1900 *ff.*

5. einen ~ haben = ein Mädchen sein. Schnitt = Schlitz = Vulva. Seit dem 19. Jh.

6. auf seinen ~ kommen = sein Geld machen. *Vgl* das Folgende. 1920 *ff.*

7. bei etw seinen ~ machen = bei etw ein gutes Geschäft machen; bei etw Vorteil haben; durch List zu Gewinn kommen. Hergenommen von „Schnitt = Getreideschnitt, Ernte", vielleicht auch beeinflußt von der List des Taschendiebs, der in den Geldsäckel seines Opfers oder in dessen Kleidung einen Schnitt macht, um das Geld (die Geldbörse) in die Hand zu bekommen. 1500 *ff.*

8. einen ~ machen = beim Kartenspiel gewinnen. Seit dem 19. Jh, kartenspielerspr.

Schnitte f **1.** hübsches Mädchen. Es gilt – analog zu „↗Sahneschnitte" und zu „↗Torte" – als eine Leckerei. *Halbw* 1980 *ff.*

2. ausführliche ~ = reich belegte Brotscheibe. 1920 *ff,* kellnerspr.

Schnittenheber m Jugendlicher (im Verhältnis zum Mädchen). ↗Schnitte 1. *Halbw* 1980 *ff.*

Schnitter m Frisör. Eigentlich der Mäher. 1900 *ff.*

schnittig adj vorzüglich; straff; ganz genau. Meint soviel wie „maßgeschneidert; hervorragend geschneidert" und berührt sich in der Vorstellung mit „↗schmissig". 1910 *ff.*

Schnittkopf (-kopp) m kurzer Haarschnitt. Verkürzt aus „Bürstenschnittkopf". 1945 *ff.*

Schnittlauch m **1.** lang herabfallendes, strähniges Haar. Die Strähnen erinnern an Schnittlauch. 1920 *ff.*

2. glattgekämmtes Haar. 1950 *ff.*

3. er ist ~ auf jeder Suppe = er muß überall dabei sein. Der Betreffende schwimmt immer oben wie Schnittlauch auf der Suppe. Wien 1950 *ff.*

Schnittlauchbunker m **1.** Gemüsegeschäft im Keller. Berlin 1920 *ff.*

2. vegetarisches Restaurant. 1950 *ff.*

Schnittlauchfransen pl strähnig herabgekämmtes Haar. 1920 *ff;* nach 1945 erneut in Mode gekommen.

Schnittlauchfrisur f strähnige Frisur. 1920 *ff.*

Schnittlauchkopf m am Kopf glatt anliegende Haarsträhnen. 1920 *ff.*

Schnittlauchlocken pl in gerade Strähnen gelegtes, in Strähnen herabhängendes Haar. 1920 *ff.*

Schnittlauchperücke f strähnige Frisur. 1945 *ff.*

Schnittmuster n etw nach ~ entwickeln = etw genau nach Plan und Berechnung durchführen. Man richtet sich streng nach der Vorlage zum Selbstschneidern. 1935 *ff.*

schnittreif adj **1.** mannbar. Bezieht sich eigentlich auf das Korn, das gemäht werden kann. 1900 *ff, nordd.*

2. zur Amtsenthebung vorgesehen. 1900 *ff.*

Schnittsalat m anspruchslos zusammengeschnittene Fernsehsendung. ↗Salat 1. 1965 *ff.*

Schnitzel n ~ vom Bäcker = Frikadelle. Anspielung auf reichliche Weißbrotbeimengung. *BSD* 1965 *ff.*

Schnitzelfriedhof m dicker Bauch. *BSD* 1960 *ff.*

Schnitzeljagd f **1.** Fahndung nach einem Erpresser, der seine Forderungen auf Zettel schreibt, von denen der eine auf den folgenden verweist. Meint eigentlich das Jagdreiten, bei dem die Fährte durch Papierschnitzel gekennzeichnet wird. 1967 *ff.*

2. aus Teilstücken der Reklamespalten zusammengesetztes Illustriertenrätsel. 1960 *ff.*

Schnitzelsilo m Kantine. *BSD* 1965 *ff.*

Schnitzeltreter pl breite Schuhe. In scherzhafter Auffassung eignen sie sich zum Breittreten von Schnitzeln. 1950 *ff, österr.*

Schnitzelwerk *n* ärztliche Operation. Schnitzeln = fein schneiden. *BSD* 1965 *ff*.

Schnitzer *m* Fehler. Leitet sich her vom Bildschnitzer oder Holzbildhauer, der durch einen fehlerhaften Schnitt sein Werk verdirbt. 1500 *ff*.

Schnockes *pl* **1.** wertlose Sachen. Geht zurück auf *jidd* „schnok = wertloses Zeug". 1900 *ff*. **2.** Scherz, Unsinn. 1900 *ff*.

Schnodder *m* **1.** flüssiger Nasenschleim. Geht zurück auf *mhd* „snuder" und weiter auf das *germ* Wurzelwort von „Schnupfen". Seit dem 15. Jh. **2.** Schimpfwort. Eigentlich auf einen, der sich nicht die Nase putzt; von daher auch allgemein auf einen Unreinlichen. 1900 *ff*.

Schnodderfahne *f* Taschentuch. ↗Fahne 2. 1930 *ff, nordd*.

Schnodderfänger *m* Halbschleier an Damenhüten. 1900 *ff, nordd*.

schnodderig *adj adv* ↗schnoddrig.

Schnodderkopf *m* junger, vorlauter Mann; dummdreister Bursche. Bei ihm tritt der Nasenschleim aus, und es wird nicht zum Taschentuch gegriffen. 1900 *ff*.

Schnoddermasche *f* nachlässige Ausdrucksweise. Sie paßt zu Leuten, die den anständigen Umgang mit Nasenschleim nicht kennen. ↗Masche 1. 1965 *ff*.

Schnoddermaul *n* freche Redeweise. Seit dem späten 19. Jh.

schnoddern *intr* frech, dreist, unflätig, anstandswidrig reden. ↗schnoddrig 2. 1900 *ff*.

Schnodderschnauze *f* derbe, unflätige Sprache. 1870 *ff*.

schnodderschnauzig *adj* grob im Reden; derbschnippisch. 1870 *ff*.

Schnodderton *m* ungepflegte, derbe Sprache. 1900 *ff*.

schnoddrig (schnodderig) *adj* **1.** mit Nasenschleim beschmiert. ↗Schnodder 1. 1700 *ff*. **2.** *adj adv* = unverschämt, frech im Reden; unehrerbietig. Seit dem frühen 19. Jh.

Schnoddrigkeit *f* flegelhafte Ausdrucksweise. Seit dem 19. Jh.

schnöden *intr* gehässig reden. Gehört zum Adjektiv „schnöde = verächtlich; boshaft". *Sold* und *ziv* 1933 *ff*.

Schnoder *m* Plauderer; Schwätzer. ↗schnodern. Seit dem 19. Jh, *bayr*.

schnodern *intr* plaudern, schwätzen. Gehört zu „Schnute = Mund" und ist beeinflußt von „Schnuder = Nasenschleim". *Bayr* seit dem 19. Jh.

Schnodern *f* Mund. *Bayr* seit dem 19. Jh.

schnofeln *intr* **1.** durchstöbern; ausspähen. Nebenform zu ↗schnüffeln. *Österr* seit dem 19. Jh. **2.** näseln. *Österr* seit dem 19. Jh.

Schnoferl *n* ein ~ machen = verdrossen blicken; beleidigt dreinschauen; schmollen. *Österr* seit dem 19. Jh.

schnökern *intr* stöbern, suchen. Zusammenhängend mit „schnauen, schnauben, schnüffeln" im Sinne von „wittern". *Nordd* 1700 *ff*.

Schnokus *pl* **1.** überflüssiges Beiwerk; auffälliges Gehabe. Latinisierung von „↗Schnockes", wohl unter Einwirkung von „↗Hokuspokus". 1900 *ff*. **2.** unsinnige Sachen. 1900 *ff*. **3.** kunstähnliche Gegenstände von geringem Wert. 1900 *ff*.

Schnorchel *m* **1.** Nase. Nebenform zu *ostpreuß* „↗Schnorgel = Nase". 1900 *ff*. **2.** Atemmaske, Höhenatemgerät. Meint eigentlich den Hohlmast beim Unterseeboot zur Versorgung mit Frischluft. Fliegerspr. 1939 *ff*. **3.** Gasmaske; ABC-Schutzmaske. *Sold* 1939 *ff*; *BSD* 1955 *ff*. **4.** Plastikluftröhre des Tauchsportlers. 1955 *ff*. **5.** Luftpumpe. 1950 *ff, schül*. **6.** Schnarchender 1900 *ff*.

Schnorchelbüchse *f* Gasmaskenbüchse; ABC-Schutzmaskentasche. *Sold* 1939 *ff; BSD* 1955 *ff*.

Schnorcheldöschen *n* Gasmaskenbüchse. *Sold* 1939 *ff*.

schnorcheln *intr* **1.** schlafen; schnarchen. *Vgl* ↗Schnorchel 1. 1900 *ff*. **2.** schnaufen. *Sold* 1939 *ff*. **3.** trinken. Kann zusammenhängen mit „die Nase ins Glas stecken" oder „an der Mutterbrust saugen". *BSD* 1960 *ff*. **4.** Tauchsport treiben. ↗Schnorchel 4. 1955 *ff*. **5.** aus ungereinigter Pfeife rauchen. Sie erzeugt schnarchähnliche Laute. 1935 *ff*.

Schnorchelparade *f* Übung mit der ABC-Schutzmaske. *BSD* 1960 *ff*.

Schnorcheltruppe *f* ABC-Abwehrtruppe. *BSD* 1960 *ff*.

Schnorcheltüte *f* ABC-Schutzmaske(ntasche). *BSD* 1960 *ff*.

Schnorchler *m* **1.** Tauchsportler. ↗Schnorchel 4. 1955 *ff*. **2.** *pl* = ABC-Abwehrtruppe. *BSD* 1960 *ff*.

Schnöre *f* albernes, überhebliches Mädchen; unsympathisches Mädchen. *Vgl* das Folgende. *Halbw* 1955 *ff*.

schnoren (schnören) *intr* schwatzen; prahlen. Nebenform zu „schnarren" im Sinne von „mit schnarrender Stimme sprechen", oder „ausdruckslos, inhaltsleer plappern". 1900 *ff*.

Schnorer (Schnörer) *m* Schwätzer; Prahler. 1900 *ff*.

Schnorgel (Schnurgel) *f* Nase. Gehört zu „schnarchen" und „schnauben". Seit dem 19. Jh, *ostpreuß*.

Schno'rillo *f* geborgte Zigarette. Zusammengesetzt aus „↗schnorren" und „Zigarillo". *Österr* 1950 *ff, halbw*.

Schnörkel *m* ~ auf dem Kopf = gelockte Frisur. *Halbw* 1955 *ff*.

schnorpsen *intr* ↗schnurpsen.

Schnor'rant (Schnur'rant) *m* **1.** Bettler; Bettelmusikant. ↗schnorren 1. Seit dem 19. Jh.
2. umherziehender Schauspieler, Komödiant; schlechter Schauspieler. Seit dem 19. Jh.
Schnorrbruder (Schnurrbruder) *m* Bettler. ↗schnorren 1. Seit dem 19. Jh.
schnorren (schnurren) *intr* **1.** betteln; bettelnd umherziehen. Gehört zu „schnurren = summen, brummen" und meint anfangs das bettelnde Umherziehen mit schnurrenden Musikinstrumenten (Schnurrpfeifen, Knarren), später auch das Betteln ohne Musik. Etwa seit 1700, kundenspr.
2. vom Mitschüler, vom Täuschungszettel o. ä. abschreiben. 1900 *ff.*
3. schmarotzen. Der Schmarotzer und der Bettler haben gemeinsam, daß sie sich unentgeltlich einen Vorteil verschaffen. Seit dem späten 19. Jh.
4. ohne Berechtigung in der Mensa essen; ohne Gebührenentrichtung eine Vorlesung besuchen. *Stud* seit dem späten 19. Jh.
schnorren gehen *intr* **1.** bettelnd umherziehen. Seit dem 19. Jh.
2. sichere Karten ausspielen, um Augen zu sammeln. Kartenspielerspr. seit dem 19. Jh.
Schnorrer (Schnurrer) *m* **1.** Bettler. ↗schnorren 1. 1700 *ff.*
2. Mann, der Autofahrer um unentgeltliche Mitnahme bittet. 1930 *ff.*
3. Schmarotzer. 1870 *ff.*
4. Mann, der mit einer erlogenen Geschichte leichtgläubige Leute zur Hergabe von Geld bewegt. 1930 *ff.*
5. übermäßig sparsamer Mensch. *Österr* 1930 *ff.*
6. Klassenbester. In der Meinung der Mitschüler hat er sich diesen Platz gewissermaßen „erbettelt", nämlich nicht durch Fleiß erworben, sondern durch Einschmeichelung beim Lehrer. 1950 *ff.*
Schnorrerbrief *m* Bettelbrief. 1930 *ff.*
Schnorre'rei *f* Bettelei; Schmarotzerei. Seit dem 19. Jh.
Schnorrertour *f* Inanspruchnahme öffentlicher Hilfe, ohne ihrer bedürftig zu sein. ↗Tour 1. 1950 *ff.*
Schnorrgang *m* Bettelversuch. ↗schnorren 1. 1920 *ff.*
Schnorr'mane (Schnorr'manne) *m* Bettler. Zusammengesetzt aus „schnorren" und „Normanne". Nach 1925 aufgekommen, wahrscheinlich in Berlin.
Schnorrzettel *m* selbstverfertigtes Täuschungsmittel des Schülers. Mit diesem Zettel kann der Schüler ohne sonderliche Eigenbemühung sich eine bessere Bewertung seiner Klassenarbeit erschleichen. 1900 *ff.*
schnorzen (schnörzen) *intr* **1.** betteln; schmarotzen. Frequentativum zu ↗schnorren 1. 1900 *ff.*
2. unerlaubte Hilfsmittel verwenden. ↗schnorren 2. *Schül* 1900 *ff.*

Die Abbildung zeigt einen Arbeiter, der sich zum Schutz vor eventuell austretenden giftigen Stoffen eines der Instrumente übergezogen hat, die umgangssprachlich auch als Schnorchel bezeichnet werden (**Schnorchel 3.**). *Ihr Urbild gleichen Namens hat diese Vokabel in dem beim Tauchen verwendeten Mittel der Luftzufuhr (vgl.* **Schnorchel 2., 4.** *und* **schnorcheln 4.**)*, und als gefährlich und mit nicht kalkulierbaren Risiken behaftet erscheint auch denen, die mit jenem euphemistischen Schnorchel zu Lande agieren, das Element, in dem sie sich zu bewegen haben. Günter Wallraff hat in einer seiner Industriereportagen Arbeiter zu Wort kommen lassen, die in einem großen chemischen Werk beschäftigt sind, und deren Äußerungen solche Ängste erkennen lassen: „Die Anlage ist uralt und ganz sicher zigmal abgeschrieben, da sind dann undichte Stellen, da tritt die Salzsäure aus und die Luft ist ständig angereichert mit Salzsäure, das atmen die ein, intensiv, acht Stunden am Tag. Ich hab zum Nachweis schon einige Male da Indikationspapier, Lackmuspapier in die Luft gehalten, das verfärbt sich in zwei Minuten knallrot. Wie sich deren Lungen verfärben und zersetzen, möchte ich nicht wissen. Die typisch sichtbare Krankheit, die sie alle haben, sind Zahnfleischwunden. Das einzige, was sie an Schutz dagegen kriegen, ist Handcreme. . . . in der Spalte ,Nachrufe' (werden) die verstorbenen Kollegen namentlich genannt.*

Schnorzzettel *m* selbstverfertigtes Täuschungsmittel für eine Klassenarbeit. ↗schnorzen 2. *Schül* 1900 *ff.*
Schnösel *m* **1.** unerfahrener, vorlauter Junge; dünkelhafter, unbescheidener Mann. Hängt zusammen mit *niederd* „snot = Nasenschleim" und meint also einen, der sich die Nase nicht putzt. Analog zu „↗Schnodder 2" und „↗Rotzjunge". 1700 *ff.*
2. gelackter ~ = überheblicher junger Mann in eleganter Kleidung. 1920 *ff.*

schnöselig *adj* vorlaut, dreist, unerfahren. Seit dem 19. Jh.

Schnöseligkeit *f* vorlautes Wesen; Dreistigkeit eines jungen Mannes. Seit dem 19. Jh.

schnöseln *intr* dünkelhaft reden. ↗Schnösel 1. Seit dem 19. Jh.

Schnottlappen *m* Taschentuch. *Niederd* „snot = Nasenschleim". 1920 *ff*.

Schnubbel *m* Geliebte (Kosewort). ↗schnubbeln. 1900 *ff*.

Schnubbelchen *n* Kosewort für die Freundin, die Ehefrau, den Ehemann. ↗schnubbeln. *Niederd* 1900 *ff*.

Schnubbe'lei *f* Schlaf; Schlafbedürfnis. 1900 *ff*.

schnubbeln *intr* schlafen. Nebenform zu „schnuppern = hörbar atmen", auch zu „schnauben". *Niederd* 1900 *ff*.

Schnuck *m* 1. Kosewort. Gehört zum Verb „schnucken = saugen, naschen, küssen" und ist wohl beeinflußt von „↗Schnucke". Seit dem 19. Jh.
2. Rufname des Hundes. 1900 *ff*.

Schnuckchen *n* Geliebte (Kosewort). ↗Schnuck 1. 1900 *ff*.

Schnucke *f* nettes, reizendes Mädchen. Eigentlich Name einer kleinen Schafrasse (Heidschnucken der Lüneburger Heide), schallnachahmend fußend auf „schnuck", dem Laut der Lämmer und Schafe. Schäfchen sind angenehm anzufassen. *Vgl* aber auch „↗schnucken". Herr Dr. Majut weist den Verfasser brieflich darauf hin, daß Fürst Hermann von Pückler-Muskau (1785–1871) seine Frau Lucie „Schnucke" genannt hat. 1800 *ff*.

Schnuckel *m* nettes Mädchen; Kosewort für ein Mädchen, für einen kleinen Jungen, für einen Mann o. ä. ↗schnuckelig. Seit dem 19. Jh.

Schnuckelchen *n* 1. Kosewort für Frau und Mann. Seit dem 19. Jh.
2. Bonbon. ↗schnucken. Seit dem 19. Jh.
3. Rufname des Hundes. Seit dem 19. Jh.

Schnuckelhäppchen *n* kleiner Imbiß; Kosthappen, -probe. ↗schnucken. 1930 *ff*.

Schnuckelhase *m* nettes Mädchen. ↗schnuckelig; ↗Hase. 1920 *ff*.

Schnuckeli *n m* Kosewort. Seit dem 19. Jh.

schnuckelig *adj* nett, reizend, liebevoll, anschmiegsam. Gehört einerseits zu „↗Schnucke", andererseits zu „↗schnucken = Naschwerk verzehren"; also soviel wie „nach Art einer Leckerei". Das nette, reizende Mädchen nennt man auch „lecker". Nördlich der Mainlinie, seit dem späten 19. Jh.

Schnuckelkäfer *m* nettes Mädchen; Geliebte. *Vgl* das Vorhergehende und „↗Käfer 1". 1950 *ff*.

Schnuckelmännchen *n* Geliebter. Seit dem 19. Jh.

schnuckeln *intr* 1. saugen. Lautmalend für das Schnalzen mit der Zunge. *Vgl* ↗nuckeln. Seit dem 19. Jh.

2. naschen. Seit dem 19. Jh.
3. Alkohol zu sich nehmen. Seit dem 19. Jh.

Schnuckelputz *m* Kosename. ↗Putzi. 1900 *ff*.

schnucken *tr intr* lecken, saugen, naschen, küssen. Schallnachahmender Natur wie „schlucken". Seit dem 19. Jh.

Schnuckepuppe *f* Mädchen (Kosewort). 1950 *ff*.

Schnucker *m* Feinschmecker. ↗schnucken. Seit dem 19. Jh.

Schnuckerchen *n* Kosewort für Mann und Frau. Seit dem 19. Jh.

Schnucke'rei *f* Naschwerk, Leckerei. ↗schnucken. Seit dem 19. Jh.

Schnuckerl (Schnuckerle) *n* Kosewort. Seit dem 19. Jh.

schnuckern *intr* 1. naschen. ↗schnucken. 1700 *ff*.
2. kosen. 1700 *ff*.

Schnucki *m n* 1. Kosewort. ↗schnucken; ↗Schnucke. Seit dem 19. Jh.
2. Rufname der Katze, des Hundes. Seit dem 19. Jh.

schnuckig *adj* 1. naschhaft; wählerisch im Essen. ↗schnucken. Seit dem 19. Jh.
2. ausgezeichnet, lustig, nett, reizend. 1900 *ff*.

Schnuckilein *n* Kosewort. ↗Schnucki 1. Seit dem 19. Jh.

Schnuckimaus *f* Kosewort. ↗Maus. 19. Jh.

Schnuckipucki *m* Kosewort auf einen kleinen Jungen. 1900 *ff*.

Schnuckipucki'herzilein *n* Kosewort. 1900 *ff*.

Schnuckiputz *m* Kosewort. 1900 *ff*.

Schnuckiputzi *m n* 1. Kosewort (auch in der Verkleinerungsform). ↗Putzi 1. 1900 *ff*.
2. junger Homosexueller. 1945 *ff*.

Schnuckipucki'schätzchen *n* Kosewort. 1900 *ff*.

schnucklig *adj* nett, lieb, reizend. ↗schnuckelig. 1870 *ff*.

schnuckrig *adj* lieb, nett; anschmiegsam. ↗schnuckern 1. Seit dem 19. Jh. Studentenlied 1855: „A Busserl is a schnuckrig Ding."

Schnuddel (Schnudel) *m* 1. Nasenschleim. Seit *mhd* Zeit; analog zu „↗Schnodder 1".
2. Kosewort für eine Frau. ↗schnuddeln = küssen. 1920 *ff*.
3. Kosewort für den Geliebten. 1920 *ff*.

Schnuddelbombe *f* nettes, zärtliches Mädchen. ↗schnuddeln 3; ↗Bombe 1. 1950 *ff*.

schnuddelig *adj* 1. unordentlich, unsauber; hastig arbeitend. ↗schnuddeln 2. Seit dem 18. Jh.
2. niedlich, reizend, nett. ↗schnuddeln 3. Berlin 1840 *ff*.

Schnuddellecker *m* Schmeichler; Opportunist. ↗Schnuddel 1. Analog zu ↗Schleimlecker. 1910 *ff*.

schnuddeln *intr* 1. schwätzen; nörgeln. Gehört zu „Schnute = Mund" und ist parallel zu „↗schnoddern". Die Worte sind nicht mehr wert als der Nasenschleim, den einer ausschneuzt. Seit dem 19. Jh.

2. nachlässig sprechen; nachlässig arbeiten; schmutzen. Von der ungepflegten Ausdrucksweise übertragen auf unordentliche Arbeitsweise. Seit dem 19. Jh.

3. küssen. Gehört zu „Schnute = Mund". Seit dem 19. Jh.

Schnuddelwetter *n* trübes, unfreundliches Wetter. Kann zusammenhängen mit *niederd* „schnuddeln = schmutzen" oder spielt auf Erkältung an (↗Schnuddel 1). 1900 *ff*.

Schnuder *m* Nasenschleim. Nebenform von ↗Schnuddel 1. Seit dem 19. Jh.

Schnuderlumpen *m* Taschentuch. Seit dem 19. Jh.

schnudern *intr* den Nasenschleim einziehen. Seit dem 19. Jh.

Schnudernase *f* **1.** mit Nasenschleim beschmutzte Nase. Seit dem 19. Jh.

2. unerfahrener, vorlauter junger Mensch. Analog zu ↗Rotznase. Seit dem 19. Jh (wohl erheblich älter).

Schnuff *m* **1.** Ahnung, Vorgefühl. Gehört zu „schnüffeln = Witterung haben". 1950 *ff*.

2. Schnupftabak; Prise Tabak. 1900 *ff*.

Schnuffel (Schnüffel) *m* **1.** Nase (Mund; Gesicht). Schnüffeln = schnauben. Seit dem 19. Jh.

2. Mensch, der etw auszuforschen sucht. ↗schnüffeln = stöbern. Seit dem 19. Jh.

3. vorlauter Halbwüchsiger. Versteht sich nach „↗schnüffeln 1". Seit dem 19. Jh.

4. Rekrut. Er gilt als vorlaut und unerzogen. *BSD* 1965 *ff*.

Schnüffelbrüder *pl* ABC-Abwehrtruppe. *BSD* 1965 *ff*.

Schnüffelbüchse *f* ABC-Schutzmaske(ntasche). *BSD* 1965 *ff*.

Schnüffelheini *m* Spion; Mann, der eine Sache auszuspionieren sucht. ↗Heini 1. 1920 *ff*.

Schnüffelhund *m* Detektiv; Spion. 1920 *ff*.

schnüffelig *adj* unerfahren, vorlaut. ↗schnüffeln 1. *BSD* 1965 *ff*.

Schnüffelkopf *m* Mann, der etw in Erfahrung zu bringen sucht. ↗schnüffeln 3. 1920 *ff*.

Schnüffel-Lakei *m* Journalist, Reporter o. ä. (*abf*). 1950 *ff*.

schnüffeln *intr* **1.** den Nasenschleim einziehen. 1700 *ff*.

2. Chemikaliendämpfe einatmen, die Rauschzustände erzeugen. Übersetzt aus *engl* „to sniff". 1973 *ff*.

3. stöbern, spionieren. Eigentlich soviel wie „schnauben, beriechen, wittern". Seit dem 19. Jh.

Schnüffelnase *f* **1.** Spion, Spitzel, Detektiv. Seit dem 19. Jh.

2. Mensch, der sich um Dinge kümmert, die ihn nichts angehen. Seit dem 19. Jh.

3. Abhörmikrofon. 1970 *ff*.

schnüffelnasig (-näsig) *adj* neugierig; spionierend. Seit dem 19. Jh.

Schnüffelparty *f* Party, bei der chemische Dämpfe eingeatmet werden. ↗schnüffeln 2. 1973 *ff*.

Schnüffelrutsche *f* Mundharmonika. *Vgl* ↗Schnuffel 1. „Rutsche" ist die Gleitbahn, auch der Hobel. *Vgl* ↗Maulhobel. Frühes 20. Jh.

Schnüffelschule *f* ABC-Abwehr-Schule. *BSD* 1965 *ff*.

Schnüffelseuche *f* neugieriges Ausspionieren im privaten Lebensbereich. 1920 *ff*.

Schnüffeltest *m* Übung mit der ABC-Schutzmaske. *BSD* 1965 *ff*.

Schnüffeltruppe *f* ABC-Abwehrtruppe. *BSD* 1965 *ff*.

Schnüffeltüte *f* ABC-Schutzmaske(ntasche). *BSD* 1965 *ff*.

Schnüffelziege *f* neugierige, spionierende Frau. ↗Ziege. 1920 *ff*.

schnuffen *intr* **1.** den Nasenschleim einziehen. Nebenform zu „schnauben". Seit dem 19. Jh.

2. Tabak schnupfen. Seit dem 19. Jh.

Schnüffler *m* **1.** Interviewer, Reporter. ↗schnüffeln 3. 1920 *ff*.

2. Zollbeamter. Er war als „Kaffeeriecher" verschrien. 1800 *ff*.

3. Kriminalkommissar; Detektiv. 1900 *ff*.

4. Mann, der Angelegenheiten anderer Leute ausspioniert; Spion. 1800 *ff*.

5. *pl* = ABC-Abwehrtruppe. *BSD* 1965 *ff*.

6. *sg* = Jugendlicher, der durch Einatmen von Chemikaliendämpfen sich in einen Rauschzustand versetzt. ↗schnüffeln 2. 1973 *ff*.

schnuff-schnuff *interj* Kinderausdruck, wenn sie über einen traurigen Vorfall Mitleid heucheln. Geht zurück auf die „comic strips", in denen in den Sprech-Blasen „schnuff" steht, wenn „das tut mir von Herzen leid" gemeint ist. Schallnachahmung eines Schnaubens. 1955 *ff*.

schnull (schnulle) *adj* hübsch, nett, lieb. Zusammengezogen aus ↗schnuddelig. Berlin 1920 *ff*.

schnullen *intr* **1.** saugen (am Saugbeutel, an der Mutterbrust). Lautmalend. Seit dem 17. Jh.

2. genießerisch trinken. 1900 *ff*.

3. an der Zigarre ziehen. 1900 *ff*.

4. *intr (tr)* = küssen. 1900 *ff*.

Schnuller *m* **1.** Sauger für Säuglinge. Seit dem 19. Jh; wohl älter.

2. Penis. Seit dem 19. Jh.

3. Zigarre, Tabakspfeife. Seit dem 19. Jh.

4. satter ~ = anziehendes Mädchen. Vom Gummisauger des Säuglings übertragen auf den Säugling selber, wodurch sich Analogie zu „↗Baby" ergibt. ↗satt. *Halbw* 1960 *ff*.

Schnullerersatz *m* Zigarette, Tabakspfeife. 1900 *ff*.

Schnullerlein *n* Kosewort. 1950 *ff*.

Schnuller-Look (Grundwort *engl* ausgesprochen) *m* Jungmädchenmode der Schulkleider mit Rückenschleifen. Wegen der Ähnlichkeit mit Babykleidung. ↗Look. 1968 *ff*.

Schnullermund *m* kleine wulstige Lippen. 1920 *ff.*

Schnuller-Schupo *m* Schülerlotse. 1955 *ff.*

Schnulli *m f* **1.** Kosewort. ↗Schnuller 4. 1920 *ff.* **2.** Zigarette. ↗Schnuller 3. *BSD* 1960 *ff.*

Schnulze *f* **1.** wirkungsvoll aufgemachtes, problemloses und rührseliges musikalisches oder literarisches Machwerk; rührseliges Schlagerlied; Rührstück. Verhochdeutscht aus *niederd* „snulten = überschwenglich reden; gefühlvoll tun"; verwandt mit „↗schnull". Bekannt geworden um 1948; manche wollen das Wort schon 1939/45 im Zusammenhang mit den Wehrmachtswunschkonzerten gehört haben.
2. bunte ~ = Potpourri aus rührseligen Melodien. 1950 *ff.*
3. religiöse ~ = religiöser Inhalt in Schlagerform. 1959 *ff.*
4. saure ~ = böswillig-tendenziöse Darstellung. ↗sauer 1. 1960 *ff.*
5. süße ~ = verschönende Darstellung; übermäßige Anpreisung. 1960 *ff.*

schnulzen *intr* **1.** rührselige, erfolgssichere Lieder vortragen oder komponieren; gefühlvolle Rollen spielen. ↗Schnulze 1. 1950 *ff.*
2. über etw ~ = über einen Vorfall rührselig berichten. 1950 *ff.*

Schnulzenaugust (-bringer; -bruder) *m* Schlagersänger. 1960 *ff.*

Schnulzenbunker *m* Filmtheater. 1955 *ff*, Berlin.

Schnulzendiesel *m* Musikautomat. „Diesel-" spielt auf das mechanisch betriebene Gerät an. *Halbw* 1955 *ff.*

Schnulzenfabrikant *m* Schallplattenhersteller o. ä. 1955 *ff.*

Schnulzen-Festival *n* Schlagerwettstreit. 1960 *ff.*

Schnulzenfilm *m* gefühlvoller Film mit Durchschnittshandlung. 1955 *ff.*

schnulzenfreudig *adj* auf gefühlvolle Darbietungen versessen. 1955 *ff.*

Schnulzengeiger *m* rührselig spielender Geiger. 1955 *ff.*

Schnulzengirl (Grundwort *engl* ausgesprochen) *n* jugendliche Sängerin rührseliger Schlagerliedchen. 1955 *ff.*

Schnulzengurgler *m* Schlagersänger. 1965 *ff, jug.*

schnulzenhaft *adj* gefühlsselig. 1955 *ff.*

Schnulzenhammel *m* Schlagersänger, der einen dümmlichen Eindruck macht. ↗Hammel 1. *Halbw* 1955 *ff.*

Schnulzenheini *m* Schlagersänger. ↗Heini. 1955 *ff.*

Schnulzenheld *m* sehr beliebter Schlagersänger. 1955 *ff.*

Schnulzenheuler *m* Sänger, der seine Schlagerlieder mehr heult als singt. 1965 *ff.*

Schnulzen-Idol *n* bis zur Vergötterung beliebter Schlagersänger. 1960 *ff.*

Schnulzenindustrie *f* „fabrikmäßige" Herstellung rührseliger Nichtigkeiten. 1955 *ff.*

Schnulzenjauler (-jodler) *m* Schlagersänger. 1960 *ff, schül.*

Schnulzenkartell *n* Filmförderungsanstalt. 1970 *ff.*

Schnulzenkäse *m* anspruchslos-rührseliges Machwerk für den Durchschnittsgeschmack des Publikums. ↗Käse. 1960 *ff.*

Schnulzenkaserne *f* Geschäftshaus der Schallplattenindustrie. 1955 *ff.*

Schnulzenkönig *m* vorübergehend beliebtester Schlagersänger; sehr erfolgreicher Hersteller und Verbreiter von anspruchslos-gefühlvollen Schlagern. 1950 *ff.*

Schnulzenkönigin *f* beherrschende Leiterin eines Verleihs rührseliger Filme. 1956 *ff.*

Schnulzenküche *f* Schallplattenfabrik. 1960 *ff.*

Schnulzenkult *m* abgöttische Liebe zu rührseligen literarischen, musikalischen oder filmischen Produktionen. 1960 *ff.*

Schnulzenkultur *f* planmäßig-geschäftstüchtige Pflege rührseliger Erzeugnisse. 1955 *ff.*

Schnulzenlatein *n* Gemeinplätze Erwachsener im erzieherischen Umgang mit Jugendlichen. ↗Latein 1 u. 2. Derlei Kernsätze fassen die Heranwachsenden als unverständlich oder unwahr auf. *Halbw* 1955 *ff.*

Schnulzenmädchen *n* junge Sängerin rührseliger Texte. 1955 *ff.*

Schnulzenmeier *m* Schlagersänger. „Meier" als weitverbreiteter Familienname steht für „Mann". *Halbw* 1955 *ff, österr.*

Schnulzenmieze *f* Schlagersängerin. ↗Mieze. 1960 *ff.*

Schnulzenmusik *f* anspruchslos-rührselige Musik. 1950 *ff.*

Schnulzenorgel *f* Musikautomat, -truhe; Plattenspieler. 1955 *ff.*

Schnulzenpfarrer *m* Pfarrer Günter Hegele in Bayern. Wegen seiner Bemühungen um die Schlagerbranche. 1959 *ff.*

Schnulzenpianist *m* Klavierspieler, der sich auf übermäßig gefühlvollen Vortrag verlegt. 1959 *ff.*

Schnulzenplärrer *m* Schlagersänger. ↗plärren. 1955 *ff.*

Schnulzenplatte *f* Schallplatte mit rührseligen Schlagerliedern. 1955 *ff.*

Schnulzenquatscher (-raspler; -reiber) *m* Sänger rührseliger Texte. 1960 *ff, jug.*

Schnulzenreihenwurf *m* mehrstündige Rundfunksendung mit gefühlvollen Darbietungen. Reihenwurf = Bombenabwurf in Reihen. Rundfunkspr. 1953 *ff.*

Schnulzenreißer (-reiter) *m* Schlagersänger 1960 *ff.*

Schnulzenrolle *f* unecht gefühlvolle Bühnenrolle. 1958 *ff.*

Schnulzensänger *m* Sänger rührseliger Schlager. 1950 *ff.*

Schnulzensängerin *f* Schlagersängerin. 1950 *ff.*

„Miß Träumerei" von Ethel Reed (1895). Die Abbildung stammt aus einer Epoche, in der es zwar auch schon Schnulzen gab, diese aber noch nicht als solche bekannt waren, denn die Bezeichnung für ein rührseliges Liedchen entstand erst ein gutes halbes Jahrhundert später in einer Zeit, die solch seichter Unterhaltung in einem ganz besonderen Maße bedurfte (vgl. den Stichwortartikel zu **Schnulze 1.**)*. Eine Schnulze beeinflußt die Gefühls- und Gedankenwelt ihrer Rezipienten fast unmerklich, dafür aber stetig, und unterscheidet sich insofern von der direkten politischen Propaganda, die von Mal zu Mal immer unglaubwürdiger wird und, wie mancher Wahlspot verrät, deshalb nicht selten durch solche* **Schnulzenseligkeit** *unterstützt oder gar abgelöst wird. Sie transportiert die Sehnsucht nach Glück und einer idealen Wirklichkeit in eine illusionäre Scheinwelt, die aber gerade ihrer Stereotype wegen als sinnlich-konkrete zu erscheinen vermag. Schließlich ging dem ersten großen bundesdeutschen Touristenstrom gen Süden nicht umsonst die unsägliche Schnulze von den „Capri-Fischern" voraus. Die Versprechungen der* **Schnulzenzunft** *schienen Wirklichkeit zu werden, wenn auch nur für ein paar Wochen. Umgangssprachlich kommt diese der Schnulze eigene Dichotomie gut zum Ausdruck: Das entsprechende Vokabular wird zwar durchgehend in einem pejorativen Sinne verwendet, kommt andrerseits aber in einer Häufigkeit vor, die erahnen läßt, daß dem damit Gemeinten wohl kaum zu entkommen ist. Die Schnulze mag ja verlogen sein, als solche ist sie aber ein Abbild der oft nicht weniger verlogenen Wirklichkeit, zugegeben ein recht plattes und sie simplifizierendes, aber immerhin noch gut genug, diese durch eine solche* **Schnulzerei** *im rosaroten Licht ihrer Pseudorealität erscheinen zu lassen.*

Schnulzenschmalz *n* Rührseligkeit wirkungsvoll aufgemachter Schlager. ↗Schmalz. 1955 *ff*.

Schnulzenschreiber *m* Verfasser rührseliger Texte. 1955 *ff*.

Schnulzenseele *f* Hang zu Rührseligkeit. 1955 *ff*.

schnulzenselig *adj* für anspruchslos-rührselige Liedchen schwärmend. 1955 *ff*.

Schnulzenseligkeit *f* Hang zu rührseligen Textchen und Liedchen in eindrucksvoller Aufmachung. 1955 *ff*.

Schnulzensender *m* Radio Luxemburg. 1960 *ff*.

Schnulzenstar *m* Darsteller rührseliger Filmszenen; Schlagersänger. 1953 *ff*.

Schnulzenstimme *f* rührselig-anheimelnde Gesangsstimme. 1955 *ff*.

Schnulzenstreifen *m* rührseliger Film. ↗Streifen. 1955 *ff*.

Schnulzente'nor *m* Schlagertenor. 1955 *ff*.

Schnulzentexter *m* Verfasser rührseliger Schlagertexte. 1955 *ff*.

Schnulzenton *m* rührselig-gewinnende Redeweise. 1955 *ff*.

Schnulzentrott *m* alter ∼ = unveränderte Kompositions- und Vortragsweise von Schlagerliedern. ↗Trott. 1965 *ff*.

Schnulzen-Troubadour *m* Schlagersänger. 1955 *ff*.

Schnulzentum *n* Gesamtheit (Tätigkeit) derer, die rührselig-problemlose Machwerke (Literatur, Musik, Film) herstellen, vortragen und schwärmerisch aufnehmen. 1965 *ff*.

Schnulzenvitrine *f* Musikautomat. 1955 *ff*.

Schnulzenzeitung *f* anspruchslose Zeitschrift für die breite Masse. 1960 *ff*.

Schnulzenzunft *f* Hersteller (Verbreiter) rührseliger Schlager. 1955 *ff*.

Schnulzer *m* Sänger rührseliger Liedchen. 1955 *ff*.

Schnulze'rei *f* Verbreitung anspruchsloser Schlagerlieder, Filme u. ä. 1960 *ff*.

Schnulzerich *m* Schlagersänger. 1960 *ff*.

Schnulzi *m f* Schlagersänger(in). 1960 *ff*, jug.

Schnulzian *m* Sänger rührseliger Texte. Zusammengesetzt aus „Schnulze" und der Kurzform Jan des Vornamens Johann. 1965 *ff*.

Schnulzi'ane *f* Schlagersängerin. Zusammengesetzt aus „Schnulze" und Juliane (o. ä.). 1955 *ff*.

Schnulzi'aner *m* Schlagersänger. 1955 *ff*.

Schnul'zier (Endung *franz* ausgesprochen) *m* Sänger anspruchslos-gefühlvoller Schlager. 1955 *ff*.

schnulzig *adj* **1.** rührselig; unecht gefühlvoll; übermäßig empfindsam. 1950 *ff*.
2. langweilig. *Jug* 1965 *ff*.

Schnulzigkeit *f* seichte Rührseligkeit. 1950 *ff*.

schnulzigsüß *adj* rührselig-einschmeichelnd. 1955 *ff*.

Schnul'zist *m* Sänger seichter Schlagerlieder. 1955 *ff*.

Schnul'zistin *f* Sängerin seicht-gemütvoller Schlagerliedchen. 1955 *ff*.

'Schnulzival *n* Schlagerwettbewerb. Zusammengesetzt aus „Schnulze" und „Festival". 1959 *ff*.

Schnulzo'mat *m* **1.** Musikautomat. Zusammengesetzt aus „Schnulze" und „Automat". 1955 *ff*.
2. Gesamtheit der von einem Sänger beherrschten Schlagerlieder seicht-gemütvoller Art. 1960 *ff*.

Schnul'zör *m* Schlagersänger. Französierende Abwandlung von „ ↗ Schnulzer". 1960 *ff*.

Schnupf *m* Schnupftabak. Seid dem 19. Jh.

schnupfen *v* **1.** *intr* = Rauschgift nehmen. Ursprünglich auf Kokain beschränkt. 1920 *ff*.
2. *tr* = jn gefangennehmen. Vom Einziehen des Tabaks in die Nase übertragen. *Sold* 1914 *ff*.
3. *tr* = einen Sportler überflügeln. Geht wohl zurück auf *angloamerikan* „to snuff = töten, umbringen". *Sportl* 1950 *ff*.
4. er wird geschnupft = mit ihm wird man leicht fertig. 1950 *ff*.

Schnupfen *m* **1.** Tripper. Wegen des Tröpfelns nach Art der „verkühlten" Nase. Spätestens seit 1900.
1 a. Gefühlsabkühlung, Verstimmung, Enttäuschung. 1950 *ff*.
2. weißer ~ = Rauschgift-, Kokainrausch. ↗ schnupfen 1. Kokain ist ein weißes Pulver. 1920 *ff*.
3. einen ~ haben = nichts merken. Bei verstopfter Nase hat man keine Witterung. 1500 *ff*.
4. den (einen) ~ haben = dumm sein. Die Redewendung wird oft von einer Hindeutung (Fingerzeig) auf die Stirn begleitet. Seit dem 19. Jh.
5. sich einen ~ holen = angewidert, abgestoßen, abgewiesen werden; Mißerfolg erleiden. 1900 *ff*.
6. einen ~ kriegen = in wirtschaftlicher Hinsicht einen Rückschlag erleiden. Anspielung auf leichte wirtschaftliche Unpäßlichkeit. 1957 *ff, journ*.
7. den ~ merken (riechen) = die Absicht, den Nachteil erkennen. Seit dem 19. Jh.

Schnupfenhalle *f* **1.** zugige Bahnhofshalle. 1960 *ff*.
2. Festhalle mit unzureichender Temperaturregelung. 1960 *ff*.

Schnupfenpulver *n* Rauschgift. ↗ schnupfen 1. 1920 *ff*.

Schnupfensalbe *f* Antiseptikum gegen venerische Infektion. ↗ Schnupfen 1. 1900 *ff*.

Schnupfenwetter *n* feucht-kalte Witterung. 1900 *ff*.

Schnupfer-Olympiade (Schnupf-Olympiade) *f* Wettbewerb im Tabakschnupfen. ↗ Olympiade. 1966 *ff, bayr*.

Schnupftabak *m* Rauschgift. Tarnausdruck. ↗ schnupfen 1. 1920 *ff*.

schnuppe *adv* gleichgültig. „Schnuppe" meint entweder den abfallenden verkohlten Teil des Dochts oder das Ausgeschneuzte. Aus beiden ergibt sich die Vorstellung der Wertlosigkeit. Berlin 1840 *ff*.

schnuppe'gal *adv* gleichgültig. Tautologie zwecks Verstärkung. 1900 *ff*.

schnuppen *intr* naschen; leckermäulig sein. Gehört zu „schnuppern, schnupfen = Gerüche durch die Nase einziehen". Seit dem 18. Jh.

schnuppepiepe *adv* völlig gleichgültig. ↗ piepe. 1900 *ff*.

Schnuppergeist *m* **1.** Mensch, der sich unbefugt in Angelegenheiten anderer einmischt und überall Unlauteres wittert. 1830 *ff*.
2. Kriminalbeamter; Staatsanwalt. 1960 *ff*.
3. Privatdetektiv. 1960 *ff*.

Schnupperkunde *m* Kunde, der ohne eigentliche Kaufabsicht das Warenangebot prüft. 1967 *ff*.

Schnupperkurs *m* Einführungslehrgang. 1965 *ff*.

Schnupperlehre *f* mehrwöchige Betriebsbesichtigung durch Jugendliche unter fachmännischer Führung und Anleitung; Kurzaufenthalt eines vor der Berufswahl stehenden Schülers in einem Betrieb. 1930 *ff*.

Schnupperlehrling *m* Jugendlicher, der während der Ferien in einem Betrieb arbeitet und dort später vielleicht Lehrling wird. 1930 *ff*.

schnuppern *intr* **1.** nach jm ~ = jn suchen, ausfindig zu machen suchen. 1850 *ff*.
2. kurz vor oder nach der Schulentlassung einen Geschäftsbetrieb kennenlernen. 1930 *ff*.

Schnupperpreise *pl* Niedrigpreise, die beim Angebotsvergleich das Kaufinteresse wecken. Kaufmannsspr. 1975 *ff*.

Schnupperstudium *n* Teilnahme von Schülern der Gymnasialoberstufe an Lehrveranstaltungen der Universität zwecks Erleichterung der Studien- und Berufswahl. 1976 *ff*.

Schnuppertage *pl* sechstägiger Aufenthalt in einem Kurbad, um die Kuranwendungen mitsamt der Unterbringung und Verpflegung kennenzulernen. 1975 *ff*.

Schnupperurlaub *m* mehrtägiger Aufenthalt in einem Kurbad oder in einer Sommerfrische, um die Erholungsmöglichkeiten zu erproben. 1976 *ff*.

Schnupperwoche *f* Woche, in der ein Schüler kurz vor oder nach der Schulentlassung einen Geschäftsbetrieb kennenlernt. 1930 *ff*.

Schnuppi *f m* **1.** Kosewort. ↗ schnuppen. Seit dem 19. Jh.

2. Rufname des Hundes. Seit dem 19. Jh.

3. Rufname der Katze. Seit dem 19. Jh.

schnuppig *adj* wählerisch im Essen; naschhaft. ↗schnuppen. Seit dem 18. Jh.

Schnur *f* **1.** über die ~ hauen = a) das zulässige Maß überschreiten. Stammt aus der Zimmermannssprache: der Zimmermann zieht über den zu behauenden Balken o. ä. eine Schnur, über die er nicht hinaushauen darf. Seit dem 15. Jh. *Vgl engl* „to kick over the traces". – b) übermütig, ausgelassen sein; sich austoben. 1800 *ff.*

2. etw nach der ~ machen = etw sorgfältig bewerkstelligen. Seit dem 19. Jh.

Schnürchen (Schnürl) *n* **1.** es geht (klappt, kommt, läuft) wie am ~ = es geht reibungslos vonstatten. Leitet sich her entweder von der Richtschnur der Maurer und Zimmerleute oder von den Schnüren, an denen der Puppenspieler die Puppen bewegt. 1800 *ff.*

2. es am ~ haben = eine Sache völlig beherrschen. Geht auf das Puppenspiel zurück. Seit dem 18. Jh.

3. jn am ~ haben = jn beherrschen. *Österr* seit dem 19. Jh.

4. etw am ~ aufsagen (hersagen, erzählen o. ä.) = etw fließend, ohne zu stocken, hersagen. Hier ist wohl von der Gebetsschnur auszugehen. Seit dem 19. Jh.

schnüren *tr* **1.** jm arg zusetzen; jn in arge Verlegenheit bringen. Stammt aus der Viehzucht: schnüren = kastrieren (durch Abbinden der Hoden). Seit dem *Mhd.*

2. jn übervorteilen. Versteht sich sowohl aus dem Vorhergehenden als auch aus der Sitte, einem eine Schnur über den Weg zu spannen, von der er sich durch ein Trinkgeld lösen muß (ländlicher Hochzeitsbrauch). Seit dem *Mhd.*

schnurgeln *intr* schnarchen. Schallnachahmender Natur. Seit dem 19. Jh.

schnurkeln *intr* **1.** den Nasenschleim einziehen. Lautmalend. Seit dem 19. Jh.

2. ein Schläfchen machen. Schallnachahmung der Schnarchlaute. Seit dem 19. Jh.

schnürln *refl* er soll sich ~!: Ausdruck der Abweisung. Der Betreffende soll sich wohl an einer Schnur aufhängen. Auch bezeichnet „schnüren" in der Jägersprache die Gangart des Fuchses, so daß hier gemeint sein kann: „er soll sich trollen = ↗davonmachen". 1900 *ff, bayr.*

Schnürlregen *m* lang anhaltender, gleichmäßiger Regen; Landregen. Schnürl = Bindfaden. Analog zu „es regnet ↗Bindfäden". *Bayr* und *österr* seit dem 19. Jh. Vor allem für Salzburg „berüchtigt".

schnurpsen *intr* **1.** hörbar kauen; nagen; schmausen; schlechte Eßsitten besitzen. Schallnachahmend für den dumpf knirschenden Laut beim Zerbeißen von scharf Gebackenem, auch beim Kauen der Kühe, Ziegen usw. Seit dem 19. Jh, vorwiegend *mitteld.*

2. ein kurzes summendes Geräusch hervorrufen (Summerton eines Signalgebers statt einer Klingel). 1900 *ff.*

3. es schnurpst = es geht reibungslos vonstatten. Hergenommen vom knirschenden Geräusch, das beim Treten auf Schnee mit verharschter Oberdecke entsteht. 1900 *ff.*

schnurpsig *adj* **1.** frisch, kroß, resch. ↗schnurpsen 1. Seit dem 19. Jh.

2. zart, liebreizend (auf ein Mädchen bezogen). Analog zu ↗knusprig. Seit dem 19. Jh.

Schnur'rant *m* ↗Schnorrant.

Schnurrbart *m* **1.** Katzenname. 1900 *ff.*

2. Adolf Hitler. 1930 *ff.*

3. Josef Stalin. 1939 *ff.*

Schnurrbartbinde *f* Regelbinde. 1900 *ff.*

Schnurrbart-Diele *f* Lokal, in dem Homosexuelle verkehren. 1960 *ff.*

Schnurrchen *n* **1.** Rufname der Katze. Wegen ihres Schnurrens. Seit dem 19. Jh.

2. Kosewort für die Frau. 1900 *ff.*

Schnurrdiburr *m f* **1.** Katzenname. Übernommen von der Geschichte „Schnurrdiburr oder die Bienen" von Wilhelm Busch (1869) und auf die Katze übertragen wegen ihres Schnurrens. 1900 *ff.*

2. Kosename der Frau. 1900 *ff.*

Schnurre *f* **1.** lustige Erzählung; Schwank; Posse; ulkiger Einfall. „Schnurre" ist lautmalende Bezeichnung für ein Lärmgerät (Knarre, Brummkreisel, Dudelsack), wie es die Bettelmusikanten verwendeten (↗schnorren). Aus den Bettelmusikanten wurden Possenreißer und aus der „Schnurre" die Posse. Seit dem 16. Jh.

2. Mund. Eigentlich lautmalend für schnarrenden Ton; danach verallgemeinert. 1700 *ff.*

3. zänkische Frau; Ohrenbläserin. 1700 *ff.*

4. Schnurrbart. Hieraus verkürzt. Seit dem 19. Jh.

5. das Schnurren von Katzen. 1950 *ff.*

schnurren *intr* **1.** betteln, schmarotzen. ↗schnorren.

2. eilen; schnell fahren. Schallnachahmend für ein Brausen und Brummen. 1500 *ff.*

3. nicht bei der Wahrheit bleiben; lügen; übertreibend erzählen. ↗Schnurre 1. Seit dem 19. Jh.

Schnurrer *m* **1.** Erzähler lustiger, halbwahrer Geschichten. ↗Schnurre 1. Seit dem 19. Jh.

2. Katze. Seit dem 19. Jh.

Schnurres (Schnorres) *m* Oberlippenbart. ↗Schnurre 4. *Westd* seit dem 19. Jh.

Schnurri *f* Katze. Seit dem 19. Jh.

Schnürriemen *m* schmaler gewirkter Langbinder. 1955 *ff, halbw.*

schnurrig *adj* lustig, spaßig, kauzig. ↗Schnurre 1. Seit dem 16. Jh.

Schnurrilein *n* Katze. 1900 *ff.*

Schnurrimurri *f m* Katze. „-murri" ist wohl mit Rücksicht auf den Binnenreim aus „Mohr" entwickelt und spielt auf die schwarze Katze an. 1900 *ff.*

Schnurrl (Schnurrle, Schnurrli) *f* Katze. *Oberd* seit dem 19. Jh.

Schnürsenkel *m* **1.** schmächtiger, hagerer Mann. 1900 *ff.*

2. sehr schmales Tonband. Technikerspr. 1950 *ff.*

3. schmaler gewirkter Langbinder. 1955 *ff.*

4. *pl* = Fadennudeln. *Sold* 1939 bis heute.

5. ihm gehen die ~ auf = er braust auf. Dem Zornigen schwillt die Ader. 1930 *ff.*

6. ihm platzt der ~ = er ist erregt, hochgradig verwundert. 1930 *ff.*

Schnürsenkelkrawatte (-schlips) *f (m)* schmaler gewirkter Langbinder. *Vgl* ↗Schnürriemen; ↗Schnürsenkel 3. 1955 *ff, halbw.*

Schnürsenkelschleife *f* schmale Krawattenschleife. 1955 *ff, halbw.*

Schnürsenkelträger *pl* sehr schmale Träger eines Abendkleids. 1921 *ff.*

schnurstracks *adv* geradenwegs, sofort. „Stracks" gehört zu „strecken". Hier soviel wie „der gestrafften Schnur entlang". 1600 *ff.*

Schnurz *m* Gleichgültigkeit. Substantiviert aus dem Folgenden. 1950 *ff.*

schnurz *adv* **1.** gleichgültig. Scheint schallnachahmender Herkunft zu sein und vor allem auf den laut entweichenden Darmwind anzuspielen. Aus Bremen sind für 1770 „Snart, Snirt, Snurt" für den hörbar abgehenden Darmwind bezeugt. Die heutige Form und Bedeutung kamen gegen 1820 in Studentenkreisen auf.

2. ~ und piepe = völlig gleichgültig. ↗piepe. 1870 *ff.*

3. ~ und schnuppe = völlig gleichgültig. ↗schnuppe. 1860 *ff.*

schnurze'gal *adv* völlig gleichgültig. Tautologie zwecks Verstärkung. 1900 *ff.*

schnurzen *intr* vom Mitschüler, aus einer unerlaubten Übersetzung, vom selbstverfertigten Täuschungszettel abschreiben. Nebenform zu ↗schnorren 2. *Schül* 1900 *ff.*

schnurzig *adj adv* gleichgültig, uninteressiert. ↗schnurz 1. 1920 *ff.*

Schnurzigkeit *f* Gleichgültigkeit. 1920 *ff.*

'schnurz'piepe *adv* völlig gleichgültig. Verstärkende Tautologie. ↗piepe. 1870 *ff.*

'schnurz'piepe'gal *adv* völlig gleichgültig. 1900 *ff.*

Schnurzzettel *m* Täuschungszettel. ↗schnurzen. 1900 *ff.*

Schnute (Schnut, Schnüß) *f* **1.** Mund; spöttisch oder beleidigt verzogener Mund. *Niederd* Entsprechung zu *hd* „Schnauze". Seit dem 16. Jh.

2. große ~ = Großsprecher; Redegewandtheit. 1870 *ff.*

3. süße ~ = hübsches, liebes Mädchen. 1700 *ff.*

3 a. einander ~ geben = einander küssen. *Jug* 1970 *ff.*

4. eine große ~ haben = das Wort führen; sich brüsten. 1870 *ff.*

5. eine ~ ziehen (machen, aufsetzen) = den Mund zum Schmollen verziehen; beleidigt sein. Seit dem 19. Jh.

Schnuteken *n* **1.** Mund, Mündchen. *Niederd* Verkleinerungsform. Seit dem 19. Jh

2. Kosewort. ↗Schnäuzchen 1. Seit dem späten 19. Jh.

Schnutenfeger *m* Herrenfrisör. Anspielung auf das Rasieren. Fegen = reinigen, putzen. 1840 *ff.*

Schnutenhobel *m* Mundharmonika. Analog zu ↗Maulhobel. 1900 *ff.*

Schnutenklavier *n* Mundharmonika. 1910 *ff.*

Schnutenklempner *m* Zahnarzt, -techniker. *Nordd* 1900 *ff.*

Schnutenkratzer *m* Herrenfrisör. Anspielung auf das Rasieren. 1900 *ff.*

Schnutenorgel *f* Mundharmonika. 1850 *ff,* bei Seeleuten aufgekommen.

Schnutenputzer *m* **1.** Herrenfrisör. ↗Schnutenfeger. 1870 *ff.*

2. saurer Wein. *Vgl* ↗Rachenputzer. 1920 *ff.*

Schnutenschaber *m* Herrenfrisör. ↗Bartschaber. 1900 *ff.*

Schnutenschrapper *m* Herrenfrisör. ↗Bartschrapper. Seit dem 19. Jh.

Schnutentunker *m* Teilnehmer an einer Weinprobe. Rheingau 1900 *ff.*

Schnuti *n* Kosewort für ein kleines Mädchen. Fußt auf „↗Schnute 1" und meint wie „Schnäuzchen" und „Schnuteken" sowohl das Mündchen als auch das Küßchen. 1900 *ff.*

Schnutzekuß *m* Kosewort für eine weibliche Person. „Schnutzen" (= Nebenform zu „schnauzen") steht für „küssen". 1900 *ff.*

Schnutzelchen *n* Kosewort. *Vgl* das Vorhergehende. 1900 *ff.*

Schnutzeputz *m f* Kosewort. ↗Schnutziputzi. 1900 *ff.*

Schnutzi *f n* Kosewort für ein Mädchen; leichtes Mädchen. 1920 *ff.*

Schnutziputzi *f n* Kosewort. Schnutzen = küssen; *vgl* ↗Putzi 1. 1920 *ff.*

schoberweise *adv* in großer Menge. Schober = Getreidehaufen; Scheune. Seit dem 19. Jh.

Schock *m* Jahrmarkt; Jahrmarktstreiben. Fußt auf *jidd* „schuck = (Jahr-)Markt". *Rotw* seit dem frühen 18. Jh.

schock *adj präd* hervorragend. ↗schocken 3. *Jug* 1970 *ff.*

schockbombig *adj* sehr eindrucksvoll. ↗schocken 3; ↗bombig 1. *Jug* 1970 *ff.*

schocke *adj präd* unübertrefflich. ↗schock. *Jug* 1970 *ff.*

Schockelgaul *m* Schaukelpferd. „Schockeln" ist *westd* Nebenform zu „schaukeln". Seit dem 19. Jh.

Schockel'mei (Schokel'meirum) *m* Kaffee. Geht zurück auf *jidd* „schocher majim = schwarzes Wasser". Kundenspr. seit dem späten 19. Jh; wandervogelspr. seit dem frühen 20. Jh.

schockeln *intr* ↗schuckeln.

schocken *v* 1. *tr* = jn schockieren, durch Tätlichkeit oder freche Rede herausfordern. Stammt aus dem *gleichbed engl* „to shock". 1950 *ff.*
2. es schockt = es kostet, ist teuer. Beruht auf *jidd* „schuck = Mark, Geldstück". Kundenspr. Seit dem 19. Jh.
3. es schockt (es schockt sich) = es ist sehr eindrucksvoll. *Jug* 1970 *ff.*
4. *tr* = bezahlen, zahlen. Kundenspr. seit dem 19. Jh.

Schocker *m* 1. Filmhandlung, die den Zuschauer abstößt; Gruselfilm. ↗schocken 1. 1950 *ff.*
2. enttäuschendes Ereignis; angsterregender Zwischenfall; Vorfall, der als Warnung zu dienen hat. *Sportl* 1949 *ff.*
3. Sache, an der man Anstoß nimmt. 1950 *ff.*

schocker sein mittellos sein. *Jidd* „schochar = schwarz"; analog zu „ ↗schwarz = ohne Bargeld". 1930 *ff,* kundenspr.

Schockfreier *m* Jahrmarktausrufer. ↗Schock. „Freier" ist über die Bedeutung „Brautwerber" der „(werbende) Mann" schlechthin. Kundenspr. 1900 *ff.*

Schockgänger *m* Marktdieb. ↗Schock. Kundenspr. 1750 *ff.*

'Schock'schwere'brett *interj* Ausruf heftigen Unwillens. „Schwerebrett" ist entstellt aus „ ↗Schwerenot". „Schock", eigentlich soviel wie „60 Stück", kann Hehlwort für „Gott" sein. Seit dem 19. Jh.

'Schock'schwere'not *interj* Ausdruck heftigen Unmuts. *Vgl* das Vorhergehende und „ ↗Schwerenot". Seit dem 19. Jh.

schofel *adj* 1. minderwertig, niederträchtig; kleinlich; nicht freigebig. Stammt aus *jidd* „schophel = gering, niedrig, schlecht". Seit dem 18. Jh.
2. langweilig. *Jug* 1965 *ff.*

Schofel *m* minderwertige Ware. 1820 *ff.*

Schofe'linski *m* geiziger, ungeselliger Mensch. Um eine *slaw* Endung verlängertes „ ↗schofel". Seit dem 19. Jh.

Schof'lesse *f* nicht großzügiges Verhalten; Kleinlichkeit eines Geizigen. Dem *franz* „noblesse" nachgebildet. 1920 *ff.*

schoflig *adj* 1. niederträchtig, geizig. Seit dem 19. Jh.
2. unkameradschaftlich. *Sold* 1939 bis heute.

Schofligkeit *f* Geiz; Charakterlosigkeit. 1930 *ff.*

Schok *m f* eine Tasse Schokolade. Kellnerspr. Verkürzung. 1920 *ff.*

Schöke *f* liederliche Frau; Prostituierte. Stammt wahrscheinlich aus *gleichbed dänisch* „skøge". *Niederd* 1300 *ff.*

Schokolade *f* 1. Kautabak. Wegen der Farbähnlichkeit. Kautabak ist Ersatz für andere Raucherwaren, die auf Kriegsschiffen nicht allenthalben gestattet oder – wie im Unterseeboot – ganz verboten sind. *Marinespr* seit dem späten 19. Jh.

2. Lysergsäurediäthylamid (LSD). Tarnwort der Halbwüchsigen, 1960 *ff.*
3. ~!: derber Ausdruck des Unwillens. Hinter dem „Sch" wird eine kleine Pause gemacht, wodurch man zu verstehen gibt, daß eigentlich „Scheiße" gemeint ist. 1930 *ff.*
4. reine ~ = sehr große Unannehmlichkeit; üble Widerwärtigkeit. Rein = unverfälscht. *Sold* 1939 *ff.*
5. saure ~ = sehr unangenehme Sache. 1930 *ff.*
6. jn mit ~ begießen = jn durch freundliche Redensarten übertölpeln. Übertragen vom Schokoladenguß auf der Torte. 1850 *ff,* Berlin.
7. da schreist du ~!: Ausdruck der Verwunderung. Analog zu ↗Scheiße 53. *Sold* 1939 *ff.*
8. in der ~ sitzen = sich in Not befinden. Als Milderung aufgefaßt für „in der ↗Scheiße sitzen". Seit dem späten 19. Jh.
9. jn durch die ~ ziehen = jn grob verhöhnen. Parallel zu „jn durch den ↗Kakao ziehen". Seit dem späten 19. Jh.

Schokoladenarchitekt *m* Zuckerbäcker, Konditor. 1960 *ff.*

Schokoladenautomat *m* Präservativautomat. Hehlbezeichnung. 1968 *ff.*

Schokoladenbein *n* trittbesseres (trittschlechteres) Bein des Fußballspielers. Der „ ↗Schokoladenseite" nachgebildet. *Sportl* 1950 *ff.*

Schokoladenbunker *m* Gesäß, Mastdarm. Schokolade = Kot. *BSD* 1960 *ff.*

Schokoladenfabrik *f* großräumige Feldlatrine für viele gleichzeitige Benutzer. *Sold* in beiden Weltkriegen.

Schokoladenform *f* vorteilhafteste Erscheinungsform. ↗Schokoladenseite 1. 1960 *ff.*

Schokoladenfrau *f* Abortwärterin. Schokolade = Kot. Hamburg 1945 *ff, schül.*

Schokoladengedanken *pl* schlechte, unanständige Gedanken. 1920 *ff.*

Schokoladengesicht *n* verfälschte geistige Sicht. ↗Schokoladenseite. 1960 *ff.*

Schokoladenjustiz *f* milde Rechtsprechung. ↗Schokoladenrichter. 1955 *ff.*

Schokoladenkommando *n* Abortkübel-Leerer. Vokabel der Kriegsgefangenen (1941 *ff*) und der Lagerhäftlinge in der DDR (1946 *ff*).

Schokoladenlächeln *n* gewinnendes Lächeln. 1950 *ff.*

Schokoladenplätzchen *n* nettes, reizendes Mädchen. Man faßt es als Leckerei auf. *Halbw* 1955 *ff.*

Schokoladenrichter *m* Richter, der milde Urteile fällt. Aufgekommen im Zusammenhang mit dem Jugendlichen Karl Holzschuh in Darmstadt (1954/55): er verurteilte eine sechzehnjährige Hausgehilfin, die ihrem Arbeitgeber einen Zehnmarkschein zum Süßigkeitenkauf gestohlen hatte, dazu, ein Vierteljahr lang den Kindern des Darmstädter Waisenhauses für die Hälfte ihres Taschengelds Schokolade mitzubringen.

❝ Ich bin die
eine, die feine
Schokoladenseite*
einer ganz
ungewöhnlichen... ❞

*Diese Seite gibt es in Vollmilch und Zartbitter.

Daß jedes Ding seine (zumindest) zwei Seiten hat, gehört zweifelsohne zu den tiefsinnigsten Binsenweisheiten und trifft infolgedessen auch auf fast alles zu. Eine umgangssprachliche Spezifizierung solcher Weltsicht ist die **Schokoladenseite***, und das Werbefoto oben zeigt was ihr real zugrundeliegt: Ein Schokoladenkeks, der seine bessere Seite zeigt. Da ein solcher Keks nur eine Schokoladenseite besitzen kann, ist es Aufgabe der Werbung, dafür zu sorgen, daß diese Einschränkung sich allein auf den zum Verzehr bestimmten Gegenstand selbst bezieht, nicht aber auf das Produkt an sich, sein Image. Die Lösung hier: Der unbestimmte Artikel „eine", der unwillkürlich an eine andere Schokoladenseite denken läßt.*

Schokoladenseite *f* **1.** vorteilhaftere Seite; Schau-, Ehrenseite. Leitet sich her vom Gebäck, das oben mit Schokolade bestrichen ist: diese Seite ist die Schauseite. Seit dem ausgehenden 19. Jh. **2.** unvorteilhafte, ungünstige Seite; Seite, die bei seitengleichen Übungen weniger gut beherrscht wird. Hergenommen von Gebäck, das auf die Schokoladenseite gefallen ist und Unsauberkeit verursacht hat. Seit dem ausgehenden 19. Jh. **3.** vorteilhaftere Gesichtshälfte. 1920 *ff.* **4.** Abendspaziergang durch die Straßen. Von den Schülern besonders geschätzt wegen der leichteren Bekanntschaftsanknüpfung mit Mädchen. 1930 *ff.*

5. auf der ~ gehen = den bequemeren Weg wählen. Berlin 1930 *ff.*

6. auf die ~ kommen = in Unglück geraten. ↗Schokoladenseite 2. 1930 *ff.*

Schokoladentag *m* sehr erfreulich verlaufener Tag. 1960 *ff.*

Schokoladentour *f* milde Rechtsprechung (gegenüber Jugendlichen). ↗Schokoladenrichter. 1955 *ff.*

schokola'desk *adj* ausgezeichnet (mit leicht *iron* Nebenton). Schokolade ist eine beliebte Leckerei; in Anführungszeichen gesetzt, ist sie über „Kakao" Tarnwort für „↗Kacke". Wortbildung nach dem Muster von „pittoresk" o. ä. *Stud* 1920 *ff.*

Schol'laner *m* Bürger, der eigenen Grund und Boden besitzt. Gehört zu „Ackerscholle". 1910 *ff.*

Scholle *f* bei mir ~!: Ausdruck der Verwunderung. die Scholle ist ein flacher Fisch, und „↗platt" steht für „erstaunt". Berlin 1930 *ff.*

scholle *präd* das ist ~ = das ist gut, ausgezeichnet. Fußt wohl auf *franz* „joli = hübsch". *Jug* 1955 *ff.*

Schollentechniker *m* Grenadier. Anspielung auf Bewegung über Äcker. *BSD* 1965 *ff.*

Schollenwender *m* akademischer ~ = Diplomlandwirt. Aus dem Pflug als dem typischen Ackergerät wird eine Berufsbezeichnung. 1960 *ff.*

schollern *v* **1.** *intr* = Gitarre spielen; auf der Gitarre ein paar Akkorde greifen. Eigentlich soviel wie „rollen, gleiten": die Finger gleiten über die Saiten des Musikinstruments. Wohl auch von Schallnachahmung beeinflußt (Widerhall). Seit dem frühen 20. Jh, wandervogelspr.

2. jm eine ~ = jn ohrfeigen. ↗schallern. 1950 *ff.*

Scholli *m* **1.** Rufname des Hundes. Fußt auf *franz* „joli = niedlich". Seit dem 19. Jh.

2. mein lieber ~!: Ausdruck der Verwunderung, auch der Warnung. *Franz* „joli" wird auch in *iron* Sinne gebraucht. *Vgl* „Tscholi = dummer, gutmütiger Mensch" (Elsaß). 1910 *ff.*

schon *adv* wenn ~, denn ~! = wenn überhaupt, dann großzügig! (Wenn wir überhaupt in Urlaub fahren, dann richtig und nicht zu bescheiden.) Bedingende Verkürzung. Seit dem 19. Jh.

schön *adj adv* **1.** schlecht, übel, unangenehm, höchst widerwärtig. Ironisierung. 1600 *ff.*

2. *adv* = sehr (er hat schön geflucht; er ist schön reingefallen). Seit dem 19. Jh.

3. ~ ist das!: blasiert-ironischer Ausdruck der Anerkennung. 1940 *ff, halbw.*

4. ~ ist anders = es ist sehr unangenehm, äußerst widerwärtig. Seit dem späten 19. Jh.

5. ~ ankommen = auf heftigen Widerstand stoßen. 1800 *ff.*

6. jn ~ empfangen = jn barsch abweisen. 1870 *ff.*

7. wie heißt es so ~ (wie es so ~ heißt) = sogenannt (Vater Rhein, wie es so schön heißt; Liebeskummer lohnt sich nicht, wie es so schön heißt).

Aufzufassen als leichte Bespöttelung stehender Ausdrücke und Redewendungen. 1900 *ff.*

8. wie man so ~ sagt = wie man das üblicherweise ausdrückt (der Minister weilte in der Stadt, wie man so schön sagt). 1900 *ff.*

9. der Hund macht ~ = der Hund setzt sich auf die Hinterbeine und bewegt die Vorderbeine bettelnd auf und ab. Mit menschlichen Augen gesehen, gilt dies als gesittet. Seit dem 19. Jh.

10. es ist zu ~, um wahr zu sein = es ist überaus angenehm; derlei Erfreuliches sollte man nicht für möglich halten. 1900 *ff.*

11. ~ ist Dreck dagegen = es ist überaus schön. Gemeint ist, daß die Bezeichnung „schön" viel zu niedrig gegriffen ist. 1900 *ff, schül.*

12. es ist schon nicht mehr ~ = es steht ernst, bedenklich, läßt wenig Hoffnung. Seit dem 19. Jh.

Schonbezüge *pl* Beamtengehalt. Spottwort: Beamte beziehen ihr Gehalt vermeintlich dafür, daß sie ihre Kräfte schonen. 1950 *ff.*

schönchen *adv* schön, gut. Verkleinerungsform zu „schön". 1850 *ff.*

Schöne I *f* **1.** Frau (Kosewort). Seit dem 19. Jh.

2. ~ von Beruf = nicht berufstätige, schöne weibliche Person. Es ist ihr „Beruf", schön zu sein. 1920 *ff.*

3. ~ der Luft = Flugzeugstewardeß. 1960 *ff.*

4. ~ der Nacht = Prostituierte o. ä. 1920 *ff.*

Schöne II *pl* ihr ~n!: scherzhafte Anrede an weibliche oder männliche Personen. Analog zu ↗Hübsche. 1900 *ff.*

schöneken *adv* schön, gut; einverstanden! *Nordd* und *mitteld* Verkleinerungsform zu „schön". 1850 *ff.*

Schöner *m* du bist mir ein ~! = auf dich kann man sich nicht verlassen. *Iron* Redewendung. Seit dem 19. Jh.

schöner *präd* **1.** das wäre ja noch ~!: Ausdruck der Ablehnung (für die Schulden eines anderen aufkommen?, – das wäre ja noch schöner!). 1840/1850 *ff.*

2. das wird ja immer ~!: Ausdruck der Unerträglichkeit. 1900 *ff.*

Schönes *n* das Schöne an der Arbeit = Zusehen, wie andere arbeiten. Gehört zu der Scherzredensart „Arbeit ist wunderschön, man kann stundenlang zusehen". Seit dem 19. Jh.

Schonfrist *f* Zeitspanne zwischen Trauung und Hochzeitsnacht. Der Jägersprache entlehnt; *iron.* 1900 *ff.*

Schongang *m* **1.** auf ~ arbeiten = langsam arbeiten; sich beim Arbeiten nicht besonders anstrengen. Der Maschinentechnik entlehnt. 1920 *ff.*

2. sich im ~ bewegen = sich möglichst wenig bewegen. Kriegsgefangenenspr. 1941 *ff.*

3. den ~ einlegen (einschalten) = sich nicht anstrengen. 1920/30 *ff, sold* und *sportl,* auch *schül.*

4. im ~ siegen = ohne große Anstrengung siegen. *Sportl* 1950 *ff.*

5. im ~ spielen = ohne sonderliche Anstrengung Fußball spielen. *Sportl* 1950 *ff.*

schöngeschaut haben *refl* beim Lehrer beliebt sein. Der Schüler hat durch aufmerksames Zuhören und durch freundliches, sittsames Betragen das Wohlwollen des Lehrers errungen. 1930 *ff.*

Schönheit *f* **1.** ~ aus der Tüte = kosmetische Artikel; mittels Kosmetik erzielte Schönheit. 1955 *ff.*
2. beleidigte ~ = Mensch, der sich gekränkt fühlt und dies durch seinen Gesichtsausdruck oder durch Verstummen deutlich zu erkennen gibt. Spottausdruck. 1900 *ff.*
3. zur ewigen ~!: Zuruf an einen Niesenden. Man antwortet mit „danke, aber du hast es nötiger!". Wien 1950 *ff, stud.*
4. fliegende ~ = Flugzeugstewardeß. *Vgl* ↗ Schöne I 3. 1960 *ff.*
5. genormte ~ = einheitliche Gesichtsgestaltung. Nach 1945 aufgekommen mit den amerikanischen Pin-up-Girls und ihren Einheitsgesichtern.
6. versteckte ~ = Häßlichkeit. 1920 *ff.*
7. in ~ sterben = ohne Aufhebens davongehen. Fußt auf dem altgriechischen Schönheitsideal und ist unmittelbar übernommen aus Henrik Ibsens Drama „Hedda Gabler", wo allerdings tatsächlich der Tod gemeint ist. 1930 *ff.*

Schönheitsarbeiterin *f* Modenvorführerin; Kosmetikerin. 1960 *ff.*

Schönheitsfarm *f* Erholungsheim mit kosmetischer Behandlung. Ein Produkt der Wohlstandsgesellschaft. 1960 *ff.*

Schönheitsfee *f* Kosmetikerin. 1965 *ff.*

Schönheitsfehler *m* **1.** unerwünschte, unschöne Eigenart. 1920 *ff.*
2. Geschlechtskrankheit. Euphemismus. 1955 *ff.*
3. strafrechtlicher ~ = Vorstrafe. 1920 *ff.*

Schönheitskonkurrenz *f* ärztliche Untersuchung nackter Männer auf Wehrdiensttauglichkeit. *Sold* 1935 *ff.*

Schönheitsmehl *n* Gesichtspuder o. ä. 1950 *ff.*

Schönheitsmuffel *m* Mensch ohne Sinn für Kosmetik. ↗ Muffel. 1968 *ff.*

Schönheitssalon *m* Abort in einer Mädchenschule. Anspielung auf die Schönheitspflege vor dem Spiegel. 1955 *ff.*

Schönheitsschlaf *m* 24 (36, 48) Stunden in der Ausnüchterungszelle. 1970 *ff.*

Schonkost *f* **1.** karge Verpflegung; unfreiwilliges Hungern. *Sold* 1939 *ff.*
2. Arrest; Strafverschärfung (Fasten bei Wasser und Brot). 1950 *ff.*
3. Gemüse. *BSD* 1960 *ff.*

Schönlebe machen sich keinen Lebensgenuß entgehen lassen; schlemmen. ↗ Lebeschön machen. Seit dem späten 19. Jh.

Schönling *m* schöner Mann ohne sonstige Vorzüge. Seit dem 19. Jh.

Schönlingsgesicht *n* schönes Männergesicht ohne männlichen Ausdruck. 1900 *ff.*

schönmachen *intr* **1.** militärisch grüßen; straffe Haltung annehmen; Front machen; den Hut lüften; sich untertänig verneigen. Vom Hund hergenommen; ↗ schön 9. *Sold* seit dem späten 19. Jh; auch *ziv.*
2. die Waffen strecken; sich ergeben. Man hebt die Hände zum Zeichen der Übergabe. *Sold* 1939 *ff.*

schönsaufen *tr* ↗ Mädchen 54.

Schönschauer *m* Schüler, der sich beim Lehrer beliebt zu machen sucht. ↗ schöngeschaut haben. 1930 *ff.*

Schönste *f* Frau (Kosewort). Undatierbar.

schonstens (schonst) *adv* schon. Nach dem Muster „meist – meistens" gebildet. 1870 *ff,* Berlin.

Schönster *m* du bist mir der Schönste! = ich traue dir nicht! du bist unzuverlässig! *Iron* Redewendung seit dem späten 19 Jh.

Schont (Tschont) *m* Abort. Nebenform zu „Schund = minderwertige Ware"; von da weiterentwickelt zur Bedeutung „Exkremente". *Rotw* seit dem 18. Jh.

Schonterbeiß *m n* Abort. ↗ Beiß. *Rotw* 1820 *ff.*

Schontrieb *m* Hang zur Bequemlichkeit. *Sold* 1935 *ff.*

schöntun *v* jm ~ = jm schmeicheln; jn umwerben. Schön = freundlich, liebenswürdig. 1600 *ff.*

Schönwetterbrief *m* Brief, der Besorgnisse ausräumt und Krisen leugnet. 1950 *ff.*

Schönwetterdemokratie *f* Demokratie, die keinen Pessimismus duldet. 1967 *ff.*

Schönwetterflieger *m* Sportflieger. Er fliegt nur bei gutem Wetter. Fliegerspr. 1935 *ff.*

Schönwettermacher *m* Optimist. 1935 *ff.*

Schönwetterpartei *f* politische Partei, die mit optimistischen Ausblicken Wähler fangen will. 1975 *ff.*

Schönwetterpolitiker *m* Politiker, der in Krisenzeiten versagt. 1965 *ff.*

Schönwetterprediger *m* Geistlicher, der sich in salbungsvollen Sprüchen ergeht; milder, vermittelnder Geistlicher. 1950 *ff.*

Schönwetterredner *m* Redner, der Mißstände und Krisen unerwähnt läßt und Optimismus zu verbreiten sucht. Seine beliebteste Wendung lautet: „ich freue mich, sagen zu dürfen, daß . . .". 1960 *ff.*

Schönwettersoldat *m* **1.** Luftwaffenangehöriger; Pilot. *Vgl* ↗ Schönwetterflieger. *Sold* 1935 bis heute.
2. *pl* = Armee, die in der kalten Jahreszeit Winterquartier bezieht. 1978 *ff.*

Schönwettersprüche *pl* optimistische Äußerungen. 1960 *ff.*

Schonzeit *f* **1.** Haft. Der Jägersprache entlehnt. 1920 *ff.*
2. Menstruationstage. 1920 *ff.*
3. Schulferien. 1955 *ff.*
4. Urlaub. *Sold* 1970 *ff.*

Schoof *n* Mädchenklasse, -pensionat; Damenstift *(abf)*. Meint in der Jägersprache die Gänse- oder Entenschar. ↗Gans 1. Seit dem späten 19. Jh, *nordd.*

Schopf *m* **1.** die Gelegenheit beim ~ ergreifen ↗Gelegenheit.
2. sich am ~ nehmen = sich ermannen; der schlechten Laune Herr zu werden suchen. Fußt auf der Lügengeschichte von Münchhausen, der sich am eigenen Schopf aus dem Sumpf zog. 1920 *ff.*

Schöpf *m* **1.** anstrengende Arbeit. ↗schöpfen. *Österr* 1920 *ff.*
2. Arbeit muß sein, soll aber nie in ~ ausarten = arbeiten will ich ja, aber mich nicht anstrengen. *Österr* 1920 *ff.*

schopfen *tr* jn an den Haaren reißen. Schopf = Haarschopf. 1800 *ff.*

schöpfen *intr* angestrengt arbeiten; sich abmühen. Gehört zu „schaffen", gekreuzt mit „erschöpft machen". *Österr* 1920 *ff.*

Schöpfer *m* da kannst du deinem ~ danken: Redewendung, wenn einer unverdient oder wider Erwarten Glück gehabt oder ohne eigenes Zutun einen Vorteil eingeheimst hat. 1800 *ff.*

Schöpflöffel *m* den Verstand mit dem ~ gegessen haben = klug, schlau sein. Der Schöpflöffel faßt eine große Menge. 1900 *ff.*

Schöpfungstag *m* belebt wie am siebten ~ = voller Menschengewimmel; starken Andrang verzeichnend. 1900 *ff.*

schöppeln *intr* trinken. Der Schoppen als Hohlmaß faßt ½ Liter. Seit dem 18. Jh.

schoppen *tr* **1.** mästen. *Oberd* Nebenform zu „schupfen = schieben". Man schiebt die Speise in den Mund. „Schopper" nennt man die Teignudeln für die Mast. 1700 *ff.*
2. stoßen, hineinstopfen. *Oberd* 1700 *ff.*
3. jm eine ~ = jm einen heftigen Schlag versetzen. *Oberd* seit dem 19. Jh.
4. *intr* = ausgiebig zechen. ↗schöppeln. Seit 18. Jh.

Schoppen *pl* ~ stechen = zechen. Meint eigentlich „mit dem Stechheber Schoppen aus dem Faß ziehen"; von da weiterentwickelt zu „austrinken". Seit dem 19. Jh.

Schoppenbläser *m* Trinker. ↗blasen. 1900 *ff.*

Schoppenschwenker (-stecher) *m* Weintrinker; Trinker; eifriger Stammtischler. ↗Schoppen. Seit dem 19. Jh.

Schoppenschwenkerei (-stecherei) *f* Trinklust. Seit dem 19. Jh (1850 Marx – Engels).

Schöps *m* **1.** einfältiger, dummer Mann; Betrugsopfer. Meint eigentlich den verschnittenen Schafbock; *vgl* ↗Hammel 1. 1500 *ff.*
2. alter Verliebter. Analog zu ↗Bock 22. Seit dem 19. Jh.
3. minderwertiges Bier. Eigentlich ein Markenbier (Breslauer, Schweidnitzer Bier). Von der Zeu-

gungsunfähigkeit (im Sinne von „↗Schöps 1") übertragen zur allgemeinen Wertlosigkeit. 1900 *ff.*

Schöpsdrehe *f* ~ kriegen = beim Tanzen schwindlig werden. Anspielung auf die Drehkrankheit der Schafe. 1930 *ff.*

Schöpsernes *n* Hammelfleisch. *Österr* seit dem 19. Jh.

Schore *f* **1.** minderwertige Ware; gestohlene Ware; Ware. Nebenform zu ↗Sore. *Rotw* 1750 *ff.*
2. ~ machen = Straßenprostituierte sein. *Vgl* das Folgende. *Westd* 1920 *ff.*

schoren *v* **1.** *intr* = auf Männerfang ausgehen. In Westdeutschland soviel wie „ernten". 1920 *ff.*
2. *tr* = stehlen. Im 19. Jh aus der Zigeunersprache übernommen.
3. *tr* = vom Mitschüler abschreiben. Gilt im Sinne des Vorhergehenden als geistiger Diebstahl. *Mitteld* seit dem späten 19. Jh.
4. *tr* = umgraben. Gehört zu „Pflugschar". 1700 *ff.*

Schores *m* Nutzen, Gewinn; Geschäft mit Übervorteilung. ↗Beschores. Seit dem 18. Jh.

Schorle *n* Mischgetränk aus Weißwein und kohlensäurehaltigem Mineralwasser (saurer ~) oder Limonade (süßer ~); „Gespritzter"; „Achtel gespritzt". Verkürzt aus dem Folgenden. *Österr* 1930 *ff.*

'Schorle'morle *n* Weißwein mit kohlensäurehaltigem Mineralwasser. Fußt auf *südd* „schuren = sprudeln" und „Schurimuri = jäh aufbrausender Mensch; lebhaftes Kind". Wohl durch Studenten verbreitet. Etwa seit dem frühen 18. Jh.

Schornstein *m* **1.** Zylinderhut. Anspielung auf Form und Farbe der *trad* Kopfbedeckung des Schornsteinfegers. Seit dem 19. Jh.
2. den ~ fegen = koitieren. 1900 *ff.*
3. den richtigen ~ finden = eine gewinnbringende Industrieaktie erwerben. 1955 *ff.*
4. das Geld fliegt aus dem ~ = das Geld wird vergeudet. 1930 *ff.*
5. durch den ~ gehen = verbrannt werden (auf Leichen im Krematorium oder im Konzentrationslager bezogen). 1920 *ff.*
6. durch den ~ geraucht werden = im Krematorium verbrannt werden. 1920 *ff.*
7. jn durch den ~ jagen = jds sterbliche Überreste im Krematorium verbrennen. 1920 *ff.*
8. wie ein ~ rauchen = ein starker Raucher sein. Seit dem 19. Jh.
9. der ~ raucht = das Geschäft geht gut. 1700 *ff.*
10. der ~ muß rauchen = ohne Geld läßt sich nicht leben. 1700 *ff.*
11. wovon soll der ~ rauchen? = wie soll man sein Auskommen haben? Seit dem 19. Jh.
12. etw in den ~ schreiben = etw verloren geben; auf Rückzahlung nicht mehr rechnen. ↗Rauch 10. Seit dem 18. Jh.
13. den ~ umlegen = koitieren. Schornstein = erigierter Penis. 1900 *ff.*

Bei den Herren, deren Haupt von einem **Schorn-steinfegerhelm** *geziert wird, handelt es sich nicht um Vertreter dieser Zunft. Die etwas antiquierte Form ihrer Kopfbedeckung entspricht allerdings durchaus dem System, das sie repräsentieren. Mit den Schorn-steinfegern, zu deren Berufskleidung der Zylinder*

einst gehörte, haben diese Herrschaften jedoch gemein, daß in beiden Fällen der Hut den Stand anzeigt, was übrigens auf die Zeit hinweist, in der diese Wortschöp-fung entstand: Anfangs des 20. Jahrhunderts kam der Zylinder langsam aus der Mode und ließ sich so eher einer bestimmten Berufsgruppe zuordnen.

14. der ~ zieht nicht = man hat Stockschnupfen. 1930 *ff.*

Schornsteinfegerhelm *m* Zylinderhut. Benannt nach der früher berufsüblichen Kopfbedeckung des Schornsteinfegers. 1900 *ff.*

Schornsteinfegermütze *f* Zylinderhut. 1900 *ff.*

schorren *intr* auf dem Eis gleiten; Schlittschuh lau-fen. Verwandt mit „scheuern = reibend über etw hinfahren". *Nordd* seit dem 19. Jh.

Schorsch *f* schlechteste Leistungsnote. Volkstümliche Form des männlichen Vornamens Georg. Das Zahlzeichen 6 ähnelt in der Form dem Großbuchstaben G. 1955 *ff, schül.*

Schorzettel *m* Täuschungsmittel des Schülers. ↗schoren 3. *Mitteld* seit dem späten 19. Jh.

Schose *f* **1.** Sache, Angelegenheit. Eingedeutschte Schreibweise für *franz* „chose". Seit dem 18. Jh.
2. flaue ~ = langweilige, mißlungene Veranstaltung. 1930 *ff.*
3. die ganze ~ = das alles. Seit dem 19. Jh.
4. wir werden die ~ schon schaukeln = wir werden die Sache bestens bewerkstelligen. Variante zu „wir werden das ↗Kind schon schaukeln". Zehrt von der Freude am Stabreim. 1930 *ff.*
5. das ist tutte wie ~ = das ist einerlei. Entstellt aus *franz* „toute la même chose". 1910 *ff.*

Schoß *m* **1.** die auf dem ~, und ich hätte Plattfüße: Redewendung angesichts einer sehr beleibten Frau. 1930 *ff,* Berlin.
2. es fällt ihm in den ~ = er bekommt es mühelos. Hergenommen vom Apfel (o. ä.), der einem unerwartet in den Schoß fällt. Seit dem 19. Jh.

Schößlinge *pl* ~ ziehen = Nachwuchs zeugen. Schößling ist der junge Trieb einer Pflanze. 1920 *ff.*

Schote *f* **1.** gute sportliche Leistung; Tortreffer beim Fuß-, Handballspiel. Stammt aus der Botanik: Schoten brechen mit einem Knall auf. Daraus weiterentwickelt zu einer Analogie zu „↗Knaller", auch zu „↗Bombe 5". 1936 *ff.*
2. Geistesblitz, Glanzstück. 1955 *ff, halbw.*
3. Anzüglichkeit. Als Kern einer Bemerkung ähnelt sie der Hülse, die den Samen birgt. 1930 *ff.*
4. fingierter Befehl. Als Glanzstück ist er ein ↗„Knaller". *BSD* 1960 *ff.*
5. Aussichtslosigkeit. Wohl von der leeren Hülse hergenommen. 1940 *ff.*
6. Vulva. Formähnlich mit der Schote von Hülsenfrüchten = in Westdeutschland Bezeichnung für das Geschlechtsteil des Mutterschweins. 1920 *ff.*
6 a. weibliche Person. *Vgl* das Vorhergehende. 1920 *ff.*
7. Feldmütze. Tarnausdruck. Sie ähnelt der Vulva; *vgl* ↗Fotze 5. *Sold* 1939 *ff.*
8. *pl* = Prügel, Ohrfeigen. ↗Knallschote. 1920 *ff.*
9. unerhörte ~ = sehr sympathisches Mädchen. Versteht sich nach „↗Schote 6 a", vielleicht auch mit Anspielung auf die hübsche Kleidung (Schote = Hülse = Schale = Kleidung). *Halbw* 1955 *ff.*
10. das bringt ~n = das ist eine großartige Sache. *BSD* 1960 *ff.*
11. ~n reißen = Geistesblitze von sich geben (auch *iron*). ↗Schote 2. 1955 *ff, halbw.*
12. mit ~n schmeißen = durch geistvolle, witzige Bemerkungen glänzen wollen. 1955 *ff, halbw.*

Schott *n* **1.** *pl* = Augenlider. Meint eigentlich die Innenwände auf Schiffen zwecks wasserdichter Abtrennung einzelner Teile. *Marinespr* 1890 *ff.*
2. ~ dicht! = Tür zu! *Sold* 1935 *ff.*

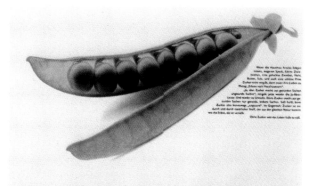

Die Erbse liebt den Zucker.

Wenn die Schote geplatzt ist, liebt die Erbse vielleicht den Zucker und eventuell auch der Zucker die Erbse, niemand jedoch die **Schote***, die, nachdem sie ihre Früchte in die Konservenbüchse entlassen hat, sich gleichsam selbst aller Existenzberechtigung beraubt. So gilt zwar der Moment, da sie sich mit einem leichten Knall öffnet und die in ihr verborgenen Früchte offenbart, als Sinnbild einer außerordentlichen Leistung (***Schote 1., 2.***), danach aber, entleert, meint Schote umgangssprachlich nur noch eine aussichtslose Unternehmung (***Schote 5.***).*

3. die ~en biegen sich = es lügt oder prahlt einer. Analog zu „lügen, daß sich die ↗Balken biegen". *Marinespr* 1900 *ff.*
4. die ~en dichtmachen = a) schlafen gehen. ↗Schott 1. *Marinespr* 1890 *ff.* – b) kapitulieren. *Sold* 1939 *ff.* – c) verstummen; keine Auskunft erteilen. 1950 *ff.* – d) den Betrieb einstellen. 1955 *ff.*
5. jm vor das ~ hauen = jm ins Gesicht schlagen. Von den Augenlidern erweitert auf das ganze Gesicht. *Marinespr* 1935 *ff.*
5 a. die ~en öffnen = ein Geständnis ablegen. 1950 *ff.*
6. einer Sache ein ~ vorsetzen = einer Sache Einhalt gebieten. 1920 *ff.*
7. an die ~en kommen = arbeiten. „Schotten" nennt man im *Rhein* den Kleinschlag (Schotter) für Landstraßen. 1935 *ff.*

Schotte *m* **1.** ~ mit Röckchen = Scotch Whisky on the rocks. Wortwitzelei. 1960 *ff.*
2. einen ~n verhaften = einen Whisky trinken. 1900 *ff.*

schottenfellen *intr* Ladendiebstahl begehen. *Vgl* das Folgende. *Rotw* 1830 *ff.*

Schottenfeller *m* Laden-, Marktdieb. Zusammengesetzt aus „Schotte = fester Verschlag" und „fillan = berauben". *Rotw* 1735 *ff.*

Schottenkino *n* Fernsehgerät. Gehört zu der Vorstellung vom sprichwörtlichen Geiz der Schotten: man spart das Geld für Kinobesuch. *BSD* 1960 *ff.*

Schottenpreise *pl* niedrige Preise. Anspielung auf die Schotten, die als sehr sparsam gelten. 1970 *ff.*

Schotter *m* Kleingeld. Analog zu „↗Kies", „↗Bims" u. ä. *Österr* seit dem frühen 20. Jh; seit dem „Anschluß" Österreichs (1938) nordwärts vorgedrungen; sehr verbreitet in der Bundeswehr.

Schottischer *m* einen Schottischen verhaften = einen Whisky trinken. ↗Schotte 2. 1900 *ff.*

Schraffel *n* Versager o. ä.; grobes Schimpfwort. Meint eigentlich das „Abgeschrappte" und weiter den Abschaum. 1800 *ff.*

schräg *adj* **1.** unehrlich, verdächtig, verbrecherisch; anrüchig; leichtlebig; prostituierend. Beruht auf der Vorstellung von der schiefen Bahn als Sinnbild des Verkommens, des sittlichen Abgleitens; auch die Vorstellung des unaufrichtigen, verstohlenen Blicks mag eingewirkt haben. 1910 *ff.*
2. homosexuell, lesbisch. 1910 *ff.*
3. musikalisch außerhalb des Gewohnten. Aufgekommen im Zusammenhang mit Fritz Schulz-Reichel, der mit seinem Schallplattenproduzenten das Pseudonym „schräger Otto" aushandelte: Schulz-Reichel spielte seine ersten Melodien auf einem verstimmten Klavier und ging später dazu über, Klaviere zu verstimmen, um ihnen die gewünschte Klangfarbe zu geben (laut Auskunft des Hessischen Rundfunks). 1925 *ff.*
4. halb zutreffend; halbrichtig; oberflächlich. 1950 *ff.*
5. betrunken. Der Bezechte torkelt, geht schräg. Etwa seit 1830 *ff.*
6. schräg-à-vis = schräg gegenüber. Halb eingedeutscht aus *franz* „vis-à-vis = gegenüber". Seit dem späten 19. Jh.
7. jn ~ anquatschen = jn unhöflich ansprechen. Analog zu ↗links 6. 1930 *ff.*
8. ~ denken = nicht folgerichtig urteilen; unsinnige Ansichten vertreten. Der Betreffende ist „schräg = betrunken" oder denkt „schief". 1870 *ff.*
9. jm ~ von der Seite kommen = jn heimtückisch verleumden, beim Vorgesetzten in Mißkredit bringen. 1930 *ff.*
10. ~ liegen = unzuverlässig sein; kein Vertrauen verdienen. ↗schräg 1. 1920 *ff.*
11. ~ spielen = Jazzmusik spielen; zu modernen Tänzen aufspielen. ↗schräg 3. 1925 *ff.*
12. ~ werden = verrückt werden. Der Verrückte ähnelt dem Betrunkenen. 1930 *ff.*

Schragen *m* **1.** Operationstisch. Eigentlich das Gestell zum Holzsägen, auch zum Aufbahren des Sarges. *Sold* 1914 *ff.*
2. alter ~ = hagere Frau. Analog zu ↗Gestell. *Österr* 1920 *ff.*

Schrägheit *f* Anrüchigkeit; Unsittlichkeit; Unredlichkeit o. ä. ↗schräg 1. 1920 *ff.*

Schrägschuß *m* von der Seite ausgeführter Torball. ↗Schuß. *Sportl* 1920 *ff.*

Schramme *f* **1.** sehr schwere Verwundung. Meint eigentlich die Kratz- oder Streifwunde; hier tapfer bagatellisiert. *Sold* in beiden Weltkriegen.
2. Eintragung ins Klassenbuch. Dieser Tadelsvermerk streift nur die Oberfläche: der Schüler nimmt ihn sich nicht zu Herzen. 1960 *ff.*
3. häßliches Mädchen. Kann zu „schrammen" = abstoßen" gehören, auch zu „Schramme = Ritz" mit Anspielung auf die Vulva. *Halbw* 1955 *ff.*
4. stumpfe ~ = einfältiges Mädchen; unsympathisches Mädchen. Stumpf = ohne geistige Interessen; ohne Schwung. *Halbw* 1955 *ff.*

schrämmen *tr* jn ärgern. „Schramme" ist hier die verletzende Bemerkung. 1955 *ff.*

Schrank *m* **1.** großwüchsige, breitschultrige männliche Person. ↗Kleiderschrank. 1930 *ff.*
2. ein ~ von Kerl (ein Kerl wie ein ~) = breitschultriger Mann. 1930 *ff.*
3. breitgebautes Auto. Von der Breitschultrigkeit übertragen. *Halbw* 1955 *ff.*
4. wo soll der ~ hin?: Scherzfrage angesichts eines kraftstrotzenden Mannes. 1950 *ff.*
5. er ist vor den ~ gelaufen = er ist kurz-, flachnasig. Der Stoß mit dem Gesicht gegen einen Schrank hat ihm wohl die Nase eingedrückt (das Nasenbein gebrochen). *BSD* 1960 *ff.*
6. du bist wohl vor den ~ gelaufen?: Frage an einen, der unsinnige Ansichten vertritt. Bei dem Stoß gegen den Schrank hat der Kopf einen Schaden erlitten. 1955 *ff.*

Schränk *m* schwerer Einbruch. ↗Schränker. *Rotw* 1930 *ff.*

Schranke *f* dann ist die ~ runter = dann ist Schluß damit. Hergenommen von der Bahnschranke. 1950 *ff*, halbw.

schrankeln *intr* unruhig sitzen; wankend gehen. Fußt auf dem Adjektiv „schräg" mit Nasal-Infix. Seit dem 14. Jh.

schränken *tr* Türen (Behältnisse) gewaltsam öffnen. ↗Schränker. *Rotw* 1687 *ff.*

schrankenlos *adv* er ist ~ beschränkt = er ist überaus dümmlich. 1920 *ff.*

Schrankenschützer *pl* Bundesgrenzschutz. Anspielung auf die Grenzschranken zum Nachbarland. 1960 *ff.*

Schrankenwärter *m* **1.** Anstandsbegleiter; Vater heranwachsender Töchter. Er bewacht die Schranken des Anstands. 1900 *ff.*
2. *pl* = Bundesgrenzschutz. ↗Schrankenschützer. 1960 *ff.*
3. *pl* = Wachdiensthabende. Sie halten Wache an der Schranke zum Kasernen- oder Depotgelände. *BSD* 1960 *ff.*

Schränker *m* Dieb, Einbrecher. Er feilt zwei Gitterstäbe unten durch, biegt sie dann nach rechts und links kreuzweise (=verschränkt) über die nächsten Stäbe und kriecht durch die Öffnung. *Rotw* 1687 *ff.*

Schrankfigur *f* breitschultriger Mann. ↗Schrank 1. 1950 *ff.*

Schrankkoffer *m* **1.** breitschultriger Mann. Eigentlich der Koffer, in dem die Anzüge wie in einem Schrank Aufnahme finden. *Vgl* ↗Kleiderschrank. *Halbw* 1955 *ff.*
2. Schultern wie ein ~ = breite Schultern. *Halbw* 1955 *ff.*
Schranktyp *m Vgl* Mann mit breiten Schultern. ↗Schrank 1. 1950 *ff.*
Schränkzeug *n* Diebeswerkzeug. ↗Schränker. Etwa seit 1830, *rotw.*
Schrannenfurzer *m* Bürgerausschußmitglied. Schranne = Holzbank. Der Betreffende sitzt auf solch einer Holzbank an der Wand und ist nicht gleichberechtigt mit den Gemeinderäten. *Schwäb* 1900 *ff.*
Schranzendepot *n* höhere Beamtenschaft. Schranz = Hofmann. 1910 *ff.*
Schranzenstall *m* höhere Beamtenschaft. 1910 *ff.*
Schrape *f* Geiziger. Fußt auf „Schrap = Kratze": der Betreffende kratzt sein Geld zusammen und behält es für sich. 1900 *ff, nordd.*
Schrapnell *n* **1.** ältere Frau; betagte Prostituierte. Meint eigentlich das dünnwandige, mit Kugeln gefüllte Explosivgeschoß der Artillerie; hier (analog zu ↗Schachtel, ↗Dose usw.) aufgefaßt als Behältnis zur Aufnahme des Penis. Vielleicht gekreuzt mit „Schabelle = Schemel, Fußbank; auch = weibliche Person". 1900 *ff.*
2. häßliches Mädchen. *BSD* 1960 *ff.*
schrappen *v* **1.** *tr* = schaben, kratzen. Ein *niederd* Wort, wohl lautmalerischen Ursprungs, verwandt mit *engl* „to scrape". 1500 *ff.*
2. *tr intr* = geizen. Man kratzt sein Geld zusammen. *Vgl* ↗Schrape. Seit dem 16. Jh.
3. *tr* = stehlen, rauben. Durch Kratzen bringt man einen Gegenstand an sich. 1500 *ff.*
4. *intr* = schlecht rasieren. Seit dem 19. Jh.
5. *intr* = schlecht Geige spielen. Seit dem 19. Jh.
6. *intr* = tanzen. Man schabt (scheuert) über den Tanzboden. 1840 *ff,* Berlin.
Schrapper *m* **1.** Geiziger. ↗schrappen 2. Seit dem 16. Jh.
2. Herrenfrisör. Verkürzt aus ↗Bartschrapper. Seit dem 19. Jh.
Schrappe'rei *f* **1.** Geiz. Seit dem 16. Jh.
2. Rasieren. Seit dem 19. Jh.
Schrapphexe *f* geizige Frau. ↗Schrappen 2. Seit dem 19. Jh.
Schrap'pier (Endung *franz* ausgesprochen) *m* Geiziger. 1900 *ff.*
schrappig *adj* sparsam aus Geiz. Seit dem 19. Jh.
Schrate *pl* Mannschaften. „Schrat" ist der zottige Waldgeist, auch der Verursacher des Alpdrucks. *BSD* 1965 *ff.*
Schrattel *m* Schwätzer. *Vgl* das Folgende. *Nordd* 1700 *ff.*
schratteln *intr* schwätzen; kreischend reden. Lautmalend hergenommen vom Laut der Ente, der Elster, des Huhns usw. 1700 *ff.*

Schrappen als Bezeichnung für schaben oder kratzen ist vermutlich lautmalerischen Ursprungs (vgl. **schrappen 1.**)*, und insofern wäre es wohl nicht angebracht, jenen die Erdkruste aufreißenden Schaufelbagger im Helmstädter Braunkohlerevier einen* **Schrapper** *zu nennen, denn die Geräusche, die diese Maschine von sich gibt, sind von einer ganz anderen Art. Allerdings kann schrappen auch bedeuten, daß man sich etwas aneignet (vgl.* **schrappen 3.**)*. Unter diesem Gesichtspunkt des Sich-etwas-Zusammenkratzens dann schiene eine solche Titulierung dieser Abraummaschine nicht einmal mehr abwegig.*

Schratz *m* (ungezogenes) Kind. Geht zurück auf *jidd* „scherez = Wurm"; *vgl* ↗Wurm. *Rotw* 1750 *ff,* vorwiegend *oberd.*
Schraube *f* **1.** Frau *(abf)*. Meist in der Verbindung „alte, (olle) Schraube". Fußt wahrscheinlich auf der Vorstellung der ausgeleierten Schraube. Etwa seit 1820/30.
2. Jugenderzieherin *(abf)*. Sie ist wohl ältlich oder von unsympathischen Wesen. *Schül* 1950 *ff.*
3. sportliche Niederlage in Mannschaftswettkämpfen. Gehört zu „schrauben = überfordern". *Österr* 1920 *ff.*
4. ~ ohne Ende = a) Vorgang, dessen Abschluß sich immer weiter hinausschiebt. Meint eigentlich den mit einem Schraubengewinde versehenen Zylinderschaft, der durch seine Drehung ein Zahnrad in stete Umdrehung bringt. Technisches Sinnbild einer endlosen Sache. 1870 *ff.* – b) sehr großwüchsige Frau. ↗Schraube 1. *Halbw* 1950 *ff,* Berlin.
5. dolle (tolle) ~ = verrückter, übermütiger, leichtlebiger Mensch. „Doll" ist eine Schraube, die keinen Halt hat. 1870 *ff.*
6. hoffnungslose ~ = ältliche Frau ohne Heiratsaussichten. 1900 *ff.*
7. kleine ~ = Mensch, der nur Gelegenheitsdieb-

stähle ausführt und sich auch mit geringwertiger Beute begnügt. ↗schrauben. 1945 *ff.*

8. rostige ~ = verwelkte Frau. 1920 *ff.*

9. verdrehte ~ = Frau mit verstiegenen Ansprüchen; Frau mit wunderlichen Angewohnheiten. ↗verdreht. 1840 *ff.*

10. die ~ andrehen (anziehen) = rücksichtslos gegen jn vorgehen; jm arg zusetzen; ein scharfes Verhör abhalten. Lange bewahrte Erinnerung an die Daumen- und Beinschraube der mittelalterlichen Folter. 1900 *ff.*

11. ihm (bei ihm) fehlt eine ~ = er ist nicht recht bei Verstand. Beruht auf der weitverbreiteten Vorstellung vom Gehirn als einem uhrwerkähnlichen Mechanismus. 1900 *ff.*

12. bei ihm ist eine ~ los (bei ihm hat sich eine ~ gelockert; bei ihm ist eine ~ locker; er hat eine ~ locker) = er redet Unsinn. *Vgl* des Vorhergehende. Seit dem 19. Jh.

13. auf ~n stellen = a) sich vorsichtig ausdrükken; zweideutige Ausdrücke verwenden. Man stellt eine Briefwaage, ein physikalisches Gerät o. ä. auf Schrauben, indem man mit äußerster Vorsicht die Waagerechte einstellt. 1500 *ff.* – b) sehr strenge Maßnahmen ergreifen; strenge Maßstäbe anlegen. Seit dem 19. Jh.

14. eine ~ verloren haben = nicht bei Sinnen sein. ↗Schraube 11. Seit dem 19. Jh.

Schraubelhuber *m* Hubschrauber. Wortspielerei, vielleicht *bayr* Ursprungs wegen der Häufigkeit des Familiennamens Huber. *BSD* 1965 *ff.*

schrauben *v* **1.** *tr* = von jm immer bessere Leistungen verlangen; jn überfordern. Geht in abgeschwächter Bedeutung auf die Folterschraube zurück. 1700 *ff. Vgl engl* „to put the screw on".

2. jn um etw ~ = jn erpressen; jm einen überteuerten Preis abverlangen. Man setzt ihm sinngemäß die Daumenschrauben an. 1800 *ff.*

3. jn ~ = jn necken, ärgern; anzügliche Bemerkungen machen. 1600 *ff.*

4. jm eine Zigarre in den Mund ~ = jm eine Zigarre in den Mund stecken. 1900 *ff.*

5. jn geistig höher ~ = jm Fach- und Sachkenntnisse beibringen. 1920 *ff.*

6. sich ~ = sich einer Arbeit entziehen; davongehen. Man entwindet sich der Anforderung. *Österr* seit dem 19. Jh.

7. sich in etw ~ = ein enges Kleidungsstück anziehen. 1955 *ff.*

Schraubendampfer *m* **1.** ältliche Frau; beleibte, wuchtige Frauengestalt. Eigentlich der durch eine Schiffsschraube angetriebene Dampfer. „Dampfer" spielt auf den breiten Körperbau an. Im übrigen eine Weiterführung von „↗Schraube 1". Seit dem späten 19. Jh.

2. Lehrerin. ↗Schraube 2. 1950 *ff, schül.*

3. sich benehmen wie ein alter ~ = weltunerfahren sein. 1950 *ff, schül.*

Schraubendreher *m* Tänzer mit bejahrter Partne-

rin; Eintänzer. Er dreht die „↗Schraube 1". Berlin 1920 *ff.*

Schraubengelehrte *pl* Ingenieure. Sie bekamen ihre (Aus-)Bildung auf der „↗Schraubenpenne". *Stud* 1960 *ff.*

Schraubenhuber *m* Hubschrauber. ↗Schraubelhuber. *BSD* 1965 *ff.*

Schraubenlager *n* **1.** Wohnheim für alleinstehende Frauen; Junggesellinnenwohnheim. ↗Schraube 1. 1950 *ff.*

2. Studentinnenwohnheim. 1950 *ff.*

Schraubenpenne *f* Technische Hochschule. ↗Penne. Schraube und Rad sind gängige Sinnbilder der Technik. *Stud* 1960 *ff.*

Schraubenschlüssel *m* **1.** Mittel, um einem Notstand o. ä. abzuhelfen. 1933 *ff.*

2. du brauchst wohl einen ~?: Frage an einen, der nicht bei Verstand zu sein scheint. Im Gehirn des Betreffenden „ist eine Schraube locker" (↗Schraube 12). 1900 *ff*, lehrerspr. und *schül.*

Schraubenschlüsselträger *pl* Technische Truppe. Der Schraubenschlüssel ist eines der wichtigsten Werkzeuge. *BSD* 1965 *ff.*

Schraubenschlüsselverein *m* Technische Truppe. *Vgl* das Vorhergehende. *BSD* 1965 *ff.*

Schraubenzähler *pl* Technische Truppe. Spottbezeichnung. *BSD* 1965 *ff.*

Schraubenzieher *m* **1.** *pl* = Schläfenlöckchen der orthodoxen Juden. *Vgl* ↗Korkenzieherlocken 2. Spätestens seit 1900, *österr.*

2. *sg* = Wodka mit Fruchtsaft. Er zieht sogar „alte Schrauben" (↗Schraube 1) an. 1939 *ff, sold* und *ziv.*

3. *sg* = unsympathisches Mädchen. Wohl Verstärkung von „↗Schraube 1". 1955 *ff, halbw.*

Schraube'rei *f* Anzüglichkeit. ↗schrauben 3. 1800 *ff.*

Schraubhuber *m* Hubschrauber. Wortspielerei. ↗Schraubelhuber. *BSD* 1965 *ff.*

Schraubstock *m* **1.** sehr kräftiger Händedruck. 1920 *ff.*

2. Hände haben wie ein ~ = sehr viel Kraft in den Händen haben. 1920 *ff.*

Schraubstock-Handschlag *m* sehr kräftiger Händedruck. 1920 *ff.*

Schraufen *f* **1.** verlebte, verwahrloste, liederliche Frau. *Oberd* Nebenform zu „↗Schraube 1". 1900 *ff.*

2. sportliche Niederlage. ↗Schraube 3. *Österr* 1920 *ff.*

schraufen *refl* sich einer Sache entziehen; sich zurückhalten. *Oberd* zu „↗schrauben 6". 19. Jh.

Schrebergarten *m* quer durch den ~ ↗quer 7.

Schrebergärtenpiloten *pl* Heeresflieger. Anspielung auf die geringe Flughöhe. *BSD* 1965 *ff.*

Schrebergärtner *m* geistiger ~ = geistesbeschränkter Mensch; Halbgebildeter. Der Schrebergärtner ist Amateurgärtner und besitzt nur einen kleinen Garten. 1930 *ff.*

Schreck *m* **1.** ach du ~ (du mein; du lieber ~)!: Ausruf des Erschreckens bei unliebsamer Feststellung. Fußt auf dem Schlagertext „ach mein Schreck, meine liebe Hulda ist weg". Berlin, etwa seit 1880.

2. ~ in der Abendstunde (Morgenstunde): Redewendung angesichts eines unangenehmen Vorfalls, einer schlechten Nachricht. Stammt wahrscheinlich aus dem Deutsch der Kartenlegerinnen. 1940 *ff*.

3. ~ in der Morgenstunde = Wecken. *BSD* 1960 *ff*.

4. jm einen schönen ~ unters Hemd brausen (o. ä.) = jm Schrecken einjagen. *Vgl* ↗ schön 1 und 2. 1930 *ff*.

5. einen gelinden ~ kriegen = sich sehr wundern. 1900 *ff*.

6. ~ (o~), laß nach!: Ausruf der Unerträglichkeit, der Verzweiflung. ↗ Schmerz 2. 1910 *ff*.

7. ihm sitzt der ~ noch in den Knochen = er hat den Schreck noch nicht überwunden. 1900 *ff*.

schreckbar *adj* schreck-, furchterregend. Das Adjektiv verhält sich zu „schrecklich" wie „furchtbar" zu „fürchterlich". Seit dem 19. Jh.

Schreckenskammer *f* Abteilung einer Kunstausstellung mit hochmodernen Werken. Eigentlich eine Jahrmarktbude, in der man das Gruseln lernen kann. Im ausgehenden 19. Jh aufgekommen, vielleicht von Max Liebermann geprägt (zumindest von ihm häufig gebraucht).

Schreckensschrei *m* Weckruf. Der Schlafende wird aufgeschreckt. *BSD* 1965 *ff*.

Schreckhorn *n* herrschsüchtige Frau eines Mannes in führender Stellung. Vom Namen eines Bergs in den Berner Alpen übertragen mit Anspielung auf die laute, herrische Stimme. 1850 *ff*.

schrecklich *adv* sehr. ↗ furchtbar. 1600 *ff*.

Schreckmunition *f* mit ~ arbeiten = etw schlimmer darstellen, als es ist. 1930 *ff*.

Schreckschraube *f* **1.** unbeliebte Frau. Sie ist eine „↗ Schraube 1" von furchteinflößender Wesensart. Seit dem späten 19. Jh.

2. häßliche Frau. 1890 *ff*.

Schreckschraubendampfer *m* unausstehliche ältere Frau. Zusammengesetzt aus „↗ Schreckschraube" und „↗ Schraubendampfer". 1950 *ff*.

Schreckschuß *m* **1.** warnende Maßnahme; Äußerung, über die man erschrickt. Eigentlich der Warnschuß. 1930 *ff*.

2. unsympathisches Mädchen. Es wirkt abschreckend. *Halbw* 1955 *ff*.

3. jm einen ~ vor den Bug setzen = jn unter Androhung von Nachteilen warnen. Der Seekriegsführung entlehnt. *Vgl* ↗ Schuß 16. 1900 *ff*.

Schrei *m* **1.** allerletzter ~ = allerjüngste Modeneuheit; allerjüngste Neuerung. ↗ Schrei 3. 1950 *ff*.

2. erster ~ = morgendlicher Weckruf in der Kaserne. *Vgl* ↗ Schreckensschrei. 1900 *ff*.

3. letzter ~ = letzte Modeneuheit; jüngste Neu-

erung. Gegen 1870 lehnübersetzt aus *franz* „le dernier cri" (*engl* „the latest cry"), wohl wegen der in den Straßen von Paris schreiend ihre Waren anpreisenden Verkäufer.

4. neuester ~ = letzte Modeneuheit; neu eingeführtes Verfahren im Betriebsablauf. 1950 *ff*.

Schreibbulle *m* **1.** Schreibstubensoldat. ↗ Bulle 1. *Sold* 1910 bis heute.

2. Polizeibeamter im Innendienst. 1960 *ff*.

Schreibe *f* **1.** Schreibgerät. *Schül* seit dem frühen 20. Jh.

2. Schreibweise; Stil im schriftlichen Ausdruck. Vielleicht von Friedrich Theodor Vischer (1807–1887) geprägt: „eine Rede ist keine Schreibe".

3. Zeitungsartikel; Schriftstück. 1900 *ff*.

4. Spielstand beim Skat o. ä. Meint das Angeschriebene. 1930 *ff*, *österr*.

4 a. flotte ~ = a) schwungvoller Schreibstil. 1910 *ff*. – b) Kurzschrift. 1970 *ff*.

5. nach der ~ sprechen = Schriftdeutsch sprechen. *Schül* 1940 *ff*, *österr*.

6. bei jm in der ~ stehen = bei jm Schulden haben. Schreibe = Schreibkladde, Schuldnerliste. Parallel zu „bei jm in der ↗ Kreide stehen" (↗ Kreide 13). *Österr* 1950 *ff*.

7. es ist nicht der ~ wert = es ist unbedeutend. Nachgebildet der Redewendung „es ist nicht der Rede wert". 1960 *ff*.

Schreibebrief *m* Brief, Schreiben. 1850 *ff*.

schreiben *v* **1.** wer schreibt, der bleibt: Redewendung, mit der man beim Kartenspiel den Anschreibenden scherzhaft der Unehrlichkeit bezichtigt, zumal wenn er Endsieger wird. Meint eigentlich „Schriftliches bindet rechtlich". Kartenspielerspr. 1900 *ff*.

2. dir haben sie wohl geschrieben?: Frage an einen, der unsinnig redet oder handelt. Anspielung auf einen Strafbefehl o. ä., der dem Betreffenden die Fassung geraubt hat. 1920 *ff*.

3. in der I. Kompanie gibt's einen, der kann ~!: Redewendung an einen, der sich gegen eine Niederschrift der Meldung sträubt. Geht wahrscheinlich auf einen Ostfriesenwitz zurück. 1971 *ff*, *BSD*.

4. wie schreibt er sich? = wie heißt er? Seit dem 19. Jh.

5. es schreibt sich „von" = es ist ausgezeichnet. Von der Schreibweise der Adelsnamen hergenommen: Adel gilt als hervorragend. 1900 *ff*.

Schreiber *m* darüber schweigt des ~s Höflichkeit = das verschweigt der Schreiber. Nachahmung von „darüber schweigt des ↗ Sängers Höflichkeit". 1920 *ff*, *journ*.

Schreiberhengst *m* Büroangestellter; Schreibstubendienstgrad. ↗ Hengst 1. 1870 *ff*.

Schreiberling *m* **1.** Schriftsteller, Journalist o. ä. *(abf)*. 1500 *ff*.

2. Schreibgerät. *Schül* 1950 *ff*.

Einer, der sein Geld mit Schreiben verdient, wird um-
*gangssprachlich zum Schreiberling (**Schreiber-***
***ling 1.**), selbst wenn er so vertrauenswürdig aussehen*
sollte, wie der sich diesem Handwerk widmende ältere
Herr auf dem Foto oben. Das daraus sprechende
Mißtrauen dem geschriebenen Wort gegenüber beruht
nicht zuletzt darauf, daß dieses käuflich ist, und der
*Literat seine **Schreiberseele** nicht selten dem ver-*
spricht, der ihm am meisten dafür bietet. Noch
*schlechter kommt indes der **Schreibtischtäter** weg.*

Schreiberseele *f* **1.** Bürokrat. ↗Aktenseele.
   1870 *ff.*
   2. zu Schreibstubendiensten abkommandierter
   Soldat. *Sold* 1870 *ff.*
   3. Journalist *(abf).* 1920 *ff.*
Schreibeschrift *f* Handschrift. Zum Unterschied
   von der Druckschrift. Wien 1945 *ff, schül.*
Schreibfehler *m* schlechte Zeugnisnote. Euphemismus. 1900 *ff.*
Schreibgalopp *m* Kurzschrift. Um 1900 wahrscheinlich als Witzwort im „Simplizissimus" aufgekommen.
Schreibgelump *n* Schreibzeug *(abf).* ↗Gelump.
   Bayr 1955 *ff, schül.*
Schreibhengst *m* Büroangestellter. ↗Hengst 1.
   1920 *ff.*
Schreibklavier *n* Schreibmaschine. 1910 *ff.*
Schreibknecht (Schreiberknecht) *m* untergeordneter Büroangestellter. Seit dem 15. Jh.
Schreibkram *m* **1.** Briefwechsel; Niederschrift;
   amtlicher Schriftverkehr. ↗Kram. 1900 *ff*
   2. Schreibzeug. *Schül* 1920 *ff.*

Schreibmädchen *n* Stenotypistin. 1920 *ff.*
Schreibmagd *f* Stenotypistin. Sie ist das weibliche
   Gegenstück zum „↗Schreibknecht". 1930 *ff.*
Schreibmaschine *f* **1.** unbeliebte, diensteifrige
   Stenotypistin. Ihr Verhalten ist unpersönlich und
   förmlich. 1920 *ff.*
   2. Schreibgerät (Bleistift, Kugelschreiber usw.).
   1920 *ff.*
   3. Maschinengewehr. Wegen der schnellen Schußfolge und des ratternden Klangs erinnert es an die
   Schreibmaschine. *Sold* 1914 bis heute.
   4. Maschinenpistole. *BSD* 1960 *ff.*
   5. die ~ kitzeln = vor der Schreibmaschine sitzen
   und nicht wissen, was man schreiben soll. Gemeint ist, daß man sie wie einen Menschen streichelt und kitzelt, damit sie Ersprießliches von sich
   gebe. 1920 *ff.*
Schreibmaschinenfräulein *n* Maschinenge-
   wehrschütze. Euphemistische Ironie. ↗Schreib-
   maschine 3. 1914 *ff.*
Schreibmaschinenverbrecher *m* Journalist.
   Dem „↗Schreibtischtäter" nachgebildet. 1960 *ff.*
'Schreibmaschi'nistin *f* Stenotypistin. 1920 *ff.*
Schreibmuffel *m* Mann, der nicht mit der Hand
   schreibt; säumiger Briefbeantworter. ↗Muffel.
   1969 *ff.*
Schreibstubenbulle *m* Schreibstubensoldat.
   ↗Bulle 1. 1900 *ff.*
Schreibstubenheini *m* Schreibstubensoldat.
   ↗Heini 1. 1935 *ff.*
Schreibstubenhengst *m* Schreiber im Kompa-
   nie-Geschäftszimmer. ↗Hengst 1. *Sold* 1900 bis
   heute.
Schreibstubenkuli *m* Schreibstubensoldat. ↗Ku-
   li. *Sold* 1935 *ff.*
Schreibstubenlöwe *m* herrischer Leiter eines
   Geschäftszimmers. *Sold* 1939 *ff.*
Schreibstuben-Nahkampfspange *f* Kriegsver-
   dienstkreuz. Spottwort. *Sold* 1939 *ff.*
Schreibstubenonkel *m* Schreibstubendienstgrad.
   ↗Onkel. *Sold* 1939 *ff.*
Schreibstubenorden *m* Kriegsverdienstkreuz.
   Sold 1939 *ff.*
Schreibstuben-Sturmkampfabzeichen *n* an
   Nicht-Frontsoldaten verliehenes (unverdientes)
   Kriegsverdienstkreuz. *Sold* 1939 *ff.*
Schreibstubenwanze *f* Schreibstubenbedienste-
   ter *(abf).* Man empfindet ihn als lästiges Ungezie-
   fer. *Sold* 1939 *ff.*
Schreibtisch *m* **1.** ~ des Ruhrgebiets = Düssel-
   dorf; Essen. Hier befinden sich die Verwaltungen
   von sehr vielen führenden Firmen des Ruhrge-
   biets. 1955 *ff.*
   2. er bindet sich mit der Krawatte am ~ fest: Redewendung auf einen saumselig tätigen Beamten.
   Man nimmt spöttisch an, er binde sich mit der
   Krawatte am Schreibtisch fest, damit er während
   des Büroschlafs nicht vom Stuhl fällt. 1970 *ff.*
Schreibtischakrobat *m* **1.** Generalstabsoffizier.

Er vollführt turnerische Kunststücke mit den Akten. *Sold* in beiden Weltkriegen.
2. Bürotätiger. 1930 *ff.*
Schreibtischathlet *m* Bürokrat. 1930 *ff.*
Schreibtischfett *n* Dicklichkeit infolge sitzender Tätigkeit. 1960 *ff.*
Schreibtischflieger *m* Pilot, der nur noch im Verwaltungsdienst tätig ist. *BSD* 1960 *ff.*
Schreibtischgangster (Grundwort *engl* ausgesprochen) *m* Wirtschaftsstraftäter. ↗ Weiße-Kragen-Kriminalität. 1965 *ff.*
Schreibtischganove *m* Wirtschaftskrimineller. ↗ Ganove. 1965 *ff.*
Schreibtischhengst *m* Bürobediensteter. ↗ Hengst. 1900 *ff.*
Schreibtischherz *n* **1.** Herzverfettung infolge sitzender Tätigkeit und geringen Arbeitseifers. 1950 *ff.*
2. Mangel an Einsicht in Notwendigkeiten des praktischen Alltagslebens. 1950 *ff.*
Schreibtischkapitän *m* Marineoffizier im Verwaltungsdienst. 1960 *ff.*
Schreibtischler (Schreib-Tischler) *m* Journalist, Vielschreiber. 1920 *ff.*
Schreibtischle'rei *f* Arbeitszimmer eines Vielschreibers. 1920 *ff.*
Schreibtischmensch *m* Mensch, der am Schreibtisch arbeitet. 1920 *ff.*
Schreibtischmord *m* Massenmord, der vom Schreibtisch aus organisiert wird. Aufgekommen gegen 1955/60 im Zusammenhang mit den Schwurgerichtsverhandlungen gegen verantwortliche Organisatoren und Gehilfen der Massenvernichtungen in der NS-Zeit.
Schreibtischmörder *m* Mann, der durch einen Verwaltungsakt (Massen-)Mord anordnet oder dazu Beihilfe leistet. 1955/60 *ff.*
Schreibtischprolet *m* untergeordneter Büroangestellter. 1920 *ff.*
Schreibtischschule *f* Logistikschule der Bundeswehr. Vorwiegend wird Theorie gelehrt. *BSD* 1960 *ff.*
Schreibtisch-Seelsorger *m* Militärpfarrer, der nie Wehrdienst geleistet hat. *BSD* 1965 *ff.*
Schreibtischsoldat *m* zu Geschäftszimmerdiensten abkommandierter Soldat. *Sold* seit 1939.
Schreibtischspeck *m* Beleibtheit infolge sitzender Tätigkeit. 1960 *ff.*
Schreibtisch-Stratege *m* **1.** Großunternehmer; Leiter eines Konzerns. 1955 *ff.*
2. Dienstgrad im Geschäftszimmer einer Kompanie. 1960 *ff, BSD.*
3. Sendeleiter; Intendant einer Fernsehanstalt. 1960 *ff.*
Schreibtischtäter *m* **1.** Behördenbediensteter, der innerhalb seines Aufgabenbereichs schwere Schuld auf sich lädt; für den Krieg verantwortlicher Minister; für Massenmorde verantwortlicher Funktionär. ↗ Schreibtischmord. 1955/60 *ff.*

2. Bürokrat. 1970 *ff.*
3. Journalist, der Meldungen manipuliert. 1970 *ff.*
Schreibtischverbrecher *m* **1.** Organisator von Massenmorden. *Vgl* ↗ Schreibtischmörder. 1955/60 *ff.*
2. Wirtschaftsverbrecher. 1965 *ff.*
Schrei-Büchse *f* Rundfunkgerät. 1955 *ff.*
Schreie *f* Art des Schreiens. 1950 *ff.*
schreien *v* **1.** es ist zum ~ = es ist überaus erheiternd. Vom Freudenschrei verallgemeinert. 1870 *ff.*
2. wenn hier jemand schreit, bin ich es!: parodistische Äußerung auf einen, der sich das Schreien verbittet. *Sold* 1939 *ff.*
3. die Wände ~ nach Farbe = die Wände benötigen dringend einen (neuen) Anstrich. 1920 *ff.*
schreiend *adj* grellbunt. Die Farbe tut dem Auge weh wie das Schreien dem Ohr. Seit dem 19. Jh.
Schreifritz *m* **1.** „Der Freischütz", Oper von Carl Maria v. Weber. Buchstabenumstellung ohne herabsetzende Absicht. Seit dem späten 19. Jh.
2. Sänger, der mehr laut als wohlklingend singt. Theaterspr. 1900 *ff.*
3. schreiendes Kind. 1900 *ff.*
Schreihals *m* **1.** schreiendes Kind; Schreier. 1600 *ff.*
2. Klassensprecher. *Schül* 1950 *ff.*
3. lautstarker Sänger; Renommiersänger. 1955 *ff.*
Schreikaplan *m* eifernder junger katholischer Geistlicher. Seit dem späten 19. Jh; steht wohl im Zusammenhang mit dem Zwist des preußischen Staates mit der römischen Kurie.
Schreikuchen *m* Kuchen mit sehr wenigen Rosinen. Wenn die Rosinen sich unterhalten wollen, müssen sie schreien. 1930 *ff.*
Schreiling *m* schreiender Säugling; Kind. 1500 *ff.*
Schreinerstochter *f* Mädchen ohne ausgeprägte sekundäre Geschlechtsmerkmale. Scherzhaft sagt man, vorn sei es glatt und hinten gehobelt. 1950 *ff.*
Schreipief *m* eifernder Geistlicher. ↗ Pief. *Vgl* ↗ Schreibkaplan. Seit dem ausgehenden 19. Jh.
Schreisaal *m* Musikzimmer in der Schule. Anspielung auf den Schülerchor. 1960 *ff.*
Schreistil *m* aufpeitschender Reporterstil. 1920 *ff.*
Schreiteufel *m* sehr oft und ausdauernd schreiendes Kind; Kind, das bei geringstem Anlaß schreit. Seit dem 19. Jh.
Schreiviertelstunde *f* Zeit, in der die Schüler der Unterstufe Große Pause haben. 1900 *ff.*
Schreiwanze *f* Schlagersänger(in). 1965 *ff, jug.*
Schreiweib *n* Schlagersängerin. 1965 *ff, jug.*
schrems *adv* schräg, schief, quer. Gehört zu *mhd* „schraemen = biegen, krümmen". *Oberd* seit dem 19. Jh.
Schremse (Schremsen, Schreamsn) *f* Kurve. *Vgl* das Vorhergehende. *Österr* seit dem 19. Jh.
Schrepfer *m* Klassenschlechtester. Übertragen von der Bezeichnung für die Bremse am Wagen. Parallel zu ↗ Bremser 1. 1920 *ff, österr.*

Schrieb *m* Schreiben, Schriftstück, Brief *(abf)*. Gekürzt aus „Geschriebenes". Seit dem 19. Jh.

Schriftgelehrter *m* Graphologe. Eigentlich der Kenner der heiligen Schriften der Juden; hier der Deuter der Handschrift. 1955 *ff.*

Schriftkram *m* amtlicher Schriftverkehr; Verwaltungsarbeit. ↗Kram. 1920 *ff.*

schriftlich *adv* ich gebe es dir ~ = darauf kannst du dich fest verlassen; Ausdruck der Beteuerung. Seit dem 19. Jh.

Schriftstehler *m* Plagiator. 1800 *ff.*

Schriftsteller *m* Querulant, der Behörden mit Eingaben, Beschwerden, Anzeigen usw. behelligt. 1910 *ff.*

schrill *adj* 1. hochmodisch, überelegant; überspannt. Von der Akustik übertragen. *Halbw* 1980 *ff.*
2. unerträglich, unfaßbar. 1980 *ff.*

Schrille *f* keifende Frau. Schrill = grelltönend. 1955 *ff, halbw.*

Schrippe *f* 1. Weißbrötchen, Semmel. Fußt ablautend auf „↗schrappen = kratzen" und spielt an auf die länglich aufgerissene Kruste (Kratzer). Seit dem späten 18. Jh; beliebte Vokabel vor allem in Berlin.
2. Vulva. Anspielung auf die Ähnlichkeit mit dem länglichen Brötchen. 1870 *ff.*
3. ~ im eigenen Saft = Frikadelle. Anspielung auf reichliche Weißbrotbeimengung. 1930 *ff,* Berlin.
4. alte ~ = alte Frau; alte Prostituierte. ↗Schrippe 2. 1870 *ff.*
5. aufgewärmte ~ = Frikadelle, Fleischklößchen. 1930 *ff.*
6. blonde ~ = a) helles Brötchen. Berlin 1840 *ff.* – b) Dame gesetzten Alters mit hellgefärbtem Haar. 1930 *ff.*
7. gebratene ~ = deutsches Beefsteak. 1900 *ff,* Berlin.
8. scharfe ~ = mannstolle Frau höheren Alters. ↗scharf 4. 1920 *ff.*
9. verzauberte ~ = Frikadelle. Der Zauber besteht darin, daß dieses Brötchen nach Fleisch schmeckt. Berlin 1950 *ff.*

Schrippenarchitekt *m* Bäcker(meister). Berlin 1860 *ff.*

Schrippenchef *m* Bäckermeister. Berlin 1950 *ff.*

Schrippenformer *m* Bäcker. Berlin 1950 *ff.*

Schrippengesicht *n* längliches Gesicht. 1920 *ff.*

Schrippenmechaniker *m* Bäckergeselle. 1870 *ff,* Berlin.

Schrippen-Teutone *m* Spottwort auf den Berliner. *Bayr* 1950 *ff.*

Schrip'pier (Endung *franz* ausgesprochen) *m* Bäker. Berlin 1870 *ff.*

Schritt *m* 1. 23 ~e bis zum Abgrund = Stimmung der Schüler vor Erhalt des Zeugnisses. Fußt auf dem deutschen Titel des 1956 unter der Regie von Henry Hathaway gedrehten amerikanischen Films „23 Paces to Baker Street". *Schül* 1958 *ff.*
1 a. ~ in die richtige Richtung = erfolgversprechende Entscheidung. Geprägt von Bundeswirtschafts- und Finanzminister Karl Schiller (1966–1972).
2. einen guten ~ am Leibe haben = lange Schritte machen; ausdauernd marschieren. „Am Leibe" veranschaulicht das „an sich". Spätestens seit 1900.
3. sich jn 3 ~ vom Leibe halten = einen unsympathischen Menschen auf Abstand halten; sich von jm fernhalten. 1900 *ff.*
4. schon ganz naß im ~ sein = in großer Vorfreude sein; ein nettes Mädchen sehen. Vor gespannter Erwartung näßt man sich ein. 1965 *ff, BSD.*

Schrittling *m* Fuß. Dem *rotw* „↗Trittling" nachgebildet, vielleicht schon in der Wandervogelbewegung des frühen 20. Jhs. *Jug* 1955 *ff.*

Schrittmacher *m* Herz. Das Wort stammt aus dem *Engl* (pacemaker) und wurde über den Radrennsport volkstümlich. Die Bedeutung „Herz" scheint erst nach 1950 aufgekommen zu sein.

Schrittwechsel *m* mit der Zunge ~ machen = stottern. Man macht Schrittwechsel, wenn der eigene Schritt sich dem der anderen anpassen soll; auch bei Tanzfiguren. Dabei muß man entweder doppelt auftreten oder einmal aussetzen. 1925 *ff.*

schröcklich *adj* schrecklich (scherzhaft gemeint). Tritt im eigentlichen Sinn im 17. Jh neben „schrecklich", fußend auf „schröcken" als Nebenform zu „schrecken".

Schroffentrottel *pl* 1. Gebirgsjäger. Schroffen = Felsklippe; jäh abschüssiger Fels. ↗Trottel. *Sold* 1939 *ff.*
2. unsicherer Gebirgswanderer. Gebirgsjägerspr. 1970 *ff.*

Schroffer *m* hochprozentiger Branntwein. Schroff = steil abfallend; barsch abweisend. Im übertragenen Sinne soviel wie „rauh, grob". 1900 *ff.*

schroh *adj* böse, schlecht, widerlich, häßlich. Geht zurück auf *mhd* „schrach, schroch = mager, dürr, rauh, grob". Daraus *gleichbed niederd* „schra". Seit dem 15. Jh.

Schroller *m* 1. Vollzugsbeamter des Finanzamts, der Krankenkasse usw. Geht zurück auf „Schroll = Klumpen, Scholle"; weiterentwickelt zur Bedeutung „handfester, grober Mensch". 1930 *ff.*
2. Finanzbeamter. 1930 *ff.*
3. Gerichtsvollzieher. 1930 *ff.*

schröpfen *tr* jm Geld abnehmen; jn ausbeuten. Hergenommen von „jn zur Ader lassen". Durch Schröpfen wird überflüssiges Blut, durch „Schröpfen" überflüssiges Geld entzogen. Seit dem 16. Jh.

Schröpfius *m* Sankt ~ = Schutzheiliger der Steuerbehörde. Ein unkanonischer Heiliger scherzhafter Erfindung. 1920 *ff.*

Schropp *m* kleiner Junge. Eigentlich Bezeichnung für eine kleine Erhebung. *Österr* 1900 *ff.*

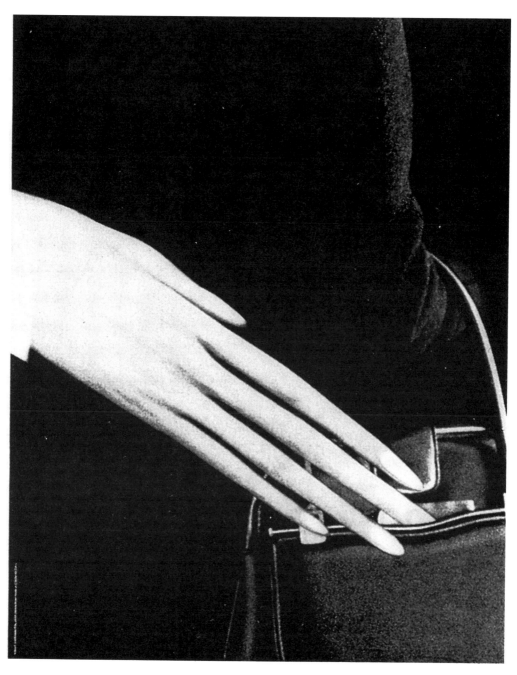

Der Gott der Diebe ist immer noch Hermes-Merkur und nicht der Heilige **Schröpfius**, *denn der ist der Schutzheilige des Finanzamts. Wenngleich das in den meisten Fällen nur die Hand aufhält und keine langen Finger macht, so kann doch auch die auf dem oben wiedergegebenen Plakat gezeigte Methode, jemanden seines Eigentums zu entledigen, getrost als* **schröpfen** *bezeichnet werden. Die Vokabel leitet sich von einem mittlerweile aus der Mode gekommenen Allheilmittel der medizinischen Wissenschaft her: dem Aderlaß. Dabei wurden dem Patienten sogenannte Schröpfköpfe aufgesetzt, denen die Funktion zugedacht war, dem Körper krankes oder überflüssiges Blut zu entziehen.*

Schrot *n m* **1.** Kleingeld. Analog zu ↗ Pulver. Seit dem 19. Jh, kundenspr.

2. Linsen. Formähnlich mit Bleikörnern für Jagdpatronen. *BSD* 1960 *ff.*

3. Mann von altem (echtem) ∼ und Korn = Mann von aufrechter, gediegener Gesinnung. Schrot ist das Münzgewicht, Korn der Feingehalt. Spätestens seit 1700. ↗ Schrot 2. *BSD* 1960 *ff.*

4. *pl* = Graupen. ↗ Schrot 2. *BSD* 1960 *ff.*

Schrotspritze *f* **1.** Schrotflinte. Jägerspr. 1900 *ff.*

2. Gewehr. *BSD* 1960 *ff.*

Schrott *m* **1.** Kriegsschiff veralteter Bauart. Es hat nur noch Alteisenwert. *Marinespr* 1939 *ff.*

2. betagter Mensch. Er gehört zum „alten ↗ Eisen". 1950 *ff, halbw.*

2 a. Versager. 1950 *ff, sportl.*

3. ∼ auf Rädern = altes, betriebsunsicheres Auto. 1950 *ff.*

4. letzter ∼ = a) liederliche, sittenlose weibliche Person. *Halbw* 1950 *ff.* – b) Kläglicher Versager. 1950 *ff.*

5. ∼ bauen = ein Werkstück verderben. 1900 *ff.*

6. ∼ im Körper haben = Geschoßsplitter im Körper haben. *Sold* 1940 *ff.*

7. kein ∼ sein = noch bei besten Kräften sein. 1950 *ff.*

Schrottbaron *m* wohlhabend gewordener Schrotthändler. Dem „↗ Schlotbaron" nachgebildet. 1960 *ff.*

schrotteln *tr* tauschhandeln. Gehört zu „schroten = zermahlen, zerkleinern". 1930 *ff.*

Schrottfabrikation *f* Fahrzeugunfall mit Totalschaden. 1920 *ff.*

Schrotthandel *m* Belebung des ∼s = Kraftfahrzeugunfall, bei dem nur Trümmer übriggeblieben sind. 1955 *ff.*

Schrotthaufen *m* **1.** altes Auto. 1925 *ff.*

2. alter, abständiger Mensch. 1950 *ff.*

3. schwimmender ∼ = altes, nicht mehr hochseesicheres Schiff. 1920 *ff.*

Schrottkarre(-kiste) *f* altes Auto. ↗ Karre; ↗ Kiste. 1925 *ff.*

Schrottkunde *f* Waffeninstandhaltung. *BSD* 1965 *ff.*

Schrottlaube *f* zur Verschrottung vorgesehenes Auto. 1960 *ff.*

Schrottmühle *f* Gebrauchtwagen. ↗ Mühle. 1925 *ff.*

schrubben *tr* **1.** scheuern. Ein *niederd* Wort, ablautende Variante zu „↗ schrappen 1". Seit dem 16. Jh.

2. koitieren. Übertragen von der Hin- und Herbewegung der Scheuerbürste. 1900 *ff.*

3. Gitarre ∼ = Gitarre spielen. „Schrubben" meint in Bezug auf ein Musikinstrument eigentlich „den Baß streichen"; auch lautmalender Natur wie „↗ schollern". 1955 *ff, schül.*

4. jn prügeln. Analog zu ↗ abreiben. Seit dem 19. Jh.

Schrubber *m* **1.** Scheuerbesen. ↗ schrubben 1. 1700 *ff.*

1 a. Jazzbesen. *Jug* 1955 *ff.*

2. gleichmäßig kurzgeschnittenes Haar. 1950 *ff.*

3. geiziger, raffgieriger Mensch. Er „schrappt" sein Eigentum zusammen. Seit dem 19. Jh.

4. häßliche Frau. Vergröberung von ↗ Besen 3. 1900 *ff.*

5. alter ∼ = alte Frau. 1900 *ff.*

6. mit dem ∼ gebürstet sein = nicht recht bei Sinnen sein. Analog zu „↗ bescheuert sein". 1950 *ff.*

7. du bist wohl vom ∼ gesaust?: Frage an einen, der töricht schwätzt oder handelt. 1950 *ff, schül.*

Schrubberfee *f* Putzfrau. Scherzhafte Rangerhöhung. 1960 *ff.*

Schrub'bistin *f* Putzfrau. 1960 *ff.*

Schrubb'töse (Schrub'töse) *f* Putzfrau. Der „Frisöse" o. ä. nachgeahmt. 1960 *ff.*

Schrulle *f* **1.** wunderliche Gewohnheit; seltsamer Einfall. Ein *nordd* Wort, schon im Mittelalter als „Anfall von toller Laune" geläufig. Im 18. Jh wiederaufgelebt.

2. ältliche Frau; wunderliche weibliche Person. 1840 *ff.*

3. unbeliebte ältliche Lehrerin. Seit dem 19. Jh.

4. häßliches Mädchen. *Halbw* 1955 *ff.*

schrullenhaft *adj* wunderlich; festeingewurzelten Angewohnheiten hörig. Seit dem 19. Jh.

schrullig *adj* launisch, wunderlich, eigensinnig. Seit dem 19. Jh.

Schrulligkeit *f* Wunderlichkeit; Eigensinn. Seit dem 19. Jh.

schrum (schrumm) *interj* und damit ∼! = und damit Schluß! Hergenommen vom kräftigen Schlußstrich mit dem Bogen auf einem Saiteninstrument. 1910 *ff*, Berlin.

Schrumme *f* wuchtige ∼ = hervorragende sportliche Leistung; heftiger Boxhieb; unhaltbarer Tortreffer. „Schrumm" steht lautmalend für einen rauhen, plötzlichen Laut. *Sportl* 1950 *ff.*

schrumm-schrumm machen Gitarre spielen. 1900 *ff.*

Schrump *f* Baßgeige. Schrumpen = auf einer Saite tiefe Klänge hervorrufen. 1900 *ff.*

Schrumpel *f* **1.** Runzel, Gesichtsfalte. ↗ schrumpeln. 1500 *ff.*

2. alte Frau. Seit dem 19. Jh.

schrumpelig *adj* runzlig, faltig. 1500 *ff.*

schrumpeln *intr* Falten bekommen. *Niederd* und *mitteld* Variante zu *hd* „schrumpfen". 16. Jh.

schrumpen *intr* (schlecht) geigen. ↗ Schrump. 1900 *ff.*

Schrumpfgermane *m* **1.** kleinwüchsiger Mensch. Nach dem Muster der indianischen Schrumpfköpfe gebildet, zugleich mit Spott auf den Rassenwahn. Galt seit 1926 als Hohnbezeichnung für Dr. Joseph Goebbels, angeblich von Reichsorganisationsleiter Gregor Strasser geprägt. Vor diesem Jahr war bisher kein Beleg zu finden.

Die Abbildung zeigt einen **Schrumpfkopf**, *der allerdings nicht aus hiesigen Landen stammt, wenngleich die Umgangssprache ja auch den Schrumpfgermanen kennt. In dieser Vokabel steckt viel von dem, was dem deutschen Kleinbürger einst im übergroßen Maße zum Nachteil gereichte: Der Hang zum Großen, seine Deutschtümelei (vgl.* **Schrumpfgermane 1., 2.**), *und die Sehnsucht nach einer nur als verlogen zu bezeichnenden Idylle. Und wer könnte die besser repräsentieren als der Gartenzwerg (***Schrumpfgermane 3.***). Jene Liebe, die diesen Gnomen entgegengebracht wird, richtet sich manchmal auch auf eine* **Schrumpfprinzessin**. *Mario Praz schildert in seinem Buch „Liebe, Tod und Teufel", einem Standardwerk zur „Schwarzen Romantik", die folgende Episode: Der Komponist Hector „Berlioz begegnete eines Abends dem Leichenbegräbnis einer jungen Frau, die bei der Geburt ihres ersten Kindes verstorben war. Es ist bekannt, welche unheimliche Wirkung noch heute von den Florentiner Trauerzügen ausgeht, die abends beim Schein qualmender Fackeln inmitten von kapuzenbedeckten Ordensbrüdern der Misericordia stattfinden. Man vergegenwärtigt sich den Eindruck der Szene auf einen Romantiker, dessen Gehirn voll war von den düstersten Phantasien der Schauerromane. Beim Anblick des Zuges witterte Berlioz ‚Sensationen'. Er behauptete, es sei ihm gelungen zu erreichen, daß der Sarg geöffnet wurde; an der Seite des Leichnams habe er sich einer köstlichen Flut düsterer Meditationen hingegeben, habe sich über die Tote geneigt und ihre Hand umfaßt: ‚wäre ich allein gewesen, so hätte ich sie umarmt!' "*

2. Deutschtümler, der äußerlich nicht nordisch wirkt; Schimpfwort. 1930 *ff.*

3. Gartenzwerg. 1967 *ff.*

Schrumpfkopf *m* uniformierter ~ = Soldat ohne selbständige Geistesregungen. Geht zurück auf eine Äußerung des Wehrbeauftragten des Deutschen Bundestags, Vizeadmiral a. D. Hellmuth Heye, 1964. Gemeint ist, daß Kopf und Gehirn eingetrocknet sind.

Schrumpfprinzessin *f* Mumie einer weiblichen Person. 1960 *ff.*

Schrumps *m* Soldat, der streng gedrillt wird; Soldat, der für das Versagen anderer schikaniert wird. Gehört wohl zu „schrumpen = geigen", weiterentwickelt zur Bedeutung „prügeln". *Sold* 1939 *ff.*

Schrupp *m* ungebärdiger Junge; Flegel. Entweder analog zu „↗Schropp" oder über „Schrupp = Spatz" anspielend auf „frech wie ein ↗Rohrspatz". 1945 *ff.*

Schub *m* **1.** Verhaftung; Zwangsentfernung über die Landesgrenze. Gehört zu „schieben, abschieben". 1700 *ff.*

2. auf den ~ gehen = zwangsweise landesverwiesen werden. Seit dem 18. Jh.

3. den ~ kriegen = landesverwiesen, abgesetzt werden. 1900 *ff.*

Schubbejack *m* ↗Schubiak.

schubben (schuppen) *v* **1.** *tr* = stoßen, reiben. Eine *niederd* und *mitteld* Variante zu *hd* „schieben". Seit dem 17. Jh.

2. *refl* = sich reiben, kratzen. Seit dem 17. Jh.

schubbern *v* **1.** *tr* = kratzen, scheuern. ↗schubben 1. Seit dem 19. Jh.

2. eine Sache ~ = eine Sache bewerkstelligen. Analog zu ↗ritzen 1. 1945 *ff.*

3. sich an jm ~ = Streit mit jm suchen; jn durch anzügliche Bemerkungen reizen. Analog zu ↗reiben 1. 1800 *ff.*

4. einen ~ = engumschlungen tanzen. Kann meinen, daß Körper an Körper reibt, aber auch daß man den Tanzboden „scheuert". 1935 *ff.*

Schubert-Brille *f* Krankenkassenbrille mit Nikkelrand. Solch eine Brille trug der Komponist Franz Schubert. 1950 *ff.*

Schubfachgruft *f* Behältnis, in dem man unerledigte Schriftstücke aufbewahrt. 1900 *ff.*

'Schubiak ('Schubjack, 'Schubbejack) *m* **1.** niederträchtiger Mann; Betrüger. Zusammengesetzt aus „↗schubben = reiben" und „Jak = Jakob; Bezeichnung für den auf der Weide eingeschlagenen Pfahl, an dem sich das Vieh reiben kann". Vorwiegend *niederd* und *mitteld*, seit dem 17. Jh.

2. Müßiggänger. 1930 *ff*.

'schubiaken *tr* jn quälen, drangsalieren, schikanieren. Man behandelt ihn niederträchtig; ↗ Schubiak 1. Seit dem 19. Jh.

Schubkarre *f* **1.** Auto. Vermutlich eines, das man schieben muß, ehe der Anlasser funktioniert. *Halbw* 1955 *ff*.

2. jn auf die ~ laden = jn veralbern; mit jm seinen Spott treiben. Hergenommen von der Schubkarre, in die man eine Person setzt und die man nach einer Weile umstürzt. „Schubkarre" nennt man auch ein beliebtes Kinderspiel: ein Kind im Liegestütz wird von einem zweiten an den Fußgelenken gefaßt und vorwärtsgeschoben. Spätestens seit 1900.

Schublädchen *n* wie aus dem ~ = sauber gekleidet. Die Kleidung erweckt den Eindruck, als sei sie frisch dem Schrank entnommen worden. 1930 *ff*.

Schublade *f* **1.** Mund (des Vielessers). Dort schiebt man die Speisen ein wie das Gebäck in den Backofen. 1900 *ff*.

2. Vagina. *Rotw* 1840/50 *ff*.

3. sich die ~ füllen = sich sattessen. 1900 *ff*.

4. ein Kind in der ~ haben = schwanger sein. 1900 *ff*.

4 a. etw in der ~ haben = etw vorbereitet, aber noch nicht an die Öffentlichkeit gebracht haben. *Vgl* ↗ Schubladengesetz. Politikerspr. 1960 *ff*.

5. das ist nicht meine ~ = dafür bin ich ungeeignet; das ist nicht meine Angelegenheit; Ausdruck der Ablehnung. 1960 *ff*.

6. die ~ sprengen = vergewaltigen. Seit dem 19. Jh.

7. die ~ zumachen = koitieren. Seit dem 19. Jh.

Schubladenakademiker *m* Apotheker. Die Fertigpräparate bewahrt der Apotheker in einer Fülle von Schubladen auf: die Schublade wird zum Sinnbild seines peinlich genauen Ordnungssinns. Der Ausdruck fußt auch auf der Vorstellung, daß der Apotheker kaum noch Arzneimittel herstellt, sondern vor allem Verkäufer ist. 1900 *ff*.

Schubladengedächtnis *n* Gedächtnis, das sich von Fall zu Fall verläßlich erinnert; Gedächtnis für alles Mögliche. 1930 *ff*.

Schubladengesetz *m* noch geheimgehaltenes Gesetz. Es ruht noch in der Schublade. ↗ Schublade 4 a. 1965 aufgekommen im Zusammenhang mit den Notstandsgesetzen.

Schubladenzieher (Schubladlzieher) *m* **1.** Apotheker. ↗ Schubladenakademiker. 1900 *ff*.

2. Verkäufer im Einzelhandelsgeschäft. 1900 *ff*.

Schubs *m* ↗ Schups.

Schubsäcke *pl* das hat seine geweisten ~ = das hat seine guten Gründe; das hat seine besondere

Bewandtnis; das kann man so, aber auch anders sehen. „Schubsack" ist hier die tiefe Kleidertasche (Sack = Tasche), und „geweist" ist untergegangenes Partizipium zu „weisen = bestimmen". „Geweiste Schubsäcke" sind also bestimmte Taschen für bestimmte Dinge, vor allem die Taschen, die der Taschenspieler für seine einzelnen Kunststükke benötigt. *Ostmitteld* seit dem 19. Jh.

schubsen *v* ↗ schupsen.

Schüchterling *m* schüchterner junger Mann; ängstlicher Mann. 1900 *ff*.

schüchtern *adj* **1.** ~ auf den Augen sein = schielen. „Schüchtern" meint im allgemeinen „scheu, ängstlich"; hier beschränkt auf einen, der eine Sache nicht beherrscht. Berlin 1860/70 *ff*.

2. ~ auf der Grammatik (auf den Kasus) sein = a) „mir" und „mich" verwechseln. Berlin, spätestens seit 1900. – b) unehrlich, diebisch sein. Man verwechselt „mein" und „dein". 1900 *ff*.

3. in Mathematik sein = mathematisch unbegabt sein. 1920 *ff*.

4. ~ in der Rechtschreibung sein = die Rechtschreiberegeln nicht beherrschen. 1920 *ff*.

Schuck *m f* 1 Mark. Stammt *gleichbed* und gleichlautend aus dem *Jidd* seit dem 19. Jh.

Schuckelchen *n* **1.** 1 DM. Verkleinerungsform zum Vorhergehenden. 1960 *ff*.

2. Kosewort für eine weibliche Person. Gehört zu „schuckeln", entweder in der Bedeutung „schaukeln; auf den Knien wiegen" oder soviel wie „naschen; saugen" (auf Küsse bezogen). *Westd* 1900 *ff*.

Schuckelmäuschen *n* Geliebte (Kosewort). *Vgl* das Vorhergehende. *Westd* 1900 *ff*.

schuckeln (schockeln) *intr* schaukeln, wackeln; schwanken; mit wiegendem Gang gehen. Nebenform zu „schaukeln". Seit dem 17. Jh.

Schuckeln *n* Petting. Soviel wie „schütteln, rütteln", auch wie „naschen". *Halbw* 1960 *ff*.

Schuckeltrab *m* kurzer Trab; Trab mit kleinen Schritten. ↗ schuckeln. Seit dem 19. Jh, *niederd*.

schucken *v* **1.** *intr* = in der Schule ein Täuschungsmittel verwenden. Gehört zu *jidd* „chokar = er hat gespäht". Von da weiterentwickelt zur Bedeutung „schmuggeln". 1900 *ff*.

2. *tr* = jn bestechen. Fußt auf *jidd* „schuck = Mark (Währungseinheit)". 1920 *ff*.

3. *tr* = werfen, schnellen. Fußt auf „schocken = schaukeln", vor allem mit der Vorstellung „einen Schwung nehmen". Seit dem 19. Jh.

4. *tr intr* = schießen, abfeuern. *Vgl* das Vorhergehende. *Sold* 1914 *ff*.

Schucker *m* Polizeibeamter; Haftanstaltsaufseher. Geht zurück auf *jidd* „chokar = er hat gespäht, geforscht". *Rotw* seit dem frühen 19. Jh.

schuckern *intr* **1.** schaukeln. ↗ schuckeln. Seit dem 19. Jh.

2. autofahren. *Vgl* ↗ Schaukel = Auto. *Halbw* 1965 *ff*.

Schucki *f n* Rufname der Katze. Anspielung auf „schuckeln = naschen". 1900 *ff*.

Schuckimännchen *n* Mann (Kosewort). *Vgl* ↗Schuckelchen 2. 1900 *ff*.

Schuckiputz *m* Mann (Kosewort). ↗Schuckelchen 2; ↗Putzi 1. 1900 *ff*.

Schucks *pl* Geld. ↗Schuck. Seit dem 19. Jh.

Schucksen *m* **1.** überhastet, unsorgfältig arbeitender Mensch. Gehört zu „↗schucken 3". 1900 *ff*, *bayr*.
2. *pl* = Schularbeiten. Auch in der Schreibung „Schuxen" und „Schuksen". Entweder werden sie im Sinne des Vorhergehenden nicht gewissenhaft erledigt, oder man verwendet unerlaubte Hilfsmittel; ↗schucken 1. *Bayr* 1900 *ff*.

Schuckzettel *m* selbstverfertigtes Täuschungsmittel des Schülers. ↗schucken 1. 1900 *ff*.

Schudder *m* Schauder; Frösteln. ↗schuddern. *Niederd* seit dem 14. Jh.

schudderig *adj* fröstelnd; schaudernd; schauderig. *Niederd* seit dem 14. Jh.

schuddern *intr* schaudern; frösteln. *Niederd* Form von *hd* „schaudern". Seit dem 14. Jh.

Schüdderump *m* klapperndes (rumpelndes) Fahrzeug. Eigentlich Bezeichnung für den Karren, auf dem die Opfer der Pest befördert wurden. 1920 *ff*.

Schuft *m* niederträchtiger Mensch. Die Herleitung ist ungesichert. Es kann auf dem Ruf des Uhus beruhen, den man als „schuf ut" auffaßte und als „schieb ab" deutete; auch Zusammenhang mit „↗schofel" ist möglich. Anfangs als Schelte auf den lichtscheuen Raubritter, später auf den heruntergekommenen Edelmann bezogen. Die heutige Bedeutung setzte im 18. Jh ein.

schuften *v* **1.** *intr* = angestrengt arbeiten; mühsam lernen. Geht auf „schaffen" zurück, vor allem auf *niederd* „schuft = Vierteltagwerk". Im 19. Jh von Studenten ausgegangen.
2. jn ~ = jn plagen, schikanieren. Man behandelt ihn niederträchtig; ↗Schuft. *Österr* 1930 *ff*.
3. ~ bis zum Hinschlagen = sich bis zum äußersten abmühen. 1910 *ff*.

Schufter *m* **1.** Verräter. 1900 *ff*.
2. Lehrer. Versteht sich nach ↗schuften 2. 1930 *ff*.
3. Vielarbeiter. 1920 *ff*.

Schufte'rei *f* **1.** mühselige Arbeitsweise; schwere Anstrengung. ↗schuften 1. Seit dem 19. Jh.
2. niederträchtige Handlungsweise. ↗Schuft. Seit dem 19. Jh.

Schufti *m* Rufname des Hundes. 1920 *ff*.

schuftig *adj* **1.** niederträchtig; von bösartigem Wesen. ↗Schuft. 1700 *ff*.
2. unkameradschaftlich. *Schül* 1950 *ff*.

Schuftigkeit *f* Niedertracht. Seit dem 19. Jh.

Schuh *m* **1.** ~ mit 5-Pfennig-Hacken = Damenschuh mit „↗Pfennigabsatz". 1955 *ff*.
2. ~ mit Notausgang = zerrissenes Schuhwerk. Dem Notausgang im Theater oder Konzertsaal scherzhaft angeglichen. 1920 *ff*.

3. ~ mit Waffenschein = vorn spitz zulaufender Schuh. Man könnte ihn als Waffe benutzen. 1955 *ff*.
4. abgelaatschter ~ = altbekannte Sache, die unwichtig geworden ist. ↗laatschen. 1950 *ff*.
5. drückender ~ = schwerer Kummer. ↗Schuh 21. 1920 *ff*.
6. heiße ~e = Jungmädchenschuhe in flacher, ballettschuhartiger Form. Angeblich ein vom Deutschen Modeausschuß Schuhe geprägter Ausdruck. 1960 *ff*.
7. schnelle ~e = Damenschuhe mit niedrigen Absätzen. Sie ermöglichen rasche Gangart. 1950 *ff*.
8. schwarz wie ein ~ = sehr schmutzig. 19. Jh.
9. sich etw an den ~en abgelaufen (verrissen) haben = über eine Sache längst Bescheid wissen; etw längst abgetan haben. Geht zurück auf das Gesellenwandern: bevor man Meister wurde, mußte man drei Jahre auf Wanderschaft gewesen und bei tüchtigen Meistern gearbeitet haben. 1500 *ff*.
10. sich an jm die ~e abputzen = jn als minderwertig behandeln. 1900 *ff*.
11. die ~e abstauben = wegeilen. Durch die Geschwindigkeit wird der Staub von den Schuhen weggefegt. *Sold* 1939 *ff*.
12. die guten ~e anhaben = gutgelaunt sein. Die „guten" Schuhe sind die Sonn- und Feiertagsschuhe. Seit dem 19. Jh.
13. sich einen ~ anziehen = eine Äußerung auf sich selber beziehen. Hängt mit der sprichwörtlichen Redensart zusammen: „wem der Schuh paßt, der zieht ihn (sich) an". Seit dem 19. Jh.
14. ihm geht der ~ auf = er verliert die Geduld; er braust auf. Auszugehen ist von der Zornesader, die anschwillt; hier erstreckt sie sich grotskerweise bis zum Fuß. Der sprichwörtliche Geduldsfaden wird hier zum Schnürband. 1930 *ff*.
15. der ~ sperrt das Maul auf = das Oberleder hat sich von der Sohle gelöst. 1900 *ff*.
16. da fallen einem die ~e von selbst aus!: Ausdruck der Verwunderung. Berührt sich mit der Vorstellung, daß man vor Staunen oder Erschrekken aus den Schuhen fällt. 1900 *ff*.
17. das zieht ihm (damit zieht man ihm) die ~e aus = damit bringt man ihn zur Verzweiflung. Meint eigentlich „es bringt ihn um Hab und Gut"; denn der Schuh versinnbildlicht den persönlichen Besitz, die Unverwechselbarkeit des Eigentums. 1870 *ff*.
18. ihm kann man beim Laufen die ~e besohlen = er ist schwung-, energielos. Übernommen von den Kunstfertigkeitsproben im Märchen. 1960 *ff*, *BSD*.
19. er hat seine ~e noch nicht bezahlt = seine Schuhsohlen knarren. Eine scherzhafte Redewendung auf alter abergläubischer Grundlage: der Schuster mahnt durch das Knarren die Bezahlung an. Seit dem 19. Jh.

20. blas' mir in die ~e!: Ausdruck derber Ablehnung. Hehlwörtlich für „blas' mir in den ↗Arsch!". 1920 *ff*.

21. ihn drückt der ~ = er hat Schmerzen, Sorgen, Kummer. Der drückende Schuh ist eine aus jedermanns Alltagserfahrung geläufige Veranschaulichung der bitteren Plage. Seit dem 15. Jh. *Vgl engl* „the shoe pinches".

22. neben den ~en gehen = a) zerlumpt, ärmlich, niedergeschlagen sein. Hergenommen von völlig verschlissenem Schuhwerk. 1930 *ff*. – b) betrunken sein. Anspielung auf den Torkelgang. 1935 *ff*.

23. jm in die ~e helfen = jn barsch hinausweisen; jn streng zurechtweisen. Verdeutlichung von „jm in den Mantel helfen". 1910 *ff*.

24. aus den ~en kippen = a) die Beherrschung verlieren; sehr überrascht sein. Vor Verwunderung oder Erschrecken verliert man das Gleichgewicht und stürzt zu Boden. *Vgl* ↗Schuh 16. Spätestens seit 1900. – b) jn aus den ~en kippen = jds Widerstand brechen. 1920 *ff*.

25. er kommt mit ~en und Strümpfen in den Himmel = um sein Seelenheil nach dem Tode braucht niemand zu bangen. „Mit Schuhen und Strümpfen" veranschaulicht den Begriff „gut vorbereitet" oder „wohlhabend". *Vgl* ↗Schuh 38. 1900 *ff*.

26. sich für jn nicht die ~e dreckig machen = sich für jn nicht verwenden. 1960 *ff*.

27. nimm das Maß nicht von deinen ~en! = schließe nicht von dir auf andere! 1900 *ff*.

28. in keinen ~ mehr passen = die Beherrschung verlieren; außer sich sein. Weiterführung von ↗Schuh 14. 1950 *ff*.

29. jm die ~e rausstellen = jn überflügeln. Umschreibung für „jn zum Davongehen bewegen (zwingen)". *Sportl* 1950 *ff*.

30. das reißt einen aus den ~en!: Ausdruck der Entrüstung. Man ist dermaßen empört, daß man beim Aufspringen aus den Schuhen gerät. 1950 *ff*.

31. die ~e rinnen = die Schuhe sind undicht. 1955 *ff*.

32. jm in die ~e scheißen = jm eine Schlechtigkeit unterstellen; jn zum Schuldigen machen; jn verleumden. Meint eigentlich einen drastischen Scherz; hier als Veranschaulichung des Folgenden aufzufassen. 1910 *ff*.

33. jm etw in die ~e schieben = die Schuld auf einen anderen abwälzen. Leitet sich wahrscheinlich her von wandernden Gesellen, die gestohlene Gegenstände in der Herberge heimlich anderen in die Schuhe schoben, damit bei amtlicher Durchsuchung der Falsche belangt wurde. 1700 *ff*.

34. jn aus den ~en schmeißen = jn aus dem seelischen Gleichgewicht bringen. 1950 *ff*.

35. das sind zwei verschiedene ~e (zwei Paar ~e) = das sind zwei völlig verschiedene Dinge. Seit dem 19. Jh.

36. nicht in jds ~en stecken mögen = nicht in jds

Seit der Mensch glaubt, die Natur beherrschen zu können, und diese ihn kaum mehr zu schrecken vermag, verlangt er nach einem künstlichen Horror. Doch nur wenn diese fiktive Welt des artifiziellen Grauens eine gelungene Imitation erlebter Wirklichkeit ist, kann er seine Beherrschung verlieren und, wie es umgangssprachlich heißt, aus den Schuhen kippen (**Schuh 24.**). *Die oben wiedergegebene Fotomontage etwa kann als phantastische Widerspiegelung dessen gedeutet werden, was auch durch die Wendung „Nimm nicht das Maß von deinen Schuhen" ausgedrückt wird* (**Schuh 27.**). *Jene Projektion ins Gigantische muß als irrationale Umformung einer bereits deformierten Wirklichkeit verstanden werden.*

Lage sein mögen. Hängt wohl mit der Vorstellung von Schmutz an den Schuhen zusammen, womit man den Begriff der Bescholtenheit veranschaulicht. 1800 *ff*. *Vgl engl* „I would not like to be in his shoes".

37. jm auf den ~en stehen = jn scharf überwachen; jn nicht aus den Augen lassen. 1950 *ff*.

38. ~e und Strümpfe verlieren = um Hab und Gut gebracht werden; einen schweren Verlust erleiden. Barfußgehen steht sinnbildlich für Ärmlichkeit. *Vgl* ↗Schuh 25. Seit dem 19. Jh.

39. da wird kein ~ draus = das läßt sich nicht verwirklichen. Anspielung auf einen untauglichen Schuhmacher oder auf zu wenig Leder. 1950 *ff*.

40. umgekehrt wird ein ~ draus. ↗umgekehrt.

41. das zieht einem die ~e von den Füßen = das

ist unerhört, unerträglich, eine unüberbietbare Zumutung. ↗Schuh 17. 1900 *ff.*

Schuhauszieher *m* Likör. Er bahnt wohlig-gelöste Stimmung an. In geschlechtlicher Hinsicht Anspielung auf den Beginn der Entkleidung. *Halbw* 1955 *ff.*

Schuhband *n* **1.** *pl* = Bandnudeln. Wegen der Formähnlichkeit. *Sold* 1939 *ff.*
2. mir gehen die Schuhbänder (Schuhbandl) auf = ich verliere die Geduld. *Vgl* ↗Schnürsenkel 5; ↗Schuh 14. 1930 *ff.*

Schuhbaumechaniker *m* Schuhmacher. Scherzhafte Technisierung. 1950 *ff.*

Schuhbekleidungsingenieur *m* Schuhmacher. Scherzhafte Technisierung. 1950 *ff.*

Schuhfritze *m* Schuhhändler. ↗Fritze. 1900 *ff.*

Schuhgröße *f* **1.** das ist meine ∼ = das sagt mir sehr zu. 1920 *ff.*
2. sie hat meine ∼ = sie gefällt mir außerordentlich. 1920 *ff.*

Schuhkarton *m* Kleinauto. 1925 *ff.*

Schuhleder *n* zähes Fleisch. Fußt auf einem Vergleich. Seit dem 19. Jh.

Schuhlöffel *m* er braucht einen ∼ zum Einsteigen = als Beleibter fährt er ein Kleinauto. 1930 *ff.*

Schuhnagel *m* **1.** er frißt keine Schuhnägel = er ist ein harmloser Mensch; er tut niemandem etwas zuleide. Anspielung auf den ↗Eisenfresser. Seit dem 19. Jh.
2. den Magen mit Schuhnägeln füttern können = einen widerstandsfähigen Magen haben; alles verdauen können. 1900 *ff.*

Schuhnummer *f* **1.** das ist seine ∼ = das paßt ihm sehr; das kommt ihm gelegen. Schuh- und Fußgröße müssen zueinander passen. 1910/20 *ff.*
2. das ist für ihn einige ∼n zu groß = das übersteigt seine Mittel, seine Begabung. 1960 *ff.*

Schuhputzer *m* **1.** Schüler, der sich beim Lehrer einzuschmeicheln sucht. Schuhputzen gilt als niedriger Dienst. 1950 *ff.*
2. ich bin nicht sein ∼ = ich bin ihm nicht willenlos hörig; ich tue nicht alles, was er von mir verlangt. Seit dem 19. Jh.
3. jn wie einen ∼ behandeln = jn sehr schlecht, entwürdigend behandeln. Seit dem 19. Jh.

Schuhsohle *f* **1.** unsympathischer Mensch. Er ist „↗ungenießbar". *BSD* 1955 *ff.*
2. zähe Bratenscheibe; Rindfleisch. *Vgl* ↗Schuhleder. *BSD* 1955 *ff.*
3. sich die ∼n ablaufen = viele Wege machen. Seit dem 19. Jh.
4. etw an den ∼n abgelaufen haben = lange und genau mit einer Sache vertraut sein. Die abgelaufenen Schuhsohlen lassen auf lange Benutzung schließen. *Vgl* ↗Schuh 9. 1500 *ff.*

Schuhwichse *f* **1.** minderwertiges Speisefett (Preßschmalz). *Sold* 1914 *ff.*
2. klar wie ∼ = völlig einleuchtend. Ironie; doch *vgl* auch „↗Stiefelwichse". Seit dem 19. Jh.

Schula *f* **1.** Schulfeier. Hier ist „Schule" über „Aula" gelegt. 1960 *ff.*
2. *pl* = Schularbeiten. Hieraus verkürzt. 1960 *ff.*

Schular *f* Schularbeit. Hieraus verkürzt. 1940 *ff.*

Schularbeiten *pl* seine ∼ machen = im Geschäft Routinearbeiten erledigen. 1950 *ff.*

Schulaufgaben *pl* Hausaufgaben, die erst in der Schule angefertigt werden. 1920 *ff.*

Schulaufgabenfieber *n* ∼ haben = in der Schule unentschuldigt fehlen. Wohl weil der Schüler die häuslichen Schularbeiten nicht angefertigt hat oder eine Klassenarbeit fürchtet. 1940 *ff.*

Schulbaby (Grundwort *engl* ausgesprochen) *n* Schüler der Unterstufe; Schulanfänger. ↗Baby. 1920 *ff.*

Schulbank *f* **1.** die ∼ drücken = Schüler sein. Seit dem späten 19. Jh.
2. seit wann haben wir zusammen auf der ∼ gesessen?: Frage an einen, der sich plumpe Vertraulichkeiten erlaubt. 1920 *ff.*
3. auf der ∼ rumrutschen = lange in der Schule sein. 1900 *ff.*
4. die ∼ wetzen = Schüler sein. Wetzen = glätten, schleifen. 1900 *ff.*

Schulbeiß *n* Schulgebäude. ↗Beiß. 1950 *ff.*

Schulbesteck *n* Schreibzeug des Schülers. Dem „Eßbesteck" o. ä. nachgebildet. 1960 *ff.*

Schulbesuch *m* freiwilliger ∼ = Strafstunde. Euphemismus. 1950 *ff.*

Schulbiene *f* flotte ∼ = umgängliche, lebenslustige Schülerin. ↗Biene 1. 1955 *ff.*

Schulbuch *n* weiches ∼ = Geschichtslehrbuch, das politisch heikle Vorgänge umgeht. 1950 *ff.*

Schulbude *f* Klassenzimmer. 1900 *ff.*

'Schul'dax *m* Schulhausmeister. „Dax" ist wohl aus „↗Dackel" verkürzt. *Österr.* 1900 *ff.*

Schulden *pl* **1.** mehr ∼ haben als Haare auf dem Kopf. ↗Haar 23.
2. ∼ haben wie ein Major. ↗Major.
3. ∼ sind keine Hasen (meist mit dem erklärenden Nachsatz: „sie laufen nicht davon") = Schulden bleiben Schulden. 1800 *ff.*

Schuldenbuckel *m* tiefverschuldeter Mensch. Er hat viele Schulden „auf dem Buckel". 1900 *ff.*

Schulden-Stangerl *n* Fernsehturm auf dem Oberwiesenfeld in München. München ist angeblich die Stadt mit der größten Verschuldung in der Bundesrepublik Deutschland. „Stangerl" ist (hier *iron*) *Dim* von „Stange". 1968 *ff.*

'Schul'drex *m* Schulhausmeister. „Drex" ist vielleicht aus „Direx" zusammengezogen mit Anspielung auf die Mehrglieder, die mancher Hausmeister sich anmaßt. *Österr* 1900 *ff.*

Schule *f* **1.** Straf-, Erziehungsanstalt. Was der Eingewiesene vor Betreten dieser Anstalten noch nicht wußte, lernt er dort gewiß. Seit dem 19. Jh.
2. ∼ der Blauen = Schule der Technischen Truppe. Die Grundfarbe der Kragenspiegel ist blau. *BSD* 1965 *ff.*

3. ~ für Inneres Gewürge = Schule für Innere Führung. ↗Gewürge 2. Spottwort. *BSD* 1960 *ff*.

4. ~ für Internisten = Schule für Innere Führung der Bundeswehr. Internist ist eigentlich der Facharzt für innere Krankheiten. *BSD* 1960 *ff*.

4 a. ~ der großen Kacker (der feinen Leute) = Gymnasium. ↗Kacker 5. 1960 *ff, schül*.

5. ~ der späten Mohikaner = Kampftruppenschule Hammelburg. Anspielung auf die Ausbildung zum Einzelkämpfer. *Vgl* ↗Mohikaner. *BSD* 1970 *ff*.

6. ~ der Nation = a) Bundeswehr. Diese von Bundeskanzler Kurt Georg Kiesinger am 27. Juni 1969 vor dem Deutschen Bundestag gewählte Bezeichnung entfachte einen Sturm der Entrüstung. Man erblickte hierin eine Verunglimpfung und Zurücksetzung der allgemeinbildenden Schulen der Bundesrepublik Deutschland. Der Ausdruck fußt auf der preußischen Militärauffassung seit den Tagen der Befreiungskriege und hatte ursprünglich einen rein positiven Bedeutungsinhalt ohne jegliche Anspielung auf das allgemeine Schulwesen. Nach preußischer Auffassung war jeder Soldat ein Lehrer und Erzieher des Volkes im Hinblick auf die Stärkung der moralischen Kräfte. – b) Deutsches Fernsehen. Es vermittelt Allgemeinbildung und hat viele Millionen Schüler und Schülerinnen. 1970 *ff*.

7. ~ für Normalverbraucher = Grundschule. Aufgekommen um 1960 im Zusammenhang mit schulreformerischen Bestrebungen.

8. ~ für Stehkragenproletarier = Handelsschule. ↗Stehkragenproletarier. Seit dem frühen 20. Jh.

9. hohe ~ = a) Gefängnis, Zuchthaus. ↗Schule 1. Seit dem 19. Jh. – b) vierzigjährige Frau. Eigentlich ein Fachwort der Reitkunst; hier bezogen auf „reiten = koitieren". *Halbw* 1955 *ff*.

10. die hohe ~ besucht haben = lebenserfahren, listig sein. ↗Schule 9 a. 1900 *ff*.

11. in der ~ gefehlt haben = unwissend sein. 1900 *ff*.

12. neben (hinter) die ~ gehen = a) den Schulunterricht absichtlich versäumen. Seit dem 16. Jh. – b) ehebrechen. Seit dem 19. Jh.

13. aus der ~ plaudern (schwatzen) = geheimzuhaltende Dinge erzählen; Vertraulichkeiten preisgeben. Geht über humanistische Vermittlung zurück auf die antiken Philosophenschulen, in denen die Zugelassenen zum Schweigen gegenüber Nichteingeweihten verpflichtet waren. Später bezogen auf die Aufklärung von Laien über ärztliches Wissen. 1500 *ff*.

14. auf der hohen ~ sein = a) überheblich sein. Akademiker gelten weithin als dünkelhaft. Seit dem 19. Jh. – b) hohe Preise fordern. 1920 *ff*.

15. durch alle ~n sein = gewitzt, schlau sein. 1840 *ff*.

Schulerbsen *pl* Schularbeiten. Hieraus verstümmelt. 1900 *ff*.

Schulerer *m* Schüler. *Österr* 1960 *ff*.

Schülerflitzer *m* Fahrrad mit Hilfsmotor; Moped. 1965 *ff*.

Schülergehalt *n* Ausbildungsbeihilfe für Schüler. 1965 *ff*.

Schülerkaserne *f* Schulgebäude. Manche Schulen ähneln schmucklosen Kasernenbauten; auch sind die Schüler strenger Ordnung und Disziplin unterworfen. 1950 *ff*.

Schülerklau *m* Firmennachwuchswerbung unter Schulpflichtigen. ↗Klau. 1960 *ff*.

Schülerschwert *n* Lineal. Tauglich als Waffe bei Raufhändeln. 1960 *ff*.

Schülertyrann *m* strenger Lehrer. 1950 *ff*.

Schules (Schulus) *f* Klassenarbeit; häusliche Schulaufgabe. 1950 *ff*.

Schulfete *f* Schulfeier. ↗Fete. 1920 *ff*.

Schulfett *n* Hiebe für den Schüler. Fußt auf „sein ↗Fett haben". Dieses „Fett" soll das Triebwerk für Zucht und Ordnung ölen. 1900 *ff*. *Vgl engl* „schoolbutter".

Schulfieber *n* ~ haben = nicht in die Schule gehen mögen; eine Unpäßlichkeit vorzutäuschen suchen, um dem Schulbesuch enthoben zu sein. *Vgl* ↗Schulkrankheit. Spätestens seit 1900.

Schulfreund *m* unerlaubte fremdsprachliche Übersetzung. Derlei gedruckte Übersetzungen in Kleinformat tragen als Verfasservermerk „von einem Schulmann" oder „von einem Schulfreund". 1900 *ff*.

Schulfuchs *m* 1. Pedant; engstirniger Einzelgänger. Er lebt in der Verborgenheit wie der Fuchs in seinem Bau und ahmt anerkannte Vorbilder übergenau nach. 1600 *ff*.
2. welt- und menschenerfahrener Mann. Er ist ein in seine Stube und seine Bücher vergrabener Gelehrter. 1600 *ff*.
3. Lehrer. Das Wort verspottet die Pedanterie. 1700 *ff*.
4. übereifriger Schüler; Gymnasiast. ↗fuchsen = quälen. Seit dem 18. Jh.

Schulgalopp *m* „Überspringen" einer Schulklasse. 1920 *ff*.

Schulgeld *n* 1. er hat sein ~ umsonst ausgegeben (verloren) = er hat in der Schule nichts gelernt. Seit dem 19. Jh.
2. laß dir dein ~ wiedergeben!: Rat an einen Dummen. Seit dem 19. Jh.

Schulhaft *f* Strafstunde. 1930 *ff, österr*.

Schulhafterklärung *f* Eintragung ins Klassenbuch. 1930 *ff, österr*.

Schulhase *m* alter ~ = erfahrener Schulleiter. ↗Hase. 1600 *ff*.

Schulhatscher *m* Schüler. ↗hatschen. *Österr* 1960 *ff*.

Schuli *pl* Klassenarbeiten; Schulaufgaben. 1930 *ff*.

Schuljungenstreiche *pl* vom Gegner vereitelte Kartenspielertricks. Kartenspielerspr. seit dem 19. Jh.

Schulkasten *m* Schulgebäude. ↗Kasten. 1850 *ff.*

Schulklepper *m* Schüler der untersten Klasse. ↗Klepper. Seit dem 19. Jh.

Schulkram *m* Lehrmittel, Lernmittel; häusliche Schularbeiten. Seit dem 19. Jh.

schulkrank *adj* vorgeblich krank, um die Schule nicht besuchen zu müssen. 1700 *ff.*

Schulkrankheit *f* vorgespiegeltes Unwohlsein, um dem Schulunterricht fernbleiben zu können. Seit dem 18. Jh.

Schulmann *m* unerlaubte fremdsprachliche Übersetzung. ↗Schulfreund. 1900 *ff.*

Schul-Mattscheibe *f* Schulfernsehen. Mattscheibe = Bildschirm. Der Ausdruck ist nicht völlig frei von der Nebenbedeutung „Mattscheibe = Benommenheit, Verschlafenheit, Begriffsstutzigkeit". 1965 *ff.*

Schulmonarch *m* eigenwilliger Schulleiter. Er tritt als Alleinherrscher auf. Seit dem 19. Jh.

Schulmotzer (-muffel) *m* Lehrer. ↗Motzer 2; ↗Muffel 1. *Schül* 1960 *ff.*

Schulochs *m* Schulhausmeister. ↗Ochs. Die Schüler halten ihn nicht für klug. 1950 *ff.*

Schulsack *m* einen guten ~ haben (mitbringen) = in der Schule das für das praktische Leben Notwendige gelernt haben. „Schulsack" ist die Schulmappe, der Tornister des Schülers. Weiterentwickelt zur Bedeutung „die in der Schule erworbenen Kenntnisse". Seit dem 19. Jh.

Schulschinken *m* veraltetes Schulbuch. ↗Schinken 3. 1930 *ff.*

Schulschlaf *m* Unaufmerksamkeit des Schülers. 1960 *ff.*

Schulschmöker *m* Schulbuch. ↗Schmöker. Seit dem 19. Jh.

Schulschnee *m* **1.** Schulwissen. Anspielung auf die Vergänglichkeit des Schulwissens, das dem Gedächtnis entschwindet wie der Schnee. 1900 *ff.* **2.** alter ~ = altbekanntes Wissen. 1900 *ff.*

schulschwanzen (schulschwänzen) *intr* den Schulunterricht absichtlich versäumen. ↗schwänzen. *Österr* seit dem 19. Jh.

Schulschwänzer(-in) *m (f)* Schüler(in), der (die) den Unterricht absichtlich versäumt. ↗schwänzen. Seit dem 18. Jh.

'Schul'schwänze'rei *f* absichtliches Schulversäumnis. 1900 *ff.*

Schulstürzen *n* eigenmächtiges Fernbleiben vom Unterricht. Gehört wahrscheinlich zu „störzen = umherstreunen". *Österr* seit dem 19. Jh.

Schulter *f* **1.** elektrische ~n = reichwattierte Schultern. Dasselbe wie ↗Kilowatt. *Österr* 1940 *ff, jug.* **2.** kalte ~ = a) abweisendes Verhalten. ↗Schulter 11. 1920 *ff.* – b) geschlechtliche Leidenschaftslosigkeit; geschlechtliche Unnahbarkeit. 1920 *ff.* **3.** jn über die ~ ansehen = jn hochmütig behandeln. Es gilt als unhöflich, sich einem nicht zuzukehren. Seit dem 19. Jh.

4. sich kalte ~n einhandeln = auf allgemeine Ablehnung stoßen. 1930 *ff.*

5. geschwollene ~n haben = a) Offizier vom Major an aufwärts sein. Anspielung auf die dicken, geflochtenen Schulterstücke. *Sold* 1900 bis heute. – b) etw überheblich aufführen. 1920 *ff, ziv.*

6. die kalte ~ hervorkehren = sich abweisend verhalten. ↗Schulter 11. 1920 *ff.*

7. sich selbst auf die ~ klopfen = sich loben; sich brüsten. 1920 *ff.* *Vgl engl* „to pat oneself on the back".

8. jn auf die ~ legen = jn überwältigen. Stammt aus der Ringersprache. 1920/30 *ff.*

9. etw auf die leichte ~ nehmen. ↗Achsel 2.

10. auf beiden (auf zwei) ~n tragen = es mit zwei Parteien halten. Hergenommen von einem, der an der Wassertrage auf beiden Seiten je einen Eimer trägt. 1700 *ff.*

11. jm die kalte (kühle) ~ zeigen = a) jn abweisend behandeln. Stammt wohl aus *engl* „to show someone a cold shoulder" und „to cold-shoulder a person". Spätestens seit 1900. – b) ein schulterfreies Kleid tragen. 1958 *ff;* wohl erheblich älter.

12. jm die warme (leicht gewärmte) ~ zeigen = jm geneigt sein. Warm = herzlich, mitfühlend. 1910 *ff.*

13. jm die warme ~ zeigen = mit jm homosexuellen Verkehr suchen. Warm = homosexuell. 1910 *ff.*

Schulterschluß *m* Herstellung guten Einvernehmens; einträchtiges Zueinanderstehen; enge Gemeinschaft. Wohl hergenommen von der Reihe dicht nebeneinander stehender Soldaten oder Sportler die die Arme auf die Schultern des rechten und linken Nachbarn zur Bildung einer geschlossenen Kette legen. „Schulterschluß" gibt es auch bei Demonstrationen sowie bei der Polonaise, bei der die Teilnehmer dem jeweiligen Vordermann beide Hände auf die Schultern legen. Nach 1970 aus der Schweiz eingebürgert.

Schul-Theater *n* lästiges Schulwesen; Betriebsamkeit um Schulreformen. „Theater" ist in volkstümlicher Auffassung sowohl die Umständlichkeit als auch die Vorspiegelung. 1960 *ff.*

Schultheiss-Tumor *m* Beleibtheit des Biertrinkers. Gegen 1960 in Berlin aufgekommen in Anspielung auf den Namen einer in Berlin ansässigen Brauerei. Tumor = Geschwulst.

Schulze *Pn* **1.** Gottlieb ~ = Durchschnitts-, Normalbürger. Die Identifizierung ist bisher gescheitert. Der Ausdruck macht sich den weitverbreiteten Personennamen Schulze zunutze. 1900 *ff.* **2.** das ist mir Gottlieb ~ = das ist mir völlig gleichgültig. 1900 *ff.*

Schulzn *pl* Schularbeiten. Hieraus verstümmelt. *Bayr* 1950 *ff.*

Schumm *m* **1.** Rausch. Geht wohl zurück auf *jidd* „schemen = Fett". Der Betrunkene ist „↗fett". 1900 *ff.*

2. Sekt. Gehört zu *niederd* „Schum = Schaum"; hier verkürzt aus „Schaumwein". Seit dem frühen 20. Jh.

Schumme *f* zahme ~ = Mädchen mit „festem" Freund. „Schumme" ist die dicke Pferdefliege; daher Analogie zu „↗Brumme". *Halbw* 1960 *ff*.

Schummel I *m* **1.** Täuschung; Betrug; Übertölpelung leichterer Art. ↗schummeln 1. 1920 *ff*. **2.** Schmuggelware. 1920 *ff*.

Schummel II *f* **1.** unordentliche Frau. Gehört wahrscheinlich zu „schommeln = scheuern", hier bezogen auf schlurfende Gangart. Seit dem 19. Jh. **2.** Zuhälterin; Bordellwirtin. ↗schummeln 3. *Rotw* 1850 *ff*. **3.** Vagina. *Rotw* 1850 *ff*.

Schummelblick *m* Blick des Schülers in den Täuschungszettel, in die unerlaubte Übersetzung, auf das Heft des Mitschülers o. ä. ↗schummeln 1. 1920 *ff*.

Schumme'lei *f* Lug, Täuschung, Vorspiegelung. Seit dem 19. Jh.

schummeln *v* **1.** *intr* = trügen, täuschen, betrügen. Fußt auf *rotw* „Schund = Kot"; der Begriff „trügen" erscheint in volkstümlicher Auffassung unter dem Bilde des Beschmierens mit Exkrementen; *vgl* ↗bescheißen. Seit dem 16. Jh. **2.** *intr* = beim Kartenspiel betrügen. 19. Jh. **3.** *tr intr* = liebkosen, tändeln; koitieren. Fußt auf dem mundartlich verbreiteten Verb „schummeln = hin- und herschieben", auch in der Bedeutung „kramen" geläufig; *vgl* ↗kramen. 1850 *ff*. **4.** *tr* = jn antreiben, hetzen; jn listig zum Weggehen veranlassen. Fußt wie im Vorhergehenden auf der Bedeutung „hin- und herschieben". Seit dem 19. Jh. **5.** sich ~ = sich listig davonschleichen; sich schlau einer Sache entziehen. Analog zu ↗schieben 9. Seit dem 19. Jh.

Schummelrecht *n* Recht der Frauen, sich für jünger auszugeben. ↗schummeln 1. 1965 *ff*.

Schummelzahl *f* unwahre Zahlenangabe. 1955 *ff*.

Schummelzettel *m* selbstverfertigtes Täuschungsmittel des Schülers. ↗schummeln 1. Seit dem 19. Jh.

Schummer *m* Dämmerung. Ablautende Nebenform zu „Schimmer". 1700 *ff*.

Schummerbar *f* Bar mit halbdunkler Beleuchtung. 1920 *ff*.

Schummerdroge *f* Rauschgift; Lysergsäurediäthylamid (LSD). *Halbw* 1960 *ff*.

schummerig *adj* **1.** dämmerig. *Nordd* und *mitteld* seit dem 19. Jh. **2.** ihm wird ~ = ihm wird übel; ihm schwinden die Sinne. Seit dem 19. Jh.

Schummerigkeit *f* **1.** Dämmerung, Dämmerlicht. Seit dem 19. Jh. **2.** Benommenheit. 1900 *ff*.

Schummerkneipe *f* kleine Gaststätte minderer Güte. 1920 *ff*.

Schummerlicht *n* gedämpfte Beleuchtung. Seit dem 19. Jh.

schummern *impers* dämmern. ↗Schummer. Seit dem 14. Jh.

Schummernische *f* lauschige Nische in einem Lokal. 1920 *ff*.

Schummerstunde *f* Dämmerstunde. Seit dem 19. Jh.

Schummler *m* **1.** Betrüger, Schwindler; Spielbankbetrüger. ↗schummeln 1. Seit dem 19. Jh. **2.** betrügerischer Kartenspieler; Falschspieler. Seit dem 19. Jh. **3.** täuschender Schüler. Seit dem 19. Jh.

schumpen *intr* davoneilen; flüchten. Entlehnt aus *engl* „to jump = springen". *Vgl* ↗jumpen. *Sold* 1917–1945.

Schund *m* **1.** Lehrling. Er gilt als wertlos wie unbrauchbare Ware; auch wird er „geschunden" (= überanstrengt). *Rotw* „Schund = Kot". 1900 *ff*. **2.** Rekrut. *Sold* 1900 *ff*. **3.** rohes, niederträchtiges Volk. Von minderwertiger Ware auf minderwertigen Charakter übertragen. 1850 *ff*. **4.** Unsinn, Geschwätz. 1920 *ff*. **5.** erstklassiger ~ = Wertlosigkeit in gefälliger Aufmachung. 1920 *ff*.

Schundier (Endung *franz* ausgesprochen) *m* geiziger Mensch. Gehört zu der aussterbenden Redewendung „die Laus um den Balg schinden = geizig sein". *Bayr* 1920 *ff*.

schundig *adj* **1.** minderwertig, niederträchtig. ↗Schund. *Bayr* und *österr* seit dem 19. Jh. **2.** geizig; habgierig. *Bayr* und *österr* seit dem 19. Jh. **3.** ärmlich gekleidet. Seit dem 19. Jh. **4.** schmarotzerisch. *Vgl* ↗schinden 1. Seit dem 19. Jh.

Schundkarte *f* schlechte Kartenverteilung auf der Hand. Kartenspielerspr. seit dem 19. Jh.

Schundnickel *m* geiziger Mensch. ↗schundig 2; ↗Nickel 2. Seit dem 19. Jh.

Schundschmöker *m* wertloser Groschenroman. 1930 *ff*.

schunkeln *intr* **1.** schaukeln. Nasalierte Form nach „Schuckel = Schaukel". *Nordd* und *mitteld* seit dem 18. Jh. **2.** im Walzertakt untergefaßt hin- und herschwingen; sich wiegen. Es ist eine Schaukelbewegung. Seit dem 19. Jh.

Schunkelschuppen *m* Tanzlokal. ↗Schuppen 1. 1950 *ff*.

Schunkelwalzer *m* Walzermusik, zu der man im Sitzen oder Stehen in langer Reihe untergefaßt hin- und herschwingt und singt. Durch den rheinischen Karneval im späten 19. Jh aufgekommen.

Schupf *m* **1.** Stoß. ↗schupfen 1. *Oberd* seit *mhd* Zeit. **2.** Schuppen, Scheune, Abstellraum. Fußt auf *mhd* „schopf = Scheune". *Oberd* seit dem 16. Jh.

schupfen *tr* **1.** stoßen. Gehört zu „schieben". Seit *mhd* Zeit.

2. werfen. Weiterentwickelt aus der Bedeutung „schwingend schieben". *Oberd* seit dem 19. Jh.

3. etw vorteilhaft erledigen. Über die vorhergehende Bedeutung parallel zu „↗schmeißen 8". *Oberd* seit dem 19. Jh.

Schupfer *m* Stoß. *Oberd* seit dem 19. Jh.

Schupo I *f* Schutzpolizei. 1921 aufgekommenes Kurzwort.

Schupo II *m* **1.** Beamter der Schutzpolizei. 1921 *ff.*

2. eiserner ~ = Notrufsäule. 1960 *ff.*

Schuppe *f* **1.** *pl* = Haut des Menschen. Eigentlich die natürliche Bedeckung der Fische. 1920 *ff.*

2. motorisierte ~ = Kopflaus o. ä. Sie ist die Kopfschuppe beweglicher Art. *Sold* 1939 *ff.*

3. es fällt ihm wie ~n von den Augen = es wird ihm klar; endlich erkennt er die Zusammenhänge; er kommt zur Einsicht. Geht zurück auf die Apostelgeschichte (9, 18), wo erzählt wird, wie der blinde Saulus sehend wird. Seit dem 16. Jh.

4. es fällt ihm wie ~n aus den Haaren = er erkennt plötzlich die Zusammenhänge; er versteht endlich, worum es geht. Schuppen = Kopfschuppen. 1980 *ff, jug.*

Schüppe *f* ↗Schippe.

Schüppel *m* **1.** Schopf; auf dem Kopf mit einer Ringklammer o. ä. zusammengehaltenes Haar eines Mädchens. Nebenform zu „Schopf" im Sinne von „Büschel". Vorwiegend *oberd,* 1800 *ff.*

2. unleidlicher Mann. Vermutlich verkürzt aus „Grindschüppel"; *vgl* ↗Grindkopf. 1900 *ff, oberd.*

3. alter ~ = alter Mann. Seit dem 19. Jh, *bayr* und *österr.*

schüppeln *tr* jn am Schopf ziehen. ↗Schüppel 1. *Bayr* und *österr,* seit dem 19. Jh.

schuppen *tr* **1.** jn betrügen. Nebenform zu „schupfen = narren, übertölpeln". Seit dem späten 17. Jh.

2. etw stehlen. Der Fisch wird geschuppt; ähnlich ergeht es dem Menschen, dem man etwas wegnimmt. 1800 *ff.*

Schuppen *m* **1.** kleines Tanzlokal mit gemütlichen Ecken; Klublokal; Party-Keller o. ä. Eigentlich die Scheune (nach 1945 wurden manche Scheunen zu Tanzlokalen umgebaut); Einfluß von *engl* „shop" ist wahrscheinlich. *Halbw* 1950 *ff.*

2. Kino. *Halbw* 1955 *ff.*

3. Schulgebäude. 1955 *ff.*

4. Kaserne. *BSD* 1960 *ff.*

5. Wirtshaus. *BSD* 1960 *ff.*

6. Kantine. *BSD* 1960 *ff.*

7. Soldatenheim; Kasino. *BSD* 1960 *ff.*

8. Wohnhaus; Geschäftslokal; Laden; Unternehmen. 1950 *ff.*

9. billiger ~ = kleines Theater. 1964 *ff.*

10. dufter ~ = ausgezeichnete Unterkunft; angenehmer Aufenthaltsraum. ↗dufte 1. 1960 *ff.*

11. flotter ~ = Lokal mit Stimmungsbetrieb. ↗flott. 1960 *ff.*

12. großer ~ = Einkaufszentrum o. ä. 1965 *ff.* Vgl *angloamerikan* „shopping center".

13. heißer ~ = Lokal, in dem ausgelassene Stimmung herrscht. 1960 *ff.*

14. schwuler ~ = Lokal, in dem Homosexuelle verkehren. ↗schwul. 1960 *ff.*

15. vornehmer ~ = Luxusvilla. 1955 *ff.*

Schuppenklau *m* Haarpflege-, Kopfwaschmittel. Werbetexterspr. 1960 *ff.*

Schuppenkleid *n* Plastikkleid, dessen Teile durch Metallösen verbunden sind. Es ist fischschuppenähnlich. 1966 *ff.*

Schupper *m* **1.** Betrüger. ↗schuppen 1. Seit dem 18. Jh, *rotw.*

2. Falschspieler. Seit dem 18. Jh.

3. Dieb. ↗schuppen 2. 1800 *ff.*

Schups (Schupps, Schubs) *m* **1.** gelinder Stoß; absichtlicher Stoß. ↗schupsen. Seit dem 18. Jh.

2. auf einen ~ = für kurze Zeit; vorübergehend. 1900 *ff, nordd.*

schupsen (schuppsen, schubsen) *tr* stoßen. Intensivum zu ↗schupfen 1. Vor allem *niederd* und *mitteld,* seit dem 18. Jh.

Schupser *m* Stoß. 1900 *ff.*

Schupserer *m* gelinder Stoß. 1900 *ff.*

Schur *f* **1.** Verhör; Gerichtsverhandlung. Stammt aus dem Verbum „scheren" und meint wie „Scherei" die Plage. Seit dem 19. Jh.

2. Betrug; Falschspiel. Seit dem 19. Jh.

3. jm eine ~ antun = sich an jm rächen. Seit *mhd* Zeit, wiederaufgelebt im 19. Jh.

Schure *f* Ware; Diebesbeute. Nebenform zu ↗Sore. *Rotw* 1750 *ff.*

Schüreisen *n* Lötkolben. Er ähnelt dem Feuerhaken. Technikerspr. 1930 *ff.*

schürfend *adj* sehr ~ = sehr aufregend, erheiternd, schön usw. Aus „tiefschürfend" (bergmannsspr.) verkürzt zu einem superlativischen Schwammwort. *Halbw* 1955 *ff.*

Schürhaken *m* **1.** Lorgnette. Sie ähnelt in der Form dem Feuerhaken. 1910 *ff.*

2. Finger bei intimem Betasten. 1910 *ff.*

3. Penis. 1910 *ff.*

Schuriege'lei *f* Drangsalieren, Quälen. 19. Jh.

'schuriegeln *tr* jn plagen, quälen. Iterativum zu „schurgen = stoßen, schieben", wohl in Anlehnung an „Schur = Plage". 1600 *ff.*

Schürig *m* Diebesbeute. Nebenform von ↗Sore. *Rotw* 1687 *ff.*

'Schurimann *m* Messerstecher. *Zigeun* „tsuri = Messer". *Rotw* 1900 *ff.*

schurken *intr* ehrlos handeln. Schurke = niederträchtiger Mann. 1950 *ff.*

Schurl *m* **1.** junger Mann, der sich nicht zu benehmen weiß. „Schurl" ist wienerische Form von „Georg". Hier vielleicht überlagert von „Schur = Plage". *Österr* seit dem 19. Jh.

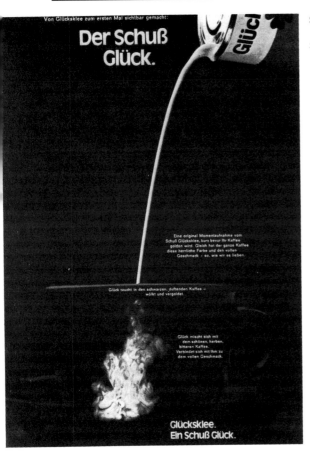

Von Glücksklee zum ersten Mal sichtbar gemacht:

Der Schuß Glück.

Eine original Momentaufnahme vom Schuß Glücksklee, kurz bevor Ihr Kaffee golden wird. Gleich hat der ganze Kaffee diese herrliche Farbe und den vollen Geschmack - so, wie wir ihn lieben.

Glück taucht in den schwarzen, duftenden Kaffee - wölkt und vergoldet.

Glück mischt sich mit dem schönen, herben, bitteren Kaffee. Verbindet sich mit ihm zu dem vollen Geschmack.

Glücksklee.
Ein Schuß Glück.

Dieser Schuß Glück (vgl. **Schuß 1.**) *ist auch ein Schuß ins Schwarze, allerdings nicht für diejenigen, die ihren Kaffee in der Regel schwarz zu trinken pflegen. Obwohl die hier angepriesene Kondensmilch den Kaffee, wie es im Werbetext heißt, vergoldet, wäre es wohl nicht angebracht, hier von einem „goldenen Schuß" zu reden (***Schuß 23.**, *vgl.* **Schuß 10.**). *Das ginge wohl nach hinten los (vgl.* **Schuß 45.**) *und träfe auch in einem übertragenen Sinne nicht ins Schwarze (***Schuß 22.**), *auf den Geldbeutel des Konsumenten nämlich, der, nachdem er schon so lange vergeblich darauf warten mußte, daß das Glück auch einmal an seine Türe klopft, dieses jetzt wenigstens in seinem Kaffee haben möchte.*

2. Versager. 1900 *ff, österr.*

3. ~ mit der Blechhaubn = a) Polizeibeamter. Blechhaube = Tschako. *Österr* seit dem 19. Jh. – b) scherzhafte Anrede. *Österr* 1900 *ff.*

'Schurr'murr *m* Durcheinander; Allerlei; altes Zeug; das alles *(abf).* Gehört zu „schurren" als ablautender Nebenform von „scharren" und meint das Zusammengekratzte. Seit dem 19. Jh.

Schurz *m* Mädchen. *Vgl* das Folgende. *Halbw* 1955 *ff.*

Schürze *f* **1.** Frau. Die Schürze war früher das typische weibliche Kleidungsstück. Dann auch Bezeichnung für das (von der Schürze bedeckte) weibliche Geschlechtsorgan. In der Jägersprache ist „Schürze" die Scheide der Ricke. Seit dem ausgehenden 18. Jh.

2. dicke ~ = Schwangere. 1900 *ff.*

3. jm an der ~ hängen = jm auf Schritt und Tritt folgen; jm durch Anhänglichkeit lästig fallen; sich jm aufdrängen. Übernommen von den Kindern, die sich an der Schürze der Mutter festhalten. Seit dem 19. Jh.

4. jeder ~ nachlaufen = jeder Frau nachschauen, nachstellen; rasch in Liebe entbrennen. 1800 *ff.*

5. aus der ~ steigen = sich für den Besucher hübsch herrichten, zurechtmachen. Die Frau legt die Schürze ab, wenn die Hausarbeit getan ist. ↗ steigen = gehen. 1930 *ff.*

6. etw unter der ~ tragen (haben) = schwanger sein. 1800 *ff.*

7. in jede ~ verliebt sein = ein Frauenjäger sein. 1800 *ff.*

8. ihr wird die ~ zu kurz = sie ist schwanger. Seit dem 19. Jh.

Schürzenband *n* **1.** *pl* = Bandnudeln. 1910 *ff.*

2. an Mutters ~ hängen = noch unselbständig sein. ↗ Schürze 3. Seit dem 19. Jh.

Schürzenjagd *f* Suche nach Mädchenbekanntschaft. 1900 *ff.*

Schürzenjäger *m* Frauenheld. ↗ Schürze 1. Seit dem 19. Jh.

Schuß *m* **1.** kleine Menge; Prise. Meint die kleine Flüssigkeitsmenge, die man mit einer raschen Bewegung einer anderer Flüssigkeit hinzugibt. Seit dem 19. Jh.

2. Essenszuteilung aus der fahrbaren Feldküche; Essensportion. Gemeint ist der „Schuß" aus der „Gulaschkanone". 1914 *ff.*

3. Ejakulation. *Rotw* 1840 *ff.*

4. Homosexueller; junger Freund eines Homosexuellen. Versteht sich entweder aus dem Vorhergehenden oder spielt über Amors Liebespfeil auf intime Freundschaft an. Seit dem späten 19. Jh.

5. Unüberlegtheit; launiger Anfall. Mit „Schuß" bezeichnet man die plötzlich auftretende Krankheitserscheinung (Hexenschuß). 1800 *ff.*

6. Geld, Vorschuß. Aus diesem verkürzt, 1850 *ff.*

7. Einstandsbewirtung. Analog zu ↗ Lage 1. 1900 *ff.*

8. Stoß, Schlag. Übertragen vom Rückprall des Gewehrs beim Abfeuern. 1920 *ff.*

9. heftig getretener Fußball; Tortreffer. Aus dieser Vokabel hat sich die Auffassung vom Fußballspiel als einem Kriegsspiel entwickelt. *Gleichbed engl* „shot". *Sportl* 1920 *ff.*

10. Injektion; Rauschgifteinspritzung. Gegen 1970 aus *angloamerikan* „shot" übersetzt.

11. häßliches Mädchen. Hängt wohl zusammen mit „Schuß! = ich will von dir nichts mehr wissen!" im Sinne von „schieß weg! = geh weg!". 1935 *ff.*

12. abfällige Kritik. 1920 *ff.*

13. ~ durch beide Backen, Gesicht unverletzt = Volltreffer. Hier ist mit „Backe" die Gesäßhälfte gemeint. *BSD* 1965 *ff.*

14. ~ ins Blaue = a) nicht gezielt abgefeuerter Schuß. Seit dem 19. Jh. = b) Maßnahme auf gut Glück; unverbindlicher Test. Nachgebildet der „Fahrt ins Blaue". 1950 *ff.*

15. ~ in die Botanik = Fehlschuß. *BSD* 1965 *ff.*

16. ~ vor den Bug = ernste Warnung. Stammt aus der Seekriegsführung: durch einen Schuß vor den Bug zwingt man ein Schiff zur Rückschaltung der Maschinen (zum „Anhalten"), zur Kursänderung oder gegebenenfalls zur Übergabe. 1900 *ff.*

17. ~ ins Hemd = a) plötzlicher Spermaerguß infolge heftiger geschlechtlicher Erregung. 1935 *ff.* – b) unerwartetes Ereignis. 1940 *ff.*

18. ~ aus der Hüfte. ↗Hüftschuß.

19. ~ im (in den) Ofen = a) sehr modisch gekleidetes Mädchen; Mädchen von sehr ansprechendem Äußeren. Meint eigentlich die auf einmal in den Backofen geschobene Menge (Geback); hier Anspielung auf „↗knusprig". *Halbw* 1955 *ff.* – b) aufregende Sache. 1955 *ff.* – c) Fehlleistung; Übertölpelung. Wohl eine Machenschaft, über die große Aufregung herrscht. *BSD* 1960 *ff.* – d) Blindgänger. *BSD* 1960 *ff.*

20. ~ ins Schwarze = treffende Bemerkung; geglückte Maßnahme. „Das Schwarze" ist der Mittelpunkt der Zielscheibe. 1900 *ff.*

20 a. ~ in den Teich = Fehlschuß. *BSD* 1960 *ff.*

21. ~ in die Unterhose (-wäsche) = a) plötzlicher Spermaerguß infolge geschlechtlicher Erregung. 1935 *ff.* – b) unerwartetes Ereignis. 1940 *ff.*

22. absoluter ~ = großartige Leistung. Hergenommen vom Treffer auf der Zielscheibe. 1960 *ff.*

23. billiger ~ = Prostituierte mit niedriger Entgeltsforderung. ↗Schuß 3. 1930 *ff.*

23 a. goldener ~ = tödliche Rauschgifteinspritzung. Mangels *engl* und *angloamerikan* Entsprechungen ist der Ausdruck wahrscheinlich vom Titel der *dt* Fernsehsendung „Der Goldene Schuß" übernommen. In dieser Sendung mußte der auf die gespannte Standardarmbrust gelegte Bolzen einen Faden treffen, an dessen Ende ein Geldsack hing. Im Zusammenhang mit Rauschgift meint „golden" das Äußerste und Letzte, nämlich die Dosis, mit der man sich das Leben nimmt. 1970 *ff.*

24. harter ~ = a) schwerwiegende, verletzende Bemerkung. 1950 *ff.* – b) sehr heftiger Fußballstoß. *Sportl* 1950 *ff.*

25. satter ~ = kräftiger Fußballstoß. Satt = gekräftigt, vollwertig. *Sportl* 1950 *ff.*

26. scharfer ~ = schwerer verbaler Angriff auf eine Person. 1920 *ff.*

27. starker ~ = großartige Sache. 1950 *ff.*

28. stummer ~ = unmißverständliche Drohgebärde. 1930 *ff.*

29. trockener ~ = genau gezielter, heftig getretener Fußball. ↗trocken. *Sportl* 1950 *ff.*

30. im ~ = in Eile; im Eifer. *Vgl* „dahinschießen = vorwärtsstürmen" (das Wasser hat Schuß, wenn es Gefälle hat). Seit dem 19. Jh.

31. einen ~ abfeuern (reinfeuern) = ejakulieren. ↗Schuß 3. Seit dem 19. Jh.

32. gegen etw einen ~ abfeuern = gegen etw Einspruch erheben. 1920 *ff.*

33. in ~ bleiben = gesund, heil bleiben. „Schuß" meint hier „Emporschießen" (= rasches Wachsen) der Pflanzen. 1900 *ff.*

34. etw in ~ bringen = etw in Ordnung bringen, ordnungsgemäß herrichten. Hergenommen entweder vom Geschütz, das für den Abschuß vorbereitet wird, oder von der Bezeichnung „Schuß" für die Querfäden eines Gewebes, die mit dem „Schützen" (= Schiff) in das „Fach" eingetragen werden. *Vgl* auch ↗Schuß 38. Seit dem 19. Jh.

35. sich in ~ bringen = sich elegant frisieren, kleiden usw. 1920 *ff.*

36. jm einen ~ vor den Bug geben = jn unter Androhung von ernstlichen Nachteilen warnen. ↗Schuß 16. 1900 *ff.*

37. einen ~ haben = a) betrunken sein; betrunken torkeln. ↗angeschossen 3. 1700 *ff.* – b) verliebt sein. Man ist von Amors Liebespfeil getroffen. 19. Jh. – c) nicht recht bei Verstand sein. 18. Jh.

38. etw im (in) ~ haben = etw in Ordnung haben. Leitet sich her vom richtigen Gefälle des Mühlbachs. Seit dem 19. Jh.

39. sich weit vom ~ halten = sich fernhalten. Schuß = Schußwechsel, Gefecht. 1900 *ff.*

40. etw in ~ halten = etw in Ordnung halten; etw pflegen. ↗Schuß 34 und 38. Seit dem 19. Jh.

41. einen rostigen ~ aus dem Lauf jagen = nach langer Unterbrechung koitieren. Der lange Zeit nicht geputzte Gewehrlauf wird rostig. ↗Lauf 1; ↗Schuß 3. 1940 *ff.*

42. in ~ kommen = in Gang kommen; in die gewünschte Ordnung kommen. Schuß = Gedeihen. ↗Schuß 33. Seit dem 18. Jh.

43. jm vor den ~ kommen = jm gelegen kommen. Stammt aus der Jägersprache: das lang erwartete Wild kommt dem Jäger „vor den Schuß = vor die Büchse". Auf den Menschen übertragen, ist vor allem die lang ersehnte Begegnung mit einer Person gemeint, mit der man eine Sache zu bereinigen hat. Seit dem 18. Jh.

44. ~ kriegen = geprügelt werden. ↗Schuß 8. 1920 *ff.*

45. der ~ geht nach hinten los = ein Vorhaben, das gegen einen anderen gerichtet war, wirkt sich nachteilig auf einen selber aus. 1920 *ff.*

46. einen ~ machen = koitieren. ↗Schuß 3. Seit dem 19. Jh.

47. einen ~ rausrotzen = einen Kanonenschuß abfeuern. ↗rotzen. 1900 *ff.*
48. den ersten ~ reinzittern = zum ersten Mal koitieren. ↗Schuß 3. 1910 *ff.*
49. im ~ sein = a) im Gang, in Ordnung, im Schwung sein; munter, gesund sein. „Schuß" meint hier entweder das Gedeihen der Pflanzen oder das Schießen des Wassers auf das Mühlrad. Seit dem 19. Jh. – b) betrunken sein. Anspielung auf den Torkelgang des Bezechten; ↗angeschossen 3. Seit dem 19. Jh.
50. gut im (in) ~ sein = leistungsfähig sein; gepflegt sein (sein Auto ist gut im/in Schuß). 1900 *ff.*
51. mit jm ~ sein = mit jm verfeindet sein. Versteht sich ähnlich wie „↗Schuß 11" oder spielt in Kurzform an auf die (unerklärte) Bereitschaft zum Duell. 1870 *ff*, vorwiegend Berlin.
52. weit (fern) vom ~ sein = a) fern der Front sein. *Sold* seit dem 19. Jh. – b) nicht betroffen werden; nicht in der Nähe sein. Seit dem späten 19. Jh. – c) von den tatsächlichen Gegebenheiten (Umständen, Vorfällen usw.) nichts wissen. 1950 *ff, schül.*
53. einen ~ setzen = Rauschgift spritzen. ↗Schuß 10. 1970 *ff.*
54. einen ~ töten = einen Torball abwehren. ↗Schuß 9. *Sportl* 1950 *ff.*
Schußbein *n* für heftige Fußballstöße bevorzugtes Bein. *Sportl* 1950 *ff.*
schußbereit sein 1. schlagfertig sein. Man ist zum „Wortgefecht" bereit. 1910 *ff.*
2. zum Fotografieren vorbereitet sein. Hergenommen von „Schnappschuß". 1910 *ff.*
Schussel I *f* Schlitterbahn. ↗schusseln 3. *Mitteld* seit dem 19. Jh.
Schussel II *m* **1.** Unüberlegtheit. ↗schusseln 1. Seit dem 19. Jh.
2. unüberlegt handelnder, nachlässiger, einfältiger Mensch. Seit dem 18. Jh.
Schüssel *f* **1.** flacher Stahlhelm. Verkürzt aus ↗Salatschüssel 1. *Sold* 1914 bis heute.
2. die ~ lecken = den Abort putzen. Schüssel = Abortbecken. Man reinigt es so sorgfältig, daß es wie geleckt aussieht. *BSD* 1960 *ff.*
3. jm auf (in) der ~ liegen = jm zur Last fallen. Hergenommen von der Speiseschüssel. *Österr* seit dem 19. Jh.
4. einen in die ~ schmettern = koten. Meint sowohl das Abortbecken als auch das Stechbecken für Bettlägerige. *BSD* 1960 *ff.*
Schusselchen *n* kleines Mädchen (Kosewort). ↗Schussel II. 1900 *ff.*
Schusse'lei *f* Unaufmerksamkeit, Nachlässigkeit. ↗schusseln 1. Seit dem 19. Jh.
Schusseler *m* hastig, unüberlegt handelnder Mensch. Seit dem 19. Jh.
Schusselfritze *m* zerstreuter, ungeschickter, langweiliger Mann. 1900 *ff.*

schusselig *adj* nachlässig, übereilt, zerstreut, oberflächlich. ↗schusseln 1. Seit dem 18. Jh.
Schusseligkeit *f* Nachlässigkeit, Unaufmerksamkeit. Seit dem 18. Jh.
Schusselkopp *m* unaufmerksamer, nachlässig tätiger Mensch. Berlin 1900 *ff.*
schusseln *intr* **1.** unbesonnen arbeiten; übereilt handeln; sich unsorgfältig kleiden. Iterativum zu „schießen = schnell hin- und hergehen". Seit dem 18. Jh.
2. ungelenke Bewegungen machen. 1900 *ff.*
3. auf der Eisfläche schlittern. Seit dem 19. Jh.
Schüsseltreiben *n* Essen nach der Treibjagd. Jägerspr. 1900 (?) *ff.*
schussen *tr* jn prügeln. ↗Schuß 8. *Österr* 1920 *ff.*
Schusser *m* **1.** Murmel, Schnellkügelchen der Kinder. Gehört zu „schießen = auf ein Ziel zuschnellen". Seit dem 15. Jh.
2. *pl* = weitgeöffnete Augen. 1900 *ff.*
Schüsserlgreisler *m* Kleinkaufmann, Lebensmitteleinzelhändler. ↗Greisler 1. Die Kunden bringen gen Gefäße mit zum Einkauf von Marmelade, Sauerkraut usw. Wien 1930 *ff.*
schussern *intr* **1.** mit Schnellkügelchen (= Murmeln, Klicker) spielen. ↗Schusser 1. Seit dem 18. Jh.
2. habe ich mit dir schon geschussert?: Frage an einen, der unangebrachte Vertraulichkeiten sich erlaubt. Gemeint ist, daß derlei Vertraulichkeiten nur statthaft sind, wenn man schon im Kindesalter miteinander gespielt hat. Seit dem 19. Jh, *bayr.*
Schußfeld *n* **1.** voraussichtlicher Weg eines heftig getretenen Balls. Eigentlich der Bereich, der von der Schußwaffe bestrichen wird. ↗Schuß 9. *Sportl* 1950 *ff.*
2. aus dem ~ gehen = beiseite treten; sich den Kritikern entziehen. 1900 *ff,*
3. ins ~ geraten = heftiger Kritik ausgesetzt sein. 1900 *ff.*
4. jn aus dem ~ nehmen = jn den Angriffen der Kritiker entziehen. 1900 *ff.*
5. im ~ stehen = heftiger Kritik ausgesetzt sein. 1900 *ff.*
Schußfreude *f* ständige Bereitschaft zu Angriffen auf das gegnerische Tor. ↗Schuß 9. *Sportl* 1950 *ff.*
schußfreudig *adj* Torbälle bevorzugend. *Sportl* 1950 *ff.*
schußgeil *adj* rauschgiftsüchtig. ↗Schuß 10. Geil = gierig. 1970 *ff.*
Schußgelegenheit *f* Gelegenheit zu einem Torball. ↗Schuß 9. *Sportl* 1950 *ff.*
schußgewaltig *adj* den Fußball sehr kräftig tretend. *Sportl* 1950 *ff.*
Schußglück *n* Glück bei Tor-, Korbtreffern. Aus der Jägersprache übernommen. *Sportl* 1950 *ff.*
schussig *adj* hastig, oberflächlich. Nebenform zu ↗schusselig. Seit dem 19. Jh.
Schußkanone *f* hervorragender Fußballspieler. ↗Schuß 9; ↗Kanone 1. 1920 *ff.*

Schußkraft *f* Fähigkeit zu wuchtigen Torbällen. *Sportl* 1950 *ff.*

schußkräftig *adj* besonders heftig den Fußball tretend. *Sportl* 1950 *ff.*

Schußlaune *f* Gestimmtheit zu heftigen Torbällen. *Sportl* 1950 *ff.*

Schußlinie *f* **1.** in die ~ geraten = harter Kritik ausgesetzt werden. Schußlinie ist die gedachte Linie zwischen Gewehrmündung und Ziel. 1900 *ff.*
2. in jds ~ kommen = jds Interessen durchkreuzen. 1920 *ff.*
3. jn aus der ~ nehmen (ziehen, bringen) = einem Kritisierten beispringen; einen Angegriffenen seinen Angreifern entziehen. 1900 *ff.*
4. in der ~ sein (sitzen, stehen) = von vielen Seiten kritisiert werden; dauernd unter Beobachtung stehen; einen verantwortungsvollen Posten bekleiden. Seit dem 19. Jh.

Schußlücke *f* für einen gezielten Torball günstige Lücke in der gegnerischen Abwehr. ↗Schuß 9. *Sportl* 1950 *ff.*

Schußmöglichkeit *f* gute Gelegenheit zu einem Torball. *Sportl* 1950 *ff.*

Schußpech *n* Mißgeschick beim Zielen auf das gegnerische Tor. ↗Pech 1. *Sportl* 1950 *ff.*

Schußposition *f* **1.** günstige Stellung für einen Torball. *Sportl* 1950 *ff.*
2. günstiger Stellplatz für die Fernsehkamera. ↗schießen 4. 1955 *ff.*

Schußrichtung *f* Ziel, das man sich gesetzt hat. 1900 *ff.*

schußschwach *adj* keine heftigen Torbälle tretend. *Sportl* 1950 *ff.*

Schußschwäche *f* schwache Leistung bei Torbällen. *Sportl* 1950 *ff.*

schußstark *adj* stark im Plazieren heftiger Bälle auf das Tor. *Sportl* 1950 *ff.*

Schußstärke *f* großes Können bei Angriffen auf das gegnerische Tor. *Sportl* 1950 *ff.*

Schußstiefel *pl* **1.** die ~ anhaben = als Fußballspieler Torball auf Torball treten. ↗Schuß 9. *Sportl* 1920/1930 *ff.*
2. seine ~ zu Hause gelassen haben = keinen Torball erzielen. *Sportl* 1930 *ff.*

Schuster *m* **1.** untüchtiger Handwerker; untüchtiger Mann. Im 19. Jh aufgekommen als Verkürzung von „Flickschuster" und vor allem als Bezeichnung für einen, der als Ungelernter das Schuhmacherhandwerk ausübt.
2. ungeschickter, geistesbeschränkter, langweiliger Mann. Seit dem 19. Jh.
3. Liebediener. ↗schustern 2. Seit dem 19. Jh.
4. gewerbsmäßiger Ausweisfälscher. 1945 *ff.*
5. auf (per) ~s Rappen = zu Fuß. Im 17. Jh wurden die Schuhe als die „Rappen des Schusters" bezeichnet. Der Rappen ist eigentlich das schwarze Pferd.
6. ~s Rappen satteln = sich zum Spaziergang rüsten. 1920 *ff.*

7. dein Vater ist wohl ~?: Frage an einen Stotternden. Der Betreffende spricht in „Absätzen". Wortwitzelei mit der doppelten Bedeutung von „Absatz", einmal als „Schuhteil unter der Ferse" und zum andern als „Stück eines Textes, einer Rede". 1930 *ff.*

Schusterbaß *m* grober Baß; tiefer Baß. Aufgefaßt als Hervorbringen unartikulierter Brummtöne, wie sie einem Künstler schlecht anstehen. 1500 *ff.*

Schusterbeefsteak (*dt/engl* ausgesprochen) *n* Brotscheibe mit Zwiebeln. Anspielung auf die Ärmlichkeit der Flickschuster. 1910 *ff.*

Schusterbraten *m* **1.** in billigem Öl gesottener Hering. 1840 *ff.*
2. zähes Schmorfleisch. Seit dem ausgehenden 19. Jh.
3. Bratkartoffeln. 1900 *ff.*

Schusterbuben *pl* **1.** es regnet ~ = es regnet stark. Schusterjungen gab es früher in sehr großer Zahl. Seit dem 19. Jh.
2. und wenn es ~ regnet = unter allen Umständen; Ausdruck der Beteuerung. Seit dem 19. Jh.

Schuste'rei *f* **1.** oberflächliche, unfachmännische Arbeit. Seit dem 19. Jh.
2. Liebedienerei. ↗schustern 2. 1870 *ff.*

Schusterer *m* Liebediener. ↗schustern 2. 1870 *ff.*

Schusterflugzeug *n* Fahrrad mit Hilfsmotor. Solch ein Fahrrad ist für einen armen Flickschuster, was für andere das Flugzeug ist. 1930 *ff.*

Schusterforelle *f* Hering. 1840 *ff.*

Schusterhacke *f* Frikadelle. Hacke = Hackfleisch. Vgl ↗Schusterbeefsteak. 1950 *ff.*

Schusterjunge *m* **1.** Roggenbrötchen. Berlinischer Ausdruck mit Anspielung auf den niedrigen Preis. 1900 *ff.*
2. *pl* = schlechte Spielkarten. Vgl ↗Schuster 1. Kartenspielerspr. 1900 *ff.*
3. es regnet ~n. ↗Schusterbuben.

Schusterkamerad *m* Handkäse. Frankfurt am Main, seit dem 19. Jh.

Schusterkarpfen *m* Hering. Dem armen Flickschuster galt (gilt?) Hering mit Pellkartoffeln als Festessen. 1640 *ff.*

Schusterkotelett *n* **1.** Kartoffelpuffer. 1900 *ff.*
2. Handkäse und dazu ein trockenes Brötchen. 1900 *ff.*

Schusterkuba *f* billige Zigarre. „Kuba" spielt auf Havanna-Zigarre an. 1910 *ff.*

Schusterkugel *f* **1.** Rundschädel. Formähnlich mit der wassergefüllten Glaskugel als Bestandteil der *trad* Schusterlampe (Schusterlicht). 1910 *ff.*
2. *pl* = große, weitgeöffnete Augen. 1914 *ff.*

Schusterlachs *m* Hering. 1840 *ff.*

Schusterlorke *f* schwacher Kaffeeaufguß. ↗Lorke. 1840 *ff.*

Schustermagen *m* einen ~ haben = alles essen können. 1950 *ff.*

Schustermahlzeit *f* kärgliche Mahlzeit; billiges, minderwertiges Essen. 1870 *ff.*

schustern *intr* **1.** schlecht, unfachmännisch arbeiten. ↗Schuster 1. Seit dem 19. Jh.
2. *intr (refl)* = liebedienern; sich beim Lehrer oder Vorgesetzten einschmeicheln. Von der Herstellung der Paßform durch den Schuster übertragen auf Anpassungsfähigkeit. 1870 *ff, sold* und *schül.*
3. koitieren. Analog zu ↗nähen 3. Doch *vgl* auch *rotw* „Schosa = Vulva". *Oberd* seit dem 19. Jh.
4. schlecht Schlittschuh laufen. Seit dem 19. Jh.

Schusterpalme *f* anspruchslose Blattpflanze (Aspidistra). Scherzhafte Wertsteigerung. 1910 *ff.*

Schusterpastete *f* Gericht aus Resten von Fleisch, Gemüse, Kartoffeln usw. Seit dem 18. Jh.

Schusterpunsch *m* fades Getränk. 1900 *ff.*

Schusterrechnung *f* Schulzeugnis. Ihm kann man entnehmen, ob der Schüler es verstanden hat, beim Lehrer zu „↗schustern". 1870 *ff.*

Schusterspiel *n* schlechtes Fußballspiel. ↗Schuster 1. *Sportl* 1950 *ff.*

Schustersteuer *f* Prostituiertenentgelt. ↗schustern 3. *Österr* 1900.

Schusterwetter *n* unfreundliches Wetter. Kann verkürzt sein aus „Schusterbubenwetter" (↗Schusterbuben) oder spielt an auf „↗schustern 3". Wien 1910 *ff.*

Schutenjule *f* weibliche Angehörige der Heilsarmee. „Schute" ist der Kiepenhut. ↗Jule. Berlin 1900 *ff.*

Schutt *m* komm gut aus dem ∼! = bleib' am Leben, auch wenn die Wohnung zerstört wird! Wunsch unter Berlinern im Zweiten Weltkrieg.

Schütt *m* kräftiger Wasserguß; Platzregen. Substantiv zu „schütten". Seit dem 19. Jh.

Schuttabladeplatz *m* **1.** Bordell. 1950 *ff.*
2. seelischer ∼ = Mensch, dem man seine Kümmernisse anvertrauen kann. 1955 *ff.*
3. Bedürfnisanstalt; Abort. 1960 *ff.*

schütte been bitte schön! Hieraus sprachspielerisch umgeformt. 1880 *ff, stud* und *schül.* Für 1898 ausdrücklich als „Modewort" gebucht.

Schüttelfrost *m* rhythmische Zuckungen bei modernen Tänzen. 1960 *ff.*

Schüttelkasten *m* Omnibus. 1960 *ff.*

schütteln *v* **1.** jn ∼ = jm Geld abverlangen. So wie man einen Obstbaum schüttelt. Polizeispr. 1965 *ff.*
2. sich einen ∼ = onanieren. ↗Palme 11. 1900 *ff.*
3. *intr* = tanzen. *Halbw* 1948 *ff.*
4. er hat sich geschüttelt = er ist abgemagert. Übertragen vom Baum, dessen Früchte oder Blätter abgeschüttelt wurden. Spätestens seit 1900.
5. sich geschüttelt haben = Vergleich angemeldet haben. 1920/30 *ff.*

Schüttelnepper *m* Barmixer. ↗neppen. 1955 *ff.*

Schüttelorgie *f* langanhaltendes, häufiges Händeschütteln. 1960 *ff.*

Schüttelpinguin *m* Tanz in langsamem Rhythmus mit ekstatischen Bewegungen. Die Bewegungen ähneln denen des flügelschlagenden Pinguins. *Halbw* 1955 *ff.*

Schütteltenne *f* Tanzlokal, -fläche. Tenne = Scheune, in der gedroschen wird. Nach 1945 waren manche Tanzlokale in ehemaligen Scheunen eingerichtet. *Halbw* 1955 *ff.*

schütten *v* **1.** einen ∼ = ein Glas Alkohol zu sich nehmen. 1930 *ff.*
2. es schüttet = es regnet heftig. Seit dem 18. Jh.

schütter *adj* sehr minderwertig; langweilig. Übertragen von der Bedeutung „dünn, spärlich" (vor allem auf das Kopfhaar bezogen). *Schweiz* 1950 *ff, halbw.*

Schütter *m* starker Regen. ↗Schütt. 1700 *ff.*

Schütze *m* **1.** Spieler, der einen Tortreffer erzielt hat. Gehört zur Vorstellung „↗Schuß 9". *Sportl* 1950 *ff;* vermutlich älter. *Vgl engl* „shooter".
2. ∼ Arsch = Soldat ohne Rang. „Arsch" ist hier entehrend als Familienname aufgefaßt zur Kennzeichnung der Bedeutungslosigkeit. Vielleicht Weiterentwicklung des für 1840 in Berlin gebuchten „Hans Arsch" im Sinne von „einer, der ohne Einfluß ist". *Sold* 1939 bis heute.
3. ∼ Arsch im dritten (letzten) Glied = unterster Mannschaftsdienstgrad. Im dritten Glied (bei der Aufstellung die hintere Reihe) standen diejenigen Soldaten, die befürchten ließen, daß durch sie der Vorgesetzte eine schlechte Meinung über die ganze Mannschaft bekommen werde. *Sold* 1939 bis heute.
4. ∼ Arsch mit der Ölkanne = Schütze bei der Technischen Truppe. *BSD* 1965 *ff.*
5. ∼ Hülsensack = schlechter Schütze; dummer Soldat. Er sammelt die leergeschossenen Hülsen auf. *Sold* 1939 bis heute.
6. ∼ Kuchenzahn = Soldat ohne Rang. „Kuchenzahn" als „Gelüsten nach Kuchen" spielt auf verwöhnte Lebensweise an und läßt vermuten, daß der Betreffende sich noch nicht an die Härte des Dienstes gewöhnt hat. *Sold* 1939 *ff.*
7. ∼ Nervenklau = Soldat, der durch törichtes Verhalten, Unbeholfenheit usw. andere nervös macht. ↗Nervenklau. *Sold* 1939 *ff.*
8. ∼ Nieselpriem = Soldat ohne Rang. ↗Nieselpriem. *Sold* 1939 *ff.*
9. ∼ Piesepampel = unbedeutender Soldat. ↗Piesepampel. *Sold* 1939 *ff.*
10. ∼ Pumpelmus = Soldat ohne Rang. „Pumpel" ist der beleibte, untersetzte Mensch, auch der langsame Mensch; spielt hier wohl zugleich an auf laut abgehende Darmwinde (pumpeln = ein dumpfes Geräusch hervorrufen). Das Wort kann auch aus „Pampelmus" entstellt sein, wobei „pampeln" soviel wie „schlottern" meint und „Mus" einen Brei oder Pudding bezeichnet. Hieraus ergäbe sich die Vorstellung „Wackelpudding" im Sinne des schlaffen, energielosen (vor Angst zitternden) Menschen. *Sold* 1939 *ff.*
11. ∼ Schließmuskel = unterster Mannschaftsdienstgrad. Anspielung auf Ängstlichkeit (der Schließmuskel des Afters versagt). *BSD* 1960 *ff.*

Jene durchaus nicht als Persiflage gemeinte Szenerie aus einer Zeit, da die reichsdeutsche Fahne und preußische Pickelhauben nicht nur in nationalbewußten Kinderzimmern weit verbreitet waren, vermag vielleicht vor Augen zu führen, welche Assoziationen so manchem Schützenfest zugrundeliegen mögen (vgl. Schützenfest 1.): Der Krieg erscheint als Spiel und Unterhaltung und unterscheidet sich vom Schützenfest der Schützenvereine letztendlich nur durch die unterschiedliche Qualität der Ziele.

12. ~ mit Stern = Offizieranwärter. Er trägt einen Stern auf dem Unterärmel. *BSD* 1960 *ff.*

schutzen *v* **1.** werfen, schleudern. Intensivum von „schießen". Vorwiegend *oberd,* seit dem 13. Jh.

2. jn im Gedränge stoßen. Vorwiegend *oberd,* seit dem 19. Jh.

3. Fußball spielen. *Bayr,* 1920 *ff.*

Schützenfest *n* **1.** Angriff der Infanterie; Geplänkel. Eigentlich das Fest der Schützenvereine. *Sold* in beiden Weltkriegen.

2. Luftkampf mit vielen Abschüssen. Fliegerspr. 1939 *ff.*

3. Fußballspiel, bei dem eine Mannschaft viele Tortreffer erzielt. *Sportl* 1950 *ff;* wahrscheinlich älter.

4. es ist mir ein ~ = es freut mich sehr. Burschikose Wendung. 1920 *ff.*

Schutzengel *m* **1.** Zuhälter. Er gilt als Beschützer der in seinen Diensten stehenden Prostituierten. Berlin 1920 *ff, ziv* und polizeispr.

2. Geheimpolizist. Er beschützt seine Auftraggeber. 1920 *ff.*

3. da hast du einen guten ~ gehabt = da hast du wider Erwarten Glück gehabt; da bist du einer ernsten Gefahr entronnen. Schon 1548 steht bei Agricola in den „Sprichwörtern" *gleichbed* „einen guten Engel gehabt haben".

Schützengrabentourist *m* hochgestellte Persönlichkeit aus der Heimat auf Frontreise, Truppenbesichtigung usw. Er gilt als Urlaubsreisender. *Sold* in beiden Weltkriegen.

Schützenhelfer *m* Mann, der einem anderen beipflichtet gegen Andersgesinnte. Eigentlich der Soldat, der Feuerschutz gibt. *Sold* 1914 *ff; journ* 1920 *ff.*

Schützenhilfe *f* **1.** Unterstützung, Beistand. *Vgl* das Vorhergehende. 1914 *ff.*

2. Petting. *Stud* 1967 *ff.*

3. ~ erhalten (kriegen) = in seiner Meinung oder Handlungsweise Zustimmung bei anderen finden. 1920 *ff.*

4. jm ~ leisten = a) jm beipflichten; jds Vorgehen unterstützen. 1914 *ff.* – b) dem Mitschüler vorsagen. 1950 *ff.*

Schützenkönig *m* Fußballspieler, der die meisten Tortreffer erzielt hat. Eigentlich Bezeichnung für das Schützenvereinsmitglied, das „den Vogel abgeschossen" hat. *Sportl* 1950 *ff.*

Schutzerer *m* Stoß, Wurf. ↗schutzen 1. *Oberd* seit dem 19. Jh.

Schutzfrau *f* Polizeibeamtin. Scherzhaftes Gegenstück zum „Schutzmann". 1927 *ff.*

Schutzfräulein *n* nette, junge Polizeibeamtin. 1927 *ff.*

Schutzhaft *f* Heirat. Aufgefaßt als polizeiliche Verwahrung einer Person (zu deren eigenem Wohl). *BSD* 1965 *ff.*

Schutzmann *m* **1.** Fußballspieler, der einen bestimmten Gegenspieler deckt. Er paßt auf, daß der Gegenspieler nicht „gefährlich" wird. *Sportl* 1950 *ff.*

2. Erwachsener als Anstandsbegleiter eines heranwachsenden Mädchens. Anspielung auf die Sittenpolizei. *Halbw* 1955 *ff.*

2 a. ~ an der Ecke = Polizeibeamter eines Ortsbezirks. 1975 *ff.*

3. ~ mit dem Lippenstift = Polizeibeamtin. 1965 *ff.*

4. eiserner ~ = a) Signalmast im Straßenverkehr. 1920 *ff.* – b) polizeiliche Notrufsäule. *Vgl* ↗Schupo II 2. 1960 *ff.*

5. ein ~ geht durch die Stube = die Unterhaltung stockt plötzlich. Hängt scherzhaft zusammen mit der Regung des schlechten Gewissens und der Angst bei Erscheinen eines Polizeibeamten in der Wohnung. Berlin 1840 *ff.*

Schutzmannsche'rei *f* zu scharfes, unberechtigtes Vorgehen der Polizei. Zusammengesetzt aus „Schutzmann" und „Manscherei", letzteres im Sinne von „Handgemenge; überflüssige Einmischung". Belegt für Berlin 1849 (bei Glassbrenner) und wiederaufgelebt in München 1962 anläßlich der Schwabinger Tumulte mit der Polizei.

Schutztüte *f* Sturzhelm. *BSD* 1960 *ff.*

Schuzpe *f* ↗Chuzpe.

Schwabbel *m* Schwätzer; Geschwätzigkeit. ↗schwabbeln 1. Seit dem 18. Jh.

Schwabbelarsch *m* feistes Gesäß. ↗schwabbeln 2. 1920 *ff.*

Schwabbe'lei *f* Geschwätz. ↗schwabbeln 1. Seit dem 17. Jh.

Schwabbeler *m* Schwätzer. Seit dem 17. Jh.

Schwabbelfritze *m* Schwätzer. ↗Fritze. 1900 *ff.*

Schwabbelherz *n* üppig entwickelter, aber schlaffer Busen. ↗Herz 2. Berlin 1900 *ff.*

schwabbelig *adj* **1.** schwammig-dicklich; weichlich; ohne festen Kern; rührselig. ↗schwabbeln 2; *vgl gleichbed* ↗quabbelig. 1700 *ff.*

2. schwindlig; im Magen unwohl. 1700 *ff.*

3. zum Schwätzen aufgelegt. ↗schwabbeln 1. Seit dem 19. Jh.

4. verschwommen. 1965 *ff.*

Schwabbelkasten *m* Parlament. ↗schwabbeln 1. Seit dem frühen 19. Jh bis heute.

Schwabbelkinn *n* Doppelkinn; Mann mit Doppelkinn. ↗schwabbeln 2. Seit dem 19. Jh.

Schwabbelkopf *m* Schwätzer. Seit dem 19. Jh.

Schwabbelliese *f* Schwätzerin. Seit dem 19. Jh.

Schwabbelmaul *n* Schwätzer. Seit dem 19. Jh.

Schwabbelmeier *m* Schwätzer, Vielredner. *Vgl* das Folgende. Seit dem 19. Jh.

schwabbeln (schwappeln) *intr* **1.** schwätzen. Ein *niederd* Wort, parallel zu *hd* „schwappen = zitternd sich hin- und herbewegen". Wer „schwabbelt", erzeugt ein plätscherähnliches Geräusch und gibt nichts Gediegenes von sich. *Vgl* aber auch „↗schwafeln". 1500 *ff.*

2. schlottern; erzittern; im Wasser auf- und abschaukeln; auf den Wellen tanzen. 1500 *ff.*

3. trinken, zechen. *Rotw* 1600 *ff.*

Schwabbeltante *f* Gummiflasche mit warmem Wasser. ↗schwabbeln 2. 1930 *ff,* Berlin.

Schwabbelwasser *n* ~ getrunken haben = redselig sein. *Vgl* ↗Babbelwasser 2. *Nordd* und *mitteld,* 1900 *ff.*

Schwabber *m* Scheuer-, Putztuch; Aufnehmer. *Vgl engl* „to swab = aufwischen, reinigen, scheuern". *Marinespr* 1900 *ff.*

Schwabbersgast *m* Matrose. *Marinespr* 1900 *ff.*

Schwabenalter *n* **1.** fünftes Lebensjahrzehnt. Nach der Volksmeinung kommt den Schwaben der Verstand erst mit 40 Jahren. Seit dem späten 18. Jh.

2. ins ~ kommen = 40 Jahre alt werden. 1770 *ff.*

Schwabenpampe *f* Nudeln. Meint eigentlich das *schwäb* Nationalgericht der Spätzle. ↗Pampe. *BSD* 1960 *ff.*

Schwäbisches Meer *n* Bodensee. 1500 *ff.*

Schwäbisch-Sibirien *n* Schwäbische Alb. ↗Sibirien. *BSD* 1965 *ff.*

Schwabylon (Schwabylonien) *n* München-Schwabing. Aufgekommen gegen 1920 in Anlehnung an Babylon, das Sinnbildwort für Sittenlosigkeit.

Schwabylonier *m* Bewohner des Künstlerviertels München-Schwabing. 1920 *ff.*

schwach *adj* **1.** schlecht, unvollkommen, unbrauchbar (auf Gegenstände bezogen). Weiterentwickelt aus der Grundbedeutung „kraftlos, elend". Seit dem 19. Jh.

2. man ~ *(adv)* = kaum. ↗man 1. Berlin 1900 *ff.*

3. reden Sie mich nicht so ~ an! = erzählen Sie nichts Unglaubwürdiges! Schwach = geistesschwach, schwachsinnig. *Bayr* 1900 *ff, jug.*

4. etw ~ bleiben = etw schuldig bleiben. Versteht sich aus „schwach werden = in Zahlungsschwierigkeiten geraten". Der Zahlungsunfähige „kränkelt". Wer wenig Geld besitzt, ist schwach bei Kasse. Etwa seit 1900, vermutlich *stud* Herkunft.

5. ~ daherreden = Unsinn schwätzen. ↗schwach 3. *Bayr* 1900 *ff, jug.*

6. jn ~ machen = a) jn zu etw verleiten; jds Widerstand brechen; jn bestechen. Schwach = willensschwach. 1900 *ff.* – b) jn fassungslos machen. 1900 *ff.* – c) jn weichherzig stimmen. 1900 *ff.* – d) jn geschlechtlich verführen. 1900 *ff.*

7. mach mich nicht ~!: Ausdruck der Überraschung oder des Entsetzens. Versteht sich nach „↗schwach 6 b". *Schül* und *stud* 1920 *ff.*

8. sich ~ machen = sich entfernen. Meist in der Befehlsform. Gegenausdruck zu „sich stark machen = Widerstand leisten". Wer den Widerstand aufgibt, zieht sich zurück. Oder der Betreffende erklärt sich für unpäßlich. Seit dem ausgehenden 19. Jh; anfangs *sold,* später auch *schül* und *stud.*

9. sich nicht ~ machen lassen = seine Gefühle beherrschen. 1900 *ff.*

10. jm etw ~ sein = jm etw schuldig sein. ↗schwach 4. 1900 *ff.*

11. ~ im Bezahlen sein = verspätet, nur nach und nach zahlen; mit der Zahlung zögern. Kaufmannsspr. 1950 *ff.*

12. du bist wohl ~?: Frage an einen, der törichte Vorschläge macht. Berlin seit Ende des 19. Jhs.

13. ~ werden = a) ohnmächtig werden. 1900 *ff*. – b) nachgiebig werden; seine Meinung ändern. 1900 *ff*. – c) in Zahlungsschwierigkeiten geraten. ↗ schwach 4. 1900 *ff*. – d) den Widerstand gegen den Geschlechtsverkehr aufgeben. 1900 *ff*.
14. ich werde ~!: Ausdruck des Erstaunens. Vor Verwunderung oder Entsetzen schwinden einem die Sinne. ↗ schwach 6 b. 1920 *ff, jug.*

schwachbrüstig *adj* **1.** anspruchslos, ideenarm (auf Bühnenstücke o. ä. bezogen). Eigentlich soviel wie „schwindsüchtig". *Journ* 1955 *ff*.
2. nicht wohlhabend. Die Brieftasche ist dünn. 1955 *ff*.

schwächen *v* **1.** jn verführen, deflorieren. Man macht die betreffende Person willensschwach, schwächt ihren Widerstand. 1500 *ff*.
2. etw aufbrechen, erbrechen. *Rotw* 1930 *ff*.
3. trinken, zechen. Stammt entweder aus *jidd* „schophach = er hat ausgegossen" oder ist verkürzt aus „Geld schwächen = Geld vertrinken". Kundenspr. 1650 *ff*.

Schwächer *m* Durst. *Vgl* das Vorhergehende. Kundenspr. seit dem ausgehenden 18. Jh.

Schwachheiten *pl* bilde dir keine ~ ein! = mach' dir keine törichten Hoffnungen! Schwachheit = geistige Schwäche; Unverstand; Irrtum. 1840 *ff*.

Schwachkopf *m* dummer Mensch. Er ist schwach im Gehirn. 1800 *ff*.

schwachköpfig *adj* dumm. Seit dem 19. Jh.

Schwachköpfigkeit *f* Geistesschwäche. Seit dem 19. Jh.

Schwachmann *m* energieloser Mann; Schwächling. 1930 *ff, schül* und *sold*.

Schwachmatiker *m* **1.** schlechter Mathematikschüler; wenig begabter Mensch. Im ausgehenden 19. Jh zusammengewachsen aus „schwach" und „Mathematiker".
2. schlechter Schüler; unbegabter Student. Nicht auf mangelhafte mathematische Begabung beschränkt. 1950 *ff*.

Schwachmatikus *m* Schwächling. Scherzhaft erweitert aus „schwach" unter Anlehnung an Asthmatikus, Rheumatikus u. ä. Von Studenten im späten 18. Jh ausgegangen.

schwachmatisch *adj* schwächlich. 1800 *ff*.

schwachsinnig *adj* anspruchslos, rührselig, einfältig. 1950 *ff*.

Schwachstrom *m* alkohol-, koffeinfreies Getränk. Eigentlich der elektrische Strom mit geringer Stromstärke. *Schweiz* 1950 *ff*.

Schwachstrom-Akademie *f* Schule für geistig behinderte Kinder. Euphemismus mit Lehnbezug zur Elektrizitätslehre. 1920 *ff*.

Schwachstrombeize *f* alkoholfreies Restaurant. ↗ Schwachstrom; ↗ Beize. Vorwiegend *südd*, 1950 *ff*.

Schwachstrom-Gymnasium *n* Hilfsschule. Die Geistesgaben sind nur schwach vorhanden. 1930 *ff*.

Schwachstromingenieur *m* Hilfsschullehrer. Kurz nach 1920 aufgekommen, wahrscheinlich unter der Lehrerschaft.

Schwachstromleitung *f* geringe Auffassungsgabe. 1930 *ff*.

Schwachstromtechniker *m* **1.** Hilfsschullehrer. ↗ Schwachstromingenieur. 1920 *ff*.
2. Nervenarzt. 1930 *ff*.
3. Alkoholgegner. ↗ Schwachstrom. 1950 *ff*.

Schwade *f* **1.** Redseligkeit, Redegewandtheit. Aus „Suada" eingedeutscht, spätestens seit 1800.
2. geschwätzige Frau. Seit dem 19. Jh.
3. ~n in die Sauce ziehen = unsinnig, einschläfernd reden. Schwaden = Brodem, Streifennebel. *Schül* 1955 *ff*.

schwaden *intr* schwätzen. ↗ Schwade 1. Seit dem 19. Jh.

schwadern *intr* schwätzen. Schallnachahmung für das Geräusch bewegter Flüssigkeiten; verwandt mit „schwatzen". Seit dem 15. Jh.

Schwadronage (Endung *franz* ausgesprochen) *f* Geschwätz; Prahlerei. ↗ schwadronieren. Seit dem 19. Jh.

schwadronieren *intr* laut und viel reden; sich aufspielen. Scherzhaft weitergebildet aus „↗ schwadern" mit Anlehnung an „Schwadron": Berittene gelten als überheblich (*vgl* „sich aufs hohe ↗ Roß setzen"). Seit dem 18. Jh, anfangs eine Studentenvokabel.

Schwadronierer *m* Schwätzer, Prahler. Seit dem 18. Jh.

Schwadro'nör *m* Schwätzer; Großsprecher. Spätestens seit 1800.

Schwadro'nöse *f* Schwätzerin. 1900 *ff*.

Schwafel *m* Geschwätz. ↗ schwafeln. 1900 *ff*.

Schwafe'lei *f* Geschwätz. Seit dem 19. Jh.

schwafelig *adj* geschwätzig. Seit dem 19. Jh.

Schwafelkopf *m* Schwätzer, Prahler. 1900 *ff*.

Schwafelliese *f* redselige Frau. Seit dem 19. Jh.

schwafeln *intr* schwätzen; töricht reden; unüberlegt sprechen; sich aufspielen. Von „schwadern" oder „schwatzen" oder „fabeln" überlagertes „↗ schwefeln". *Vgl* aber auch „↗ schwabbeln 1". Seit dem 18. Jh.

Schwafelthema *n* Aufsatzthema, das zu Geschwätzigkeit verleitet. 1960 *ff*.

Schwafler *m* langweiliger Dummschwätzer. Seit dem 19. Jh.

Schwager *m* **1.** Liebhaber einer verheirateten Frau. *Iron* Bezeichnung für das Verhältnis des Ehebrechers zum Ehemann; verkürzt aus „↗ Lochschwager". Seit dem 19. Jh.
2. Bezeichnung von zwei Freunden oder Bekannten, die zu verschiedenen Zeiten mit demselben Mädchen verkehren. Seit dem 19. Jh.
3. Angehöriger eines artverwandten Berufs; Anrede an einen Kameraden o. ä. 1500 *ff*.
4. seinem ~ die Hand schütteln = harnen (vom Mann gesagt). *BSD* 1960 *ff*.

Schwagerherz *n* Schwager. Der Anrede „Bruder-, Schwesterherz" nachgebildet. Seit dem 19. Jh.

Schwalbe *f* **1.** Ohrfeige. Hergenommen vom Nest, das die Schwalben an die Hauswand kleben; daraus beschönigend in Anspielung auf „jm eine kleben = jn ohrfeigen". Seit dem späten 18. Jh, anfangs *stud.*

2. Deserteur, Überläufer. Anspielung auf „↗Zugvogel". *Sold* 1939 *ff.*

3. Dienstgradabzeichen des Feldwebels. Der „Winkel" ähnelt den Schwalbenflügeln. *BSD* 1960 *ff.*

4. Feldwebel. *BSD* 1960 *ff.*

4 a. Versuch des Fußballspielers, im Strafraum oder unmittelbar davor einen Elfmeter zu provozieren, indem er sich nach einem harmlosen Rempler fallen läßt oder in den Strafraum zu „fliegen" beginnt, wobei er den Anschein zu erwecken versucht, das Foul sei innerhalb der Markierung geschehen. Übertragen von den in Erdbodennähe fliegenden Schwalben. *Vgl* ↗Schwan 3 a. 1980 *ff*, sportl.

5. Straßenprostituierte. Parallel zu ↗Zugvogel. Seit dem 19. Jh.

6. aus der Haftanstalt geschmuggelte schriftliche Mitteilung. Anspielung auf die aus Papier gefaltete „Schwalbe". Häftlingsspr. 1970 *ff.*

7. alte ∼ = ältliche Frau. 1900 *ff.*

8. jm eine ∼ stechen = jm eine Ohrfeige geben. ↗Schwalbe 1. 1800 *ff.*

schwalben *tr* jn ohrfeigen. ↗Schwalbe 1. Seit dem 19. Jh, vorwiegend *schül; nordd* und *mitteld.*

Schwalbennest *n* **1.** kleiner Balkon. 1870 *ff.*

2. Kanzel in der Kirche. Sie befindet sich hoch über der Gemeinde, wie auch die Schwalben ihre Nester hoch an Gesimsen bauen. 1900 *ff.*

3. kleine Proszeniumsloge in den oberen Rängen. Theaterspr. seit dem frühen 20. Jh.

4. Loge im Varieté (Tanzlokal o. ä.). 1920 *ff.*

5. Haus am Berg-, Felshang. 1900 *ff.*

6. hochgesteckte Frisur. 1920 *ff.*

7. Schulterklappe der Militärmusiker. Meint eigentlich die schwalbennestähnliche Verstärkung des Ärmelausschnitts. *Sold* seit dem 19. Jh bis 1945.

8. Schulterklappe der Korvettenkapitäne o. ä. Seit dem späten 19. Jh.

9. Büstenhalter. Gemeint ist eigentlich die Busenstütze („Büstenhebe"), die nur die untere Brusthälfte umschließt und dadurch einem Schwalbennest ähnelt. 1920 *ff, halbw* und *sold.*

Schwalbenparterre *n* **1.** Mansardenwohnung. Die Schwalbe baut ihr Nest hoch am Haus, so daß für sie „Parterre" ist, was der Mensch „Mansardenstock" nennt. 1920 *ff.*

2. Galerie im Theater. 1920 *ff, stud.*

Schwalbenschwanz (-schweif, -sterz) *m* **1.** Frackschoß, Frack. Die Schöße ähneln dem gegabelten Schwanz der Schwalbe. Etwa seit 1830. *Vgl engl* „swallow-tail".

2. Kellner. Wegen seiner berufsüblichen Kleidung (Frack). Seit dem 19. Jh.

3. Herrenfrisur, bei der das Haar am Hinterkopf von beiden Seiten zusammengebürstet wird. Wien 1940 *ff.*

Schwalbenträger *m* Feldwebel. ↗Schwalbe 3. *BSD* 1960 *ff.*

schwalbieren *tr* jn ohrfeigen. Fremdwörtelnde Variante zu „↗schwalben". Seit dem 19. Jh.

Schwall *m* seichte Rede; Geschwätz. Hergenommen vom Bild einer sich heftig ergießenden Flüssigkeit oder eines aufbrodelnden Wassers. 1978 *ff, jug.*

schwallen *intr* viel schwätzen. 1978 *ff, jug.*

Schwaller *m* Dumm-, Vielschwätzer. 1978 *ff, jug.*

Schwallkopf *m* Dummschwätzer. 1978 *ff, jug.*

Schwamm *m* **1.** saurer Wein. Aufzufassen als Rachenputzmittel (↗Rachenputzer). Kann auch auf den biblischen Bericht von Christus am Kreuz zurückgehen: dem Dürstenden wurde auf einer Lanze ein mit Essig getränkter Schwamm gereicht. 1843 *ff.*

2. Sammelbezeichnung für nicht felddienstfähige Soldaten; Ersatztruppen. Diese Einheiten saugten immer mehr Leute auf. Auch galten „Schwämme = Pilze" als geringwertig. *Sold* 1860 bis 1945.

3. Gesamtheit der Soldaten, die bei Besichtigungen usw. abgeschoben wurden, damit sie den Gesamteindruck nicht schädigten. *Sold* 1800 *ff.*

4. energieloser Mensch. Er ist weichlich wie ein Schwamm. 1900 *ff.*

5. Aufbauschung, Gehaltlosigkeit; leeres Geschwätz. 1950 *ff, journ.*

6. guter ∼ = Vieltrinker. 1900 *ff.*

7. voll (vollgesogen) wie ein ∼ = volltrunken. 1900 *ff.*

8. ∼ drüber! = es soll vergessen sein! reden wir nicht weiter darüber! Leitet sich her von der auf dem schwarzen Brett angekreideten Zechschuld, die mit dem Schwamm ausgewischt wird. Gegen 1830 aufgekommen.

9. aufgesaugt werden wie von einem trockenen ∼ = leichtverkäuflich sein. Kaufmannsspr. 1950 *ff.*

10. sich mit dem ∼ frisieren (kämmen) können = glatzköpfig sein. Spätestens seit 1900; in Berlin aufgekommen.

11. einen ∼ im Magen haben = ein starker Trinker sein. Der Schwamm im Magen saugt alle Flüssigkeit auf. ↗Schwamm 6. Seit dem 19. Jh.

12. saufen wie ein ∼ = viel trinken. Seit dem 19. Jh.

Schwammbacke *f* dicker Mensch mit gedunsenem Gesicht. 1900 *ff.*

Schwammbauch *m* Beleibtheit. 1900 *ff.*

Schwammer *m* Rausch. Gehört zu „schwaimen, schwaimeln = schwindlig sein; wanken". *Vgl* ↗schwiemeln. Wien, seit dem 19. Jh.

Schwammerl *n* **1.** Pilz. Verkleinerungsform von „Schwamm". *Oberd* seit dem Mittelalter.

2. Penis. Analog zu ↗ Pilz 2. 1900 *ff.*
3. narrische ~n gegessen haben = närrische Einfälle haben. Anspielung auf Halluzinationen infolge Fliegenpilzvergiftung. *Bayr* und *österr,* 1900 *ff.*
4. es schießt wie ~ aus dem Boden = es tritt plötzlich vielfältig in Erscheinung. ↗ Pilz 7. Seit dem 19. Jh.
5. ich werde ein ~!: Ausdruck der Verwunderung. *Österr* 1915 *ff, schül.*
Schwampf *m* unangebrachte Übersteigerung. Theaterspr. Zusammensetzung aus „Schwindel" und „↗ Krampf". 1950 *ff.*
Schwan *m* **1.** kluger ~ = kluger, pfiffiger Mensch. Versteht sich aus „↗ schwanen". 1950 *ff.*
2. mein lieber ~! = a) *iron* oder drohende Anrede. Hergenommen aus Richard Wagners Oper „Lohengrin" (1846/48). Etwa seit 1900; vorzugsweise unter jungen Leuten verbreitet. – b) Ausdruck der Verwunderung, des Entsetzens o. ä. 1900 *ff.*
3. dann nicht, lieber ~!: Entgegnung auf eine Ablehnung. 1920 *ff, jug.*
3 a. Sterbender ~ = Fußballspieler, der, ohne Opfer eines Fouls zu sein, sich knapp vor dem Strafraum fallen läßt. *Vgl* ↗ Schwalbe 4 a; ↗ Schwan 4 und 6. 1980 *ff, sportl.*
4. Marke sterbender ~ = ältliche, blaß geschminkte weibliche Person mit unverkennbar erotischen Bemühungen. Leitet sich her von dem Solotanz „Der sterbende Schwan" mit der Musik von Camille Saint-Saëns, vor allem durch Anna Pawlowa bekannt geworden (1905). 1950 *ff.*
5. wann geht der nächste ~? = wann fährt der nächste Zug (Omnibus o. ä.)? Geht zurück auf den Stoßseufzer des Opernsängers Leo Slezak (1873–1946), als bei einer „Lohengrin"-Aufführung der New Yorker Metropolitan Opera in den zwanziger Jahren ein Bühnenarbeiter den Schwan ohne Slezak über die Bühne zog.
6. auf sterbender ~ machen = zu Boden sinken. 1950 *ff.*
schwanen *v* es schwant mir = ich ahne, sehe voraus; Schlimmes steht zu erwarten. Im frühen 16. Jh aufgekommen und meist mit der Vorstellung des „Schwanengesangs" verbunden (in der Antike als Vorankündigung der Seligkeit im Jenseits gedeutet). Wahrscheinlich ist zurückzugehen auf *lat* „olet mihi = es ahnt mir" in Verbindung mit *lat* „olor = Schwan". Andere vermuten Zusammensetzung aus „wanen = wähnen" und „Schwan", wegen der ihm zugeschriebenen prophetischen Gaben.
Schwanenhals *m* einen ~ machen = sich vor Neugierde recken. 1910 *ff.*
schwanger *adj* gründlich gesättigt. Der Leib ist dick, aufgebläht. *Sold* in beiden Weltkriegen.
Schwangerschaftsgürtel *m* Koppel. *BSD* 1960 *ff.*

Schwangerschaftsunterbrechungsauto *n* Kleinauto. Anspielung auf rüttelnde und schüttelnde Bewegung. Steht im Zusammenhang mit der Debatte um die Änderung des § 218 StGB. *Halbw* 1965 *ff*
Schwangerschaftsunterbrechungswässerchen *n* Kräutertee. Bezieht sich wohl auf einen schlechtschmeckenden, ekel- und erbrechenerregenden Tee. *BSD* 1965 *ff.*
'Schwanimus *m* Ahnung von Schlimmem. Zusammengesetzt (wahrscheinlich von Studenten) aus „↗ schwanen" und „↗ Animus". Spätestens seit 1900.
Schwank *m* **1.** einen ~ aus seinem Leben erzählen = Selbsterlebtes erzählen. Gern in der Befehlsform gebraucht. Schwank = Erzählung einer lustigen Begebenheit. 1920 *ff.*
2. mach' keine Schwänke! = lüge nicht! mach' keine Ausflüchte! 1920 *ff.*
Schwankkanone *f* erfolgreicher, beliebter Schauspieler in Schwänken. ↗ Kanone 1. 1955 *ff.*
Schwanz *m* **1.** der letzte bei irgendeiner Sache; der Klassenschlechteste. 1900 *ff.*
2. Penis. Aus dem *Lat* übersetzt; 1500 *ff.*
3. Mann. Pars pro toto. Seit dem 18. Jh.
4. Schlingel. Gehört wohl zu „schwanzen = müßiggehen". *Oberd* seit dem 19. Jh.
5. der nichtbestandene Teil eines Examens; Nachexamen. Schwanz = Endstück; meint in der Landwirtschaft auch das Reststück, das noch zu mähen ist. *Stud* seit dem späten 19. Jh.
6. Vorlesungsversäumnis; durch Kollegversäumen entstandene Lücke im Kollegheft. Seit dem späten 18. Jh, *stud.*
7. unentschuldigtes Fernbleiben vom Schulunterricht. ↗ schwänzen. 1950 *ff*; wohl älter.
8. dünner Zopf; Haarsträhne. Seit dem 19. Jh.
8 a. kräftiger Nachgeschmack des Weins. *Schwäb* seit dem 19. Jh.
9. ~ von Leuten = hinterdreingehende Leute; Gefolge; anstehende Leute (vor einem Geschäft, vor der Theaterkasse o. ä.). 1870 *ff.*
10. Fräulein ~ = junger Mann, der sich wie eine Dame aufführt; junger Mann, der Homosexualität vortäuscht. 1948 *ff,* Berlin. Vorher soviel wie „Dame mit männlichem Glied; Zwitter".
11. und der ganze ~ = und der ganze Rest. 1900 *ff.*
12. kein ~ = niemand. Entweder verkürzt aus „kein Schwanz im Stall = kein Stück Vieh im Stall" oder fußend auf der Gleichung „Schwanz = Mann". Seit dem 19. Jh.
13. kein ~ am Steuer = Kraftfahrerin. ↗ Schwanz 3. Kraftfahrerspr. 1950 *ff.*
14. den ~ abhacken = das Nachexamen bestehen. ↗ Schwanz 5. *Stud* 1930 *ff.*
15. den ~ ausbügeln = den nichtbestandenen Teil einer Prüfung erfolgreich nachholen. ↗ Schwanz 5; ↗ ausbügeln. *Stud* 1950 *ff.*

Die beiden Abbildungen zur 10. Geschichte des neunten Tages aus dem „Decamerone" des Giovanni Boccaccio (1313–1375) zeigen jeweils, wie der Bruder Johannes der Frau seines Geschäftsfreundes Peter den Schwanz ansetzt. Doch während der in der Kunstgeschichte unter dem Namen Meister von Jean Mansel bekannte Maler der Miniatur zu einer um 1440 fertiggestellten französischen Übersetzung dieses Novellenzyklus jene Szene naiverweise wörtlich nimmt, kommt das Standfoto aus der Verfilmung dieses Stoffs durch Pier Paolo Pasolini dem damit wirklich Gemeinten und auch dem, was die Umgangssprache unter diesem Ausdruck versteht (vgl. **Schwanz** 2.), schon näher. Wenn man so will, gibt die ältere Darstellung diesen Vorgang aus der Sicht des hinters Licht geführten Ehemannes wieder, der allen Ernstes glaubt, daß der Pfarrer von Barletta seine Gemahlin in eine Stute verwandeln könne, während der weniger einfältige Zauberkünstler, der bestimmte Reaktionen voraussieht, sich von vornherein gegen ein Mißlingen seines Experiments absichert: „Hüte dich, wenn du nicht alles verderben willst, ein Wort zu sprechen, . . . und bitte den Himmel, daß der Schwanz wohl angesetzt werde."

16. sich den ~ ausreißen = überaus diensteifrig sein. Übertreibend ist gemeint, man gäbe auch den Penis her, wenn es dienstlich gefordert würde. *Sold* und *rotw* 1900 *ff.*

17. jm den ~ ausreißen = jn energisch zurechtweisen. Man entmannt ihn sinngemäß. 1900 *ff.*

18. sich vor Freude den ~ ausrenken = sich überaus freuen. Hergenommen vom Hund, der heftig mit dem Schwanz wedelt. 1950 *ff.*

19. den ~ auswringen = a) harnen (vom Mann gesagt). Seit dem frühen 20. Jh, *nordd.* – b) koitieren. *Sold* in beiden Weltkriegen.

20. einen ~ bauen = a) in einer Prüfung teilweise versagen. ↗Schwanz 5; ↗bauen 1. 1920 *ff, stud.* – b) eine schlechte Arbeit schreiben. *Schül* 1950 *ff.*

21. ich könnte mir vor Freude in den ~ beißen!: Ausdruck großer Freude. Hergenommen vom verspielten Hund, der seinen Schwanz zu ergreifen sucht. 1900 *ff.*

22. sich vor Wut in den ~ (ins Schwänzchen) beißen = sehr wütend sein. Im Zorn neigt man zu unsinnigen Handlungen. 1900 *ff.*

23. dreh deinen ~ nach hinten und geh als Affe!: Ausdruck der Ablehnung. Abwandlung von

„↗Schwanz 31" um der geschlechtlichen Anspielung (↗Schwanz 2) willen. *Marinespr* 1939 *ff.*

24. den ~ einkneifen (einklemmen, einziehen) = a) nachgiebig werden; sich kleinlaut fügen; feige zurückweichen. Vom Hund hergenommen, wenn er schuldbewußt zu sein scheint. 1500 *ff. Vgl franz* „filer la queue entre les jambes", *engl* „to tuck one's tail between one's legs". – b) die Waffen strecken. *Sold* 1918 bis heute.

25. den ~ entstauben = nach längerer Pause wieder koitieren. *Sold* in beiden Weltkriegen.

26. einen verbrannten ~ haben = geschlechtskrank sein. ↗Schwanz 2. *Sold* seit dem späten 19. Jh; auch *prost.*

27. den ~ hängen lassen = a) schuldbewußt sein. Vom Verhalten des Hundes übernommen. 1500 *ff.* – b) mißmutig, verängstigt sein; den Mut sinken lassen. Seit dem frühen 20. Jh. – c) geschlechtlich enthaltsam leben. 1910 *ff.*

28. den ~ heben = harnen (auf Männer bezogen). Übernommen vom Verhalten der Kühe und anderer weiblicher Tiere, verquickt mit „↗Schwanz 2". 1920 *ff.*

29. ihm kommt der ~ nicht mehr hoch = in geschlechtlicher Hinsicht ist er unbrauchbar. 1900 *ff.*

30. den ~ hochtragen = a) sehr eingebildet sein. Die Katze, die man streichelt, richtet den Schwanz auf. 1700 *ff.* – b) in geschlechtlicher Hinsicht sehr wählerisch sein. Der Wendung „den Kopf hochtragen" (↗Kopf 80 a) nachgebildet. 1910 *ff.*

31. kauf' dir einen ~ und geh als Affe!: Ausdruck der Ablehnung. Berlin 1927 *ff.*

32. sich im unter den ~ klemmen = einem höher fliegenden Flugzeug dicht folgen. Schwanz = Flugzeugheck. Fliegerspr. in beiden Weltkriegen.

33. über den ~ kommen = a) auch die kleinere Schwierigkeit bewältigen. Fußt auf dem Sprichwort „kommt man über den Hund, kommt man auch über den Schwanz". 1900 *ff.* – b) koitieren (von der Frau gesagt). 1900 *ff.*

34. jm den ~ lecken = jm auf widerliche Weise liebedienern. Schwanz = Penis. 1900 *ff, ziv* und *sold.*

35. einen ~ machen = ein Studiensemester vertun. ↗Schwanz 5. *Stud* 1950 *ff.*

36. den ~ rauslocken = den Kartenspieler veranlassen, einen „Buben" zu opfern. Schwanz = Mann = Bube. Kartenspielerspr. seit dem 19. Jh.

37. den ~ ringen = beischlafwillig sein, aber bei der Partnerin auf Widerstand stoßen. Übertragen von der Metapher „die Hände ringen". 1930 *ff.*

38. der ~ guckt (sieht) ihm aus den Augen = er blickt lüstern. Seit dem 19. Jh.

39. so lang ist sein ~ auch nicht = so überheblich und machtlüstern sollte er lieber nicht sein. Übertragen vom Prahlen mit der Größe des männlichen Glieds. 1920 *ff.*

40. am ~ sein = unter den Klassenschlechtesten sein. ↗Schwanz 1. *Schül* 1900 *ff.*

41. jm auf den ~ spucken = jn energisch zur Rechenschaft ziehen; jm sehr heftig zusetzen. Die im Zweiten Weltkrieg aufgekommene fliegerspr. Vokabel kann mit „Schwanz" das Flugzeugheck des tiefer fliegenden Flugzeugs meinen und auf Beschuß anspielen.

42. ihm steht der ~ auf Alarm = a) er verlangt nach geschlechtlicher Befriedigung. *Sold* seit dem frühen 20. Jh. – b) er sucht Streit. *Sold* seit dem frühen 20. Jh.

43. jn schlauchen (o. ä.), daß ihm der ~ nach hinten steht = jn rücksichtslos drillen. *Vgl* ↗schleifen 2. *Sold* 1900 *ff.*

44. jm den ~ stutzen = jn zur Ordnung bringen. Leitet sich her vom Kupieren junger Hunde o. ä. *Sold* 1930 *ff.*

45. jm auf den ~ treten = a) jn beleidigen; jm zu nahe treten. „Schwanz" kann den Hundeschwanz meinen oder den Zipfel des Hemds oder Rocks (*vgl* ↗Schwalbenschwanz 1). 1500 *ff.* – b) jn drillen. Hier spielt auch die Gleichung „Schwanz = Penis" hinein. *Sold* 1900 *ff.*

46. sich auf den ~ getreten fühlen = sich gekränkt fühlen. Seit dem 19. Jh.

47. sich den ~ verbiegen = sich eine Geschlechtskrankheit zuziehen. 1900 *ff.*

48. sich den ~ verbrennen = sich mit Tripper (o. ä.) infizieren. Seit dem 19. Jh, *sold, prost* und *stud.*

49. jm den ~ verdrehen = einen Mann liebestoll machen. Übertragen von „jm den ↗Kopf verdrehen", wobei hier auf „↗Nillkopf" = Eichel" angespielt wird. Berlin 1925 *ff.*

50. jm den ~ vergolden = passiver Homosexuellenpartner sein. 1900 *ff.*

51. sich den ~ verklopfen = geschlechtskrank werden (auf den Mann bezogen). *Vgl* ↗Pfeife 30. 1900 *ff.*

52. mit dem ~ wedeln = liebedienerisch sein. Vom Verhalten des Hundes übertragen. Spätestens seit 1870, vorwiegend *schül* und *sold.*

53. den ~ zwischen die Beine ziehen = schuldbewußt, beschämt weggehen. ↗Schwanz 24. 1500 *ff.*

Schwanzappell *m* militärärztliche Untersuchung auf Sauberkeit, auf Geschlechtskrankheiten. ↗Schwanz 2. *Sold* 1914 bis heute.

Schwanzaugen *pl* lüsterne Blicke ↗Schwanz 38. 1900 *ff.*

Schwanzausreißen *n* **1.** es ist zum ~!: Ausdruck der Verzweiflung. Vor Unerträglichkeit möchte

man eine unsinnige Tat begehen. 1900 *ff.*

2. Sache, die den Teufel zum ~ bringen könnte = empörende Angelegenheit. 1900 *ff.*

Schwanzbeschauer (-begucker) *m* Militärarzt bei der Untersuchung auf Geschlechtskrankheiten. *Sold* in beiden Weltkriegen.

Schwanzbeschwerer *m* Bordmechaniker und -schütze. Er bedient das Maschinengewehr im Leitwerk. Schwanz = Flugzeugheck. Fliegerspr. 1939 *ff.*

Schwänzchen (Schwänzle) *n* **1.** Nachgeschmack des Weins. ↗Schwanz 8 a. 1900 *ff, südwestd.*

2. das ~ hochnehmen = zum Sturzflug ansetzen. Schwanz = Flugzeugheck. Fliegerspr. 1939 *ff.*

3. ~ machen = eine weibliche Person umwerben. Man geht hinter ihr drein. 1930 *ff.*

4. ein ~ machen = ein Studiensemester vertun; das Studium ausdehnen. ↗Schwanz 5. *Stud* 1950 *ff.*

schwanzdoll *adj* nymphoman. ↗Schwanz 2 und 3; ↗doll 5. Berlin 1910 *ff.*

Schwanzdollheit *f* Nymphomanie. Berlin 1910 *ff.*

Schwänze'lei *f* Schmeichelei. ↗schwänzeln 1. Seit dem 19. Jh.

Schwänze'lenz *f* absichtliches Fernbleiben von der Schule (als Krankheit getarnt). *Vgl* das Folgende; hier vielleicht beeinflußt von „↗Lenz = Müßiggang". Gotha 1900 *ff.*

Schwänze'lenzia *f* geheuchelte Schülerkrankheit. Zusammengesetzt aus „↗schwänzen 3" und „Influenza"; *vgl* ↗Faulenza 1. Gotha 1900 *ff.*

Schwänzelgeld *n* von Hausgehilfinnen einbehaltene kleine Beträge, die sie bei Einkäufen durch Anrechnung höherer Preise einbehalten. ↗schwanzen 8. Seit dem 19. Jh.

Schwänzelgroschen (Schwänzelgroschen) *pl* **1.** herausgewirtschaftetes, heimlich einbehaltenes Geld. ↗schwanzen 8. Seit dem 19. Jh, hausgehilfinnenspr.

2. für Bordellbesuch verausgabtes (eingespartes) Geld. Schwanzen, schwänzen = koitieren. *Sold* in beiden Weltkriegen.

schwänzeln *intr* **1.** sich einschmeicheln. Im 18. Jh vom schwanzwedelnden Hund übertragen.

2. hüftwackelnd gehen; sich in den Hüften wiegen; geziert einhergehen. Iterativum zu „schwänzen = schwenken; stolzieren". Seit dem 19. Jh.

3. koitieren. ↗Schwanz 2. 1966 *ff, jug.*

Schwänzelpfennige *pl* durch günstigen Einkauf herausgewirtschaftete (und für sich einbehaltene) Pfennigbeträge. ↗schwanzen 8. Frühes 18. Jh.

schwanzen (schwänzen) *v* **1.** *intr* = sich in den Hüften wiegen; geziert gehen. Aus dem Intensivum zu „schwanken" entstanden. 1500 *ff.*

2. *intr* = müßiggehen. Geht zurück auf die untergegangene Form „schwankezen = hin- und herschwanken", woraus um 1500 im *Rotw* die Bedeutung „umherschlendern" aufgekommen ist.

3. *tr* = eine Unterrichtsstunde, den Gottesdienst o. a. absichtlich versäumen. Aus dem Vorhergehenden im 18. Jh unter Schülern und Studenten geläufig geworden.

4. *tr intr* = der Arbeit eigenmächtig fernbleiben. 1900 *ff.*

5. *tr intr* = dem Grundwehrdienst schuldhaft fernbleiben; die Dienstverrichtung verweigern. *BSD* 1973 *ff.*

6. *intr* = koitieren. ↗Schwanz 2. 1800 *ff.*

7. *intr* = harnen (vom Mann gesagt). 1800 *ff.*

8. *tr* = jn betrügen; jm etw schuldig bleiben. Aus „↗schwanzen 3, 4 und 5" ergibt sich die Bedeutung „Pflichten absichtlich versäumen", was sich auch auf die Nichteinhaltung von Zahlungsverpflichtungen ausdehnen läßt und den Sinn von „unterschlagen, betrügen" annimmt. Es kann allerdings auch von der Bedeutung „entlaufen" ausgegangen werden, woraus sich der Sinn „sich den Gläubigern entziehen; hintergehen" entwikkelt. 1700 *ff.*

9. *tr* = jn rücksichtslos behandeln; jn streng drillen. Meint eigentlich das Prügeln mit dem Ochsenschwanz. Vorwiegend *westd,* 1920 *ff.*

10. es schwanzt mich = es ärgert mich. Von der Bedeutung „prügeln" in Österreich im 19. Jh weiterentwickelt.

11. sich ~ = sich ärgern. *Österr* seit dem 19. Jh.

Schwän'zenzia *f* geheuchelte Schülerkrankheit. ↗Schwänzelenzia. Gotha 1900 *ff.*

Schwänzer *m* **1.** Schüler, der dem Unterricht unentschuldigt fernbleibt oder jede Gelegenheit nutzt, sich dem Schulbesuch zu entziehen. ↗schwanzen 3. Seit dem 19. Jh.

2. Mann, der sich dem Dienst (der Arbeit, den Verpflichtungen) zu entziehen sucht. ↗schwanzen 4. 1900 *ff.*

3. Mann, der sich nicht beteiligt, sich von einem gemeinsamen Vorhaben ausschließt oder seine Beteiligung nur heuchelt. Er verärgert die anderen; ↗schwanzen 10. *Österr* 1950 *ff.*

4. Offizier. ↗Schwanz 30. *Sold* 1930 *ff.*

Schwänze'rei *f* **1.** unentschuldigtes Fernbleiben vom Unterricht. ↗schwanzen 3. Seit dem 19. Jh.

2. Arbeitsversäumnis. ↗schwanzen 4. 1900 *ff.*

Schwanzfedern *pl* **1.** männliche Schamhaare. ↗Schwanz 2. 1910 *ff.*

2. jm die ~ ausreißen = jn plagen, streng an Zucht und Ordnung gewöhnen. Eigentlich soviel wie „fluguntüchtig machen". *Sold* 1920 *ff.*

Schwanzflosser *m* Mann. Wohl einer, bei dem alle Kraft im „Schwanz" sitzt. 1950 *ff, jug,* Berlin.

Schwanzfutteral *n* **1.** Präservativ. ↗Schwanz 2. 1900 *ff.*

2. Vagina. 1900 *ff.*

Schwanzgans *f* Mädchen, das mit einem oder mehreren Jungen Freundschaft schließt, nur um mit ihnen intim zu verkehren. ↗Schwanz 2; ↗Gans 1. *Halbw* 1955 *ff,* Berlin.

Schwanzgeld *n* Entgelt für den Bordellbesuch. Eigentlich der zu leistende Betrag beim Ankauf eines Pferdes, einer Kuh o. ä.; hier bezogen auf „↗schwanzen 6". *Sold* und *rotw* 1900 *ff.*

Schwanzhaare *pl* männliche Schamhaare. 1900 *ff.*

Schwanzhalter *m* Suspensorium. 1920 *ff.*

schwänzig *adv* ~ leben = geschlechtlich oft verkehren. Etwa seit 1900.

Schwanzklammer *f* **1.** Vagina. 1900 *ff.*

2. Prostituierte. 1920 *ff.*

Schwanzklemme *f* **1.** Vagina. 1900 *ff.*

2. Prostituierte; leichtes Mädchen. 1920 *ff.*

Schwanzkloppe *pl* Geschlechtskrankheit des Mannes. ↗Schwanz 51. Kloppe = Prügel = Schicksalsschläge. 1910 *ff, sold* und *halbw.*

Schwanzknecht *m* Arzt für männliche Geschlechtskranke. Berlin 1920 *ff.*

Schwanzkneipe *f* Lokal minderer Güte; Lokal, in dem Homosexuelle verkehren. 1910 *ff,* Berlin, Breslau u. a.

Schwanzkrabbe *f* **1.** Prostituierte. *Vgl* ↗Krabbe 4. 1910 *ff.*

2. junges Mädchen, das intimem Verkehr nicht ausweicht. ↗Krabbe 2. *Jug* 1955 *ff,* Berlin.

Schwanzlandung *f* Flugzeuglandung mit herabgedrücktem Heck. Fliegerspr. seit dem Ersten Weltkrieg.

schwanzlastig *adj* nach Geschlechtsverkehr verlangend. Stammt aus der Fliegersprache des Zweiten Weltkriegs in Anlehnung an den Fachbegriff „hecklastig".

Schwanzleitwerk *n* Vagina. ↗Leitwerk. *Sold* 1939 *ff.*

Schwänzler *m* Liebediener. ↗schwänzeln 1. Seit dem 19. Jh.

Schwanzmeister *m* Klassenschlechtester. ↗Schwanz 1. 1960 *ff, schül.*

schwanznarrisch *adj* mannstoll. *Bayr* und *österr* seit dem 19. Jh.

Schwanzparade *f* **1.** militärärztliche Untersuchung auf Geschlechtskrankheiten. ↗Schwanz 2. *Sold* seit dem späten 19. Jh bis heute.

2. ~ mit Lausenachweis = militärärztliche Untersuchung auf Geschlechtskrankheiten und Ungeziefer. *Sold* 1910 *ff.*

Schwanzprimus *m* Klassenschlechtester. Scherzhafte Schülervokabel. ↗Schwanz 1; ↗Bester 1. 1950 *ff, südwestd.*

schwanzschüchtern *adj* schüchtern in geschlechtlicher Hinsicht. *Sold* und *ziv* 1915 *ff.*

Schwanzschwägerin *f* Frau im Verhältnis zu einer anderen Frau, die mit demselben Partner intime Beziehungen unterhält. *Vgl* ↗Schwager. 1950 *ff,* Ruhrgebiet.

schwanzwedeln *intr* **1.** jn umschmeicheln; sich jm von der vorteilhaftesten Seite zeigen. ↗Schwanz 52. 1800 *ff.*

2. da hilft kein ~ = das muß getan werden, wenn es auch noch so schwer fällt. 1900 *ff.*

Schwanzzeiger *m* Exhibitionist. ↗Schwanz 2. Polizeispr. 1930 *ff*, Hamburg.

Schwanzzeit *f* Schulferien. ↗schwanzen 2. *Südwestd* 1950 *ff*.

Schwappe *f* schallende Ohrfeige. ↗schwappen. *Nordd* 1870 *ff*.

schwappeln *intr* ↗schwabbeln.

schwappen *v* jm eine ~ = jn ohrfeigen. Schallnachahmender Herkunft. *Nordd* 1870 *ff*.

Schwapptür *f* in gummiverkleidetem Rahmen bewegliche Tür. Beim Zufallen oder Zuschwingen entsteht der Laut „schwapp". 1920 *ff*, handwerkerspr.

Schwark *m* 1. Zorn, Wut. Meint eigentlich die Gewitterwolke. *Nordd* 1900 *ff*.
2. gefahrdrohende Stimmung; arge Verstimmung. *Nordd* 1900 *ff*.

schwärmen *intr* als Straßenprostituierte nach Kunden Ausschau halten. Hergenommen von den in Scharen umherfliegenden Bienen. *Vgl* auch ↗Biene 4. 1900 *ff*.

Schwärmer *m* einjährige Freiheitsstrafe. Hergenommen vom Feuerwerkskörper mit seiner Kurzlebigkeit. 1920 *ff*, rotw.

Schwärmgegend *f* von Prostituierten beiderlei Geschlechts bevorzugte Verkehrsstraßen. ↗schwärmen. 1950 *ff*, *prost* (Berlin).

Schwarte *f* 1. altes Buch; dickes Buch; Buch mit überholtem Inhalt; Schulbuch. Im 17. Jh unter Studenten aufgekommen im Zusammenhang mit dem Einband aus Schweinsleder.
2. unerlaubte fremdsprachliche Übersetzung für Schüler. *Schül* seit dem 19. Jh.
3. großflächiges Gemälde von geringem künstlerischem Wert. Parallel zu ↗Schinken 5. Etwa seit 1870/80.
4. Haut des Menschen. 1500 *ff*.
5. schlechter, abgefahrener Reifen. Kraftfahrerspr. 1930 *ff*.
6. grober, unmanierlicher Mann; Flegel. Er hat wohl eine „dicke Schwarte", d. h. ein unempfindlich „dickes ↗Fell". 1900 *ff*.
7. dralles Mädchen. *Nordd* seit dem späten 19. Jh.
8. alte ~ = alte Frau. *Vgl* auch ↗Haut 1. Seit dem 19. Jh.
9. eine gute ~ haben = gut reden können. Entstellt aus „↗Schwade 1". *Schül* 1920 *ff*.
10. daß die ~ knackt = sehr angestrengt; tüchtig. *Vgl* das Folgende. Seit dem 19. Jh.
11. dreinhauen (o. ä.), daß die ~ knackt (kracht) = kräftig zuschlagen. Gemeint ist ein so starkes Schlagen, daß die Haut platzt. 1500 *ff*.
12. jm etw vor die ~ sagen = jm etw ins Gesicht sagen. Von der ursprünglichen Bedeutung „Kopfhaut" verengt auf Kopf und Gesicht. Seit dem 19. Jh, *westd*.

Schwarteln *pl* Skier. Spottwort; denn „Schwarteln" sind eigentlich dünne Abfallbretter. Etwa seit 1920 in *bayr* und *österr* Wintersportgebieten.

schwarteln *v* 1. *tr* = jn prügeln. ↗Schwarte 4. *Österr* 1940 *ff*, *schül* und kundenspr.
2. *intr* = eilig gehen. Hergenommen von der Fortbewegung auf Skiern. *Österr* 1940 *ff*, *schül*.

schwarten *v* 1. *intr* = in Büchern lesen. ↗Schwarte 1. 1950 *ff*.
2. *tr* = jn prügeln. ↗Schwarte 4. Seit dem 19. Jh.

Schwartenritzer *m* Streifschuß. *Sold* 1939 *ff*.

Schwartenverwaltung *f* (Schüler-)Bücherei. ↗Schwarte 1. 1930 *ff*.

Schwartling *m* Ski. ↗Schwarteln. *Bayr* und *österr* 1918 *ff*.

Schwarz *n* Spielfarbe „Pik". Kartenspielerspr. Seit dem 19. Jh.

schwarz *adj* 1. katholisch; der katholischen Partei angehörend; sehr fromm; orthodox. Leitet sich von der schwarzen Amtstracht der katholischen Geistlichen her. Seit dem frühen 19. Jh.
2. einer nichtfarbentragenden oder konfessionellen Studentenverbindung angehörend. Seit dem späten 19. Jh.
3. mittellos. Vermutlich weil es in der Geldbörse mangels schimmernder Münzen sehr dunkel aussieht. *Rotw* und *stud*, 1850 *ff*,
4. im Spiel ohne Gewinn, ohne Stich. Kartenspielerspr. seit dem 19. Jh.
5. unter Umgehung der behördlichen Handelsvorschriften; amtlich nicht zugelassen; im Schleichhandel; unerlaubt; betrügerisch. Anspielung auf „dunkle" oder nächtliche Geschäfte. Wohl von „↗schwärzen" beeinflußt. Etwa seit dem letzten Drittel des 19. Jhs, vielleicht von Bayern ausgegangen.
6. ohne Zahlung von Eintrittsgeld, von Kolleggeld o. ä. 1900 *ff*.
7. ohne Paß; ohne Ausweispapiere. Kundenspr. 1870 *ff*.
8. bezecht. Wohl Anspielung auf Geistestrübung. 1700 *ff*. *Vgl franz* „être noir".
9. unheilvoll. Schwarz ist seit alter Zeit die Farbe der Trauer, des Elends und des Bösen. Spätestens seit 1500.
10. vorbestraft. Wohl Anspielung auf Dunkelhaft. *Rotw* 1900 *ff*.
11. sich ~ ärgern = sich sehr ärgern. Verhüllende Parallele zu „sich zu Tode ärgern"; denn „schwarz" bezieht sich auf die Farbe der in Verwesung übergehenden Leiche. Seit dem 18. Jh.
12. ~ über die Grenze gehen = ohne Paß die Grenze überschreiten. ↗schwarz 7. 1870 *ff*.
13. deine Mutter ist wohl lange nicht mehr in ~ gegangen?: Drohfrage. *Sold* und *ziv* 1910 *ff*.
14. jn für ~ halten = jn für dümmlich halten. Umschreibung für „jn für einen ↗Kaffer halten". Berlin 1950 *ff*.
15. die Nummer klingt ~ = das Musikstück enthält Spuren des Blues. Der Blues wurde ursprünglich nur von Negern gespielt und gesungen. Musikerspr. und *halbw*, 1950 *ff*.

16. jn ~ machen = a) jn ausplündern. ↗schwarz 3. *Rotw* 1850 *ff.* – b) jn zu keinem Stich kommen lassen. Kartenspielerspr. seit dem 19. Jh. – c) jn verleumden. *Vgl* ↗anschwärzen. Schwarz als Sinnbildfarbe des Bösen. Seit dem 19. Jh.

17. er hat sich ~ gemacht = er ist betrunken. ↗schwarz 8. 1700 *ff.*

18. wenn es ~ schneit (wenn schwarzer Schnee fällt) = nie. 1500 *ff.*

19. ~ umziehen = ohne Genehmigung des Wohnungsamts (der Meldebehörde) umziehen. ↗schwarz 5. 1920 *ff.*

20. etw ~ verkaufen = etw verkaufen, ohne den Betrag in die Registrierkasse aufzunehmen. ↗schwarz 5. 1920 *ff.*

21. und wenn er dabei ~ wird = bis zum Äußersten. Schwarz = mittellos. 1900 *ff.*

22. jn anlügen, daß er ~ wird = jn dreist belügen. ↗schwarz 11. Seit dem 19. Jh.

23. du kannst reden, bis du ~ wirst = du redest vergeblich. ↗schwarz 11. Seit dem 18. Jh.

24. suchen, bis man ~ wird = lange, vergeblich suchen. Seit dem 19. Jh.

25. auf etw warten, bis man ~ wird = lange, vergeblich auf etw warten. ↗schwarz 11. Seit dem 19. Jh.

26. zahlen, bis man ~ wird = lange zahlen. Seit dem 19. Jh.

Schwarzapparat *m* nicht angemeldetes Rundfunk-, Fernsehgerät. ↗schwarz 5. 1930 *ff.*

Schwarzarbeit *f* **1.** unerlaubte bezahlte Arbeit eines Empfängers von Arbeitslosengeld, eines Berufstätigen nach Feierabend, während der Beurlaubung wegen vermeintlicher Erkrankung o. ä.; gegenüber der Arbeitsverwaltung oder dem Finanzamt unterschlagener Nebenverdienst. ↗schwarz 5. 1920 *ff.*
2. Arbeit, ausgeführt im Namen eines anderen, der dafür seinen Namen gibt. 1957 *ff.*
3. Tätigkeit des Schornsteinfegers. 1920 *ff.*

schwarzarbeiten *intr* trotz Arbeitslosenunterstützung, Krankschreibung usw. bezahlte Arbeit heimlich verrichten; den Nebenverdienst betrügerisch nicht versteuern. 1920 *ff.*

Schwarzarbeiter *m* **1.** krankgeschriebener Berufstätiger, Empfänger von Arbeitslosenunterstützung (o. ä.), der heimlich erwerbstätig ist und seine Nebeneinkünfte dem eigentlichen Arbeitgeber, den Behörden o. ä. verschweigt. 1920 *ff.*
2. Schornsteinfeger. 1920 *ff.*
3. farbiger Hausfreund der verheirateten Frau. 1965 *ff.*

schwarzarbeitslos *adj* ohne heimlichen Nebenverdienst. 1930 *ff.*

Schwarzarbeitstag *m* der sich an die Fünf-Tage-Woche anschließende Samstag. 1956 *ff.*

Schwarzarsch *m* Bezieher von Arbeitslosenunterstützung bei gleichzeitigem unangemeldetem Nebenverdienst. Nach 1945 aufgekommen.

Schwarzbäcker *m* Bäcker, der zu verbotener Zeit Brot backt. ↗schwarz 5. 1955 *ff.*

Schwarzbau *m* von der Baubehörde nicht genehmigter Bau. 1950 *ff.*

schwarzbauen *intr* ohne behördliche Genehmigung bauen. ↗schwarz 5. 1950 *ff.*

Schwarzbauer *m* **1.** nachts tätig werdender Dieb. ↗bauen 1. *Rotw* seit dem späten 17. Jh.
2. Bürger, der ohne behördliche Genehmigung ein Haus baut. 1950 *ff.*

Schwarzbeine *pl* Mädchen in langen schwarzen, dicken Strümpfen. 1955 *ff.*

Schwarzbestände *pl* nicht amtlich beschaffte, nicht ordnungsgemäß eingekaufte und verbuchte Warenbestände. 1939 *ff.*

schwarzbrennen *intr* = unerlaubt Schnaps brennen. ↗schwarz 5. 1916 *ff.*

Schwarzbrenner *m* Schnapshersteller ohne amtliche Zulassung. 1945 *ff.*

Schwarzbrennerei *f* Schnapsherstellung, die gegen das Monopolgesetz verstößt; Betrieb, der sich solcherart betätigt. 1945 *ff.*

Schwarz-Buch *n* Verzeichnis von Betrügern usw. Gegenstück zu „Weißbuch = regierungsamtliche Dokumentensammlung". 1920 *ff.*

Schwarzeinkauf *m* Ladendiebstahl. ↗schwarz 5. 1955 *ff.*

schwärzen *v* **1.** *tr intr* = schmuggeln; Zoll hinterziehen. Beruht auf Schwarz als Farbe der Nacht und spielt an auf nächtlichen Warentransport über die Grenze. Ausgangspunkt für die Vokabel „↗schwarz 5". Seit dem späten 18. Jh.
2. *tr* = anschuldigen, verleumden. ↗anschwärzen. 1600 *ff.*

Schwarzer *m* **1.** Geistlicher. Wegen der Farbe der Amtstracht. ↗schwarz 1. Seit dem 19. Jh.
2. Mokka; Tasse Kaffee ohne Milch. *Österr* seit dem 19. Jh.
3. Dunkelarrest; strenger Arrest. *Sold* seit dem späten 19. Jh.
4. kleiner ~ (lütter Swarter) = Kaffee mit Doppelkümmel. *Niederd* 1850 *ff.*

Schwärzer *m* **1.** Schmuggler, Hehler. ↗schwärzen 1. 1750 *ff*, vorwiegend *oberd.*
2. fahren wie ein ~ = sehr schnell fahren. 1940 *ff*, *österr, sold.*

Schwarzernte *f* Getreidediebstahl. ↗schwarz 5. 1925 *ff.*

Schwarzer-Peter-Spiel *n* gegenseitige Abwälzung der Verantwortung. ↗Peter 6. 1920 *ff.*

Schwarzes *n* **1.** großes ~ = elegantes schwarzes Abendkleid. 1900 *ff.*
2. kleines ~ = kurzes dunkles Besuchs-, Abendkleid. 1900 *ff.*
3. jm nicht das Schwarze unter dem Nagel gönnen = jm nichts gönnen. Das „Schwarze unter dem Nagel" steht hier sinnbildlich für „Dreck", also für Wertloses. 1800 *ff.*
4. ins Schwarze treffen = das Richtige sagen oder

tun. Das Schwarze ist der Mittelpunkt der Zielscheibe. Spätestens seit 1900. *Vgl franz* „mettre dans le noir".

Schwarzes-Peter-Spiel *n.* ↗Schwarzer-Peter-Spiel.

schwarzfahren *intr* **1.** schmuggeln. ↗schwärzen 1. 1915 *ff.*
2. ohne Urlaubsschein (Urlaubsbewilligung) wegfahren. ↗schwarz 5. *Sold* 1914 *ff.*
3. ohne Paß reisen. Kundenspr. 1900 *ff.*
4. ohne Fahrschein fahren. 1900 *ff.*
5. ohne Führerschein fahren. 1920 *ff.*
6. ein Auto ohne Wissen des Besitzers fahren; mit gestohlenem Führerschein fahren. 1920 *ff.*
7. ohne Erlaubnis unter Tage fahren. 1920 *ff.*
8. ohne Sonntagsfahrerlaubnis fahren. Aufgekommen mit dem Sonntagsfahrverbot im Zeichen der Ölkrise im November 1973.

Schwarzfahrer *m* **1.** Schmuggler. ↗schwärzen 1. Kundenspr. 1850 *ff.*
2. Handwerksbursche ohne Ausweispapiere. 1900 *ff.*
3. Kraftfahrer ohne Führerschein. 1920 *ff.*
4. Autofahrer ohne Fahrerlaubnis. ↗schwarzfahren 8. Seit November 1973.
5. Soldat, der ohne Urlaubsbewilligung eine Fahrt unternimmt. *Sold* 1914 *ff.*
6. Benutzer eines Autos ohne Wissen des Besitzers. 1920 *ff.*
7. Fahrpreispreller. 1900 *ff.*
8. Nichtmitglied der Gewerkschaft, aber trotzdem Nutznießer ihrer Erfolge. 1955 *ff.*

Schwarzfahrerei *f* widerrechtliche Benutzung öffentlicher Verkehrsmittel ohne Fahrkarte. 1900 *ff.*

Schwarzfahrt *f* **1.** Benutzung öffentlicher Verkehrsmittel ohne Fahrschein. 1900 *ff.*
2. Autofahrt ohne Führerschein. 1920 *ff.*
3. Kraftwagenbenutzung ohne Wissen des Besitzers. 1920 *ff.*
4. Benutzung eines Dienstwagens für Privatzwecke. 1920 *ff.*
5. Seilfahrt ohne Erlaubnis. 1920 *ff.*

Schwarzfärber *m* Geistlicher. Er schildert das Erdenleben in düsteren Farben und das Jenseits in lichten. *Rotw* seit dem frühen 19. Jh.

schwarzfernsehen *intr* ohne Gebührenentrichtung fernsehen. ↗schwarz 5. 1955 *ff.*

Schwarzfernseher *m* Fernsehzuschauer, dessen Gerät amtlich nicht genehmigt ist. 1955 *ff.*

schwarzfischen *intr* ohne Angelschein fischen. ↗schwarz 5. 1900 *ff.*

Schwarzfischer *m* Angler ohne Angelschein. 1900 *ff.*

Schwarzflieger *m* Pilot ohne Flugzeugführerschein. 1960 *ff.*

Schwarzfunker *m* Besitzer eines Geheimsenders. ↗schwarz 5. 1935 *ff.*

Schwarzfüße *pl* Maschinenpersonal. *Marinespr* 1965 *ff.*

Schwarzgänger *m* Landstreicher ohne Ausweispapiere. 1900 *ff.*

Schwarzgebrannter *m* verbotenerweise gebrannter Schnaps. 1945 *ff.*

schwarzgehen *intr* **1.** ohne Ausweispapiere sein. Kundenspr. seit dem späten 19. Jh.
2. wildern. 1900 *ff.*

Schwarzgeld *n* **1.** unrechtmäßig erworbenes Geld. 1920 *ff.*
2. unversteuerter Gelderwerb. 1920 *ff.*

Schwarzgräber *m* Mann, der ohne amtliche Befugnis Antiquitäten ausgräbt und verkauft. 1970 *ff.*

Schwarzgräberei *f* unerlaubte Ausgrabung und Veräußerung von Antiquitäten. 1970 *ff.*

Schwarzhandel *m* Schleichhandel. ↗schwarz 5. Im Ersten Weltkrieg aufgekommen.

schwarzhandeln *intr* schleichhandeln. 1914 *ff.*

Schwarzhändler *m* Schleichhändler; unberechtigter Warenverkäufer. 1914 *ff.*

schwarzhören *intr* **1.** Rundfunk hören ohne Gebührenentrichtung. ↗schwarz 5. 1924 *ff.*
2. verbotene Sender abhören. 1935 *ff.*
3. für den Besuch einer akademischen Vorlesung keine Gebühren bezahlen. 1920 *ff.*

Schwarzhörer *m* **1.** Rundfunkhörer ohne Gebührenzahlung. 1924 *ff.*
2. Hörer einer Vorlesung ohne Entrichtung von Kolleggeldern. 1920 *ff.*

schwarzhumorig *adj* grotesk-gruselhumorig. ↗Humor 2. Nach 1950.

Schwarzjäger *m* Wilderer. ↗schwarz 5. 1900 *ff.*

Schwarzkacker *m* Mann, der die Benutzungsgebühr in der Bedürfnisanstalt nicht entrichtet. 1934 *ff*, Berlin.

Schwarzkapitalist *m* Vermögender, der seine Wohlhabenheit geheimhält. 1960 *ff.*

Schwarzkittel *m* **1.** Wildschwein. Jägerausdruck mit Anspielung auf das „schwarze" Fell. 19. Jh.
2. Geistlicher. Wegen der schwarzen Amtstracht. Seit dem 19. Jh.
3. Schiedsrichter. Er ist schwarz gekleidet. *Sportl* 1950 *ff.*
4. *pl* = Pioniere. Wegen der schwarzen Grundfarbe der Kragenspiegel. *BSD* 1965 *ff.*

Schwarzkünstler *m* **1.** Schornsteinfeger. Eigentlich der „Zauberer, Magier". Scherzbezeichnung seit dem 19. Jh, vorwiegend *rotw.*
2. Schiffsheizer. *Marinespr* seit dem ausgehenden 19. Jh.
3. Drucker. Wegen der Druckerschwärze. Seit dem 19. Jh.
4. Geistlicher. Die Amtstracht ist schwarz. *Vgl* aber auch „↗Schwarzfärber". Spätestens seit 1900, *sold* und *rotw.*

Schwarzleser *m* Mann, der einem anderen in die Zeitung blickt. 1960 *ff.*

Schwarzmacher *m* Verleumder. ↗schwarz 16 c. Seit dem 19. Jh.

Schwarzmache'rei *f* Verleumdung. ↗schwarz 16 c. Seit dem 19. Jh.

schwarzmalen *intr tr* sich pessimistisch äußern. *Vgl* das Folgende. 1900 *ff.*

Schwarzmalerei *f* pessimistische Prognose. Schwarz = düster, freudlos, unheildrohend. 1900 *ff.*

Schwarzmann *m* schwarzer Anzug. 1970 *ff.*

Schwarzmarkt *m* amtlich unerlaubter Markt. ↗Markt 2. 1945 *ff.*

schwarzmauern *intr* ohne amtliche Genehmigung, ohne Zugehörigkeit zur Innung mauern. 1950 *ff.*

Schwarzmieter *m* Mensch, der eine Wohngelegenheit unbefugt bewohnt. 1960 *ff.*

Schwarzpreis *m* vom Kaufmann willkürlich festgesetzter, überhöhter Preis. 1945 *ff.*

Schwarzpressung *f* Raubpressung einer Schallplatte. ↗schwarz 5. 1965 *ff.*

Schwarzpulver *n* dem Finanzamt verheimlichtes Geld. ↗Pulver 1. Finanzamtsdeutsch 1950 *ff*, Berlin.

Schwarzreisender *m* Eisenbahnbenutzer ohne Zahlung des für die Wagenklasse festgesetzten Fahrpreises (Zuschlagpreises). 1920 *ff.*

Schwarzreiter *m* Floh. Kundenspr. seit dem frühen 19. Jh.

Schwarzrock *m* **1.** Schornsteinfeger. Seit dem 18. Jh.
2. Geistlicher. Seit dem 18. Jh.

Schwarz-Rot-Gelb *n* Schwarz-Rot-Gold (Flaggenfarben). Gegen 1920 aufgekommen in konservativen Kreisen, 1948 wiederaufgelebt.

Schwarz-Rot-Mostrich *n* Schwarz-Rot-Gold. Schelte im Munde von Republikfeinden. September 1919 *ff*; wiederaufgelebt mit der Begründung der Bundesrepublik Deutschland.

Schwarz-Rot-Senf *n* Schwarz-Rot-Gold. Hohnwort auf die Weimarer Republik seit 1919; von den Nationalsozialisten aufgegriffen. 1949 erneut aufgelebt.

schwarzschlachten *intr* ohne behördliche Genehmigung schlachten. ↗schwarz 5. 1914 *ff.*

Schwarzschlachter (-schlächter) *m* Bauer, der unerlaubterweise schlachtet. 1914 *ff.*

Schwarzschlachtung *f* Schlachtung ohne amtliche Erlaubnis. 1914 *ff.*

schwarzschneidern *intr* ohne Gewerbeanmeldung gegen Entgelt schneidern. 1950 *ff.*

Schwarzschwein *n* dem Viehzähler vorenthaltenes Schwein. 1950 *ff.*

schwarzsehen *intr* **1.** Unheil voraussehen; Pessimist sein. Schwarz = unheildrohend, freudlos. *Vgl* ↗schwarzmalen. Seit dem 19. Jh. *Vgl engl* „I see very dark“, *franz* „voir tout en noir“.
2. fernsehen ohne Gebührenentrichtung. 1955 *ff.*
3. kein Farbfernsehgerät besitzen. 1969 *ff.*

Schwarzseher *m* **1.** Pessimist. ↗schwarzsehen 1. Seit dem 19. Jh.

2. Fernsehzuschauer, der sein Gerät nicht angemeldet hat. 1955 *ff.*
3. Besitzer eines Schwarz-Weiß-Fernsehgeräts. 1969 *ff.*

Schwarzseherei *f* Pessimismus. Seit dem 19. Jh.

schwarzseherisch *adj* pessimistisch. Seit dem 19. Jh.

schwarzsenden *intr* mit einem amtlich nicht zugelassenen Sendegerät Nachrichten verbreiten. 1930 *ff.*

Schwarzsender *m* **1.** amtlich nicht genehmigter Rundfunksender. 1930 *ff.*
2. Geistlicher. Einerseits wegen der schwarzen Amtstracht, andererseits wegen der vermeintlich freudlosen Sendung seines Berufs. 1935 *ff.*

schwarzspielen *intr* ohne Genehmigung in einem anderen Sportverein spielen. *Sportl* 1950 *ff.*

Schwarzunterricht *m* Unterrichtserteilung ohne amtliche Zulassung. 1950 *ff.*

schwarzverdienen *intr tr* eine Geldeinnahme nicht versteuern. ↗schwarz 5. 1920 *ff.*

Schwarzwald *m* **1.** Schamhaare einer Dunkelhaarigen. 1910 *ff*, sold und *ziv.*
2. in den ~ reisen = mit einer Dunkelhaarigen koitieren. 1910 *ff.*

Schwarzwaldbunker *m* Arrest. Wohl Anspielung auf den Dunkelarrest. *Sold* 1939 *ff.*

Schwarzware *f* Schmuggelware. ↗schwarz 5. 1914 *ff.*

schwarzwitzig *adj* gruselwitzig. ↗Humor 2. Nach 1950 aufgekommen.

schwarzwohnen *intr* ohne polizeiliche Anmeldung wohnen. 1920 *ff.*

Schwarzwurzel *f* **1.** Penis eines Negers. ↗Wurzel. 1945 *ff.*
2. farbiger Soldat der US-Streitkräfte. 1945 *ff.*
3. Klarinette. Formverwandt und farbengleich mit der Schwarzwurzel. Musikerspr. und *halbw* nach 1950.
4. *pl* = schmutzige Füße. 1940 *ff.*

Schwarzwurzelgewächs *n* Kind eines farbigen US-Soldaten mit einer Deutschen. 1945 *ff.*

Schwasser *m* alter, lebensgenießerischer Schlemmer und Mädchenfreund. ↗schwassern. *Österr* seit dem 19. Jh.

Schwasse'rei *f* Gelage. *Österr* seit dem 19. Jh.

schwassern *intr* das Beste beanspruchen; ein Genießer sein; zechen. Mundartliche Nebenform zu „schweißen, schwitzen“. *Österr* seit dem 19. Jh.

schwatteln *intr* schwimmen. Schallnachahmend für die Glucklaute des Wassers. *Österr* seit dem 19. Jh, *schül.*

Schwatzbase *f* Schwätzer(in). Seit dem 19. Jh.

Schwatzbude *f* Parlament. Möglicherweise eine Wortprägung von Kaiser Wilhelm II. Geläufig seit 1900 bis heute. (Schon 1848?)

Schwätze *f* schwatzhafte Frau. Seit dem 19. Jh.

Schwätze'ritis *f* Redesucht. Krankheitsbezeichnungen nachgebildet zur Kennzeichnung einer als krankhaft empfundenen Veranlagung. *Westd* 1930 *ff.*

Schwätzkiste *f* Telefonzelle; Telefon. 1925 *ff.*

Schwatzliese *f* Schwätzerin. Seit dem 19. Jh.

Schwatzmaul *n* Schwätzer(in). Seit dem 19. Jh.

Schwatz-Picknick *n* ergebnislose Diplomatenbesprechung. 1920 aufgekommen mit Anspielung auf die Sitzungen des Völkerbunds; Vorform des heute üblichen „Arbeitsessens". *Vgl engl* „natter party".

Schwatztante *f* Schwätzer(in). Seit dem 19. Jh.

Schwatztrine *f* Schwätzerin. ↗Trine. Seit dem 19. Jh.

Schwatztrompete *f* lautstarker, phrasenreicher Redner, der kein Ende findet. 1910 *ff.*

Schwebe *f* eine ~ machen = mehr oder minder höflich zum Weggehen veranlaßt werden. ↗schweben. 1930 *ff, sold* und kaufmannspr.

Schwebebalken *m* Latrinensitzstange. *BSD* 1965 *ff.*

Schwebeklub *m* Luftlandedivision. *BSD* 1965 *ff.*

Schwebeknaller *pl* Luftlandeartillerie. ↗knallen. *BSD* 1965 *ff.*

schweben *intr* **1.** gehen; kommen; sich nähern; eilen. Von der Bewegung in der Luft weiterentwickelt zur Bedeutung „herbeifliegen", „geflogen kommen". 1935 *ff, sold.*
2. tanzen. Der Boden wird nur leicht berührt. 1900 *ff.*

Schwebewäsche *f* Mindestunterbekleidung der Frau. 1960 *ff.*

Schwede *m* **1.** alter ~ = gemütliche Anrede (alter Freund!). Meinte ursprünglich den altgedienten *schwed* Soldaten, der in den siebziger Jahren des 17. Jhs nach dem Einfall der Schweden in die Kurmark gefangengenommen wurde und nach Zerschlagung des *schwed* Heeres in brandenburgische Dienste übertrat. Wegen des treuen Kampfes dieser Schweden an der Seite ihrer neuen Waffenbrüder nahm der Ausdruck „alter Schwede" schon bald die Bedeutung „Kamerad" und „alter Freund" an. Etwa seit 1690, Berlin.
2. hausen wie die ~n = zerstören, verwüsten, einäschern. Anspielung auf die schweren Verwüstungen, die die *schwed* Truppen im Dreißigjährigen Krieg in Deutschland angerichtet haben. 1800 *ff.*

Schweden *n* **1.** Arrest, Gefängnis. Verkürzt aus „schwedische ↗Gardinen". *BSD* und *rotw* 1960 *ff.*
2. in Bad ~ sein = sich in Arrest befinden. „Bad" spielt auf den „Erholungscharakter" des Arrests an. *BSD* 1960 *ff.*

Schweden-Gardinen *pl* Gitterstäbe am Gefängnisfenster. *Vgl* „schwedische ↗Gardinen". 1960 *ff.*

Schwedensträhnen *pl* in Strähnen herabfallendes blondes Haar. Geht zurück auf die Haartracht von Schauspielerinnen in schwedischen Filmen nach 1955.

schwedisch *adj* ~e Gardinen. ↗Gardinen.

Schwefel *m* Geschwätz; lügenhaftes Gerede. ↗schwefeln. Vorwiegend *oberd,* seit dem 19. Jh.

Schwefelbande *f* **1.** Gesindel; üble Gesellschaft. Für 1770 bezeugt als Schimpfwort auf die übelbeleumundete Organisation der Nichtverbindungsstudenten „Sulphuria" in Jena. Nach anderen Deutungen ist das Wort volksetymologisch eingedeutscht aus *jidd* „chabolo = Verbrechen, Verderben" oder aus *jidd* „chewel = Strick". In der heutigen Bedeutung zuerst gebucht für Berlin (kurz nach 1815) in einer unveröffentlichten Sammlung.
2. Kinderschar (gemütliche Schelte). 1900 *ff.*

Schwefelholz *n* **1.** sehr dünnes Bein. Seit dem 19. Jh.
2. langes ~ = großwüchsiger, hagerer Mensch. Seit dem 19. Jh.

Schwefelkammer (-laube) *f* Chemiesaal. *Schül* 1960 *ff.*

schwefeln *intr* schwätzen; gedankenlos, lügnerisch reden; sich aufspielen. Da Schwefel mit bläulicher Flamme verbrennt, liegt möglicherweise Analogie zu „blauer ↗Dunst" vor. Seit dem 18. Jh.

Schwefelsäure *f* saurer Wein. 1920 *ff.*

Schwefelsticken *pl* lange, hagere Beine. Analog zu ↗Schwefelholz 1. Sticken = Stecken, Stock. Seit dem 19. Jh.

Schwefler *m* Lügner, Prahler. ↗schwefeln. Seit dem 19. Jh, vorwiegend *österr.*

Schweif *m* **1.** Gefolge. Analog zu ↗Schwanz 9. 1870 *ff.*
2. Penis. Parallel zu ↗Schwanz 2. Seit dem 19. Jh.
3. den ~ einziehen = nachgeben. ↗Schwanz 24. Seit dem 19. Jh.

Schweifling *m* ausschweifend lebender Mann. ↗Schweif 2. Überlagert von „umherschweifen" und „ausschweifend". 1900 *ff.*

Schweifträger *m* **1.** unbedeutender Mann in einflußreicher Stellung. Außer dem äußeren Zeichen seiner Männlichkeit besitzt er keinerlei Vorzüge. 1935 *ff.*
2. müder ~ = geschlechtlich unempfindsamer (oder ermatteter) Mann. 1935 *ff, sold.*

schweifwedeln *intr* liebedienern. ↗schwanzwedeln 1. Seit dem 19. Jh.

Schweifwedler *m* **1.** Hund. Seit dem 19. Jh.
2. Liebediener. Seit dem 19. Jh.

Schweigen *n* **1.** Kompaniebelehrung. Übernommen vom *dt* Titel des *schwed* Films „Tystnaden" von Ingmar Bergman (1962). *BSD* 1970 *ff.*
2. ~ im Walde (es herrscht ~ im Walde) = keine Erwiderung. Soll auf dem Gemälde gleichen Namens von Arnold Böcklin beruhen oder auf dem gleichnamigen Roman von Ludwig Ganghofer. Seit dem ausgehenden 19. Jh, vorwiegend *schül* und *stud.*
3. gefräßiges ~ = Verstummen der Unterhaltung

*Auch wenn es nun wirklich nicht so aussieht, als zeigte das Foto eine **Schwefelbande** bei einem **Schwatz-Picknick**, so ist doch zu vermuten, daß der großkarierte Herr auf der Linken doch noch etwas **Schwefel** auf den reich gedeckten Tisch des Hauses bringen wird. Der ältere Herr, dem diese Kost serviert wird, wohl der Schwiegervater und, selbst wenn er aus dem hohen Norden kommen sollte, in diesem Augenblick mit Sicherheit kein alter Schwede (vgl. **Schwede 1.**), reagiert allerdings sehr gelassen. Schließlich geht er weder in die Luft, noch scheint er zu schweben (vgl. **schweben 1.**)*

während der Mahlzeit. *Vgl* ↗ „Stille der Gefräßigkeit". Seit Ende des 19. Jhs.

4. unter lautem ~ = ablehnend; Beifall versagend. Seit dem 19. Jh, *journ.*

schweigen *intr* **1.** jeder schweigt mit jedem = a) keiner äußert ein Wort. Nachbildung von „jeder spricht mit jedem". *Sold* 1939 *ff.* – b) alle sind verstimmt. *Sold* 1939 *ff.*

2. ~ wir von etwas anderem!: Redewendung auf eine wortkarge Gesellschaft; Redewendung, wenn man einen Gesprächsgegenstand ablehnt. Scherzhaft nach dem Muster von „reden wir von etwas anderem!" gebildet. 1945 *ff.*

3. sie redet, als hätte sie sieben Jahre geschwiegen = sie redet unaufhaltsam. 1920 *ff.*

Schweigestunde *f* Arztsprechstunde ohne Patienten. Scherzhaftes Gegenstück zur „Sprechstunde". Seit dem ausgehenden 19. Jh.

Schweigetod *m* Verdrängung eines Menschen aus der allgemeinen Wertschätzung, indem man ihn nicht mehr erwähnt. ↗ totschweigen. 1950 *ff.*

Schweigl *m* Rausch. Gehört zu „Schwegel = Querpfeife" und „schwegeln = pfeifen". Analog zu ↗ pfeifen 10. *Österr*, seit dem 19. Jh.

Schwein *n* **1.** verschmutzter, schmutzender Mensch. Schweine wühlen im Schmutz und legen sich in den Schmutz. 1500 *ff.*

2. liederlicher, unsittlicher, niederträchtiger Mensch; Zotenerzähler. Seit dem 16. Jh.

3. ~, schwarzes: gemütliche Schelte. Meint eigentlich das Wildschwein. 1900 *ff.*

4. angesengeltes ~ = Schimpfwort. 1930 *ff, jug.*

5. armes ~ = bedauernswerter Mensch. *Sold* 1939 *ff.*

6. besoffenes ~ = Betrunkener. Schweine saufen viel. ↗ Schwein 20. 1500 *ff.*

7. selten blödes ~ = besonders dummer Mensch. *Stud* 1950 *ff.*

8. dickes ~ = beleibter Mensch. Seit dem 19. Jh.

9. doofes ~ = dümmlicher Mensch. ↗ doof 1. 1900 *ff.*

10. dreckiges ~ = niederträchtiger, charakterloser, unsittlicher Mensch. ↗ dreckig. ↗ Dreckschwein. Seit dem 19. Jh.

11. dummes ~ = dummer Bursche. 1900 *ff.*

12. faules ~ = arbeitsscheuer Mensch. 1920 *ff.*

13. feiges ~ = Feigling. 1930 *ff.*

14. fettes ~ = beleibter Mensch. Seit dem 19. Jh.

15. gemeines ~ = Schimpfwort auf einen charakterlosen Menschen. 1900 *ff.*

16. kein ~ = niemand. Herzuleiten von „kein Schwein im Stall haben"; *vgl* ↗ Sau 19. 1800 *ff.*

16 a. linkes ~ = Heimtücker. ↗ link. *Jug* 1970 *ff.*

17. schwules ~ = Homosexueller (sehr *abf*). ↗ schwul. 1900 *ff.*

18. versoffenes ~ = Trunksüchtiger. Seit dem 16. Jh.

19. vollgefressenes ~ = widerlich dicker Mensch. Seit dem 19. Jh.

20. besoffen wie ein ~ = volltrunken. 1500 *ff.*

21. dumm wie ein ~ = sehr dumm. 1900 *ff.*

22. nackt wie ein ~ = völlig unbekleidet. 1900 *ff.*

23. voll wie ein ~ = volltrunken. 1500 *ff.*

24. besser ein ~ auf dem Tisch als unter dem Tisch = lieber Aufstoßen als laut abgehende Darmwinde. *Stud* 1900 *ff.*

25. das ~ abgeben = sich unmanierlich benehmen. Abgeben = darstellen. Seit dem 19. Jh.

Die Karikatur, die zeigt, wie der Ex-Bundestrainer Jupp Derwall die Hürde des Halbfinales der Fußballweltmeisterschaft 1982 im **Schweinegalopp** nimmt, spielt natürlich nicht nur auf die Geschwindigkeit an, die manche dieser Borstenviecher erreichen können. In einigen Gegenden Nord- und Westdeutschlands werden sogar regelmäßig sogenannte Schweinerennen veranstaltet. Das Nachrichtenmagazin „DER SPIEGEL" (36/1984) beschreibt diese „Volksbelustigung" so: „Das Geläuf ist abgesteckt und mit Drahtzäunen gesichert . . . Die Startbox öffnet sich, die Sau ist los!" Der Derwallsche Renner trägt indes noch einen Glücksbringer im Maul, ist also ein Glücksschwein: Schwein gehabt (**Schwein 36.**).

26. das hält kein ~ aus = das ist unerträglich. Seit dem 19. Jh.

27. er ist so dumm, daß ihn die ~e beißen = er ist überaus dumm. 1900 ff.

28. du bist wohl vom bösen ~ belullt? = du weißt wohl nicht, welchen Unsinn du redest? Lullen = saugen. *Stud* 1930 ff.

29. vom wilden ~ benagt sein = nicht bei klarem Verstand sein. *Schül* 1930 ff.

30. bluten wie ein ~ = stark bluten; viel Blut verlieren. Seit dem 16. Jh. *Vgl engl* „to bleed like a stuck pig".

31. fressen wie ein ~ = unmäßig, unmanierlich essen. Seit dem 19. Jh.

32. ein gutes ~ frißt alles = der Kenner (der Gesunde) verschmäht keine Speise, greift allzeit gerne zu. Seit dem 19. Jh.

33. damit kann man ~e füttern = das ist in Menge vorhanden. Seit dem 19. Jh.

34. vom ~ gebissen sein = von Sinnen sein. ↗Sau 47. 1900 ff.

35. wann haben wir zusammen ~e gehütet?: Frage an einen, der sich plumpe Vertraulichkeiten erlaubt. Unter Hütejungen gibt es kein Herr-

Knecht-Verhältnis. 1500 *ff. Vgl franz* „avoir gardé les cochons ensemble".

36. ~ haben = unverdientermaßen, unerwartet Glück haben. *Vgl* ↗Sauglück. Früher gab es bei Wettspielen, Schützenfesten usw. für den letzten Gewinner als Trostpreis ein Schwein. 1800 *ff.*

37. mehr ~ als Verstand haben = unverdientermaßen Glück haben. ↗Glück 2. Seit dem 19. Jh.

38. ich glaube, mein ~ jodelt!: Ausdruck des Erstaunens. Schülersprachliche Variante zum Folgenden. Berlin 1973.

39. ich glaube, mein ~ pfeift!: Ausdruck der Verwunderung, des Unwillens. Erwiderung auf eine Behauptung, die so unsinnig ist wie die Vorstellung, daß Schweine pfeifen. *Sold, schül* u. a. 1965 *ff.*

40. ich glaube, mein ~ priemt!: Erwiderung auf eine törichte Ansicht. *Vgl* das Vorhergehende. *BSD* 1965 *ff.*

41. saufen wie ein ~ = unmäßig trinken. Seit dem 16. Jh.

42. wir werden das ~ schon schaukeln = ich werde die Sache bestens erledigen. Aus Gründen des Stabreims umgeformt aus „wir werden das ↗Kind schon schaukeln". *Schül* 1920 *ff.*

43. er denkt so weit, wie ein ~ scheißt = er kann nicht denken. 1935 *ff.*

44. das falsche ~ schlachten = einen nicht mehr gutzumachenden Mißgriff tun. Soll kurz nach der Kapitulation des Deutschen Reiches 1945 von Winston Churchill geprägt worden sein im Hinblick auf die Entwicklung der sowjetischen Politik.

45. wir werden das ~ schon töten = diese Sache werden wir gut erledigen. Um 1900 aufgekommen *(schül?)*. Steht wohl im Zusammenhang mit der Notschlachtung eines Schweins durch nichtberufliche Metzger.

46. ~e waschen = unnütze Arbeit verrichten. 1900 *ff.*

47. ihn kann man nehmen, um die ~e zu zählen = er hat nach außen gewölbte Beine. Bei Aufkauf größerer Mengen Schweine ließ der Viehhändler die Tiere durch seine gespreizten Beine laufen, um sie zählen zu können. *Vgl* ↗Schafzähler. 1900 *ff.*

Schweinchen *n* **1.** Kosewort für Mann und Frau. 1900 *ff.*

2. ~s machen = geschlechtlich verkehren. Anspielung auf „Schweinchen = Person, die sich an Jugendlichen sittlich vergeht". *Halbw* 1960 *ff.*

Schweinchen Schlau *n* untersetzter, gewitzter Mann. Geht zurück auf eine Walt-Disney-Figur in den „Micky-Maus"-Heften. *BSD* 1965 *ff.*

Schweine-   (Schweins-;   schweine-; schweins-) *Vgl* die Bemerkungen unter „↗Sau-".

'Schweine'arbeit *f* **1.** schmutzige Arbeit. Seit dem 19. Jh.

2. mühsame Arbeit. Seit dem 19. Jh.

Schweinearsch *m* trockener ~ = geräucherter Schinken. *Sold* in beiden Weltkriegen; auch *ziv.*

Schweineäugelchen *pl* kleine, lustig blickende Augen. Seit dem 19. Jh.

Schweinebacke *f* **1.** widerliches, feistes, ausdrucksloses Gesicht. Es erinnert an das Hinterteil des Schweines. 1900 *ff.*

2. Schimpfwort. 1900 *ff.*

Schweinebande *f* Gesindel; üble Gesellschaft. ↗Bande 1. Seit dem 19. Jh.

Schweinebartel *m* widerlicher, unflätiger Mann. Bartel ist Kurzform des Vornamens Bartholomäus. Seit dem 19. Jh.

Schweineberg *m* Überangebot von Schweinefleisch. Aufgekommen 1957 mit dem unter Bundeslandwirtschaftsminister Dr. Heinrich Lübke eingeleiteten Propaganda-Unternehmen zum Abbau der „Schweineschwemme".

Schweinebeulen *pl* Furunkulose. Wegen der Ähnlichkeit der Geschwüre mit den Beulen der Schweinekrankheit. *BSD* 1960 *ff.*

'Schweine'blatt *n* Skandalzeitung; Hetzpresse. ↗Blatt 1. Seit dem 19. Jh.

schweineblond *adj* rötlich-hellhaarig. 1900 *ff.*

Schweinebraten *m* Schimpfwort; auch gemütliche Schelte. Verlängertes Schimpfwort „Schwein" (womit – zum Unterschied von „Saubraten" – das Hausschwein gemeint ist). 1840 *ff.*

'Schweine'brühe *f* minderwertige Suppe. 1916 *ff.*

'Schweine'dreck *m* **1.** großer Schmutz. Seit dem 19. Jh.

2. Wertloses. 1500 *ff.*

'Schweine'dusel *m* großes, unverhofftes (unverdientes) Glück. ↗Dusel. 1900 *ff.*

'Schweine'film *m* Film mit obszönen Szenen. 1960 *ff.*

'Schweine'foto *n* pornografisches Foto. 1900 *ff.*

'Schweine'fraß *m* minderwertiges Essen. Ohne Doppelton ist das Futter für Schweine gemeint. Seit dem 19. Jh.

'Schweine'futter *n* minderwertige Beköstigung. *Vgl* das Vorhergehende. *Sold* 1914 bis heute.

Schweinefüttern *n* etw zum ~ haben = etw im Überfluß besitzen. Abfall für Schweine ist stets reichlich vorhanden. *Vgl* ↗Saufüttern. Seit dem 19. Jh, *nordd* und *österr.*

Schweinegalopp (Schweinsgalopp) *m* im ~ = sehr schnell. Schweine können gut laufen, wenn auch nicht ausdauernd. 1870 *ff, sold* und *jug.*

'Schweine'geld *n* viel Geld *(abf)*. Seit dem 19. Jh.

'Schweine'geldverdiener *m* Mann, der übermäßig viel Geld „verdient". 1960 *ff.*

Schweinegesicht (Schweinsgesicht) *n* feistes Gesicht. ↗Schweinebacke 1. 1900 *ff.*

'Schweine'glück (Schweins'glück) *n* großes Glück. ↗Sauglück; ↗Schwein 36. Seit dem 19. Jh.

'Schweine'hitze *f* drückende Hitze. 1900 *ff.*

Schweinehund (Schweinhund) *m* **1.** unflätiger,

niederträchtiger Mann. Verstärkung von „Hund". Seit dem 18. Jh.

2. innerer ~ = Angst vor dem eigenen Mut; Mangel an Selbstbewußtsein; feige, energielose Gesinnung; Mangel an „gesundem Volksempfinden" (1933–1945); Nachgiebigkeit gegenüber Süchten und Lüsten; heimliche Freude an Pornografie. Im Ersten Weltkrieg aufgekommen; von den Nationalsozialisten aufgegriffen; 1932 von Dr. Kurt Schumacher in einer Reichstagsrede gegen Dr. Joseph Goebbels verwendet.

3. mieser ~ = unzuverlässiger, charakterloser Mann. ↗mies. 1930 *ff.*

4. den inneren ~ kleinkriegen (unterkriegen, überwinden, bekämpfen, besiegen o. ä.) = die selbstsüchtigen, kleingeistigen, nicht-idealistischen Gefühle zähmen. 1914 *ff.*

5. dem inneren ~ einen Tritt geben = kleinliches Wesen, Selbstsucht o. ä. ablegen. 1933 *ff.*

6. jm einen ~ machen = jn heftig schelten. *Stud* 1970 *ff.*

'Schweine'kälte *f* bittere Kälte, starker Frost. Seit dem 19. Jh.

'Schweine'kerl *m* schmutziger, unflätiger Mann. Seit dem 19. Jh.

'Schweine'klaue *f* unleserliche Handschrift. ↗Klaue. 1900 *ff.*

'Schweine'köter *m* Hund *(abf).* ↗Köter. 1900 *ff.*

'Schweine'kram *m* **1.** Schmutz. ↗Kram. 1900 *ff.*
2. große Widerwärtigkeit. 1900 *ff.*
3. Unsittlichkeit; Obszönität; pornografisches Schrifttum usw. 1900 *ff.*

'Schweine'krieg *m* verwünschter Krieg. *Sold* und *ziv* 1914 bis heute.

'Schweine'leben *n* Leben unter widerlichen (widrigen) Umständen. Seit dem 16. Jh.

Schweineliebe *f* schlechte Behandlung der Kinder durch die Eltern, vor allem durch die Mutter. ↗Sauliebe. *Niederd* 1900 *ff.*

'Schweine'luder *n* verkommener Mensch. ↗Luder. 1600 *ff.*

Schweinemagen *m* Magen, der alles verträgt. Seit dem 19. Jh.

Schweinemarie *f* unsaubere, schlecht angezogene weibliche Person. Eigentlich die Schweine-, Stallmagd. *Mitteld* 1900 *ff.*

'schweine'mäßig *adj adv* **1.** sehr schmutzig; äußerst schlecht; minderwertig; völlig unbrauchbar. ↗saumäßig. Seit dem 19. Jh.
2. sehr groß; außerordentlich (er hat ein schweinemäßiges Glück). 1900 *ff.*
3. *adv* sehr; sehr viel. Seit dem 19. Jh.

Schweinemästen *n* das gibt's zum ~ = das ist in großer Menge vorhanden. ↗Schweinefüttern. Seit dem 19. Jh.

'Schweinemo'ral ('Schweinemoral) *f* Unsittlichkeit; unzüchtige Gesinnung; unmoralischer (nur geheuchelt moralischer) Lebenswandel. 1870 *ff.*

schweinen *tr* jn mit gemeinen Ausdrücken belegen. Gemeint sind alle mit „Schwein-" gebildeten Schimpfwörter. 1940 *ff, sold* und *ziv.*

schweinenackt (schweinsnackt) *adj* völlig unbekleidet. Das Hausschwein hat keinen Pelz wie das Wildschwein; ↗Schwein 22. 1900 *ff.*

Schweineohr *n* gewundene Zu-, Abfahrtsstraße der Autobahn. Die Straße verläuft ähnlich wie der Umriß des Schweineohrs. 1958 *ff.*

Schweineöhrchen *n* Kosewort für Mann und Frau. 1900 *ff.*

Schweineorgel *f* Akkordeon. Spielt wohl an auf quietschende Töne. *Halbw* nach 1950.

'Schweine'pack *n* Gesindel; verkommene Leute; üble Gesellschaft. ↗Pack. Seit dem 19. Jh.

'Schweine-'Party *f* Party mit obszönem Charakter. 1950 *ff.*

'Schweine'pech ('Schweins'pech) *n* großes Unglück; großer Mißerfolg. ↗Pech. Spätestens seit dem 19. Jh.

Schweinepelz *m* **1.** unflätiger Mann. Dem „Faulpelz" nachgebildet mit Anspielung auf das Schwein als Sinnbildtier des Unflats. 19. Jh.
2. Mann, der sich Jugendlichen in unsittlicher Absicht nähert; Mann, dessen Sinnen und Trachten dem Lebensgenuß gilt. 1700 *ff.*

'Schweine'presse *f* Skandalpresse. Seit dem späten 19. Jh.

Schweinepriester *m* **1.** schmutziger Mensch. Meint eigentlich den in klösterlichen Diensten stehenden Schweinehirten, der auch die Kastration der Ferkel vornahm. Seit dem 19. Jh.
2. Schimpfwort. Seit dem 19. Jh.

Schweinerei *f* **1.** großer Schmutz; große Unordnung. 1600 *ff.*
2. große Unannehmlichkeit. Seit dem 19. Jh.
3. Niedertracht, Charakterlosigkeit. 1600 *ff.*
4. unzüchtiges Verhalten; Pornografie. 1600 *ff.*
5. Schweinehaltung, -zucht, Schweineschlachtfest (scherzhaft). 1900 *ff.*
6. geträumte ~ = wollüstiger Traum. 1910 *ff.*
7. die ~ muß eine andere werden = es muß Ordnung geschaffen werden. Kreuzung von „es muß anders werden" und „die Schweinerei muß aufhören". 1920 *ff.*
8. eine ~ bauen = eine Unannehmlichkeit verschulden. ↗bauen 1. 1920 *ff.*

Schweinereigen *m* **1.** Nackttanz. 1920 *ff.*
2. Striptease. 1955 *ff.*

schweinerisch *adj* unsittlich, obszön. 1950 *ff.*

Schweineritzen (Schweinsritzen) *pl* auffallend kleine Augen; vor Müdigkeit oder Ungeistigkeit halbgeschlossene Augen. Schweine haben schmale Augen: *Nordd* 1900 *ff.*

Schweinernes *n* Schweinefleisch. Die Zuordnung dieser Vokabel zum Umgangsdeutsch ist umstritten. Seit dem 19. Jh, vorwiegend *oberd.*

Schweinerüssel *m* Gasmaske. Sie verleiht dem Gesicht des Trägers Ähnlichkeit mit der Schweineschnauze. *Sold* in beiden Weltkriegen.

Schweineschnauze *f* Gasmaske. *Vgl* das Vorhergehende. *Sold* in beiden Weltkriegen.

Schweineschneider *m* Schimpfwort; gemütliche Schelte. Eigentlich der Mann, der Ferkel kastriert. 1900 *ff*.

Schweinestall *m* **1.** schmutziger, unaufgeräumter Raum; wüste Unordnung; Gruppe ohne Zucht; sittlich bedenkliche Gemeinschaft. ↗Saustall 1. 1500 *ff*.
2. den ~ ausmisten = einen Mißstand tilgen. ↗Saustall 4. Seit dem 19. Jh.

Schweinestück *n* **1.** schlechtes, unsittliches Theaterstück. 1890 *ff*.
2. ehrloser Mensch; Schimpfwort. 1920 *ff*.

'Schweine'tempo *n* hohe Fahrgeschwindigkeit. 1920 *ff*.

Schweinetrab (Schweinstrab) *m* schnelle Gangart. ↗Schweinegalopp. Seit dem 19. Jh.

Schweinetreiber *m* **1.** Beamter der Sittenpolizei; Beamter, dem die Kontrolle der Straßenprostituierten obliegt. Er vertreibt sie, wenn sie sich auf verbotenen Straßen oder Plätzen aufhalten. Berlin 1920 *ff*.
2. Vorarbeiter; Steiger. 1920 *ff*.
3. Soldatenausbilder. *Sold* 1939 *ff*.

Schweinevesper *f* **1.** Imbiß zwischen Nachmittagskaffee und Abendessen. Man nimmt ihn etwa zur selben Zeit, zu der die Schweine in den Stall getrieben werden. *Nordd* 1820 *ff*.
2. üppige Gasterei. 1870 *ff*.

'Schweine'wetter *n* sehr schlechtes Wetter. Seit dem 19. Jh.

'Schweine'wirtschaft *f* große Unordnung; Disziplinlosigkeit. Seit dem 19. Jh.

Schweinezeitung *f* Erzeugnis der „Sex-"Presse. 1965 *ff*.

'Schweine'zucht *f* grobe Unordnung. Seit dem 19. Jh.

Schweinhund *m*. ↗Schweinehund.

Schweinigel (Schweinnickel) *m* Mann von sittenlosem Lebenswandel; Zotenerzähler; unreinlicher, schmutzender Mann. Der Igel hat eine schweineähnliche Schnauze und galt schon im Mittelalter als unrein. Zu „Schweinnickel" *vgl* „↗Nickel". 1600 *ff*.

Schweinige'lei *f* unzüchtige, unflätige Rede oder Handlung. Seit dem 16. Jh.

schweinigeln *intr* **1.** unflätige Reden führen; Zoten erzählen. 1700 *ff*.
2. pervers miteinander verkehren. Seit dem 19. Jh.

schweinisch *adj* **1.** höchst unreinlich. 1600 *ff*.
2. unsittlich, obszön, unflätig. 1600 *ff*.
3. charakterlos, unkameradschaftlich. 1920 *ff*.

Schweinnickel *m* ↗Schweinigel.

Schweins- (schweins-) ↗Schweine- (schweine-).

Schweiß *m* **1.** ~ fassen = schweren Dienst haben. ↗fassen 1. *Sold* 1965 *ff*.
2. sich im ~e seiner Füße sein Brot verdienen = Infanterist sein. Umgeformt aus dem Bibelwort

„im Schweiße deines Angesichts sollst du dein Brot essen" (1. Moses 3, 19). *Sold* 1939 *ff*.

Schweißacker *m* Truppenübungsplatz; Kasernenhof. *BSD* 1960 *ff*.

Schweiß-Arena *f* militärisches Ausbildungsgelände. *BSD* 1960 *ff*.

Schweißbahn *f* Kasernenhof u. ä. *BSD* 1960 *ff*.

Schweißbotten *pl* Stiefel. ↗Botten. *Sold* seit dem Ende des 19. Jhs.

Schweißbrenner *m* **1.** Feuerzeug. Eigentlich das Gerät zum autogenen Schweißen. *BSD* 1960 *ff*.
2. Sonne im Sommer. *Stud* 1960 *ff*.
3. anstrengender Kuß. 1965 *ff*, *prost*.

Schweißbude *f* Turnhalle. *Schül* 1960 *ff*.

schweißen *intr* eine Zigarette an einer anderen anzünden. Es nimmt sich aus wie der technische Vorgang des Schweißens. *Österr* 1920 *ff*.

Schweißer *pl* (Schweiß-)Füße. *Österr* 1930 *ff*, *jug*.

Schweißfuß *m* ein ~ kommt selten allein = auf das erste Unglück folgt meist rasch das zweite. Scherzhaft nachgebildet dem Sprichwort „ein Unglück kommt selten allein". *Stud* 1920 *ff*.

Schweißfußbastler *m* Fußpfleger. 1958 *ff*.

Schweißfußbude *f* kleines Kino. Berlin 1920 *ff*.

Schweißfußindianer *m* **1.** Mann, der unter Fußschweiß leidet. Der Bezeichnung „Schwarzfußindianer" nachgebildet. *Sold* 1910 bis heute.
2. Schimpfwort. 1920 *ff*.
3. Fußpfleger. 1950 *ff*.

Schweißfußkäse *m* Harzer Käse. *Vgl* ↗Käse 8 a. *Stud* 1920 *ff*.

Schweißfuterale *pl* Strümpfe. *Sold* in beiden Weltkriegen.

Schweißgondeln *pl* Socken; Schweißfüße. ↗Gondeln. *BSD* 1960 *ff*.

Schweißkolben *pl* Füße. Mit „Kolben" bezeichnet man etwas Plumpes. *Sold* 1920 *ff*, *bayr*.

Schweißlaatschen *pl* Schweißfüße. ↗Laatschen. *Sold* 1900 *ff*.

Schweißlappen *pl* Socken. *Sold* 1900 *ff*.

Schweißmauken *pl* **1.** Schweißfüße. ↗Mauke 4. *Sold* 1900 bis heute.
2. Socken, Strümpfe. 1900 *ff*.

schweißmaukig *adj* schweißfüßig. 1930 *ff*, *sold*.

Schweißpedale *pl* Schweißfüße. ↗Pedal 1. 1930 *ff*.

Schweißpropeller *pl* **1.** Schweißfüße. Sie verbreiten ringsum Schweißgeruch. 1920 *ff*, *jug*.
2. Stiefel, Schnürschuhe. *BSD* 1960 *ff*.

Schweißquanten *pl* Schweißfüße; schweißige Schuhe. ↗Quante. *Sold* seit dem ausgehenden 19. Jh bis heute; auch *jug*.

schweißquantig *adj* schweißfüßig. 1930 *ff*.

Schweißröhren *pl* Stiefel. *Halbw* 1955 *ff*.

schweißtreibend *adj* **1.** sehr aufregend; Angst erzeugend. 1920 *ff*.
2. ~e Mittel = Laufschritt; Kniebeuge mit vorgestrecktem Gewehr; Kriechen auf den Ellenbogen usw. *Sold* 1939 *ff*.

Schweißtreiber *m* 1. Felduniform, Kampfanzug. *BSD* 1960 *ff.*

2. Animateur. 1978 *ff.*

3. *pl* = Lehrmittel. *Schül* 1970 *ff.*

Schweißtropfenbahn *f* Lauf- und Turngelände für Feriengäste; Trimmpfad. 1965 *ff.*

Schweißwiese *f* militärisches Ausbildungsgelände. *Sold* 1930 bis heute.

Schweißwunde *f* stark blutende, aber ungefährliche Schußverletzung. Schweiß = Blut des Wildes (jägerspr.). 1600 *ff.*

Schweizer Hemd *n* löcheriges, übelriechendes Hemd. Anspielung auf den löcherigen Schweizer Käse und den Käsegeruch. *Sold* 1939 *ff.*

Schweizer Käse *m* 1. Kleid mit Lochmuster. 1964 *ff.*

2. Damenbadeanzug mit mehreren rundlichen Ausschnitten. 1964 *ff.*

3. Loch im Gußstück. Industriearbeiterspr. 1920 *ff.*

4. ein Gehirn haben wie ein ∼ = schlechte Merkfähigkeit besitzen. Das Wissen entschwindet durch die Löcher. 1960 *ff.*

5. die Deckung ist löcherig wie ein ∼ = die Deckung ist mangelhaft. *Sportl* 1950 *ff.*

Schweller *m* Penis. ↗Schwellkörper. *Sold* 1935 *ff.*

Schwelles *m* Kopf. Meint vor allem den aufgedunsenen mit feistem Gesicht. Seit dem 19. Jh, *westd.*

Schwellkopf *m* dicker Kopf des Menschen. Geläufig als Requisit bei Rosenmontagsumzügen. *Westd* seit dem 19. Jh.

Schwellkörper *m* Penis. Meint das durch Aufnahme von Blut anschwellende Organ. *Sold* 1935 *ff.*

Schwellkurven *pl* harte ∼ = überaus üppig entwickelter Busen. ↗Kurve. 1955 *ff.*

Schwemme *f* 1. Stehbierhalle; einfaches Bierlokal. Eigentlich der Badeplatz für Tier und Mensch (schwemmen = schwimmen machen). Von da übertragen zur Bezeichnung einer auf Massenbetrieb eingestellten Gastwirtschaft, in der das Bier „in Strömen fließt". Seit dem 16. Jh.

2. Schwimmbecken, -bad. 1920 *ff.*

3. Wannenbad. 1920 *ff.*

4. überreichliches Warenangebot; übergroße Zahl von Anwärtern. In übertragener Bedeutung kann man darin „schwimmen". 1910 *ff.*

Schwemmkloß *m* beleibter Mensch. Soviel wie der „Mehlkloß". Berlin 1870 *ff.*

Schwengel *m* 1. Penis. Einerseits wegen des Herabhängens wie ein Glockenklöppel, andererseits wegen der Zugehörigkeit zu „↗Pumpe 4". 1900 *ff.*

2. Bursche; Umhertreiber; Tunichtgut. Von der Vorstellung des herabhängenden Glockenklöppels oder Pumpenschwengels übertragen zur Bedeutung „schlaff, lässig". 1700 *ff.*

3. Zuhälter. Übernommen von der Bedeutung „Umhertreiber, Müßiggänger". 1900 *ff.*

schwengeln *intr* koitieren. ↗Schwengel 1. 1900 *ff,* niederd.

Schwenk *m* einen ∼ machen = eine neue Liebschaft beginnen. Von der bisherigen Freundin schwenkt man zur neuen. Berlin 1960 *ff.*

Schwenkanger *m* Exerzierplatz. ↗schwenken 4. *BSD* 1960 *ff.*

Schwenkarsch *m* Liebediener. Er bewegt das Gesäß hin und her; er geht geziert; er „↗schwänzelt". Seit dem 19. Jh.

schwenken *v* 1. *tr* = eine strafbare Handlung begehen. Über die Grundbedeutung „ins Schwingen bringen" analog zu „↗schaukeln 3". Berlin 1870 *ff,* verbrechersp.

2. *tr* = jn von der Schule verweisen. Schwenken = schwingen machen. Gehört zur Vorstellung „wegfliegen". *Schül* seit dem späten 19. Jh.

3. *tr* = jn aus Amt und Würden entlassen; jn aus der Gruppe ausschließen. 1870 *ff.*

4. *tr* = jn einexerzieren. Die Soldaten führen auf dem Kasernenhof Schwenkungen aus. *Sold* 1935 *ff.*

5. *tr* = jn im Tanz drehen, führen. 19. Jh.

6. ∼ gehen = Straßenprostituierte sein. Anspielung auf das übliche Schwenken der Handtasche, auch auf die Hin- und Herbewegung der Hüften, des Gesäßes. 1950 *ff.*

7. einen ∼ gehen = zum Tanz gehen. Man bringt das „↗Tanzbein" in schwingende Bewegung. 1900 *ff.*

Schwenker *m* 1. Frack, Cut, Gehrock. Wegen der schwingenden Rockschöße. Seit dem 19. Jh.

2. weitgeschneiderter Mantel. 1920 *ff.*

3. Urinflasche. Eigentlich der Schüttelbecher (Kognakschwenker). Schwenken = mit Wasser ausspülen. *BSD* 1960 *ff.*

4. Parteiwechsler. Schwenken = die Richtung ändern. 1920 *ff.*

5. Kellner. Bezieht sich einerseits auf die schwingenden Rockschöße des Fracks, andererseits auf „↗Serviettenschwenker". 1900 *ff.*

6. Gläserspüler. 1920 *ff.*

7. Sanitätsdienstgrad im Lazarett. Versteht sich nach ↗Schwenker 3. Vgl auch ↗Pißpottschwenker. 1900 *ff.*

8. Fahnenjunker. Verkürzt aus ↗Fahnenschwenker. Früher auch Bezeichnung für den Offiziersburschen und die Kasinoordonnanz. *BSD* 1960 *ff.*

Schwenkfeld *n* Tanzfläche. ↗schwenken 5. Seit dem 19. Jh.

schwer *adj* 1. reich. Verkürzt aus „millionenschwer" o. ä. 1700 *ff.*

2. bezecht. Man spricht von „schwerem Rausch" und „schwer geladen haben". 1800 *ff.*

3. *adv* = sehr; sehr viel; sehr stark (er ist schwer reich; er irrt sich schwer). Seit dem 19. Jh.

4. ∼ gut = ausgezeichnet. Gebildet nach dem Muster von „schwerkrank", „schwerbewaffnet" o. ä. Hessen 1945 *ff.*

5. sich ~ hüten = sich zurückhalten; auf ein Angebot nicht eingehen; etw abwehren. 19. Jh.

6. zwanzig Millionen ~ sein = zwanzig Millionen (Mark o. ä.) besitzen. 1700 *ff.*

7. ~ verheiratet sein = von der Ehefrau beherrscht werden. 1870 *ff.*

8. ~ (was) von etw verstehen = von einer Sache viel verstehen. 1950 *ff.*

9. ~ zahlen = viel zahlen. Seit dem 19. Jh.

Schwerarbeit *f* geistige ~ = große geistige Beanspruchung; dauerndes Achtgeben. 1930 *ff.*

Schwerathlet *m* geistiger ~ = Hochschullehrer; Nobelpreisträger. Aus der Sportsprache gegen 1930 übernommen.

schwerbetucht *adj* sehr wohlhabend. ↗betucht 4. Seit dem 19. Jh.

Schwerdonnerstag *m* Donnerstag vor Fastnacht. ↗Donnerstag 4. Seit dem 19. Jh.

'Schwere'brett *interj* Ausruf des Unwillens. Schwer = drückend. Entstellt aus dem Folgenden. 1800 *ff*, nördlich der Mainlinie.

'Schwere'not *interj* Unmutsausruf. Meint eigentlich die Fallsucht. Reststück des argen Wunsches „die Schwerenot sollst du kriegen!". Seit dem 18. Jh.

Schwerenöter *m* Frauenschmeichler. Eigentlich einer, dem man die Fallsucht wünscht; weiterentwickelt zur Bedeutung „verschlagener Mann", vor allem mit Bezug auf liebenswürdig-listigen Umgang mit Frauen. Er hat eine Art „Fallsucht" auch insofern, als er vor Frauen einen „Kniefall" macht, ihnen „zu Füßen liegt". 1850 *ff.*

schwerenötern *intr* den Frauen den Hof machen. Seit dem 19. Jh.

Schwerer *m* Schwerverbrecher. Verkürzt aus „schwerer ↗Junge". Seit dem 19. Jh.

schwergeladen *adj* schwer bezecht. ↗geladen haben. Seit dem 19. Jh.

Schwergewicht *n* ~ haben = volltrunken sein. Aus dem Sportlerdeutsch im frühen 20. Jh übernommen.

Schwergewichtler *m* Mann mit großem politischen oder weltanschaulichen Einfluß. 1920 *ff.*

schwerhörig *adj* **1.** ~ sein = Bitten um Geld absichtlich überhören. Seit dem 19. Jh.

2. ~ auf der Nase sein = nichts riechen. Berlin 1950 *ff.*

Schweridiot *m* sehr dummer Bursche; unheilbarer Irrer. 1920 *ff.*

schwerkalibrig *adj* **1.** gewichtig; eindrucksvoll. ↗Kaliber 1. 1920 *ff.*

2. stark wirkend (von Arzneimitteln gesagt). 1965 *ff.*

schwermütig *adv* ~ blicken = schielen. Berlin 1840 *ff.*

Schwermütling *m* schwermütiger Mensch. 1950 *ff.*

Schweröl *n* Schnaps. *Vgl* das Gegenwort „↗Leichtöl". 1960 *ff, halbw.*

schwerreich *adj* sehr reich. ↗schwer 1 und 6. Seit dem 19. Jh.

Schwert *n* **1.** ein Maul haben wie ein ~ = sehr abfällig über andere sprechen. Seit dem 19. Jh.

2. eine Zunge haben wie ein ~ = verletzend sprechen. Seit dem 19. Jh.

3. das ~ ziehen = sich zum Harnen (zum Geschlechtsverkehr) anschicken (vom Mann gesagt). Fußt auf dem Zusammengehörigkeitspaar „Schwert und Scheide". Seit dem 19. Jh.

Schwerterkaffee *m* dünner Kaffeeaufguß. Auf dem Boden der Tasse werden die Schwerter des Meißner Porzellans sichtbar. *Sächs* 1900 *ff.*

Schwertgosche *f* zänkische Redegabe. ↗Gosche 1. Seit dem 19. Jh.

Schwertmaul *n* abschätzige, verletzende Redeweise. ↗Schwert 1. Seit dem 19. Jh.

schwertun *refl* es schwer haben; es sich schwer machen; mit einer Sache seine Schwierigkeiten haben. Schwer = beschwerlich. Im 19. Jh von Bayern ausgegangen.

schwerverdaulich *adj* schwerverständlich; ungerechtfertigt. Seit dem 19. Jh.

Schwester *f* **1.** Lesbierin. 1900 *ff.*

2. Homosexueller. Als Tarnausdruck aufzufassen für den „weiblich" fixierten Partner; vielleicht mit Anspielung auf mädchenhafte Gesichtszüge oder auf weibisches Auftreten. 1900 *ff, rotw* und *sold.*

3. Freundin des Halbwüchsigen. *Halbw* 1955 *ff.*

4. barmherzige ~ = Prostituierte. Eigentlich die geistliche Krankenschwester. Im frühen 18. Jh unter Studenten aufgekommen und ins *Rotw* gewandert.

5. flotte ~ ↗ Lesbierin; weibliche Person, die, ohne lesbisch veranlagt zu sein, gleichgeschlechtliche Betätigung gegen Entgelt vornimmt. 1950 *ff.*

6. mitleidige ~ = Prostituierte. *Stud* 1750 *ff.*

7. warme ~ = Lesbierin. ↗warm. Gegenstück zu „warmer ↗Bruder". Seit dem 19. Jh.

Schwesterherz *n* mein ~ = meine Schwester. ↗Bruderherz 2. 1700 *ff. Wiederaufgelebt 1950 ff, halbw.*

Schwesterlein *n* junger Mann mit mädchenhaften Gesichtszügen. *Vgl* ↗Schwester 2. Homosexuellenspr. 1920 *ff*, Berlin.

Schwesternhaus *n* Wohnhaus für Prostituierte. ↗Schwester 4. 1960 *ff.*

Schwesternschaft *f* die männlichen Homosexuellen. ↗Schwester 2. 1920 *ff*, Berlin.

Schwestersprache *f* affektierte, manierierte Redeweise Homosexueller beiderlei Geschlechts. ↗Schwester 1 und 2. 1920 *ff*, Berlin.

schwiegergeil *adj* mütterlich-begierig nach einem Schwiegersohn. ↗geil. Berlin seit dem frühen 20. Jh.

schwiegerlüstern *adj* mütterlich-begierig nach einem Schwiegersohn. 1900 *ff.*

Schwiegermama *f* Schwiegermutter. ↗Mama. Seit dem 19. Jh.

Schwiegermutter *f* **1.** Mutter der Tanzstundendame. Schül 1950 *ff.*
2. pump' mir mal deinen Kopf, ich will meiner ~ einen Schrecken einjagen!: Redewendung auf einen Menschen mit abstoßend häßlichem Gesicht. 1950 *ff*, Berlin.
3. Stimmung in einem Haus, das die ~ erwartet = friedfertige Stimmung. 1950 *ff.*

Schwiegermütteransitz *m* Balkon in einem Tanzlokal; Hausbalkon. Ansitz = Jägerkanzel. 1900 *ff.*

Schwiegermutterbegräbnis *n* es war mir ein ~ = es war mir eine sehr große Freude. Um 1900 aufgekommen in Referendar- und Leutnantskreisen, in Anlehnung an die volkstümlich schlechte Geltung der Schwiegermutter.

Schwiegermutterkrankheit *f* durch die Schwiegermutter verursachte Nervenbelastungen, Spannungen usw. 1950 *ff.*

Schwiegermutterloser *m* Junggeselle. Um 1870 in Berlin aufgekommen. Den Ball der Unverheirateten nannte man damals „Ball der Schwiegermutterlosen".

'Schwieger'olle *f* Schwiegermutter. ↗Olle. *Niederd* 1900 *ff.*

'Schwieger'oller *m* Schwiegervater. ↗Oller. *Niederd* 1900 *ff.*

Schwiegerpapa *m* Schwiegervater. ↗Papa. Seit dem 19. Jh.

Schwiele *f* **1.** ~n im Gehirn = geistige Überanstrengung. Von den Hornhautschwielen der Handfläche eines Schwerarbeiters übertragen. 1920 *ff.*
2. sich eine ~ anfressen = durch reichliches Essen beleibt werden. 1914 *ff.*
3. ~n an den Händen haben = reichlich onanieren. 1965 *ff, prost.*
4. ~n auf den Ohren haben = a) nicht zuhören; unaufmerksam sein; etw absichtlich nicht zur Kenntnis nehmen. 1935 *ff, sold.* – b) unempfindlich sein für quäkende Musikgeräusche. 1955 *ff.*

Schwielenarsch *m* Angehöriger des Schreibstubenpersonals; Truppenverwaltungsbeamter; Zahlmeister o. ä.; ziviler Beamter. Die sitzende Tätigkeit läßt Schwielen am Gesäß entstehen. Gegen 1910 *sold* aufgekommen; 1920 *ff* ziv.

Schwiemel *m* **1.** Taumel, Ohnmacht; Rausch. ↗schwiemeln 1. Seit dem 15. Jh.
2. ausschweifend lebender Mann. ↗schwiemeln 2. Seit dem 19. Jh.
3. liederliches Leben. Seit dem 19. Jh.
4. Lügner, Betrüger, Hochstapler. ↗schwiemeln 3. 1820 *ff.* Berlin, Leipzig u. a.

Schwieme'lei *f* **1.** liederlicher Lebenswandel. ↗schwiemeln 2. Seit dem 19. Jh.
2. Lügenhaftigkeit; Lüge. Seit dem 19. Jh.

Schwiemelfritze *m* **1.** ausschweifend lebender Mann. ↗Fritze. Seit dem 19. Jh.
2. Lügner. Seit dem 19. Jh.

schwiemelig *adj* **1.** ohnmächtig; taumelnd; kraftlos; an Kopfschmerz oder Brechreiz leidend. ↗schwiemeln 1. 1700 *ff.*
2. ~ gucken = übernächtigt aussehen. 1900 *ff.*

Schwiemelkopf (-kopp) *m* Schwätzer; Prahler. Seit dem 19. Jh.

schwiemeln *intr* **1.** schwanken, torkeln. Gehört zu *mhd* „sweimen = schweben" (*niederd* „swimen"); weiterentwickelt zur Bedeutung „unfest auf den Beinen sein". 1500 *ff.*
2. liederlich leben; zechen. Anspielung auf den Torkelgang des Bezechten. 1600 *ff.*
3. dreist lügen; stark übertreiben. Analog zur Nebenbedeutung „trügen" des Verbs „schwindeln = torkeln". Seit dem 19. Jh.

Schwiemler *m* **1.** Zecher; ausschweifend lebender Mann. Seit dem 19. Jh.
2. Lügner, Prahler. Seit dem 19. Jh.

Schwieten *pl* ~ machen = lose Streiche verüben; mit jm seinen Spott treiben. Gehört zu *franz* „suitier" in der *dt* Bedeutung „leichtsinniger Mann". *Nordd* seit dem 19. Jh.

Schwimm *m* das Schwimmen. 1950 *ff.*

Schwimm-As *n* erfolgreicher Schwimmer. ↗As. 1920 *ff.*

Schwimmauge *n* Auge mit verschwimmendem (verschwommenem) Blick. 1950 *ff.*

Schwimmbad *n* textliche Unsicherheit einer Schauspielergruppe. ↗schwimmen 1. 1920 *ff.* theaterspr.

Schwimme *f* Schwimmbecken, -bad. 1950 *ff, schül.*

schwimmen *v* **1.** *intr* = sich nicht sicher fühlen; den Text nicht beherrschen. Man hat „keinen festen Boden unter den Füßen" und will „sich über Wasser halten". Man ersetzt die fehlenden Worte durch schwimmartige Armbewegungen. Theaterspr. seit dem frühen 19. Jh.
2. *intr* = im Wissensstoff unsicher sein; kein sicheres Wissen besitzen. *Stud* 1900 *ff,* auch *schül.*
3. *intr* = als Mannschaft nicht geschlossen spielen. *Sportl* 1920 *ff.*
4. *intr* = mittellos sein. Man macht verzweifelte Schwimmbewegungen, um „sich über ↗Wasser zu halten". 1920 *ff.*
5. *intr* = gehen. Von der Fortbewegung im Wasser übertragen auf die Fortbewegung auf festem Boden. *Österr* 1945 *ff, jug.*
6. um etw ~ = etw holen (schwimm um die Wäsche = hole die Garderobe!). *Österr* 1945 *ff, jug.*
7. obenauf ~ = tüchtig, erfolgreich sein; Glück haben. ↗obenauf 1. 1870 *ff.*
8. jm das ~ beibringen = jn an Zucht und Ordnung gewöhnen. Vom Schwimmlehrer übertragen. 1930 *ff.*
9. jn ins ~ bringen = a) jn rühren, mitleidig stimmen. Anspielung auf den Tränenerguß. 1920 *ff.* – b) den Gegner beim Kartenspiel in die Enge treiben. Seit dem 19. Jh. – c) die Geschlossenheit ei-

ner Sportmannschaft auflockern. *Sportl* 1920 *ff.*

10. ins ~ geraten (kommen) = unsicher werden. Seit dem 19. Jh.

11. etw ~ lassen = auf etw verzichten; sich etw absichtlich entgehen lassen. Hängt vielleicht zusammen mit dem Bild von den davonschwimmenden Fellen; ↗Fell 36. Seit dem 19. Jh.

12. jn ~ lassen = jm in der Not nicht helfen; sich von einem Menschen abwenden. Seit dem 19. Jh.

13. ~ lernen = sich der jeweiligen Lage anzupassen suchen. 1930 *ff.*

Schwimmer *m* **1.** Mensch, der sich an keine geregelte Lebensweise gewöhnt; Mann, der neue Schulden macht, um alte zu begleichen. 1920 *ff.*

2. *pl* = Beine, Füße. 1930 *ff, sold.*

Schwimmfüße *pl* breite Füße; Senkfüße. Übertragen von den Enten, Gänsen, Schwänen usw. 1920 *ff.*

Schwimmfüßler *m* Marineangehöriger. *BSD* 1965 *ff.*

Schwimmhaut *f* **1.** enganliegender, nasser Badeanzug einer weiblichen Person. 1920 *ff.*

2. *pl* = breite Füße. ↗Schwimmfüße. 1920 *ff.*

Schwimmling *m* Fisch; Hering o. ä. Kundenspr. seit dem späten 19. Jh.

Schwimm-Matratze *f* Schlauchboot. 1955 *ff.*

Schwimmoper *f* Hallenbad mit aufsteigendem Zuschauerraum. 1958 *ff* (Wuppertal-Elberfeld, Hamburg u. a.).

Schwimmpfütze *f* Schwimmbad. *Jug* 1955 *ff.*

Schwimmsarg *m* Unterseeboot. ↗Sarg 15 b. *BSD* 1965 *ff.*

Schwimmschisser *m* ängstlicher, wasserscheuer Schwimmschüler. ↗Schisser 1. 1900 *ff, jug.*

Schwimmschule *f* Marineschule. *BSD* 1965 *ff.*

Schwimmsoldat *m* Matrose. *BSD* 1965 *ff.*

Schwimm- und Kletterfüße *pl* ungeschickte Füße. ↗Fuß 31. *BSD* 1965 *ff.*

Schwimmunterricht *m* ~ nehmen = a) kopfüber in den Graben oder Teich stürzen. Turfspr. 1900 *ff.* – b) unfreiwillig ins Wasser fallen. 1900 *ff.* – c) mit dem Flugzeug ins Meer stürzen. Fliegerspr. in beiden Weltkriegen.

Schwindel *m* **1.** Angelegenheit, Unternehmen, Dienstbetrieb *(abf).* Eigentlich soviel wie „Täuschung, Irreführung". Seit dem späten 19. Jh, *sold* und *ziv.*

2. aufgelegter ~ = große Täuschung; schwere Übertölpelung. Auflegen = mit einer dünnen Schicht überziehen. Anspielung auf das verlockende Aussehen einer wertlosen Sache. 1900 *ff.*

3. der ganze ~ = das alles; das Ganze *(abf).* Seit dem 18. Jh.

4. den ~ kennen = eine Sache gründlich kennen, einschließlich aller zweckdienlichen Tricks. 1900 *ff.*

5. an ~ leiden = gewerbsmäßiger Betrüger sein. „Schwindel" bezeichnet sowohl „Taumel" als auch „Trug". Seit dem 19. Jh.

6. im ~ sein = Angst haben; ratlos sein; sich in arger Verlegenheit befinden. Schwindel = Taumel, Standunsicherheit. 1914 *ff.*

Schwindelanfälle *pl* an ~n leiden = vom Betrug leben. ↗Schwindel 5. Seit dem 19. Jh.

Schwindelbutter *f* Margarine; fettiger Brotaufstrich minderer Güte. *Sold* in beiden Weltkriegen.

Schwindelfieber *n* geheuchelte Krankheit. *Schül* und *sold* 1910 *ff.*

Schwindelfrack *m* Schwindler. Vermutlich der Betrüger mit elegantem Auftreten. 1920 *ff.*

Schwindelfritze *m* Lügner, Betrüger o. ä. ↗Fritze. Seit dem 19. Jh.

Schwindelhuber *m* lügnerischer, prahlerischer Mann. *Schwäb* und *bayr* 1900 *ff.*

Schwindelkrankheit *f* geheuchelte Krankheit. 1910 *ff, schül* und *sold.*

Schwindelmache *f* Betrug, Übertölpelung. ↗Mache 3. Seit dem späten 19. Jh.

Schwindelmajor *m* Betrüger, Lügner. Wohl aus „↗Schwindelmeier" entstellt. Seit dem späten 19. Jh.

Schwindelmaschine *f* Würfelbecher. 1935 *ff.*

Schwindelmeier *m* lügnerischer Mann. „Meier" als sehr häufiger Familienname ist zum nomen agentis geworden. 1840 *ff.*

schwindeln *intr* lügen, betrügen. Von der Bedeutung „taumeln" übertragen auf unsichere, unzuverlässige, lügnerische Behauptungen. Analog zur Bedeutungsentwicklung von „↗schwiemeln". Etwa seit 1750.

Schwindelo'gie *f* Unterweisung in der Kunst des Lügens, Betrügens und Täuschens. Für 1864 (Glaßbrenner) in Berlin belegt.

Schwindelpaket *n* großes Paket als Behältnis für eine Kleinigkeit. 1900 *ff.*

Schwindeltemperatur *f* mit künstlichen Mitteln betrügerisch erzeugtes Fieber. *Sold* 1939 *ff.*

Schwindeltüchelchen *n* Ziertaschentuch. Es wird nicht als Taschentuch verwendet. 1930 *ff.*

Schwindelzettel *m* selbstverfertigtes Täuschungsmittel des Schülers. Seit dem späten 19. Jh.

Schwindler *m* Täuschungszettel. *Schül* 1900 *ff, österr.*

schwindlig *adj* sehr schlecht; minderwertig. Eigentlich soviel wie „taumelig, der Ohnmacht nahe". *Schül* 1950 *ff, österr.*

Schwindsucht *f* **1.** sich die ~ an den Hals (Kragen) ärgern = sich sehr ärgern. 1700 *ff.*

2. ~ im Portemonnaie (im Beutel; in der Geldbörse) haben = kein Geld haben. 1650 *ff.*

3. der Geldbeutel hat die ~ (leidet an der ~) = die Barschaft nimmt immer weiter ab; das Geld wird immer weniger. Seit dem 17. Jh.

schwindsüchtig *adj* **1.** mittellos. *Vgl* das Vorhergehende. Seit dem 17. Jh.

2. dürftig. 1950 *ff.*

3. trübe leuchtend. 1950 *ff.*

4. alkoholarm. 1950 *ff.*

Schwindsuchtsgerippe *n* hagerer Mensch. 1920 *ff.*

Schwingachsen *pl* **1.** lange, wohlgeformte Frauenbeine. Meint eigentlich die federnde Einzelradaufhängung bei Personenkraftwagen. 1930 *ff.* **2.** torkelnde Beine des Bezechten. Berlin 1930 *ff.*

Schwingen *pl* **1.** Arme. Analog zu ↗Flügel 1. *Sold* 1914 *ff.* **2.** die ~ offen tragen = den Busen enthüllen. ↗Lungenflügel 1. 1950 *ff.*

schwingen *v* **1.** *tr* = die Kopfbedeckung zum Gruß lüften. Anspielung auf die eckigen Bewegungen, mit denen der farbentragende Student die Couleurmütze abnimmt und wieder aufsetzt. 1920 *ff, schül* und *stud.* **2.** jm eine ~ = jn eine heftige Ohrfeige o. ä. versetzen. Man schwingt den Prügelstock oder holt zum Schlag weit aus. Seit dem 15. Jh. **3.** *intr* = tanzen. Man schwingt das „↗Tanzbein"; auch die Röcke schwingen. *Vgl* auch ↗schwenken 5. 1900 *ff.* **4.** *intr* = prahlen. Man „schwingt" prahlerische Reden; ↗Rede 4. 1900 *ff.* **5.** *refl* = davoneilen; sich beeilen. Nach Art der Vögel breitet man die Schwingen aus und fliegt weg. *Bayr* 1900 *ff.* **6.** das Examen ~ = die Prüfung bestehen. Auszugehen ist wohl von einem, der sich über einen Abgrund schwingt; von da weiterentwickelt zur Bedeutung „eine Schwierigkeit meistern". Spätestens seit 1900, *schül* und *stud.*

Schwinger *m* **1.** Prahler. ↗schwingen 4. 1900 *ff.* **2.** jm einen ~ versetzen (verpassen) = jm eine Niederlage beibringen; jn in eine gefährliche Lage bringen. Beim Boxsport ist „Schwinger" der weit ausholende Schlag. *Sold* 1939 *ff.* **3.** jm einen ~ winken = a) jm einen derben Schlag, eine heftige Ohrfeige versetzen. ↗winken 1. 1925 *ff.* – b) jm eine Niederlage bereiten; jn übertölpeln. Der heftige Schlag trübt den Geist des Opfers und erleichtert die Übervorteilung. 1925/30 *ff.*

Schwinghalle *f* Tanzsaal. ↗schwingen 3. 1900 *ff.*

Schwipponkel *m* männlicher Partner in einer „↗Onkelehe". Nach 1945 aufgekommen.

Schwippschwager *m* Bruder von Schwager oder Schwägerin; Schwager von Bruder oder Schwester o. ä. Gehört zu „schwippen = schaukeln" mit Anspielung auf Verwandtschaft durch Heirat, nicht durch Blutsbande. Der Schwippschwager gilt als unfest und schwankend in seiner Einstellung zur Familie. Seit dem 19. Jh.

Schwippschwägerin *f* Schwester von Schwager oder Schwägerin; Schwägerin von Bruder oder Schwester o. ä. Seit dem 19. Jh.

Schwippvetter *m* angeheirateter Vetter. Seit dem 19. Jh.

Schwips *m* Rausch; leichte Bezechtheit. Gehört zu

„schwippen = schwanken": leichter Torkelgang macht sich bemerkbar. Seit dem 18. Jh.

Schwipsfrage *f* nicht ernsthafte Frage, wie man sie in alkoholisch gelöster Stimmung stellt. 1950 *ff.*

schwipsig *adj* **1.** leicht angetrunken. 1900 *ff.* **2.** alkoholhaltig. *Jug* 1955 *ff.*

Schwipslaune *f* durch Alkohol herbeigeführte, beschwingte Laune. 1900 *ff.*

Schwipsprobe *f* Alkoholtest. 1950 *ff.*

Schwirbel *m* Anfall von Verrücktheit. ↗schwirbeln. Seit dem 18. Jh.

schwirbelig *adj* unbehaglich, schwindlig. *Oberd* seit dem 18. Jh.

schwirbeln *intr* taumeln. Fußt auf *mhd* „swerben = wirbeln, wimmeln". Seit dem 18. Jh.

schwirren *intr* eilen. Hergenommen von der schwirrenden Bewegung einer Vogelschar. 1900 *ff.*

Schwirrer *m* kleines, schnelles Aufklärungsflugzeug. Es bewegt sich schnell und mit schwirrendem Geräusch. *Sold* 1939 *ff.*

Schwirrvogel *m* kleines, schnelles Aufklärungsflugzeug. *Sold* 1939 *ff.*

Schwitz *m* **1.** Schwerarbeit. Neues Substantiv zu „schwitzen". 1950 *ff.* **2.** gut ~!: Zuruf an einen, der zur Sauna geht. 1960 *ff.*

Schwitzarbeit *f* Strafarbeit. *Schül* 1955 *ff, österr.*

Schwitzbude *f* **1.** Fabrik oder Werkstatt, in der die Arbeitnehmer übermäßig beansprucht werden. 1920 *ff. Vgl engl* „sweatshop". **2.** Sauna. 1960 *ff.* **3.** Klassenzimmer. 1960 *ff, österr.*

schwitzen *intr* **1.** das Bett nässen. Euphemismus. 1700 *ff.* **2.** Angst haben; erregt sein. 1900 *ff.* **3.** zahlen. In der Jägersprache ist „Schweiß" das Blut; umgangssprachlich ist „↗bluten" soviel wie „zahlen". *Oberd* 1600 *ff.*

Schwitzer *m* (Schiffs-)Heizer. *Marinespr* 1850 *ff.*

Schwitzfest *n* sommerlich heißer Feiertag. 1967 *ff.*

Schwitzhändchen *pl* ~ machen (spielen) als Liebespaar mit verschlungenen Händen sitzen. 1900 *ff.*

Schwitzhäusl *n* Schulgebäude. *Bayr* und *österr,* 1930 *ff.*

Schwitzkammer *f* Klassenzimmer; Turnhalle. 1930 *ff.*

Schwitzkasten *m* **1.** Schulgebäude. Anspielung auf den Schweiß, den die Schüler vor Anstrengung oder Angst vergießen. 1930 *ff.* **2.** Klassenzimmer. 1930 *ff.* **3.** Turnhalle; Sportschule. *Schül* 1930 *ff; BSD* 1960 *ff.* **4.** Omnibus. Anspielung auf die übliche Überfüllung. Berlin 1870 *ff.* **5.** Untergrund-, Straßenbahn. Berlin 1910 *ff.* **6.** Panzerkampfwagen. *Sold* 1939 *ff.*

7. heiß gelegenes (oder überheiztes) Zimmer. 1910 *ff.*

7 a. Stadt während hochsommerlicher Temperaturen. 1870 *ff.*

7 b. Sauna. 1950 *ff.*

8. enger Raum (für viele); Gefängniszelle. 1910 *ff.* *Vgl engl* „sweat box".

9. Telefonzelle. 1910 *ff.*

10. Einzwängung des Kopfes des Gegners unter den Arm. Eigentlich der Kasten, aus dem der Schwitzende nur mit dem Kopf hervorsieht. Stammt seit dem späten 19. Jh entweder unmittelbar aus der Schülersprache oder ist aus der Sprache der Ringer übernommen.

11. Kreuzverhör. 1920/30 *ff.*

12. jn in den ~ nehmen = jn zum Nachgeben zwingen. 1890 *ff.*

Schwitzkur *f* **1.** Prüfung. Eigentlich der ärztlich verordnete Heilversuch, bei dem Schweißausbruch hervorgerufen wird. 1930 *ff.*

2. Einzwängung des Kopfes des Gegners in den angewinkelten Arm. *Vgl* ↗Schwitzkasten 10. 1930 *ff.*

Schwitzober *m* Pullover. Fußt auf dem älteren „Schwitzer", das aus *engl* „sweater" übersetzt ist. 1930 *ff*, *jug* und handwerkerspr.

Schwitzstunde *f* Klassenarbeit. *Schül* 1930 *ff.*

Schwitztempel *m* Sauna. 1960 *ff.*

Schwitzzeiten *pl* Schulstunden, in denen Klassenarbeiten geschrieben werden. 1960 *ff, schül.*

Schwitzzimmer *n* Klassenzimmer. 1930 *ff.*

Schwof (Schwoof) *m* **1.** Tanz, Tanzveranstaltung. Gekürzt aus „Kuhschwof = Gesindeball; niederes Tanzvergnügen". „Schwof" ist *ostmitteld* und meint „Schweif". Ursprünglich wahrscheinlich obszön, da „Schweif = Penis" (etwa im Sinne von „unehelicher Beischlaf mit einer Dienstmagd"). *Stud* 1825 *ff.*

2. Klassenschlechtester. Parallel zu ↗Schwanz 1. 1900 *ff.*

3. ~ mit Weinzwang = elegantes Tanzlokal. Berlin 1910 *ff.*

4. mit dem ~ wackeln = sich freundlich zeigen. ↗Schwanz 52. Seit dem 19. Jh.

Schwofbude (Schwoofbude) *f* minderwertiges Tanzlokal. 1915 *ff.*

schwofen (schwoofen) *intr* **1.** tanzen. ↗Schwof 1. 1825 *ff.*

2. phantasieren. Man läßt die Gedanken schweifen. Seit dem 19. Jh.

3. sich umhertreiben. Seit dem 19. Jh.

Schwofe'rei (Schwoofe'rei) *f* Tanzerei. Seit dem 19. Jh.

'Schwof'fete (Schwof-Fete; Schwoof-Fete) *f* Tanzparty. *Halbw* 1955 *ff.*

Schwofin (Schwoofin) *f* ~ im Originalkleid = Nackttänzerin. 1948 *ff.*

Schwofkeller (Schwoofkeller) *m* Party-Keller. *Halbw* 1955 *ff.*

*Der Herr auf dem Foto oben nimmt seine Dame zwar in den Schwitzkasten (*vgl.* **Schwitzkasten 10.**), will ihr damit aber augenscheinlich nichts Böses. Denn bei einer solchen **Schwoferei** kommt man zwar ganz schön ins Schwitzen, doch wirkt der Schweiß, der dabei vergossen wird, nicht so unangenehm, wie das in der Umgangssprache ansonsten die Regel ist, sieht man einmal von den Vokabeln ab, die sich auf die Sauna beziehen, wo das Schwitzen ohnehin zum Selbstzweck wird (*vgl.* **Schwitztempel**). Weiterhin fällt auf, daß die Sphäre, wo normalerweise am meisten geschwitzt wird, hier deutlich unterrepräsentiert ist: In der Schule, nicht in der Fabrik fließt zumindest verbal der meiste Schweiß.*

Schwoftag (Schwooftag) *m* Sonntag. Berlin seit dem ausgehenden 19. Jh.

schwögen *intr* **1.** klagend reden; mitleidig beseufzen; überaus rührselig reden. Geht zurück auf ein altgermanisches Wort (*got* „swögjan = seufzen"). *Nordd* 1700 *ff.*

2. in Worten schwelgen; prahlen; viel reden. *Nordd* seit dem 19. Jh.

schwögig *adj* in Worten schwelgend. *Nordd* seit dem 19. Jh.

schwören *v* **1.** kalt ~ = einen Falscheid leisten, an den man sich nicht gebunden fühlt. *Vgl* ↗Eid 1 und 4. *Bayr* 1900 *ff.*

2. leicht und angenehm ~ = ohne Gewissensbisse einen mehr oder minder fragwürdigen Eid leisten. 1910 *ff.*

3. es ist nicht hoch geschworen = es ist nichts Besonderes. Beim Eid beruft man sich auf Dinge oder Personen, die einem heilig und wert sind; wer hingegen belanglose Dinge benennt, gibt zu erkennen, daß er der Sache keinen sonderlichen Wert beimißt. Seit dem 16. Jh.

Schwuchtel *f* **1.** Mädchen. ↗schwuchteln. 1920 *ff.*
2. weibischer Homosexueller. Berlin 1920 *ff.*
Schwuchtelball *m* Tanzabend Homosexueller. Berlin 1920 *ff.*
schwuchteln (schwuchten) *intr* **1.** sich in den Hüften wiegen; leidenschaftlich tanzen. Gehört zu mundartlich „schwuchten = schwanken, schaukeln; ausgelassen sich hin- und herbewegen". *Ostmitteld* und Berlin, seit dem 19. Jh.
2. ausschweifend leben. Seit dem 19. Jh.
schwul *adj* **1.** homosexuell; lesbisch. *Niederd* Form von *hd* „schwül" im Sinne von „drückend heiß", beklemmend heiß", wohl in Anspielung auf die Atmosphäre in einschlägigen Lokalen. Seit dem zweiten Drittel des 19. Jhs.
2. lüstern; aufdringlich geil. 1840 *ff.*
schwül *adj* **1.** anrüchig. Von beklemmender Hitze übertragen auf eine beklemmende Lage. 19. Jh.
2. langweilig. Schwüle lähmt die körperliche und geistige Schwungkraft. *Halbw* 1950 *ff.*
3. ihm wird ∼ = ihm wird es ungemütlich; er bekommt Angst. Seit dem 18. Jh.
Schwül *m* **1.** Bezechtheit. *Österr* Nebenform zu ↗Schweigl. 1900 *ff.*
2. Dummheit. *Österr* 1930 *ff.*
schwulen *intr* **1.** sich homosexuell betätigen. ↗schwul 1. 1870 *ff.*
2. verstohlen, lüstern blicken. ↗schwul 2. 1840 *ff.*
Schwulenlokal (-schwemme) *n (f)* Lokal, in dem Homosexuelle verkehren. *Vgl* ↗Schwemme 1. 1930 *ff.*
Schwuler *m* **1.** Homosexueller. ↗schwul 1. 1840 *ff.*
2. einen Schwulen kippen = sich mit einem Homosexuellen einlassen, um ihn auszuplündern (zu erpressen o. ä.). Berlin 1950 *ff.*
Schwule'rei *f* homosexuelle Betätigung. 1910 *ff.*
Schwuletto *m* Homosexueller. Zusammengesetzt aus „↗schwul 1" und *ital* „maledetto = verflucht". 1960 *ff.*
Schwulfreund *m* homosexueller Partner. 1950 *ff.*
Schwulheit *f* Homosexualität; homosexuelle Veranlagung. 1910 *ff.*
Schwuli *m* Homosexueller. Eines der neuerdings beliebten, kosewortähnlichen Kurzwörter auf -i. *Jug* 1970 *ff.*
Schwulibert *m* Homosexueller. Zusammengesetzt aus „↗schwul 1" und dem Vornamen Aribert. *BSD* 1960 *ff.*
schwulibus in ∼ = in Bedrängnis, Verlegenheit, Not sein. Nach den Regeln der *lat* Formenlehre durch Studenten aus „schwül, schwul = beklemmend" entwickelt. Sachverwandt mit „ihm brennt der ↗Boden unter den Füßen". 1840 *ff.*
schwulig *adj* anrüchig. ↗schwul 1. 1920 *ff.*
Schwu'linski *m* Homosexueller. Um eine *slaw* Endung verlängertes „↗schwul 1". 1920 *ff.*
Schwuli'tät *f* **1.** Unannehmlichkeit, Verlegenheit,

Bedrängnis, Not. Von Studenten im 18. Jh scherzhaft entwickelt aus „schwül, schwul" und der Endung „-tät" nach dem Muster von „Kalamität, Rarität" o. ä.
2. an (unter) ∼ leiden = homosexuell sein. Scherzhafter Hehlausdruck. 1920 *ff.*
3. in ∼en sein (sitzen) = in Verlegenheit, bedrängter Lage sein. Seit dem 18. Jh.
Schwulo'gie *f* **1.** Homosexualität. 1950 *ff.*
2. ∼ studieren = sich homosexuell betätigen. 1950 *ff*, Berlin.
Schwuls'tophiles *m* phrasenreicher Schwätzer. Zusammengesetzt aus „Schwulst" und „Mephistopheles". 1950 *ff.*
Schwumm *m* Bedrängnis. Gehört zu „schwimmen", hier im Sinne von „keinen festen Halt haben". Wien 1910 *ff.*
schwummelig *adj* **1.** schwindlig. „Schwummeln" ist Iterativum zu „schwimmen = keinen festen Halt haben", wohl beeinflußt von „↗schwiemeln". 1900 *ff.*
2. ungemütlich, verstimmt. 1900 *ff*, bayr und österr.
schwummerig *adj* **1.** übel, elend; zum Erbrechen elend; unwohl; unbehaglich. Ablautform zu „↗schwiemelig 1". Seit dem 19. Jh.
2. betrübt. Seit dem 19. Jh.
3. ängstlich, beklommen. Seit dem 19. Jh.
4. unsicher; heikel; gefahrdrohend. Seit dem 19. Jh.
schwummerlich (schwummerlig) *adj* ängstlich; beklommen; unklarer Sinne. *Österr* Nebenform zu „schwiemerlig". 1900 *ff.*
Schwund *m* Minderwertiges, Unsinn. Leitet sich vielleicht her vom An- und Abschwellen der Lautstärke im Rundfunkgerät oder meint die Einbuße an Verstand (Verständlichkeit). Berlin 1970 *ff, jug.*
Schwung *m* **1.** Lehrling, Praktikant; Kaufmannsgehilfe. Analog zu ↗Schwengel 2. Seit dem frühen 19. Jh.
2. Lüften der Kopfbedeckung zum Gruß. ↗schwingen 1. 1920 *ff, stud* und *schül.*
3. ein ganzer ∼ = eine große Menge; viele. Übernommen von der Gabelladung Heu. 1900 *ff.*
4. jn auf (in) ∼ bringen = jn anfeuern; antreiben, im Dienst schikanieren; scharf zurechtweisen; jn erzürnen. Schwung = Antrieb; Bewegung; lebhafte Wirksamkeit (man denke an die Schaukel). Seit dem 19. Jh.
5. etw in (auf) ∼ bringen = eine Sache in Gang bringen; etw beschleunigen; einen technischen Defekt in Ordnung bringen. Seit dem 19. Jh.
6. ∼ in die Bude (den Laden) bringen = für Ordnung und Fortgang sorgen; belebend einwirken. 1900 *ff.*
7. am ∼ gehen = tanzen gehen. ↗schwingen 3. Wien 1950 *ff.*
8. es hat ∼ = die Sache geht gut vonstatten; das Geschäft gedeiht bestens. 1900 *ff.*

9. etw in ~ haben = etw in Ordnung haben; einen Betrieb überlegen leiten. 1900 *ff.*

10. jn in ~ halten = jn nicht zur Ruhe kommen lassen. 1900 *ff.*

11. in ~ kommen = a) zu gedeihen anfangen; kräftig sich entwickeln. Seit dem 18. Jh. – b) genesen. 1900 *ff.* – c) sich eilig entfernen. Gern in der Befehlsform gebraucht. Seit dem 19. Jh.

12. es kommt ~ in die Bude = das Geschäftsunternehmen belebt sich. ↗Schwung 6. 1900 *ff.*

13. es kommt ~ in den Laden = eine Gruppe gewinnt an Ordnung und Disziplin. *Sold* in beiden Weltkriegen.

14. auf dem ~ sein = klare Sinne haben; gründlich aufpassen; seinen Vorteil zu wahren wissen. *Sold* in beiden Weltkriegen.

15. aus dem ~ sein = aus der Übung sein. 1920 *ff.*

16. in ~ sein = lebhaft tätig sein; kräftig gedeihen. 1700 *ff.*

Schwungfedern *pl* jm die ~ ausreißen = jm den Hang zu aushäusiger Lebensweise austreiben; jn an der Verwirklichung von Plänen hindern. Den Vogel hindert man am Wegfliegen, indem man seine Schwungfedern stutzt oder ausreißt. *Sold* 1935 *ff.*

Schwunghalle *f* Tanzsaal. Parallel zu ↗Schwinghalle. *Österr* 1950 *ff.*

Schwungkeller (-lokal) *m (n)* Party-Keller. ↗schwung 7. *Halbw* 1955 *ff.*

Schwungschule *f* Tanzschule. ↗schwingen 3. 1930 *ff*, Berlin; 1950 *ff*, österr.

Schwupp *m* kleine Menge flüssiger Masse. Steht verbal im Ablaut zu „schwippen = hin- und herbewegen". Daraus „Schwupp" im Sinne von „kleine herausschwappende Menge". 1900 *ff.*

Schwuppdig *m* Auftrieb, Aufmunterung. Schwuppen = schnellend vorwärtsbewegen. *Vgl* auch ↗Wuppdich. Seit dem 19. Jh.

'schwuppdi'wupp *adv* im Handumdrehen. „Schwuppen" meint wie „wuppen" soviel wie „schaukeln". Seit dem 19. Jh.

Schwupper *m* **1.** Stoß. Seit dem 19. Jh.

2. überfließender Inhalt eines Gefäßes. ↗Schwupp. 1900 *ff.*

3. Taktlosigkeit; schwerer Irrtum. Fußt auf der Vorstellung von hastiger Bewegung. *Niederd* seit dem 19. Jh.

4. einen ~ machen (starten) = sich gröblich irren; eine irrige Anweisung geben. Seit dem 19. Jh.

schwups *interj* zur Bezeichnung einer schnellen Bewegung, eines plötzlich eintretenden Ereignisses. Schwuppen = schnellend bewegen. *Niederd* 1700 *ff.*

Schwups *m* plötzliche schnelle Bewegung. *Niederd* 1700 *ff.*

Schwurfingerathlet *m* Eideshelfer, der bedenkenlos jeden gewünschten Schwur leistet. 1950 *ff.*

Science-fiction-story (*engl* ausgesprochen) *f* Befehlsausgabe. Der aus dem *Angloamerikan* stammende Ausdruck „science fiction" meint die utopische Schilderung von naturwissenschaftlich-technischen Zukunftsmöglichkeiten. Im Munde des Bundeswehrsoldaten wird dadurch die Befehlsausgabe zu einem Phantasieerzeugnis des Vorgesetzten. *BSD* 1970 *ff.*

Scott *Pn* das Walter ~!: = Gott gebe es! Umgeformt aus „das walte Gott!" in Anlehnung an den Namen des vielgelesenen schottischen Dichters Walter Scott (1771–1832). 1930 *ff.*

sechs *num* halb ~ = völlig ruhig; bewegungslos; verträglich. Hergenommen von der Stellung des Penis: in völliger Ruhe zeigt er nach unten wie die Uhrzeiger um halb sechs; wo da übertragen auf die Ruhelage an der Front und weiter auf friedliche, verträgliche Stimmung. *Sold* in beiden Weltkriegen.

Sechs *pl* **1.** die goldenen ~ = die Leistungsnoten des Schülers von 1 bis 6. 1960 *ff.*

2. alle ~en schmeißen = sehr großes, unwahrscheinliches Glück haben. Hergeleitet vom höchsten Wurf beim Würfeln. 1870 *ff.*

Sechsenschreiber *m* Klassenschlechtester, -wiederholer. 1955 *ff.*

Sechser I *m* **1.** Fünfpfennigstück. Die *trad* Münze hatte anfangs den Wert von 6 Pfennigen, später von einem halben Groschen. Seit dem 19. Jh.

2. nicht für einen ~! = um keinen Preis! Seit dem 19. Jh.

3. bei ihm ist der ~ gefallen = er hat endlich begriffen. Analog zu ↗Groschen 6. 1920 *ff.*

4. keinen ~ auf der Hose haben = völlig mittellos sein. 1920 *ff.*

5. keinen ~ wert sein = nichts wert sein. 1900 *ff.*

Sechser II *f* Stirn- oder Schläfenlocke in Form der Ziffer 6. 1870 *ff.*

Sechserabé *m* öffentliche Bedürfnisanstalt. Die Benutzung kostete früher einen „Sechser", später einen Groschen. Die Bezeichnung gilt noch heute, trotz Gebührenerhöhung. Berlin seit dem ausgehenden 19. Jh.

Sechserbad *n* Volksbadeanstalt (*abf*); Badegelegenheit mit Massenbetrieb. Berlin seit dem ausgehenden 19. Jh.

Sechserblatt *n* schlechtes Schulzeugnis. Die Note 6 überwiegt. 1955 *ff.*

Sechserfose *f* **1.** billige Prostituierte; Prostituierte sehr niedrigen Grades. ↗Fose. 1920 *ff.*

2. stinken wie eine ~ = nach sehr billigem Parfüm riechen. 1920 *ff.*

Sechserkalle *f* billige Prostituierte. ↗Kalle. 1900 *ff.*

Sechserladen *m* kleines, unbedeutendes Geschäft. *Nordd* und *ostd* 1910 *ff.*

Sechserlocken *pl* Haarlocken in Form einer „6". 1870 *ff.*

Sechsernutte *f* Prostituierte mit geringer Entgeltsforderung. ↗Nutte. 1900 *ff.*

Sechserrentner (-ren'tier) *m* Kleinrentner;

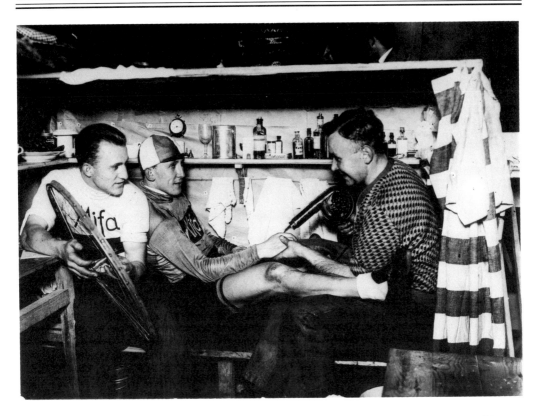

Werner Miethe, einer der Sechs-Tage-Helden der zwanziger Jahre, läßt sich in einer Rennpause die eingeschlafenen Handgelenke föhnen. Bei einem **Sechs-Tage-Gekurbel** treten die Fahrer sechs Tage lang in die Pedale und fahren dabei immer nur im Kreis, Runde um Runde. Zwei Sportler bilden eine Mannschaft, und solange der eine sich abstrampelt, kann der andere sich ein wenig erholen und neue Kräfte schöpfen. Das alles erscheint recht monoton, aber vielleicht ist eben darin das Geheimnis des großen Erfolges solcher Veranstaltungen zu sehen; denn der Zuschauer erhält hier im Grunde genommen vor Augen geführt, was auch für sein eigenes und bei weitem weniger spektakuläres **Sechs-Tage-Rennen** gilt. So betrachtet, jubelt man sich selbst zu und erfährt das Defizitäre des Arbeitsalltages einmal als Positivum, als etwas, mit dem nan sich identifizieren kann. Dieses Bewußtsein ist indes äußerst brüchig und verlangt, wie andere Heroisierungen der eigenen Existenz auch, nach einem es zumindest kurzfristig stabilisierenden Stimulans. Nicht umsonst wird bei solchen Vergnügungen Alkohol ausgeschenkt, und die dort herrschende Stimmung erinnert in manchem an die Atmosphäre in einem Bierzelt.

Mann, der im Ruhestand von seinem kleinen Kapital samt geringen Zinsen lebt. Berlin 1840 *ff*.

Sechserschreiber m Klassenschlechtester. Seine Klassenarbeiten werden mit der Note 6 bewertet. 1955 *ff*.

Sechserschwof (-schwoof) m billiges Tanzvergnügen. ↗Schwof. Berlin 1870 *ff*.

Sechsersoldat m Soldat mit schlechten militärischen Leistungen. *Sold* in beiden Weltkriegen.

Sechsertreffer m ganz geringer Gewinn; unscheinbarer Glücksumstand. 1900 *ff*.

Sechserzettel m selbstverfertigter Täuschungszettel des Schülers. Wird der Schüler ertappt, erhält er die Note 6. 1955 *ff*.

Sechs-Tage-Gekurbel n Sechstagerennen der Radsportler. ↗kurbeln. 1920 *ff*.

Sechstagerennen n 1. Sechstagewoche; Arbeitswoche. Vom Hallenradsport übernommen gegen 1920. Die Bezeichnung gilt weiter trotz Einführung der Fünftagewoche.

2. heftiger Durchfall. *Sold* 1935 *ff*.

Sechs-Uhr-Mensch m gerader, aufrechter Charakter. Hergenommen vom Stand der Uhrzeiger um 6 Uhr. 1960 *ff*.

Sechszylinder m 1. Latrine mit sechs Sitzplätzen. ↗Zylinder. *Sold* 1939 bis heute.

2. sechs Herren auf der Fahrt zur Beerdigung. Kraftfahrerspr. 1960 *ff*.

Sechter *m* **1.** große Damenhandtasche. Meint ein Gefäß mit geradem Griff, meist aus Holz (Milchsechter = Melkeimer). Wien 1940 *ff*.
2. beleibter Mensch. Meint eigentlich ein Hohlmaß, fußend auf *lat* „sextarius". *Österr* und westmitteld, 1900 *ff*.

sechzig *num* ~!: humorvoller Warnruf. Sechzig Stück heißen auch „ein Schock". Mit „Schock" ist wortwitzelnd hier die Nervenerschütterung gemeint, die droht, wenn man die Warnung nicht beachtet. Berlin 1920 *ff*.

Sechzigtalerarsch *m* breites Gesäß. *Vgl* das Folgende. 1900 *ff*.

Sechzigtalerpferd (-gaul) *n (m)* einen Arsch haben wie ein ~ = ein breites Gesäß haben. Sechzig Taler für ein Pferd waren ein hoher Preis, der nur für ein sehr gutes und in vortrefflichem Futterzustand befindliches Pferd gezahlt wurde. *Nordd* 1840 *ff*.

Seckeli (Sekeli) *f* Sekundarschule. Hieraus kosewörtlich verkürzt. *Schweiz* 1920 *ff*.

See *m* **1.** ~ auf dem Fußboden (im Zimmer o. ä.) = Stelle auf dem Fußboden, wo der Hund geharnt hat (wo der Regenschirm gestanden hat o. ä.). 1840 *ff*.
2. o du himmelblauer ~!: Ausruf der Verwunderung. *Österr* 1960 *ff*.
3. einen ~ machen = harnen (von Kindern und Hunden gesagt). 1840 *ff*.

Seeadvokat (-anwalt) *m* Mitglied der Schiffsbesatzung auf See, wohlvertraut mit dem Seemannsgesetz (der Seemannsordnung); Schiffsheizer. In der alten Dampfschiffahrt war das Heizen die schwerste und unangenehmste Arbeit; die Besatzung der Heizräume bestand aus ziemlich rauhen Gesellen; man sagte ihnen nach, sie seien besonders scharf und unnachgiebig gegen die Schiffsleitung eingestellt (laut Wolfgang Büttner). 1920 *ff*.

Seebär *m* **1.** befahrener Seemann. Der Name ist übernommen von einer Bärenrobbe. Spätestens seit 1800.
2. Admiral. *Sold* 1935 *ff*.
3. jm einen ~en aufbinden = jm eine Seemannslügengeschichte erzählen. ↗Bär 12. 19. Jh.

Seebeine *pl* **1.** ~ haben = ein erfahrener Seemann sein; seeddiensttüchtig sein. Anspielung auf die Notwendigkeit sicheren Stands bei starkem Seegang. 1850 *ff*.
2. sich ~ holen = seemännische Erfahrungen sammeln. 1900 *ff*.
3. sich ~ wachsen lassen = ein erfahrener Seemann werden. 1870 *ff*.

Seebibel *f* Dienstvorschrift für die Angehörigen der Kriegsmarine. *Vgl* ↗Bibel 2. *Marinespr* 1900 *ff*.

Seebrise *f* Pissoirgeruch. Meint eigentlich den frischen, von der See her wehenden Wind; hier hehlwörtlich für „Seechbrise". ↗seichen. Berlin 1900 *ff*.

Seefahrt *f* Christliche ~ = Schiffahrt auf hoher See. Aufgekommen im ausgehenden Mittelalter im Gegensatz zu den Kaperfahrten maurischer Korsaren als Bezeichnung für das Seewesen „Ihrer Allerchristlichsten Apostolischen Majestät" von Spanien.

Seegang *m* **1.** ~ haben = angetrunken sein. Eigentlich die Bewegung der Wasseroberfläche und vor allem der hohe Wellengang. *Marinespr* seit dem ausgehenden 19. Jh.
2. ~ kriegen = schwanken, torkeln. 1890 *ff*.

Seeger *m* ↗Seger.

Seegras *n* **1.** (schlechter) Tabak. Eigentlich Bezeichnung für tangähnliche Laichkrautgewächse, die, getrocknet, als Polstermaterial verwendet werden. Seemannsspr. 1914 bis heute.
2. ins ~ beißen = versenkt werden und ertrinken. ↗Gras 6 a. *Marinespr* in beiden Weltkriegen.
3. ~ in der Stimme haben = Lieder nach Seemannsart singen. 1960 *ff*.

Seegraskat'tun *m* billiger, schlechter Stoff, mit Ersatzprodukten vermischt. 1945 *ff*.

Seegrasmatratze *f* **1.** starke Brustbehaarung bei Männern. *Marinespr* in beiden Weltkriegen.
2. hochtoupierte Frisur. 1964 *ff*.
3. Seemannsbart; bärtiger Seemann. 1970 *ff*.
4. angeknabberte ~ = Versager. Gehört zu der Vorstellung vom „↗Stroh im Kopf". *Schül* 1950 *ff*.

Seegurke *f* von Wind, Wetter und Alkohol gerötete Nase; Stulpnase. ↗Gurke 1. Seemannsspr. seit dem ausgehenden 19. Jh.

Seehändler *m* Allerweltskaufmann. Er handelt mit allem, was er sieht. Wortwitzelei mit „See" und „sehen". 1914 *ff*.

Seehase *m* **1.** Seemann. Der Name eines Fischs ist hier überlagert von „alter ↗Hase". 1900 *ff*.
2. Badender. 1950 *ff*.

Seehund *m* **1.** alter Seemann; langjähriger Marineangehöriger. *Marinespr* 1914 bis heute.
2. heißer Weißwein mit Zucker; Glühwein von Weißwein. Von Matrosen sehr geschätzt. Kellnerspr. 1930 *ff*.
3. *pl* = Unterseebootwaffe; Besatzung eines Unterseeboots. *Marinespr* 1910 *ff*.
4. großer ~ = Ölzeug und Südwester. *Marinespr* 1939 *ff*.

Seehundsbart *m* Bart mit herabhängenden Enden. 1890 *ff*.

Seehundsschnauzbart (-schnurrbart) *m* Oberlippenbart, dessen Enden rechts und links vom Mund herabhängen. 1890 *ff*.

Seeigel *m* Grund-, Treibmine. Formverwandt mit dem Stachelhäuter. *Sold* 1939 *ff*.

Seekadett *m* Hering, Sprotte, Sardine. Bezeichnung für den nicht ausgewachsenen Kleinfisch. 1870 *ff*.

Seeklotz *m* Schlachtschiff. Klotz = plumpes Stück Holz. 1914 *ff*.

Jene seeligen Stunden, welche die oben abgebildete Kitschpostkarte aus der Zeit um die Jahrhundertwende beschwört, laden wohl die Seele eines jeden Seelchens wieder auf (vgl. **Seele 12.** *und* **Seelchen***). Seelchen als Bezeichnung für einen verinnerlichten und etwas wirklichkeitsfremden Menschen geht auf das vom Pietismus propagierte Ideal der schönen Seele zurück, das später auch in profaneren Liebesdingen zum Sinnbild einer sentimental-gefühlsträchtigen Flucht aus der Wirklichkeit geriet.*

Seekraft *f* Kriegs-, Bundesmarine. Übernommen von *engl* „sea-forces". 1915 bis heute.

Seekrebs *m* Segelschiff; langsames Wasserfahrzeug. *Marinespr* 1905 *ff.*

Seekuh *f* **1.** dumme weibliche Person. Verstärkung von ↗ Kuh. 1900 *ff.*
2. alte ~ = ältere Frau mit verletzenden Worten. 1900 *ff.*

Seelchen *n* **1.** verinnerlichter, leicht wirklichkeitsfremder Mensch. So heißt die Hauptfigur in dem Roman „Die Heilige und ihr Narr" von Agnes Günther (1913), einem Roman, der mehr als hundert Auflagen erlebte und 1957 auch verfilmt wurde unter der Regie von Gustav Ucicky. Schon im 18. Jh üblich.

2. zur Rührseligkeit neigende oder in rührseligen Rollen auftretende Schauspielerin. 1950 *ff.*
3. Frau (Kosewort). 1920 *ff.*
4. ~ mit Plüsch und Troddeln = Mädchen mit altmodischen Ansichten. Plüsch und Troddeln sind Sinnbilder des Möbelstils um die Jahrhundertwende. 1950 *ff.*

Seelchenhaltung *f* leicht geneigte Kopfhaltung mit verträumtem Blick und versonnenem Lächeln. 1950 *ff.*

Seele *f* **1.** Frau (Kosewort). 1900 *ff.*
2. Hauptsache; das Wichtigste. Seit dem 19. Jh.
3. die ~ vom Buttergeschäft = die Hauptperson; die Hauptsache. Berlin 1870 *ff.*
4. die ~ vons Geschäft (des Geschäfts) = die bestimmende Person. Berlin 1870 *ff.*
5. die ~ vons Janze = Hauptperson; Mittelpunkt der Familie. Berlin 1900 *ff.*
6. eine ~ von einem Kamel = gutmütig-harmloser bis dümmlicher Mensch. 1920 *ff.*
7. eine ~ von einem Menschen (von Mensch) = a) empfindsamer, gutmütiger, charaktervoller Mensch. Seele als Gesamtheit der besten, einem Menschen möglichen Eigenschaften entwickelt sich hier zur Bedeutung „Pracht-, Glanzstück". 1700 *ff.* – b) gefühlsroher, herzloser Mensch. Bittere Ironie. 1935 *ff.*
8. eine ~ von Pferd = gutmütiger Mensch. ↗ Roß 1. *Sold* 1939 *ff.*
9. durstige ~ = durstiger Mensch; Trinker. Scherzhaft entlehnt aus Psalm 107, 9, wo mit „durstiger Seele" die nach geistlicher Erbauung und frommer Erhebung dürstende Seele gemeint ist. Seit dem 18. Jh, wohl von Studenten (der Theologie) ausgegangen.
10. treue ~ = treuer Mensch. Seit dem 19. Jh.
11. sich die ~ aus dem Leib ärgern = sich sehr ärgern. 1900 *ff.*
12. die ~ aufladen = sich seelisch erholen. Übernommen vom Aufladen eines Akkumulators. 1950 *ff.*
13. jm die ~ ausbügeln = jds Gemüt wieder in die richtige Verfassung bringen; jn psychologisch, psychotherapeutisch behandeln. 1920 *ff.*
13 a. die ~ auskotzen = sich heftig erbrechen. *Vgl* ↗ Seele 27. 1920 *ff.*
14. jm die ~ ausquetschen = den Gegner beim Kartenspiel zum Stechen reizen, bis er keinen Trumpf mehr hat. 1900 *ff.*
14 a. die ~ baumeln lassen (mit der ~ baumeln) = sich seiner Stimmung überlassen; Natur und Freiheit genießen. 1931 Kurt Tucholsky („Schloß Gripsholm"). Wiederaufgelebt um 1980 in Reiseprospekten.
15. jm etw auf die ~ binden = jm etw dringlich anbefehlen, einschärfen, anmahnen. Verpflichtung und Anmahnung erscheinen vielfach unter dem Bilde einer Bürde, die dem Menschen aufgeladen wird. Seit dem 17. Jh.

16. sich die ~ aus dem Leib fahren = angestrengt, ausdauernd, schnell fahren. 1930 *ff.*

17. es fällt mir heiß (schwer) auf die ~ = ich erinnere mich plötzlich an eine Unterlassung. Spätestens seit 1900.

18. jm die ~ aus dem Leibe fragen = jn gründlich ausfragen. 1910 *ff.*

19. sich die ~ freihusten = sich aussprechen. 1935 *ff.*

20. die ~ in den Himmel freischießen = am Grab Salven abfeuern. Freischießen = jm durch Schießen den Weg freimachen. *Sold* 1939 *ff.*

21. seiner ~ einen Stoß geben = sich zu einer Tat ermannen; etw (vor allem Geld) widerstrebend hergeben. 1600 *ff.*

22. ihm geht die ~ mit Grundeis = er hat Angst. Verfeinerte Variante zu „ihm geht der ↗Arsch mit Grundeis". 1950 *ff.*

23. nun (dann) hat die liebe (arme) ~ Ruhe = nun (dann) ist er endlich befriedigt; nun (dann) fällt er uns nicht länger lästig. Scherzhaft übernommen von der christlichen Fegefeuervorstellung: die armen Seelen im Fegefeuer finden erst Ruhe, wenn sie durch Fürbitte oder Gnade erlöst werden. Seit dem 19. Jh.

24. jm die ~ kneten = jm ins Gewissen reden. Beruht auf der Vorstellung von Massage oder Teigkneten. 1870 *ff.*

25. jm etw aus der ~ kneten = jm ein Geheimnis oder Geständnis entlocken. 1870 *ff.*

26. jm auf der ~ knien = jm heftig zusetzen; jn bedrängen. ↗beknien. 1910 *ff.*

27. sich die ~ aus dem Leib kotzen = heftig sich erbrechen. *Vgl* ↗Seele 13 a. 1920 *ff.*

28. sich die ~ aus dem Leib kreischen = langanhaltend rufen, schreien. 1920 *ff.*

29. jds ~ massieren = auf jn hartnäckig einreden; jn beschwatzen. ↗Seele 24; ↗Seelenmassage 1. 1910 *ff.*

30. es massiert die ~ = es berührt seelisch sehr stark. 1910 *ff.*

31. einen auf die ~ nehmen = ein Glas Alkohol trinken. 1900 *ff.*

32. jm auf die ~ pinkeln = jn rügen; moralisierend auf jn einreden. ↗Gewissen 9; ↗anpinkeln 3. 1910 *ff.*

33. sich die ~ aus dem Leib reden (schwätzen o. ä.) = eindringlich, bis zur Erschöpfung auf jn einreden. Seit dem 19. Jh.

34. sich etw aus der ~ reißen = widerstrebend etw hergeben. 1930 *ff.*

35. sich die ~ aus dem Leib rennen = sich abhetzen. Seit dem 19. Jh.

36. jm auf der ~ rumgeigen = jm auf die Nerven fallen. Geigenspiel (in hohen Tonlagen) kann Schmerzempfindung bewirken. *Sold* 1940 *ff.*

37. jm in der ~ rummanschen = jm ernstlich ins Gewissen reden. ↗manschen. *Jug* 1955 *ff.*

38. sich die ~ aus dem Leib (Hals) schreien =

laut schreien; mehr laut als musikalisch singen. 1900 *ff.*

39. sich die ~ aus dem Leib schuften (schaffen) = angestrengt, bis zur Erschöpfung arbeiten. ↗schuften. Seit dem 19. Jh.

40. sich die ~ aus dem Leib schwitzen = sich abmühen; mühsam bergauf steigen. Seit dem 19. Jh.

41. die ~ sehen wollen = ein volles Geständnis zu erzwingen suchen. Die Seele wird hier als ein Gegenständliches aufgefaßt. *Sold* in beiden Weltkriegen.

42. sich die ~ aus dem Leib spielen = sich in einer Bühnenrolle stark verausgaben. Theaterspr. 1920 *ff.*

43. jm die ~ streicheln = jn trösten, in gefühlvolle Stimmung versetzen. 1950 *ff.*

44. die einsame ~ streicheln = traurige Lieder singen o. ä. 1950 *ff.*

45. die ~ trimmen = sich ermannen; neuen Mut fassen. ↗trimmen. 1940 *ff.*

46. jm die ~ umkrempeln = jn einem Test unterziehen. 1930 *ff.*

47. jds ~ zerfasern = jn psychoanalytisch behandeln. 1920 *ff.*

Seelefti *m* Leutnant zur See. ↗Lefti. *BSD* 1965 *ff.*

Seeleiche *f* Fisch. *Sold* 1935 bis heute.

Seelenabschußrampe *f* Kirchengebäude. Hergenommen von der Abschußrampe für Raketen. In der Kirche schwingt sich die Seele himmelwärts. *BSD* 1960 *ff.*

„Seelenachse" *f* gehen Sie zum Waffenwart und holen Sie die ~!: Auftrag an einen Dummen. Die „Seelenachse" ist die gedachte Mittellinie des Geschützrohrs. *BSD* 1965 *ff.*

Seelenakrobatik *f* **1.** rascher Stimmungswechsel; Geschmeidigkeit hinsichtlich des Parteiwechsels. 1950 *ff* (1933 *ff*?). **2.** geistliche Übungen. Man faßt sie auf als Akrobatenkunststücke mit der Seele. *Sold* 1965 *ff.*

Seelenantenne *f* sicheres Gefühl für Menschen und Vorgänge. ↗Antenne 9. 1930 *ff.*

Seelenappell *m* Kirchgang. *BSD* 1965 *ff.*

Seelenarche *f* Kirchengebäude. Gemeint ist die Stätte, wo sich des Herrgotts menschlicher Tiergarten versammelt. *BSD* 1970 *ff.*

Seelenarie *f* gefühlvoll-rührselige Äußerung; Gefühlsüberschwang. 1950 *ff.*

Seelenaspirin *n* Beruhigungstablette; Psychopharmakon. 1955 *ff.*

Seelenaufkäufer *m* Geistlicher. Moderne Deutung der Abkürzung „Sak" (früher als „Sündenabwehrkanone" aufgefaßt). ↗Sak. *BSD* 1970 *ff.*

Seelenausbruch *m* heftige Gefühlsäußerung. Dem „Zornesausbruch" nachgebildet. 1950 *ff.*

Seelenbader *m* Psychotherapeut. Bader = Bademeister. 1930 *ff.*

Seelenbändiger *m* Geistlicher. Als Dompteur aufgefaßt. *BSD* 1968 *ff.*

Seelenberater *m* Psychologe, Psychiater. 1950 *ff.*

Seelenberieselung *f* geistliche Ermahnung zu sittlichem Lebenswandel. ↗berieseln 1. 1935 *ff.*

Seelenberieselungsanlage *f* Kirche; Platz, auf dem Feldgottesdienst abgehalten wird. 1940 *ff.*

Seelenblähung *f* lyrische Anwandlung; pathetische Stimmung; elegische Gefühlslage u. ä.; seelisches Aufbegehren. Spöttisch gleichgesetzt mit einem „Wind" aus dem Körperinneren. *Journ* 1900 *ff.*

Seelenbohrer *m* **1.** Psychologe; Psychiater. 1920 *ff.*
2. Geistlicher. 1955 *ff.*
3. psychologisches Schauspiel. 1965 *ff.*

Seelenbriefkasten *m* Zeitungsspalte mit Raterteilung in persönlichen Angelegenheiten. 1955 *ff.*

Seelenbrom *n* Trostmittel. Bromkalium ist als Beruhigungsmittel in der Medizin geläufig. 1955 *ff.*

Seelenbunker *m* Kirche in moderner Bauweise. Anspielung auf den bunkerähnlichen Baustil mit Beton. Gegen 1930/40 aufgekommen; häufiger seit 1950.

Seelenchemiker *m* Psychiater, der Psychopharmaka einsetzt. 1960 *ff.*

Seelencouch (Grundwort *engl* ausgesprochen) *f* Liege in der Praxis des Psychologen o. ä. 1920/30 *ff.*

Seelendetektiv *m* **1.** Psychologe. 1955 *ff.*
2. Meinungsforscher. 1960 *ff.*

Seelendoktor *m* **1.** Psychiater, Psychologe. 1920 *ff.*
2. Schriftleitungsmitglied, das Zeitungslesern Rat in persönlichen Kümmernissen erteilt. 1955 *ff.*

Seelendramolett *n* Theater- oder Filmstück voller Rührseligkeit und Kitsch. Dramolett = kurzes Bühnenstück. Berlin 1955 *ff.*

Seelendreher *m* **1.** Psychologe, Psychiater. *Journ* 1900 *ff.*
2. Geistlicher. 1920 *ff.*

Seelendroge *f* Psychopharmakon. 1960 *ff.*

Seelenerfrischung *f* Prügelstrafe. Euphemismus. 1860 *ff.*

Seelenfabrik *f* Kirchenbau in modernem Stil. 1955 *ff.*

Seelenfalte *f* kleine Kümmernis. ↗Seele 13. 1920 *ff.*

Seelenfänger *m* **1.** Geistlicher; Wander-, Massenprediger. 1914 *ff.*
2. Künstleragent. 1960 *ff.*
3. Werbefachmann. 1960 *ff.*

Seelenfett *n* ~ ansetzen = bei wenig anstrengender Arbeit den Gleichmut bewahren. 1955 *ff.*

Seelenflicker *m* **1.** Psychiater, Neurologe o. ä. ↗Flicker. 1930 *ff.*
2. Geistlicher. *BSD* 1968 *ff.*

Seelenfloh *m* von Zeit zu Zeit wiederkehrender Kummer. 1955 *ff.*

Seelenformale *n* lebenskundlicher Unterricht; Sprechstunde des Militärpfarrers. Formale = Grundwehrdienst, -ausbildung. *BSD* 1967 *ff.*

Seelengarage *f* Kirche in moderner Bauweise. Sie ist ein nüchterner Zweckbau ohne Verzierungen. Nach 1930 aufgekommen; geläufiger geworden erst seit 1955.

Seelengasometer *m* Rundbaukirche. Ihr Aussehen erinnert an einen Gaskessel. 1950 *ff.*

Seelengeier *m* **1.** eifernder Geistlicher; Heidenmissionar o. ä. Er stürzt sich auf die Seelen wie der Geier auf das Aas. 1910 *ff.*
2. Psychoanalytiker, Psychotherapeut. 1920 *ff.*

Seelengespräch *n* Beschwörung; eindringliche Mahnrede. 1950 *ff.*

Seelengreifer *m* **1.** eifernder Geistlicher; Militärpfarrer. Greifer = Häscher; Polizeibeamter. 1910 *ff.*
2. Angehöriger der Heilsarmee. 1910 *ff.*

'seelen'gut *adj* dümmlich wegen allzu großer Gutmütigkeit. Eigentlich bezogen auf einen in der Seele guten Menschen; dann ironisiert. 1914 *ff.*

Seelenhack *m* Sache, die zu Herzen geht; Sache, die Gemüt und Tränen erregt. Hack = Kleingehacktes. Berlin 1950 *ff.*

Seelenhändler *m* Geistlicher. ↗Seelenaufkäufer. *BSD* 1970 *ff.*

Seelenheini *m* Neurotiker. Heini 1. 1955 *ff.*

Seeleningenieur *m* Psychiater, Psychologe o. ä. Gegen 1920 aufgekommen als Bezeichnung für Sigmund Freud (1856–1939).

Seeleninspekteur *m* Psychologe. 1955 *ff.*

Seeleninventur *f* Beichte; Beichtvorbereitung. Seit dem frühen 20. Jh dem Kaufmannsdeutsch nachgebildet.

Seelenjäger *m* eifernder Geistlicher. 1900 *ff.*

Seelenjongleur *m* Werbepsychologe. 1955 *ff.*

Seelenkäse *m* gefühlvolle Plattheiten; anspruchslos-rührselige Darstellung von seelischen Verhaltensweisen. ↗Käse 1. 1960 *ff.*

Seelenkatarrh *m* Verstimmung; Schwermut. 1900 *ff.*

Seelenkater *m* Verstimmung, Selbstmitleid. ↗Kater. 1920 *ff.*

Seelenkiste *f* **1.** Kirchengebäude. Es ist ein einfallsloser Zweckbau. *Sold* 1939 *ff.*
2. Rührstück. Theaterspr. 1920 *ff.*

Seelenkitsch *m* Gefühligkeit. 1950 *ff.*

Seelenkläranlage *f* Beichtstuhl; Sprechzimmer des Geistlichen. Dort werden die seelischen Abwässer gesäubert. 1950 *ff.*

Seelenklempner *m* **1.** Psychologe, Psychotherapeut; Psychiater. Er repariert seelische Schäden. 1930 *ff.*
2. Militärgeistlicher. *Sold* 1939 bis heute.

Seelenklempnerei *f* Psychotechnik. 1930 *ff.*

Seelenklo(-sett) *n* Arzt o. ä. bei dem man sich rückhaltlos aussprechen kann. *Vgl* ↗Gefühls-W.C. 1924 *ff.*

Seelenknaatsch *m* auf das Gemüt abzielende Roman- oder Filmhandlung. ↗Knaatsch. 1955 *ff.*

Seelenknick *m* große Kümmernis. 1920/30 *ff.*

Seelenkoller *m* seelische Überbeanspruchung. ↗Koller. 1960 *ff.*

Seelenkonditor *m* **1.** Psychiater. Seine verschönenden Analysen und Synthesen ergeben ein reizvolles Gebilde wie von der Hand eines Konditors. 1920 *ff.*
2. Geistlicher. 1920 *ff.*

Seelenkonfekt *n* **1.** geistliche Versprechungen; Schilderungen vom Leben im Jenseits. Man reicht sie den Gläubigen wie Naschwerk. 1950 *ff.*
2. politische Versprechungen vor Parlamentswahlen. Mit ihnen ködert man die Wähler. 1950 *ff.*
3. süßes ~ = anspruchsloses schriftstellerisches Werk für biedere Durchschnittsbürger ohne kritischen Verstand. 1960 *ff.*

Seelenkontaktmann *m* Betriebspsychologe. 1950 *ff.*

Seelenkostüm *n* seelische Veranlagung. *Vgl* ↗Nervenkostüm. 1950 *ff.*

Seelenkraftwerk West *n* Neubau der Kaiser-Wilhelm-Gedächtniskirche in Berlin. Anspielung auf den Zweckbaucharakter. 1961 *ff.*

Seelenkrüppel *m* charakterloser Mensch. Er ist in seelischer Hinsicht mißgestaltet. 1830 *ff* (Glaßbrenner).

Seelenkübel *m* Mensch, bei dem man sich aussprechen kann. Kübel = Aborteimer. ↗Seelenklosett. 1930 *ff.*

Seelenkuh *f* heulende ~ = leicht zu Tränen geneigtes, einfältiges Mädchen. ↗Kuh 1. 1950 *ff, stud.*

Seelenleben *n* **1.** angeknackstes ~ = leichte charakterliche Verdorbenheit. ↗angeknackst. 1955 *ff.*
2. verrutschtes ~ = seelische Verwirrung. 1955 *ff.*

Seelenlöter *m* **1.** Geistlicher. Er lötet defekte seelische Verbindungen zusammen. 1910 *ff.*
2. Nervenarzt; Psychotherapeut. 1920 *ff.*

Seelenlotse *m* Geistlicher. Er ist der Lotse zum Himmelreich. 1960 *ff.*

Seelenmansch *m* auf Erregung von Rührseligkeit eingerichtete Film-, Bühnen- oder Romanhandlung. ↗manschen. 1950 *ff.*

Seelenmassage (Endung *franz* ausgesprochen) *f*
1. Appell an das Gewissen; nachdrückliche seelische Beeinflussung; Kirchgang; Predigt; geistliche Übungen. Ins Seelische übertragene Körpermassage zwecks Beseitigung von Verhärtungen und zur Herbeiführung besserer Durchblutung. 1910 *ff, sold* und *ziv.*
2. Einflußnahme des Psychiaters. 1930 *ff.*
3. Verhör; Interview. 1950 *ff.*
4. seelische Beeinflussung mittels Alkohols. 1950 *ff.*
5. Androhung von empfindlichen Nachteilen zwecks Durchsetzung der eigenen Meinung. 1960 *ff.*

Seelenmasseur *m* **1.** Trostspender; Geistlicher. 1910 *ff.*
2. Psychiater, Psychotherapeut. 1920 *ff.*

3. gefühlvoller Schriftsteller, Sänger o. ä. 1930 *ff.*
4. Vermittler von Selbstvertrauen, Kampfgeist, Sportgeist usw.; Trainer. *Sportl* 1950 *ff.*

seelenmassieren *tr* jn psychotherapeutisch behandeln. 1930 *ff.*

Seelenmechaniker *m* **1.** Psychologe, Psychiater. 1920/30 *ff.*
2. Geistlicher. 1950 *ff.*

Seelenmüll *m* seelische Kümmernisse. Aufgekommen nach 1920 im Zusammenhang mit der Psychoanalyse von Sigmund Freud.

Seelenmüllkutscher *m* Psychoanalytiker. 1920 *ff.*

Seelennotausgang *m* Illusion, mit der man etwas Unangenehmes zu überbrücken sucht. Berlin 1961 *ff.*

Seelennudel *f* gefühlvoll veranlagtes Mädchen. ↗Nudel 4. 1960 *ff.*

Seelenpamps *m* Gemisch von Rührseligkeit, Herzeleid und vermeintlich verinnerlichter Wesensart. ↗Pamps. 1950 *ff* (aufgekommen im Gefolge der „Schnulze").

Seelenpfleger *m* Psychoanalytiker. 1920 *ff.*

Seelenpopler *m* **1.** Kriminalpolizeibeamter, der einem Beschuldigten das Geständnis abzuringen sucht; Gerichtsoffizier. Popeln = in der Nase bohren. Hier im Sinne von „ans Tageslicht bringen; zu Tage fördern". 1930 *ff.*
2. Nervenarzt, Psychiater o. ä. 1930 *ff.*

Seelenputz *m* Verbesserung des seelischen Verhaltens. Dem „Hausputz" nachgebildet. 1960 *ff.*

Seelenputzer *m* **1.** Schnaps. Er reinigt die Seele vom Staub des leidigen Alltags. *Sold* in beiden Weltkriegen.
2. Geistlicher. *Sold* 1914 bis heute.

Seelenquetscher *m* **1.** Psychoanalytiker; Psychiater. ↗Seelenmasseur 2. 1930 *ff.*
2. rührseliges Bühnenstück. 1960 *ff.*

Seelenquiz *n* Aussprache unter Liebenden. 1970 *ff.*

Seelenreinigung *f* Beichte; Gewissenserleichterung. 1905 *ff.*

Seelenreißer *m* Film (o. ä.), der das Gefühlsleben stark beeindruckt. ↗Reißer 1. 1955 *ff*, kritikerspr.

Seelenrülpser *m* **1.** Stoßseufzer; Fluch. Eine Art Schluckauf der Seele. 1939 *ff.*
2. ihm fällt ein ~ vom Herzen = er stößt eine kräftige Verwünschung aus. *Sold* 1939 *ff.*

Seelensauce (Grundwort *franz* ausgesprochen) *f* rührselige Musik zu rührseligem Text. 1920 *ff.*

Seelensauna *f* erholsamer Schlaf während der Dienststunden. Berlin 1950 *ff.*

Seelenschaumschlägerei *f* frömmelndes Gehabe. ↗Schaumschlägerei. 1960 *ff.*

Seelenschinderei *f* Niedertracht; falsche Unterstellung; absichtliches Mißverständnis. 1930 *ff.*

Seelenschiß *m* kräftiges Abführmittel. Es wirkt so kräftig, daß man meint, man verlöre die Seele aus dem Leib. *Sold* in beiden Weltkriegen.

Seelenschlieferl *m* Psychoanalytiker. Schliefen = schlüpfen. *Österr* 1920 *ff.*

Seelenschlosser *m* **1.** Geistlicher. *Sold* in beiden Weltkriegen. **2.** Psychologe, Psychiater o. ä. 1920 *ff.*

Seelenschmalz *n* Rührseligkeit; einfühlsame, beruhigende Worte; rührseliger Gesang; anspruchslose Innerlichkeit. ↗Schmalz 1. 1950 *ff.*

Seelenschmaus *m* rührseliger Filmstoff o. ä. 1960 *ff.*

Seelenschmiere *f* Einwirkung auf die Gestimmtheit mittels Rührseligkeit o. ä. ↗Schmiere 1. 1950 *ff.*

Seelenschmus *m* Raterteilung der Schriftleiter in persönlichen Kümmernissen. ↗Schmus. 1955 *ff.*

Seelenschnulze *f* anspruchslos-gemütvoller Film o. ä. ↗Schnulze 1. 1950 *ff.*

Seelenschnupfen *m* Mißgestimmtheit. 1920 *ff.*

Seelenschuppen *m* Kirchengebäude. ↗Schuppen. *BSD* 1965 *ff.*

Seelenschutt *m* Kummer, seelische Bedrängnis. 1920 *ff.*

Seelensilo *m* moderner Kirchenbau. Gegen 1930 aufgekommen in Basel mit Bezug auf die Sankt-Antonius-Kirche; allgemein seit 1950.

Seelenspalte *f* Illustriertenspalte mit dem Briefwechsel zwischen Leser und Lebensberater. 1955 *ff.*

Seelenspeck *m* seelische Widerstandskraft; gekräftigtes Innenleben. 1960 *ff.*

Seelenspeise *f* **1.** geistliche Erbauung. Spottwort. *Sold* 1914 *ff.* **2.** Schlagerlied o. ä. 1955 *ff.*

Seelenspiegel *m* **1.** Fragebogen. Nach 1945 aufgekommen mit der Entnazifizierung. **2.** ~ mit Persil = Fragebogen, der die Schuldlosigkeitserklärung dringend erforderlich macht. ↗Persilschein. 1945 *ff.*

Seelenspion *m* Psychologe, Psychiater o. ä. 1910 *ff.*

Seelenspionage *f* Psychologie; Psychiatrie. 1910 *ff.*

Seelenspucknapf *m* Mensch, dem man alle Kümmernisse anvertrauen kann. 1920 *ff*, Berlin.

Seelenspüler *m* den ~ drücken (ziehen) = sich bessern. Hergenommen vom Wasserkloset (Spülkasten mit Zugkette oder Druckknopf). 1955 *ff*, Berlin.

Seelen-Striptease (Grundwort *engl* ausgesprochen) *n* Offenbarung der seelischen Nöte und Strebungen; moralische Enthüllung; Memoirenschreiberei. 1955 *ff.*

Seelenstuhlgang *m* Kirchgang. Aufgefaßt als Gang zu seelischer Erleichterung; *vgl* „↗Stuhlgang". *BSD* 1968 *ff.*

Seelensuchgerät *n* Harmonium. Nach 1945 aufgekommen, wahrscheinlich unter Studenten der Theologie.

Seelentiefschlag *m* seelisch nahegehender Vorfall. Hergenommen vom verbotenen Boxhieb unterhalb des Gürtels. 1935 *ff.*

Seelentrainer *m* Psychiater o. ä. 1950 *ff.*

Seelenträufeln *n* sittliche Unterweisung. *Vgl* ↗Seelenberieselung. Polizeispr. 1958 *ff.*

Seelentrost *m* Branntwein. 1900 *ff.*

Seelentröster *m* **1.** Schnaps; Alkohol. 1870 *ff.* **2.** Kellner, Barkeeper. 1960 *ff.* **3.** Mann, der sich alleinreisender Mädchen (vorzugsweise in erotischer Absicht) annimmt; Tröster einer Verlassenen oder Entlobten. 1920 *ff.* **4.** Mann, der bekümmerten Leuten (in der Presse) Trost spendet. 1955 *ff.* **5.** intime Freundin. 1955 *ff.* **6.** Valium. 1970 *ff.*

Seelentube *f* auf die ~ drücken = jn rühren. ↗Tube. 1920 *ff.*

Seelen-TÜV *m* medizinisch-psychologische Untersuchung auf Fahrtauglichkeit. ↗TÜV. 1978 *ff.*

'seelenver'gnügt *adj* heiter; unversehrt. 1900 *ff.*

Seelenverkäufer *m* **1.** Sklavenhändler; Matrosenwerber; Auswanderungsagent. Geht wahrscheinlich auf ein *ndl* Muster zurück. Seit dem ausgehenden 17. Jh. **2.** Reeder, der seine Passagiere nicht vorschriftsmäßig befördert. Seit dem 19. Jh. **3.** altes, nicht bestriebssicheres Schiff. Auswanderer im 19. Jh mußten aus geldlichen Gründen meist schlechte Schiffe benutzen, stets mit der Gefahr vor Augen, unterzugehen: sie verkauften gewissermaßen ihre Seele für die Überfahrt. Oder der Reeder hat den Schiffbruch vorgesehen, um die Versicherungssumme einzustreichen; d. h. er hat die Seelen von Mannschaft und Passagieren an die Versicherungsgesellschaft verkauft. 1850 *ff.* **3 a.** alter, nicht betriebssicherer Omnibus. 1940 *ff.* **4.** Anwerber (Vermittler, Vermieter) von Arbeitskräften. 1900 *ff.* **5.** ungestümes Pferd. Seit dem 19. Jh. **6.** Charterflugzeug, das wegen schlechter Wartung abstürzt. 1965 *ff.* **7.** Geistlicher. 1950 *ff.*

Seelenverkäuferin *f* Bordellinhaberin; Kupplerin. Seit dem 19. Jh.

Seelenwaage *f* Psychoanalyse. 1925 *ff*, Berlin.

Seelenwärmer *m* **1.** wollener Brustwärmer; Wolljacke; Strickweste u. ä. 1840 *ff.* **2.** Schnaps. 1870 *ff.* **3.** sentimentales Musikstück; gefühlvolle Dichtung. 1920 *ff.* **4.** intime Freundin. 1920 *ff.*

Seelenwäsche *f* **1.** Beichte. 1900 *ff.* **2.** geistliche Übungen; Kirchgang; Predigt. *BSD* 1965 *ff.* **3.** Umerziehung; weltanschauliche „Säuberung". *Vgl* „↗Gehirnwäsche". 1950 *ff.* **4.** ernste Vorhaltungen; Mahnrede. 1950 *ff.*

Seelenwäscher *m* **1.** Geistlicher. 1900 *ff.* **2.** Psychoanalytiker. 1920 *ff.*

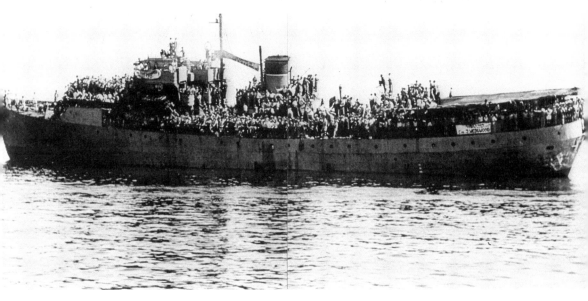

Das Foto zeigt jüdische Emigranten im Hafen von Haifa auf einem Schiff, das wohl getrost als Seelenverkäufer bezeichnet werden kann (**Seelenverkäufer 3.**). *Diese Bedeutung der Vokabel bildete sich Mitte des 19. Jahrhunderts heraus, als insbesondere nach der gescheiterten bürgerlichen Revolution von 1848 die Zahl derer, die aus materiellen oder politischen Gründen ihre Heimat verlassen und nach Amerika auswandern mußten, schnell anstieg, und so mancher Reeder, der bei diesem Geschäft nicht zu kurz kommen wollte, schon längst ausgemusterte Schiffe noch auf große Fahrt schickte. Oft kamen diese Seelenverkäufer nie an. Umgangssprachlich werden solche Geschäftemacher, die von der Not anderer leben, schon seit dem 17. Jahrhundert Seelenverkäufer genannt* (*vgl.* **Seelenverkäufer 1., 2.**). *In seinem um diese Zeit entstandenen Roman „Kapitän Jack" schildert Daniel Defoe (1660–1713), wie der Titelheld an Bord eines solchen Seelenverkäufers gelockt und in Virginia als Sklave verkauft wird.*

Seelenwaschtag *m* mit Reuegefühlen (Selbstbemitleidung) verbrachter Tag. 1950 *ff.*

Seelen-W.C. *n* geistliche Übungen; Rüstzeit o. ä. W.C. = Wasserklosett. Anspielung auf seelische Reinigung; Abfallbeseitigung; Ausscheidung seelischer Schadstoffe. *Vgl* ↗Gefühls-WC. *BSD* 1960 *ff.*

Seelenzerfaserer *m* Psychiater. ↗Seele 47. 1920 *ff.*

Seelenzerfetzer *m* Arzt für Geisteskranke. 1930 *ff.*

Seelenzwicken *n* Gewissensbisse. 1950 *ff.*

Seeleute *pl* **1.** Nichtkäufer; Leute, die die Waren nur betrachten. Wortwitzelei mit „See" und „sehen". ↗Sehmann. Seit dem ausgehenden 19. Jh, kaufmannspr.

2. ~ auf Zeit = Urlaubsreisende an Bord eines Schiffes; Kreuzfahrt-Touristen. 1960 *ff.*

Seelord *m* Matrose. Entstellt aus *engl* „sailor = Seemann". 1910 *ff, marinespr* bis heute.

Seelöwe *m* **1.** Matrose, Seemann. Aufgefaßt als Steigerung zu „Seebär". 1900 *ff.*

2. hoher Dienstgrad bei der Kriegs- oder Handelsmarine; Admiral. 1900 *ff.*

Seeluft *f* Uringeruch. *Vgl* ↗Seebrise. Berlin 1900 *ff.*

Seemann *m* **1.** *milit* Marineangehöriger. Eigentlich der Angehörige der *ziv* Handelsmarine. *BSD* 1965 *ff.*

2. blau wie ein ~ auf Landurlaub = schwer bezecht. 1920 *ff.*

3. das kann doch einen ~ nicht erschüttern = das raubt einem Lebenserfahrenen nicht die Fassung; das macht mir nichts. Textzeile aus dem Kehrreim des Liedes „Es weht der Wind mit Stärke zehn" von Bruno Balz (Musik von Michael Jary); bekannt geworden ab August 1939 durch den Tonfilm „Paradies der Junggesellen", auch durch die Wehrmachtwunschkonzerte.

4. pack' (faß') mal einem nackten ~ in die Tasche!: Redewendung eines Mittellosen. 1920 *ff.*

5. du kannst einem nackten ~ doch nicht in die Tasche pinkeln!: Redewendung, mit der man einen Dummen abwehrt. *Schül* 1950 *ff.*

6. das wirft den stärksten ~ um = da erlahmt jeglicher Widerstand. 1939 *ff, sold.*

Seemannsfabrik *f* Seemannsschule in Hamburg-Finkenwerder. 1923 *ff.*

*Aus diesem Seemannsknoten, ließe sich eine Menge Seemannsgarn spinnen (**Seemannsgarn 2.**), denn diese Bezeichnung für lügenhafte Seemannsgeschichten bezieht sich auf die früher übliche Praxis, wonach die Matrosen in ihren Freistunden aus altem Tau- und Takelwerk neues Garn spinnen mußten. Dabei wurden natürlich die phantastischsten Geschichten erzählt.*

Seemannsgarn *n* **1.** Lügengeschichten von Seeleuten. ↗Garn 4. 1850 *ff.*
2. ~ spinnen = lügenhafte Seemannsgeschichten erzählen. 1850 *ff.*

Seemannsklavier *n* Ziehharmonika, Akkordeon. Seemannspr. 1900 *ff.*

Seemannslaatschen *m* ausgedehnter ~ = Nichtskönner. Der zu weit gewordene Schuh des Seemanns gibt dem Fuß nicht mehr genügend Halt und ist also wertlos. Bremen 1956 *ff, schül.*

Seemannsschnulze *f* rührselige Seemannsgeschichte (Schlager, Film o. ä.). ↗Schnulze 1. 1955 *ff.*

Seematratze *f* Schlauchboot. 1920 *ff.*

Seenixe *f* hübsche Badende am Strand. ↗Nixe. 1920 *ff.*

Seenot *f* in ~ sein = heftigen Harndrang verspüren. *Vgl* ↗See 1 und 3. 1900 *ff.*

Seenotkutscher *m* Pilot eines Seenotrettungsflugzeugs. *Marinespr* 1939 *ff.*

Seenplatte *f* Pfütze neben Pfütze auf einer Straße ohne feste Decke. 1945 *ff.*

Seenymphe *f* Schiffs-Stewardeß. Eigentlich die weibliche Naturgottheit („Seejungfrau“) der griech Mythologie. 1933 *ff.*

Seepolyp *m* Schiffsdetektiv. ↗Polyp. 1910 *ff.*

Seeräuber *m* kleiner, wilder, frecher Straßenjunge. Verstärkung von ↗Räuber. 1920 *ff.*

Seesack *m* Matrose. Von der Sache auf die Person übertragen. *Sold* in beiden Weltkriegen.

Seeschwalben *pl* Marinefliegergeschwader. Gleich den Vögeln fliegen sie niedrig über dem Meer. *BSD* 1968 *ff.*

Seesoldat *m* Hering; Fisch. *Vgl* ↗Außenbordkamerad. 1900 *ff,* fischerspr., sold, kundenspr. u. a.

Seetang *m* **1.** übelriechender Tabak. *Vgl* ↗Seegras 1. *BSD* 1968 *ff.*
2. Gemüsesuppe. *BSD* 1968 *ff.*

seetoll *adj* seekrank. Seemannspr. 1870 *ff*

Seewebel *m* Bootsmann. Er ist ranggleich mit dem Feldwebel bei Heer und Luftwaffe. *BSD* 1965 *ff.*

Seeziege *f* Marineangehöriger. Vielleicht wegen der Unzufriedenheit (Ziegen „meckern“). *Marinespr* 1965 *ff.*

Sefel *m* Kot. Fußt auf *gleichbed jidd* „sewel“. 1500 *ff, rotw.*

Seftel (Seftl) *m* Versager; ungeschickter Mann. Geht zurück auf „Seff“, eine Kurzform des Vornamens Josef. *Bayr* 1900 *ff.*

Sege I *m* Bursche, Mann (sehr *abf*). ↗Seger. 1900 *ff,* Berlin.

Sege II *f* weibliche Person (sehr *abf*). ↗Seger. 1900 *ff*, Berlin.

Segel *n* **1.** sich in die ~ geraten = a) sich ein Seegefecht liefern. Geht zurück auf die Zeit Horatio Viscount Nelsons (Seeschlacht bei Trafalgar, 1805). 1850 *ff*. – b) mit jm Streit bekommen. Beeinflußt von „sich in die ↗Haare geraten". 1900 *ff*.
2. mit vollen ~n segeln = betrunken sein. Anspielung auf schräge Haltung und schwankenden Gang. 1700 *ff*.
3. die ~ streichen = sich geschlagen geben; den Widerstand aufgeben; die Produktion einstellen. Holte in einem Seegefecht ein Schiff die Segel ein, wurde es manövrierunfähig und kündigte damit seine Übergabe an. Seit dem 16. Jh.

Segelflieger *m* **1.** Klassenwiederholer. *Vgl* „↗segeln" und „↗fliegen". *Schül* 1955 *ff*.
2. Heeresflieger. Spöttisch hält man sie mehr für Sportflieger als für Militärflieger. *BSD* 1965 *ff*.

Segelfliegerlöffel *pl* abstehende Ohren. Solche Ohren sollte man einem Segelflieger wünschen: sie tragen zur Gleichgewichtslage bei und bremsen beim Niedergleiten. *Vgl* ↗Löffel 1. *Sold* 1935 *ff*.

Segelfliegerohren *pl* abstehende Ohren. *Vgl* das Vorhergehende. *Sold* 1935 *ff*.

Segelfritze *m* Wassersportler. ↗Fritze. 1850 *ff*, Berlin.

Segelheini *m* Segler. ↗Heini. 1950 *ff*.

segeln *intr* **1.** mit rudernden Armbewegungen gehen; torkeln. Seit dem 19. Jh.
2. in der Prüfung scheitern; nicht in die nächsthöhere Klasse versetzt werden. Man „segelt" durch die Prüfung. 1900 *ff*.
3. von der Schule verwiesen werden. 1900 *ff*.

Segelohr *n* **1.** Mensch mit abstehenden Ohren. 1935 *ff*.
2. *pl* = abstehende Ohren. ↗Segelfliegerlöffel. 1935 *ff*.

Segen *m* **1.** Zustimmung, Bewilligung. Hergenommen von der Segnung mit dem Kreuzzeichen: man erteilt den Segen vor wichtigen Lebensabschnitten. 1870 *ff*.
2. reiches Vorkommen; große Menge. Segen = reiche Beglückung; kräftiges Wachstum. 1900 *ff*.
3. zahlreicher Bombenabwurf; Artilleriebeschuß. *Sold* in beiden Weltkriegen.
4. Rüge; Wutausbruch des Vorgesetzten. Spöttisch für den „Segen von oben" (*vgl* Schiller, „Das Lied von der Glocke", 1800). 1850 *ff*.
5. ~ von oben = Kotabwurf von Tauben. 1965 *ff*.
6. blauer ~ = reiche Blaubeeren-Ernte. 1955 *ff*.
7. der ganze ~ = das Ganze; das alles; das wertlose Zeug *(iron)*. 1900 *ff*.
8. kein ~ bei Cohn = keine Gewinnaussicht. Hergenommen von der Reklame des Berliner Lotterie-Einnehmers Cohn „Gottes Segen bei Cohn". Spätestens seit 1900.

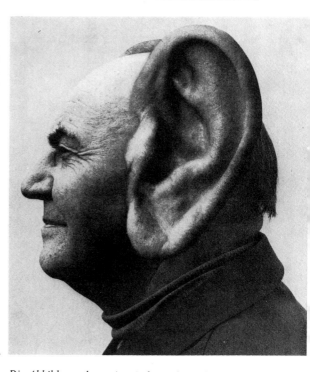

Die Abbildung oben zeigt ein besonders schönes Paar **Segelohren** *die der Fotograf der Wirklichkeit allerdings nicht abgeschaut hat. Auch die Umgangssprache übertreibt natürlich, wenn sie selbst weniger überdimensionierte Ohrmuscheln mit den Segeln eines Schiffes vergleicht. In seiner Schrift „Vom Erhabenen und Schönen" weist Edmund Burke (1729–1797) auf das Empfinden hin, das solchen Sprachschöpfungen zugrundeliegen mag: „Wenn ich nicht irre, entstammen die Vorurteile zugunsten der Proportion . . . weniger einer Beobachtung über irgendwelche feste Maße . . . als vielmehr einer irrigen Idee über das Verhältnis von Mißgestalt und Schönheit . . . Denn Mißgestalt ist nicht der Gegensatz zur Schönheit, sondern zur vollständig normalen Gestalt."*

9. den ~ abladen = Fliegerbomben abwerfen. *Sold* 1939 *ff*.
10. das braucht einen ~ = das braucht viel Zeit bis zur Erledigung. Gemeint ist, daß man die Sache mit einem kirchlichen Segen wohl beschleunigen könnte. *Österr* 1920 *ff*.
11. einer Sache (zu etw) den ~ erteilen (geben) = eine Sache billigen. 1870 *ff*.
12. jm den ~ geben = a) jn prügeln. ↗Sanktus 2. 1920 *ff*. – b) jn ausschelten. 1920 *ff*.
13. vor dem ~ aus der Kirche gehen = den Beischlaf vorzeitig abbrechen. 1920 *ff*.
14. meinen ~ hast du = ich wünsche dir viel Glück für dein Vorhaben. 1870 *ff*.

15. mit gezücktem ~ kommen = a) den beim zärtlichen Beisammensein überraschten Liebhaber zum Verlöbnis zwingen. Scherzhafte Nachahmung von „mit gezücktem Dolch, mit gezücktem Degen kommen". 1870 ff. - b) einen geschickt eingefädelten Plan mehr oder weniger gegen den Willen der Beteiligten durchsetzen, verwirklichen 1920 ff.

16. ~ kriegen = gerügt werden. 1920 ff.

17. einer Sache den ~ versagen = etw nicht gutheißen, untersagen, vereiteln. 1900 ff.

Seger (Seecher; Seeger; Seejer) m **1.** Mann *(abf)*. Nebenform von „Seicher = Harnender". Gemeint ist wahrscheinlich die Fähigkeit des Harnens bei Unfähigkeit des Koitierens. 1900 ff, kundenspr.; auch *halbw* und *sold*.

2. linker ~ = verschlagener, unzuverlässiger Mann. ↗link 1. 1950 ff.

Seglerlatein *n* Fachsprache der Segler. ↗Latein 1. 1950 ff.

segnen v **1.** *refl* = seinen Vorteil vorwegnehmen; sich gut versorgen; Vorteil einbringen. ↗Segen 2. Dazu das Sprichwort „wer das Kreuz hat, segnet sich selbst zuerst". 1700 ff.

2. *tr* = mit Harn verunreinigen. Meint eigentlich die Benetzung mit Weihwasser. 1920 ff.

3. Kaffee ~ = in Lagerhallen den Boden bespritzen, wodurch der Kaffee die Feuchtigkeit anzieht und schwerer wird. 1955 ff.

'Seh'achsen *pl* sich die ~ verbiegen = angestrengt von der Seite blicken. 1940 ff.

Sehbad *n* Seebad, in dem es allerhand Schönheiten zu sehen gibt; Seebad, das man aufsucht, um gesehen zu werden. Wortspiel mit „See" und „sehen". 1920 ff.

sehen v **1.** hast du nicht gesehen? = im Handumdrehen; sehr schnell. Adverbiale Verwendung eines Fragesatzes. Wohl Anspielung auf „Zauberkünstler". Spätestens seit 1800.

2. sieh mal einer guck! = sieh mal einer an! Ausdruck der Überraschung. *Schül* 1920 ff.

3. sich ~ lassen können = vor den Leuten bestehen können; ansehnlich sein; die Fachleute nicht scheuen müssen. Bezieht sich auf eine hervorragende Leistung, auf ein modisches Kleid o. ä. Man braucht sich also nicht zu verstecken. Seit dem 18. Jh.

4. und ward nicht mehr gesehen: bedauernde Redewendung, wenn eine aussichtsreiche Spielkarte vom Gegner abgetrumpft oder überspielt wird. Kann auf die Bibel zurückgehen (1. Moses 5, 24) oder auf die Klassiker des 18. Jhs. Kartenspielerspr. seit dem 19. Jh.

Seher m **1.** Beobachter von Personen, gegen die ein Verbrechen geplant ist; Auskundschafter. Verbrecherspr. 1840 ff, Berlin.

2. *pl* = Augen. 1910 ff.

3. lichte ~ = schöne, helle Augen. *Halbw* 1960 ff.

Sehersatzgerät *n* Glasauge. Spottwort. 1950 ff.

Sehfrau *f* neugierige Zuschauerin. Weibliches Gegenstück zum „↗Sehmann". 1920 ff.

Sehkost *f* dünne ~ = dürftiges Fernsehprogramm. Der „Schonkost" nachgebildet. 1955 ff.

Sehkuh *f* weibliche Person, die sich viele Waren vorlegen läßt und sie genau besieht, ohne etw zu kaufen. ↗Kuh 1. Wortspiel mit „See" und „sehen". Berlin 1920 ff, kaufmannspr.

Sehleute *pl* **1.** Neugierige; Zuschauer; Kinopublikum; Fernsehzuschauer. 1920 ff.

2. Beobachter von Nacktbadenden. 1925 ff.

3. Bauherr, Architekt o. ä. Sie sehen nur zu, wie die anderen arbeiten. 1950 ff.

Sehmann m *(pl=* Sehleute) **1.** neugieriger Zuschauer; Besucher von Geschäften, nur um sich die Waren anzusehen; neugieriger, auch schadenfroher, nicht bietender Besucher von Zwangsversteigerungen. Seit dem späten 19. Jh, kaufmannsspr. Berlin.

2. Fernsehzuschauer. 1955 ff.

3. Auskundschafter von Diebstahlsgelegenheiten. 1900 ff.

4. Schiedsrichter bei sportlichen Wettkämpfen. *Sportl* 1920 ff, Berlin.

5. Voyeur. 1925 ff.

Sehmaschine *f* **1.** Scherenfernrohr. *Sold* in beiden Weltkriegen.

2. Brille. 1905 ff.

Sehnsucht *f* der Chef hat ~ nach dir = der Chef will dich sprechen. 1930 ff.

Sehnsuchtsbratpfanne *f* Mandoline, Gitarre (Geige). „Bratpfanne" beruht auf der Formähnlichkeit, und „Sehnsucht" spielt auf die Stimmung der Lieder an. Vielleicht in der Wandervogelbewegung des frühen 20. Jhs aufgekommen; *sold* 1914 ff.

Sehr *n* *f* **1.** beste Note. Gekürzt aus „sehr gut". *Österr* 1945 ff.

2. ~ mit Bauchschuß = schlechteste Note. *Österr* 1945 ff.

3. ~ mit Jungen = schlechteste Note. *Österr* 1945 ff.

Sehreise *f* **1.** Stadtspaziergang zwecks Besichtigung der Schaufensterauslagen. Wortspiel mit „See" und „sehen". 1900 ff, Berlin.

2. Reise, auf der man viel zu sehen bekommt. 1960 ff.

sehrer *adv* mehr; stärker. Steigerung von „sehr". 1920 ff.

Sehres *n* *f* Leistungsnote „sehr gut". *Österr* 1950 ff.

Sehrmann *m* Klassenbester. *Österr* 1950 ff.

Sehscheune *f* Kino. Auf dem Lande waren Kinos häufig in Scheunen eingerichtet. 1920 ff.

Sehschlange *f* Kundin, die sich viele Waren vorlegen läßt und keine kauft. Wortspiel mit „See" und „sehen". Berlin 1920, kaufmannspr.

Sehschlitze *pl* Augen. Meint entweder die Schlitzaugen oder die Beobachtungsschlitze in gepanzerten Fahrzeugen. *Sold* 1939 ff.

Das umgangssprachliche Sehen ist nie intentionslos, sondern immer auf ein bestimmtes Objekt bezogen. Der Seher (**Seher 1.**) überwacht Personen, auf die ein Verbrechen verübt werden soll, der Sehmann (vgl. **Sehmann 1.–5.** und **Sehfrau**) richtet seine Seher (**Seher 2.**) auf die vor ihm ausgebreiteten Waren, die er natürlich nie zu kaufen gedenkt, auf ein Fernsehgerät (vgl. **Sehkost**) oder auf Dinge, die ihn nun wirklich nichts angehen. Positivere Konnotationen trägt diese Vokabel allein dann, wenn sie im Sinne von „vorzeigen" oder „sich durch den Augenschein überzeugen" gebraucht wird (vgl. **Sehen 1.–3.**). Man glaubt manche Dinge eben doch eher, wenn man sie mit beiden Augen gesehen hat, und ist dann hoffentlich ebenso freudig überrascht, wie der Herr mit der Sehmaschine auf dem Foto oben (**Sehmaschine 2.**), der sich in dieser Staffage allerdings wohl nicht überall sehen lassen kann (**sehen 3.**).

Sehstörung *f* absichtliche Unaufmerksamkeit. Als Ausrede vorgebracht. 1960 *ff.*

Sehzunge *f* jm eine ~ servieren = jm die Zunge herausstrecken. Wortspiel mit „See" und „sehen"; nur in der Schreibweise zu unterscheiden. Berlin 1925 *ff.*

Seibel *m* **1.** Schmutz, Kot, Schleim. Nebenform von ↗Sefel. 1800 *ff.*
2. Minderwertigkeit. Seit dem 19. Jh.
3. Geschwätz. Seit dem 19. Jh.
4. Beschwatzung. 1800 *ff.*

Seibelbeiß *n* **1.** Abort. ↗Seibel 1; ↗Beiß 1. *Rotw* seit dem 16. Jh.
2. Zuchthaus. Wohl weil jede Zelle einen Aborteimer oder ein Wasserklosett hat. 1900 *ff.*

Seibelbrühe *f* Bier. Analog zu ↗Pisse. *BSD* 1965 *ff.*

Seibelfreier *m* übler Bursche; Mann, der kein Vertrauen verdient. Seibel = Schmutz; Freier = Prostituiertenkunde. 1950 *ff.*

seibeln *intr* **1.** Unsinn schwätzen; breit und langweilig erzählen. ↗Seibel 3. 1900 *ff.*
2. kurz und klein ~ = sich in ausführliche Besprechung sogar der unsinnigsten Kleinigkeiten einlassen. 1900 *ff.*

Seiber *m* **1.** Speichel, Geifer. ↗sabbern 1. 1700 *ff.*
2. langweiliges, dummes Geschwätz. Seit dem 19. Jh.

seibern *intr* **1.** den Speichel fließen lassen; geifern. ↗sabbern 1. 1700 *ff.*
2. langweilig, gehaltlos reden. Seit dem 19. Jh.

Seibler *m* Schwätzer. ↗seibeln 1. 1900 *ff.*

Seich *m* **1.** Harn. ↗seichen 1. Seit dem Mittelalter.
2. fades Geschwätz; seichte Rede. Man gibt das Geschwätz von sich wie den überflüssigen Harn. Im Volksempfinden angelehnt an „seicht". Seit dem 19. Jh.
3. Wertlosigkeit. 1920 *ff.*
4. kalter ~ = dummes, gehässiges Gerede über eine längst abgetane Sache. Eigentlich soviel wie „Harnstrenge". 1900 *ff.*
5. warmer ~ = lauwarmes, unschmackhaftes Getränk. Seit dem 19. Jh.

Seich-Amsel *f* **1.** Prostituierte. Name einer Ameise. Sie spritzt Saft aus (der als Urin aufgefaßt wird). Berlin 1920 *ff.*
2. Frau *(abf)*. 1920 *ff.*

Seichbeutel *m* langweiliger Schwätzer. ↗seichen 2. Entweder wird der Mensch als Beutel begriffen oder nur sein Hodensack. Seit dem 19. Jh.

Seichbeute'lei *f* fades Geschwätz. 1900 *ff.*

Seichbock *m* **1.** Bettnässer. ↗seichen 1. *Jug* 1890 *ff.*
2. ängstlicher, feiger Mann. Ziegen- und Schafböcke harnen bei Schreck oder Angst. *Sold* in beiden Weltkriegen.

Seichbold *m* **1.** langweiliger, träger Mann. Berlin 1870 *ff.*
2. Schwätzer. Berlin. 1850 *ff.*

Seichbüchse *f* **1.** weibliches Geschlechtsorgan. ↗Büchse. 1920 *ff.*
2. Mädchen. 1920 *ff.*

Seiche *f* **1.** Harn. ↗seichen 1. Seit dem Mittelalter.
2. abgestandenes, minderwertiges Bier; fades Getränk. Anspielung auf Färbung und Wärmegrad. 1900 *ff.*

seichen *intr* **1.** harnen. Geht zurück auf *ahd* „sihan = leise tröpfelnd fließen". Seit dem Mittelalter.
2. langweilig reden; dummschwätzen. Vom Ablassen des Harns übertragen auf die Abgabe überflüssiger, wertloser Äußerungen. Wohl beeinflußt von „seicht = untief, unbedeutend". 19. Jh.
3. *impers* = es regnet. Seit dem 19. Jh.

Seicher *m* **1.** Versager; ungeschickter Mann. Meint den Mann, der den Harn nicht halten kann; (*vgl* Bettseicher, Hosenseicher). Seit dem 19. Jh, vorwiegend *oberd*.
2. Dummschwätzer; Mann, der über Belangloses redet. Seit dem 19. Jh.

Seicherei *f* **1.** häufiges Harnen. Seit dem 19. Jh.
2. anhaltender Regen. Seit dem 19. Jh.
3. lange, inhaltsleere Rede. Seit dem 19. Jh.

Seicherl *m* **1.** ängstlicher, feiger Mensch. ↗Seicher 1. Wien seit dem 19. Jh.
2. Schmeichler. ↗seichen 2. Wien seit dem 19. Jh.

seicherln *intr* schmeichlerisch reden. Wien seit dem 19. Jh, *schül.*

Seichkachel *f* Nachtgeschirr. ↗Kachel. Spätestens seit 1500, *oberd.*

Seichpippen (Soachpippn) *f* junges Mädchen. „Pippen, Pippn = Röhre" spielt auf die Harnröhre an und deutet darauf hin, daß das Mädchen noch nicht geschlechtsreif ist. *Bayr* und *österr* 1900 *ff.*

seichwarm *adj* lauwarm. 1700 *ff.*

Seichwetter *n* anhaltendes Regenwetter. ↗seichen 3. Seit dem 19. Jh.

Seide *f* **1.** mit einer Stimme aus ~ und Samt (wie Samt und ~) reden = schmeichlerisch reden. Die Formel „Samt und Seide" steht für besonders Weiches und Sanftes. 1920 *ff.*
2. ~ spinnen = gute Geschäfte machen; viel verdienen; eine schlechte Sache nutzbringend gestalten. Von der feinen, sorgfältigen Seideherstellung übertragen gegen 1600 auf geschickte, umsichtige Handlungsweise.
3. keine ~ spinnen = ärmlich leben; bei etw keinen Nutzen, keinen Erfolg haben; nichts verdienen. Seit dem 16. Jh.
4. ~ zupfen = freundlich zureden; schmeicheln; liebedienern. 1910 *ff.*

Seidenaffe *m* Stutzer; eitler Geck. Wohl Anspielung auf seidene Wäsche. 1900 *ff.*

Seidenfähnchen *n* billiges Seidenkleidchen. ↗Fähnchen 1. 1920 *ff.*

Seidenhase *m* hübsches junges Mädchen; Kosewort. Übertragen vom Hasen mit seidenweichem Fell. ↗Hase 2. 1800 *ff.*

Seidenkaninchen *n* Musterschüler. Er ist von sanfter, anpassungsfähiger Wesensart. 1970 *ff.*

Seidenraupe *f* Fallschirmjäger. Der Fallschirm besteht aus Seide. ↗Seidenwurm. *Sold* 1935 *ff.*

Seidenweberforelle *f* Hering. Seidenweber gelten als ärmlich. 1950 *ff*; wohl älter.

seidenweich *adj* würdelos anpassungsfähig. 1920 *ff.*

Seidenwurm *m* **1.** Verrückter. Anspielung auf ↗spinnen. 1925 *ff.* **2.** Fallschirmspringer. Er hängt am seidenen Fallschirm wie der Wurm an der Angel, und beim Auftreffen auf dem Boden rollt er sich wie ein Wurm zusammen. *Sold* 1935 *ff.*

Seidenzuckerl *n* Seidenbonbon. Die Außenschicht wirkt wie Seide. *Österr* 1900 *ff.*

Seier *m* Rausch. Gehört wohl zu „seiern = unartikuliert jammern", wie es der lallende Zecher tut. *Bayr* 1950 *ff.*

Seife *f* **1.** üble Lage. Meint vor allem eine Lage, in der man leicht zu Fall kommen kann wie auf Schmierseife. Wohl entfernt beeinflußt von „↗Scheiße". 1900 *ff.* **2.** Gruppe, Clique. Verkürzt aus „Schmierseife" im Sinne von geringerwertiger Seife und sinnbildlich auf minderwertige Personen bezogen. 1920 *ff.* **3.** ja, ~!: Ausdruck der Ablehnung. Wohl verkürzt aus „ja, Seife wäre jetzt gut; aber wir haben keine!". Berlin seit dem ausgehenden 19. Jh. **4.** grüne ~ = sexuelle Verirrung eines Jugendlichen; homosexuelle Betätigung eines Jungen, der nicht homosexuell veranlagt ist. Eigentlich soviel wie „Schmierseife". Berlin 1960 *ff.* **5.** ohne ~ = auf unlautere, anrüchige Weise. Meint dasselbe wie „dreckig, unsauber". 1950 *ff.* **6.** in die ~ gehen = a) dem Tode nahe sein. Meint wohl die Haltlosigkeit auf abschüssig-schlüpfriger Bahn. 1920 *ff.* – b) scheitern. 1920 *ff.* **7.** wie auf ~ gehen = ohne Kraft, wie mechanisch gehen. Man tritt unsicher, ohne Festigkeit auf. 1930 *ff.* **8.** ~ haben = Glück beim Kartenspielen haben. Es verläuft ohne Widerstand, als habe man die Hände geseift. Kartenspielerspr. 1920 *ff.* **9.** in die ~ kommen = in Ungelegenheiten geraten. 1900 *ff.* **10.** ein Gesicht machen wie zehn Pfund grüne ~ = bleich, elend aussehen. 1910 *ff.* **11.** jm den Bart ohne ~ machen = jn derb zurechtweisen. Gemeint ist die Rasur ohne vorheriges Einseifen. 1920 *ff.* **12.** jn ohne ~ rasieren = jn übervorteilen. ↗rasieren 6. 1920 *ff.* **13.** aus der ~ rauskommen = aus einer Notlage freikommen. 1900 *ff.* **14.** über grüne ~ reden = a) eine sehr törichte Äußerung tun. Berlin 1870 *ff.* – b) sich unverständlich ausdrücken. 1955 *ff.* **15.** ihm ist alles ~ = ihm ist es völlig gleichgültig.

Schon in Friedrich Schillers (1759–1805) Drama „Die Räuber" (erschienen 1781) heißt es in der 2. Szene des 5. Aktes (Erstfassung): „Ha Mutloser! Wo sind deine hochfliegenden Plane? Sinds Seifenblasen gewesen, die beim Hauch eines Weibes zerplatzten." (vgl. **Seifenblase 5.**). Es bleibt also nur zu hoffen, daß dieses junge Paar, so besehen, nicht unter die Räuber fällt und von denen dann zu hören bekommt: „Laßt . . . hinfahren. Es ist die Großmannsucht. Er will sein Leben an eitle Bewunderung setzen." (vgl. **Seifenblase 2.**)

Parallel zu „es ist ihm ↗pomade", aber beeinflußt von „Scheiße". Berlin 1900 *ff.* **16.** in der ~ sitzen = in Not, Verlegenheit sein. 1900 *ff.* **17.** auf der ~ stehen = sich unsicher fühlen; nicht genau Bescheid wissen. *Jug* 1950 *ff.* **18.** auf die ~ steigen = sich täuschen; Mißerfolg selbst verschulden. 1920 *ff.*

seifen *intr* übertreiben; witzige Lügengeschichten erzählen. Man schlägt (Seifen-)Schaum. 1950 *ff.*

Seifenblase *f* **1.** schnell durchschaute Vorspiegelung; Äußerung, der man nicht trauen darf. Die Seifenblase ist ein bunt schillerndes Gebilde von kurzem Bestand. Seit dem 19. Jh. **2.** entlarvter Prahler; Versager, der sich aufgespielt hat. Seit dem 19. Jh. **3.** charakterloser Mensch. Seit dem 19. Jh. **4.** die ~ platzt = ein Schwindelunternehmen scheitert; verlockende Behauptungen werden als unwahr enthüllt. 1900 *ff.* **5.** eine Illusion (o. ä.) platzt (zerplatzt) wie eine ~ = eine trügerische Vorstellung erweist sich als nichtig. 1800 *ff.*

Seifenreklame darf im übertragenen Sinne natürlich keine **Seifenreklame** *sein, auch wenn die Möglichkeiten, hier für Abwechslung zu sorgen, ziemlich begrenzt sind. Üblicherweise greift man auf einen* **Seifenengel** *zurück, der mit der Verläßlichkeit eines schweizer Uhrwerks zu betonen pflegt, daß er seine reine und gepflegte Haut selbstverständlich nur dieser oder jener Seife zu verdanken habe. Die Abbildung oben dagegen knüpft – wenngleich der ,,Hamlet" nun wirklich nicht als* **Seifenoper** *zu bezeichnen ist – an die Ikonographie des Ophelia-Motivs in der Malerei des Symbolismus an (vgl.* **Seite 6.***).*

Seifendose *f* Kleinauto. Kurz vor 1900 in Berlin bezogen auf das Elektromobil; später verallgemeinert. *Vgl engl* ,,soap-box".

Seifenengel *m* frischgewaschene Frau; Frau im Schaumbad. 1955 *ff.*

Seifengeld *n* Bedienungsgeld. Meint eigentlich das Geldstück, das man dem Abortwärter auf den Teller legt, nachdem man sich die Hände gewaschen hat. 1925 *ff.*

seifenglatt *adj* charakterlich geschmeidig. 1960 *ff.*

Seifenheini *m* Versager. ↗Heini. Über ,,Seifensack" analog zu ,,↗Waschlappen". *Sold* 1939 *ff.*

Seifenkistl-Matador *m* Go-Kart-Sportler. 1965 *ff.*

Seifenoper *f* rührseliges Hörspiel (in Fortsetzungen) o. ä. Übersetzt aus *engl* ,,soap opera", weil derlei Produktionen früher häufig von Waschmittelherstellern in Auftrag gegeben wurden. 1965 *ff.*

Seifenpinsel *m* Frisörlehrling. ↗Pinsel 4. 1900 *ff.*

Seifenreklame *f* nicht vertrauenerweckendes Versprechen; unwirksames Bündnis. Es vergeht wie eine Seifenblase und erweist sich als ,,↗Schaumschlägerei". 1960 *ff.*

Seifensack *m* Versager. Meint eigentlich den Waschlappen in Beutelform; analog zu ,,↗Waschlappen". 1920 *ff, stud* und *sold.*

Seifensieder *m* 1. Nichtskönner; langsam Tätiger. Die Herstellung von Seife (wie auch von Kerzen) geht langsam vor sich. 1930 *ff.*
2. langsamer Kraftfahrer. 1930 *ff.*
3. unliebsamer Mensch. 1930 *ff.*
4. Taschendieb. Seife = Fett, Talg *(rotw)*; ,,-sieder" soll aus ,,-zieher" entstellt sein. *Rotw* seit dem frühen 19. Jh.
5. ihm geht ein ~ auf = er beginnt plötzlich (end-

lich) zu begreifen. ,,Seifensieder" meint hier nicht den Seifen- oder Kerzenhersteller, sondern die Kerze, analog zum Licht, das einem aufgeht. Im frühen 19. Jh in Studentenkreisen entstanden.

Seifensünder *m* unsauberer Mensch. ↗Sünder. 1970 *ff.*

seifig *adj* 1. schmeichlerisch; nicht zuverlässig (auf Äußerungen bezogen). Seifig = schmierig, glitschig. 1935 *ff.*
2. langweilig; unnahbar; steif. Charakterliche Sauberkeit wirkt auf manche Menschen abstoßend. Berlin 1935 *ff.*

Seil *n* 1. Langbinder, Krawatte. Analog zu ↗Strick. *BSD* 1965 *ff.*
2. das lange ~ abwickeln = nicht am Dienst teilnehmen. ↗abseilen 6. *BSD* 1960 *ff.*
3. das lange (große) ~ greifen (in die Hand nehmen) = sich dem Dienst entziehen. ↗abseilen 6. *BSD* 1960 *ff.*
4. am ~ hängen = sich dem Dienst entziehen; nachlässig Dienst tun. *BSD* 1960 *ff.*
5. nur noch in den ~en hängen = völlig erschöpft sein. Hergenommen von den Seilen, die den Boxring eingrenzen. 1945 *ff.*
6. auf dem ~ hüpfen = etw tadellos vorführen. Übernommen vom Seiltänzer. 1930 *ff.*
7. durch die ~e plumpsen = einen Mißerfolg erleiden; sich verrechnen. Vom Boxsport übernommen. 1920 *ff,* Berlin.
8. jn am ~ runterlassen = jn betrügen, veralbern, abweisen. Gehört zur Vorstellung ,,jm einen ↗Korb geben". *Südwestd* 1900 *ff.*
9. am falschen ~ ziehen = etw verkehrt machen. Bezieht sich auf das Glockenseil. 1900 *ff.*
10. jm ein haariges ~ durch den Arsch ziehen =

jn umständlich für eine Sache interessieren müssen. 1920 *ff.*

11. da möchte man sich ein haariges ~ durch den Arsch ziehen lassen!: Ausdruck der Unerträglichkeit, der Verzweiflung. 1920 *ff.*

seilhüpfen *intr* etw mühe- und tadellos vorführen. ↗ Seil 6. 1930 *ff.*

Seilschaft *f* **1.** Gesamtheit der Bekannten, mit denen man sich in derselben Lage befindet; Mannschaft; Regierung. Hergenommen von der durch das gemeinsame Kletterseil verbundenen Bergsteigergruppe. Aufgekommen nach 1955 mit der wiederaufgelebten Hochgebirgstouristik. **2.** Gesamtheit derer, die vor derselben Beförderung stehen. *BSD* 1965 *ff.* **3.** gesamte Familie mit Anhang. 1958 *ff.*

Seiltanz *m* Bestreben, zwischen zwei entgegengesetzten Gruppen (Parteien, Ideologien, Personen o. ä.) zu bestehen. 1950 *ff.*

Seiltänzer *m* **1.** Mensch ohne festen Beruf; Lebenskünstler ohne materielle Grundlage. Er jongliert sich durchs Leben. 1950 *ff.* **2.** Boxer, der durch die Ringseile geschlagen wird. 1960 *ff.* **3.** empfindlich wie ein ~ = überempfindlich. 1960 *ff.*

Seilziehen *n* hartnäckiger Streit, bei dem mal der eine, mal der andere einen Vorteil erzielt. ↗ Tauziehen. 1920 *ff.*

sein *v* **1.** is nich (ist nicht)!: Ausdruck der Ablehnung (Geld von mir kriegen is nich). Verkürzt aus „es ist nicht, wie du denkst". In der ersten Hälfte des 19. Jhs von Berlin ausgegangen. **2.** sie ist waschen (arbeiten, einkaufen o. ä.) = sie ist weggegangen, um zu waschen (o. ä.). Mit dieser volkstümlichen Konstruktion wird eine noch nicht beendigte Tätigkeit ausgedrückt. 1500 *ff.* **3.** ihm ist nach einem Bier = er möchte gern ein Glas Bier trinken. 1900 *ff.* **4.** ist dir was? = bist du krank? Seit dem 19. Jh. **5.** es gewesen sein = der Schuldige sein. Seit dem 19. Jh. **6.** etw ~ lassen = etw nicht tun; etw absichtlich unterlassen. Man läßt es so, wie es ist, und verändert nichts. Seit dem 19. Jh. **7.** und so war es denn auch, die Mannschaft schrie ein donnerndes Heil, und der alte Herr hatte seinen Hut wieder: Redewendung, wenn eine Sache wieder in die gewohnte Ordnung zurückgefunden hat. Vermutlich Reststück eines studentischen Ulkvortrags oder Parodie auf einen Zeitungsbericht. 1920 (?) *ff.*

Seite *f* **1.** die drübere ~ = die gegenüberliegende Seite. *Oberd* 1900 *ff.* **2.** faule ~ = schlechter Charakterzug. Hergenommen von der angefaulten Seite eines Apfels o. ä. Seit dem 19. Jh. **3.** die grüne ~ = die rechte Körperseite. Hängt mit der dichterischen Sinnbildsprache zusammen.

Grün als Farbe des Frühlings ist die Sinnbildfarbe des Lebens, auch der Hoffnung auf Glück. Dadurch wird die grüne Seite zur glückbringenden Seite. 1500 *ff.*

4. scheele ~ = der Stadt gegenüberliegende Flußseite. Vielleicht Anspielung auf den Neid gegenüber der bedeutenderen Stadt oder auf das Schielen hinsichtlich der Eingemeindung. Seit dem 19. Jh.

5. schwache ~ = a) Lieblingsgegenstand, -angewohnheit, -beschäftigung o. ä. Gegenüber dieser Seite ist man „schwach = willensschwach, widerstandslos". Seit dem 19. Jh. – b) Untauglichkeit; geringes Leistungsvermögen. Diese Seite beherrscht man schwächer als die andere. Bezogen auf die überwiegende Rechts- und die unterlegene Linkshändigkeit. Seit dem 19. Jh.

6. starke ~ = Könnerschaft. Seit dem 19. Jh.

7. quatschen Sie mich nicht von der ~ an! = machen Sie keine anzüglichen Bemerkungen! So verbittet man sich Äußerungen, die einem nicht gerade ins Gesicht gesagt werden. *Vgl* ↗ Flanke. 1910 *ff.*

8. du hast auch noch nichts auf die ~ gebracht außer deiner Krawatte: Redewendung zu einem, dem der Schlips zur Seite gerutscht ist. Wortwitzelei mit „etw auf die Seite bringen = Ersparnisse machen". 1930 *ff, stud.*

9. etw über die ~ bringen = etw verschwinden lassen; sich etw aneignen. Soviel wie „beiseite schaffen". 1920 *ff.*

10. auf die große (kleine) ~ gehen = zum Koten (Harnen) austreten. „Auf die Seite gehen" sagt man, wenn man im Freien die Notdurft verrichtet. Scheint im 19. Jh in Österreich aufgekommen und nordwärts gewandert zu sein.

11. eine leichte ~ haben = Neigung zum Leichtsinn haben. Seit dem 19. Jh.

12. das hat seine 2 bis 24 ~n = das ist sehr schwierig; das kann man auf sehr verschiedene Weise betrachten. 1925 *ff.*

13. auf der breiten ~ liegen = gestorben sein. Übertragen von den toten Fischen, die breitseits im Wasser liegen. Fischerspr. und *sold* 1900 *ff.*

14. alles auf die leichte ~ schlagen = leichtsinnig sein. Seit dem 19. Jh.

15. ~n schreiben = eine Strafarbeit anfertigen. Der Lehrer schreibt die Zahl der Seiten vor. *Schül* 1960 *ff.*

16. auf der leichten ~ sein = leichtlebig sein. Seit dem 19. Jh.

17. nach allen ~n offen sein = sich keinem Mann versagen (auf weibliche Personen bezogen). Übertragen von der Politikersprache: eine Partei ist „nach allen Seiten offen", wenn sie mit jeder anderen Partei zu Koalitionsverhandlungen bereit ist. *BSD* 1968 *ff.*

18. zur ~ springen = ehebrechen. 1900 *ff.*

19. jm mit etw in die ~ treten = jn mit etw unterstützen; jm beipflichten. Scherzhaft entstellt aus „jm mit etw zur Seite treten". Spätes 19. Jh.

Seitenflügel *pl* Arme. 1900 *ff.*

Seitengewehr *n* **1.** Penis. Vor allem in der Wendung „aufgepflanztes ~ = erigierter Penis". *Sold* in beiden Weltkriegen. **2.** Ehefrau. Meint vor allem die unverträgliche, die im „Nahkampf" ihren Willen durchzusetzen sucht. Spätestens seit 1870, Berlin.

Seitenhüpfer *m* Ehebrecher. Verharmlosender Ausdruck. 1900 *ff.*

Seitenhupferl *m* (einmaliger) Ehebruch. ↗ Aufhupferl. 1900 *ff.*

seitenlang *adv* ~ mit Begeisterung = andauernd; ohne Unterbrechung. Wohl hergenommen von einer langen, vom Blatt abgelesenen Rede. 1920 *ff.*

seitenspringen *intr* ehebrechen. 1900 *ff.*

Seitenspringer *m* Ehebrecher. 1900 *ff.*

Seitenspringinsfeld *m* Ehebrecher. 1920 *ff.*

Seitensprung *m* Ehebruch. 1900 *ff.*

seitensprungfest *adj* dem Ehepartner unbeirrbar treu. 1900 *ff.*

Seitensprüngler *m* untreuer Ehemann. 1910 *ff.*

Seitensprungviertel *n* großstädtische Bordellgegend. 1960 *ff.*

Seitenstechen *n* **1.** ~ in der Brieftaschengegend bekommen = über hohe Preise unwillig werden. 1960 *ff.* **2.** ~ haben = nach dem Eisernen Kreuz erster Klasse verlangen. Es wird auf der linken Brustseite getragen. *Sold* in beiden Weltkriegen. **3.** das ~ haben = nach Geld in der Tasche greifen. 1900 *ff.*

Seitentrieb *m* uneheliches Kind. Der Botanik entlehnt. 1920 *ff.*

seitenverkehrt *adj* **1.** verfälscht; falsch dargestellt. Seitenverkehrt = spiegelverkehrt (rechts = links). Gegen 1900 *ff.* **2.** homosexuell. 1906/08 *ff.*

Seitenwagen *m* Ehefrau. Meint den Seitenwagen des Motorrads. 1960 *ff,* Graubünden.

Sek'juriti *f* jn ~ klieren = bei jds Einstellung die für die britische Rheinarmee gültigen Sicherheitsbestimmungen beachten. Um 1950 eingedeutscht aus *engl* „to clear security".

sek'kant *adj* lästig, zudringlich; nervös machend. ↗ sekkieren. *Österr* seit dem 18. Jh.

Sekka'tur *f* Zudringlichkeit; Quälerei. *Bayr* und *österr* seit dem 18. Jh (Goethe, Brief vom 10. März 1781).

sek'kieren *tr* **1.** jn plagen, quälen, sticheln, nervös machen. Geht zurück auf *ital* „seccare = belästigen". Vorwiegend *oberd,* seit dem 18. Jh. **2.** jn necken. *Österr* seit dem 18. Jh.

Sek'kiere'rei *f* Belästigung. *Österr* seit dem 18. Jh.

Sek'kierhansel *m* Mensch, der andere gern quält und ärgert. *Österr* seit dem 19. Jh.

Sekret *n m* Abort. Soviel wie „heimliches Gemach". Seit dem 15. Jh.

Sekretariats-Zerberus *m* Chef-Sekretärin. ↗ Zerberus. 1950 *ff.*

Sekretärin *f* Gelegenheitsfreundin. Meint die Privatsekretärin, die den Chef auf Dienstreisen begleitet. *Halbw* 1960 *ff.*

Sekre'töse *f* Sekretärin, Schreibdame. Aus „Sekretärin" abgewandelt mit Einwirkung von „↗ Öse". 1910 *ff.*

Sekt *m* **1.** ~, Kaviar und schöne Frauen: sprachliches Sinnbild für Wohlhabenheit. Das Gegenstück der Durchschnittsbürgerlichkeit heißt im Rheinland „Bier, Bloodwoosch (= Blutwurst) un de Mutti". 1950(?) *ff.* **2.** ~ ohne Alkohol = Mineralwasser. Es sprudelt wie Sekt. *BSD* 1965 *ff.* **3.** ~ des kleinen Mannes = a) Mineralwasser; Brauselimonade. 1920 *ff.* – b) Bier. *BSD* 1965 *ff.* **4.** ~ in Zivil = Mineralwasser; Brauselimonade. Die Uniform verleiht einen höheren Rang als die Zivilkleidung. 1900 *ff,* vorwiegend *sold.* **5.** einfacher ~ = Mineralwasser. 1910 *ff.* **6.** ~ einfach = Mineralwasser. Kellnerspr. 1910 *ff.* **7.** ~ in der Hose haben = sportlich gewandt sein. 1920 *ff.*

Sektansprache *f* schwülstige Rede ohne Geist. Die Kohlensäurebläschen versinnbildlichen die Substanzlosigkeit. 1933 *ff.*

Sektflasche *f* **1.** Stielhandgranate; Brandflasche. Wegen der Formähnlichkeit. *Sold* 1939 *ff.* **2.** Urinflasche. *BSD* 1965 *ff.* **3.** Beine wie ~n = dicke, unförmige Beine; dicke, muskulöse Waden. Seit dem 19. Jh.

Sektflaschenbeine *pl* dicke, unförmige Beine. *Vgl* das Vorhergehende. Seit dem 19. Jh.

Sektflöte *f* Sektkelch. Entweder Anspielung auf die schlanke Form des Glases oder auf die Fingerhaltung beim Heben und Neigen des Glases. 1965 *ff.*

Sektfrühstück *n* es ist mir ein halbes ~ = es freut mich, ehrt mich sehr. 1955 *ff,* arbeiterspr.

Sektglas *n* Urinflasche, -glas. *BSD* 1965 *ff.*

Sektierer *m* **1.** Chirurg, Anatom. Wortspielerisch umgeformt aus „Sezierer" mit Anspielung auf „Sektion = Leichenöffnung". *Stud* 1910 *ff.* **2.** Schaumweinvertreter. Zu „Sekt" entstandenes Wortspiel. 1920 *ff.* **3.** Sekttrinker. *Vgl* das Vorhergehende. 1955 *ff.*

Sektkelch *m* Uringlas. *BSD* 1965 *ff.*

Sektkübel *m* hoher Damenhut in Topfform. Wegen der Formähnlichkeit 1900 *ff.*

Sektlaune *f* frohe, unternehmungslustige Stimmung (mit oder ohne Sektgenuß). Man ist temperamentvoll und spritzig wie Sekt. 1870 *ff.*

Sektler *m* Sekttrinker. 1960 *ff.*

Sektor *m* Gebiet, Bereich; Arbeitsgebiet. Vom Kreisausschnitt übertragen in der NS-Zeit auf Teilgebiet, -abschnitt. (Ernährungs-, Bildungs-, Militär-, Verwaltungssektor u. a.).

Kupferberg Gold.
Eine der schönsten Launen der Welt.

Sektpfropfen *m* 1. Geschoß. Wegen des Abschuß-geräusches. *Sold* 1939 *ff.*

  2. ~ knallen = Granatwerfer feuern. *Sold* 1939 *ff*

Sektpulle *f* 1. Sektflasche. ↗Pulle. Seit dem 19. Jh.

  2. Mädchenbein mit dicker Wade. Seit dem 19. Jh.

Sektquartier *n* üppige Unterkunft des Soldaten in einem Bürgerquartier. *Sold* seit dem späten 19. Jh.

Sektschalen *pl* Büstenhalter; Oberteil des zweiteiligen Damenbadeanzugs. Wegen der Formähnlichkeit. Berlin 1950 *ff.*

Sekunda-Abitur *n* Obersekundareife (Mittlere Reife). *Schül* 1940 *ff.*

Sekundaner *m* sich benehmen wie ein dußliger (o. ä.) ~ = sich ungewandt benehmen. ↗dusselig 1. 1950 *ff.*

Sekunde *f* es kann sich nur noch um ~n handeln = es ist demnächst zu erwarten. 1900 *ff.*

selbständig *adj adv* 1. sich ~ bedienen = in einem Selbstbedienungsladen stehlen. 1955 *ff.*

  2. sich ~ machen = a) vom Arm, aus der Hand gleiten und zu Boden fallen; aus dem Sattel, aus dem Omnibus fallen; schadhafter Verpackung entfallen. 1910 *ff.* – b) sich in seine Bestandteile auflösen (die Perlenkette hat sich selbständig gemacht). 1910 *ff.* – c) verlorengehen; gestohlen werden; verschwinden. 1910 *ff.*

  3. es ist ~ geworden = es ist gestohlen worden. *Schül, stud,* handwerkerspr. u. a. 1920 *ff.*

Selbstbediener(-in) *m f* Laden-, Kaufhausdieb(-in). 1955 *ff.*

Selbstbedienung *f* 1. Ladendiebstahl; Raub; diebische Selbsthilfe; finanzieller Amtsmißbrauch. 1950 *ff.*

  2. ~ spielen = a) Ladendiebstahl begehen. 1950 *ff.* – b) an der Straßenkreuzung die Fußgängerampel bedienen. 1955 *ff.*

Selbstbedienungsgeschäft *n* 1. Diebstahl; Diebischsein. 1955 *ff.*

  2. Kreditinstitut (in der Auffassung des Bankräubers). 1965 *ff.*

Selbstbedienungsladen *m* 1. Druckknopfampel, die von den Fußgängern auf Grün geschaltet werden kann. 1955 *ff.*

Auch wenn der Kaviar fehlt, so kann die umseitig wiedergegebene Sektreklame dennoch als Versinnbildlichung dessen angesehen werden, was die Umgangssprache unter „Sekt, Kaviar und schöne Frauen" versteht (Sekt 1. vgl. Sektkanne): Nicht umsonst verdient manch alternder Schauspieler, dem immerhin noch das blieb, was deutsche Fernsehanstalten unter Charme verstehen, seinen Lebensunterhalt mit dem Singen des immergleichen Liedes, das davon erzählt, daß er jetzt wieder einmal ganz intim ins Maxim gehen wolle. Ob dem Zuschauer dann „Bier, Bloodwoosch un de Mutti" besser schmecken, darf füglich bezweifelt werden.

2. Parlament. Wegen der selbstverordneten Diätenerhöhungen und Ruhestandsbezüge der Parlaments-Abgeordneten. *Vgl* ↗Selbstversorger 4. Bonn 1965 *ff.*

  3. stummer ~ = Warenautomat. 1955 *ff.*

Selbstbedienungswelle *f* zunehmende Überfälle auf Banken, Kassenboten usw. ↗Welle. 1965 *ff.*

Selbstbefriederich *m* Einzelgänger. Eigentlich der Masturbant. 1920 *ff.*

Selbstbefriediger *m* 1. Banane, Möhre o. ä.; auch Kerze. Es sind phallusähnliche Gegenstände. 1910 *ff.*

  2. Kartenspieler, der seine ausgezeichneten Karten mit hoher Augenzahl in die eigenen Stiche gibt und ohne die Zugaben der Gegner die erforderliche Punktzahl erreicht. 1900 *ff.*

Selbstbegräbnis *n* 1. völlige Vernichtung durch eigenes Verschulden. Berlin 1945 *ff.*

  2. Heiratsantrag. Satirische Vokabel. 1955 *ff.*

Selbstbildnis *n* geschminkte weibliche Person. Sie hat sich selbst gemalt. 1920 *ff.*

Selbsteinlader *m* Mensch, der aufdringlich, rücksichtslos und wie selbstverständlich sich zum Besuch ansagt oder unerwartet zu Besuch kommt. 1900 *ff.*

Selbstentzündung *f* absichtliche Einäscherung des eigenen Hauses (zwecks Versicherungsbetrugs). Euphemismus. 1900 *ff.*

Selbsterhaltungstrieb *m* Feigheit vor dem Feind. Beschönigende Vokabel (?). *Sold* 1942 bis heute.

Selbstfahrer *m* Onanist. Meint eigentlich den Lastkahn mit eigener Antriebskraft. 1900 *ff.*

Selbstfahrdirne *f* Prostituierte am Steuer des eigenen Autos. 1955 *ff.*

Selbstficker *m* Masturbant. ↗ficken. *Sold* 1900 *ff.*

selbstflüsternd *adv* selbstverständlich. Scherzhafte Variante zu „selbstredend". 1920 *ff.*

Selbstgänger *m* Rechtsstreit, den der Anwalt ohne Mühe gewinnt. Der Prozeß entwickelt sich derart, daß der Anwalt nicht eingreifen muß. 1955 *ff,* juristenspr.

selbstgehäkelt *adj* selbstverfertigt. 1950 *ff.*

selbstgelegt *adj* aus eigener Produktion. Hergenommen von selbstgezogenen Kartoffeln (Saatkartoffeln werden in die Furche gelegt) und scherzhaft übertragen auf „selbstgelegte Eier"; von da verallgemeinert. 1840 *ff,* Berlin.

selbstgeschneidert *adj* selbsternannt; eigenmächtig (betrügerisch) gestaltet. 1950 *ff.*

selbstgestrickt *adj* 1. selbstverfertigt, selbstgebastelt o. ä. 1950 *ff.*

  2. hausbacken. *BSD* 1960 *ff.*

  3. nicht völlig fehlerfrei. 1950 *ff.*

Selbstgestrickte *f* selbstgedrehte Zigarette. 1950 *ff, schül* und *BSD.*

Selbstgestrickter *m* 1. „wuschelhaariger" Hund; Scotch-Terrier. 1930 *ff.*

2. Hund ohne Stammbaum. 1950 *ff.*

3. Mensch, der der eigenen Kraft die derzeitige Stellung verdankt. 1950 *ff.*

4. Bundeswehroffizier, der vorher nicht aktiv war. *BSD* 1960 *ff.*

Selbstgewachsenes *n* Obst oder Gemüse aus dem eigenen Garten. 1900 *ff,* Berlin.

selbstgezimmert *adj* selbstverfertigt. 1950 *ff.*

Selbstherrscher *m* ~ aller Reussen = überheblicher Mensch. Eigentlich der Zar von Rußland. ↗ Herrscher. 1820 *ff.*

Selbsthilfe *f* Schülerlist. 1950 *ff.*

Selbstläufer *m* **1.** reifer, durchgeweichter Käse. 1920 *ff.*

2. Ware, die ohne sonderliche Werbung reichen Absatz findet. 1960 *ff.*

3. unaufhaltsame (organische) Entwicklung. 1960 *ff.*

Selbstler *m* Masturbant. 1955 *ff.*

Selbstmord *m* **1.** ~ mit Messer und Gabel = kalorische Überernährung. 1967 von Medizinern aufgebrachtes, sehr geläufig gewordenes Schlagwort.

2. ~ auf Zeit = Rauschgiftsucht. Im Verband der niedergelassenen Ärzte Deutschlands 1971 aufgekommene Bezeichnung.

Selbstmörder *m* draufgängerischer Soldat. Tapferkeit vor dem Feind wird als Selbstmord ausgelegt. *Vgl* das Gegenstück „↗ Selbsterhaltungstrieb". *BSD* 1965 *ff.*

Selbstmörderbrücke *f* einen tiefen Abgrund überspannende Brücke, von der schon mancher Selbstmörder in den Tod gesprungen ist. 1920 *ff.*

Selbstmörderklub *m* militärische Spezialtruppe (Kommandotruppe), die nur zur Ausführung gefährlichster Aufgaben eingesetzt wird, meist im Rücken des Feindes. *Sold* 1939 *ff. Vgl engl* „suicide club" und „suicide squad".

Selbstmörderkolonne *f* Angehörige eines gefährlichen militärischen Unternehmens; Gruppe, die Zeitzünderbomben, Minen usw. unschädlich macht. *Sold* 1939 *ff.*

Selbstmördertrupp *m* **1.** Minensucher. *Sold* in beiden Weltkriegen.

2. sehr gefährliches militärisches Sonderunternehmen. *Sold* in beiden Weltkriegen.

Selbstmordgerät (-instrument) *n* Zigarette. *Jug* 1965 *ff.*

Selbstmordkandidat *m* **1.** Soldat, der sich freiwillig zu einem Stoßtruppunternehmen meldet. *Sold* 1939 *ff.*

2. Student, der sich für einen überfüllten naturwissenschaftlichen oder medizinischen Fachbereich entscheidet. 1955 *ff.*

Selbstmordkiste *f* durch Abstürze berüchtigter Flugzeugtyp. ↗ Kiste. 1955 *ff* (1940?).

selbstmurmelnd *adj adv* selbstverständlich. Scherzhafte Parallelbildung zu „selbstredend" durch Studenten des späten 19. Jh. *Vgl* ↗ selbstflüsternd.

selbstnatürlich *adv* selbstverständlich. Zusammengesetzt aus „selbstverständlich" und „natürlich". 1920 *ff.*

Selbstporträt *n* lebendes ~ = (aufdringlich) geschminkte weibliche Person. ↗ Selbstbildnis. 1920 *ff.*

selbstredend *adv* selbstverständlich. Im 17. Jh geläufig im Sinne von „offenbar". In der heutigen Bedeutung 1878 als „Modewort" gebucht.

Selbstschuß *m* Kritik, die den Kritiker trifft. *Vgl* ↗ Schuß 12. 1960 *ff.*

Selbstschutzleitfaden *m* Regelbuch für Kartenspieler. Meint eigentlich eine Druckschrift mit Anweisungen, wie man sich vor Verbrechern und Verbrechen zu schützen hat. Kartenspielerspr. 1920 *ff.*

Selbsttor *n* **1.** Selbstverschuldung eines Schadens. Der Sportlersprache entlehnt; etwa seit 1955.

2. ein ~ schießen = einen Nachteil selbst verschulden. 1955 *ff.*

Selbsttraute *f* keine ~ haben = keinen Mut zu selbständigem Handeln haben. ↗ Traute. Berlin 1900 *ff.*

selbstverfreilich *adv* selbstverständlich. Aus „selbstverständlich" und „freilich" gekreuzt. 1920 *ff.*

Selbstversorger *m* **1.** Dieb, Ladendieb. Euphemismus, aufgekommen im Ersten Weltkrieg, als es hinsichtlich der Lebensmittelversorgung der Zivilbevölkerung Karteninhaber und Selbstversorger gab.

2. Mann, der schwer beschaffbare Gegenstände listig zu besorgen weiß. *Sold* in beiden Weltkriegen.

3. selbstsüchtiger Mensch. *BSD* 1965 *ff.*

4. Mitglied des Deutschen Bundestags. Anspielung auf die selbstbewilligten Ruhestandsbezüge und Diätenerhöhungen. *Vgl* ↗ Selbstbedienungsladen 2. 1965 *ff.*

Selbstverstümmelung *f* Heiratsantrag. *Iron* ist gemeint, daß der Mann sich selbst zum „↗ Ehekrüppel" macht. *Vgl* ↗ Selbstbegräbnis 2. 1955 *ff.*

Selfmade (*engl* ausgesprochen) *f* selbstgedrehte Zigarette. *Engl* „self-made = selbstgemacht". *Sold* 1939 *ff.*

selig *adj* **1.** betrunken. Der Bezechte gerät in seiner Vorstellung in die fröhlich-unbeschwerten „Gefilde der Seligen". Etwa seit 1750.

2. soll er damit ~ werden: Redewendung angesichts einer Sache, die man einem anderen überläßt. 1900 *ff.*

3. ~ sind, die nach rückwärts Boden gewinnen; denn sie werden die Heimat schauen: *sold* Seligpreisung im Stil der Bergpredigt Christi. 1939 *ff.*

Seligkeitsbunker *m* Kirchenbau. Ein betonierter Schutzraum, in dem man einen Vorgeschmack der ewigen Seligkeit erhalten soll. Ironie. *BSD* 1965 *ff.*

Seligmacher *m* **1.** Geistlicher. 1900 *ff, sold.*

Wenn etwas weggeht wie warme Semmeln, so meint das, daß eine Sache sich besonders gut verkaufen läßt (**Semmel 7.**, vgl. **Semmel 8.**). Daß man mit einer Semmel oder einem Wecken auch jemanden loswerden kann, beschreibt Johann Wolfgang von Goethe in seinem Roman „Die Leiden des jungen Werther" (1774): „Es ward mir schwer, mich von dem Weibe loszumachen, gab jedem der Kinder einen Kreuzer, und auch fürs jüngste gab ich ihr einen, ihm einen Weck zur Suppe mitzubringen, wenn sie in die Stadt ginge, und so schieden wir voneinander." (Brief vom 27. Mai.) Altbackene und trockene Semmeln werden nicht selten im Hackfleisch verarbeitet, und in dieser Funktion des Streckens verliert jenes Backwerk recht schnell alle positiven Konnotationen (vgl. **Semmel 2., 3., Semmelfleisch**).

2. Arzt, Militärarzt. Eigentlich der Arzt, dem viele Patienten sterben. Seligmachen = töten. 1920 ff.

Seligmachersmaat (Seligmachers Maat) m Marinegeistlicher o. ä. Maat = Genosse, Kamerad; Gehilfe an Bord. Marinespr 1900 bis heute.

Selle'rabie f **1.** undefinierbares Gemüse. Zusammengesetzt aus „Sellerie" und „Kohlrabi". Sold 1910–1945.

2. Unsinn. Verstärkung von „↗Kohl 1". 1914 ff.

Sellerie f ~ im Ohr haben = auf Zuruf nicht reagieren. Im Ohr des Betreffenden kann man wohl Sellerie pflanzen, da es mit Schmutz angefüllt ist. 1940 ff.

Sellerieknolle f Kopf des Menschen. Wegen der Formähnlichkeit. 1900 ff.

selten adv ~ blöde = besonders dumm, dümmlich. „Selten" im Sinne von „nicht häufig" entwickelt sich zur Bedeutung „kostbar" und weiter zur Geltung einer allgemeinen Steigerung. Seit dem 19. Jh.

Selters-Gelage n **1.** Trinkveranstaltung von Alkoholgegnern. Spottbezeichnung. Selters(wasser) = Mineralwasser (nach dem Quellort Selters im Taunus). 1930 ff, Berlin.

2. Umtrunk in einer Milchbar. Jug 1955 ff, Berlin.

Selterswasseraugen pl große, hervortretende Augen. Hergenommen vom (einstigen) gläsernen Kugelverschluß der Selters-, Mineralwasserflaschen. 1930 ff.

Semester n **1.** altes ~ = a) Student mit (nach) vielen Studienhalbjahren. Seit dem 19. Jh, stud. – b) ältlicher Mensch. 1920 ff. – c) altes Gerät. 1950 ff.

2. älteres ~ = bejahrter Mensch; Mensch zwischen 40 und 50 Jahren. 1920 ff.

3. hohes ~ = Student mit (nach) vielen Studienhalbjahren. 1900 ff.

4. acht ~ auf dem Buckel haben = acht Semester studiert haben. Die Bürde dieser Semester krümmt den Rücken. Stud 1870 ff.

5. im zweiten ~ Examen machen = das Studium vorzeitig (ohne Examen) beenden. Stud 1960 ff.

Semesterhemd n lange getragenes Hemd. Stud 1971 ff.

Semesterpferd n Studentin mit häufig wechselnden Geschlechtspartnern; Studentin, mit der die meisten Kommilitonen ihres Semesters koitiert haben. ↗Pferd 3. Stud 1950 ff.

'Semi'kolon n leichter Rausch. Gemeint ist, das Ende (des Satzes) sei noch nicht erreicht. Semikolon = Strichpunkt. 1920 ff, Hamburg.

Seminar n Strafanstalt. Analog zu „hohe ↗Schule". Rotw seit dem frühen 19. Jh.

Seminarist m Sträfling. Rotw 1930 ff.

Semmel f **1.** frische ~ = bleichgesichtiger Mensch. 1950 ff.

2. gebackene ~ = Frikadelle. Wegen der allzu reichlichen Weißbrotbeimengung. BSD 1960 ff.

3. getarnte ~ = Frikadelle; Hackbraten. *Vgl* das Vorhergehende. *BSD* 1965 *ff.*
4. knusprige ~ = nettes, anziehendes junges Mädchen. ↗knusprig. 1900 *ff.*
5. weiche ~ = energieloser Mensch. 1950 *ff.*
6. so sicher wie alte ~n in der Bulette = völlig sicher; unbedingt zuverlässig. ↗Bulette. 1950 *ff.*
7. das geht ab (weg) wie warme ~n = das ist leichtverkäuflich. Semmeln, frisch dem Ofen entnommen, schmecken besonders gut und sind daher sehr begehrt. 1700 *ff. Vgl franz* „se vendre comme des petits pains".
8. etw wie heiße (warme) ~n verkaufen = etw mühelos verkaufen. *Vgl* das Vorhergehende. 1900 *ff.*
9. etw verschlingen (essen o. ä.) wie warme ~n = etw gierig zur Kenntnis nehmen. 1920 *ff.*
Semmelarchitekt *m* Bäcker. 1900 *ff.*
Semmelbeine *pl* nach innen gewölbte Beine. Hängt unmittelbar nicht mit der Semmel zusammen, wohl aber mit dem Bäcker, der von seiner stehenden Tätigkeit Beinschäden bekommt. *Nordd* 1850 *ff.*
semmelblond *adj* hellblond. 1870 *ff.*
Semmeldrechsler (-dreher) *m* Bäcker. *Mitteld* 1900 *ff.*
Semmelfleisch *n* Frikadelle, Hackbraten o. ä. Wegen der Weißbrotbeimengung. 1920 *ff.*
Semmelgreis *m* platterter ~ = Schimpfwort. Meint eigentlich den glatzköpfigen, weißhaarigen Mann. *Bayr* 1920 *ff.*
Semmelkacker *m* Bäcker. 1920 *ff.*
Semmelkonstrukteur *m* Bäcker. Als Ingenieur aufgefaßt. 1963 *ff.*
Semmelkopf (-kopp) *m* Mensch mit strohblondem (weißem) Haar. 1870 *ff.*
Semmelmaurer *m* Bäcker. *Nordd* 1900 *ff.*
semmeln *v* **1.** *intr* = reden. Wohl eine mundartliche Nebenform zu „simpeln = einfältig reden". 1920 *ff.*
2. jm eine ~ = auf jn einen Schuß abfeuern. Meint eigentlich wohl soviel wie „jn semmelweich schlagen = jn windelweich prügeln". *Sold* in beiden Weltkriegen.
Semmelquetscher *m* Bäcker. *Nordd* 1900 *ff.*
Semmelschmied *m* Bäcker. 1900 *ff.*
Semmelschuster *m* Bäcker. 1930 *ff.*
Semmelstudent *m* Bäckerlehrling. Scherzhaftes Wetteiferwort aus dem *Sächs; 1918 ff.*
Semmeltechniker *m* Bäcker. *Sold* 1914 *ff.*
Semmeltürke *m* Bäcker. Vielleicht Nachahmung von „↗Kümmeltürke". Berlin 1840 *ff.*
Semperer *m* **1.** Bettler, der mit seinem Klagen lästig fällt. ↗sempern. *Bayr* und *österr* 1900 *ff.*
2. Nörgler. *Österr* 1920 *ff.*
Sempe'ritlollo *f* Mädchen, das einen Büstenhalter mit Schaumgummieinlage trägt. Semperit = österreichisch-amerikanische Gummiwerke AG. ↗Lollo. Wien 1960 *ff, jug.*

sempern *intr* nörgeln; schimpfen; wehklagen; fortwährend reden. Geht zurück auf schallnachahmendes Verbum „semmern = wimmern, winseln". *Österr* seit dem 19. Jh.
Senat *m* ~ der Alten (der Ollen) = Elternbeirat. Berlin 1960 *ff.*
Senats-Cowboy (Grundwort *engl* ausgesprochen) *m* berittener Polizeibeamter. Berlin und Hamburg, 1960 *ff.*
Sendefrequenz *f* Wirkung einer Persönlichkeit. Von der Radiotechnik hergenommen im Sinne der modischen Vokabel „Ausstrahlungskraft". 1960 *ff.*
senden *intr* dem Mitschüler vorsagen. Von der Rundfunktechnik übernommen. 1960 *ff.*
Sendepause *f* **1.** Ruhetag; Ereignislosigkeit. Übertragen von der Pause in der Programmfolge der Rundfunksender. *Sold* 1939 bis heute.
2. vorübergehende geistige Unzurechnungsfähigkeit. 1940 *ff.*
3. eine ~ einlegen = zu sprechen aufhören; verstummen. 1950 *ff.*
4. ~ haben = nichts äußern; schweigen müssen; die Antwort schuldig bleiben; sprachlos sein. *Sold, schül* und *stud* seit 1940.
Sender *m* für etw einen ~ haben = Sinn für etw haben; als charaktervoller Mensch anderen Vorbild sein. Berührt sich mit dem Begriff „Ausstrahlungskraft". 1960 *ff.*
Sendestörung *f* ~ kriegen = verstummen; am Weitersprechen gehindert werden. Dem Wortschatz der Rundfunksprecher entnommen. 1950 *ff.*
Sendung *f* **1.** eine ganze ~ = eine große Menge. Von der Warensendung übernommen (eine ganze Sendung Schnee kam vom Dach herunter). 1920 *ff.*
2. schwarze ~ = Rundfunksendung eines amtlich nicht zugelassenen Senders. ↗schwarz 5. 1965 *ff.*
Senf *m* **1.** Meinungsäußerung; lange Rede. Übertragen von der mehr oder weniger gelängten Senfbrühe zu einem Fleisch- oder Eiergericht. 1700 *ff.*
2. Kot. Wegen der Ähnlichkeit der Farbe und der Konsistenz. 1900 *ff.*
3. Lüge. Gehört zu der volkstümlichen Vorstellung, wonach Lügen und „Bescheißen" identisch sind. 1900 *ff.*
4. Rauschgift. Entweder weil es besänftigt (↗besenftigen) oder weil Rauschgift Wahnvorstellungen erzeugt, die mit Lügen gleichzusetzen sind. *Halbw* 1960 *ff.*
5. alter ~ = altbekanntes Geschwätz; überfällige Argumente. 1900 *ff.*
6. langer ~ = langes Geschwätz. 1700 *ff.*
7. scharf wie ~ = a) in Dingen der militärischen Ausbildung überaus streng. Scharf = beißend. 1900 *ff.* – b) streng, unerbittlich, rücksichtslos. 1930 *ff.*
8. in ~ kann man seine Schwiegermutter essen =

Senf mildert manches oder macht es schmackhaft. 1920 *ff.*

9. seinen ~ zu etw geben (dreingeben) = seine Ansicht zu etw äußern (meist: überflüssigerweise). Meint eigentlich „Speisen durch Senf würzen"; von da übertragen auf entbehrliche Zutaten (zur Unterhaltung). ↗Senf 1. 1700 *ff.*

10. nicht mit ~ zu genießen sein = sehr mißgestimmt sein. ↗Senf 8. 1920 *ff*, Berlin.

11. seinen ~ kriegen = zurechtgewiesen werden. „Senf" als Meinungsäußerung meint hier vor allem die Standrede. 1910 *ff.*

12. einen langen ~ über etw machen = sich über eine Sache weitschweifig äußern. ↗Senf 1. 1700 *ff.*

13. das paßt wie ~ auf Sahneschnitten = das paßt überhaupt nicht zusammen. 1960 *ff.*

14. ~ reden = törichte Ansichten äußern. ↗Senf 9. 1900 *ff.*

15. ~ verzapfen = Unsinn schwätzen. 1900 *ff.*

16. seinen ~ weghaben = grob behandelt worden sein; eine Zurechtweisung entgegengenommen haben. ↗Senf 11. 1910 *ff.*

17. er schwätzt sich einen ~ zusammen = er redet wortreich über Belangloses. 1900 *ff.*

Senfbuxe (-büchse) *f* **1.** von innen beschmutzte Hose. ↗Senf 2. 1890 *ff.*

2. furchtsamer Mann. Vor Angst hat der Schließmuskel versagt. 1910 *ff.*

senfig *adj* streng, scharf. ↗Senf 7. *Sold* 1935 *ff.*

Senfpott *m* **1.** Abortbecken; Nachtgeschirr. ↗Senf 2. 1900 *ff.*

2. Mensch, der es nicht unterlassen kann, zu allem und jedem seine Meinung zu äußern. Aus diesem Topf kommen lauter entbehrliche Ansichten. ↗Senf 1 und 9. 1920 *ff.*

Senftiegel *m* Stechbecken, Bettpfanne; Nachtstuhl. Wegen der tiegelähnlichen Form. ↗Senf 2. 1910 *ff.*

Senftopf *m* Feldlatrine. ↗Senf 2. *Sold* in beiden Weltkriegen.

Senge *pl* **1.** Prügel. Gehört zu „sengen" in der Doppelbedeutung „anbrennen" und „in der Haut prickeln". Senge sind also brennende Hiebe. *Nordd, mitteld* und *westd,* seit dem 19. Jh.

1 a. schwere sportliche Niederlage. Geprügeltwerden und Besiegtwerden sind umgangssprachlich *gleichbed.* 1950 *ff.*

2. gesalzene ~ = derbe Tracht Prügel. ↗gesalzen. 1900 *ff.*

3. ~ beziehen = a) geprügelt werden. Seit dem 19. Jh. – b) eine sehr schwere militärische Niederlage erleiden. *Sold* in beiden Weltkriegen.

sengen *v* **1.** jm eins ~ = jm einen heftigen Schlag versetzen. ↗Senge 1. 1900 *ff.*

2. sich mit jm ~ = sich mit jm prügeln. 1900 *ff.*

sengerig *adj* **1.** heikel, bedenklich, verdächtig, unheilbringend. Die Sache riecht angebrannt, nach Brand. Analog zu ↗brenzlig. 1850 *ff.*

2. ~ riechen = verdächtig, unheildrohend sein. 1850 *ff.*

Senioren-Knast *m* Justizvollzugsanstalt für Straffällige im Rentneralter (Singen am Hohentwiel). ↗Knast 1. 1972 *ff.*

Senkblei *n* ~ machen = (Hart-)Geld unauffällig in die obere äußere Rock- oder Westentasche stekken, um größere Gewinne später abstreiten zu können. Kartenspielerspr. 1970 *ff.*

Senke *f* **1.** saufen wie eine ~ = viel trinken. Senke = Senkgrube der Kanalisation. *Vgl* ↗Loch 85. 1900 *ff.*

2. vollsein wie eine ~ = volltrunken sein. 1900 *ff.*

Senkel *m* **1.** auf den ~ dreschen (hauen) = großsprecherisch sein; dreist lügen. Senkel ist der Riemen oder Gürtel. Zur Beteuerung schlägt man auf ihn. *BSD* 1965 *ff.*

2. etw auf dem ~ haben = etw leisten. Senkel = Senklot. 1950 *ff.*

3. etw in den ~ kriegen = eine Sache in die gewünschte Ordnung bringen. Senkel = Senklot. 1950 *ff.*

4. sich am ~ reißen = sich ermannen. Senkel = Gürtel. Analog zu „sich am ↗Riemen reißen". 1950 *ff.*

5. nicht mehr im ~ sein = betrunken sein. Man geht nicht mehr lotrecht. 1950 *ff.*

6. jn in den ~ stellen = jn zurechtweisen. Senkel = Senkblei. Stammt aus dem Kreis der Bauhandwerker. 1910 *ff.*

senken *tr* einen Schüler nicht in die nächsthöhere Klasse versetzen. Sonderbedeutung von „sinken lassen". Gegenwort ist „steigen". *Schül* 1900 *ff.*

Senker *m* **1.** Nachkömmling; Sohn, Knabe. Eigentlich der Rebableger. *Nordd* und *mitteld,* seit dem 19. Jh.

2. tiefe Verbeugung. Kopf und Oberkörper werden tief gesenkt. *Jug* 1950 *ff*, Berlin.

senkrecht *adj* **1.** charakterfest, lebenstüchtig. Gehört zur Vorstellung des „aufrechten" Charakters. 1950 *ff.*

2. unbestechlich. 1950 *ff.*

3. bleiben Sie ~!: Zuruf an einen Stolpernden oder Stürzenden. *Sold* und *jug* 1900 *ff.*

4. ~ bleiben = sich keinen Phantastereien hingeben. *Sold* und *ziv* 1900 *ff.*

5. nicht ~ bleiben = bezecht torkeln. 1920 *ff.*

6. ~ haben = ganz bestimmt recht (Recht) haben. „Senkrecht" wird hier als Steigerung von „recht" empfunden. 1880 *ff.*

7. sich ~ halten = gesund, mannhaft, aufrichtig bleiben; sich nicht entmutigen lassen. Senkrecht = stehend; waagerecht = bettlägerig. 1900 *ff.*

8. das ist ~ = das ist ordentlich, tadellos, angebracht. Analog zum Begriff „lotrecht" aus dem Bauhandwerk. Seit dem frühen 20. Jh, vorwiegend *jug.*

9. jn ~ stellen = jn aufmuntern, zurechtweisen. Parallel zu „jn in den ↗Senkel stellen". 1900 *ff.*

Senkrechte *f* man (das) hat mich aus der ~n gerissen!: Ausdruck der Verwunderung. Vor Erstaunen oder Erschrecken hat man das Gleichgewicht verloren. *Halbw* 1960 *ff*.

Senkrechtes *n* das einzig Senkrechte = das unbedingt Richtige; das einzig Notwendige; das Maßgebende. ↗senkrecht 8. 1900 *ff*.

Senkrechtstart *m* **1.** schneller beruflicher Aufstieg (im öffentlichen Leben); schneller „Durchbruch" eines Künstlers. Von der Flugzeugtechnik (Raketentechnik) übernommen. 1965 *ff*.
2. rascher Verkaufserfolg einer Ware. 1965 *ff*.

Senkrechtstarter *m* **1.** Politiker, der schneller als andere in eine führende Stellung gerät; beruflich sehr schnell aufsteigender Könner. Eigentlich ein Kampfflugzeug, das wie ein Hubschrauber senkrecht starten und landen kann. 1960 *ff*.
2. rasch beliebt gewordener Markenartikel. 1965 *ff*.
3. schnell zu Reichtum gelangter Unternehmer. 1965 *ff*.
4. schnell an die Tabellenspitze gelangende Fußballmannschaft. *Sportl* 1965 *ff*.
5. hochprozentiges alkoholisches Getränk. Seine Wirkung macht sich schnell bemerkbar. 1965 *ff*.
6. rasch aufbrausender Mensch. *Vgl* ↗hochgehen 2. *Halbw* 1965 *ff*.

Senkrücken *m* diensteifriger Mensch; würdelos liebedienerischer Mensch. Meint medizinisch eigentlich die Krümmung der Wirbelsäule (Lordose). *BSD* 1965 *ff*.

Senkung *f* **1.** Beerdigung. Versenken = begraben. Totengräberspr. 1950 *ff*, Berlin.
2. große ~ = Beerdigung eines Erwachsenen. 1950 *ff*.
3. kleine ~ = Beerdigung eines Kindes. 1950 *ff*.

Sennetörtli *n* Kuhfladen. Aufgefaßt als kleine Torte für den Senn. (Almhirt). *Schweiz* 1920 *ff*.

Sensationsknüller *m* Ereignis, das Schlagzeilen macht. ↗Knüller. 1955 *ff*.

Sensationsmache *f* übertriebene (unwahre) Darstellung eines Sachverhalts, um Aufsehen zu erregen. ↗Mache. 1950 *ff*.

Sense *f* **1.** Seitengewehr; Hiebwaffe. Verglichen mit dem langstieligen Mähwerkzeug. *Sold* seit dem späten 19. Jh bis 1945.
2. ~ (dann ist ~)! = Schluß! aus! Irrtum! Unsinn! aufhören! Formuliert vielleicht die Gebärde der Ablehnung und Abweisung, indem man den Arm rasch seitwärts bewegt wie beim Mähen von Hand; oder Schnitterzuruf, die Sense wegzulegen, also die Arbeit einzustellen; oder verkürzt aus „geh aus der Sense!" im Sinne von „geh zur Seite, damit ich dich nicht mit der Sense schneide!". Kinder rufen beim Rodeln „Sense!" im Sinne von „Bahn frei!". Seit dem späten 19. Jh, vor allem *schül, stud* und *sold,* auch arbeiterspr.
3. Entlassung mit Ablauf der Dienstzeit. *BSD* 1965 *ff*.

4. Zapfenstreich. *BSD* 1965 *ff*.
5. alte ~ = energieloser Mensch; Versager. Er ist unbrauchbar wie eine abgenutzte Sense. 1910 *ff*.
6. scharf wie sieben ~n = sehr sinnlich veranlagt. ↗scharf 4. 1960 *ff*.
7. eine wüste ~ übers Parkett hauen = a) ungestüm tanzen. Es erinnert an ein ungestümes Mähen mit weit ausholenden Schwüngen. 1950 *ff*. – b) ausschweifend leben. Vom Vorhergehenden verallgemeinert. 1950 *ff*.
8. ~ machen = a) Schluß machen; das Handwerkzeug beim Arbeitsende niederlegen. ↗Sense 2. 1939 *ff*. – b) verloren, tot sein. 1939 *ff*.
9. jn mit der ~ rasieren = a) jn kräftig übertölpeln. Verstärkung von „↗rasieren 6". 1910 *ff*. – b) jn mit einer Hiebwaffe verwunden. ↗Sense 1. *Sold* 1939 *ff*. – c) jm übel mitspielen. *Sold* 1939 *ff*.
10. seine Oma ist mit der ~ rasiert = er ist nicht ganz bei Verstand. *Schül* 1950 *ff*.
11. ~ sein = tot sein. *Sold* 1939 *ff*.

Sensibelchen *n* hochempfindlicher, gefühlvoller Mensch. 1980 *ff*.

Senta *f* Rufname des Hundes. Geht vielleicht zurück auf den Buchtitel „Die gelbe Dogge Senta" von Paul Eipper (1936).

Sentimentalitätentruhe *f* Kasten zum Aufbewahren von Einladungen, Tanzkarten, Tanzorden usw. 1925 *ff*.

Sentimentalschnulze *f* übertrieben gefühlvolles Schlagerlied oder Bühnen-, Filmstück usw. ↗Schnulze 1. 1960 *ff*.

Separate *f* Privatunterkunft eines Studenten. Berlin 1960 *ff*.

Separatist *m* Einzelgänger. Eigentlich der Anhänger einer Bewegung, die einen Gebietsteil aus dem Staatsgebiet abtrennen will. 1950 *ff*.

Separatl *n* Chambre séparée. *Bayr* und *österr,* 1900 *ff*.

Séparée *n* **1.** Gefängnis. Wien 1930 *ff*.
2. Einzelhaft. Eigentlich das Einzelzimmer in einem Restaurant. Wien 1930 *ff*.
3. fahrbares ~ = breitgebautes Auto. Anspielung auf den Austausch von Intimitäten. *Halbw* 1950 *ff*.

Seppel (Seppl) *m* **1.** Bayer. Verkürzt aus dem Vornamen Joseph (Giuseppe). Eine in Bayern unübliche Bezeichnung. Seit dem späten 19. Jh.
2. dummer Mensch. 1900 *ff*.
3. Rufname von Hund und Katze. 1900 *ff*.

Seppelhose (Seppelhose) *f* kurze Lederhose mit vorderem Klappenverschluß. Als Tracht zwischen 1880 und 1890 aufgekommen. Keine *bayr* Bezeichnung.

Seppelhut (Seppelhut) *m* kleiner Filzhut mit Gamsbart. Unter eingesessenen Bayern unübliche Bezeichnung. 1880 *ff*.

Seppel-Seuche (Seppl-Seuche) *f* Freude von Nichtbayern, sich oberbayerisch oder tirolerisch zu kleiden. Spätestens seit 1900.

septisch *adj* da bin ich ~ = das glaube ich nicht. Entstellt aus „skeptisch". *Sold* 1939 *ff.*

Septoberfest *n* Münchener Oktoberfest, dessen Beginn in den Monat September fällt. 1960 *ff.*

serbisch *adv* schlecht (als Antwort auf die Frage nach dem Wohlergehen). Abkürzung von „sehr beschissen" mit Einwirkung von „serblich = kränklich". Berlin 1930 *ff*, kaufmannsspr.

Serienknüller *m* erfolgreiches Fernsehstück mit mehreren Folgen. ↗Knüller. 1970 *ff.*

Serine *f* williges Mädchen. Hängt vielleicht zusammen mit *engl* „anserine = gänseartig; dumm" oder mit *franz* „serine = Kanarienvogelweibchen". Berlin 1955 *ff*, halbw.

Serpentine stehen in langer Reihe vor dem Lebensmittelgeschäft (vor der Theaterkasse) anstehen. Parallel zu „↗Schlange stehen". Im Ersten Weltkrieg aufgekommen.

Serum *n* Schnaps. Eigentlich der Impfstoff; hier aufgefaßt als alkoholisches Vorbeugemittel gegen Grippe, Erkältung usw. 1930 *ff.*

serumselig *adj* schnapstrunken. ↗selig 1. 1930 *ff.*

Serumtanke *f* **1.** Impfung. Tanke = Tankstelle. *Sold* 1939 *ff.*
2. Alkoholausschank. ↗Serum. 1930 *ff*, Berlin.

Service *(franz* ausgesprochen) *n* **1.** ewiges ~ = stets ergänzbares Einheits-Tafelgeschirr; unzerbrechliches Tafelgeschirr. 1960 *ff.*
2. sein ~ nicht vollhaben = nicht ganz bei Verstand sein. Parallel zu „nicht alle ↗Tassen im Schrank haben". *Schül* 1950 *ff.*

Servierbrett *n* wie auf dem ~ liegen = ohne Deckung sein. Speisen auf dem Servierbrett sind allen Augen zugänglich. ↗Präsentierteller 3 a. *Sold* 1939 *ff.*

servieren *v* **1.** jm eine ~ = jm eine Ohrfeige versetzen. Der Betreffende wird mit einer Ohrfeige „bedient". 1920 *ff.*
2. jm etw ~ = jm etw (lügnerisch) erzählen. Man tischt es ihm auf oder setzt es ihm vor. 1920 *ff.*

Servierhäschen *n* nette Kellnerin. ↗Häschen. 1960 *ff.*

Servier-Ordonnanz *f* Kellnerin. Aus der Offizierssprache im ausgehenden 19. Jh in die Studentensprache gewandert (Mensa-Kellnerin).

Serviertablett *n* auf dem ~ sitzen = allen Blicken ausgesetzt sein. ↗Präsentierteller. 1920 *ff.*

serviert werden Glück haben. Analog zu „↗bedient sein". *Halbw* 1955 *ff.*

Serviette *f* Abortpapier. *BSD* 1965 *ff.*

Serviettenschwenker *m* Kellner. Spätestens seit Ende des 19. Jhs.

Servus *m* **1.** ~ machen = militärisch grüßen. Übernommen vom *österr* Gruß „Servus" (im Sinne von „Diener; ergebenster Diener"). *Österr* 1939 *ff.*
2. einen ~ machen = ein Kompliment machen. Eigentlich eine Höflichkeitsfloskel. *Oberd* 1900 *ff.*
3. einen ~ reißen = a) sich schwungvoll verbeu-

gen. *Bayr* und *österr*, spätestens seit 1900. – b) militärisch grüßen. *Österr* 1939 *ff.*
4. unter etw seinen ~ setzen = etw unterschreiben. *Bayr* und *österr*, 1950 *ff.*

Servussoldat *m* österreichischer Soldat. ↗Servus 1 und 3. *Sold* 1939 *ff.*

Sesam *m* Dietrich, Nachschlüssel. Fußt auf der Zauberformel „Sesam, öffne dich!" aus „Ali Baba und die vierzig Räuber" der Märchensammlung „Tausendundeine Nacht". Kein ursprünglich *rotw* Ausdruck, eher von Schriftstellern geprägt. 1950 *ff.*

Sessel *m* **1.** Note „Genügend" (vier). Das Zahlzeichen 4 ähnelt einem Sessel. 1950 *ff*, schül.
2. ~ mot. = Kabinenroller. Aufgefaßt als motorisierter Lehnstuhl. 1959 *ff*, Berlin.
3. den ~ drücken = Beamter sein. *Österr* 1950 *ff.*
4. nicht alle ~ im Stübchen haben = nicht recht bei Verstand sein. 1920 *ff.*
5. jn aus dem ~ heben = jds Amtsenthebung betreiben. 1950 *ff.*
6. am ~ kleben = seine Amtsstellung möglichst lange zu behalten suchen; keine andere Tätigkeit ins Auge fassen. Vgl ↗Stuhl 16. 1920 *ff.*
7. das reißt (hebt, haut) mich aus (von) dem ~ = das regt mich auf; das begeistert mich, raubt mir die Fassung. Vor Erregung springt man aus dem Sessel auf. Vgl ↗Stuhl 13 und 21. 1920 *ff.*
8. am ~ sägen = jn aus der Amtsstellung zu verdrängen suchen. Vgl ↗Stuhl 23. 1920 *ff.*
9. zwischen zwei ~n sitzen = mit zwei Plänen (o. ä.) scheitern; eine unsichere Verbindung gelöst und keine sichere gefunden haben. ↗Stuhl 28. 1500 *ff.*
10. sein ~ wackelt = der Amtsposten ist ihm nicht länger sicher. Vgl ↗Stuhl 32. 1920 *ff.*
11. jds ~ wackeln lassen = jds weitere Amtstätigkeit in Frage stellen. 1950 *ff.*

Sesselbumser *m* Beamter; Bürotätiger. Bumsen = Darmwinde laut abgehen lassen. 1920 *ff.*

Sesselfarmer *m* Geldgeber für einen landwirtschaftlichen Betrieb mit Gewinn- und Verlustbeteiligung, jedoch ohne eigene Mitarbeit. 1960 *ff.*

Sesselfurzer *m* Büroangestellter; Beamter, Schreibstubendienstgrad. ↗Sesselbumser. 1920 *ff.*

Sessel-Imkerei *f* Bienenhaltung eines Nichtfachmanns durch einen fremden Berufsimker. 1960 aufgekommen als Kapitalanlage.

Sesselkleber *m* spät aufbrechender Gast. Vgl ↗Stuhl 16. 1960 *ff.*

Sesselkrieger *m* Zahlmeister; Truppenverwaltungsbeamter. Vom Schreibtischsessel aus nimmt er am Krieg teil. *Sold* in beiden Weltkriegen. Vgl *engl* „armchair commandos".

Sesselorden *m* Kriegsverdienstkreuz. Es ist wohl durch sitzende Tätigkeit hinter der Front erworben worden. *Sold* in beiden Weltkriegen.

Sesselpolitiker *m* Bürger, der daheim die Politiker kritisiert. 1960 *ff.*

Sesselpuper *m* Bürobediensteter. ↗pupen. 1920 *ff.*

Sesselrücken *n* Ministerwechsel. Dem „Tischrücken" nachgebildet. 1955 *ff.*

Sesselrutscher *m* Beamter, Büroangestellter. 1910 *ff.*

Sesselwagen *m* Zeugnis mit vorwiegend ausreichenden Noten. ↗Sessel 1. *Österr* 1950 *ff*, *schül.*

seßhaft *adj* **1.** seßhafter Mensch = Mensch, der sich nur schwer zum Weggehen entschließen kann. Eigentlich soviel wie „ansässiger Mensch". Seit dem 19. Jh.
2. ~ werden = zu einer Freiheitsstrafe verurteilt werden. ↗sitzen 1. 1960 *ff.*
3. erotisch ~ werden = eine Ehe eingehen. 1955 *ff.*

setzen *v* **1.** es setzt etwas (welche) = es gibt Prügel, Zank. Setzen = Platz greifen; plötzlich ausbrechen. Seit dem späten 17. Jh.
2. einen ~ = koten. Man setzt („pflanzt") einen Kothaufen. 1900 *ff.*
3. mich hat's erst mal gesetzt!: Ausdruck des Erstaunens. 1920 *ff*, *bayr.*
4. jn ~ lassen = jn in Haft nehmen. Seit dem 19. Jh.

Setzkopf *m* eigensinniger Mensch. Er „setzt den ↗Kopf auf". *Südd* seit dem 19. Jh.

setzkopfig (setzköpfig) *adj* eigensinnig. *Schweiz* und *bayr*, seit dem 19. Jh.

Setzkopfigkeit *f* Eigensinn. Seit dem 19. Jh.

Setzling *m* **1.** Sohn, Nachkömmling. Eigentlich der Ableger von Pflanzen. 1500 *ff.*
2. Sextaner; Schüler der Unterstufe; Schulanfänger. 1930 *ff*, *südwestd.*
3. Studien-, Gerichtsreferendar. 1920 *ff*, *südwestd.*

Seuche *f* **1.** Rausch. Entweder Nebenform von „↗Siech" oder zusammenhängend mit „seichen = harnen". *Österr* 1930 *ff.*
2. die ~ haben = beim Spiel oder bei geschäftlichen Unternehmen langanhaltend Unglück haben. Hergenommen von der hartnäckigen Epidemie. 1900 *ff*, *nordd.*
3. da ist die ~ drin = das will nicht glücken. 1900 *ff.*

Seuchenpauli *m* Angehöriger der ABC-Abwehrtruppe. ↗Pauli. *BSD* 1965 *ff.*

Seufz *m* Seufzer. Übernommen von den „Blasentexten" der Bildergeschichten (Comic strips). 1960 *ff.*

seufzen *v* **1.** *tr intr* = trinken; viel trinken. Euphemistisch aus „saufen" entstellt. 1900 *ff.*
2. still ~ = heimlich einen unhörbaren Darmwind entweichen lassen. 1840 *ff.*

Seufzer *m* stiller ~ = lautlos abgehender Darmwind. 1840 *ff*,

Seufzerallee *f* **1.** beliebter Spazierweg der Liebespaare. Seit dem 19. Jh. 1837 von Heinrich Heine für den Düsseldorfer Hofgarten bezeugt.
2. abgelegene Korridore der Ballsäle. Wien seit dem 19. Jh.
3. Straße mit hypothekarisch hoch belasteten Häusern. 1920 *ff.*

Seufzerbrücke *f* Kommandobrücke. Übersetzt aus *ital* „ponte de sospiri", wobei „Seufzer" allerdings euphemistisch für Schimpfen und Fluchen steht. *Marinespr* 1900 *ff.*

Seufzerecke *f* Zeitungsspalte, in der Leser ihre Kümmernisse ausbreiten. 1955 *ff.*

Seufzerkasten *m* Musterkoffer. Der Träger begleitet ihn mit vielen Seufzern. *Kaufmannspr.* seit dem ausgehenden 19. Jh.

Seufzerpromenade *f* Spazierweg für Liebespaare. Seit dem 19. Jh.

Seufzerprüfung *f* Schulabschlußprüfung. *Oberd* 1950 *ff.*

Seufzerspalte *f* Zeitungsspalte mit Anfragen ratloser Menschen oder mit Heiratswünschen. 1955 *ff.*

Sex *m* **1.** Anziehungskraft auf das andere Geschlecht; Geschlechtlichkeit (rein körperlicher Natur); Zurschaustellung weiblicher Körperreize; Liebreiz. Aus dem *Engl* 1945 entlehnt.
2. Motorleistung des Kraftfahrzeugs. Übernommen vom Begriff „(Geschlechts-)Kraft", zugleich im Sinne von „Anzugsmoment". 1955 *ff.*
3. ~ aus der Tube = Hautcreme. 1955 *ff.*
4. ~ im Rücken = Rückendekolleté. 1955 *ff.*
5. geistfreier ~ = Besitz verführerischer weiblicher Körperformen ohne entsprechende Geistesgaben. 1955 *ff.*
6. harter ~ = Zurschaustellung von Intimitäten; Geschlechtsverkehr mit Peitsche u. ä. 1965 *ff.*
7. kühler ~ = in Benehmen und Bekleidung zum Ausdruck kommende geschlechtliche Unnahbarkeit. 1960 *ff.*
8. unterkühlter ~ = Verhüllung der Reize des Frauenkörpers. 1960 *ff.*
9. zärtlicher ~ = Erotik. 1960 *ff.*
10. in ~ baden = geschlechtlich aufreizende Rollen genüßlich spielen. 1960 *ff.*
11. auf ~ frisiert sein = auf Darbietung körperlicher Reize hergerichtet sein. 1955 *ff.*
12. auf ~ gehen = sich so kleiden, schminken und bewegen, daß man geschlechtlich reizt. 1960 *ff.*
13. mit ~ geladen sein = geschlechtlich voller Anziehungskraft sein. Man ist geladen wie ein Akkumulator. 1955 *ff.*
14. auf ~ getrimmt sein = auf die Zurschaustellung geschlechtlicher Reize ab- und/oder hergerichtet sein. 1955 *ff.*
15. vom ~ leben = Filmschauspielerin in Nackt-, Halbnacktszenen sein; der Pornografie dienen. 1960 *ff.*
16. ~ machen = koitieren. *Schül* 1965 *ff.*
17. ~ verkaufen = sich in raffinierten Halbnackt-, Nacktstellungen zur Schau stellen. 1960 *ff.*

sexaltiert *adj* übermäßig auf „Sex" versessen. Zusammengesetzt aus „Sex" und „exaltiert". Die meisten der vielen derartigen Zusammensetzungen waren nur kurzlebig. 1960 *ff.*

Sexartikel *m* Filmschauspielerin, bei der nur die geschlechtliche Wirkung von Bedeutung ist. Ihre Geschlechtlichkeit ist eine Handelsware. 1960 *ff.*

Sexathlet *m* geschlechtlich sehr leistungsfähiger Mann. 1950 *ff.*

sexbeflissen *adj* auf geschlechtliche Reize bedacht. 1955 *ff.*

sexbeladen *adj* geschlechtlich aufreizend; sinnlich-spritzig. *Halbw* 1955 *ff.*

Sexbiene *f* Mädchen mit starker Anziehungskraft auf die Männer. ↗ Biene 3. 1950 *ff.*

sexblond *adj* blondiert in Verbindung mit der Zurschaustellung geschlechtlicher Reize. 1960 *ff.*

Sexblondine *f* Blondine mit üppigen geschlechtlichen Reizen. 1960 *ff.*

Sexbold *m* Mann, dessen Liebesgefühle nur den geschlechtlichen Reizen des Frauenkörpers gelten. Nachgeahmt den Wörtern wie „↗ Witzbold", „↗ Scherzbold" u. ä. 1960 *ff.*

sexbombastisch *adj* in geschlechtlicher Hinsicht übertrieben stark wirkend. Gekreuzt aus „Sex", „Sexbombe" und „bombastisch". 1955 *ff.*

Sexbombe *f* **1.** Filmschauspielerin mit stark sinnlich erregender Wirkung. Beeinflußt von der Vorstellung der einschlagenden Bombe. ↗ Bombe 1. 1950 *ff.*
2. geschlechtlich anziehende weibliche Person, die sich ihrer körperlichen Reize bewußt ist und auf Männerfang ausgeht. 1965 *ff.*
3. ~ vom Dienst = zur Zeit in Mode stehende Filmschauspielerin mit freigebig zur Schau gestellten körperlichen Reizen. Dem „Unteroffizier vom Dienst" nachgebildet. 1955 *ff.*
4. eine ~ entschärfen = die sinnlich erregende Wirkung einer Filmschauspielerin einschränken. Übernommen vom Entschärfen der Minen und Blindgänger. 1955 *ff.*

Sexbombenrolle *f* Film- oder Bühnenrolle, bei der die Darstellerin die Reize ihres Körpers zur Geltung bringen kann. Zusammengesetzt aus „Sexbombe" und „Bombenrolle". 1955 *ff.*

Sexbombenvolltreffer *m* durch geschlechtliche Reize überaus anziehende Schauspielerin. 1955 *ff*, *journ.*

Sexbomber *m* **1.** Frau mit üppigen Körperformen. ↗ Bomber 8. 1950 *ff.*
2. Mann mit geschlechtlich aufreizendem Auftreten; Mann mit starker geschlechtlicher Anziehungskraft. ↗ Bomber 5. 1955 *ff.*

sexbombig *adj* geschlechtlich erregende Körperformen vorführend. 1950 *ff.*

Sexbranche (Grundwort *franz* ausgesprochen) *f* Geschäftemacherei mit der körperlichen Geschlechtlichkeit. 1960 *ff.*

Sexbraten *m* nettes, anziehendes Mädchen. „Bra-

ten" gehört zu der Vorstellung „knusprig = appetitreizend". ↗ Braten 1. 1960 *ff.*

Sexbremse *f* **1.** Monatsbinde; Keuschheitsgürtel. 1950 *ff.*
2. Frau ohne jeden Liebreiz. 1950 *ff.*

Sexbrumme *f* Mädchen mit starker geschlechtlicher Wirkung. ↗ Brumme 2. 1955 *ff*, *halbw.*

Sexbulle *m* Mann, der nur für die körperliche Geschlechtlichkeit Sinn hat. ↗ Bulle 1. 1965 *ff.*

Sexdiva *f* Filmschauspielerin mit üppigen Körperformen. ↗ Diva. 1955 *ff.*

sexen *intr* **1.** in geschlechtlich aufreizender Pose auftreten. 1960 *ff*, *journ.*
2. geschlechtlich verkehren. 1960 *ff.*

Sexe'rei *f* Vorgänge (Darstellung) des Geschlechtslebens. 1960 *ff.*

Sexerle *n f* Frau (Kosewort). 1960 *ff.*

Sex-Explosivkörper *m* temperamentvolle Frau mit überaus starker sinnenerregender Wirkung. Parallel zu „↗ Sexbombe". 1960 *ff.*

Sex-Export *m* wegen ihrer geschlechtlichen Reize im Ausland sehr beliebte Filmschauspielerin. 1955 *ff.*

Sex-Exportartikel *m* im Ausland sehr publikumswirksame Filmschauspielerin mit anziehenden Körperformen. Wegen ihrer geschlechtlichen Wirkung wird sie zu einem Handelsartikel. 1955 *ff.*

Sexfilm *m* Film mit Szenen aus dem Geschlechtsleben. 1960 *ff.*

Sexfilmbombe *f* publikumswirksamer Film mit „Sex"-Szenen. ↗ Bombe 5. 1960 *ff.*

Sexfilmer *m* Hersteller von „Sexfilmen". 1960 *ff.*

Sex-Firma *f* kaufmännisches Unternehmen unter Leitung einer Frau. Verallgemeinernd übertragen von dem „Sexartikel"-Handelsunternehmen der Beate Uhse, Flensburg. 1960 *ff.*

Sexfummel *m* geschlechtlich aufreizendes Kleid. ↗ Fummel I 1. 1960 *ff.*

Sexfutter *n* **1.** Lebensgefährtin eines Mannes, der nur die körperliche Geschlechtlichkeit schätzt. 1950 *ff.*
2. weibliche Person, die durch Entblößung (Striptease) die Sinnlichkeit der Zuschauer wachruft. 1955 *ff.*

sexgeladen *adj* von körperlicher Geschlechtlichkeit erfüllt. ↗ Sex 13. 1955 *ff.*

sexgepfeffert *adj.* temperamentvoll geschlechtsgierig. ↗ gepfeffert 1. 1960 *ff.*

Sexgerangel *n* Liebesszene mit Entzweiung und Versöhnung. ↗ rangeln. 1960 *ff.*

sexgerecht *adj adv* geschickt posierend, so daß die anziehenden Körperformen gut zur Geltung kommen. 1955 *ff.*

Sexgeschäft *n* **1.** Geschäftemacherei mit der Geschlechtlichkeit. 1955 *ff.*
2. Prostitution. 1955 *ff.*

Sexgewerblerin *f* Prostituierte. Der „↗ Gunstgewerblerin" nachgebildet. 1960 *ff.*

Sexgöttin *f* Filmschauspielerin, die wegen ihrer

sinnlich erregenden Körperformen wie abgöttisch beliebt ist. 1960 *ff.*

Sexgranate *f* Frau mit geschlechtlich aufreizenden Körperformen. Parallel zu „Sexbombe". 1955 *ff.*

Sexgymnastik *f* Geschlechtsverkehr. 1960 *ff.*

Sexhappen *m* Filmschauspielerin, die ihre körperlichen Reize aufreizend zur Schau stellt. Happen = kleiner Bissen; Imbiß; Kostprobe. 1960 *ff.*

Sexhaubitze *f* Filmschauspielerin mit überbetont üppigen geschlechtlichen Reizen. Analog zu „Sexkanone". 1955 *ff.*

Sex-Hexe *f* verführerische weibliche Person. 1955 *ff.*

Sex-Hexlein *n* junge verführerische Filmschauspielerin; junge Filmschauspielerin in der Rolle der Verführerin. 1955 *ff.*

sexig *adj* geschlechtlich aufreizend. Aus *engl* „sexy" eingedeutscht. 1960 *ff.*

Sex-Import *m* ausländische Filmschauspielerin, die ihre Körperformen raffiniert zur Geltung zu bringen versteht. 1955 *ff.*

Sexindustrie *f* Geschäftemacherei mit der rein körperlichen Geschlechtlichkeit. 1960 *ff.*

sexisch *adj* auf den Geschlechtstrieb bezogen. 1965 *ff.*

Sexival *n* Filmfestspiele, bei denen die Filmschauspielerinnen ihre geschlechtlichen Reize wirkungsvoll zur Geltung bringen. Zusammengesetzt aus „Sex" und „Festival". 1957 *ff*, Berlin.

Sexkanone *f* geschlechtlich wirkungsvolle weibliche Person. ↗ Kanone 1. 1950 *ff.*

Sexkapade *f* Ehebruch; Flirt eines Verheirateten. Zusammengesetzt aus „Sex" und „Eskapade". *Journ* 1955 *ff.*

Sexkätzchen *n* 1. Nachwuchs-Filmschauspielerin, die ihre körperlichen Reize wirkungsvoll zur Schau stellt. ↗ Kätzchen 1. 1955 *ff.* 2. jugendliche Prostituierte. 1965 *ff.*

Sexkatze *f* Filmschauspielerin in der Rolle der Verführerin. ↗ Katze 2. 1955 *ff.*

Sexklamotte *f* Posse (Schwank) mit anspruchslosen Einfällen aus dem Bereich der körperlichen Liebe. ↗ Klamotte. 1960 *ff.*

sexklusiv *adj* nur auf körperliche Geschlechtlichkeit bezogen. Zusammengesetzt aus „Sex" und „exklusiv". 1960 *ff.*

Sexknüller *m* publikumswirksame Darstellung der körperlichen Liebe (o. ä.). ↗ Knüller. 1960 *ff.*

Sexkoller *m* Leistungsabfall mangels Geschlechtsverkehrs. ↗ Koller 1. 1970 *ff.*

Sexkrankheit *f* Geschlechtskrankheit. 1950 *ff.*

Sexkuchen *m* am ~ naschen = sich am Geschäft mit dem „Sex" beteiligen. 1965 *ff.*

Sexkuh *f* Schauspielerin, die den Mangel an schauspielerischem Können durch Zurschaustellung ihrer schwellenden Körperformen zu überspielen sucht. ↗ Kuh 1. 1950 *ff.*

Sexkumpel *m* Geschlechtspartner. ↗ Kumpel. 1960 *ff.*

Sexkurvenstar *m* Filmschauspielerin, die den beruflichen und materiellen Erfolg ihren aufreizend zur Schau gestellten Körperformen verdankt. ↗ Kurvenstar. 1955 *ff.*

Sexladen *m* 1. Geschäft für sexfördernde Mittel. *Vgl* ↗ Sexfirma. 1960 *ff.* 2. Klublokal. 1965 *ff, jug.*

sexlastig *adj* das Hauptgewicht auf geschlechtlich aufreizende Körperformen legend (unter Vernachlässigung anderer Werte). 1960 *ff.*

Sexlawine *f* Frau mit sehr üppigen Körperformen. 1960 *ff.*

Sex-Literat *m* Schriftsteller, der über die geschlechtlichen Beziehungen schreibt. 1960 *ff.*

Sex-Luderchen *n* junges Mädchen mit raffinierten geschlechtlichen Verführungskünsten. ↗ Luderchen 1. 1965 *ff.*

Sexmädchen *n* Mädchen mit anziehenden Körperformen. 1960 *ff.*

Sexmagnet *m* Mädchen, von dem eine große geschlechtliche Anziehungskraft ausgeht. 1960 *ff.*

Sexmanager *m* Mann, der mit der körperlichen Geschlechtlichkeit Geschäfte macht; geschäftstüchtiger Pornograf. 1965 *ff.*

Sexmarkt *m* Geschäftemacherei mit der Liebe und dem, was man dafür ausgibt. 1960 *ff.*

Sex-Masche *f* geschäftstüchtige Ausnutzung anziehender Körperformen. ↗ Masche 1. 1955 *ff.*

Sexmaschine *f* 1. Prostituierte. 1955 *ff.* 2. stark geschlechtlich wirkender Mann. 1960 *ff.* 3. schweres Motorrad. ↗ Sex 2. 1960 *ff.*

Sex-Mieze *f* Filmschauspielerin, die in realistischen Liebesszenen auftritt. ↗ Mieze 1. 1960 *ff.*

sexmüde *adj* der Zurschaustellung weiblicher Reize, der nur körperlichen Liebe überdrüssig. 1955 *ff.*

Sexmuffel *m* 1. überaus sittenstrenger Mensch; Mann, der seiner Frau (Freundin) treu ist; Mann, der in Dingen des Geschlechtsverkehrs phantasielos ist; Striptease-Gegner. ↗ Muffel 2. Unmittelbar nach Erfindung des Worts „Krawattenmuffel" 1965 aufgekommen. 2. Mann, der sich dem Geschlechtsverkehr weitgehend entzieht. 1970 *ff.*

Sex-Nächte-Rennen *n* großstädtisches Nachtleben auf den Straßen. Dem „Sechstagerennen" scherzhaft nachgebildet. 1950 *ff.*

Sexnassauer *m* Belauscher von Liebespaaren. ↗ Nassauer. 1960 *ff.*

Sexnudel *f* weibliche Person mit auf- und eindringlich zur Schau gestellten, prallen (drallen) Körperformen. Übertragen von der gequollenen (Dampf-)Nudel. 1960 *ff.*

Sexpansion *f* zunehmende Bedeutung der körperlichen Geschlechtlichkeit. Zusammengesetzt aus „Sex" und „Expansion". 1960 *ff.*

sexpansiv *adj* den Sinn für die körperliche Liebe verbreitend. 1960 *ff.*

Sexpapst *m* Mann, der sich hinsichtlich ge-

An Komposita mit **Sex** mangelt es der Umgangssprache, dem Thema durchaus angemessen, nun wirklich nicht. Das geht von der **Sexkapade** und dem **Sexnassauer** über den **Sexpapst** und die **Sexperimente** bis hin zur **Sexplosion** und dem **Sexsilo**. Auf dem Foto oben ist eine **Sexmieze** oder **Sexkatze** zu sehen – Wortschöpfungen, die sich wohl vom oft recht schmusigen Verhalten dieser Samtpföter herleiten. Nicht beim Film, wie das bei umgangssprachlichen Sexmiezen üblich zu sein scheint, war eine andere Mieze, die ihren Lebensunterhalt allerdings ebenfalls mit dem Verkauf von Sex

(Sex 1.) verdiente. Eigentlich hieß sie ja Emilie Parsunke und kam aus Bernau, wurde von ihrem Beschützer Franz Biberkopf aber nur Mieze genannt. Und so verhielt sie sich auch: „Und im Bett, da ist sie sanft wie eine Feder, jedesmal so ruhig und zart und glücklich wie zuerst. Und immer ist sie ein bißchen ernst, und ganz wird er aus ihr nicht klug: Ob die was denkt, wenn sie so dasitzt und gar nichts tut, und was sie denkt. Fragt er sie, so sagt sie immer und lacht: sie denkt gar nichts. Man kann doch nicht den ganzen Tag was denken." (Alfred Döblin, Berlin Alexanderplatz.)

schlechtlicher Aufklärung für alleinzuständig hält (zu halten scheint). 1967 *ff.*

Sex-Party *f* **1.** Party mit geschlechtlicher Annäherung der Paare. 1960 *ff.*

2. Jugendlichen-Party im Kellerlokal o. ä. 1960 *ff.*

Sexperimente *pl* Liebesspiele. Zusammengewachsen aus „Sex" und „Experimente". 1960 *ff.*

Sexperte *m* Frauenheld. Gekreuzt aus „Sex" und „Experte". 1955 *ff.*

2. Berater in geschlechtlichen Dingen. 1965 *ff.*

Sexplosion *f* unwiderstehlicher Ausbruch der Geschlechtslust. Aus „Sex" und „Explosion" zusammengesetzt. 1960 *ff.*

sexplosiv *adj* gierig nach dem (einen) Geschlechtspartner. 1960 *ff.*

Sexport *m* im Ausland gefeierte Filmschauspielerin in Rollen, in denen sie ihre körperlichen Reize zur Schau stellen kann. 1955 *ff.*

Sexportartikel *m* im Ausland beliebte, attraktive Filmschauspielerin. Aus „ ↗ Sex-Exportartikel" verkürzt. 1955 *ff.*

Sexpostille *f* Zeitung voller Enthüllungen über das Geschlechtsleben. 1968 *ff.*

Sexpresse *f* Zeitung voller Berichte über geschlechtliche Vorgänge im großstädtischen Alltagsleben; pornografische Presse. 1968 *ff.*

Sexprotz *m* Mann, der sich seines geschlechtlichen Leistungsvermögens rühmt. ↗ Protz. 1950 *ff.*

Sexprotzerei *f* Prahlen mit der Geschlechtskraft. 1950 *ff.*

Sexproviant *m* Motorrad-, Automitfahrerin; Lebens-, Reisebegleiterin eines Mannes. Nach 1945 zusammengezogen aus „ ↗ Sexualproviant".

Sexpüppchen *n* junges Mädchen, das seine körperlichen Reize zur Schau stellt. 1955 *ff.*

Sexpuppe *f* **1.** junges Mädchen mit starker geschlechtlicher Anziehungskraft; junge Filmschauspielerin in Rollen, für die ihre Körperformen wichtig sind. 1955 *ff.*

2. aufblasbare Nachbildung einer weiblichen Figur in Lebensgröße. 1970 *ff.*

Sexrakete *f* von der Figur her sehr eindrucksvolle Frau. ↗ Rakete 3. 1955 *ff.*

Sexrolle *f* Schauspielerinnenrolle mit starkem körperlich-geschlechtlichem Einschlag. 1950 *ff.*

Sexrummel *m* Geschäftemacherei mit der körperlichen Liebe. ↗ Rummel. 1955/60 *ff.*

Sex-Salon *m* Bordell, als Wohnwagen getarnt; elegantes Bordell. 1960 *ff.*

Sex-Schinken *m* aufwendiger, aber künstlerisch wertloser „Sexfilm". ↗ Schinken 6. 1960 *ff.*

Sexschlange *f* verführerische Frau. 1955 *ff.*

Sex-Schmarren *m* anspruchs-, wertloser „Sexfilm". ↗ Schmarren. 1960 *ff.*

Sexschnüffler *m* Fahnder nach pornografischem Material. ↗ Schnüffler. 1970 *ff.*

Sexschnulze *f* anspruchsloser Film mit Sex-Szenen. ↗ Schnulze 1. 1970 *ff.*

Sex-Schocker *m* Entrüstung auslösender Film über das Geschlechtsleben. ↗ Schocker 1. Spätestens seit 1960.

Sex-Schuppen *m* Tanzlokal. ↗ Schuppen 1. *Jug* 1950 *ff.*

Sexsilo *m* Bordell; Prostituiertenwohnhaus. 1965 *ff.*

Sex-Sirene *f* durch körperliche Reize betörende Frau. ↗ Sirene. 1955 *ff.*

Sexstar *m* Film-, Bühnenschauspielerin, die die Reize ihres Körpers zur Geltung zu bringen weiß. 1955 *ff.*

Sex-Stern *m* Filmschauspielerin in Rollen, in denen sie ihre körperlichen Reize einsetzen muß. 1955 *ff.*

Sex-Sternchen *n* Nachwuchs-Filmschauspielerin mit üppigen Körperformen, in Nacktszenen o. ä. 1955 *ff.*

Sexstimme *f* lüstern verlangende, dunkle, schwingende Stimme. 1965 *ff.*

Sexstreifen *m* Film, in dessen Mittelpunkt die körperliche Liebe steht. ↗ Streifen. 1960 *ff.*

sext *adj* körperlich-geschlechtlich. Adjektiv zu „ ↗ Sex 1". 1955 *ff.*

Sex-Tage-Rennen *n* **1.** Fastnachtswoche. Nachahmung von „Sechstagerennen" des Radrennsports. 1964 *ff.*

2. intime Annäherungsversuche bei einer weiblichen Person am Arbeitsplatz. 1964 *ff.*

Sextaner *m* politischer ∼ = Politiker ohne Erfahrung. 1920 *ff.*

Sextanerblase *f* schwache Harnblase. Sextaner müssen angeblich häufiger als die älteren Schüler den Abort aufsuchen. 1900 *ff., schül.*

Sextanerpiedel *m* schwache Harnblase. ↗ Piedel. 1900 *ff.*

Sextanerpiesel *m* schwache Harnblase. ↗ Piesel. 1900 *ff.*

Sextanerpimmel *m* kleiner Penis. ↗ Pimmel. 1910 *ff.*

Sextechnikerin *f* sehr erfahrene, raffiniert tätige Prostituierte. 1960 *ff.*

Sexteckel *m* Sextaner. Hieraus umgestaltet unter Einfluß von „Teckel = Dackel". 1900 *ff.*

'Sextern *m* mit „Sex" durchsetzter Wildwestfilm. Zusammengesetzt aus „Sex" und „Western". 1965 *ff.*

Sex-Tigerin *f* Frau mit starkem Liebesdrang und entsprechenden Abenteuern. In geschlechtlicher Hinsicht ist sie eine Großkatze. 1960 *ff.*

sextoll *adj* auf körperliche Liebe versessen. 1970 *ff.*

sextötend *adj* die Geschlechtslust mindernd (auf warme Unterkleidung bezogen). 1960 *ff.*

Sextöter *m* Unterhose o. ä. Parallel zu ↗ Liebestöter. *BSD* 1960 *ff.*

Sextourismus *m* Gruppenreisen, deren Teilnehmer Sex-Erlebnisse im Fernen Osten o. ä. erwarten. 1980 *ff.*

Sextourist *m* Urlauber, der im Fernen Osten sexuelle Abwechslung (Unterhaltung) sucht. 1980 *ff.*

sextraordinär *adj* mit weiblichen Körperreizen plump prunkend. Zusammengesetzt aus „Sex" und „extraordinär". 1957 *ff.*

Sextube *f* auf die ~ drücken = sexuelle Reize in den Vordergrund rücken. ↗Tube 1. 1955 *ff.*

Sexual-Base *f* intime Freundin, die man als Kusine ausgibt. „Base" meint sowohl die Verwandte als auch die Unter- oder Grundlage (Basis) der geschlechtlichen Betätigung. 1935 *ff.*

Sexualdemokrat *m* Mann, der es mit vielen Frauen hält. Dem Begriff „Sozialdemokrat" äußerlich nachgebildet. Wahrscheinlich von Fred Endrikat („Höchst weltliche Sündenfibel") 1940 geprägt.

Sexualdemokratin *f* Prostituierte. 1955 *ff.*

sexualfröhlich *adj* wollüstig. 1935 *ff.*

Sexual-Gähner *m* Film-, Theaterstück mit langweiligen, abgeschmackten Liebesszenen. 1960 *ff.*

Sexualgepäck *n* Motorradmitfahrerin. ↗Sexualproviant. 1930 *ff.*

Sexualgymnastik *f* Reiten. 1955 *ff, halbw.*

Sexualhelferin *f* Prostituierte; beischlafwilliges Mädchen ohne Entgeltsforderung. Entstanden nach dem Muster von „Fürsorge-, Familien-, Pfarr-, Schwesternhelferin" u. ä. 1955 *ff.*

Sexualhyäne *f* Mensch mit sehr starkem Bedürfnis nach Geschlechtsverkehr. 1955 *ff.*

Sexuallöwe *m* geschlechtlich sehr anspruchsvoller Mann. 1955 *ff.*

Sexualpaket *n* weibliche Person mit starker geschlechtlicher Wirkung. ↗Paketchen. 1950 *ff.*

Sexualpirat *m* Mann auf der Suche nach geschlechtlichen Abenteuern. 1965 *ff.*

Sexualprotz *m* mit seinem geschlechtlichen Leistungsvermögen prahlender Mann. ↗Protz. 1950 *ff.*

Sexualprotzerei *f* männliche Prahlerei mit der Geschlechtskraft. 1950 *ff.*

Sexualproviant *m* Reisebegleiterin eines Mannes. Sie stellt die geschlechtliche Reisekost dar. *Vgl* ↗vernaschen; ↗Sexproviant. 1930 *ff.*

Sexualreißer *m* publikumswirksamer Film über das körperliche Geschlechtsleben. ↗Reißer. 1965 *ff.*

Sexualschieber *m* Tanz, bei dem die Partner einander eng umfassen. *Österr* 1950 *ff, halbw.*

Sexualschmöker *m* Buch der geschlechtlichen Aufklärung; Buch mit obszönen Einlagen. ↗Schmöker. 1960 *ff.*

Sexualtier *n* Mensch mit ungezügelter Geschlechtsgier. Er ist insofern ein Tier, als sein Triebleben nicht vom Geist beherrscht wird. Seit dem frühen 20. Jh.

se'xül *adj* geschlechtlich abartig. Aus „sexuell" entstellt mit Einwirkung von „schwül". 1925 *ff, stud.*

sexunterbelichtet *adj* geschlechtlich abweisend; unnahbar. Von der Fototechnik übernommen. 1955 *ff.*

Sex-Urlauber *m* Urlaubsreisender auf der Suche nach Sex-Erlebnissen. ↗Sextourist. 1980 *ff.*

Sex-Walküre *f* stämmig-stattliche Frau mit üppigen geschlechtlichen Reizen. ↗Walküre. 1960 *ff.*

Sex-Wasser *n* Sellerieschnaps. Angeblich fördert er die Geschlechtslust. 1968 *ff.*

Sex-Weideplatz *m* Badestrand. 1960 *ff.*

Sex-Welle *f* in Literatur, Kunst, Film usw. zunehmend verbreitete Darstellung körperlich-geschlechtlicher Verhaltensweisen. ↗Welle. 1950 *ff.*

Sexwellenreiterin *f* „Künstlerin", die aus dem Geschäft mit der körperlichen Liebe ihren Vorteil zieht. 1965 *ff.*

Sexwunder *n* schöne weibliche Person mit geschlechtlich aufreizenden Körperformen. 1955 *ff.*

Sex-Wunschbild *n* ideale Vorstellung von der körperlichen Geschlechtlichkeit, von Frau oder Mann. 1955 *ff.*

sexy *adj* geschlechtlich aufreizend; voller geschlechtlicher Reize. Gegen 1950/55 aus dem *Engl* übernommen.

Sexy-Bienchen (-Girl) *n* geschlechtlich anziehend wirkendes junges Mädchen. ↗Sexbiene. 1965 *ff.*

Sexy-Henne *f* Mutter, die geschlechtliche Anziehungskraft ausstrahlt. 1965 *ff.*

Sexy-Hose *f* enganliegende Hose. Werbetexterspr. 1965 *ff.*

Sexy-Kini (Sexi-Kini) *m* zweiteiliger Damenbadeanzug, dessen Teile so schmal wie (eben noch) schicklich geschnitten sind. ↗Bikini 1. 1965 *ff.*

Sexy-Mann *m* Mann mit starker geschlechtlicher Ausstrahlung. 1965 *ff.*

Sexy-Stimme *f* lüstern klingende Stimme. 1960 *ff.*

Sexy-Tour *f* Versuch, durch körperliche Reize für sich einzunehmen. ↗Tour. 1965 *ff.*

Sexy-Wäsche *f* durchbrochene, mit Spitzen versehene Damenunterwäsche. 1965 *ff.*

Sexzahn *m* anziehendes Mädchen. ↗Zahn 3. *Halbw* 1960 *ff.*

Sezierbesteck *n* Eßgeschirr, Eßbesteck. Vom Chirurgenbesteck übernommen. *BSD* 1960 *ff.*

Shake (*engl* ausgesprochen) *m* Schütteltanz. Aus dem *Engl. Halbw* 1950 *ff.*

shaken (*engl* ausgesprochen) *intr* tanzen. *Engl* „to shake = schütteln". *Halbw* 1950 *ff.*

Shalako *m* ~ jagen = sich betrinken. „Shalako" ist aus Filmen bekannt als Name eines Säufers. *BSD* 1968 *ff.*

shanghaien *tr* ↗schanghaien.

Sheriff *m* 1. Heimleiter. Der *angloamerikan* Bezeichnung für den Vollzugsbeamten mit einigen richterlichen Aufgaben (Ortspolizeibeamten) entlehnt. Volkstümlich geworden durch Wild-West-Romane und -Filme. 1935 *ff.*
2. Schulleiter. 1935 *ff.*
3. Klassensprecher. Er muß sich auch als Ordnungshüter betätigen. 1950 *ff.*
4. Klassenbester. 1950 *ff.*
5. Schulhausmeister. 1955 *ff.*
6. Polizeibeamter. 1960 *ff.*

7. Feldjäger. *BSD* 1960 *ff*.

Sherlock *m* Tabakspfeife. Benannt nach der Detektivgestalt „Sherlock Holmes" des englischen Schriftstellers Conan Doyle: das untrügliche Kennzeichen des Detektivs ist neben der karierten Mütze die Tabakspfeife. *Halbw* 1955 *ff*.

Shit *m* Haschisch. Übernommen aus *angloamerikan* „shit = Dreck, Scheiße". 1965 *ff*.

shoppen *intr* einkaufen. Übernommen von *gleichbed engl* „to shop". 1960 *ff*.

Show-Häschen *n* Anfängerin im Unterhaltungsgeschäft. ↗ Häschen. 1960 *ff*.

Show-Hase *m* alter ~ = im Unterhaltungsgeschäft erfahrener Künstler. ↗ Hase 7. 1960 *ff*.

Show-Kanone *f* großer Könner im Schaugeschäft. ↗ Kanone 1. 1960 *ff*.

Show-Lokomotive *f* zugkräftiger Könner im Unterhaltungsgeschäft. 1960 *ff*.

Show-Witwe *f* Frau eines vielbeschäftigten „Show-Masters" o. ä. 1965 *ff*.

shrupping *n* Reinigung der Räume. Anglisiertes Deutsch auf der Grundlage von „schruppen = scheuern". *BSD* 1965 *ff*.

Sibirien *n* entlegener Standort. Sibirien gilt Deutschen als weit abgelegene, unzivilisierte, unzivilisierbare Landschaft. *BSD* 1960 *ff*.

Sibirien-Zulage *f* Sondervergütung für Lehrer an Grund- und Hauptschulen auf dem Dorf. 1970 *ff*.

Sichel *f* Note 2. Das Zahlzeichen ähnelt einer Sichel. *Österr* 1960 *ff*.

Sichellinie *f* gebauschtes Rückenteil der Damenkleidung. Im Profil ergibt es den Umriß einer Sichel. 1958 *ff*.

Sichelmantel *m* Mantel mit gebauschtem Rückenteil. 1958 *ff*.

sicher *adj* **1.** so ~, wie 2 mal 2 vier ist = unbedingt zu erwarten; völlig zuverlässig. Seit dem 19. Jh.
2. ~ laufen = meisterhaft musizieren; ein Musikinstrument meistern. 1950 *ff*.
3. nicht ~ sein = nicht in gesicherten Verhältnissen leben. Seit dem 19. Jh.

Sicherheit *f* ~ produzieren = **1.** Wehrdienst leisten. Werbespruch der Bundeswehr. 1969 *ff*.
2. sich eine zukunftssichere Existenz aufbauen; für Verkehrssicherheit sorgen. 1978 *ff*.

Sicherheitsbello *m* aus geringstem Anlaß wütend bellender Hund. Bello = Rufname des Hundes. 1960 *ff*.

Sicherheitsbulle *m* Angehöriger der Sicherheitspolizei o. ä. ↗ Bulle 7. 1960 *ff*.

Sicherheitsfußball *m* vorsichtige Spielweise; Fußballspiel ohne jegliche Spannung, ohne Wagnis. *Sportl* 1960 *ff*.

Sicherheitshut *m* Stahlhelm. 1940 *ff*.

Sicherheitskommissar (-kommissarius) *m* Mensch, der nie ein Risiko einzugehen wagt. 1920 *ff*.

Sicherheitsriegel *m* den ~ wegdrücken = deflorieren. 1900 *ff*.

Sicherheitsschloß *n* Frau mit ~ = Frau, die empfängnisverhütende Mittel benutzt. 1960 *ff*.

Sicherheitsventil *n* **1.** After. Eigentlich in der Technik ein Ventil, das sich bei Überdruck selbsttätig öffnet. 1920 *ff*, *sold*.
2. das ~ öffnen = koten; einen Darmwind entweichen lassen. *Sold* 1920 *ff*.

sicherstellen *v* **1.** etw ~ = etw entwenden. Euphemismus. Eigentlich soviel wie „amtlich beschlagnahmen". *Sold* 1914 bis heute.
2. sich jn ~ = sich verloben. Man belegt eine Person mit Beschlag und schließt Mitbewerber aus. *BSD* 1965 *ff*.

Sicherung *f* **1.** türkische ~ = Versperrung des Wegs zur Brieftasche durch eine Sicherheitsnadel. Vielleicht türkischen Gastarbeitern abgesehen. 1972 *ff*.
2. bei ihm brennt (haut) die ~ durch = er verliert die Beherrschung; er wird wütend. Aus der Elektrotechnik übernommen. 1920 *ff*.
3. bei ihm ist die ~ durchgebrannt (rausgejagt) = er ist geistesgestört. 1920 *ff*.
4. bei ihm ist (hat es) die ~ durchgehauen = er hat Durchfall. Sicherung = Schließmuskel des Afters. 1935 *ff*, *sold* und *stud*.
5. bei ihm glüht die ~ durch = er verliert die Fassung, braust auf. 1920 *ff*.
6. eine ~ einbauen = sich gegen Rückschläge (Vertrauensbruch o. ä.) absichern. 1950 *ff*.
7. bei ihm ist die ~ raus = er ist fassungslos, sprachlos, ratlos. 1920 *ff*.
8. mir springen die ~en raus!: Ausdruck der Überraschung o. ä. 1920 *ff*.

Sichtmuffel *m* Kraftfahrer, der trotz verschmutzter (vereister) Windschutzscheibe die Fahrt fortsetzt. ↗ Muffel 2. 1969 *ff*.

Sidolhandwerker *m* Mensch, der bei Behörden o. ä. Bittgänge macht. „Sidol" ist der Name eines Putzmittels. Der Betreffende sorgt für blanke Türklinken. 1930 *ff*.

Sidolring *m* unechter Trauring. Er muß mit „Sidol" geputzt werden. 1930 *ff*, *nordd* und *westd*.

Sie *pron* **1.** *f* = weibliches Tier. Seit dem Mittelalter.
2. dazu kann man ~ sagen = davor muß man Achtung haben; das ist höchst vortrefflich (zu dieser Tasse Kaffee kann man Sie sagen). Die Anrede „Sie" drückt im allgemeinen Hochachtung aus. Seit dem 19. Jh.
3. vor dem Spiegel zu sich selber ~ sagen = vor sich selbst Achtung haben. Gern auch *iron* gebraucht. 1920 *ff*.
4. per ~ sein = einander siezen. Spätes 19. Jh.
5. mit jm wieder per ~ sein = sich mit jm entzweit haben. Hier betont „Sie" die Förmlichkeit. 1900 *ff*.

Sieb *n* **1.** Mädchenpensionat, -schule. Das Sieb besteht sinngemäß aus Löchern, und „Loch = Vulva". 1900 *ff*.

2. Mensch, der anhaltend Fragen ausgesetzt ist. Man „löchert" ihn mit Fragen; ↗löchern. 1950 ff.

3. dummer, gedankenloser Mensch; Mensch mit geringer Merkfähigkeit. Er hat ein „Gedächtnis wie ein ↗Sieb 7". 1950 ff, schül.

4. ihn haben sie durch das ~ angeschissen = er hat Sommersprossen. Die Sommersprossen werden hier als Kotspritzer gedeutet. 1930 ff, jug. Die Vorstellung ist jedoch älter (spätes 19. Jh) und macht den Teufel zum Schuldigen.

5. im ~ bleiben = bei der Überprüfung der Bewerber Erfolgsaussichten haben. Der aussichtsreiche Kandidat fällt nicht durch das Sieb. 1900 ff.

6. durch das ~ fallen = nicht anerkannt werden; Mißerfolg erleiden. Vgl das Vorhergehende. 1900 ff.

7. ein Gedächtnis haben wie ein ~ = ein schlechtes Gedächtnis haben; sich nichts merken können. Seit dem 18. Jh.

8. einen Kopf haben wie ein ~ = ein schlechtes Gedächtnis haben. Seit dem 19. Jh.

9. aus jm ein ~ (jn zum) machen = auf jn viele Schüsse abgeben. Sold 1939 ff.

10. jn durchs ~ rühren = jn einem strengen Verhör unterwerfen; von jm eine Aussage zu erpressen suchen. Hergenommen von der Küchenpraxis im Sinne von „feinrühren". 1920 ff.

11. dicht wie ein ~ sein = nicht verschwiegen sein. 1920 ff.

sieben num **1.** auf drei Viertel ~ hängen = a) energielos, impotent sein. Von der Uhrzeigerstellung übertragen auf „Soll" (= Minutenzeiger) und „Haben" (= Stundenzeiger) der Penisstellung. 1910 ff. – b) schief hängen. 1920 ff.

2. halb ~ sein = a) betrunken sein. Bei der Zeigerstellung um „halb 7" (6.30 Uhr) deckt der große Zeiger nicht den kleinen: die Abweichung steht sinnbildlich für leichtes Verrücktsein (Verrückt-Sein), auch für torkelnde Gangart. 1700 ff. – b) hinken; ein steifes Bein haben. 1920 ff, schül. – c) energielos sein. Vgl „halb ↗sechs". Sold 1935 ff.

3. auf halb ~ sitzen = auf der vorderen Stuhlkante sitzen. 1950 ff.

Sieben f **1.** Riß im Stoff in Form der Ziffer 7 (Winkel). Seit dem 19. Jh.

2. böse ~ = unverträgliche Frau. Hergenommen von der Sieben als Trumpfkarte des Karnöffelspiels; auf ihr war noch im 16. Jh das Bild eines bösen Weibs dargestellt. 1600 ff.

sieben v tr intr = nach strengen Grundsätzen auswählen (Prüflinge werden gesiebt). Hergenommen vom Getreidesieben. Von hier übertragen auf Prüfung und Läuterung des Menschen, vor allem auf die Wissensprüfung von Schülern und Studenten. 1830/40 ff.

Siebenachteldoofer m ziemlich dummer Mensch. ↗doof 1. 1950 ff.

Siebenachtelhose f etwas zu kurze lange Hose; zu hoch gezogene Hose. 1958 ff.

Siebenachtelmantel m nicht ganz bodenlanger Mantel. 1958 ff.

Siebenachtelstarker m unreifer, dümmlicher Halbwüchsiger. Durch die Sprache der Modeschöpfer umgeformt aus „Halbstarker". 1958 ff.

Siebenarmiger m Schimpfwort. Verkürzt aus „siebenarmiger ↗Armleuchter". 1930 ff.

siebengescheit adj (vermeintlich) überklug; besserwisserisch. Man ist (vermeintlich) siebenmal so gescheit wie andere. 1700 ff.

siebenklug adj sehr klug (auch iron). Vgl das Vorhergehende. Seit dem 19. Jh.

Siebenmonatskind n sehr beleibter Mensch. Mit sieben Monaten nimmt die Schwangere sichtlich an Umfang zu. 1930 ff.

Siebensachen pl Hab und Gut. Wohl unter Einfluß der Bibel dient die Zahl 7 zur Bezeichnung zusammengehöriger Dinge. Das Wort ist auch ein Tarnausdruck für die Schamteile und den Geschlechtsverkehr. Seit dem 17. Jh.

Siebensänger m Schwätzer. Er schwätzt für sieben. ↗singen 6 und 9. 1955 ff.

Siebenschläfer m **1.** Langschläfer. Geht zurück auf die Legende von den sieben Jünglingen, die vor den Christenverfolgern in eine Höhle flohen und 200 Jahre später schlafend aufgefunden wurden. Seit dem 17. Jh.

2. Berufssoldat. Spöttelnd behauptet man, er habe einen bequemen Dienst und sei obendrein träge. BSD 1960 ff.

3. pl = zivile Wachangestellte bei der Bundeswehr. Anspielung auf mehr Verschlafenheit als Wachsamkeit. BSD 1965 ff.

siebensinnig adj verrückt. Zu den normalen 5 Sinnen kommen noch der Unsinn und der Blödsinn (oder Wahnsinn) hinzu. 1930 ff.

Siebenstöckiger m Zylinderhut. 1930 ff.

Siebentageklosett n Keilhose. In spöttischer Meinung ist sie so weitgeschneidert, daß sie für die Exkremente einer vollen Woche Platz hat. BSD 1960 ff.

Siebung f **1.** Aufnahme-, Zwischen-, Abschlußprüfung. ↗sieben (v). Seit dem 19. Jh, schül und stud.

2. strenge Prüfung vor der Beförderung. 1930 ff.

siebzehn num **1.** zwischen ~ und siebzig = ungefähre Altersangabe einer Frau. Seit dem ausgehenden 19. Jh, Berlin u. a.

2. bei ~ passen = vor der Entscheidung zurückschrecken. Hergenommen vom Skatspiel: das Aushandeln des Zahlenwerts des einzelnen Spiels beginnt mit 18. 1950 ff.

siebzig num **1.** dann kann's kommen wie ~ = dann mag geschehen, was will. Anspielung auf den Krieg 1870/71. 1900 ff.

2. wie ~ laufen = angestrengt laufen; weite Märsche zurücklegen. Geht zurück auf die Strapazen des Krieges von 1870/71. Im Zweiten Weltkrieg verbreitet im Munde von Teilnehmern des Ersten Weltkriegs.

3. wie ~ schwitzen = heftig schwitzen. *Vgl* das Vorhergehende.

siebzigprozentig *adj* nicht voll bei Verstand. ↗hundertprozentig. 1935 *ff*.

Siech *m* **1.** Rausch. Meint eigentlich die Krankheit, dann auch die Seuche und vor allem die schleichende Seuche verheerenden Ausmaßes. Hieraus entwickelte sich die Geltung eines allgemeinen Superlativs, sowohl im positiven wie auch im negativen Sinne. 1920 *ff*, *schweiz*.

2. angenehmer, lebenslustiger Partner. *Schweiz* 1945 *ff*.

3. Mann *(abf)*. Man wünscht ihm eine schwere Krankheit an, oder er gilt bereits als „siech = altersschwach(sinnig)". *Bayr* 1945 *ff*.

4. armer ~ = Einzelgänger. Man nimmt wohl an, daß ihm das Alleinsein nicht gut bekommen kann. *Schweiz* 1945 *ff*.

Siechen *n* Geliebte. Verkleinerungs-, Koseform von „die Sie". Eigentlich das Vogelweibchen. 1920 *ff*.

sieden *intr* in Wut geraten. Man gerät in Siedehitze. 1950 *ff*.

Siedepunkt *m* **1.** knapp vor dem ~ sein = kurz vor einem Zornesausbruch stehen. 1920 *ff*.

2. jn auf den ~ treiben = jn heftig erzürnen, verärgern. 1920 *ff*.

Sieder *m* Alkoholrausch. Man gerät durch das Trinken in Hitze, auch in Schweiß. *Österr* 1900 *ff*.

Siedlerstolz *m* selbstangebauter Tabak; übelriechender Tabak. Parodistisch aus der Zigarettenmarke „Overstolz" entwickelt. Im Zweiten Weltkrieg aufgekommen, verbreitet vor allem in den Jahren bis zur Währungsumstellung wegen der knappen amtlichen Raucherwarenzuteilung, als viele Leute zum Eigenanbau übergingen.

Sieg *m* **1.** ~ mit Pauken und Trompeten = sehr überlegener Sieg. ↗Pauke 8. *Sportl* 1950 *ff*.

2. dicker ~ = hervorragendes Ergebnis. *Sportl* 1950 *ff*.

Siegeldrücker *m* Gerichtsvollzieher. Er drückt die Siegelmarke auf die gepfändeten Gegenstände. 1910 *ff*.

Siegellack *m* **1.** Generalstreifen an der Uniformhose. Wegen der Farbähnlichkeit. *Sold* seit dem späten 19. Jh.

2. der ganze ~ = wertloses Zeug. 1900 *ff*.

Sieger *m* **1.** ~ nach Punkten = Person, die dem Gesprächspartner überlegen ist und Recht behält. Dem Boxsport entlehnt: der „Sieg nach Punkten" beruht auf der Wertung der einwandfreien Treffer, der Verteidigungs- und Nahkampfhandlungen usw. 1920 *ff*.

2. letzter ~ = Letzter in der sportlichen Wertung. Trost- und Spottwort. Meint in der Turfsprache das den Zielpfosten zuletzt passierende Pferd. 1920 *ff*.

3. zweiter ~ bei einer Schlägerei werden = bei einer Schlägerei unterliegen. 1920 *ff*.

Siegesstraße *f* auf der ~ sein = dem Sieg nahe sein. Übernommen aus dem phrasenreichen, schwülstigen Wortschatz der Propagandaredner und der Wehrmachtberichte aus den ersten Jahren des Zweiten Weltkriegs. *Sportl* 1950 *ff*.

Siegheil *interj* ~ und fette Beute (Sieg und Heil und fette Beute; Heil und Sieg und fette Beute): ermunternder Zuruf an einen Abmarschierenden o. ä. Die Bezeichnung „Siegheil" wurde unter Hitler und seinen Funktionären um 1939 umgewandelt aus „Heil und Sieg", welch letztere Wendung aus „Heil und Segen" entstellt ist. „Heil" meint „Unverletzheit, Gesundheit", und mit „Segen" ist „Gottes Segen" gemeint. Die Worte „und fette Beute" stammen aus der Vorstellungswelt der Soldaten, die nicht nur „Heil" und „Segen" (oder „Sieg") benötigen, sondern auch die Aussicht auf materiellen Gewinn; ohne materiellen Anteil lohnt es sich für unfreiwillige Krieger nicht, das Leben aufs Spiel zu setzen. Im späten 19. Jh bei den Soldaten aufgekommen; später auch *ziv*.

Siel *n* ich glaube, ich hänge im ~!: Ausdruck des Erstaunens. Siel = Kloake. Rocker 1967 *ff*, Hamburg.

Sielen *pl* jn in die ~ treiben = jn zur Arbeit anhalten, an den Arbeitsplatz treiben. Sielen = leichtes Zuggeschirr der Pferde. 1920 *ff*.

sielen *refl* sich wohlig wälzen; ungesittet liegen. Nebenform zu „suhlen = sich in Pfütze oder Morast wälzen" (jägerspr.). Seit dem 19. Jh.

Siemandl (Simandl, Siemann) *m* *n* **1.** von der Frau beherrschter Ehemann. Er ist das „Mandl" (= Männchen) der „Sie" (= Frau). Vorwiegend *oberd*, 1500 *ff*.

2. energieloser, unselbständiger Soldat. 1914 *ff*.

Siemann *m* **1.** unselbständiger Ehemann. *Vgl* ↗Siemandl 1. 1500 *ff*.

2. Mannweib. 1600 *ff*.

siepen (siepern) *intr* träufeln, tröpfeln, sickern, saften; regnen. *Niederd* Nebenform zu „↗sabbern". 1700 *ff*.

Sier *m* Gier, Verlangen, Lüsternheit. ↗sierig. *Südd* 1900 *ff*.

sierig *adj* **1.** schmerzhaft. Gehört zu „seren, sehren = versehren, verwunden". *Südd* 1400 *ff*.

2. empfindlich, unwillig. Vom Vorhergehenden übertragen auf seelische Verletzung. *Südd* seit dem 15. Jh.

3. lüstern, geil; begierig, verlangend. Heftiges Verlangen kann schmerzen. Seit dem 19. Jh.

siezen *v* sich mit jm wieder ~ = sich mit einem bisher Befreundeten entzweit haben. Vom „Du" ist man zum „Sie" zurückgekehrt. *Vgl* ↗Sie 5. 1900 *ff*.

Siff *m* *f* Geschlechtskrankheit. Verkürzt aus „Syphilis". 1900 *ff*.

Siffi *m* Geschlechtskranker. *Vgl* das Vorhergehende. 1950 *ff*.

Siffi'list *m* Zivilist; für den Wehrdienst unabkömmlicher Mann. Wortspielerei mit „Syphilist". 1900 ff.

Signal n **1.** ~e setzen = „richtungweisende" Erklärungen abgeben. Vom Eisenbahnwesen übernommen und seit 1950 in der Sprache der Politiker und Journalisten üblich.
2. ein ~ setzen = eine unmißverständliche Andeutung machen. (Erkärung abgeben). 1950 ff.
3. das ~ steht auf Halt = eine Sache wird in ihrer normalen Entwicklung gehindert. 1950 ff.

Signalkelle f **1.** Befehlsscheibe des Aufsichtsbeamten bei der Eisenbahn. ↗ Kelle 3. 1920 ff.
2. Stop-, Einweisungsscheibe der Feldjäger. ↗ Kelle 4. Sold 1935 ff.

Sike f Musik. Aus berlinisch „Musike" gekürzt. 1900 ff.

Silbe f keine müde ~ = nicht die geringste Äußerung. 1950 ff.

Silberblick m **1.** leichte Andeutung zeitweiligen Schielens; Schielen. Meint eigentlich den Glanz des geschmolzenen Silbers beim Erstarren. 1900 ff.
2. treuherziger, naiver Blick. 1900 ff.

Silberfisch m **1.** Offizier. Er trägt silberne Sterne, und die Schulterstücke haben eine silberne Schnur als Randlitze. Sold 1939 bis heute.
2. pl = Nahverkehrswagen der Deutschen Bundesbahn. Wegen der silber-metallischen Lackierung. 1964 ff.

Silberfuchs m Offizier. Versteht sich wie „ ↗ Silberfische 1" BSD 1960 ff.

Silbergeier m **1.** Offizier. Die Soldaten vermuten, der Betreffende stürze sich wie ein Geier auf die Erlangung der Silbersterne seiner Schulterstücke. BSD 1965 ff.
2. ~ mit Ast = Major. Das silberne Eichenlaub auf dem Schulterstück wird als Ast aufgefaßt. BSD 1965 ff.

Silberheini m Offizier. ↗ Silberfisch 1; ↗ Heini. BSD 1960 ff.

Silberling m **1.** Marinebeamter im Offiziersrang; uniformierter Beamter (bis 1945). Wegen der silbernen Rangabzeichen. Sold 1939 ff.
2. pl = Münzen im Wert von 50 Pfennig bis 5 Mark. 1950 ff.
3. pl = Offiziere. BSD 1960 ff.
4. pl = Nahverkehrswagen der Deutschen Bundesbahn. ↗ Silberfisch 2. 1964 ff.

Silbermädchen n Sportlerin, die eine Silbermedaille errungen hat. 1960 ff.

Silbermann m Mond. Wegen des silbrigen Mondscheins. 1900 ff.

Silbermond m ergrauter Mann mit Teilglatze; Glatzköpfiger mit weißem Haarkranz. 1910 ff.

Silberpaar n langverheiratetes Ehepaar. Anspielung auf die „silberne Hochzeit" und auf das Ergrautsein. 1900 ff.

Silberpappel f **1.** weißhaariger Herr. 1900 ff.
2. schwatzhafte alte Frau. ↗ pappeln 1. 1920 ff.

Silberpott m Silberpokal als Siegespreis für Sportler. 1900 ff.

Silberstreifen m ~ am Horizont = ermunternde Entwicklung nach langem Harren; Anlaß zu Hoffnungsfreude; Anzeichen kommender Völkerverständigung. Geht zurück auf die Rede, die Außenminister Gustav Stresemann am 17. Februar 1924 in Elberfeld gehalten hat.

Silbervogel m **1.** Flugzeug. 1920 ff.
2. pl = Offiziere. Wegen der silbernen Dienstgradabzeichen. BSD 1960 ff.

Silberwölkchen n ~ sehen = eine zuversichtliche Prognose stellen. Das Wort „Silberwölkchen" ist dem Gedicht „Der Postillon" von Nikolaus Lenau (1833) entlehnt. 1970 ff.

Silberzigarre f Zeppelin-Luftschiff. 1910 ff.

Silhouettentitten pl sehr üppiger Busen. ↗ Titte 1. 1950 ff.

Silikosemantel m Lodenmantel. Lodenmäntel werden wegen ihres verhältnismäßig niedrigen Preises und ihrer Haltbarkeit von Berginvaliden im Ruhrgebiet gern getragen, und viele dieser Leute leiden unter Silikose leiden. 1930 ff.

Silo m ~ der Sünde = Appartementhaus anrüchiger Art. Vgl ↗ Haus 11. 1955 ff.

Simmerl m dümmlicher Mensch; Mensch, den man leicht betrügen kann; Betrugsopfer; Narr. Verkleinerungsform des Vornamens Simon. Vgl ↗ Simon. Bayr 1900 ff.

simmern intr leise kochen, sieden (vom Wasser gesagt). Schallnachahmend; Variante zu „summen". 1900 ff.

Simon Vn ~, schläfst du?: Zuruf an den unaufmerksamen Kartenspieler. Entnommen der Passionsgeschichte nach Markus 14, 37. Kartenspielerspr. seit dem 19. Jh.

Simpel m **1.** einfältiger Mensch; Schwachsinniger; Dummer. Geht zurück auf lat „simplus = einfach"; weiterentwickelt im späten Mittelalter (vielleicht nach franz Vorbild) zur Bedeutung „einfältig".
2. pl = „ ↗ Simpelfransen". Gegen 1880 aufgekommen.

simpel adj **1.** einfältig, dümmlich. ↗ Simpel 1. Seit dem 15. Jh.
2. anspruchslos. Seit dem 19. Jh.

Simpe'lei f törichter Einfall; Dummheit; geistige Anspruchslosigkeit. 1600 ff.

Simpelfransen pl Stirnlocken mit waagerechter Schnittlinie oberhalb der Augenbrauen. Angeblich verleihen sie dem Gesicht einen einfältigen Ausdruck. 1880 ff.

Simpelhaus n Volksschule. Überhelicher Ausdruck im Munde der Gymnasiasten. ↗ Simpel 1. 1950 ff.

simpeln intr **1.** töricht handeln; Unsinn reden. Vgl auch ↗ fachsimpeln. Seit dem 19. Jh.
2. keiner geregelten Beschäftigung nachgehen. Gilt als geistige Unfähigkeit. 1840 ff.

Simpelsklasse *f* Schule für geistig behinderte Kinder. 1900 *ff*.

Simsenkrebsler *m* schlechter Wein; schlechter Most o. ä. Anspielung auf die am Haus von Sims zu Sims kletternden Ranken; gemeint ist selbstgezogener Wein. *Schwäb* seit dem 19. Jh.

Simu'lierkugel *f* Kopf. Simulieren = grübeln. 1930 *ff*.

Sinai *m* Berg ~ = üppiger Busen. Eigentlich das Gebirge der südlichen Sinai-Halbinsel, bis 2641 m hoch. 1930 *ff*.

'Sing'assel *f* Sängerin *(abf)*. Entstellt aus „Singdrossel". Asseln sind Ungeziefer. 1950 *ff*.

singeln *intr* ohne Partner leben. *Engl* „single = allein, einzeln". Um 1975 aus England eingebürgert.

singen *v* **1.** das kannst du ~ (das kann ich dir ~) = darauf kannst du dich fest verlassen. Parallel zu „davon kann ich ein ↗Lied singen". 1900 *ff*.
2. der Dichter singt = der Dichter sagt; bei dem Dichter steht geschrieben. Gilt heute ironisierend als Redeweise vermeintlich gebildeter, kunstinteressierter Leute. 1920 *ff*.
3. bei dir singt er wohl? = du bist wohl nicht recht bei Verstand? *Vgl* „einen ↗Vogel haben". 1900 *ff*.
4. zum ~ eingenommen haben = ununterbrochen, sehr ausdauernd singen. Man führt es auf die Einnahme eines gesangfördernden Medikaments zurück. Berlin 1920 *ff*.
5. *intr* = harnen. Wohl schallnachahmender Natur. *Schül* 1950 *ff*.
6. *intr* = verraten; ausplaudern; ein Geständnis ablegen; Mittäter benennen. Entweder einfaches Tarnwort für „anzeigen" oder herzuleiten von den schrillen Schmerzenslauten der Gefolterten. 1900 *ff*, *rotw*, polizeispr., kriegsgefangenenspr. u. a. *Vgl engl* „to sing" und *franz* „faire chanter quelqu'un".
7. *intr* = schimpfen; Vorhaltungen machen. Beschönigend für „schreien". 1920 *ff*.
8. *intr* = betteln. Von bettelnden Straßenmusikanten hergenommen (*vgl* ↗schnorren) oder von Kindern, die um eine Gabe singen. *Rotw* seit dem frühen 19. Jh.
9. *intr* = jm sein Leid klagen. Anspielung auf den wehleidigen Ton. 1840 *ff*, rotw und *sold*.
10. er ist ~ gewesen = er hat viel Kleingeld. *Vgl* ↗singen 8. Seit dem ausgehenden 19. Jh.
11. da geht er hin und singt nicht mehr: Redewendung, wenn einer wortlos weggeht. Geht zurück auf die Posse „Die Sängerin und die Näherin" von Louis Angely (dort heißt es: „da geht sie hin und singt nicht"). Etwa seit 1840, Berlin.
12. das kann ich schon ~ = das kann ich auswendig; das beherrsche ich. Wohl hergenommen von volkstümlich gewordenen Liedern oder Schlagern. 1920 *ff*.

Singen *n* **1.** blindes ~ = Zusammenkunft der Mitglieder eines Gesangvereins ohne gemeinsames Singen. 1960 *ff*.
2. mit ~ und Beten gewinnen = mit knapper Not gewinnen. Aus dem Religiösen übertragen in die Kartenspielersprache des 19. Jhs.

Singerl *n* **1.** Küken. Geht zurück auf den Lockruf „sing, sing" für junge Hühner. *Bayr* seit dem 19. Jh.
2. sehr naiver, unerfahrener Mensch. Er ist unerfahren wie ein gerade ausgeschlüpftes Küken. *Bayr* 1900 *ff*.

Singerzahn (Singezahn) *m* junge Sängerin. ↗Zahn 3. 1955 *ff*.

Singfunzel *f* Sängerin *(abf)*. ↗Funzel. Musikerspr. 1955 *ff*.

Singkünstler *m* Sänger (halbironisch). 1960 *ff*.

Single *(engl* ausgesprochen) *m f* Alleinlebende(r). ↗singeln. 1975 *ff*.

Singmädchen *n* jugendliche Sängerin. 1960 *ff*.

Singmama *f* Sängerin, die in vorgerücktem Alter noch in jugendlichen Rollen auftritt; als Sängerin tätige Mutter. 1910 *ff*.

Singsang *m* **1.** musikalische Darbietung minderwertiger Art; unbedeutender Gesang. 1700 *ff*.
2. helle, „singende" Sprechstimme. 1960 *ff*.

Sing-Sang-Geseiche *n* fader, einfallsloser Gesangsvortrag; wenig künstlerisches Schlagerträlern. ↗seichen 2. 1960 *ff*.

Singsangstudio *n* Musikzimmer in der Schule. 1955 *ff*.

Singschwanz *m* Mitglied des Gesangvereins. ↗Schwanz 3. 1910 *ff*, *österr, stud*.

Sing-'Sing *n* **1.** Gefängnis, Zuchthaus; Arrestlokal. Übernommen vom Namen des Staatsgefängnisses im Staate New York. Spätestens seit 1900.
2. Schule. 1950 *ff*.
3. Berliner Funkhaus an der Masurenallee. Wegen der baulichen Ähnlichkeit mit einer modernen Strafanstalt; auch weil es dort den ganzen Tag singt und klingt. Berlin 1930 *ff*.
4. moderner Hochhausbau. Der Eindruck ist düster wie der eines Gefängnisses, und die vielen kleinen Fenster legen den Vergleich noch näher. 1955 *ff*, Berlin.
5. Musikzimmer in der Schule. Wegen der Proben des Schülerchors. 1950 *ff*.

Sing-'Sing-Bürste *f* gleichmäßig kurzgeschnittenes Haar. Sträflinge wurden kurzgeschoren. ↗Bürste. 1950 *ff*.

Sing-'Sing-Socken *pl* Ringelsocken; Socken mit Streifenmuster. Die Sträflingskleidung ist quergestreift. 1950 *ff*.

Singsternchen *n* jugendliche Nachwuchssängerin. 1960 *ff*.

Singstudio *n* Musikzimmer in der Schule. 1955 *ff*.

Singstunde *f* **1.** Vernehmung. ↗singen 6. 1920 *ff*.
2. Kirchgang. *BSD* 1960 *ff*.

Singvogel *m* **1.** Sängerin. 1900 *ff*.
2. Verdächtiger, der ein Geständnis ablegt; Straf-

täter, der die Mittäter benennt; Verräter. ↗singen 6. 1910 *ff.*

Singzahn *m* jugendliche Sängerin. ↗Zahn 3. 1955 *ff.*

Sinn *m* **1.** ~ der Übung = Zweck des Vorgehens. 1930 *ff.*

2. sechster ~ = a) Geschlechtstrieb. Die Zahl der Sinne wird hier um einen erweitert unter Einfluß des sechsten Gebots der Bibel. 1800 *ff.* – b) Unsinn. 1910 *ff.* – c) sicheres Ahnungsvermögen. Seit dem 19. Jh. – d) mütterliche Witterung für zusagende Schwiegersöhne. Seit dem 19. Jh. – e) Eigensinn. 1920 *ff.*

3. sexter ~ = Geschlechtstrieb. Nach „Sex" gebildet. 1955 *ff.*

4. siebter ~ = Unsinn. 1910 *ff.*

5. einen ~ zuviel (zu wenig) haben = sehr klug (sehr dumm) sein. 1910 *ff.*

6. welch ~ ist deiner weisen Rede Inhalt? = was meinst du? drück' dich verständlicher aus! Nachahmung von „was ist der langen Rede kurzer Sinn?" aus Schillers Drama „Die Piccolomini" (1800). *Schül* 1955 *ff.*

sinpro *adj* ängstlich, feige. Eigentlich Name einer Sprudeltablette der Firma Drugofa, Köln. Hier Anspielung auf das Versagen des Afterschließmuskels. *BSD* 1969 *ff.*

Sinte (Sinto) *m (pl:* Sinti) Zigeuner. Im 18. Jh im *Rotw* bekannte Selbstbezeichnung der Zigeuner; wiederaufgelebt im 20. Jh in der Häftlingssprache.

Sinus *m* Busen. Vom *Lat* übernommen. *Halbw* 1950 *ff.*

Sinusbeine *pl* krumme Beine. *Lat* „sinus = Krümmung, Bogen". 1950 *ff, schül.*

Sinuskurve *f* Frauenbusen. Dem mathematischen Begriff entlehnt. Vorform von „↗Kurve 1". *Schül* 1900 *ff.*

Siph *f* Syphilis. Hieraus phonetisch verkürzt seit 1900.

Sipo I *m* Beamter der Sicherheitspolizei. Kurz nach 1920 aufgekommen.

Sipo II *f* Sicherheitspolizei. 1920 *ff.*

Sippenbesuch *m* Familienurlaub des Bundeswehrsoldaten. *BSD* 1960 *ff.*

Sippschaft *f* Gruppe von Leuten *(abf).* Im späten 18. Jh aufgekommen aus unfreundlicher Auffassung der Verwandtschaft.

Sir *(engl* ausgesprochen) *m* **1.** Schimpfwort. Hat mit dem *Engl* nur die Aussprache gemeinsam. Hehlwörtlich gemeint ist die Abkürzung von „Sie Rindvieh!". 1920 *ff,* Berlin.

2. Schüler der Oberstufe. Man wird mit „Herr" angeredet. *Österr* 1950 *ff.*

Sirach *m* Alkoholrausch. Wohl aus „↗Siech" erweitert. 1920 *ff.*

Sirene *f* verführerische weibliche Person. Geht zurück auf Homers „Odyssee": Sirenen sind Meerfrauen, die mit betörendem Gesang Seeleute ins Verderben locken. Seit dem 18. Jh.

Sirenendreher *m* Luftschutzwart. Mit einer Handkurbel setzt er die Luftwarnsirene in Betrieb. 1943 *ff.*

Sirenen-Engel *m* Fahrerin eines mit einer Sirene versehenen Wagens des Unfallkommandos. 1962 *ff.*

Sire'nitis *f* Panikstimmung bei Fliegeralarm. *Sold* und *ziv* 1939 *ff.* Dasselbe Wort gibt es *gleichbed* auch im *engl* Slang.

'Siricat *f* Katzenname. Bezeichnet vor allem die Siamkatze; hier angelehnt an den Namen der Königin Sirikit von Thailand (vor 1949 = Siam). 1965 *ff.*

Sirup *m* **1.** ~ auf der Zunge haben = undeutlich reden. Sirup klebt. 1935 *ff.*

2. ~ reden = zärtliche Worte sagen. *Vgl* das Folgende. 1930 *ff.*

3. jm ~ um den Mund schmieren (streichen) = jn beschwatzen; jm schmeicheln. Parallel zu „jm ↗Honig um den Mund schmieren". Seit dem frühen 20. Jh, Berlin.

Sirupjüngling *m* junger Verkäufer im Lebensmittelgeschäft. Sirup als beliebter, billiger Brotaufstrich. Seit dem 19. Jh.

Siruplecker *m* Lehrling im Lebensmittelgeschäft. Seit dem späten 19. Jh, *nordd.*

Sirupprinz *m* Lebensmittelhändler. „Prinz" ist aus „Prinzipal" gekürzt. Seit dem 19. Jh.

Sit-in *m n* **1.** Sitzstreik. 1968 aus dem *Engl* übernommen.

2. Dienstzeit in der Bundeswehr. Als Haftzeit aufgefaßt (↗sitzen 1). *BSD* 1968 *ff.*

Sitsch *f* Zitronenlimonade. ↗Zitsch. 1910 *ff.*

Sitt *m* du hast wohl einen ~? = du bist wohl nicht bei Verstand? Die Interjektion „sitt" bezeichnet das rasche Vorbeistreifen, etwa eines Schlags. Hier bezogen auf den leichten Schlag, der den Kopf getroffen und Geistesstörung hervorgerufen hat. 1920 *ff.*

Sitte *f* **1.** Sittendezernat der Kriminalpolizei. In Berliner Kundenkreisen gegen 1800 als Abkürzung aufgekommen.

2. ohne ~ = außerhalb der Beaufsichtigung durch die Sittenpolizei (bezogen auf nicht kontrollierte Prostitution). Spätestens seit 1900, Berlin.

3. unter der ~ sein = unter der Kontrolle des Sittendezernats stehen. 1900 *ff,* großstadtspr.

Sittenbulle *m* Polizeibeamter, der das Gaststätten- und Beherbergungsgewerbe kontrolliert. ↗Bulle 7. 1920 *ff.*

Sittenknüller *m* Schlager aus dem Bereich der körperlichen Liebe o. ä. ↗Knüller 1. Berlin 1950 *ff.*

Sittenkuh *f* Beamtin des Sittendezernats der Kriminalpolizei. ↗Kuh 1. Berlin 1961 *ff, prost.*

Sittenlump *m* Mensch mit unsittlicher Lebensführung. ↗Lump 1. 1900 *ff.*

Sittenmolch *m* Sittlichkeitsverbrecher. ↗Molch 5; ↗molchen 2. 1900 *ff.*

Sittenmuffel *m* sehr sittenstrenger Mensch. ↗Muffel 1 und 2. 1966 *ff.*

Sitten-Persilschein *m* amtliche Unbescholtenheitserklärung. ↗Persilschein 1. 1955 *ff.*

Sittenreißer *m* effekthascherischer Sittenfilm. ↗Reißer 3. 1960 *ff.*

Sittensau *f* unsittlicher Mensch; Lüstling. 1920 *ff.*

Sittenschinken *m* aufwendiger, aber künstlerisch wertloser Sittenfilm. ↗Schinken. 1960 *ff.*

Sittenschnüffler *m* Mann, der die öffentliche Moral für gefährdet hält; Mann, der sich zum Sittenrichter aufwirft; Moralprediger; Angehöriger des Sittendezernats der Kriminalpolizei. ↗Schnüffler 3. 1920 *ff.*

Sittenstrolch *m* Sittlichkeitsverbrecher. ↗Strolch. 1920 *ff.*

Sitten-TÜV *m* Staatliches Gesundheitsamt. ↗TÜV. Anspielung auf die ärztliche Kontrolle der Prostituierten. 1968 *ff.*

Sittenwächter *m* Heimleiter. Er wacht über Ordnung und Sitte. *Schül* 1955 *ff.*

Sittenwauwau *m* Sittenrichter o. ä. ↗Wauwau. 1920 *ff.*, Berlin.

Sittlichkeiter *m* Mann, der wegen eines Sittlichkeitsverbrechens eine Freiheitsstrafe verbüßt. Berlin 1920 *ff.*

Sittlichkeitsathlet *m* sittenstrenger Mensch, der sogar an harmlosesten Vorgängen Anstoß nimmt; Mensch, der sich mit seiner (vorgeblichen) Sittenreinheit brüstet. 1920 *ff.*

Sitz *m* **1.** auf einen ~ (in einem ~) = pausenlos; auf einmal; ohne aufzustehen; ohne das Glas abzusetzen. Hergenommen von ausgiebigem Verzehr, bei dem man weder eine Pause einlegt noch sich vom Sitz erhebt. 1500 *ff.*

2. bequemer ~ = feistes Gesäß. 1900 *ff.*, Berlin.

3. kein besetzter ~ ist mehr zu bekommen = alle Plätze sind besetzt. Eine scherzhafte „Fehlleistung" im Sinne von Sigmund Freud: die Redewendung ist gekreuzt aus „kein freier Platz ist mehr zu bekommen" und „alles ist besetzt". Theaterspr. 1930/40.

4. jn vom ~ reißen = jn hellauf begeistern. *Sportl* 1950 *ff.*

5. es reißt mich vom ~ = es regt mich sehr auf. *Vgl* ↗Sessel 7; ↗Stuhl 13. 1950 *ff.*

6. es reißt einen vom ~!: Ausdruck der Überraschung. ↗Sessel 7. 1950 *ff.*

sitzen *v* **1.** *intr* = eine Freiheitsstrafe verbüßen. Aus Hehlabsicht verkürzt aus „gefangen sitzen" oder „im Gefängnis sitzen". Seit dem 17. Jh.

2. *intr* = mit einer Strafstunde belegt sein. Dieses Los teilt der Schüler mit dem Verbrecher. Seit dem 19. Jh.

3. das sitzt = diese Bemerkung trifft das Wesentliche; dieser Vorwurf bleibt haften; dieses Gedicht ist gut auswendig gelernt. Sitzen = haften (der Schuß sitzt im Ziel; der Nagel sitzt in der Wand). Seit dem 19. Jh.

4. sitzt, paßt und hat Luft = es stimmt; damit hat es seine Richtigkeit. Hergenommen von der typischen Redewendung des Unteroffiziers bei der Einkleidung eines Rekruten. Kellnerspr. 1960 *ff.*

5. sitzt, paßt, hat Luft und klemmt sich: Ausdruck der Zustimmung. 1930 *ff,* handwerkerspr.

5 a. sitzt, paßt, wackelt und hat Luft: Ausdruck der Befriedigung, der Zustimmung. 1930 *ff,* handwerkerspr.

6. auf etw ~ = a) Ware nicht verkaufen können. Hergenommen von der Markthändlerin. Seit dem 14. Jh, kaufmannsspr. – b) sparsam sein; sich von einer Sache nicht trennen. 1920 *ff.*

7. hinter etw ~ = etw eifrig betreiben, vorantreiben; an etw heimlich beteiligt sein. Hergenommen vom peitschenden Kutscher. Seit dem 19. Jh.

8. hinterher ~ = sich heftig bemühen. *Jug* 1950 *ff.*

9. einen ~ haben = a) betrunken sein. Verkürzt aus „einen ↗Affen sitzen haben". Seit dem 19. Jh. – b) nicht recht bei Sinnen sein. Kann sich beziehen (wie im Vorhergehenden) auf den Affen oder aber auf den Vogel; *vgl* „einen ↗Vogel haben". 1900 *ff.*

10. viel ~ haben = viel Geld besitzen. 1900 *ff.*

11. jn ~ lassen = a) jn im Stich lassen; ohne Gruß weggehen; jm die Hilfe versagen. Man läßt ihn sitzen in der Not, in der „↗Patsche", in der „↗Scheiße", in der „↗Tinte" o. ä. 1500 *ff.* – b) einen Schüler nicht in die nächsthöhere Klasse versetzen. Seit dem 19. Jh.

12. eine ~ lassen = a) gegenüber einem Mädchen das Heiratsversprechen nicht einlösen; sich von der Geschwängerten trennen. ↗sitzen 11 a. 1500 *ff.* – b) ein Mädchen nicht zum Tanz auffordern. Seit dem 17. Jh. – c) in einem Kartenspiel, in dem die Damen die höchsten Trümpfe sind, eine Dame versehentlich nicht abfordern. Kartenspielerspr. seit dem 19. Jh.

13. etw ~ lassen = sich im Wirtshaus freigebig zeigen. Man läßt sein Geld beim Wirt sitzen (gibt es dem Wirt zu verdienen). Seit dem 19. Jh.

14. etw nicht auf sich ~ lassen = eine Beleidigung abwehren; einen Vorwurf nicht widerspruchslos hinnehmen. Hergenommen vom Schandfleck oder Makel, den man zu entfernen sucht. 1700 *ff.*

15. laß ~! = zieh nicht dein Portemonnaie, ich bezahle! Seit dem 19. Jh.

16. laß sie ~! = a) kratz' dich nicht! Anspielung auf Ungeziefer. Seit dem 19. Jh. – b) benimm dich gesittet! Seit dem 19. Jh.

sitzenbleiben *intr* **1.** keinen Mann zum Heiraten finden; nicht geheiratet werden. Übernommen vom Ausbleiben des Tänzers. *Vgl* ↗sitzen 12 b. 1600 *ff.*

2. mit einem unehelichen Kind nicht geheiratet werden; als verlassene Geschwängerte keinen Mann finden. ↗sitzen 12 a. 1600 *ff.*

3. nicht zum Tanz aufgefordert werden. ↗sitzen 12 b. 1600 *ff.*

4. in der Schule nicht versetzt werden. Analog zu „↗backenbleiben" oder „↗klebenbleiben": der Teig, der nicht „geht" (= aufgeht), bleibt sitzen. 1800 *ff.*

5. mit Nachsitzen bestraft werden. 19. Jh.

6. auf (mit) etw ~ = für eine Ware keinen Abnehmer finden. Hergenommen von der Marktfrau, die neben ihrer Ware sitzt und auf Käufer wartet. Seit dem 14. Jh.

Sitzenbleiber *m* **1.** nichtversetzter Schüler, Klassenwiederholer. Seit dem 19. Jh.

2. mit einer Strafstunde bestrafter Schüler. Seit dem 19. Jh.

sitzengeblieben *part* ein Gesicht machen wie ~ = bedrückt, schuldbewußt blicken. Übernommen vom Gesichtsausdruck des nichtversetzten Schülers. ↗sitzenbleiben 4. *Jug* 1955 *ff.*

Sitzer *m* **1.** nichtversetzter Schüler. 1925 *ff.*

2. Mann mit sitzender Tätigkeit. 1950 *ff.*

Sitzfläche *f* **1.** Gesäß. 1900 *ff.*

2. sich ein Auto unter die ~ klemmen = sich ins Auto setzen; sich erstmals ein Auto kaufen. 1930 *ff.*

Sitzfleisch *n* **1.** Gesäß. Seit dem 19. Jh; wohl älter.

2. Ausdauer im Sitzen; hartnäckiges Verbleiben in der Amtsstellung. 1600 *ff.*

3. ~ haben = a) beim Arbeiten ausdauernd sein; zu sitzender Tätigkeit neigen. 1600 *ff.* – b) einen Besuch lange ausdehnen; lange im Wirtshaus sitzen. Seit dem 19. Jh. – c) eine mehrjährige Freiheitsstrafe verbüßen. 1920 *ff.*

4. jm das ~ locker machen = jn auf das Gesäß schlagen. Seit dem 19. Jh.

Sitzfleischorden *m* Bundesverdienstkreuz am Band für 50jährige Amtstreue. Mit der Stiftung 1951 aufgekommen.

Sitzfleisch-Piefke *m* Bürobediensteter. ↗Piefke. 1950 *ff.*

Sitz-Geld *n* Haftentschädigung. ↗sitzen 1. 1960 *ff.*

Sitzgelegenheit *f* **1.** Gefängnis, Zuchthaus. ↗sitzen 1. 1900 *ff.*

2. Gesäß. Meint eigentlich das Möbelstück, auf dem man sitzen kann; hier die „Vorrichtung", mit der man sitzen kann. 1890 *ff.*

Sitzgröße *f* kurzbeiniger Mensch mit vergleichsweise langem, breitem Oberkörper. Im Sitzen erscheint er als Mensch von normaler Körpergröße. 1920 *ff.*

Sitzjule *f* Prostituierte, die vom Fenster aus Männer anlockt. ↗Jule. Berlin seit dem 19. Jh.

Sitzkasten *m* Gesäß. Hergenommen von der Bezeichnung für ein Teil der Protze (zweirädriger Karren). *Sold* seit dem ausgehenden 19. Jh.

Sitzkrieg *m* **1.** Erledigung militärischer Dienstobliegenheiten in Etappen- oder Heimatdienststellen. *Sold* in beiden Weltkriegen.

2. formell erklärter Krieg, bei dem feindliche Handlungen noch nicht eingeleitet sind. 1939 *ff* (vor Beginn des Westfeldzugs).

Sitzlandschaft *f* Sitzmöbelgarnitur. Werbetexterspr. 1970 *ff.*

Sitzleder *n* ~ haben = Ausdauer im Sitzen haben; lange aushalten; lange im Wirtshaus bleiben. Meint eigentlich das Leder als Sitzmöbelbezug, den Sattelüberzug o. ä.. 1600 *ff.*

Sitzling *m* Sitzgelegenheit (gleich welcher Art). *Rotw* seit dem 19. Jh.

Sitzmaschine *f* Stuhl. Technisierung, wohl weil man die Sitzfläche mittels einer Kurbel heben und senken kann. 1920 *ff.*

Sitz-Mensch mot. *m* Kraftfahrer, der mangels Bewegung dickleibig und dünnbeinig wird. 1958 *ff*, kraftfahrerspr.

Sitzpartie *f* **1.** Gesäß. Seit dem späten 19. Jh.

2. ausgedehntes Zechgelage. 1890 *ff.*

Sitzpflaster *n* ~ haben = nicht den schicklichen Zeitpunkt zum Weggehen finden. Parallel zu ↗Klebpflaster. 1900 *ff.*

Sitzriese *m* kurzbeiniger Mensch mit vergleichsweise langem, breitem Oberkörper. Analog zu ↗Sitzgröße. Gegenwert zu „↗Sitzzwerg". Seit dem späten 19. Jh.

Sitzspeck *m* Gesäß; Fettpolster am Gesäß. 1900 *ff.*

Sitztätiger *m* Mensch, der seinen Beruf vorwiegend im Sitzen ausübt. 1960 *ff.*

Sitzung *f* **1.** das Sitzen auf dem Abort, auf dem Nachtgeschirr. 1800 *ff.*

2. Zechgelage. Von Versammlungen in kleinerem Kreis (als Hehlbezeichnung) übertragen auf kleinere Zechereien. 1800 *ff.*

3. Verteilung der Spielkarten in der Hand. Kartenspielerspr. seit dem 19. Jh.

4. dolle ~ = so ungünstige Spielkartenverteilung, daß der Gegner alles übertrumpfen kann. Seit dem 19. Jh.

5. feuchte ~ = ausgedehntes Zechgelage. Seit dem 19. Jh.

6. lange ~ = a) ausdauernde Abortbenutzung. 1800 *ff.* – b) langanhaltendes Zechgelage. Seit dem 19. Jh. – c) mehrjährige Freiheitsstrafe. ↗sitzen 1. 1920 *ff.*

7. scharfe ~ = vielstündiges Zechgelage. Seit dem 19. Jh.

8. schwere ~ = ausgedehntes Zechgelage. Seit dem 19. Jh.

9. trockene ~ = Karnevalssitzung, zu der man Getränke und Gläser mitbringen muß. 1969 *ff.*

10. zur ~ gehen = den Abort aufsuchen. ↗Sitzung 1. 1900 *ff.*

Sitzungsgesicht *n* geheuchelt interessierte Miene eines Uninteressierten. 1950 *ff.*

Sitzungsperiode *f* **1.** wiederholter Arrestaufenthalt eines Unverbesserlichen. Eigentlich die Arbeitszeitspanne eines Parlaments zwischen den jahreszeitlichen Pausen o. ä. 1940 *ff.*

2. Dauer der Freiheitsstrafe. 1940 *ff.*

Sitzungsperiodiker *m* mehrmals rückfällig gewordener Strafanstaltsinsasse. 1940 *ff.*

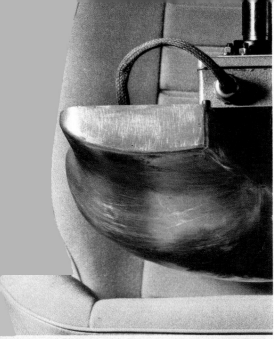

Man braucht ein eisernes Sitzfleisch, um unsere Sitze kaputtzukriegen.

Da weiß man, was man hat.

Wer sich ein Auto unter die Sitzfläche klemmt (**Sitzfläche 2.**), sollte sich, wie die oben abgebildete Werbung suggeriert, auch um die Qualität der Sitze kümmern, auf die er sein Sitzfleisch (**Sitzfleisch 1.**) zu plazieren gedenkt. Eisern wird es allerdings nur in einem übertragenen Sinn sein (vgl. **Sitzfleisch 2.**), und es bleibt so dahingestellt, ob der Werbeslogan vom eisernen Sitzfleisch, das man brauche, um diese Sitze kaputtzukriegen, sich auch auf eine solch allgemeine Interpretation dieses Ausdrucks bezieht. Widersprüchlich ist er ohnehin: Denn wenn da im begleitenden Text steht, daß ein computergesteuertes künstliches Eisenhinterteil eine Fahrt von 100 000 Kilometern auf einen Sitz simuliere (**Sitz 1.**), und dieser Sitz den Test nicht bestanden habe, wenn er auch nur einen Zentimeter eingesessen worden sei, so muß es doch verwundern, daß jene folglich ausgemusterte **Sitzmaschine** nichtsdestotrotz noch das Possessivpronomen „unser" erhält. Gemeint ist wohl das Gegenteil, und der **Sitz-Mensch mot.** wird das auch so verstehen. Ansonsten nämlich bliebe der Fabrikant auf seinen Produkten sitzen (**sitzenbleiben 6**, vgl. **sitzengeblieben**), ohne dadurch allerdings zur **Sitzgröße** zu werden.

Sitzungssaal m Abort; Bedürfnisanstalt. ↗Sitzung 1. 1910 ff.

Sitzzwerg m langbeiniger Mensch mit kurzem, gedrungenem Oberkörper. Gegenstück zu „↗Sitzriese". 1960 ff; wohl älter.

Skalp m Perücke. Eigentlich die abgezogene Kopfhaut. 1900 ff.

skalpieren tr 1. einem Mädchen die langen Haare (Zöpfe) abschneiden. In den zwanziger Jahren des 20. Jhs aufgekommen (Bubikopf).
2. jn kahlscheren. 1920 ff.
3. jn betrügen, übervorteilen. Variante zu „jm das ↗Fell über die Ohren ziehen". 1920 ff.
4. skalpiert sein = glatzköpfig sein. 1950 ff, jug.

Skandal-Absteige f durch Kuppelei und Unzucht übelbeleumdetes Hotel. ↗Absteige. 1920 ff.

Skandalanzeiger m 1. Zeitung, die vor allem die Aufdeckung von Skandalen in der führenden Gesellschaftsschicht o. ä. veröffentlicht. Seit dem ausgehenden 19. Jh, Berlin.
2. Lokal-, Generalanzeiger. Gegen 1900 aufgekommen als Spottbezeichnung für den im Scherl-Verlag erscheinenden „Lokalanzeiger".
3. wandelnder ~ = Zuträger(in), Ohrenbläser(in). 1900 ff, Berlin.

Skandaldämchen n weibliche Person mit ärgerniserregendem Lebenswandel. Dämchen. 1920 ff.

Skandaljule f weibliche Person mit anstößiger Lebensweise. ↗Jule. 1920 ff.

Skandalknipser m Fotograf, der Frauen in peinlichen Augenblicken fotografiert. ↗knipsen 1. 1960 ff.

Skandallöwin f Mädchen, dessen Verhalten Ärgernis erregt. 1960 ff.

Skandalmädchen n in einen Sittenskandal verwickeltes Mädchen. 1960 ff.

Skandalmime *m* Schauspieler, dessen Name in Verbindung mit einem Skandal genannt wird. 1970 *ff.*

Skandalnudel *f* 1. durch aufreizende geschlechtliche Bloßstellung unliebsames Aufsehen erregende weibliche Person. ⁊Nudel 4. Gegen 1959 aufgekommen mit einer „Femme fatale" des deutschen Films. Wortprägung angeblich von Hannes Obermaier, „Klatschkolumnist" der Münchener „Abendzeitung". Was eine „Skandalnudel" ist, hat das Münchner Landgericht am 30. April 1961 nicht klären können.
2. in der Öffentlichkeit Ärgernis erregender Mensch. 1965 *ff.*

Skandal-Star *m* Schauspielerin, die mehr durch Erregung öffentlichen Ärgernisses als durch schauspielerisches Können in Erscheinung tritt. 1956 *ff.*

Skandal-Stern *m* Filmschauspielerin, die mancherlei Ärgernis erregt. 1960 *ff.*

Skandalweibchen *n* Mitverdächtige in einem Sittenskandal. 1920 *ff.*

Skat *m* 1. der ~ brüllt = im Skat liegen hervorragende Karten. Kartenspielerspr. seit dem 19. Jh.
2. ~ dreschen = Skat spielen. Man schlägt die Karten geräuschvoll auf den Tisch. Spätestens seit 1850.
3. ~ kloppen = Skat spielen. *Vgl* das Vorhergehende. Seit dem 19. Jh.
4. es liegt alles drin im ~ = der Ausgang der Sache ist völlig ungewiß. 1930 *ff.*
5. einen trockenen ~ spielen = ein Spiel ohne jegliche Spannung spielen; beim Skatspielen nichts trinken. 1920 *ff.*
6. jn in den ~ werfen = jn abkommandieren, an entscheidender Stelle einsetzen. Der Betreffende ist so wichtig wie die in den Skat abgelegten zwei Spielkarten mit ansehnlich zählenden Augen. 1939 *ff*, sold.

Skat-As *n* hervorragender Skatspieler. ⁊As. 1920 *ff.*

Skatbruder *m* (leidenschaftlicher) Skatspieler. Seit dem 19. Jh.

Skatdrescher *m* Skatspieler. ⁊Skat 2. Seit dem 19. Jh.

skaten *intr* Skat spielen. 1920 *ff.*

Skater *m* Skatspieler. 1920 *ff.*

Skathase *m* alter ~ = alterfahrener Skatspieler. ⁊Hase. 1900 *ff.*

Skatklopper (-klopfer) *m* Skatspieler. ⁊Skat 3. Seit dem 19. Jh.

Ska'tör *m* leidenschaftlicher Skatspieler. 1900 *ff.*

Skatratte *f* Skatspieler. Nachahmung von „⁊Spielratte" o. ä. 1900 *ff.*

Skatschwester *f* Skatspielerin. Gegenstück zum ⁊Skatbruder. 1950 *ff.*

Skatwanze *f* lästiger Zuschauer und Raterteiler bei einem Skatspiel. ⁊Wanze 1. 1900 *ff.*

Skatwitwe *f* Frau, die zum dritten Mal eine Ehe eingehen möchte. Zum Skatspiel braucht man einen dritten Mann. Schwerzwort. 1950 *ff.*

Skelett *n* 1. Körperbau. Meint eigentlich nur das Knochengerüst, das Gerippe. 1930 *ff.*
2. ~ in Uniform = bleich aussehender Soldat. *Sold* 1935 *ff.*
3. aussehen wie ein ~ auf Urlaub = bleich sein. Parallel zu „⁊Leiche auf Urlaub". 1930 *ff.*

Skelettberichtigung *f* 1. Ganzkörpermassage. 1930 *ff.*
2. schwere Rüge. Man sucht die charakterliche Haltung zu verbessern und das Rückgrat zu stärken. *Sold* 1940 *ff.*

Skelettfotograf *m* Röntgenologe. 1950 *ff.*

Ski *m* ~ fallen = beim Skilaufen (immer wieder) stürzen. 1900 *ff.*

Ski-Amazone *f* Skisportlerin. ⁊Amazone. 1955 *ff.*

Ski-As *n* hervorragender Skiläufer. ⁊As 1. 1955 *ff.*

Ski-Baby (Grundwort *engl* ausgesprochen) *n* Skianfänger(in). 1960 *ff.*

Skifahrer-As *n* hervorragender Rennläufer. ⁊As 1. 1965 *ff.*

Skifahrerlatein *n* übertriebene (lügenhafte) Skiläuferberichte. ⁊Latein 2. 1960 *ff.*

Ski-Fex *m* leidenschaftlicher Skiläufer. ⁊Fex. 1920 *ff.*

Skihase (-haserl, -häschen) *m (n)* Skiläuferin; Skianfängerin. ⁊Hase = Mädchen. 1910 *ff*, vorwiegend *bayr* und *österr.*

Skihasenjagd *f* Flirt mit jungen Wintersportlerinnen. 1955 *ff.*

Skihasenjäger *m* Mann, der mit jungen Skiläuferinnen zu flirten sucht. 1955 *ff.*

Ski-Hexe *f* sehr schnelle Skiläuferin. 1960 *ff.*

Ski-Idiot *m* ungeschickter Skiläufer. 1960 *ff.*

Ski-Kanone *f* ausgezeichneter Skisportler. ⁊Kanone 1. 1920 *ff.*

Ski-Küken *n* Skianfängerin. ⁊Küken. 1960 *ff.*

Skilehrer *m* schwarzer ~ = amtlich nicht zugelassener Skilehrer. ⁊schwarz 5. 1960 *ff.*

Skiliftzirkus *m* Gesamtheit der Beförderungsanlagen für Wintersportler. ⁊Skizirkus. 1960 *ff.*

Skilöwe *m* Skisportler, der jungen Wintersportlerinnen nachstellt. Nachahmung des „⁊Salonlöwen". 1960 *ff.*

Ski-Luder *n* weibliche Person, für die der Skisport nur Vorwand für Männerfang ist. ⁊Luder 2. 1960 *ff.*

Skimuffel *m* Wanderer, der Skilaufen verabscheut. ⁊Muffel 2. 1969 *ff.*

Skipapst *m* Skilehrer; Fachkenner im Skisport. 1920 *ff.*

Skipilot *m* Skiläufer. Moderne Skisportanzüge erinnern an die Ausstattung von Kampffliegern o. ä. 1970 *ff.*

Ski-Quanten *pl* Senkfüße. ⁊Quanten. Sie sind platt und breit wie Skier. 1930 *ff*, Berlin.

Ski-Rabauke *m* rücksichtsloser Skiläufer. ⁊Rabauke. 1955 *ff.*

Skat ist hierzulande das mit großem Abstand beliebteste Kartenspiel, und wenn es auch in allen sozialen Schichten und Klassen verbreitet sein mag, so ist doch nicht zu übersehen, daß es insbesondere dort, wo das sogenannte einfache Volk unter sich bleibt, seine eigentliche Heimat findet. Zwar spielen auch der eine oder andere Politiker oder Wirtschaftsboß mal ein Blatt (vgl. **Blatt 15.**), allerdings vergessen sie dabei in den seltensten Fällen die diesmal ausnahmsweise einmal gar nicht so lästige **Skatwanze**, zumal wenn sie von der Presse kommt, dann ausdrücklich darauf hinzuweisen, wie volkstümlich sie doch sein können. So besehen ist mancher Skat- auch ein Phrasendrescher (vgl. **Skatdrescher**), so wie umgekehrt indes auch manche **Skatratte** zweifelsohne gern ein größeres Tier wäre. Die drei **Skatklopper** auf dem Foto oben etwa geben sich so, als wollten sie nicht nur am Stammtisch alle Karten in der Hand halten. Denn warum sollten jene besonderen Fähigkeiten, die sie beim Skat beweisen, sich nicht auf andere Bereiche übertragen lassen. Die Tatsache, daß dieses Foto ko-

misch wirkt, macht letztendlich aber deutlich, daß sich dies in der Regel genau umgekehrt verhält: Das Skatspiel entschädigt diejenigen, die ihm frönen, für vieles, was die übrige Lebenstätigkeit ihnen verweigert. In der Kneipe, bei Bier, Korn und Karten erhält der **Skatbruder** jenes Gefühl der Selbstverwirklichung und Autonomie, die ihn die Fremdbestimmung während seines sonstigen Lebens vergessen läßt, wenn auch nur für ein paar Stunden. Er kann jetzt über sein Tun selbst entscheiden und sich dessen Konsequenzen ausrechnen. Ein gewisses Risiko bleibt dabei zwar bestehen, doch wird es einem erfahrenen Skatspieler (vgl. **Skathase** und **Skatör**) so gut wie nie passieren, daß alles im Skat drinliegt (Skat 4., vgl. **Skat 1.** und **5.**). Und wenn er dann sieht, daß seine Kalkulation stimmt, wird er die Karten so geräuschvoll auf den Tisch legen (vgl. **Skat 2., 3.**), daß auch der letzte merkt, wer hier den Ton angibt. Das Spiel antizipiert folglich auch die Aufhebung gesellschaftlich bestimmter Einschränkungen der eigenen Persönlichkeit (vgl. **Skat 6.**).

Ski-Rakete *f* sehr schneller Skiläufer. 1957 *ff.*

Skis (Sküs) *m* Schulleiter. Hergenommen von der Bezeichnung für die höchste Figur beim Tarock. *Österr* 1900 *ff.*

Skisalat *m* zerbrochene Skier. ↗Salat 1. 1920 *ff.*

Skisäugling *m* Skianfänger. ↗Säugling. 1910 *ff.*

Skiverein *m* Gebirgsjägertruppe. ↗Verein. *Sold* 1939 *ff.*

Skiwasser *n* Himbeersaft (heiß oder kalt) mit Zitrone; alkoholfreies Heißgetränk; Orangeade; Getränk aus Tee, Zitrone und Weinbrand. Wintersportlerspr. 1910 *ff.*

Skizirkus *m* 1. geschäftstüchtige Betriebsamkeit um die Wintersportler; geselliges Nebenbei des Skisports. ↗Zirkus. 1960.
2. Skigelände mit Seilbahn, Sessel-, Skilift usw. ↗Skiliftzirkus. 1960 *ff.*

Sklave *m* 1. Soldat. Er betrachtet sich als Leibeigener. *Sold* 1900 bis heute.
2. *pl* = die Schüler. 1950 *ff.*

Sklavenhalter *m* 1. Soldatenausbilder. *Sold* 1939 *ff.*
2. Unternehmer, der seine Arbeitnehmer an andere Firmen verleiht. 1960 *ff.*

Sklavenhandel *m* unbefugte Vermittlung von Arbeitskräften; mißbräuchliche Vergabe von Leiharbeitern. 1965 *ff.*

Sklavenhändler *m* 1. unbefugt handelnder Arbeitsvermittler, der für seine Tätigkeit einen Teil des Lohns der Vermittelten einbehält. 1965 *ff.*
2. Lehrer. 1950 *ff.*
3. Theater-, Künstleragent. 1960 *ff.*

Sklavenheim *n* Schullandheim; Heimschule. ↗Sklave 2. 1950 *ff.*

Sklavenhölle *f* Klassenzimmer. 1950 *ff.*

Sklavenhüter *m* Lehrer. 1950 *ff.*

Sklavenkammer *f* Klassenzimmer. 1950 *ff.*

Sklavenknast *m* Heimschule. ↗Knast. 1950 *ff.*

Sklavenmeister *m* Lehrer. 1950 *ff.*

Sklavensaal *m* Klassenzimmer. 1950 *ff.*

Sklavensirene *f* Gong, Schulglocke. 1960 *ff.*

Sklaventreiber *m* 1. Rekrutenausbilder. *Sold* 1900 bis heute.
2. übermäßig strenger Vorgesetzter. 1920 *ff.*
3. strenger Lehrer. 1950 *ff.*
4. unnachsichtiger Fußballtrainer. *Sportl* 1950 *ff.*

Sklavenwächter *pl* Eltern; Erwachsene. 1945 *ff.*

Skribifax *m* Schreibzeug des Schülers. Eigentlich der Vielschreiber. *Österr* 1900 *ff.*

Slalom *m* ~ fahren = mit schleuderndem Auto fahren; in Schlangenlinien fahren. Übertragen vom Torlauf des Skisports. 1958 *ff*, kraftfahrerspr.

'Slalome *f* Skiläuferin. Zusammengesetzt aus „Slalom" und „Salome". 1970 *ff.*

Sloggi (Sloggy) *f* lange Unterhose. Eigentlich das Miederhöschen. *BSD* 1960 *ff.*

Smoke (*engl* ausgesprochen) f 1. Zigarette. *Engl* „to smoke = rauchen". *BSD* 1965 *ff.*
2. Marihuana o. ä. *Stud* 1950 *ff.*

smoken *intr tr* rauchen. 1900 *ff.*

Smokerette *f* Zigarette. Zusammengesetzt aus „smoken" und „Zigarette". 1950 *ff*, *schül.*

Smook (Smok) *m f* Zigarette, Zigarre. ↗Smoke. *Nordd* 1925/30 *ff.*

Smut *m* Koch, Schiffskoch. *Vgl* das Folgende. *Marinespr* 1900 bis heute.

Smutje (Schmuttje) *m* Koch, Schiffskoch; Küchenjunge. Fußt auf *nordd* „Smutt = große Hitze" und ist überlagert von „Smuttje = schmutziger, schmutzender Mensch" (↗schmuddeln). Im späten 19. Jh in der Seemannssprache aufgekommen und gegen 1900 in das Kriegsmarinedeutsch eingedrungen.

snacken *intr* am Tage mehrere kleinere Mahlzeiten einnehmen. Fußt auf *engl* „snack = kleiner Imbiß". 1960 *ff.*

snaksch *adj.* ↗schnackig.

sniefen *intr.* ↗schniefen 4.

Snoblesse *f* 1. Gesamtheit der Neureichen. Zusammengewachsen aus *engl* „snob" und *franz* „noblesse". Etwa seit 1949.
2. ~ oblige (*franz* ausgesprochen) = Neureichtum muß zur Schau gestellt werden; wozu neureich, wenn die Leute es nicht sehen? Den modernen gesellschaftlichen Gegebenheiten angepaßt in Umformung aus *franz* „Noblesse oblige = Adel verpflichtet". 1949 *ff.*

Snobpenne *f* Handelsschule. ↗Penne. *Schül* 1960 *ff.*

so *pron* 1. ohne das Übliche, das eigentlich zu Erwartende, das schon Gesagte, das vorhin Angesprochene (ich bin so gegangen = ohne zu zahlen; er ist so davongekommen = ohne Bestrafung; sie stand so da = nackt; das spielt er so = auswendig; das kann er so = ohne Anleitung, ohne Hilfsmittel; das kriege ich so = ohne Lebensmittelmarken; ohne Ausweis). Seit dem 19. Jh.
2. überaus; überzeugend (er hat ja so recht; er spricht ja so wahr; er sieht es ja so richtig). Seit dem 19. Jh.
3. auch so = ohnehin (er wäre auch so gekommen = ohne Aufforderung). Seit dem 19. Jh.
4. und so = und ähnlich; und so weiter (20 Mark und so habe ich zu kriegen). Seit dem 19. Jh. *Vgl engl* „or so".
5. so so = einigermaßen; mittelmäßig; noch gerade ausreichend. Verkürzt aus „es geht mal so, mal so", womit ein neutrales Unterscheiden ausgedrückt wird; auch hat „so" die Bedeutung „ungefähr" (ich erwarte dich so um 5 Uhr). 1700 *ff.*
6. so so la la = einigermaßen, mittelmäßig. Mit „la la" wird eine unartikulierte Tonfolge wiedergegeben. Seit dem 18. Jh.
7. heute so und morgen so = unbeständig, wankelmütig. „So = auf diese Weise" und „ = auf jene Weise". 1900 *ff.*
8. das so wie noch = das ohnehin. Berlin 1920 *ff.*
9. so man hat = sofern vorhanden ist. „So" er-

*Der umgangssprachliche **Socken** bezieht sich zum einen auf die sogenannten kurzen Strümpfe, zum andern aber, und das ist die ursprüngliche Bedeutung dieser Vokabel, auf einen leichten und flachen Schuh (lat. soccus). Wer sich also auf die Socken macht (**Socken II**, 20.), sollte dabei die Schuhe nicht vergessen. Wenn einer dagegen keine Socken, aber Ga-*

*maschen hat (**Socken II, 1.**), eine auf einen Stutzer oder Prahler gemünzte Redensart, so ist dieses Manko nicht auf den ersten Blick sichtbar. „Wird derjenige, welcher meine Stiefel sieht, etwa denken, sie ritten auf der bloßen Haut meiner Beine", heißt es im „Abenteuerlichen Buscon", einem Schelmenroman von Francisco de Quevedo (1580–1645).*

setzt hier das Relativpronomen. Seit spät–*mhd* Zeit.

10. nur so = ohne besonderen Anlaß; ohne Anspielung auf einen besonderen Fall; unverbindlich (ich habe nur so gefragt; er hat das nur so gesagt). Seit dem 19. Jh.

11. so leben = unverheiratet zusammenleben. Seit dem 19. Jh.

12. das sagt er so = das äußert er, ohne sich etwas dabei zu denken. 1900 *ff*.

13. dem ist nicht so = das ist ein Irrtum. 1920 *ff*.

14. nicht so sein = entgegenkommend, nicht nachtragend, nicht abweisend sein; freigebig sein. Verkürzt aus „nicht so sein, wie es den Anschein hat oder wie andere es behaupten". 19. Jh.

15. das steht so! = das ist in Ordnung; darauf kann man sich fest verlassen; das ist in jeder Hinsicht gesichert. Bei „so" wird der Unterarm erhoben und mit dem Ellenbogen auf den Tisch geklopft. Diese Gebärde versinnbildlicht den Begriff „aufrecht; gerade; auf festen Füßen; wie eine Eins". 1930 *ff*.

'sochen *interj* Redewendung des Kaufmanns (o. ä.), wenn er die Ware übergibt. Entstanden aus „so = da; bitte" und der Verkleinerungssilbe „-chen". 1900 *ff*.

Socke *f* ↗ Socken II.

Sockel *m* **1.** ~ weiblicher Eleganz = Schuhabsatz. 1950 *ff*.

2. ich falle fast vom ~ (mich haut's vom ~; es holt mich vom ~)!: Ausdruck höchster Verwunderung. *Jug* 1965 *ff*.

sockeln *intr* langsam gehen. Iterativum zu ↗ socken. 1900 *ff*.

Socken I *m* **1.** Präservativ. Analog zu ↗ Strumpf 2. 1950 *ff*.

2. schlechter, abgenutzter Autoreifen. Parallel zu ↗ Laatschen 3. 1930 *ff*.

3. unsauberes Mädchen; liederliche Frau; Mädchen *(abf)*. Fußt auf „suck", dem Lockruf für Schweine. Umschreibung für „Schwein = schmutziger, liederlicher Mensch". Auch geläufig in der Form „Socke" als Maskulinum und als Femininum. Seit dem 19. Jh.

3 a. alter ~ = Schimpfwort auf einen alten Menschen. 1970 *ff*.

4. blöder ~ = Schimpfwort. *Bayr* 1900 *ff*.

5. geiler ~ = a) sinnlich veranlagtes Mädchen. *BSD* 1960 *ff*. – b) strenger Vorgesetzter. ↗ geil 2. *BSD* 1960 *ff*.

6. lahmer ~ = müder, energieloser Mann. 1920 *ff*.

7. mieser ~ = unsympathischer Mann. 1920 *ff*.

8. scharfer ~ = sinnlich veranlagtes Mädchen. ↗ scharf 4. *BSD* 1960 *ff*.

9. schlapper ~ = energieloser Soldat. *BSD* 1960 *ff*.

10. du bist wohl mit dem ~ geschlagen?: Frage an einen, der unsinnige Behauptungen aufstellt. Man hat ihm den Schuh (↗ Socken II 2) um die Ohren geschlagen und dadurch eine leichte Geistestrübung hervorgerufen. Seit dem 19. Jh.

Socken II *pl* **1.** keine ~, aber Gamaschen!: Redewendung auf einen Prahler, der hinter seinem glänzenden Auftreten seine materielle und geistige Armut verbirgt. Er trägt die Gamaschen auf der bloßen Haut. 1920 *ff*.

2. sich für etw die ~ ablaufen = sich um etw heftig bemühen. Socke = niedriger Schuh; Schlüpfschuh. Seit dem 19. Jh.

3. dicke ~ (zwei Paar ~) anhaben = schlecht hören; absichtlich nicht hören. 1920 *ff*.

4. jm die ~ aufribbeln = zu einem leidenschaftlichen Tanz aufspielen. Aufribbeln = Gestricktes auflösen. *Halbw* 1955 *ff*.

5. wenn er die ~ auszieht, wird es dunkel im Saal: Redewendung auf einen Schweißfüßigen. Die

Gestankwolke verdunkelt die Stube, und den Kameraden vergehen vor dem Gestank die Sinne. *BSD* 1965 *ff.*

6. jn aus den ~ beuteln = jn handgreiflich züchtigen, verprügeln. ↗beuteln 1. *Sold* 1940 *ff; jug* 1955 *ff.*

7. jn auf die ~ bringen = jn verscheuchen, zum Aufbruch veranlassen. Man treibt ihn dazu, „sich auf die Socken zu machen"; ↗Socken II 20. 1900 *ff.*

8. jn von den ~ bringen = jn überanstrengen. Vor Erschöpfung fällt der Betreffende aus dem Schuhwerk. *Sold* 1915 *ff.*

9. das bringt mich von den ~ = das verwirrt mich sehr; das macht mich bestürzt. Man verliert das Gleichgewicht und stürzt zu Boden. 1910 *ff.*

10. aus den ~ fallen = sehr überrascht sein. *Vgl* das Vorhergehende. 1920 *ff.*

11. auf den ~ gehen = Löcher in den Schuhsohlen haben; sehr heruntergekommen sein. 1900 *ff.*

12. dreckige ~ haben = ein schlechtes Gewissen haben. 1930 *ff.*

13. nasse ~ haben = betrunken sein. Naß = betrunken. Anspielung auf den Torkelgang. 1940 *ff.*

14. schnelle ~ haben (auf schnellen ~ laufen) = schleunigst davongehen. In scherzhafter Auffassung ist nicht der Mensch schnell, sondern sein Schuhwerk oder seine Strümpfe schaffen die Beschleunigung. 1910 *ff.*

15. ihn haut's von den ~ (da haut's dich aus den ~) = er verliert die Geduld; Ausdruck heftigen Unwillens. Vor Erregung verliert man das Gleichgewicht. 1920 *ff.*

16. es hebt mich aus den ~ = es raubt mir die Fassung; es macht mich wütend. *Sold* 1940 *ff.*

17. jm auf die ~ helfen = jm aufhelfen; jn zum Aufbruch veranlassen. ↗Socken II 7. 1900 *ff.*

18. aus den ~ kippen = die Beherrschung verlieren. 1920 *ff.*

19. von den ~ kommen = sehr in Erstaunen geraten. 1910 *ff.*

20. sich auf die ~ machen = weggehen, abmarschieren. Socken sind entweder niedrige, weiche Schuhe oder Kurz-Strümpfe. ↗Socken II 2. Seit dem späten 18. Jh, vorwiegend *stud* und *sold.*

21. auf ~ phantasieren = nicht ganz bei Verstand sein. *Schül* 1950 *ff.*

22. jm die ~ zum Platzen bringen = jn umherhetzen; jm mit Aufträgen keine Ruhepause gönnen. *Sold* 1935 *ff.*

23. jn prügeln (o. ä.), daß ihm die ~ in den Schuhen platzen = jn heftig schlagen. Meist als Drohrede gebraucht. 1950 *ff.*

24. ihm qualmen die ~ = er marschiert sehr angestrengt; er macht viele Wege; er eilt, so rasch er kann; er tanzt ausgelassen. Die Socken „dampfen" vom langen Marsch, sind „heißgelaufen". Weiterentwickelt aus „er läuft sich warm". 1939 *ff.*

25. mich reißt's von den ~ = ich bin überaus erstaunt. *Vgl* ↗Socken II 15. *Österr* 1920 *ff, jug.*

26. die ~ schärfen = davoneilen. Der Eilschritt schleift die Stiefeleisen. *Sold* 1939 *ff.*

27. die ~ scharfmachen = sich eilig entfernen; flüchten. *Vgl* das Vorhergehende. *Sold* 1939 *ff.*

28. jm die ~ scharfmachen = jn antreiben, aufstacheln; jds Verdacht erregen. *Sold* 1935 *ff.*

29. das schmeißt einen aus den ~ = das bringt einen aus der gewohnten Ordnung; das strengt sehr an; darüber ist man sprachlos. *Österr* 1920 *ff.*

30. auf den ~ sein = körperlich (seelisch, geldlich) erschöpft sein. ↗Socken II 11. 1900 *ff.*

31. jm auf den ~ sein (folgen) = unmittelbar hinter jm gehen; jn verfolgen. 1500 *ff.*

32. schwer in den ~ sein = an den Folgen alkoholischer Ausschweifung leiden. Die Füße sind einem so schwer, daß man torkelt; *vgl* auch ↗Socken II 13. *Sold* 1935 *ff.*

33. von den ~ sein = sehr überrascht sein. Überraschtsein stellt sich volkstümlich als ein Fallen aus den Schuhen dar. 1920 *ff.*

34. aus den ~ springen = aufbrausen. 1920 *ff.*

35. es ist, um aus den ~ zu springen = es ist zum Verzweifeln. 1920 *ff.*

36. jm auf den ~ stehen = einen gegnerischen Fußballspieler decken und dadurch in seinem Können behindern. *Sportl* 1950 *ff.*

37. die ~ auf Halbmast tragen (auf Halbmast flaggen) = die Socken über den Schuhrand herabhängen haben. 1870 *ff.*

38. da fliegen einem die ~ weg!: Ausdruck heftigen Staunens. 1965 *ff.*

39. die ~ wetzen = schnell laufen. ↗Socken II 26. *Sold* 1939 *ff; schül* 1950 *ff.*

40. es zieht einem die ~ zusammen = das ist ein brennend scharfes alkoholisches Getränk, ein sehr saurer Wein. *Vgl* ↗Strumpfwein. 1930 *ff.*

socken *intr* sich aufmachen; davongehen; eilen. ↗Socken II 20. Seit dem 19. Jh.

Sockenball *m* Tanz auf Strümpfen. 1930 *ff.*

Sockenhopf *m* Tanz auf Strümpfen. „Hopf" gehört zu „hupfen, hüpfen". 1950 *ff.*

Sockenhops *m* Tanz auf Strümpfen. ↗hopsen. *Südwestd* 1930 *ff.*

Sockenschleicher *m* leise entweichender Darmwind. 1900 *ff.* Dazu die Sprüche: „Salomo der Weise spricht: / Laute Fürze stinken nicht; / aber die auf leisen Socken schleichen, / duften, ach zum Herzerweichen!"; dazu die Varianten: „aber die auf leisen Sohlen / soll doch gleich der Teufel holen!" oder „vor Fürzen, die auf Socken schleichen, / vor denen mußt du weichen!".

Sockenschwof (-schwoof) *m* Tanzvergnügen junger Leute auf Socken oder Strümpfen. ↗Schwof. *Schwäb* 1930 *ff.*

Sockenwasser *n* unschmackhafte Brühe. Man vermutet, in ihr habe man Socken gewaschen. *Sold* 1939 *ff.*

Sockenzähler *pl* Technische Truppe. Anspielung auf die Verwaltung der Bestände und die Materialausgabe. *BSD* 1965 *ff.* Auch in der *ndl* Soldatensprache gebräuchlich.

sockfuß *adv* auf Strümpfen. Nachahmung von „barfuß". *Vgl ndd* „Söckfaut = nur mit Socken bekleideter Fuß". *Nordd* 1900 *ff.*

Soda *n* es riecht nach ~ und Gomorrha = es wird Hausputz gehalten. Scherzhaft umgewandelt aus „↗Sodom und Gomorrha". 1930 *ff.*

Sodaersatz *m* Sekt. *Vgl* das Folgende. Kellnerspr. 1950 *ff.*

Sodawasser *n* minderwertiger Sekt; Obstschaumwein. 1950 *ff.*

Sodom *On* **1.** ~ und Gomorrha = großes Durcheinander; große Unordnung; Verwüstung; Sittenlosigkeit. Geht zurück auf den biblischen Bericht von der Stätte widernatürlicher Laster (1. Moses 19). Seit dem 19. Jh.
2. auch ~ mußte untergehen = auch nach Gewinn mehrerer gewagter Spiele pflegt sich das Kartenspielerunglück einzustellen. Seit dem 19. Jh.

Sofa *n* **1.** intime Freundin. Sie ist vorwiegend ein Schlummerliebchen und fühlt sich auf dem Sofa am wohlsten. 1955 *ff.*
2. rasches ~ = schnelles Auto mit vielerlei technischen Bequemlichkeiten. 1960 *ff.*
3. rollendes (fahrendes) ~ = Auto. 1960 *ff.*
4. schnelles ~ = a) Sport-, Rennwagen. 1955 *ff.* – b) breitgebautes Auto (in dem man auch den Geschlechtsverkehr ausüben kann). 1955 *ff.* – c) Motorroller. 1955 *ff.*

Sofafahrer *m* Langsamfahrer. Manche fassen „Sofa" als Abkürzung von „Sonntagsfahrer" auf. Kraftfahrerspr. 1955 *ff.*

Sofakissen *n* Begleiter (Berater) einer hochgestellten Person des öffentlichen Lebens. Er schiebt das Sofakissen unter oder paßt sich an wie das Sofakissen. *Sold* in beiden Weltkriegen; *ziv* 1950 *ff.*

Sofaknacker *m* Fahrzeug der Müllabfuhr, vorgesehen zur sofortigen Zerkleinerung von sperrigem Hausrat. 1963 *ff.*

Sofalizenz *f* **1.** große ~ = Heirat. Die „Lizenz" erstreckt sich auf den gesamten Geschlechtsverkehr. *BSD* 1965 *ff.*
2. kleine ~ = Verlöbnis. *BSD* 1965 *ff.*

Sofareeder *m* Schiffsbesitzer, der kein ausübender Schiffer ist. 1920 *ff.*

Sofa-Schlummerrolle *f* fettgefütterter Hund. 1920 *ff.*

Sofa-Sportler *m* Fernsehzuschauer bei Sportübertragungen. 1960 *ff.*

Sofatiger *m* Schoßhund. 1920 *ff.*

Soff *m* **1.** schlechtes Getränk; unmäßiger Trunk. Meint eigentlich das im Kessel gekochte, breiige Viehfutter. Seit dem 18. Jh.
2. Ende, Schluß einer Sache. Fußt auf *gleichbed jidd* „zoff". *Rotw* 1840 *ff.*

Söffer *m* Trinker, Trunksüchtiger. Nebenform von „Säufer". Seit dem 19. Jh.

Soffkopp *m* Trinker. Nebenform von ↗Suffkopp. Berlin 1900 *ff.*

Soforthilfe *f* Eierlikör; Solei; Ei. Dadurch wird angeblich die Geschlechtslust angeregt, und zwar sofort. Die Bezeichnung geht zurück auf das am 8. August 1949 erlassene Soforthilfegesetz, das die Abgabepflicht zu Gunsten der Lastenausgleichsmaßnahmen regelte. 1950 *ff,* arbeiterspr.

soft *adj* **1.** weich geschnitten. Aus der *engl* Werbetextersprache gegen 1968 übernommen.
2. weichlich, fade, temperamentlos. *Jug* 1970 *ff.*
3. alkoholfrei. *Jug* 1970 *ff.*

Softi *m* verweichlichter, femininer Mann. 1970 *ff.*

Sohle *f* **1.** zähe Bratenscheibe. Man hält sie für ebenso zäh wie eine lederne Schuhsohle. 1920 *ff.*
2. Unwahrheit; Prahlerei; Lüge. ↗sohlen 2. Berlin und *mitteld* seit dem späten 19. Jh.
3. ältliche, unschöne Frau. Ihre Haut sieht wie ledern aus; *vgl* „alte ↗Haut". *Bayr* 1900 *ff.*
4. auf flotter ~ = sehr lebens- und unternehmungslustig. Vom Tanzen hergenomen. 1920 *ff.*
5. heiße ~ = leidenschaftlich bewegter Tanz. 1960 *ff.*
6. müde ~ = Tanz, bei dem man nicht von der Stelle kommt. *Halbw* nach 1950, Berlin.
7. sich etw an den ~n abgelaufen haben = etw genau kennen. Meint eigentlich „sich eine Gegend an den Sohlen ablaufen = eine Gegend (als Wanderer) gründlich kennenlernen". *Vgl* ↗Schuh 9. Seit dem 19. Jh.
8. bis auf die ~n ausgeschnitten sein = a) sehr tief dekolletiert sein. Seit dem späten 19. Jh. – b) in voller Nacktheit dastehen (auf weibliche Personen bezogen). 1880 *ff.*
9. eine heiße ~ drehen = leidenschaftlich, ausgelassen tanzen. ↗Sohle 5. 1960 *ff,* halbw.
10. eine kesse ~ drehen = gut tanzen. ↗keß. Berlin 1920/30 *ff.*
11. sich die ~n durchtraben = durch vieles Gehen löcherige Schuhsohlen bekommen. ↗traben. 1945 *ff.*
12. eine flotte ~ aufs Parkett heften = schwungvoll tanzen. *Halbw* 1955 *ff.*
13. eine flotte ~ aufs Parkett legen = schwungvoll tanzen. *Halbw* 1955 *ff.*
14. eine heiße ~ aufs Parkett legen = leidenschaftlich, ungestüm tanzen. ↗Sohle 5. 1960 *ff,* halbw.
15. eine kesse ~ aufs Parkett legen = schwungvoll tanzen. ↗Sohle 10. Berlin 1910 *ff.*
16. sich auf die ~n machen = sich davonmachen; fliehen. Seit dem 19. Jh.
17. tanzen, daß die ~n rauchen (qualmen) = ausdauernd, ausgelassen tanzen. *Vgl* ↗Socken II 24. 1955 *ff,* wohl älter.
18. eine saubere ~ schleifen = gut tanzen. 1925 *ff,* jug, Berlin.

19. eine gute (dolle) ~ tanzen = gut tanzen. Berlin seit dem frühen 20. Jh.

sohlen *v* **1.** *tr* = jn prügeln. Hergenommen vom Schuhmacher, der heftig auf das Sohlenleder schlägt oder die Sohle heftig aufschlägt. Seit dem 18. Jh.

2. *intr* = lügen. Hängt zusammen mit der Vorstellung „Philosoph auf dem Schusterschemel", wie man den Schuhmacher und Flickschuster nennt; man hält sie für nachdenklich und grüblerisch und traut ihnen zu, daß sie während der Arbeit Lügengeschichten erfinden. Seit dem 19. Jh, vorwiegend *mitteld* und Berlin.

3. viel reden; einfältig schwätzen. Versteht sich nach dem Vorhergehenden. Seit dem 19. Jh.

Sohlenleder (Sohlleder) *n* **1.** zähe Bratenscheibe. ↗Sohle 1. Seit dem ausgehenden 19. Jh.

2. zäh (hart) wie ~ = zäh; schwer zu zerkauen. 1890 *ff*.

Sohlenmörder *m* **1.** ausgelassener Tanz. Dabei gehen die Schuhsohlen entzwei. *Halbw* 1955 *ff*.

2. Tänzer ausgelassener Tänze. *Halbw* 1955 *ff*.

Sohlenschoner *m* **1.** Angehöriger einer fahrenden oder reitenden Truppe. Spätestens seit dem Ersten Weltkrieg.

2. Kraftfahrer. 1920 *ff*.

3. Teppich. 1920/30 *ff*.

Sohlist *m* Lügner. ↗sohlen 2. Ein Solist, dem kein Beifall gebührt. *Mitteld* 1920 *ff*.

Sohlleder *n* ↗Sohlenleder.

Sohlmeier *m* Lügner, Schwätzer. ↗sohlen 2 u. 3. 1900 *ff*.

Sohn *m* **1.** Junge (gönnerhafte Anrede). *Halbw* 1950 *ff*.

2. am ~es = in der Nabelgegend. Gemeint ist jene Stelle, bei der beim Schlagen des Kreuzeichens das Wort „Sohnes" ausgesprochen wird. 1900 *ff*, *westd*.

3. bis zum ~es = tief dekolletiert. Versteht sich nach dem Vorhergehenden. 1920 *ff*, *westd*.

4. hat dein Vater noch mehr so schlaue Söhne?: Frage an einen Dummen. 1920 *ff*.

5. mein ~, warum hast du das getan?: Frage des Kartenspielers an seinen Partner, der unbedacht gehandelt hat. Geht zurück auf die biblische Geschichte vom zwölfjährigen Jesus im Tempel (Lukas 2, 48). Kartenspielerspr. seit dem 19. Jh. Wohl von Theologiestudenten aufgebracht.

Sohnemann *m* Sohn; kleiner Junge (Kosewort). Seit dem 19. Jh.

Sohnemännchen *n* kleiner Junge (Kosewort). Seit dem 19. Jh.

solange du da bist Täuschungszettel des Schülers. Hergenommen vom Titel des 1953 mit O. W. Fischer gedrehten Spielfilms. Gemeint ist, daß bei Klassenarbeiten der Schüler nicht hilflos ist, solange er sein Täuschungsmittel verwenden kann. 1957 *ff*.

Solbad *n* ein ~ nehmen (aufsuchen) = über See abstürzen; notwassern. Solbad = Bad in salzhaltigem Wasser. Fliegerspr. 1939 *ff*.

solche *pl* **1.** es gibt ~ und ~ = die Menschen sind verschieden. Sinngemäß: es gibt Menschen von dieser und von jener Art. 1900 *ff*.

2. ~ und sone = Leute der verschiedensten Art. *Vgl* ↗sone. Berlin seit dem späten 19. Jh.

Solchene I *f* Prostituierte. Aus „solch eine" zusammengezogen. Wien seit dem 19. Jh.

solchene II *pl* solche. *Bayr* und *österr*, 19. Jh.

Soldat *m* **1.** in den Skat abgelegte Karte. Diese Karte wird wie der Soldat „eingezogen": sie zählt mit, aber spielt nicht mit. Kartenspielerspr. seit dem späten 19. Jh.

2. ~ aus ehemaligen Heeresrestbeständen = Altgedienter in Diensten der Bundeswehr. Beim Ausverkauf der Wehrmacht hat man ihn eingehandelt. *BSD* 1960 *ff*.

3. ~ des Himmels = Angehöriger der Heilsarmee. Der Ausdruck betont die Waffenlosigkeit dieser Armee. *Sold* 1935 *ff*.

4. ~ in Lauerstellung = Reservist. *BSD* 1965 *ff*.

5. ~ ohne Sack = Angehörige des weiblichen Arbeitsdienstes, des weiblichen Wehrmachtgefolges. Sack = Hodensack. *Vgl* ↗S.O.S. 9. *Sold* 1939 *ff*.

6. ~ Servus = österreichischer Soldat. ↗Servus. *Sold* 1939 *ff*.

7. ~ am grünen Tisch = Angehöriger des Generalstabs. Der „grüne Tisch" ist das Sinnbild wirklichkeitsfernen Theoretisierens. *BSD* 1965 *ff*.

8. angefangener ~ = Rekrut. *Sold* 1935 *ff*.

9. ewiger ~ = Soldat, der seinen Dienst bis zum äußersten einwandfrei versieht. Weniger dienstbeflissene Soldaten meinen, diese Art Soldat sei unverwüstlich und unsterblich. 1920 *ff*.

10. wie die ~en liegen = sauber ausgerichtet liegen (bezogen auf die Hemden im Schrank). 1930 *ff*.

11. zehn „ich bin gerne ~" machen = zehn Kniebeugen mit dem Gewehr in Vorhalte machen und dazu im Rhythmus „ich bin gerne Soldat" sagen. *Sold* 1939 *ff*.

12. ~ spielen = den Wehrdienst ableisten; Berufssoldat sein. Man spielt die Rolle des Soldaten, entweder nach Art des Kinderspiels aus Spaß, oder man mimt nach Schauspielerart, was man nicht eigentlich ist. Etwa seit 1800 *ff*.

13. dieses Geld wird ~ = dieses Geld wird verspielt, ausgegeben. Es verschwindet aus dem Besitz wie der Soldat aus dem Zivilleben. Kartenspielerspr. 1870 *ff*.

14. der wird ~, und der geht ins Kloster: Redewendung beim Ablegen der beiden Karten in den Skat. Wer Soldat oder Mönch wird, verläßt die bürgerliche Welt. ↗Soldat 1. Kartenspielerspr. 1870 *ff*.

Soldatenbeschaffungsurlaub *m* Hochzeitsurlaub. Man zeugt Bundeswehrnachwuchs. *BSD* 1965 *ff*.

*Als Braut des Soldaten (**Soldatenbraut**, vgl. **Braut 1.**) gilt gemeinhin das Gewehr. Was ein ange-fangener Soldat (**Soldat 8.**) vielleicht durchaus noch ironisch auffassen wird, ist dem ewigen Soldaten (**Soldat 9.**) im Laufe der Jahre sicher schon in Fleisch und Blut übergegangen. Ein Ausdruck wie dieser spiegelt die psychischen Deformationen derer, die sich in diese Lebenswelt einzugliedern haben, mit erschreckender Deutlichkeit wider. Jene Pervertierung der Erotik und der sie begleitende Männlichkeitswahn machen natürlich auch vor den Frauen in Uniform nicht halt. Anders als auf dem Foto oben sieht die Soldatensprache in ihnen nicht die Frau, sondern den bloßen Soldaten ohne Sack (**Sack 5.**).*

Soldatenbibel *f* Dienstvorschrift. ↗Bibel 2. *Sold* 1900 bis heute.

Soldatenbraut *f* Gewehr. ↗Braut 1. Seit 1866 bis heute geläufig.

Soldatenfabrik *f* Kaserne. *BSD* 1955 *ff.*

Soldatenfänger *pl* **1.** Feldjäger. Sie greifen Versprengte oder Fahnenflüchtige auf. *Sold* 1939 *ff.* Älter ist die gleichlautende Bezeichnung für die Hebammen.
2. Kreiswehrersatzamt. Es „fängt" den Nachwuchs für die Bundeswehr. *BSD* 1960 *ff.*

Soldatenfibel *f* Dienstvorschrift. Fibel = Lesebuch für Anfänger. *BSD* 1960 *ff.*

Soldatenflittchen *n* Soldatenliebchen. ↗Flittchen. 1910 *ff.*

Soldatenfotze *f* Soldatenhure. ↗Fotze. 1910 *ff.*

Soldatengarn *n* ~ spinnen = (mehr oder weniger wahrheitsgemäß) aus dem Soldatenleben erzählen. ↗Garn 4. *BSD* 1960 *ff.*

Soldatengemsen *pl* Gebirgsjäger. Als Soldaten bewegen sie sich wie die Gemsen im Gebirge. *BSD* 1965 *ff.*

Soldatengold *n* Rost an Handwaffen. Spottwort. *Sold* 1910 bis heute.

Soldaten-Großversandhaus *n* Kreiswehrersatzamt. Es versendet die Einberufungsbescheide (und damit letztlich die Soldaten zu ihren Bestimmungsorten) wie das Versandhaus seine Waren. *BSD* 1960 *ff.*

Soldatenherberge *f* Kaserne. 1960 *ff.*

Soldatenhonig *m* Rizinusöl. Beide sind farbähnlich und leicht dickflüssig. *Iron* Bezeichnung seit 1900 bis heute.

Soldatenklau *m* militärischer Vorgesetzter, der

Ein **Solist** *tritt entweder alleine auf oder spielt in einem Orchester die erste Geige, Trompete, Posaune oder sonst ein Instrument. In beiden Fällen hebt er sich von der Masse der übrigen ab. Doch was im Bereich der Kunst durchaus positiv verstanden wird, stellt sich in der Umgangssprache unter umgekehrten Vorzeichen dar. Einer, der oft alleine oder nicht verheiratet ist, gilt als Einzelgänger und nicht selten, wie dies Foto oben andeutet, auch als Sonderling (***Solist 1., Solistin, Solistentum***)*, als einer, der sich den herrschenden Konventionen, vor allem dem Zwang zur Geselligkeit nicht anpassen will. Positive Konnotationen sind dieser Vokabel allein dann zu eigen, wenn sie sich auf Konkretes beziehen (***Solist 3.***). Unausgesprochen liegt dem aber zugrunde, daß ein solches ***Solo*** dem Ganzen zugute kommen muß.*

Versprengte zu neuen Einheiten zusammenfaßt. ↗Heldenklau. *Sold* 1939 *ff.*

Soldatenkram *m* lästige Begleiterscheinungen des Wehrdienstes; alles, was mit dem Wehrdienst zusammenhängt. 1920 *ff.*

Soldatenkuchen *m* Kommißbrot. *Sold* 1914 *ff.*

Soldatenmuffel *m* Gegner des Soldatentums. ↗Muffel 2. 1966 *ff.*

Soldatenpope *m* Militärpfarrer. ↗Pope. *BSD* 1960 *ff.*

Soldatenspiel (Soldatenspielen) *n* Ableistung des Wehrdienstes. ↗Soldat 12. Etwa seit 1800.

Soldatenspielerei *f* Militärdienst; Soldatentum. ↗Soldat 12. 1870 *ff*; wohl älter.

Soldatenspindschönheit *f* Pin-up-Girl. 1950 *ff.*

Soldatenstall *m* Kaserne. *Sold* 1914 bis heute.

Solei (Sol-Ei; Sohl-Ei) *n* absichtlich unterschobe-

ne Falschmeldung. Sie nimmt sich unter den vielen Richtigmeldungen wie ein Kuckucksei aus. ↗sohlen 2. 1914 *ff.*

Solide *f* **1.** kontrollierte Prostituierte. Mit den Augen der Verwaltung gesehen, betreibt sie ihr Gewerbe auf erlaubte, rechtschaffene Weise. 1955 *ff.* **2.** nichtregistrierte Prostituierte, die tagsüber einem „ehrbaren" Beruf nachgeht. 1955 *ff.*

solide *adj* **1.** sich ~ schreiben lassen = die Tätigkeit einer Prostituierten aufgeben. Man gibt den polizeilichen Erlaubnisschein zurück. 1960 *ff.* **2.** ~ werden = das Gewerbe der Prostituierten einstellen. 1960 *ff.*

Solingen *On* **1.** halb ~ = sinnlich veranlagtes Mädchen. Hergenommen von Solingen als Stadt der Schneidwarenindustrie, der Messer-, Rasierklingenherstellung. Verstärkende Anspielung auf „scharf wie ein ↗Rasiermesser". 1950 *ff.* **2.** scharf wie ~ = liebesgierig. 1950 *ff.*

Solist *m* **1.** Einzelgänger. Meint eigentlich den einzeln auftretenden Künstler. *Halbw* 1950 *ff.* **2.** Lediger. 1960 *ff.* **3.** Spieler, der Alleingänge unternimmt. *Sportl* 1950 *ff.*

Solistentum *n* Ledigendasein. 1960 *ff.*

Solistin *f* **1.** unverheiratete Frau. 1960 *ff.* **2.** alleinreisende Frau. 1960 *ff.*

Soll *n* sein ~ erfüllen = a) die zugewiesene Arbeit verrichten. Gehört dem Wortschatz der DDR an im Sinne der Erfüllung des planmäßig vorgeschriebenen Arbeitspensums. 1950 *ff.* – b) seinen ehelichen Pflichten nachkommen. 1950 *ff.*

Solo *n* Durchbruchsversuch eines einzelnen. *Vgl* ↗Solist 3. *Sportl* 1950 *ff.*

solo *adv* **1.** er geht ~ = er ist ein Einzelgänger. 1900 *ff.* **2.** ~ sein = selbstsüchtig, unkameradschaftlich sein. *BSD* 1960 *ff.*

Solo-Boy *m* Einzelgänger. *Schül* 1950 *ff.*

Solodame *f* Prostituierte ohne Bordell- und/oder Zuhälter-Zugehörigkeit. 1958 *ff*, großstadtspr.

Sologänger *m* Einzelgänger. *Halbw* 1950 *ff.*

Solohatscher *m* Einzelgänger. ↗hatschen. *Österr* 1950 *ff*, *jug.*

Sololäufer (-mann; -mensch) *m* Einzelgänger. *Halbw* 1950 *ff.*

Solonummer *f* Straftat eines einzelnen. Eigentlich die Darbietung eines einzelnen im Zirkus o. ä. 1960 *ff.*

Solo-Tanzen *n* Einzelexerzieren. Euphemismus. *BSD* 1960 *ff.*

Solotänzer *m* Einzelgänger. 1960 *ff*, *jug.*

Sommer *m* **1.** australischer ~ = großwüchsiger, hagerer Mensch. Der Sommer in Australien dauert lange und verursacht Dürre. *BSD* 1965 *ff.* **2.** trockener ~ = Essen, zu dem keine Alkoholika gereicht werden. Seit dem frühen 20. Jh.

Sommer-Ente *f* Pressefalschmeldung während der Sommermonate. ↗Ente 1. 1960 *ff.*

Sommerfähnchen *n* leichtes, billiges Sommerkleid. ↗Fähnchen. 1920 *ff*.

Sommerfrische *f* 1. (staatliche) ~ = Strafanstalt; Arrestlokal. Dort verbringt man Monate bezahlter Erholung vom anstrengenden Berufsleben. Seit dem späten 19. Jh. **2.** Truppenübungsplatz. Ironie. *Sold* seit dem ausgehenden 19. Jh. **3.** militärische Stellung ohne Beschuß. *Sold* in beiden Weltkriegen. **4.** Manöver. *BSD* 1960 *ff*.

Sommerfrischenlöwe *m* Mann, der in der Sommerfrische leicht Anschluß findet. Eine Abart des „↗Salonlöwen". 1967 *ff*.

Sommerfrischling *m* Erholungsuchender; Badegast. Spöttelnde Kreuzung von „Sommerfrischler" mit „Frischling = junges Wildschwein". Gegen 1870 aufgekommen.

Sommerfußball *m* 1. Fußballspiel ohne spannende Szenen. Im Sommer finden keine Bundesligaspiele statt. *Sportl* 1960 *ff*. **2.** matte, schwunglose Sache. 1960 *ff*.

Sommergerste *f* halb Sommer-, halb Wintergerste = Malzkaffee. 1939 *ff*, *nordd*.

Sommerkarneval *m* karnevalähnliches Treiben am Mittelrhein und in der Umgebung während der Sommermonate; Winzerfest u. ä. 1961 *ff*.

Sommerleutnant *m* zur Reserveübung eingezogener Offizier; Leutnant der Reserve. *Sold* seit dem späten 19. Jh bis heute.

Sommerloch *n* 1. Rückgang der Anzeigenaufträge in den Sommermonaten. Zeitungsspr. 1960 *ff*. **2.** Parlamentsferien im Sommer. 1970 *ff*. **3.** unzureichende Krankenversorgung während der Urlaubszeit. 1980 *ff*.

Sommerluke *f* einen Kleinen auf der ~ haben = nicht recht bei Verstand sein. Berührt sich mit „er hat einen auf der Klappe = er ist verrückt". Mit „Klappe" ist wie bei „Luke" der Kopf gemeint. *Nordd* 1950 *ff*, *schül*.

Sommermirln *pl* Sommersprossen. ↗Mirln. *Bayr* und *österr*, seit dem 19. Jh.

Sommermuffel *m* Mensch, den die Sommermonate gleichgültig lassen. ↗Muffel 2. 1970 *ff*, werbetexterspr.

Sommernachtstraum *m* duftig-luftiges Damennachthemd. Nur dem Wort nach mit dem deutschen Titel von Shakespeares Drama zusammenhängend. 1930 *ff*.

Sommernixe *f* sonnenbadendes Mädchen. ↗Nixe. 1920 *ff*.

Sommerregen *m* warmer ~ = unerwartete Wohltat. ↗Regen 3. 1950 *ff*, *nordd*, *stud*.

Sommersause *f* Fest der Schrebergärtner. ↗Sause. Berlin 1920 *ff*.

Sommerschlaf *m* Sommerurlaub. Dem „Winterschlaf" nachgebildet. 1960 *ff*.

Sommerschlitten *m* offenes Auto. ↗Schlitten 1. 1920 *ff*, Berlin.

Sommersprossen *pl* ~ ins Hemd kriegen = stark blähende Speisen essen. *Mitteld* 1920 *ff*.

Sommersprossengebläse *n* Durchfall. *BSD* 1965 *ff*.

Sommerprößlinge *pl* Sommersprossen. 1960 *ff*.

Sommertheater *n* anspruchsloses Unterhaltungstheater. Meint vor allem die Inszenierungen, mit denen die Schauspieler während der Theaterferien in Kurorten u. ä. auftreten. Theaterspr. 1900 *ff*.

Sonderfrüchtchenschule *f* Sonderschule. ↗Früchtchen. 1960 *ff*.

Sondergurke *f* Einzelgänger, Sonderling. „Gurke" ist ein mittelkräftiges Scheltwort, wohl beruhend auf den bizarren Formen, in denen die Gurken gelegentlich wachsen. 1920 *ff*, *schül*.

Sonderkasten *m* Sonderschule. ↗Kasten. 1960 *ff*, *schül*.

Sonderkiste *f* Sonderschule. ↗Kiste. *Schül* 1960 *ff*.

Sonderklasse *f* etwas Unübertreffliches. Steigerung von ↗Klasse. Vor allem aus der Lebensmittelbranche als Gütestufe geläufig. 1920 *ff*.

Sondermeldung *f* überraschender Fleischfund in der Suppe oder im Gemüse. Hergenommen von den Rundfunk-Sondermeldungen über einen militärischen Erfolg im Zweiten Weltkrieg. 1939 *ff*, vorwiegend *sold; ziv* bis lange über 1945 hinaus.

Sondermischung *f* minderwertiger Ersatz-„Tabak". *Sold* 1939 *ff*.

Sonderschau *f* eine ~ abziehen = sich auffälliger als die anderen benehmen; die Beachtung der anderen ertrotzen; schmollen. ↗Schau 3. 1955 *ff*.

Sondersitzung *f* Strafstunde des Schülers. ↗sitzen 2. 1950 *ff*.

Sondersüppchen *n* ein ~ gekocht kriegen = anders als die anderen behandelt werden; bevorzugt werden. 1960 *ff*.

Sonderurlaub *m* Arrest. Eine beschönigende Vokabel. *BSD* 1965 *ff*.

Sonderwurst *f* 1. jm eine ~ braten = jn anders als die anderen behandeln. ↗Extrawurst 1. 19. Jh. **2.** eine ~ gebraten kriegen = besser als die anderen behandelt werden. Seit dem 19. Jh.

Sonderzuschuß *m* Strafstunde des Schülers. 1960 *ff*.

sone I *f* solch eine. Hieraus zusammengezogen. Vorwiegend *nordd* und *westd*, 1870 *ff*.

sone II *pl* 1. solche (pl). „Sone" ist Mehrzahl von „son", das aus „so ein" kontrahiert ist. 1870 *ff*. **2.** es gibt ~ und solche (solcherne) = die Menschen sind verschieden. Stammt aus „Graupenmüller", einer Berliner Lokalposse von Hermann Salingré (1870). *Vgl* ↗solche 1. Etwa seit 1880.

Sonnabend *m* 1. kleiner ~ = Tag vor einem Feiertag, der auf einen Wochentag fällt. 1950 *ff*. **2.** langer ~ = („verkaufsoffener") Samstag mit Ladenschlußzeit erst um 18.30 oder 21 Uhr. Berlin seit dem 26. August 1967. **3.** langer ~ ↗Samstag 3.

Sonnabendkönige *pl* Bundesliga-Fußballspieler. 1964 *ff*.

Sonnabendskavalier *m* **1.** Mann, dessen Freundin nur samstagabends Zeit für ihn hat. Berlin 1880 *ff*.
2. Wochenendbegleiter einer Frau. 1920 *ff*, Berlin.

Sonne *f* **1.** Wäschetrockner mit halbkreisförmig angeordneten Streben. Sieht aus wie die Nachbildung der Sonne mit einem Strahlenbündel auf Toren oder an Torbögen; erinnert bildhaft an die auf- oder untergehende Sonne mit Strahlenkranz. 1920 *ff*.
2. ~ aus der Hosentasche = Foto-Blitzgerät. 1970 *ff*.
3. ~ aus der Tube = mit chemischen Mitteln erzeugte „Sonnenbräune"; chemisches Bräunungsmittel. 1950 *ff*.
4. in der ~ braten = sonnenbaden. Seit dem 19. Jh.
5. sich in (von) der ~ braten lassen = ein Sonnenbad nehmen. Seit dem 19. Jh.
6. der ~ entgegenreifen = untätig sich der Sonne aussetzen. Vom Obst übertragen. 1933 aufgekommen im Zusammenhang mit dem NS-Touristikunternehmen „Kraft durch Freude".
7. ~ hamstern = sonnenbaden. ↗hamstern. 1920 *ff*.
8. ich haue dir eine runter, daß du die ~ für einen garnierten Käse hältst!: Drohrede. Breslau 1920 *ff*.
9. du hast wohl zu lange in der ~ gelegen?: Frage an einen, der unsinnige Reden hält. Der Betreffende scheint einen Sonnenstich davongetragen zu haben. 1950 *ff*.
10. sich die ~ auf den Pelz scheinen (brennen) lassen. = sonnenbaden. Seit dem 19. Jh.
11. schlafen, bis einem die ~ in den Arsch scheint = bis tief in den Tag hinein schlafen. 1900 *ff*.
12. die ~ scheint bei ihm zu heiß, seine Grütze ist eingetrocknet = er ist nicht recht bei Verstand; er ist begriffsstutzig. ↗Grütze. 1950 *ff*, *schül*.
13. ihm scheint die ~ durch die Backen = er ist mager im Gesicht. Seit dem 19. Jh.
14. ~ tanken = ein Sonnenbad nehmen. ↗tanken. 1950 *ff*.

Sonnenanbeter (-in) *m (f)* **1.** Person, die ein Sonnenbad nimmt. Eigentlich einer, der die Sonne kultisch, als Gottheit verehrt. 1950 *ff*.
2. Anhänger der Freikörperkultur. 1955 *ff*.

Sonnenanbetung *f* **1.** das Sonnenbaden. 1950 *ff*.
2. Freikörperkultur. 1965 *ff*.

Sonnenanzug *m* Badebekleidung u. ä. 1965 *ff*.

Sonnenbaden *n* Ernteurlaub. *BSD* 1965 *ff*.

Sonnenbeschwörer *m* Meteorologe. Meint eigentlich einen, der seinen Wetterzauber zu praktizieren versucht (versteht). 1920 *ff*.

Sonnenbeis (-bos) *n* Bordell. Geht zurück auf *jidd* „sonah = Hure" und „,bes` (,bajis`) = Haus". *Rotw* 1500 *ff*.

Sonnenbrand *m* **1.** Hitzedurst. ↗Brand. *Sold* 1940 *ff*.
2. einen ~ kriegen = erröten. Scherzausdruck. 1935 *ff*, *prost* und *sold*.
3. du kriegst ~ auf die (der) Zunge!: Warnung an einen, der beim Sonnenbaden o. ä. ununterbrochen redet. 1955 *ff*.

Sonnenbrater *m* Müßiggänger, der den ganzen Tag in der Sonne liegt. Bezeugt für 1838 durch Glassbrenner.

Sonnenbratling *m* Sonnenbadender. 1963 *ff*, *journ*.

Sonnenbräune *f* Anhänger totaler ~ = Nacktbadender. 1965 *ff*.

Sonnenbruder *m* **1.** Müßiggänger. 1500 *ff*.
2. Eckensteher, Dienstmann. 1800 *ff*.
3. Landstreicher; Umhertreiber, der im Freien nächtigt. Seit dem 16. Jh.
4. Sonnenbadender. 1920 *ff*.

Sonnenbummeln *n* Spazierengehen im Sonnenschein. ↗bummeln. 1960 *ff*.

Sonnenfenster *pl* Ausschnitte im einteiligen Damenbadeanzug. 1965 *ff*.

Sonnengrill *m* Badestrand. Da liegt man wie auf dem Bratrost. 1950 *ff*.

Sonnenjäger *m* Mann, der ein Sonnenbad nimmt oder in luftiger Kleidung geht. 1960 *ff*.

sonnenklar *adj* völlig einleuchtend. Seit dem 19. Jh.

Sonnenknicker *m* zusammenklappbarer (einknickbarer) Sonnenschirm. Seit dem späten 19. Jh.

Sonnenmädchen *n* Mädchen, das ein Sonnenbad nimmt. 1950 *ff*.

Sonnenmirln *pl* Sommersprossen. ↗Mirln. *Bayr* und *österr*, seit dem 19. Jh.

Sonnenpeile *f* Sonnenbrille. ↗peilen. 1965 *ff*.

Sonnenprotz (-protzer) *m* Mensch, der noch nachträglich mit dem sonnigen Urlaubswetter prahlt, als sei es sein Verdienst gewesen. ↗Protz. 1960 *ff*.

Sonnenschein *m* **1.** Kosewort. Gern in der Verkleinerungsform gebraucht. Seit dem 19. Jh.
2. ~ in Flaschen (eingefangener ~) = Wein. 1930 *ff*. (Werbetextterspr.?)
3. flüssiger ~ = anhaltendes Regenwetter im Sommer. 1930 *ff*.
4. gepullter ~ = Wein. Pulle = Flasche. 1930 *ff*. *Vgl engl* „bottled sunshine".
5. ~ schlucken (tanken) = sich in der Sonne aufhalten. 1950 *ff*.

Sonnenschlacht *f* Fußballspiel bei sehr heißem Wetter. *Sportl* 1950 *ff*.

Sonnenstich *m* **1.** Stich mit unerwartet hoher Augenzahl. Es ist ein „sonniger" Stich. Kartenspielerspr. 1900 *ff*.
2. einen ~ haben = verrückt sein. Der Sonnenstich als Folge übermäßiger Sonneneinwirkung auf den bloßen oder ungenügend bedeckten Kopf

Manche umgangssprachlichen Wendungen mit der Vokabel **Sonne** erwecken fast den Eindruck, als feiere der Sonnenkult der frühen Religionen heutzutage wieder fröhliche Urständ. Allerdings kann aus einem solchen **Sonnenanbeter** oder **Sonnenbeschwörer** recht schnell wieder ein **Sonnenbrater** oder **Sonnenprotz** werden, und wenn er dann zu lange in der Sonne gelegen hat (vgl. **Sonne 9.**), kann es natürlich passieren, daß er urplötzlich einen Sonnenstich hat (**Sonnenstich 2.**). Mittlerweile indes muß derjenige, der von solchen Zuständen geplagt wird, auf die Hochachtung verzichten, die ihm in alten Zeiten, da das Verrücktsein noch als besonderes Zeichen göttlicher Inspiration begriffen wurde, entgegengebracht worden wäre. Die Sonne erscheint auch nicht mehr als unmittelbarer Abglanz göttlicher Macht oder Verkörperung dieser selbst, wenngleich immer noch gilt, daß der, der besonders viel von ihr abbekommen hat, zum Gott seiner kleinen Welt werden kann. Das Sonnenbaden ist zum neuzeitlichen Kultus geworden, dem alljährlich Hunderttausende fast ihre gesamte freie Zeit opfern, und da es daran natürlich immer mangelt und auch nicht jeder soviel Sonne hamstern kann (**Sonne 7.**), wie er gern möchte, muß dem mit anderen Mitteln abgeholfen werden, etwa mit Sonne aus der Tube (**Sonne 3.**). Der, dem solches Tun nicht höhere Verpflichtung ist und der sich allein deswegen in der Sonne aufhält, weil er nicht weiß, wohin er sonst noch gehen könnte, wird aus dieser Gemeinschaft der überzeugten Sonnenanbeter natürlich ausgeschlossen (vgl. **Sonnenbruder 1.–3., Sonniger**).

äußert sich unter anderem in Form von Bewußtseinsstörungen. 1840 *ff.*

3. vom ~ geplagt sein = verrückt sein. 1900 *ff.*

Sonnentanker *m* Sonnenbadender. ↗tanken. 1950 *ff.*

Sonnentankstelle *f* Sommerfrische; Strand; Liegewiese. 1950 *ff.*

Sonnenweideplatz *m* sonnige Küste. 1960 *ff,* werbetexterspr.

sonnig *adj* wunderlich; weltfremd. Eigentlich „sonnenbeschienen"; weiterentwickelt zu „freundlich, heiter, hell". Hierzu als Ironie aufzufassen oder beeinflußt von „↗Sonnenstich 2". 1920 *ff.*

Sonniger *m* unentwegter Landstreicher. Kundenspr. 1950 *ff.*

Sonntag *m* **1.** goldener ~ = letzter Adventssonntag. Er bringt den Geschäften erfahrungsgemäß den größten Umsatz in der Weihnachtszeit. 1900 *ff.*

2. silberner ~ = zweitletzter Sonntag vor Weihnachten. 1900 *ff.*

3. seinen ~ haben = dienstfreien Sonntag haben. Seit dem 19. Jh.

Sonntägin *f* Mädchen, das nur am Wochenende Männerbekanntschaften sucht. *Halbw* 1960 *ff.*

Sonntagsausgehanzug *m* Sonntagsanzug. 1920 *ff.*

Sonntagsausgehhut *m* Sonntagshut. 1920 *ff.*

Sonntagsausgehkleid *n* Festtagskleid. 1920 *ff.*

Sonntagsbeilage *f* weibliche Person, mit der der Mann nur sonntags geschlechtlich verkehren kann. Eigentlich die Beilage zur Wochenendausgabe einer Zeitung. Hier gilt „beiliegen = beischlafen". *Sold* 1935 *ff.*

Sonntagsblatt *n* sehr günstige Kartenzusammenstellung. Kartenspielerspr. seit dem 19. Jh.

Sonntagsbraut *f* Mädchen, mit dem man an arbeitsfreien Tagen ausgeht. 1950 *ff.*

Sonntagsbummel *m* zielloser Spaziergang am Sonntag. ↗Bummel. Seit dem späten 19. Jh.

Sonntagschrist *m* Christ, der nur sonntags seinen kirchlichen Pflichten nachkommt. 1920 *ff.*

Sonntagsessen *n* es ist mir ein ~ = es ist mir eine große Freude. Sonntags ißt man im allgemeinen besser als werktags. 1930 *ff.*

Sonntagsfahrer *m* **1.** Kraftfahrer mit wenig Fahrpraxis. *Vgl* ↗Sofafahrer. Kraftfahrerspr. 1920 *ff.*

2. unerfahrener Motorbootführer. 1950 *ff.*

3. Skifahrer, der wenig Übung hat. 1950 *ff.*

4. Dieb, der an Sonn- oder Feiertagen die von den Bewohnern verlassenen Wohnungen ausraubt. ↗Fahrt 3. 1900 *ff,* großstadtspr.

Sonntagsflieger *m* Sportflieger. 1930 *ff.*

Sonntagsforscher *m* Mann, der ohne akademische Vorbildung wissenschaftlich forscht. 1970 *ff.*

Sonntagsfreund *m* (intimer) Freund, mit dem man die Sonntage verbringt. 1955 *ff.*

Sonntagsgang *m* **1.** Leerlauf beim Bergabfahren. 1965 *ff.*

2. ~ haben = schlendern; gemütlich gehen. Nur werktags hat man es eilig. 1950 *ff.*

Sonntagsgesicht *n* **1.** freundliche Miene. Seit dem 19. Jh.

2. Gesäß. Sein „Ausdruck" ist unabhängig von Sonn- und Werktag, nämlich immer gleichmäßig. 1900 *ff.*

Sonntagsgurgel *f* Luftröhre. Die Wortverbindung rührt wahrscheinlich daher, daß man sonntags die Kirche besucht und fromme Lieder singt. Familiäre Vokabel seit dem 19. Jh.

Sonntagshals *m* **1.** Luftröhre. *Vgl* das Vorhergehende. Seit dem 19. Jh.

2. etw in den ~ kriegen = sich verschlucken. Seit dem 19. Jh.

Sonntagshose *f* die ~ anhaben = sehr freigebig sein. Man ist in Festtagsstimmung und daher großzügig. 1920 *ff.*

Sonntagsjäger *m* schlechter Jäger. Er geht nur sonntags zur Jagd und hat daher wenig Übung und Erfahrung. Seit dem 19. Jh.

Sonntagskapitän *m* Mann, der nur am Sonntag mit dem eigenen Boot ausfährt. *Vgl* ↗Sonntagsfahrer 2. 1950 *ff.*

Sonntagskehle *f* **1.** Luftröhre. ↗Sonntagsgurgel. Seit dem 19. Jh.

2. es gerät ihm in die ~ = er verschluckt sich. Seit dem 19. Jh.

Sonntagskunst *f* künstlerische (Freizeit-)Betätigung von Leuten ohne künstlerische Ausbildung. 1900 *ff.*

Sonntagslaune *f* besonders gute, unbeschwerte Stimmung. 1900 *ff.*

Sonntagsmaler *m* dilettantischer Maler. 1900 *ff.*

Sonntagsmalerei *f* Malen als Freizeitbeschäftigung eines Menschen ohne künstlerische Ausbildung. 1900 *ff.*

Sonntagsmanieren *pl* gelegentliches höfliches Benehmen. 1910 *ff, nordd.*

Sonntagsmiene *f* froher, gelöster Gesichtsausdruck. ↗Sonntagsgesicht 1. 1900 *ff.*

Sonntagsnachmittagsausgehanzug *m* **1.** feiner Sonntagsanzug. Seit dem 19. Jh.

2. Paradeuniform. 1935 *ff.*

Sonntagsnachmittagsausgehkleid *n* Sonntagskleid. 1870 *ff.*

Sonntagsnachmittagsausgehpaar Strümpfe *n* feine Strümpfe für besondere Gelegenheiten. 1960 *ff, stud.*

Sonntagsnachmittagsausgehrock *m* Sonntagsrock. 1830 *ff.*

Sonntagsnachmittagsausgehzigarre *f* sehr gute Zigarre. 1900 *ff, nordd* und Berlin.

Sonntagsnachmittagshut *m* Sonntagshut. 1870 *ff.*

Sonntagsnachmittagskleid *n* Sonntagskleid. 1870 *ff.*

Sonntagsnachmittagsrock *m* Sonntagsrock. 1870 *ff.*

Sonntagsnachmittagsvordertürstehanzug *m* Sonntagsanzug. 1900 *ff*.

Sonntagsnachmittagsvordertürstehstrumpf *m* ausgesucht feiner Damenstrumpf für besondere Gelegenheiten. 1900 *ff*.

Sonntagsfotograf *m* Amateurfotograf. 1955 *ff*.

Sonntagsrede *f* Rede eines Abgeordneten sonntags in seinem Wahlkreis o. ä.; Rede, in der die Tatsachen verschönt dargestellt werden. 1950 *ff*.

Sonntagsredner *m* Parlamentarier (Politiker), der sonntags eine Rede hält; Redner, der die Wirklichkeit ins Angenehmere entstellt. 1950 *ff*.

Sonntagsreiter *m* Mann, der nur gelegentlich reitet; schlechter Reiter. 1830 *ff*.

Sonntagsröhrl *n* Luftröhre. Analog zu ↗Sonntagsgurgel. *Österr* 1900 *ff*.

Sonntagsschöppner *m* Mann, der jeden Sonntag zum Frühschoppen geht. 1955 *ff*.

Sonntagsschuß *m* **1.** Schuß, der mitten im Ziel liegt. *Sold* 1939 *ff*.
2. unhaltbarer Tortreffer. ↗Schuß 9. *Sportl* 1950 *ff*.

Sonntagssprecher *m* Abgeordneter, der sonntags zu seinen Wählern spricht; schönfärberischer Redner. 1950 *ff*.

Sonntagsstaat *m* Festtagskleidung. ↗Staat. Seit dem 18. Jh. *Vgl engl* „the Sunday best".

Sonntagsstimme *f* rauhe Stimme. Weil man sonntags mehr redet und raucht als werktags. 1950 *ff*.

Sonntagsstraße *f* Luftröhre. *Vgl mhd* „strozze = Luftröhre". *Vgl* auch ↗Sonntagsgurgel". Seit dem 19. Jh.

Sonntagsvater *m* Vater, der nur an Sonntagen bei seiner Familie ist. 1965 *ff*.

Sonntagsvordertürstehschrift *f* sauberste, besonders leserliche Handschrift. Lehrerspr. 1960 *ff*.

Sonntagswetter *n* schönes, warmes Wetter. 1800 *ff*.

Sonntagswitwe *f* Ehefrau, deren Mann sonntags Sportveranstaltungen besucht. 1930 *ff*.

Sonntagszahn *m* Mädchen, mit dem man sonntags ausgeht. ↗Zahn 3. *Halbw* 1955 *ff*.

Sonntagszwirn *m* Ausgehuniform. ↗Zwirn. *BSD* 1965 *ff*.

Sonny *m* **1.** freundlicher, beliebter Halbwüchsiger. Meint im familiären *Engl* soviel wie „mein Söhnchen; Kleiner". Beeinflußt von *dt* „sonnig = freundlich; heiteren Gemüts". *Halbw* 1955 *ff*.
2. heulender ~ = Tonbandgerät o. ä. *Halbw* 1950 *ff*.

Sonnyboy (Sonny Boy) *m* **1.** netter, allgemein beliebter junger Mann. Das Wort geht zurück auf das von Al Jolson im ersten Tonfilm „The Jazz-Singer" 1927 gesungene Schlagerlied. Bei uns wahrscheinlich auf der Grundlage von „↗Sonny 1" nach 1950 entwickelt.
2. kleiner, netter Junge (Kosewort). 1950 *ff*.

sonst *adv* **1.** ~ noch was?: Ausdruck der Ableh-

nung. Meint eigentlich die Frage, ob der Betreffende noch in anderer Hinsicht etwas wolle. 1900 *ff*.
2. ~ geht dir's doch wohl gut? (~ geht's dir noch gut?) Frage an einen, der wunderliche Ansichten äußert. Man hält ihn für geisteskrank und hofft, daß dies seine einzige Krankheit ist. Seit dem ausgehenden 19. Jh.

sonstwas *n* **1.** ich werde dir ~!: Ausdruck der Ablehnung. „Sonstwas" ist hier Verhüllung für irgendetwas Unziemliches. Berlin 1860 *ff*.
2. du kannst mich ~!: Ausdruck geringschätziger Abweisung. Hehlausdruck für das Götz-Zitat. 1890 *ff*.
3. ich hätte bald ~ gesagt = beinahe hätte ich eine Bemerkung gemacht, die ich lieber nicht näher bezeichnen möchte. 1920 *ff*.

Sonstwaskriegen *n* es ist zum ~ = es ist zum Verzweifeln. 1920 *ff*.

Sonstwo *On* fiktiver Ort. 1920 *ff*.

sonstwo *adv* **1.** jm ~ reinkriechen = jm würdelos schmeicheln. „Sonstwo" verhüllt „in den Hintern". 1920 *ff*.
2. er kann mich ~ lecken!: Ausdruck der Ablehnung. Verhülltes Götz-Zitat. 1920 *ff*.
3. ich möchte mich am liebsten ~ hinbeißen!: Ausdruck der Verzweiflung, der Wut o. ä. 1930 *ff*.

Sopherl *Vn f* **1.** das begreift auch die Frau ~ = das begreift auch ein Ungebildeter. „Frau Sopherl" ist ein von Vincenz Chiavacci 1884 in „Eine, die's versteht" geschaffenes Original vom Wiener Naschmarkt; sie wird geschildert als rundlich und klein, aber von großer Beredsamkeit und mit gesundem Menschenverstand. Wien 1900 *ff*.
2. sich benehmen wie Frau ~ = sich grob benehmen. Wien 1900 *ff*.
3. schimpfen wie die Frau ~ = unflätig schimpfen. Wien 1900 *ff*.

Sophie (Sopherl) *f* **1.** ~ mit dem kalten Arsch = 15. Mai; Eisheilige. Der Namenstag der Sophie am 15. Mai schließt die Tage der „Eisheiligen" ab; oft erfolgt in dieser Zeit nochmals ein Frosteinbruch. 1900 *ff*.
2. kalte ~ = 15. Mai. 1900 *ff*; wohl älter.

so quasi *adv* gewissermaßen. Stammt aus *lat* „quasi = gleichwie" unter Hinzufügung von „so" aus „sozusagen". 1800 *ff*.

Soraya *Vn* sie sieht aus wie ~, nur das hohe Einkommen fehlt ihr: Redewendung auf eine Frau mit auffälliger Sonnenbrille. Soraya hieß die zweite Frau des Schah Resa Pahlewi; nach ihrer Scheidung (1958) machte sie noch lange Schlagzeilen in der „Klatschpresse", auf Fotos sah man sie meist mit großer Sonnenbrille. 1962 *ff*.

Soraya-Blatt *n* Zeitung mit Berichten über Ereignisse aus Adelskreisen u. ä. *Vgl* das Vorhergehende. 1960 *ff*.

Soraya-Manager *m* Illustriertenverkäufer. ↗Soraya. 1960 *ff*.

Soraya-Presse *f* Zeitungen, die in geschmacklos rührseliger und wehmütiger Weise Schilderungen aus dem Leben hochgestellter Persönlichkeiten (vorwiegend weiblichen Geschlechts) veröffentlichen. Nach Journalistenmeinung verkörperte Soraya die Wunschträume und Sehnsüchte von hunderttausenden Frauen. 1960 *ff.*

Sore *f* **1.** Diebesgut. Fußt auf *jidd* „sechoro = Ware". *Rotw* seit dem 18. Jh.
2. heiße ~ = gefährliche Sache. ↗heiß 5. 1900 *ff.*
3. die ~ köpfen = Diebesgut verkaufen und den Erlös rasch verleben. Juristenspr. 1920 *ff.*

Sorgen *pl* **1.** deine ~ auf eine Stulle, keine Fliege würde satt: Redewendung zu einem, der über kleine Sorgen übermäßig klagt. ↗Stulle. Berlin 1920 *ff.*
2. deine ~ möchte ich haben! = wie gut ginge es mir, wenn ich nur deine unbedeutenden Sorgen hätte! 1920 *ff.*

Sorgenbrecher *m* **1.** Wein; jegliches alkoholisches Getränk. 1700 *ff.*
2. Briefkasten für Bittschreiben Hilfsbedürftiger. 1955 *ff.*
3. Karnevalist, der für kurze Zeit Frohsinn verbreitet. 1960 *ff.*

Sorgenmüll *m* Alltagskummer. 1910 *ff.*

sorgenplissiert *adj* Kummerfalten auf der Stirn tragend. 1958 *ff.*

Sorgenschachtel *f* Musterkoffer des Handelsvertreters. 1900 *ff*, kaufmannsspr.

Sorgentöter *m* Schnaps. *Vgl* ↗Kummerpulle. Seit dem 19. Jh.

Sorger *m* bequemer Lehnstuhl mit Backen. Im 19. Jh aus „Sorgenstuhl" verkürzt.

Sorte *f* **1.** Menschenart; Mensch, Leute *(abf)*. Meint eigentlich die Warenart; dann wie „↗Marke", „↗Nummer" auf den Menschen übertragen, vorwiegend in geringschätzigem Sinne. Seit dem 18. Jh.
2. kesse ~ = Polizeibeamtin(nen). *Halbw* 1967 *ff.*

sortieren *v* **1.** jn ~ = jn der Musterung unterziehen. Die Männer werden in Tauglichkeitsgrade eingeteilt. *BSD* 1960 *ff.*
2. sich ~ = sich geschmacklos, auffällig kleiden. Analog zu „sich ↗mustern". 1900 *ff.*
3. sich ~ = über sich selber nachdenken. Man unterwirft sich innerlich einer Musterung. 1950 *ff.*
4. seine Gedanken ~ = sich geistig sammeln; überlegen; mit Überlegung sprechen. 1950 *ff.*

Soruff (Soref, Sorof) *m* Schnaps. Stammt aus *jidd* „soroph = er hat gebrannt" und ist überlagert von „Suff". 1750 *ff*, kundenspr.

Soßenkavalier *m* Koch. 1920 *ff.*

Soßenkönig *m* Koch. 1920 *ff.*

soßig *adj* künstlerisch wertlos. Das Gemeinte ist gewissermaßen mit einer Einheitstunke übergossen; es ist dem üblichen Stil nachgeahmt. 1950 *ff.*

Sott *m* unerwarteter, unverdienter Glücksfall. Meint in Norddeutschland den Ruß und steht wohl in Zusammenhang mit dem als glückbringender Angangsperson bekannten Schornsteinfeger. 1900 *ff.*

sottern *intr* brummeln; mürrisch, nörglerisch sein. Meint eigentlich „im Kochen wallen und überfließen"; von da übertragen zur Bedeutung „aufbrausen". Seit dem 19. Jh.

Sott-Ewer *m* Elbdampfer. Sott = Ruß. „Ewer" war eigentlich ein Segelschiff für küstennahe Gewässer. 1900 *ff.*

Sottje *m* Schornsteinfeger. Hamburg. 1900 *ff.*

Sott-Kasten *m* Dampfer. Sott = Ruß. *Marinespr* 1900 *ff.*

Sottneger *m* verschmutztes Kind. *Nordd* soviel wie Schornsteinfeger. 1900 *ff.*

Souffleur *m* Schüler, der seinem Kameraden vorsagt. Aus der Theatersprache übernommen. Spätestens seit 1900, *schül.*

soufflieren *tr intr* dem Mitschüler vorsagen. Spätestens seit 1900, *schül.*

soulig *(engl* ausgesprochen) *adj* schwungvoll o. ä. Fußt auf *engl* „soul = Seele" und bezieht sich im engeren Sinne auf die sehr ausdrucksstarke Musik der amerikanischen Neger. *Halbw* 1965 *ff.*

Souterrain *(franz* ausgesprochen) *n* seelisches ~ = a) Unterbewußtsein. Mit der Lehre von Sigmund Freud gegen 1930 aufgekommen. – b) charakterliche Minderwertigkeit. 1930 *ff.*

Souterrainschaden (-schnupfen) *m* Gonorrhöe bei Frauen. Seit dem 19. Jh, *prost.*

Souterrainstimme *f* Altstimme. Parallel zu ↗Kellerbaß. 1920 *ff.*

sowas *n* ~ kommt von ~ = das sind die unausbleiblichen Folgen. 1920 *ff.*

sowieso *adv* **1.** doch; auf jeden Fall; auch ohne das; ohnehin (ich wollte euch sowieso besuchen; das Glas ist sowieso entzwei). Eigentlich „so oder so = auf diese oder jene Weise"; weiterentwickelt zu „auf irgendeine Weise" und zu „auf jeden Fall; unter allen Umständen". Seit dem 19. Jh.
2. das ~ = das ist selbstverständlich; das ohnehin. 1900 *ff.*

Sowieso *m f n* Herr (Frau, Fräulein; Stadt, Fluß usw.) ~ = Person oder Sache, deren Namen einem entfallen ist. 1900 *ff.*

sowohl *adv* leben Sie ~ als auch! = leben Sie wohl! Wortspielerei mit „sowohl" und „so wohl". Seit dem späten 19. Jh, wohl aus Berlin.

Soxhlet-Indianer *m* Säugling. Aus „Sioux-Indianer" umgeformt in Anlehnung an den Namen des Agrikulturchemikers Franz von Soxhlet (1848–1926), der die ersten Baby-Milchflaschen mit Maßeinteilung erfunden oder in den Handel gebracht hat. 1927 *ff*, Berlin.

Soz I *m* Sozialdemokrat. (Mehrzahl: die Sozen). Hieraus verkürzt im späten 19. Jh.

Soz II *f* Sozialkunde. Hieraus verkürzt. *Schül* 1950 *ff.*

Sozi I *m* Sozialdemokrat *(abf)*. Hieraus verkürzt. Im

späten 19. Jh von den Parteigegnern aufgebracht.

Sozi II *f* **1.** Sozialkunde. *Schül* 1950 *ff.*

2. Sozialhilfe, Unterstützungsgeld. 1975 *ff.*

Sozia *f* Motorradmitfahrerin. Weibliches Gegenstück zum „Sozius". 1925 *ff.*

sozial *adj* **1.** kameradschaftlich. 1960 *ff, jug.*

2. das ist ~ von dir = das ist nett von dir. Berlin 1970 *ff, jug.*

Sozialbock *m* Unterstützungsempfänger, der die öffentlichen Mittel möglichst umfangreich und ausdauernd für sich in Anspruch zu nehmen sucht. 1948 *ff.*

Sozialbremse *f* Einschränkung der Gemeinnützigkeit. 1963 *ff.*

Sozialdutt *m* hochgestellte Haare mit „Krone" oder „Knoten", bei Rentnerinnen üblich. „Sozial-" spielt auf den Bezug von Unterstützung an. 1948 *ff.*

Sozialfraß *m* Volksküchenessen; Armen-, Kirchen-, Studentenspeisung; Mensa-Essen. ↗Fraß. Spätestens seit 1917.

Sozialhilfe *f* selbstverfertigtes Täuschungsmittel des Schülers; dem Mitschüler bei der Klassenarbeit zugespielter Zettel. Dergleichen gilt als Notleidendenhilfe. 1960 *ff.*

Sozialist *m* Minderbemittelter, der seinen Vorteil wahrzunehmen sucht. Er macht sich die gemeinnützigen Hilfen in großem Umfang zunutze. 1948 *ff.*

Sozialistenfresser *m* erbitterter Gegner der Sozialisten. ↗Fresser. Im späten 19. Jh aufgekommen mit der Gründung der Sozialdemokratischen Partei, den Sozialistengesetzen usw.

Sozialistin *f* Motorradmitfahrerin. Aus „Sozia" scherzhaft erweitert. 1930 *ff.*

Sozialleiche *f* Beerdigung auf städtische Kosten. ↗Leiche. 1900 *ff.*

Sozialnassauer *m* Bürger, der alle Möglichkeiten der Sozialgesetzgebung ausschöpft, auch wenn er nicht zu den Notleidenden zählt. ↗Nassauer 1. 1960 *ff.*

Sozialschlawiner *m* Empfänger von Wohlfahrtsunterstützung, die er sich mit allerlei Listen und Unredlichkeiten erschlichen hat. ↗Schlawiner. 1948 *ff.*

Sozialschnorrer *m* Bürger, der sich keinerlei Sozialhilfe entgehen läßt. ↗Schnorrer. 1960 *ff.*

Sozialschnulze *f* rührselige Schilderung aus der Lebenswelt der Armen o. ä. ↗Schnulze 1. 1958 *ff.*

Sozialspinner *m* Idealist, der den sozial Schwachen helfen will; aufopfernd tätiger Sozialarbeiter. ↗Spinner. 1960 *ff.*

Sozialtante (zicke) *f* Jugendpflegerin, Bewährungshelferin o. ä. ↗Zicke. 1950 *ff,* Berlin u. a.

Soziäre *f* Motorradmitfahrerin. Aus „↗Sozia" weiterentwickelt. 1925/30 *ff.*

Soziologen-Chinesisch *n* dem Laien unverständlicher Soziologen-Wortschatz. ↗Chinesisch. 1967 *ff.*

Soziolo'gesisch *n* Wortschatz der Soziologen. Von Journalisten gegen 1967 zusammengesetzt aus „Soziologie" und „↗Chinesisch".

Sozius-Biene *f* junge Motorradmitfahrerin. ↗Biene 3. 1950 *ff.*

Soziusbraut *f* Motorradmitfahrerin. 1930 *ff.*

sozuflüstern *adv* gewissermaßen. Witzig gemeinte Variante zu „sozusagen" unter Einfluß von „das kann ich dir ↗flüstern". 1935 *ff.*

spachteln *v* **1.** *intr tr* = essen; viel essen. Stammt aus der Sprache der Anstreicher: mittels des Spachtels werden Löcher mit Füllstoff geschlossen; ähnlich schließt der Esser Löcher im Magen. Seit dem späten 19. Jh, kundenspr., *sold, halbw* und arbeiterspr.

2. *intr tr* = koitieren. Analog zu „↗stopfen 2"; „↗nähen 3". 1950 *ff.*

Spachtler *m* Mann, der mit Appetit wacker ißt. 1900 *ff,* arbeiterspr. und *sold.*

spack *adj* **1.** dürr, mager, hinfällig. Ein *niederd* Wort im Sinne von „ausgedörrt, ausgetrocknet". *Mhd* „spach". Seit dem 19. Jh.

2. enganliegend; straff sitzend (auf Kleider bezogen). Von der Bedeutung „ausgetrocknet" weiterentwickelt zu „eingelaufen, verengt". Seit dem 19. Jh.

spaddeln *intr* mit Händen und Füßen rudern; im Wasser wühlen. Gehört zu „Spatel = Rührlöffel; Schaufel"; über Vokalkürzung verwandt mit „Spaten". *Niederd* seit dem 19. Jh.

'Spadi'fankerl (Sparifankerl, Spirifankerl) *m* **1.** Teufel. „Spadi" ist der Säbel, fußend auf *ital* „spada = Degen, Schwert". „Fankerl" kann auf „Fant" fußen und durch „↗Gankerl" entstellt sein. *Bayr* und *österr,* 1800 *ff.*

2. lebhaftes Kind. *Österr* seit dem 19. Jh.

3. *pl* = geheimnisvolle Zeremonien; unverständliche Handlungen. Man betrachtet sie als Teufelswerk oder Teufeleien. *Österr* 1900 *ff.*

Spa'gat *m* **1.** Schnur, Bindfaden. Geht zurück auf *ital* „spaghetto = Bindfaden". *Oberd* 1600 *ff.*

2. Falschgeld; Geld. Analog zu ↗Zwirn. *Rotw* 1920 *ff,* österr.

3. Männerfang durch Straßenprostituierte. Parallel zu „↗Leine 1" und „↗Strich". *Rotw* 1920 *ff,* österr.

4. Angst. Fußt auf *ital* „spaghetto = Furcht". *Rotw* 1920 *ff,* österr.

5. am ~ gehen = Straßenprostituierte sein. ↗Spagat 3. *Österr* 1920 *ff.*

Spaghetti *pl* Italiener. Wegen der in Italien beliebten Teigware. 1920 *ff.*

Spaghetti-Dompteure *pl* Küchenpersonal. *BSD* 1960 *ff.*

spaghettidünn *adj* sehr schmal; sehr schlank. 1965 *ff.*

Spaghettifresser *m* Italiener. 1920 *ff.*

Spaghetti-Haare *pl* lang und ungepflegt (in Strähnen) herabhängendes Haar. 1955 *ff.*

Spaghetti-Loden *pl* lang und strähnig herabhängendes Mädchenhaar. ↗Loden 2. 1955 *ff*.

Spaghetti-Mühle *f* Tonbandgerät. Das Tonband ist hier als ein viele Meter langes Nudelband aufgefaßt. 1950 *ff, halbw, österr.*

Spaghetti-Soldaten *pl* italienische Soldaten. ↗Spaghetti. *Sold* 1939 *ff*.

Spaghettiträger *pl* schmale Bänder oder Schnüre für das ärmellose Kleid oder für das Oberteil des Badeanzugs. 1965 *ff*.

Spaghetti-Vorhang *m* lang in die Stirn herabreichende Haare. ↗Spaghetti-Haare. 1960 *ff*.

Spaghetti-Western *m* in Italien gedrehter Wild-West-Film. Soll aus den USA stammen. 1967 *ff*.

Spahrbier *Pn* Herr ~ = Postbeamter, Geldbriefträger. Geht zurück auf den Postboten i. R. Walter Spahrbier, der in den Fernsehsendereihen „Vergißmeinnicht" und „Der große Preis" seit 1965 als Glücksbote auftrat. *BSD* 1967 *ff*.

Spähtrupp *m* 1. Auftauchen einiger Läuse. Sie erkunden wohl für die Nachkommenden die Lage. *Sold* 1939 *ff*.
2. auf ~ gehen = Mädchenbekanntschaft suchen. *Sold* 1930 *ff*.

Spähtruppler *m* Mann, der Frauen nachstellt. 1930 *ff*.

Spalte *f* Vagina, Vulva. Seit dem 19. Jh.

spalten *tr* die Beute teilen. 1950 *ff*.

Spaltpilz *m* 1. Unfriedenstifter, Störenfried. Eigentlich veraltete Bezeichnung für „Bakterium" (wegen der Fortpflanzung durch Teilung); hier Anspielung auf Spaltung im Zusammenleben. 1955 *ff, jug,* Berlin u. a.
2. Plan, durch den die Partner uneins werden; Uneinigkeit. 1960 *ff*.

Spaltpisser *m* weibliche Person. ↗Spalte; ↗pissen 1. 1900 *ff*.

Spaltsoldat *m* Nachrichtenhelferin. ↗Spalte. *Sold* 1939 *ff*.

Spalttablette *f* gegen Empfängnis und venerische Ansteckung vorbeugende Tablette. Eigentlich Name eines Kopfschmerzmittels; hier Anspielung auf die „↗Spalte", in die die Tablette eingeführt wird. 1935 *ff*.

Spalttierchen *n* Frau (Kosewort). ↗Spalte. 1900 *ff*.

Span *m* 1. Hader, Groll, Uneinigkeit; Streit; Streitgegenstand. Gehört zu *mhd* „span = Spannung, Zerwürfnis". Seit dem 14. Jh, vorwiegend *oberd*.
2. Torheit, Unvernunft. Analog zu „↗Nagel 10". Seit dem 19. Jh.
3. Streichholz. Meint eigentlich den Holzspan zum Anzünden von Feuer; Kienspan, Fidibus. 1960 *ff, BSD*.
4. Zigarette. ↗Spangerl. Österr 1900 *ff, stud, schül, rotw* und arbeiterspr.
5. sich einen ~ anheizen = sich eine Zigarette anzünden. *Sold* 1935 *ff*.
6. zieh dir keinen ~ ein! = bilde dir nichts ein! sei

nicht dünkelhaft! *Vgl* „↗Nagel 10". *Vgl rhein* „haut nicht zu hoch, dann springt euch kein Span ins Auge = seid nicht hochmütig". 1900 *ff*.
7. es gibt Späne = es gibt Prügel. Span = Kerbholz = ˙Prügelstock. Seit dem 19. Jh.
8. Späne haben = Geld haben. Fußt auf „Span = Kerbholz zur Abrechnung" (*vgl* ↗Kerbholz); daraus weiterentwickelt zu „Geldforderung" und weiter zu „Geld". Seit dem 19. Jh.
9. Späne im Kopf haben = dünkelhaft, dumm sein. ↗Nagel 10. Seit dem 19. Jh.
10. mit jm einen ~ haben = mit jm eine Sache noch auszumachen haben. Versteht sich entweder nach „↗Span 1" oder meint über die Gleichsetzung „Span = Kerbholz" die Geldschuld. 1400 *ff*.
11. Späne machen = Umstände machen; Widerworte geben; Widerstand leisten. Meint entweder „Span = Uneinigkeit" oder leitet sich her von dem Span, der sich bei der Holzbearbeitung hochstellt und leicht Verletzungen verursacht. *Vgl* ↗Span 6. Seit dem 19. Jh, *mitteld* und Berlin.
12. mit jm über dem ~ sein = mit jm entzweit sein. Seit dem 19. Jh.

Spange *f pl* = Handfesseln. Gekürzt aus ↗Armspangen. 1900 *ff*.

Spange'letto *m (f)* Zigarette. Geht zurück auf *ital* „spagnoletta = spanische Zigarette". *Österr* 1910 *ff*.

Spangerl (Spangele) *n (f)* Zigarette. Herleitung wie im Vorhergehenden. *Österr* seit dem späten 19. Jh; vorwiegend *sold, rotw* und *schül.*

Spanien *Ln* 1. Abort. Hängt wortspielerisch vielleicht mit dem Umstand zusammen, daß man dort ungestört einen „Span" (↗Span 4) rauchen kann, oder spielt auf „↗isabellfarben" an. 1930 *ff*.
2. nach ~ gehen = den Abort aufsuchen. 1930 *ff*.
3. nach ~ verreisen = zum Abort gehen. 1930 *ff*.

Spanier *m* stolz wie ein ~ = sehr stolz, selbstbewußt. In international weitverbreiteter Wertung sind Spanier besonders stolz. Seit dem 18. Jh.

spanisch *adj adv* 1. jm ~ kommen = jn mit dem Stock prügeln. Der Schlagstock besteht aus spanischem Rohr. Berlin 1900 *ff, schül.*
2. das ist mir ~ = das ist mir unverständlich. Stammt aus der Zeit, als Karl V. König von Spanien war und spanische Trachten und Gebräuche auch im deutschen Sprachraum einführte; man empfand sie als fremdartig und gekünstelt. *Vgl* auch ↗Baselemanes. 1600 *ff*.
3. das sind ihm ~e Dörfer = das sind ihm unverständliche Dinge. Unter Einfluß des Vorhergehenden umgeformt aus „das sind ihm ↗böhmische Dörfer". 1600 *ff*.
4. das kommt mir ~ = das mutet mich seltsam an; das kann ich kaum glauben. Hängt vielleicht zusammen mit den Komödien, die bis 1765 in Wien in *span* Sprache aufgeführt und von den Wienern nicht verstanden wurden. *Vgl* auch ↗spanisch 2. 1600 *ff*.

Spannemann *m* 1. Beobachter von Personen, auf die ein Verbrechen geplant ist; Aufpasser; Angehöriger eines Spähtrupps; Feindbeobachter. ↗spannen 1. Seit dem frühen 20. Jh, *mitteld* und Berlin; vor allem verbrecherspr. und *sold.*
2. ~ machen = Leute beobachten; heimlich äugen; Voyeur sein. Seit dem frühen 20. Jh.

spannen *v* 1. *intr* = gespannt auf etw warten; belauern; vom Klassenkameraden absehen, abschreiben. Leitet sich her vom Spannen des Schlosses bei Schußwaffen, auch vom Spannen des Bogens und der gespannten Aufmerksamkeit auf ein Ziel. Schon seit *mhd* Zeit.
2. *tr* = etw erraten, merken, vermuten; Verdacht schöpfen. Seit dem 19. Jh.
3. *intr* = ein Liebespaar belauschen. Seit dem 19. Jh.

spannend *adv* mach's nicht so ~! = erzähle rascher! halte dich nicht so lange bei Nebensächlichkeiten auf! 1935 *ff, sold* und *jug.*

Spanner *m* 1. Voyeur; Belauscher eines Liebespaars. ↗spannen 3. Seit dem 19. Jh.
2. Helfershelfer von Einbrechern; Aufpasser, der bei Annäherung unerwünschter Personen warnt; Polizeispitzel; Detektiv. ↗spannen 1. 1900 *ff.*
3. Falschspieler. Er „spannt" (↗spannen 1) auf das Geld seiner Opfer. 1900 *ff.*
4. Anlocker zu anrüchigen Nachtlokalen, Spielsalons o. ä. 1920 *ff.*

Spannschuß *m* mit dem Fußrücken (Spann) gestoßener Torball. *Sportl* 1950 *ff.*

Spannung *f* 1. ~ auf Raten = a) Fortsetzungsroman. 1950 *ff.* – b) Fernsehfilm in Folgen. 1960 *ff.*
2. auf halber ~ sein = nicht voll leistungsfähig sein. Der Elektrotechnik entlehnt. 1960 *ff.*

Spannungsnerv *m* am ~ bohren = die Spannung steigern. 1960 *ff.*

Spanplatten *pl* EPA-Knäckebrot. Beide ähneln einander im Aussehen. ↗Epa. *BSD* 1965 *ff.*

Spar-Auto *n* Kleinauto; im Verbrauch usw. billiges Auto. 1965 *ff.*

Sparbeatle (Grundwort *engl* ausgesprochen) *m* ~ mit Schiebedach = Mann mit Glatze, die von spärlichem Haarkranz umgeben ist. ↗Beatle. 1966 *ff, halbw.*

Sparbrot *n* Geiziger; sparsam lebender Mensch. Er spart sogar am Brot. 1900 *ff.*

Sparbrötchen *n* Mensch, der im Geldausgeben sehr zurückhaltend ist. 1900 *ff.*

Sparbuch *n* dickes ~ = großes Sparguthaben. 1950 *ff.*

Sparbüchse *f* 1. weibliche Person. ↗Büchse = Vagina. 1960 *ff.*
2. Prostituierte, die einen Zuhälter aushält. *Prost* 1960 *ff.*
3. ~ auf Rädern = a) Kleinauto. 1955 *ff.* – b) Auto mit geringem Kraftstoffverbrauch. 1955 *ff.*
4. Mund wie eine ~ = breiter Mund. Seit dem späten 19. Jh.

Sparbüchsengeld *n* Zuhälteranteil am Prostituiertenentgelt. ↗Sparbüchse 2. 1960 *ff.*

Sparbuxe (-büxe) *f* 1. enganliegende Mädchenhose. Es wird an Stoff gespart. ↗Buxe. Berlin 1955 *ff.*
2. Mädchen in engen Hosen. Berlin 1955 *ff.*

sparen *intr* 1. wenig arbeiten. Man spart Anstrengung. 1950 *ff, schül.*
2. spare in der Not; da hast du Zeit dafür: scherzhafte Aufforderung zur Sparsamkeit. Verdreht aus dem Sprichwort „spare in der Zeit; dann hast du in der Not". 1939 in Berlin aufgekommen, als weniger Ware vorhanden war als Geld.

Sparflamme *f* 1. Taschenfeuerzeug. Eigentlich die Flamme mit geringem Brennstoffverbrauch. 1950 *ff.*
2. Gelegenheitsfreundin. ↗Flamme 1. *Halbw* 1950 *ff.*
3. auf ~ = mit Unkostensenkung; mit Einsparungen; mit Kraftersparnis. Die Sparflamme ermöglicht sparsamen Gasverbrauch. 1955 *ff.*
4. auf (mit) kleiner ~ = ohne Kraftanstrengung; schwunglos. 1920 *ff.*
5. auf ~ bleiben = geldlich beengt bleiben. 1960 *ff.*
5 a. auf ~ fahren = ein benzinsparendes Auto fahren. 1970 *ff.*
6. etw auf ~ garwerden lassen = etw langsam, unter Ausnutzung aller Erleichterungen verwirklichen. 1955 *ff.*
7. auf ~ halten = mit etw behutsam (vorsorglich) umgehen. 1960 *ff.*
8. auf ~ kochen = sich größter Zurückhaltung befleißigen; gefühlskalt sein; sich nicht engagieren. 1955 *ff.*
9. etw auf ~ kochen = etw hinhaltend betreiben; mit dem Geld sparsam haushalten. 1955 *ff.*
10. auf ~ leben = bescheiden, eingeschränkt leben. 1955 *ff.*
11. auf ~ schalten = sich Einschränkungen auferlegen. 1955 *ff.*
12. auf ~ setzen = jn seltener als bisher in der Öffentlichkeit auftreten lassen. 1960 *ff.*
13. etw auf ~ setzen = eine Gewohnheit einschränken; Kurzarbeit einführen. 1960 *ff.*
14. auf ~ stehen = eingeschränkt sein; nur in geringem Umfang betrieben werden. 1960 *ff.*

Spargel *m* 1. Sehrohr; Periskop. Wie der Spargelkopf über die Erdoberfläche, so ragt das Periskop ein kleines Stück über die Wasseroberfläche. *Marinespr* 1939 bis heute.
2. großwüchsiger, hagerer Mensch. 1920 *ff.*
3. Zahnstocher. Wien, seit dem 19. Jh.
4. Fabrik-, Schiffsschornstein. Seit dem 19. Jh.
4 a. Fernmeldeturm; Fernsehturm. 1975 *ff.*
5. Penis. Seit dem 19. Jh.
6. *pl* = lange, dürre Beine. 1900 *ff.*
7. ~ des kleinen Mannes = Schwarzwurzeln. Sie sind billiger als Spargel. 1920 *ff.*

8. sprießender ~ = erigierender Penis; heftige Geschlechtsgefühle eines Knaben. ↗Spargel 5. 1920 *ff.*

9. den ~ abgießen = harnen (vom Mann gesagt). Die Wendung meint eigentlich das Ausgießen des Kochwassers aus dem Spargeltopf. Hier *vgl* ↗Spargel 5. 1900 *ff.*

10. den ~ quer essen können = a) einen breiten Mund haben. 1900 *ff.* – b) ein Prahler sein. 1930 *ff.*

11. eine Stange ~ setzen = koten. *Schül* 1948 *ff.*

12. ihn sticht der ~ = er verlangt heftig nach Geschlechtsverkehr. ↗Spargel 5. Seit dem 19. Jh.

Spargelbeine *pl* lange, dürre Beine. ↗Spargel 6. Seit dem ausgehenden 19. Jh.

'spargel'dünn *adj* hager, mager. 1900 *ff.*

Spargelkraut *n* Schamhaare des Mannes. Sie sprießen am „↗Spargel 5". 1910 *ff.*

Spargelstange *f* erigierter Penis. 1900 *ff.*

Spargelstechen *n* männliches Verlangen nach Geschlechtsverkehr. ↗Spargel 12. 1900 *ff.*

Spargeltarzan *m* hagerer Mann. ↗Tarzan. *Halbw* 1960 *ff.*

Spargroschenmund *m* schmaler, dünnlippiger Mund. Er ähnelt dem Schlitz in der Sparbüchse. 1950 *ff.*

Sparhyäne *f* sehr sparsam lebender Mensch. Wie ein Raubtier stürzt er sich auf jeden Groschen, den er einsparen kann. 1950 *ff.*

Sparifankerl *m* ↗Spadifankerl.

Sparkasse *f* **1.** Buckel. Parallel zu „↗Kriegskasse". Seit dem späten 19. Jh.

2. dicker Bauch. 1920 *ff.*

3. sparsamer, geiziger Mensch. 1920 *ff.*

4. Musikautomat in Gaststätten. Für Lieferfirma und Pächter ist er eine Art Sparkasse. Auch muß der Benutzer Geld einwerfen wie in ein Sparschwein. *Halbw* 1955 *ff.*

Sparkassen-Augen *pl* schmale Augen. Sie erinnern an den Schlitz in der Sparbüchse. 1960 *ff.*

Sparkassenbuch *n* jm das ~ abschwatzen können = einen Gutmütigen leicht bis zur größten Dummheit übertölpeln können. 1930 *ff.*

Sparkassenmund *m* schmaler Mund. ↗Spargroschenmund. 1960 *ff.*

Sparkostüm *n* sehr spärliche Frauenbekleidung. 1960 *ff.*

spärlich gesät *adj* nicht zahlreich. Übertragen von der in großen Abständen vorgenommenen Aussaat. Seit dem 19. Jh.

Sparmaßnahme *f* Entlassung in Unehren. *Iron* wiedergegeben als eine Maßnahme, durch die die Unkosten gesenkt werden. *BSD* 1965 *ff.*

Sparmuffel *m* engstirniger Sparer; Gegner des Sparens. ↗Muffel 2. 1968 *ff.*

Sparpolster *n* Sparguthaben; finanzielle Rücklagen. ↗Polster 1 (3; 4). 1965 *ff.*

Sparpreis *m* niedriger Preis. Werbetexterspr. 1970 *ff.*

Sparpreisknüller *m* sehr vorteilhaftes Kaufangebot. ↗Knüller. Werbetexterspr. 1970 *ff.*

Sparren *m* **1.** einen ~ haben (im Kopf haben) = leicht verrückt sein. Auf der Grundlage des Folgenden im 17. Jh aufgekommen.

2. einen ~ zuviel (zu wenig) haben = nicht recht bei Verstand sein. Im Vergleich der Hirnschale mit dem Dach des Hauses sind die Gedanken die Sparren. Wer einen Sparren zuviel oder zu wenig hat, hat einen Hirnschaden. 1500 *ff.*

sparsam schauen *intr* = a) mißtrauisch, mißgünstig, verschlossen blicken. Man engt den Blick ein. 1950 *ff.* – b) müde dreinschauen. 1950 *ff.*

Sparschnitt *m* gleichmäßig kurzgeschnittenes Kopfhaar. Mit ihm spart man manchen Besuch beim Frisör. *Halbw* 1950 *ff.*

Sparschwein *n* **1.** Auto, das nur geringe Betriebskosten erfordert. Parallel zu ↗Sparbüchse 3. 1955 *ff.*

2. das ~ schlachten = die Sparbüchse zertrümmern. 1955 *ff.*

Sparstrumpf *m* Gesamtheit der Ersparnisse. Früher versteckte man seine Ersparnisse in einem Strumpf. 1910 *ff.*

Sparstrümpfler *m* Sparer. *Vgl* das Vorhergehende. 1950 *ff.*

sparteln *intr* sich widersetzen. Geht mit Konsonant-Umstellung zurück auf „↗spraddeln". *Niederd*, seit dem 14. Jh.

Spartier *n* Schwein. 1960 *ff.*

Spartriller *m* krankhafter Geiz; übermäßige Sparsamkeit. ↗Triller. Seit dem ausgehenden 19. Jh.

Sparwitz *m* Witz mit eindrucksloser Pointe. Der Witz ist spärlich, und man erspart sich ausgiebiges Lachen. Er ist dem spärlichen Auffassungsvermögen des Zuhörers oder des Erzählers angepaßt und erfordert nur geringen geistigen Aufwand, wie ja auch der Sparherd mit wenig Brennstoff auskommt. Berlin 1955 *ff, stud.*

Spaß *m* **1.** ~ an der Freude (Freud') = Ausgelassenheit, Munterkeit; Freude über die Unbeschwertheit. *Rhein* 1900 *ff.*

2. diebischer ~ = boshafter Spaß; Schadenfreude. ↗diebisch. 1830 *ff.*

3. der ganze ~ = das alles; das Ganze. Meint eigentlich „die ganze Freude"; aus der Wendung „jm den ganzen Spaß verderben" entwickelt sich „der ganze Spaß" zur Bedeutung „das alles", meist mit geringschätzigem Nebensinn. Seit dem 18. Jh.

4. ein runder ~ = eine gelungene Sache. ↗rund 1. 1950 *ff.*

5. ein teurer ~ = eine kostspielige Sache. 1900 *ff.*

6. ~ beiseite, Ernst komm her! = in vollem Ernst gesprochen! 1920 *ff.*

7. da hört der ~ auf = das ist nicht länger zu ertragen. 1900 *ff.*

8. was kostet der ~? = was kostet das zusammen? *Vgl* ↗Spaß 3. Seit dem 19. Jh.

9. ein bißchen ~ machen = flirten. Flirt gilt als unernsthaft. 1920 *ff.*

10. das ist kein ~ = das ist eine wichtige Sache; das ist keine Kleinigkeit; das erfordert viel Mühe. 1800 *ff.*

11. ~ muß sein bei der Beerdigung (Leiche) = Spaß ist ebenso notwendig wie Ernst; Ernst allein hilft zu nichts. Steht wohl im Zusammenhang mit dem Schmaus, der nach der Beisetzung stattfindet, oder mit der Einkehr ins Wirtshaus. Zur Begründung dieser sprichwörtlichen Redensart setzt mancher hinzu: „sonst geht keiner mit". Wohl seit dem 19. Jh.

Spaßäpfelchen *pl* kleine Brüste. ⁊ Apfel 1. 1930 *ff.*

Spas'setteln *pl* Scherze, Späße. Meint „kleine Späße". *Bayr* und *österr,* seit dem 19. Jh.

Spas'settelmacher *m* witziger Mensch; Spaßmacher. *Bayr* 1900 *ff.*

Spaß-Funktionär *m* Karnevalist. 1960 *ff.*

Spaßlaberln *pl* Frauenbrüste. Laberln = Rundbrötchen. *Österr* 1900 *ff.*

Spaßvergnügen *n* Ausgelassenheit, Unbeschwertheit. *Nordd* 1900 *ff.*

Spaßvogel *m* Spaßmacher; lustiger, zu Streichen oder drolligen Bemerkungen neigender Mensch. Im frühen 18. Jh nach dem Muster von „⁊ Spottvogel" aufgekommen.

spaßvogeln *intr* seinen Scherz treiben. 1960 *ff.*

Spaßvögler *m* lustiger Mensch. Aus „Spaßvogel" umgebildet zwecks Anspielung auf Geschlechtsverkehr. *BSD* 1965 *ff.*

Spasti *m* **1.** Spastiker. *Jug* 1970 *ff.*

2. Klassenschlechtester. 1970 *ff.*

3. Lehrer. 1970 *ff.*

4. unsympathischer Mensch. 1970 *ff, jug.*

Spastibunker *m* Sonderschule für körperlich und geistig behinderte Kinder. 1970 *ff, schül.*

Spasticus maximus *m* sehr wunderlicher Mann. *Schül* 1975 *ff.*

Spastiker *m* **1.** Dummer. *Schül* und lehrerspr. 1970 *ff.*

2. Angehöriger des Mannschaftsstandes. *Sold* 1970 *ff.*

Spastikerherberge (-schule, -schuppen, -verein) *f (m)* Sonderschule. ⁊ Spastibunker. 1970 *ff.*

Spastimitverwaltung *f* Schülermitverwaltung. *Schül* 1975 *ff.*

spastisch *adj* geistesbeschränkt. 1970 *ff, schül.*

Spastischule *f* **1.** Sonderschule. 1970 *ff.*

2. Gymnasium. 1970 *ff.*

spät *adj* **1.** ich komme noch früh genug zu ~: Redewendung, wenn man zu Pünktlichkeit gedrängt wird. 1900 *ff.*

2. ~ dran sein = a) sich verspäten. Verkürzt aus „spät an der Reihe der Eintreffenden sein". 1930 *ff.* – b) etw nicht merken; etw nicht ahnen. *Sold* 1939 *ff.*

Spätberufenen-Bildungsbörse *f* Abendgymnasium. 1950 *ff.*

Spätberufener *m* Student mit hoher Semesterzahl. *Stud* 1955 *ff.*

Spaten *m* **1.** den ~ quälen = Schanzarbeit verrichten. *BSD* 1965 *ff.*

2. mit dem ~ spazierengehen = zum Koten gehen. ⁊ Spatengang. *BSD* 1965 *ff.*

Spatenfaulheit *f* Unterlassung des Eingrabens der Exkremente nach der Notdurftverrichtung im Freien. *Sold* 1939 *ff.*

Spatengang *m* Vergraben des Kots mittels eines Spatens; Notdurftverrichtung im Freien. Das Verfahren war in der Wehrmacht vorgeschrieben; aber nicht in der Wehrmacht ist der Befehl erstmals formuliert worden, sondern von Moses (*vgl* 5. Moses 23, 13 u. 14). *Sold* 1939 *ff.*

spatengehen *intr* im Freien koten. *BSD* 1965 *ff.*

Spaten-Pauli (Spaten-Paule) *m* **1.** Grenadier. Geht zurück auf Pauli, eine Figur aus der Bilderheftgeschichte „Fix und Foxi" (Kauka-Verlag, Grünwald bei München); die Figur hat Ähnlichkeit mit einem Maulwurf und wurde als Figur mit Spaten entwickelt. *BSD* 1967 *ff.*

2. *pl* = Pioniere. *BSD* 1967 *ff.*

Spatenschiß *m* Notdurftverrichtung im Freien. ⁊ Spatengang. *BSD* 1965 *ff.*

Spatenstichseuche *f* Bestreben hochgestellter Personen des öffentlichen Lebens, keine Grundsteinlegung und Baufertigstellung zu versäumen. Soll aus Österreich stammen; 1955 *ff.*

spätentwickelt *adj* noch unerfahren; mit langsamer Auffassung. Der Betreffende reift geistig und geschlechtlich erst spät. *Halbw* 1955 *ff.*

Spätentwickler *m* Rückständiger; Unwissender; Halbwüchsiger mit langsamer Auffassung. *Halbw* 1955 *ff.*

Spätgelbfahrer *m* Kraftfahrer, der startet, während die Ampel noch Gelb zeigt. Kraftfahrerspr. 1960 *ff.*

Spätgymnastik *f* ~ vor dem Schlafengehen = Würfeln um den letzten Trunk. 1964 *ff.*

Spätheimkehrer *m* **1.** Zecher, der erst in später Nachtstunde das Wirtshaus verläßt. Aufgekommen mit der späten Heimkehr der Kriegsgefangenen aus Rußland, gegen 1948 und gehäuft seit 1955.

2. aussehen wie ein ~ = zerlumpt, verwahrlost aussehen. 1950 *ff.*

Spätheimkehrerschule *f* Abendgymnasium. Die Schüler kehren abends spät heim. 1960 *ff.*

Späthübsche *f* ältliches Fräulein. 1920 *ff.*

Spätkartoffel *f* großes Loch im Strumpf. ⁊ Kartoffel 2. 1900 *ff.*

Spätlese *f* **1.** die Erwachsenen. Eigentlich die spät vorgenommene Traubenlese. 1950 *ff, halbw.*

2. Oberprimaner, der die Reifeprüfung im Sommer nicht bestanden hat und sie im Herbst oder Frühjahr wiederholt. *Österr* 1950 *ff.*

3. Schüler des Abendgymnasiums. 1965 *ff.*

4. Student mit hoher Semesterzahl. *Stud* 1960 *ff.*

5. bejahrte Heiratslustige; ältliche Ledige. 1920 *ff.*

6. diebische Traubenlese in der Nacht. 1960 *ff.*

7. reife ~ = Dame gesetzten Alters, noch recht ansehnlich und der Liebe gern zugeneigt. 1920 *ff.*

Spätling *m* nachgeborenes Kind. Eigentlich das spät im Jahr geborene Lamm. Seit dem 18. Jh.

Spät-Lolita *f* kniekehlenfreie ~ = Fünfzigerin, die sich wie ein Teenager kleidet und benimmt. ↗Lolita. Berlin 1960 *ff, halbw.*

Spätmerker *m* begriffsstutziger Mensch. Er merkt erst spät, was andere viel früher begriffen haben. 1930 *ff.*

Spätmittelalter *n* Bejahrtheit; überschrittene Lebensmitte. ↗Mittelalter. 1930 *ff.*

Spätnik *m* letztgeborenes Kind; Kind, das geboren wurde, als die Geschwister schon erwachsen waren. Nach dem Start des ersten russischen Erdsatelliten (4. Oktober 1957) namens „Sputnik" aufgekommen; anfangs Spottbezeichnung für die verzögerte US-Raumkapsel.

Spätpenne *f* Abendgymnasium. ↗Penne. *Schül* 1965 *ff.*

Spätsommerschönheit *f* wenig reizvolle ältere Frau. 1950 *ff.*

Spätstarter *m* Spätentwickler, spät zur Geltung kommender Politiker o. ä. *Vgl* ↗Senkrechtstarter. 1970 *ff.*

Spätstück *n* spät eingenommenes Frühstück; Mahlzeit, bei der Frühstück und Mittagessen zusammengelegt sind. Dem „Frühstück" nachgeahmt. 1930 *ff.*

Spät-Teen (Grundwort *engl* ausgesprochen) *m* Jugendliche(r) zwischen 16 und 20 Jahren. ↗Teen. 1960 *ff.*

Spät-Teenager (Grundwort *engl* ausgesprochen) *m* Jugendliche(r) gegen Ausgang des zweiten Lebensjahrzehnts. ↗Teenager. 1960 *ff.*

Spät-Twen *m* Mensch zwischen 30 und 40 Jahren. ↗Twen 1. 1960 *ff.*

Spatz *m* **1.** kleinwüchsiges, schmächtiges Kind; Kind (Kosewort). Seit dem späten 19. Jh.

2. Mädchen. Dem *lat* „passercula" nachgeahmt. 1900 *ff.*

3. Schüler der Unterstufe; Schulanfänger. Er ist klein, aber auch frech; *vgl* „frech wie ein ↗Rohrspatz". Spatzen wirken wenig verträglich. 1920 *ff.*

4. frecher, dreister Bursche. 1900 *ff.*

5. kleine Fleischportion; Stück Fleisch in der Suppe. *Sold* seit dem späten 19. Jh; kundenspr. 1906 *ff.*

6. Knabenpenis. Spätestens seit 1900.

7. geschlechtlich leistungsfähiger Mann. Spatzen gelten als unersättlich in geschlechtlicher Hinsicht. 1920 *ff.*

8. Geflügel. Anspielung auf eines, das zu klein ist für einen starken Esser. *Vgl* ↗Spatz 5. *BSD* 1965 *ff.*

9. Luftwaffenangehöriger; Pilot. Wegen der „Schwingen" an der Uniform. *Sold* 1914 bis heute.

10. schlecht essendes Kind; Mensch, der auffallend wenig ißt. Im Vergleich mit dem Menschen ist der Spatz ein bescheidener Esser, im Vergleich mit anderen Vögeln ein Vielesser. Spätestens seit 1800.

11. kein heuriger ~ = erfahrener Mensch. *Bayr* und *österr,* 1900 *ff.*

12. magerer ~ = Stich mit wenigen Augen. Kartenspielerspr. seit dem 19. Jh.

13. süßer ~ = nettes, reizendes Mädchen. ↗süß 1; ↗Spatz 2. 1920 *ff.*

14. frech wie ein ~ = dreist, unverschämt, rücksichtslos. ↗Rohrspatz. Seit dem 19. Jh.

15. wie ein ~ essen = wenig essen. ↗Spatz 10. Seit dem 19. Jh.

16. da fliegen die ~n im Rückenflug, damit sie das Elend nicht sehen = das ist eine ärmliche Gegend. Von den Möwen eines Ostfriesenwitzes übertragen auf die Spatzen um 1970.

17. du hast wohl einen ~ gefrühstückt? = du weißt wohl nicht, was du sagst? Ein ungewöhnliches Frühstück zeigt ungewöhnliche Einfälle. 1900 *ff.*

18. ~en haben = Muskelschmerzen haben. Herleitung unbekannt. *Österr* 1920 *ff, sold, schül* und *sportl.*

19. ~en unterm Dach haben = verrückt sein. *Vgl* ↗Vogel 53 a; ↗Dach 1. Seit dem 19. Jh.

20. ~en unterm Hut haben = vor jm den Hut nicht abnehmen. Man vermutet, der Unhöfliche habe Spatzen unterm Hut und befürchte, sie flögen weg, wenn er den Hut abnehme. ↗Vogel 54. Seit dem 17. Jh.

21. ~en im Kopf haben = a) dumm sein; wunderlichen Gedanken nachgeben. Sachverwandt mit „einen ↗Vogel haben". Seit dem 19. Jh. – b) überheblich sein. Auch in volkstümlicher Auffassung ist Dünkel ein Zeichen von Dummheit. Seit dem 19. Jh.

22. ein Hirn haben wie ein ~ = dumm sein; ein schlechtes Gedächtnis haben. Seit dem 19. Jh.

23. Muskeln haben wie der ~ Krampfadern = ein Schwächling sein. *BSD* 1965 *ff.*

24. den ~ melken = harnen (auf Männer bezogen). ↗Spatz 6. 1930 *ff.*

25. die ~en pfeifen es von den Dächern = es ist allgemein bekannt. Weiterbildung von Prediger Salomo 10, 20 („fluche dem Könige nicht in deinem Herzen und fluche nicht dem Reichen in deiner Schlafkammer; denn die Vögel des Himmels führen die Stimme fort"). 1600 *ff.*

26. die ~en verjagen = den Gegnern die kleinen Trümpfe abfordern. Kartenspielerspr. seit dem 19. Jh.

Spätzchen *n* Mädchen, Frau (Kosewort auch für kleine Jungen). ↗Spatz 2. 1900 *ff.*

Der Umgangssprache fallen beim Spatzen hauptsächlich drei Eigenschaften auf: Da ist zum einen seine zarte Konstitution, welche diese Vokabel zur Bezeichnung für ein kleines Kind werden läßt (**Spatz 1.**, *vgl.* **Dreckspatz**). *Darüber hinaus dient sie in diesem Zusammenhang auch der leicht abschätzigen Kenntlichmachung zu klein geratener Dinge* (*vgl.* **Spatz 5., 8., 12., Spatzenbeine, Spatzenhirn** *usw.*). *Zum zweiten gilt der Spatz als äußerst frech und zudringlich* (*vgl.* **Rohrspatz**) *und dementsprechende Konnotationen finden sich natürlich auch in der Umgangssprache wieder* (**Spatz 4.**), *die unter einem*

Spatz auch einen Schulanfänger oder Unterstufenschüler versteht (**Spatz 3.**). *Zum dritten ist der Spatz natürlich ein Vogel, und die diesem zugeschriebenen Eigenschaften gelten natürlich auch für jenen einzelnen Vertreter der ganzen Gattung* (**Spatz 21.**, *vgl.* **Spatz 19.**). *Die Redensart „die Spatzen pfeifen es von den Dächern"* (**Spatz 25.**) *ist zweifelsohne biblischen Ursprungs* (*vgl. Stichwortartikel*), *dürfte aber im Zeitalter des Gassenhauers, der sich nicht selten auf ganz konkrete und nicht immer für die breitere Öffentlichkeit bestimmte Ereignisse bezog, einige Nuancierungen erfahren haben.*

Spatzenbeine *pl* sehr dünne Beine. 1900 *ff.*

Spatzenbummerl *pl* hagere Beine. *Iron* Bezeichnung. *Vgl* ↗Bummerl I 2. *Bayr* 1900 *ff.*

Spatzenflak *f* **1.** Gewehr. Es eignet sich zum Schießen auf Spatzen. Flak = Flugabwehrkanone. *BSD* 1965 *ff.*
2. Fla-Rakete gegen Tiefflieger. *BSD* 1965 *ff.*

Spatzengestell *n* sehr dünne Beine. *Vgl* ↗Gestell 3. Seit dem 19. Jh.

Spatzenhirn *n* **1.** kleines Gehirn; geringer Verstand. Seit dem 19. Jh.
2. geistesbeschränkter Mensch; Mensch mit schlechtem Gedächtnis. Seit dem 19. Jh.

Spatzenknacker *pl* Heeresflugabwehrtruppe. Anspielung auf die geringe Schießhöhe. ↗Spatzenflak 2. *BSD* 1965 *ff.*

Spatzenkopf *m* vergeßlicher Mensch. Er hat ein „↗Spatzenhirn". Seit dem späten 19. Jh.

Spatzenkuchen *m* Pferdekot. 1900 *ff.*

Spatzenmagen *m* kleiner Magen; Magen des Wenigessers. ↗Spatz 10. 1800 *ff.*

Spatzennest *n* Schule. Versteht sich nach „↗Spatz 3 u. 21". 1960 *ff.*

Spatzenparterre *n* oberstes Stockwerk eines Wohnhauses. Aus der Vogelperspektive ist das Dachgeschoß unten. *Nordd* und Berlin seit dem späten 19. Jh.

Spatzenrecht *n* Berechtigung, als Zaungast an einer Veranstaltung teilzunehmen, solange man nicht verscheucht wird. 1930 *ff.*

Spatzenschreck *m* aussehen wie ein ~ = ungepflegt, grämlich, abstoßend aussehen. Spatzenschreck = Vogelscheuche. Seit dem 19. Jh.

Spatzenwaden *pl* sehr schwach ausgebildete Waden. *Vgl* ↗Spatzengestell. Seit dem 19. Jh. *Vgl engl* „bird legs".

Spätzünder *m* **1.** Späterwachsener; begriffsstutziger Mensch; spät entschlossener Mensch. Hergenommen von Sprengladungen mit Verzögerungszünder. Etwa seit 1910, *sold, schül, stud* und arbeiterspr.

2. Kind, das sich langsamer entwickelt als die anderen; Mensch, dessen Lerneifer erst spät erwacht. 1950 *ff.*

3. Mensch, der erst spät zu seinem eigentlichen Beruf findet. 1950 *ff.*

4. Mensch, der geschlechtlich später reift. 1950 *ff.*

5. Mann, der spät heiratet. 1950 *ff.*

6. sehr spät ertappter Straftäter. 1950 *ff.*

7. spät aufgeklärtes Verbrechen. 1950 *ff.*

8. späte Folge einer Tat. 1950 *ff.*

9. spät zur Anerkennung gelangte künstlerische Leistung. 1950 *ff.*

10. Feuerzeug, das erst nach wiederholten Versuchen zündet. 1950 *ff.*

Spätzünderschule *f* Abendgymnasium. ↗ Spätzünder 3. 1955 *ff.*

Spätzündung *f* **1.** langsame Auffassung; Begriffsstutzigkeit. ↗ Spätzünder 1. 1910 *ff, sold, schül* und *stud.*

2. mit ~ = a) mit Wirksamkeit nach geraumer Zeit; mit spätem Bekanntwerden; verspätet. 1950 *ff.* – b) zögernd. 1950 *ff.*

spazieren *intr* **1.** eine bestimmte Geschwindigkeit erreichen; fehlerfrei funktionieren (das Auto ist brav spaziert). *Österr* 1955 *ff,* jug.

2. ~ denken = seine Gedanken wandern lassen. 1965 *ff.*

spazierengehen *intr* **1.** es geht spazieren = es geht verloren, wird gestohlen. Seit dem 19. Jh.

2. zum Abort gehen. 1900 *ff.*

3. fahnenflüchtig werden. *Sold* in beiden Weltkriegen.

4. sich unerlaubt von der Truppe entfernen; den Urlaub überschreiten. Verharmlosender Ausdruck. *Sold* 1935 *ff.*

spazierengucken *intr* den Wolken nachsehen; vom Fenster aus dem Straßenverkehr o. ä. zusehen. 1950 (?) *ff.*

spazierenliegen *intr* in trautem Zusammensein im Grünen lagern. Berlin, 1950 *ff.*

Spaziergängermuffel *m* Mann, der keine Freude am Spazierengehen hat. ↗ Muffel. 1967 *ff.*

Spazierhölzer *pl* Beine. Von den hohen Stelzen, auf denen Kinder gehen, scherzhaft übertragen auf lange Beine. 1800 *ff.*

Spazierstock *m* **1.** des Herrgotts (dem lieben Gott sein) ~ = sehr großwüchsiger, hagerer Mensch. *Mitteld* 1950 *ff.*

2. mit dem ~ gehen = Rentner sein. 1920 *ff.*

3. einen ~ verschluckt haben = ungelenk sein; keine Verbeugung machen. Moderne Variante zu der veralteten (veraltenden) Redewendung „einen ↗ Ladestock verschluckt haben". 1930 *ff,* jug.

spazifizieren (spazifizieren gehen) *intr* spazieren gehen. Hieraus scherzhaft gestreckt nach dem Muster von „spezifizieren". 1600 *ff.*

Spazifiziergang *m* Spaziergang. 1920 *ff.*

spa'zoren *part* (auch *inf*) = spaziert; spazieren. *Stud* Scherzbildung nach dem Muster von „blamoren". Seit dem 19. Jh.

spazwandern *intr* spazierengehen. Zusammengesetzt aus „spazieren" und „wandern". *Stud* 1900 *ff.*

Speaker (*engl* ausgesprochen) *m* Schulsprecher. Meint im *Engl* den Sprecher, auch den Präsidenten des britischen Unterhauses sowie des US-Kongresses. 1955 *ff.*

speanzeln (spenzeln, speanzen) *intr* liebäugeln, flirten. Geht zurück auf „spenen = anreizen, anlocken" und ist beeinflußt von „sponsieren = verloben; zärtlich sein". *Oberd* 1800 *ff.*

Specht *m* **1.** Förster, Jäger. Verkürzt aus „ ↗ Grünspecht". Kundenspr. 1800 *ff.*

2. Aufpasser. ↗ spechten 1. *Rotw* 1920 *ff.*

3. Ehemann, der seine Frau schlecht behandelt. Er „hackt" auf ihr herum wie der Specht auf dem Baumstamm. 1920 *ff.*

4. Penis. ↗ hacken 1. 1950 *ff.*

spechten *intr* **1.** genau beobachten; auflauern; spähen. Kann sich herleiten vom Specht, der am Baum hackt, um Würmer, Käfer o. ä. ausfindig zu machen, oder versteht sich als Ableitung von „spähen". Auch „spicken" ist heranzuziehen. Vorwiegend *bayr* und *österr,* 1800 *ff.*

2. vom Mitschüler absehen, abschreiben. *Bayr* 1900 *ff.*

Spechtwinde *f* Forsthaus, Jagdhütte. ↗ Specht 1. „Winde = Haus" ist entstanden aus „wenden = drehen", ursprünglich auf die Tür bezogen, die sich in den Angeln dreht. Kundenspr. 1900 *ff.*

Speck *m* **1.** Lockmittel. Vom Mäusefang hergenommen. „Mit Speck fängt man Mäuse" gilt wörtlich und sprichwörtlich. Seit dem 19. Jh.

2. Geld, Löhnung. Speck ist hier sowohl als Lockmittel aufgefaßt als auch als kräftigende Zutat zu einer Speise. *Sold* in beiden Weltkriegen.

3. glänzender Schmutz an Kleidern; (nasser, öliger) Straßenschmutz. Speck glänzt. 19. Jh.

4. Angst. Entweder gekürzt aus „Respekt" oder fußend auf der Gleichung „Speck = Lehm". Wegen seiner halbweichen Beschaffenheit und seiner Farbe ergibt „Lehm" die Bedeutung „Kot". Furchtsame leiden leicht an Stuhldrang. Wien, seit dem 19. Jh, *schül* und *stud.*

5. ~ ansammeln = für Notzeiten eine geldliche Rücklage ansammeln. Man setzt in geldlicher Hinsicht Speck an. 1900 *ff.*

6. ~ ansetzen = a) dick werden. 1900 *ff.* – b) wohlhabend werden. 1900 *ff.*

7. ~ in Butter braten = üppig leben; in Überfluß schwelgen. 1830 *ff.*

8. auf diesen ~ gehe (fliege) ich nicht = ich lasse mich nicht übertölpeln. Hergenommen vom Speck in der Mausefalle. Seit dem 19. Jh.

9. ~ haben (in der Kammer haben) = wohlhabend sein; in gesicherten Verhältnissen leben. Seit dem 19. Jh.

10. ~ in der Tasche haben = überall beliebt sein; eine große Anziehungskraft ausüben. Hergenommen vom Speck als Lockmittel in der Mausefalle. Seit dem 19. Jh, *nordd* und *mitteld*.

11. das macht den ~ nicht fett = das macht wenig aus; das ändert an der Sache nichts. *Vgl* „das macht den ↗ Kohl nicht fett". 1960 *ff.*

12. sich den ~ nicht vom Butterbrot nehmen lassen = sich nicht übertölpeln lassen. 1920 *ff.*

12 a. an den ~ nicht ranwollen = auf eine verlockende Sache nicht eingehen, weil unbekannte Nachteile zu befürchten sind. ↗ Speck 1. Seit dem 19. Jh.

13. seinen ~ runternudeln = an einem Gymnastiklehrgang teilnehmen, um schlank zu werden. Nudeln = mästen; runternudeln = abspecken. 1920 *ff.*

14. im (auf dem) ~ sitzen = reich sein; einen einträglichen Posten bekleiden. Von reichen Vorräten wird auf Geldreichtum geschlossen. 1900 *ff.*

Speckalpen *pl* Beleibtheit. 1920 *ff.*

Speckbauch *m* beleibter Mensch. Seit dem 19. Jh.

Speckbulle *m* beleibter Mann. ↗ Bulle 1. 1930 *ff.*

Speckdeckel *m* **1.** abgegriffene, verschwitzte, schmierige Mütze; Feld-, Arbeitsmütze. *Vgl* ↗ Speck 3. *Sold* 1910 bis heute; auch *ziv.*
2. Zylinderhut. Anspielung auf den glänzenden Seidenbezug. *Halbw* nach 1950.

Specker *m* Schimpfwort auf einen verkommenen Menschen. Er lebt in „↗ Dreck und Speck". Soldatenvokabel aus beiden Weltkriegen.

Speckflagge *f* Bremer Flagge. Die rot-weißen Würfel und Streifen der bremischen Landesflagge ähneln geschnittenem Schinkenspeck. 1900 *ff.*

Speckflunder *f* sehr beleibte Frau. Groteske Vokabel; denn Flundern sind Plattfische. *Nordd* und Berlin 1920 *ff.*

Speckgang *m* Beute-, Bettelgang. Man bettelt um Speck. Kundenspr. 1920 *ff.*

Speckhals *m* dicker, feister Hals. Seit dem 16. Jh.

Speckhengst *m* Küchenunteroffizier; Fourier; Zahlmeister, der die Truppenverpflegung verwaltet; Koch. *Sold* seit dem späten 19. Jh bis 1945.

speckig *adj* **1.** schmutzig; voller Fettflecken. ↗ Speck 3. Seit dem 19. Jh.
2. fett und fest (bezogen auf eine mißlungene Mehlspeise). *Oberd* seit dem 19. Jh.

Speckjäger *m* **1.** Landstreicher; Bettler; Müßiggänger. Er bettelt um Speck; *vgl* auch „Speck = Geld". Kundenspr, spätestens seit 1900.
2. Feldgendarm. Dem „↗ Hamsterer" nimmt er den Speck weg. 1915 *ff;* 1940 *ff.*
3. wohlgenährter, vermögender Bürger. 1900 *ff.*
4. Nutznießer, der andere für seinen Vorteil sorgen läßt; schmarotzender Mensch. Er erschleicht sich Eßbares; er geht auf Speck aus, aber hält sich selber kein Schwein. 1900 *ff.*

5. Mitgiftjäger; Frauenheld; Heiratsschwindler. ↗ Speck 2. 1920 *ff.*

Speckjägerchen *n* rundlicher Säugling. 1925 *ff.*

Speckkäfer *m* **1.** schmarotzender Mensch. Die Larven des Gemeinen Speckkäfers schmarotzen in Pelzwerk, Speck und Schinken. 1900 *ff.*
2. nettes, dralles Mädchen. ↗ Käfer 1 u. 2. 1900 *ff.*

Speckkiste *f* Sarg. „Speck" steht hier für nacktes Fleisch. 1930 *ff.*

Speckkopf *m* dicker Kopf; feistes Gesicht. 1900 *ff.*

Speckmesser *n* Seitengewehr. Es eignet sich auch gut zum Speckschneiden. *Sold* seit dem späten 19. Jh bis heute.

Speckmütze *f* abgegriffene (Feld-)Mütze. *Vgl* ↗ Speckdeckel 1. 1910 *ff.*

Specknacken *m* feister Nacken. 1900 *ff.*

specknackig *adj* feistnackig. 1900 *ff.*

Speckrand *m* fettig-schmutziger Rand (am Kragen o. ä.). ↗ Speck 3. 1900 *ff.*

Specksack *m* beleibter Mann. *BSD* 1960 *ff.*

Specksau *f* dicker Mensch. 1900 *ff.*

Speckschneider *m* Fourier; Verpflegungsunteroffizier; Zahlmeister; Koch, Schiffskoch. Seemannsspr. seit dem späten 19. Jh; *sold* in beiden Weltkriegen.

Speckschwarte *f* glänzen wie eine ~ = a) fettig glänzen. 1900 *ff.* – b) sehr sorgfältig gereinigt sein (auf das Gewehr o. ä. bezogen); gut eingefettet sein. *Sold* 1914 bis heute.

Speckseite *f* **1.** glänzend gewordene Tuchseite. Sie glänzt wie Speck. Seit dem 19. Jh.
2. vorteilhafte Seite. Seit dem 19. Jh.
3. Glück. 1900 *ff.*
4. ~ des Lebens = Leben voller Annehmlichkeiten. *Sold* in beiden Weltkriegen.

Speckstein *m* Schmutz an der Innenseite von Hemdkragen, Manschetten o. ä. Dem „Kesselstein" nachgebildet oder vom Mineral Steatit (Speckstein, Talk) übertragen. *Sold* 1910 *ff.*

spedieren *tr* jn fortjagen. Über Italien im 17. Jh aus *lat* „expedire = abfertigen" übernommen; durch die Kaufmannssprache volkstümlich geworden.

Speed (*engl* ausgesprochen) *m* Anregungsdroge. *Engl* „speed = Geschwindigkeit; Beschleunigung". Gegen 1970 aufgekommen mit der zunehmenden Rauschgiftsucht.

Speer *m* Penis. Analog zu „↗ Lanze" und anderen Bezeichnungen für Stichwaffen. 1500 *ff.*

speiben *intr* ein Geständnis ablegen. ↗ speien. Wien 1920 *ff,* verbrecherspr. und polizeispr.

Speiche *f* **1.** *pl* = Beine. Von der Verbindung zwischen Radnabe und Felge übertragen zur Bedeutung „Rad des Fuhrwerks" und weiter zu „Fortbewegungsmittel". 1850 *ff.*
2. die ~n drehen = schnell davongehen; flüchten, fliehen. *Sold* 1920 *ff.*
3. nicht alle ~n am Rad haben = nicht recht bei Verstand sein. 1920 *ff.*

Speichel *m* ~ lecken = würdelos liebedienern. 1700 *ff.*

Speichelkocher *m* Tabakspfeife. *Halbw* 1950 *ff.*

Speichellecker *m* würdelos unterwürfiger Mensch. Seit dem 18. Jh.

'Speichellecke'rei *f* würdelos-liebedienerisches Verhalten. Seit dem 19. Jh.

Speichensalat *m* zertrümmertes Fahrrad; Fahrzeugunfall. ↗Salat 1. 1910 *ff.*

Speicherratte *n* vielerfahrener Mensch; vermeintlich überkluger Mann. Speicherratten gehen äußerst selten in die Falle und nehmen den Giftköder nicht an; sie gelten darum volkstümlich als besonders schlau. Seit dem 19. Jh, *nordd.*

speien *intr* ein Geständnis ablegen. *Gleichbed* mit „↗kotzen", „↗spucken" u. ä. *Rotw* 1920 *ff.*

Speier *m* gehässiger Verleumder; Schwätzer. Gehört wohl zu „große ↗Bogen spucken"; *vgl* aber auch „↗ankotzen". 1920 *ff.*

Speipulver *n* Brechmittel. 1900 *ff.*

Speisbuckel *m* Maurer. Auf seiner Schulter trägt er den Mörtel die Leitern empor. 1900 *ff.*

Speiseanstalt *f* Mund. Gegen 1870 in Berlin aufgekommen; wird immer stärker durch „Speiselokal" verdrängt.

Speise-Eiszeit (Speiseeis-Zeit) *f* Sommer. 1960 *ff, journ.*

Speise-Fahrplan *m* Küchenzettel o. ä. Dem „↗Magenfahrplan" nachgebildet. 1930 *ff.*

Speisekammer *f* 1. Magen. Eigentlich die Vorratskammer der Küche. *Sold* in beiden Weltkriegen; auch *ziv.*
2. elektrische ~ = Kühlschrank. 1955 *ff.*

Speisekarte *f* 1. Fahrplan; Programmfolge. 1880 *ff.*
2. Vorstrafenregister. 1950 *ff.*
3. umgekehrte ~ = Erbrechen. 1900 *ff.*
4. ~ rückwärts = Erbrechen. 1900 *ff.*
5. es steht nicht auf der ~ = es ist nicht vorgesehen. 1950 *ff.*

Speiselokal *n* 1. Mund. ↗Speiseanstalt. 1920 *ff.*
2. das ~ schließen = endlich verstummen. 1920 *ff.*

Speiseritze *f* Mund. Berlin 1870 *ff.*

Speiseröhre *f* die ~ nässen = Alkohol zu sich nehmen. *BSD* 1960 *ff.*

Speisezettel *m* 1. Wochenspielplan des Theaters. Theaterspr. seit dem späten 19. Jh.
2. Vorstrafenregister. ↗Speisekarte 2. 1950 *ff.*
3. Liste der anberaumten Vernehmungen o. ä. 1950 *ff.*

Speisezimmer *n* 1. Mundhöhle, Mund. 1920 *ff.*
2. ambulantes ~ = künstliches Gebiß. Es ist nicht „stationär". 1950 *ff.*
3. künstliches ~ = Zahnprothese. 1950 *ff.*
4. das ~ renovieren lassen = sich in Zahnbehandlung begeben; sich ein künstliches Gebiß anfertigen lassen. 1920 *ff.*

Speisezimmerfabrikant *m* Zahnarzt. 1950 *ff.*

Spek'takel *m n* 1. Lärm. Meint eigentlich das Schauspiel; von da weiterentwickelt zur Bedeutung „geräuschvolle Szene" und weiter zu „Lärm; wüster Lärm". Spätestens seit 1800.
2. Großveranstaltung, um die lange vorher und mit großen Geldsummen rege Betriebsamkeit entfaltet wird. 1930 *ff.*

Spek'takelkeule *f* Stielhandgranate. Sie detoniert mit großem Lärm. *BSD* 1960 *ff.*

Spek'takelmacher *m* Lärmender; Aufständischer. Seit dem 19. Jh.

spek'takeln *intr* lärmen; Aufruhr stiften. ↗Spektakel 1. 1800 *ff.*

Spek'takelreferat *n* Veranstaltungsreferat des Polizeikommissariats. *Österr* 1950 (?) *ff.*

Spek'takelsau *f* 1. Straßenprostituierte. 1900 *ff.*
2. Film-, Bühnenschauspielerin mit ärgerniserregendem Privatleben. 1950 *ff.*

Spek'takler *m* 1. Lärmender. Seit dem 19. Jh.
2. politischer Aufhetzer; Agitator. 1928 *ff.*

spektaku'lär *adj* aufsehenerregend; Schaugepränge entfaltend. 1930 *ff.*

spektaku'lieren *intr* sich künstlich aufregen; gemeinsam über eine Sache grundlos Lärm schlagen. 1900 *ff.*

Speku'lant *m* 1. Studienreferendar. Spekulieren = sehen, zusehen, auskundschaften. *Schül* 1950 *ff.*
2. *pl* = Augen. *Sold* 1910 *ff.*

Speku'lantenschwein *n* niederträchtiger Börsenspekulant. 1920 *ff.*

Spekulati'onshyäne *f* rücksichtsloser Spekulant. Wie ein Raubtier stürzt er sich auf Spekulationsgewinne. 1960 *ff.*

Spekula'torium *n* 1. Sehvermögen; Sicht. *Sold* 1914 *ff.*
2. Ausschau nach begehrten Dingen, die man entwenden könnte. *Sold* 1914 *ff.*

Speku'liereisen *n* Brille, Fernglas, -rohr; Feldstecher; Operngucker o. ä. ↗spekulieren. Seit dem späten 19. Jh, *schül* und *sold.*

speku'lieren *tr* 1. etw bemerken, entdecken, auskundschaften. Fußt über *franz* „spéculer" auf *lat* „speculari" = spähen; ins Auge fassen". 1900 *ff.*
2. vom Mitschüler absehen, abschreiben. 1920 *ff.*

Speku'lierer *m pl* Brille. 1900 *ff*, österr.

Speku'liermaschine *f* Brille, Kneifer; Fernrohr; Opernglas. Ausdruck scherzhafter Mechanisierung. 1930 *ff.*

Speku'lierrohr *n* Scherenfernrohr. *BSD* 1967 *ff.*

Speku'lierröhre *f* Fernrohr. *BSD* 1967 *ff.*

Spelle *f* selbstverfertigtes Täuschungsmittel; unerlaubtes Hilfsmittel. *Vgl* das Folgende. *Ostmitteld* seit dem späten 19. Jh.

spellen *tr intr* vom Mitschüler, aus einer unerlaubten Übersetzung, vom Täuschungszettel abschreiben. Spellen = schreiben. Ein anderes „spellen" hat die Bedeutung „spalten"; von daher ergibt sich leicht die Geltung „abspalten" und das umgangssprachliche „abzweigen" im Sinne von „für

Daß eine Brille umgangssprachlich zum **Spekulier-eisen** oder zur **Spekuliermaschine** werden kann, mag verschiedene Gründe haben. Mit Sicherheit spielt die eytmologische Ableitung vom lateinischen „specu-lari" (= spähen, ins Auge fassen, vgl. Stichwortartikel) eine ausschlaggebende Rolle, vielleicht aber auch die Bedeutung, die **spekulieren** dann annimmt, wenn diesess Verb zum Spekulanten substantiviert wird (vgl. **Spekulantenschwein**). Denn diese Sehgläser sollen ja dem, der auf sie angewiesen ist, den Blick für all das schärfen, was um ihn herum vorgeht. Da indes in der Sphäre, in der der Spekulant sich gewöhnlich zu bewegen pflegt, sich eben dies nie mit letzter Gewißheit behaupten läßt und so mancher,

der sein Geld ins falsche Geschäft gesteckt hat, sich im Nachhinein eine im wörtlichen Sinne verstandene Spekuliermaschine gewünscht hätte, meint diese Vokabel auch dann, wenn sie sich auf die Brille bezieht, vielleicht beides: ein bloßes Ahnen und Erkennen von Schemen, das allerdings nach dem Aufsetzen dieses optischen Hilfsmittels zur sinnlichen Gewißheit werden kann. Ähnliches spiegelt sich auch im Spekulieren der Schülersprache wider (**spekulieren 2.**): Wer von einem Mitschüler abschreibt weiß letztendlich erst nach Rückgabe der Arbeit, ob dieses **Spekulatorium** sich gelohnt hat, vorausgesetzt ein anderer Spekulant (**Spekulant 1.**) hat dies nicht von vornherein verhindert.

sich einbehalten; vorwegnehmen". Auch kennt man „spellen gehen" für „freundnachbarliche Besuche machen". *Ostmitteld* seit dem späten 19. Jh.

Spe'lunke *f* 1. ärmliche Wohnung; minderwertiges Wirtshaus; Haus von zweifelhaftem Ruf. Stammt aus *lat* „spelunca = Höhle"; sachverwandt mit „ ↗ Loch". 1500 *ff*.
2. eigenes Zimmer. Es ist vermutlich nicht aufgeräumt. *Halbw* 1950 *ff*.

spendabel *adj* freigebig. Geht zurück auf „spenden, spendieren" und ist im 18. Jh mit einer *franz* Endung versehen worden.

Spen'daschi *n* Geschenk; großzügige Gabe. *Österr* Nebenform für das veraltete Wort „Spendage". Seit dem 19. Jh.

Spendenempfang *m* Löhnungsempfang. Man betrachtet den Sold als eine freiwillige mildtätige Gabe. *BSD* 1965 *ff*.

Spender *m* der edle ~ = der freigebige Spender; der Gebende. Gern bezogen auf einen älteren Herrn, der junge Leute zum Essen einlädt. Meint eigentlich den hochherzigen Spender aus humanitären Beweggründen. *Stud* seit dem späten 19. Jh.

spendieren *tr* etw freigebig ausgeben. Romanisierende Form zu *hd* „spenden". 1600 *ff*.

spendierfreudig *adj* freigebig, großzügig (vor allem in Bezug auf das Freihalten in Gasthäusern). 1900 *ff*.

Spendierhosen (-buxen) *pl* 1. Mensch mit ~ = freigebiger Mensch. In scherzhafter Auffassung hängt die Großzügigkeit nicht mit gelockerter Gestimmtheit zusammen, sondern mit dem Zuschnitt der Hose (der Hosentaschen). Kleider machen Leute. Seit dem 19. Jh.
2. die ~ anhaben (angezogen haben) = in Geberlaune sein. 1700 *ff*.

'Spendierlaune *f* Anwandlung von Großzügigkeit; Geberlaune. 1900 *ff*.

'Spendrian *m* Gebefreudigkeit. Dem „Schlendrian" o. ä. nachgebildet. 1910 *ff*.

sperbern *intr* auf etw ~ = auf etw lauern, aufpassen, spähen. Übernommen vom Spähen des Raubvogels. *Schweiz* seit dem 18. Jh.

spe'renzeln *v* mit jm ~ = mit jm flirten. Aus „ ↗ speanzeln = liebäugeln" umgeformt unter Einfluß von *ital* „speranza = Hoffnung". „Das Speranzl" ist im *Österr* der Liebling. *Österr* seit dem 19. Jh.

Spe'renzen (Sperrentzien, Sperrenzchen, Sperranzien, Spirenzchen) *pl* = unnötige Schwierigkeiten; vermeidbare, überflüssige Umstände; Widersetzlichkeit o. ä. Geht zurück auf *mittellat* „sperantia", *ital* „speranza", beides soviel wie „Hoffnung"; weiterentwickelt zur Bedeutung „hinhaltende Hoffnung" und volksetymologisch angelehnt an „sperren" im Sinne von „sich sträuben". Wie die Formen zeigen, wird das Wort auch als Diminutivum aufgefaßt. Seit dem 17. Jh.

Spe'renzki *m* Mensch, der ständig Schwierigkeiten

bereitet; Aufbegehrender. Aus dem Vorhergehenden erweitert durch Anhängung einer *slaw* Endung. *Ostd, nordd* und *mitteld*, etwa seit 1900.

Sperk *m* Kleinwüchsiger; Zwerg. Meint mundartlich den Sperling. Zirkusspr. 1920 *ff*.

Sperling *m* 1. Schimpfwort. Zielt entweder auf „frech wie ein Spatz" oder auf das „Spatzenhirn"; *vgl* auch „ ↗ Dreckspatz 2". *Jug* 1950 *ff*.
2. freilich hat der ~ Waden!: zustimmender Ausruf des Kartenspielers, wenn eine Karte ausgespielt wird, die ihm gelegen kommt. Kartenspielersp. 1900 *ff*.

Sperlingskopf *m* vergeßlicher Mensch. Er hat ein „ ↗ Spatzenhirn". Berlin 1870 *ff*.

Sperlingslust *f* 1. Mansardenwohnung. 1900 *ff*, Berlin.
2. durch Bombeneinschlag stark beschädigte (völlig ausgebrannte) Wohnung. 1944 *ff*.

Sperlingswaden *pl* Beine ohne ausgeprägte Waden. Seit dem 19. Jh.

'sperr'angel'weit *adv* ~ aufstehen = sehr weit, ganz offenstehen. Übereinanderlagerung der beiden selbständig auftretenden, *gleichbed* Wörter „sperrweit" und „angelweit". Etwa seit 1750.

Sperrballon *m* 1. hohe Trumpfkarte, mit der man in Mittelhand einsticht und die vom dritten Mann nicht übertrumpft werden kann. Mit Sperrballons will man feindlichen Flugzeugen den Anflug auf ein bestimmtes Ziel erschweren oder unmöglich machen. Kartenspielersp. 1914 *ff*.
2. einen ~ aufsteigen lassen = durch eine hohe Trumpfkarte vereiteln, daß der Stich an die Gegner fällt. Kartenspielersp. 1914 *ff*.

sper'renzig *adj* umständlich, widersetzlich. Adjektivbildung zu „ ↗ Sperenzen", wobei das Doppel-r durch „sperren" beeinflußt ist. Seit dem 19. Jh.

Sperrfeuer *n* Bekämpfung eines Vorhabens gleichzeitig durch mehrere Personen oder Gruppen. Aus dem Militärischen übernommen. 1950 *ff*.

Sperrgeld *n* Geld für den Hausmeister für das nächtliche Öffnen der Haustür. Früher besaßen die Bewohner von Miethäusern keinen Hausschlüssel. Die Sitte des „Sperrgelds" ist noch heute in Hotels verbreitet. Wien seit dem 19. Jh.

Sperrgroschen *m* Trinkgeld für den Hausmeister, der nach einer bestimmten Stunde die Hausbewohner oder Hotelgäste einläßt. *Österr*, 19. Jh.

Sperrholz *n* 1. EPA-Brot; Knäckebrot; Zwieback. Die Schnitten sind dünn und hart. *BSD* 1965 *ff*.
2. ~ bohren = schwierige Arbeiten beherrschen. *Vgl* ↗ Brett 13 bis 15. *BSD* 1970 *ff*.

Sperrholz-Kadett *m* 1. Lehrling in einer Holzhandlung o. ä. 1920 *ff*.
2. Möbelträger. 1950 *ff*.

Sperrholzplatten *pl* Knäckebrotscheiben o. ä. ↗ Sperrholz 1. *BSD* 1965 *ff*.

Sperrklinke *f* Regelbinde. Meint eigentlich die mechanische Hemmung, mit der man ein Zahnrad am Rücklauf hindert. 1920 *ff*.

Sperrmüller (Sperrmüllgeier, -marder) *m* Durchwühler von Sperrmüll; Altwaren-, Schrotthändler. 1972 *ff*.

Sperrsechser (-sechserl) *m (n)* **1.** Hausmeisterentgelt für nächtliches Aufschließen der Haustür. *Vgl ↗*Sperrgeld; *vgl ↗*Sechser. *Österr* seit dem 19. Jh. **2.** Vorauszahlung an eine Prostituierte. Seit dem 19. Jh.

Sperrzone *f* Schamteile des Mädchens. Um 1900 aufgekommen, vielleicht im Zusammenhang mit dem Boxeraufstand in China, als in Peking das Diplomaten- und Palastviertel für Soldaten aller an der Auseinandersetzung beteiligten Nationen zur Sperrzone erklärt wurde.

spesen *intr* auf Spesen sehr teuer speisen. 1950 *ff*.

Spesen *pl* **1.** Küsse. Auf die Frage „wie war es mit dem Mädchen?" wird wohl geantwortet: „Außer Spesen nichts gewesen!". *Halbw* 1955 *ff*. **2.** außer ∼ nichts gewesen = viel hat sich nicht ereignet; es ist recht langweilig gewesen. Stammt aus dem Geschäftsleben: manche Geschäftsreise bringt außer Spesenrechnungen nichts ein. Auch bekannt als Kehrreim eines Schlagerliedes. 1950 *ff*.

'Spesen'adel *m* wohlhabende Geschäftsleute, die die Kosten für die Bewirtung ihrer Geschäftsfreunde (wie auch für private Vergnügungen) als Spesen verrechnen. 1960 *ff*.

Spesenkavalier *m* Geschäftsmann, der alle Unkosten privater Natur auf Geschäftskonto bucht. 1965 *ff*.

Spesenknilch *m* unehrlicher Angestellter, der seinem Chef erfundene Unkosten in Rechnung stellt. *↗*Knilch. Berlin 1950 *ff*.

Spesenkontoristin *f* Privatsekretärin eines Geschäftsmannes, der seine sämtlichen Ausgaben als Betriebsspesen bucht. 1950 *ff*.

Spesenreich *m* **1.** Geschäftsmann, der private Unkosten über die Firma verrechnet. Er wird an (durch) Spesen reich. 1950 *ff*. **2.** Herr und Frau ∼ = Neureiche. 1950 *ff*.

Spesenreiter (-ritter) *m* Geschäftsmann, der seine Unkosten höher angibt als der Wirklichkeit entsprechend; Geschäftsmann, der Unterbringungs-, Verpflegungs- und sonstige Unterhaltungskosten (nicht nur) für Geschäftsfreunde von der Steuer absetzt. 1950 *ff*.

Spesenrubel *m* Aufwand, der auf Geschäftsunkosten verbucht wird. Dazu der Spruch: „Lasset uns genießen und fröhlich sein; denn (solange) der Spesenrubel rollt". 1950 *ff*.

Spesenschinder *m* Mann, der in den Genuß von Spesen zu kommen sucht. *↗*schinden 1. 1950 *ff*.

Spex *m* aufsichtführende Lehrperson. Verkürzt aus *↗*Inspexe. 1930 *ff*, *schül*.

Spezel (Spezl) *m* guter Freund. Verkürzt aus *↗*Spezial. Vorwiegend *bayr* und *österr* seit dem 19. Jh.

Spezi *m* **1.** vertrauter Freund; Kamerad. Verkürzt aus *↗*Spezial. *Oberd* 1800 *ff*. **2.** Penis. *Österr* 1900 *ff*. **3.** Fachmann. Verkürzt aus „Spezialist", wohl nach dem Muster von „Profi". 1965 *ff*. **4.** Mischung von Coca Cola und Bluna (o. ä.). Es ist eine „Spezialmischung". 1965 *ff*.

Spezial *m* naher Freund. *Vgl ital* „lo speciale". 1850 *ff*, *westd*.

spezial *adv* mit jm ∼ sein = mit jm befreundet sein. Seit dem 19. Jh.

Spezialisten-Chinesisch *n* Fachsprache. *↗*Chinesisch. 1960 *ff*.

Spezialistendrill *m* Fachschule. 1960 *ff*, *rhein* und *westf*.

Spezialschaffe *f* Sonderarbietung; erlesener Genuß. *↗*Schaffe. 1960 *ff*.

Spezialwappen *n* schriftlich festgehaltener Tadel; Eintragung ins Klassenbuch. Man betrachtet den Verweis als eine Ehrung. 1950 *ff*.

speziell *adv* mit jm ∼ sein = mit jm eng befreundet sein. *Bayr* und *rhein*, seit dem 19. Jh.

Spezielles *n* **1.** auf Ihr ganz ∼! = auf Ihr Wohl! Gemeint ist das Wohl des einzelnen, nicht das der Trinkgemeinschaft. *Stud* seit dem 19. Jh. **2.** aufs Spezielle trinken = jm zutrinken. *Stud* seit dem 19. Jh.

Spick *m* Täuschungszettel des Schülers. *↗*spicken. *Schweiz* 1900 *ff*.

Spickbetrieb *m* geschäftiges Abschreiben vom Nebenmann oder aus dem selbstverfertigten Täuschungszettel. 1900 *ff*.

Spicke *f* unerlaubte Übersetzung. *↗*spicken. 1870 *ff*, Berlin und Sachsen.

spickeln *intr* durch die Finger sehen; durch Astlöcher spähen; vom Mitschüler absehen. Durch Einführung eines „l" erweitertes „*↗*spicken". Vorwiegend *südwestd* seit dem ausgehenden 19. Jh.

spicken *v* **1.** *intr* = vom Mitschüler (Mitstudenten) absehen; vom Täuschungszettel oder aus einer unerlaubten Übersetzung abschreiben. Fußt auf *lat* „spicere = sehen". Seit dem 17. Jh, *schül* und *stud*. **2.** *intr* = heimlich blicken; dem Kartenspieler in die Karten blicken; anderen Leuten ins Fenster sehen. Seit dem 19. Jh. **3.** *intr* = in der Prüfung versagen. Weiterentwickelt aus der in der Schweiz verbreiteten Bedeutung „schnellen, stoßen, laufen". *Schweiz 1950 ff*, *schül*. **4.** auf etw ∼ = etw heimlich anstreben. Man faßt es ins Auge. *Österr* 1900 *ff*. **5.** *tr* = jn bestechen; jn durch Geschenke zu gewinnen suchen. Geht zurück auf die Bedeutung „mästen, bereichern", vor allem „jm die Taschen füllen". *Vgl* auch *↗*Speck 1. 1700 *ff*.

Spicker *m* **1.** selbstverfertigtes Täuschungsmittel; unerlaubtes Hilfsmittel. *↗*spicken 1. Seit dem 19. Jh.

*Der buddhistische Mönch hält dem Betrachter umgangssprachlich und sprichwörtlich gleichsam zwei Spiegel vor: Rein äußerlich betrachtet ist das seine blank geputzte Glatze (***Spiegel 1.***), und in einem anderen und tieferen Sinn ist das seine Lebensführung, die allerdings durch die Art und Weise, wie er sich gibt und kleidet veranschaulicht wird. Die strenge praktische Moral des Buddhismus fordert von den Anhängern dieser Lehre ein asketisches und fast schon mönchisches Leben; und wer nicht sein ganzes Leben lang allen weltlichen Dingen entsagen will, zieht zumindest ein Jahr lang jene schlichte gelbe Kutte über, die in Indien, dem Ursprungsland dieser Religion, als Zeichen der untersten Kaste galt.*

2. Schüler, der vom Nebenmann oder vom Täuschungszettel absieht, abschreibt. Seit dem 19. Jh.

3. Plagiator. 1600 *ff.*

Spickologe *m* Schüler, der die Kunst, in der Schule zu täuschen, hervorragend beherrscht. Das Wort wetteifert mit Bezeichnungen für Wissenschaftler. 1960 *ff.*

Spickologie *f* gründliche Kenntnis von der Art und Weise, wie man in der Schule täuschen kann. 1960 *ff.*

Spicksikon *n* kleines Wörterbuch als Täuschungsmittel. Zusammengesetzt aus „spicken" und „Lexikon". 1930 *ff.*

Spickus *m* selbstverfertigter Täuschungszettel. In der Endung latinisiert aus „↗spicken 1". *Südd und südwestd* 1930 *ff.*

Spickzettel *m* **1.** Täuschungszettel der Schüler (Studenten) bei Klassenarbeiten, Klausurübungen usw. ↗spicken 1. Seit dem 19. Jh.

2. Handzettel des Redners; Programmzettel des Quizmasters. 1950 *ff.*

3. Merkzettel. 1950 *ff.*

spiddelig (spittelig) *adj* schmächtig, kümmerlich. Gehört wohl zu „Spital = Krankenhaus". *Niederd* seit dem 19. Jh.

Spiddeligkeit (Spitteligkeit) *f* schmächtiger Wuchs. Seit dem 19. Jh.

Spiegel *m* **1.** Glatze. Sie ist blank wie ein Spiegel.

*Wenn Eier in die Pfanne geschlagen und zu Spiegel-
eiern verarbeitet werden, macht so mancher, dem der
Magen knurrt, große Augen, eben* **Spiegeleieraugen.** *Ansonsten beziehen sich die Komposita des
Kompositum Spiegelei indes auf ganz andere Eier
(vgl.* **Ei 10.**). *Jene Konstruktionen sind von einer
Zweideutigkeit, die um so heftiger trifft, als das, was
eigentlich gemeint ist, ja auch durch das, was man
meinen könnte, abgedeckt wird. Schließlich könnte
ein* **Spiegeleiermann** *ja auch deswegen ein solcher
sein, weil er die so zubereiteten Eier, und nicht nur
die, immer in größeren Mengen zu sich zu nehmen
pflegt. Aber wieviel mehr gehört schon dazu, sich vor-
zustellen, daß dieser Herr sich eines Spiegels bedient,
um einmal einen Blick auf jene durch den hervorste-
henden Bauch verdeckten Regionen seines Körpers zu
werfen. Ob für die Lösung des Problems, welche Spie-
gelposition die besten Resultate liefert, einst ein Spiegelei verliehen wurde* (**Spiegelei 1.**), *darf füglich bezweifelt werden.*

Als „Spiegel" bezeichnet man auch einen hellen,
glänzenden Fleck. *Schül* 1945 *ff.*
2. Gesäß. Stammt aus der Jägersprache als Bezeichnung für das weiße Hinterteil beim Rehwild.
Seit dem 19. Jh.
3. sprechender ~ = Bildschirm. 1955 *ff.*
4. da beschlägt einem ja der ~!: Ausruf des Erstaunens und des Unwillens. Der beschlagene
Spiegel verliert seinen Zweck. 1950 *ff.*
5. den ~ blank machen = alles verzehren; den
Teller leer essen. Von der Bezeichnung für die
Mitte der Schießscheibe übertragen auf den Mit-
telteil des Tellers. *Halbw* 1955 *ff.*
6. etw hinter (etw nicht an) den ~ stecken = etw
nicht jedermann sehen lassen; sich einer Sache
schämen; etw beherzigen müssen. Zwischen Glas
und Rahmen, also an den Spiegel steckte man
früher Einladungs-, Glückwunschkarten, Bilder,
überhaupt angenehme Post; was man nicht auf
diese Weise aufhob, waren unerfreuliche Brief-
schaften u. ä. Seit dem 19. Jh.
7. etw hinter den ~ stecken = etw aufgeben, verloren geben; mit Rückerhalt des Geldes nicht
rechnen. Seit dem 19. Jh.
Spiegelberg *Pn* ~, ich kenne dich!: Ausruf des
Kartenspielers, wenn er den Trick des Gegners
vereitelt. (Geht zurück auf Schillers Drama „Die
Räuber" (II 3). Kartenspielerspr. seit dem 19. Jh.
'spiegel'blank *adj* glatzköpfig. ↗Spiegel 1.
1945 *ff.*
'Spiegelei *n* **1.** Deutsches Kreuz in Gold (Kriegs-
orden des Deutschen Kreuzes; gestiftet am
28. September 1941). Auf dem silbergrauen (=
Eiweiß) achtstrahligen Stern befindet sich ein ver-
goldeter (= Eidotter) Lorbeerkranz. *Sold* 1941 *ff.*
2. *pl* = große, weitgeöffnete Augen. 1920 *ff.*
3. Augen, starr wie ~er = weit aufgerissene Au-

gen. 1920 *ff.*
4. Augen machen wie ~er = sehr erstaunt, fassungslos blicken. 1920 *ff.*
Spiegeleierklub *m* sehr beleibte Männer. Wortspielerei: infolge des vorspringenden Bauches
können sie ihre „Eier" (= Hodensack) nur im
Spiegel sehen. Seit dem ausgehenden 19. Jh.
Spiegeleiermann *m* dickbäuchiger Mann. Erklärt
sich wie das Vorhergehende. 1890 *ff.*
Spiegelfläche *f* Glatze. ↗Spiegel 1. 1945 *ff.*
Spiel *n* **1.** Geschlechtsverkehr. Verkürzt aus „Liebesspiel"; *gleichbed mhd* „minnespil" und „bette-
spil". Seit dem Mittelalter.
2. ~ mit offenen Karten = Offenlegung geschäftlicher Pläne; unumwundene Aussprache. Dem

Kartenspielerdeutsch entnommen. ↗Karte 19. Etwa seit 1900.

3. ~ mit verdeckten Karten = Geheimhaltung geschäftlicher Interessen; Verheimlichung bestimmter Absichten. 1920 *ff.*

4. abgekartetes ~ = heimlich zum Schaden eines anderen verabredete Sache. ↗abkarten. Seit dem 18. Jh.

5. faules ~ = Verbrechen; Sabotage o. ä. ↗faul 1. 1960 *ff.*

6. haushohes ~ = Kartenspiel, das einen hohen Gewinn bringt. ↗haushoch. Kartenspielerspr. 1900 *ff.*

7. kaltes ~ = Fußballspiel mit wenigen Tortreffern und geringer Spannung. Man spielt ohne Temperament, und die Zuschauer läßt es „↗kalt". *Sportl* 1955 *ff.*

8. kindliche ~e im Freien = Felddienstübung. Meint eigentlich Kinderspiele wie Nachlaufen, Verstecken, Räuber und Gendarm o. ä. *Sold* 1920 *ff.*

9. neckisches ~ = Striptease. ↗neckisch. 1960 *ff.*

10. scharfes ~ = Spiel um Geld. Bei dieser Spielart ist jegliche Rücksichtnahme ausgeschlossen. 1920 *ff.*

11. schmutziges ~ = a) verantwortungsloses Vorgehen; bewußte Irreführung; niederträchtige Handlungsweise. Schmutzig = charakterlos. 1920 *ff.* – b) absichtlich klangunreine Tonwiedergabe. Die Töne klingen nicht „rein". Nach 1945 mit dem neuen Gesangsstil aufgekommen.

12. schräges ~ = Jazzmusik. ↗schräg 3. 1925 *ff.*

13. etw ins ~ bringen = a) etw zur Sprache bringen. 1900 *ff.* – b) etw in den Handel bringen. 1950 *ff.*

14. jn ins ~ bringen = jn als Mittäter benennen. 1950 *ff.*

15. das ~ geht um die Ecke = das Spiel geht verloren. ↗Ecke 21. Kartenspielerspr. 1900 *ff.*

16. das geigt kein ~ = das spielt keine Rolle; das ist gleichgültig; Ausdruck der Ablehnung. Verdreht aus „das spielt keine ↗Geige". 1920 *ff.*

17. gewonnen (gewonnenes) ~ haben = um den Erfolg nicht mehr bangen müssen. Der Kartenspielersprache entlehnt. Seit dem 15. Jh.

18. ein ~ haben wie ein Haus = ein gutes Spiel auf der Hand haben. Die Gewinnaussicht steht so fest wie ein Haus. ↗Spiel 6. Kartenspielerspr. seit dem 18. Jh.

19. jn aus dem ~ lassen = jn in eine Sache nicht verwickeln. 1700 *ff.*

20. das ~ machen = das Kartenspiel gewinnen. Kartenspielerspr. seit dem 19. Jh.

21. jn aus dem ~ nehmen = a) jds Einfluß (vorübergehend) schwächen; jn abberufen. Vom Brett- oder Fußballspiel übertragen. 1930 *ff.* – b) jn von der Front abziehen. *Sold* 1939 *ff.* – c) jn verhaften. 1950 *ff.*

22. das ~ geht rum = das Spiel geht verloren.

Übertragen vom Wein, der „rumgeht", wenn er stark säuert. Kartenspielerspr. seit dem 19. Jh.

23. das ~ geht den Bach runter = das Spiel geht verloren. ↗Bach 8. Kartenspielerspr. 1900 *ff.*

24. ein ~ schmeißen = ein Kartenspiel verloren geben. Der Verlierer wirft die Karten auf den Tisch zum Zeichen seiner Niederlage. *Vgl* ↗schmeißen 10 u. 11. Kartenspielerspr. seit dem 19. Jh.

24 a. das ~ überreizen = in einer Sache zu weit gehen; ungebührliche Forderungen stellen. Eigentlich soviel wie „nach Aufnahme des Skats den angesagten Spielwert nicht halten können". 1920 *ff.*

25. das ~ verdirbt den Charakter: Ausruf des Spielers, wenn ihm die Gegner mit List und Können den Sieg vereitelt haben. Kartenspielerspr. seit dem 19. Jh.

26. ein gutes ~ kommt wieder: schadenfrohe Trostrede an den Verlierer. Kartenspielerspr. seit dem 19. Jh.

Spielanzug *m* Kampf-, Arbeitsanzug; Felduniform. Ein Anzug, wie ihn kleine Kinder beim Spielen tragen. *BSD* 1965 *ff.*

Spielball *m* weit unterlegener Boxer. Sein Gegner hat leichtes Spiel mit ihm. 1920 *ff.*

Spielbank *f* ~ des kleinen Mannes = a) Spielautomat. 1925 *ff.* – b) Lotto, Toto. 1955 *ff.*

Spielbauer *m* Bauer ohne Freude an der Landwirtschaft. 1950 *ff.*

Spielbein *n* (erigierter) Penis. Eigentlich das bevorzugte Bein des Sportlers. 1950 *ff.*

Spielchen *n* **1.** das ~ machen = a) eine weibliche Person intim betasten. ↗Spiel 1. 1900 *ff.* – b) koitieren. 1900 *ff.*

2. mit jm sein ~ treiben = jn zu übertölpeln suchen. 1900 *ff.*

spielen *v* **1.** was wird hier gespielt? = was geht hier vor? wie habe ich die Zusammenhänge zu verstehen? 1900 *ff.*

2. wer spielt hier was? = was geht hier vor? was gibt es Neues? Vielleicht hervorgegangen aus der Frage an Kartenspieler, die sich über den Spieler und die Farbe noch nicht geeinigt haben. 1900 *ff*, *sold* und *stud.*

3. bei dir ~ sie wohl? = du bist wohl nicht recht bei Verstand? Die Grillen oder Mücken spielen im Kopf. 1900 *ff.*

4. *intr* = koitieren. ↗Spiel 1. Seit *mhd* Zeit.

5. spiel' mit dir selbst! = laß mich in Ruhe! Eigentlich Redewendung an ein lästiges Kind. 1950 *ff.*

6. mit sich selbst ~ = onanieren. 1920 *ff.*

7. sich mit etw ~ = sich mit etw ohne Ernst beschäftigen. *Österr* 1900 *ff.*

8. einer spielt falsch = Heeresmusikkorps. Anspielung auf musikalisches Falschspiel. Der Ausdruck fußt in Abwandlung auf dem Filmtitel „Ein Herz spielt falsch" (1953). *BSD* 1970 *ff.*

Spieler *m* scharfer ~ = Schauspieler mit großem Können. Er verleiht den von ihm verkörperten Gestalten scharfe Umrisse. Theaterspr. seit 1860/70, Berlin (Mutter Gräbert).

Spielerchen *n* Geschlechtsverkehr. ↗Spiel 1. 1900 *ff*.

Spieler-Material *n* Gesamtheit der Spieler; Leistungsfähigkeit einer Sportmannschaft. *Vgl* ↗Menschenmaterial. *Sportl* 1950 *ff*.

Spielfaß *n* das ~ aufmachen = ein Gesellschaftsspiel beginnen. ↗Faß 21. *Halbw* 1955 *ff*.

Spielfex *m* leidenschaftlicher Spieler. ↗Fex. Seit dem späten 19. Jh.

Spielfleppen *pl* Spielkarten. ↗Fleppen. *Rotw* 1800 *ff*.

Spielführer *m* Ministerpräsident; Partei-, Fraktionsvorsitzender. Aus der Sportsprache um 1970 übernommen.

Spielgefährte *m* intimer Freund; Liebhaber. ↗Spiel 1. 1960 *ff*.

Spielgefährtin *f* **1.** intime Freundin. Halb eingedeutscht aus *engl* „playgirl". 1960 *ff*.
2. aufblasbare Nachbildung einer weiblichen Figur in Lebensgröße. 1970 *ff*.

Spielgelände *n* Truppenübungsplatz. Dort wird Krieg vorerst nur „gespielt". In der Reichswehrzeit aufgekommen; volkstümlich erst seit 1935 mit der Wiedereinführung der allgemeinen Wehrpflicht.

Spielhans *m* **1.** verspieltes Kind. Seit dem 19. Jh.
2. dem Spiel sehr ergebener Erwachsener. Seit dem 19. Jh.

Spielhölle *f* **1.** Spielbank. 1830 *ff*.
1 a. Geldspielautomatenhalle. 1975 *ff*.
2. Krankenstube in der Kaserne. Dort vertreibt man sich die Zeit mit Kartenspielen. *BSD* 1960 *ff*.
3. dilettantische Hausmusik. Die Zuhörer stehen „Höllenqualen" aus, und in der Hölle soll schrecklicher Lärm herrschen. 1880 *ff*.

Spielhöllenfürst *m* Direktor eines Spielkasinos. Zusammengesetzt aus „Spielhölle" und „Höllenfürst" (= Teufel). 1920 *ff*.

Spieljunge *m* intimer Freund eines Mädchens; Frauenheld. Lehnübersetzung von *angloamerikan* „playboy". 1955 *ff*.

Spielkätzchen *n* Mädchen, das die Geschlechtspartner sehr häufig wechselt; Prostituierte, die in Kreisen wohlhabender Leute Eingang gefunden hat. ↗Spiel 1. 1960 *ff*.

Spielknabe *m* intimer Freund eines Mädchens; Frauenheld. ↗Spieljunge. 1955 *ff*.

Spielleiter *m* Oberbefehlshaber; Kommandant einer Kampftruppe; Zugführer. Er leitet das „Kampfspiel" wie ein Regisseur. *Sold* 1939 *ff*.

Spielmacher *m* Quizmaster. 1960 *ff*.

Spielmädchen *n* intime Freundin eines jungen Mannes; leichtes Mädchen; jugendliche Prostituierte. Lehnübersetzung von *angloamerikan* „playgirl". 1955 *ff*.

Spielmaterial *n* absichtlich ausgestreutes Gerücht. 1965 *ff*.

Spielmeister *m* Quizmaster. 1960 *ff*.

Spielmops *m* Militärmusiker; Angehöriger eines Spielmannszuges. „Mops" spielt wohl auf Dicklichkeit an sowie auf die Geltung des Mopses als Schoß- und Spielhund. *Sold* seit dem späten 19. Jh; auch *ziv*.

Spielplan *m* Verzeichnis der zur Gerichtsverhandlung anstehenden Fälle. Eigentlich der Spielplan eines Theaters; hier mit Anspielung auf das „Theater" der Verhandlung. 1950 *ff*.

Spielplatz *m* **1.** Glatze. Eigentlich die den Kindern vorbehaltene Fläche, auf der sie spielen dürfen. *Schül* 1920 *ff*.
2. Exerzierplatz; Kasernenhof; Truppenübungsgelände. *BSD* 1965 *ff*.
3. fester ~ = intime Freundin. *Halbw* 1960 *ff*.

Spielratte (Spielratz) *f (m)* verspieltes Kind; leidenschaftlicher Spieler. Hergenommen von den verspielten Murmeltieren. Seit dem 18. Jh.

Spielraum *m* **1.** Zimmer im Bordell. ↗Spiel 1. 1910 *ff*.
2. Chambre séparée. 1920 *ff*, kellnerspr.

Spielsachen *pl* Gesamtheit der Ausrüstungsgegenstände des Soldaten; soldatische Übungsgeräte. *Sold* in beiden Weltkriegen. *Vgl engl* „toy".

Spielsalonlöwe *m* oftmaliger Besucher von Spielbanken. ↗Salonlöwe. 1950 *ff*.

Spieltaufe *f* Spielansage. Der Spieler „tauft" das Spiel „Treff" oder „Karo" o. ä.: er gibt ihm einen Namen. Kartenspielerspr. 1900 *ff*.

Spieluhr *f* Rundfunkgerät. Es spielt Musik und gibt die Zeitansage. 1930 *ff*.

Spielwarenabteilung *f* **1.** Kaufhausabteilung für Damen-Unterwäsche. ↗Spiel 1. *Sold* 1935 *ff*.
2. Leichthubschrauber. *(pl)*. Man betrachtet sie spöttisch als eine Art Spielzeug. *BSD* 1965 *ff*.

Spielwiese *f* **1.** Glatze. Analog zu ↗Spielplatz 1. 1920 *ff*.
2. Truppenübungsgelände o. ä. *BSD* 1965 *ff*.
3. Ehebett; breites Bett; Liege. Anspielung auf ↗Spiel 1. 1950 *ff, halbw*.
4. Schambehaarung der Frau. 1900 *ff*.
5. Ehefrau; intime Freundin o. ä. 1950 *ff, halbw*.
6. polizeilich geregelter Bereich für die Betätigung der Straßenprostituierten. 1960 *ff*.
7. Betätigungsfeld; Handlungsspielraum. 1970 *ff*.

Spielwitz *m* abwechslungsreiche, von der jeweiligen Lage bestimmte Handlungsweise eines Fußballspielers. *Sportl* 1960 *ff*.

Spielzeug *n* **1.** Handwerksgerät. Von den Spielsachen der Kinder spöttelnd und verniedlichend übertragen auf das Arbeitsgerät, vor allem auf das Diebeswerkzeug. *Rotw* seit dem 19. Jh.
2. Gesamtheit der militärischen Ausrüstung eines Soldaten. Analog zu ↗Spielsachen. *Sold* 1939 *ff*.
3. Pistole, Handfeuerwaffe. Euphemismus. Seit dem 19. Jh.

Der Spieß, auf dem man Fleisch, Kartoffeln oder Paprika knusprig braun zu braten pflegt, spielt in der Umgangssprache nur eine geringe Rolle, was verwundern muß, denn ansonsten wird die ja immer dann, wenn es um leibliche Genüsse geht, recht hellhörig. Und der „warme Spieß" (**Spieß 7.**, vgl. **Spieß 6.**)*, an den man bei dieser Abbildung eigentlich denken möchte, bezeichnet letztendlich ein ganz anderes Vergnügen. Bei weitem weniger angenehm kann dagegen die Begegnung mit dem gleichfalls Spieß genannten Feldwebel werden* (**Spieß 1.**)*.*

4. Handgranate. Euphemismus. *Sold* 1939 *ff.*
5. Lehrmittel. 1920 *ff, schül.*
6. intime Freundin. Analog zu „Puppe", hier mit Anspielung auf „↗Spiel 1". *Halbw* 1955 *ff.*
7. Penis. *Prost* 1950 *ff.*
Spielzeugkiste *f* Sandkasten für militärische Planspiele. *Sold* 1935 *ff.*
Spielzeugladen *m* Genitalien. ↗Spiel 1. (1920?) 1950 *ff.*
Spielzimmer *n* Chambre séparée. 1920 *ff,* kellnerspr.
spienzeln *intr* durch die Finger sehen; äugen; spähen. Nebenform zu „↗speanzeln". *Oberd* seit dem 19. Jh.
Spiese *f* **1.** kleine Gastwirtschaft. Fußt wahrscheinlich auf *lat* „hospitium = Herberge", beeinflußt von „speisen" und auch von „Bratspieß". Kundenspr. 1800 *ff.*
2. Kantine. *Sold* 1900 *ff.*
Spieß *m* **1.** etatsmäßiger Feldwebel (bis 1918); Oberfeldwebel (1919–1938); Hauptfeldwebel (1938–1945); Kompaniefeldwebel (1955 *ff*). Feldwebel trugen im 17./18. Jh einen Spieß. *Sold* seit dem späten 19. Jh bis heute.

2. Lehrer. Im ausgehenden 19. Jh in der Schülersprache aufgekommen.
3. Kriminalpolizeibeamter, Landjäger. Wohl wegen des Säbels, den er früher trug. 1930 *ff.*
4. Staatsanwalt. Kundenspr. 1900 *ff.*
5. parlamentarischer Geschäftsführer der Bundestagsfraktion. 1960 *ff.*
6. Penis. Analog zu „↗Lanze", „↗Speer" usw. 1500 *ff.*
7. warmer ~ = erigierter Penis. 1900 *ff.*
8. brüllen (schreien o. ä.), als ob man am ~ stäke (steckte; brüllen wie am ~) = laut schreien. Hergenommen vom barbarischen Kriegsbrauch der plündernden Soldateska, Kinder an den Spieß zu stecken und hoch über der Schulter zu tragen. Seit dem späten 16. Jh.
9. brüllen wie ein ~ = sehr laut sprechen. Hergenommen von der Eigenart des „↗Spieß 1". *Sold* 1935 *ff,* auch *ziv.*
10. den ~ umdrehen (umkehren) = eine Sache am anderen Ende anfassen; sich gegen eine Rüge zur Wehr setzen, indem man dem Tadler Vorhaltungen macht; streng vorgehen, nachdem Gutmütigkeit nichts gefruchtet hat. Stammt aus der Landsknechtzeit: der Angegriffene entreißt dem Angreifer den Spieß, dreht ihn um und geht zum Angriff über. 1800 *ff.*
Spießbürger *m* **1.** engherziger Bürger mit kleinem geistigem Blickfeld. Hergenommen von den Bürgern, die ihre Stadt mit dem Spieß verteidigten; hieran hielten sie auch nach Einführung der Feuerwaffen fest. Deswegen wurden sie zur Zielscheibe des Spotts, zuerst durch Studenten um die Mitte des 17. Jhs.
2. Mensch der gegrillte Speisen genießt. Wortspielerei 1975 *ff.*
spießbürgerlich *adj* kleingeistig; fortschrittsfeindlich. Seit dem 19. Jh.
Spießbürgerlichkeit *f* Enggeistigkeit; Ablehnung von Reformen, Verbesserungen, Neuerungen jeder Art. Seit dem 19. Jh.
Spießbürgertum *n* Gesamtheit kleingeistiger, fortschritthemmender Leute; Gesamtheit typischer Verhaltensweisen solcher Leute. Seit dem 19. Jh.
spießen *v* **1.** jn ~ = jn beobachten. Mit den Blicken spießt man ihn gewissermaßen auf. 1920 *ff.*
2. jn ~ = jn mit der Spritze impfen. *Sold* in beiden Weltkriegen.
3. jn ~ = jn verulken. Gehört zu „Spitze = anzügliche Bemerkung". *Halbw* 1950 *ff.*
4. *intr* = sich in Haft befinden. Aus „brüllen wie am ↗Spieß" abgemildert zu einer Variante von „↗brummen 4". *Rotw* 1920 *ff.*
5. sich an etw ~ = sich über eine Sache ärgern. Man läuft gegen einen Spieß und zieht sich eine Verwundung zu; von der körperlichen Wunde auf die seelische übertragen. *Vgl* auch „↗anlaufen 2". *Österr* 1930 *ff.*

6. eine Sache spießt sich = eine Sache macht keine Fortschritte. Analog zu ↗haken. *Österr* seit dem 19. Jh.

Spießer *m* **1.** kleinlicher, engherzig denkender, fortschrittsfeindlicher Mensch. Gegen 1830 aus „↗Spießbürger 1" verkürzt.

2. junger Mann, der sich keinem Lebensgenuß versagt. Stammt aus der Jägersprache, wo „Spießer" der junge Hirsch ist. *Vgl* „↗Hirsch 1". 1920 *ff*, Berlin.

3. Mann mit starkem Geschlechtstrieb, aber geringer Zahlungsfähigkeit. 1960 *ff*, *prost* (Berlin).

4. Beobachter von Liebespaaren. ↗spießen 1. 1920 *ff*.

Spießerbude *f* bescheidene (unfreundliche) Wohnung eines geistig anspruchslosen Durchschnittsbürgers. 1960 *ff*, *halbw*.

spießerhaft *adj* kleingeistig. 1920 *ff*.

Spießerhaftigkeit *f* Enggeistigkeit. 1920 *ff*.

spießerisch *adj* kleinbürgerlich. 1920 *ff*.

Spießerschreck *m* junger Mann, der es darauf anlegt, politisch unfortschrittliche Leute herauszufordern. 1960 *ff*.

Spießerschwein *n* charakterloser, engstirniger, veränderungsunwilliger Mensch. ↗Schwein 2. 1960 *ff*.

Spießertum *n* Gesamtheit der Leute mit engbegrenztem geistigem Blickfeld; Gesamtheit typischer Verhaltensweisen solcher Leute. ↗Spießer 1. Seit dem 19. Jh.

spießig *adj* **1.** hausbacken; schwunglos; allen Neuerungen abhold. ↗Spießer 1. Seit dem 19. Jh.

2. widerspenstig; ungesellig; schroff. Man macht „spitze" (= verletzende) Bemerkungen. *Österr* seit dem 19. Jh.

Spießigkeit *f* Geistesbeschränktheit; Mangel an Idealismus, an Sinn für Verbesserungen; hausbackene Gesinnung. Seit dem 19. Jh.

Spießruten *pl* **1.** ~ laufen = im Vorbeigehen spöttischen Blicken und Bemerkungen ausgesetzt sein. Geht zurück auf die Bestrafung eines Soldaten, der mit Rutenschlägen auf den entblößten Rükken durch eine Doppelreihe von Kameraden getrieben wird. Seit dem 19. Jh.

2. ~ fahren = das Auto an vielen Hindernissen vorbeisteuern. 1965 *ff*.

Spießrutenlauf *m* **1.** Vorfall, bei dem man von allen Seiten hämischen Blicken und Bemerkungen ausgesetzt ist. Seit dem 1900 *ff*.

2. Vorstelligwerden bei verschiedenen Behörden. 1965 *ff*.

Spießschnur *f* gelbe Schießschnur des Kompaniefeldwebels. ↗Spieß 1. *BSD* 1955 *ff*.

spike (*engl* ausgesprochen) *adj* gut, tüchtig. Fußt auf *engl* „spiked = mit Zacken versehen". Dadurch parallel zu „↗zackig". *BSD* 1965 *ff*.

spillerig (spillrig) *adj* hager, dürr; dürftig. Gehört zu *niederd* „Spill = Spindel" und meint dasselbe wie „spindeldürr". Spätestens seit 1800.

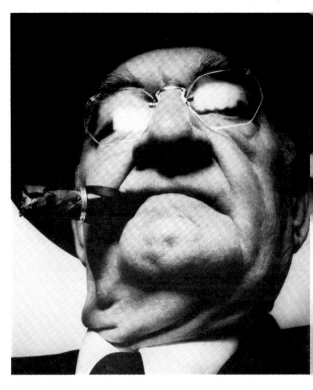

Der **Spießbürger** *ist ein Kleinbürger in unangenehmster Reinkultur. Dieser Ausdruck leitet sich aber dennoch nicht von den ebenfalls spießbewehrten „Sieben Schwaben" ab, sondern stammt aus der Zeit, da die Bürger vieler Kleinstädte selbst dann noch zu diesem martialisch wirkenden Kriegsgerät griffen, als die Entwicklung der Feuerwaffen dieses längst schon zum Anachronismus hatte werden lassen. Was den Großvätern gute Dienste geleistet hat, so dachte man sich wohl, kann auch den Enkeln nicht schaden. Aber wer den Schaden hat, braucht sich bekanntermaßen um den Spott nicht zu sorgen.*

Spillerigkeit *f* Hagerkeit, Magerkeit. Seit dem 19. Jh.

Spinat *m* **1.** Orden und Ehrenzeichen. Anspielung auf die Eichenlaubverzierung, die man als „Blattgemüse" abtut. *Sold* 1939 *ff*.

2. ~ mit Ei = farbentragender Verbindungsstudent. Leitet sich her von der Farbenzusammenstellung der Couleurmützen, -bänder usw. Die Bezeichnung übernimmt wohl von der Soldatensprache den gleichlautenden Ausdruck der Ablehnung, wobei „Spinat" 1939/45 *ff* die Kuhexkremente meinte. *Stud* 1960 *ff*.

3. chinesischer ~ = Kuhfladen. Meint eigentlich das derbe „Kuhkacke" in der ans Chinesische anklingenden Sprechweise „ku-ka-ké". 1920 *ff*.

4. der ganze ~ = das alles *(abf)*. *Österr* 1900 *ff*.

5. höchster ~ = a) unübertreffliche Prahlerei. Gehört wohl zu „spinnen = prahlen". *Vgl* auch „spinnat (spinnert) = überspannt; Traumvorstellungen anhangend". *Österr* seit dem 19. Jh. – b) Unübertreffliches; Entscheidendes. *Vgl* „so ein Walzer im Sechstakt ist der höchste Spinat" (Operette „Ein Walzertraum" von Oscar Straus). *Österr* seit dem 19. Jh.

6. ~ haben = kraftlos sein. „Spinat" meint hier den Durchfall. Hartnäckiger Durchfall schwächt körperlich. *Bayr* seit dem 19. Jh.

7. ~ auf dem Kopf haben = nicht unbescholten sein; ein schlechtes Gewissen haben. *Nordd* 1880 *ff*.

8. wie kommt (denn der) ~ aufs Dach?: *iron* Frage, wenn man sich über eine Sache sehr verwundert. Gern mit dem Zusatz: „die Kuh kann doch nicht fliegen". „Spinat" ist Euphemismus für Kuhexkremente. *Vgl* „↗Kuhscheiße 3". Seit dem späten 19. Jh.

9. ~ schieben = a) kraftlos, ohnmächtig werden. Fußt auf der Beobachtung, daß man vor Kraftlosigkeit „grün" im Gesicht wird; hieraus hehlwörtlich entwickelt mit Anlehnung an die Farbe des Spinats. 1920 *ff*. – b) Hunger verspüren. Der Wendung „↗Kohldampf schieben" nachgeahmt. 1920 *ff*.

10. das ist ~ = das ist unerheblich. Vielleicht weil Spinat als häufiges Gericht die Geltung einer geringwertigen Sache annimmt. *Österr* seit dem 19. Jh.

11. in ~ treten = a) gröblich gegen den Anstand verstoßen. Spinat = Kuhexkremente. *Nordd* 1910 *ff*. *Vgl dänisch* „traede i spinaten". – b) in eine unangenehme (gefährliche) Lage geraten; sich gründlich verrechnen. 1910 *ff*.

Spinater *m* Polizei-, Zoll-, Finanzbeamter. Wegen der grünen Uniform. *Österr* 1920 *ff*.

Spinatfee *f* **1.** Gärtnerin. Berlin 1920 *ff*.
2. Gemüsehändlerin. 1920 *ff*, Berlin.

Spinatforscher *m* Homosexueller. Spinat = Kot. 1955 *ff*.

Spinatgans *f* verschrobene ältere Frau. Gehört wohl zu „spinnen" und ist von „Spinatwachtel" überlagert. *Vgl* ↗Gans 1. 1925 *ff*, *österr*.

Spinathemd *n* grünes Hemd. 1950 *ff*.

Spinathengst *m* Schimpfwort auf einen Mann. Meint wahrscheinlich „Spinat = Kot" und steht in Analogie zu „Scheißkerl". *Vgl* ↗Hengst 1. 1950 *ff*.

spinatig *adj* altjüngferlich; zimperlich. Gehört zu „↗spinnen". 1925 *ff*.

Spinatorgel *f* Klavier. Aus „Spinett" umgewandelt. 1920 *ff*, *stud*.

Spinatstecher *m* Homosexueller. Spinat = Kot. ↗Stecher 2. *Rotw* 1820 *ff*.

Spinatwachtel *f* hagere Frau in vorgerücktem Jahren; ältliche Ledige; ältliche ledige Lehrerin. Geht

zurück auf die *südd* Form „spinnete Wachtel", wobei „spinnet" sowohl auf „verrückt" als auch auf „dürr" anspielt. „Wachtel" meint das Feldhuhn und in übertragenem Sinne auch die Frau. Etwa seit 1850, *schül*, *stud* und *sold*.

Spinatwachter (-wächter) *m* **1.** Landjäger; Feldhüter; Beamter des Zollaufsichtsdienstes. Wegen der grünen Uniform bzw. der grünen Uniformaufschläge. *Österr* seit dem 19. Jh.
2. Uniformierter, der sich wichtig dünkt. Hängt wohl mit. ↗spinnen 1" zusammen. *Österr* seit dem 19. Jh.

Spind *n* **1.** wandelndes ~ = breitschultriger Mann. Analog zu „↗Kleiderschrank" und „Schrank". *Sold* 1935 *ff*.
2. jm das ~ einordnen = über jn ein Kameradengericht abhalten. Den Inhalt des Spinds herausreißen, gilt als erzieherische Schikane des Vorgesetzten; beeinflußt von „jm die ↗Möbel graderücken". *BSD* 1965 *ff*.
3. das ~ offenhaben = einen Darmwind entweichen lassen. Anspielung auf den üblen Geruch gebrauchter Wäsche, wie er aus dem geöffneten Spind hervordringt. *Sold* 1939 *ff*.

Spindelbeine *pl* hagere Beine. *Vgl* das Folgende. 1900 *ff*.

'spindel'dürr *adj* sehr hager. Aus der Spinnerei übernommen: die *trad* Spindel ist ein längliches Holz, das oben und unten zugespitzt ist. Seit dem 19. Jh.

Spindelhölzer *pl* dünne, hagere Beine. 1900 *ff*.

Spindmädchen *n* Pin-up-Girl. 1950 *ff*.

Spindordnung *f* bei ihm ist die ~ durcheinandergeraten = er ist nicht recht bei Verstand. Die Spindordnung bestimmt, wie jeder einzelne Gegenstand unterzubringen ist. *Sold* 1910 *ff*.

Spindschieber *pl* Technische Truppe. Sie wird auch bei Umzügen und Möbelumstellungen eingesetzt. *BSD* 1965 *ff*.

Spinn *m* Grübelsinn. ↗spinnen 1. *Südd* seit dem 19. Jh.

Spinnbruder *m* Phantast. ↗spinnen 1. 1920 *ff*.

Spinne *f* **1.** magere, dürre weibliche Person. Verallgemeinert von den langen, dünnen Beinen der Spinnen. 1500 *ff*.
2. Lehrerin. Spinnen erregen im allgemeinen Abscheu und gelten als Sinnbild der Häßlichkeit, was beim Menschen auch auf den Charakter übertragen wird. *Schül* seit dem späten 19. Jh.
3. langbeiniger Mensch. Seit dem 19. Jh.
4. Polizeifunkwagen. Mittels des Funknetzes sucht er den Verdächtigen zu fangen. 1950 *ff*.
5. Hubschrauber. Er hat ein spinnenbeiniges Fahrwerk oder Stützgestell. *BSD* 1965 *ff*.
6. Untergestell der Fernsehkamera; Stativ. Wegen der langen, gespreizten Beine. 1955 *ff*.
7. Mondlandegerät. Lehnübersetzung aus dem *Angloamerikan*. 1969 *ff*.
8. Gefängniswachtmeister, der vom Mittelpunkt

des Gefängnisses aus alle Zellenflure überblicken kann. Fußt auf der Vorstellung des Spinnennetzes. 1960 *ff.*

9. Straßenprostituierte. Die Spinne saugt ihre Opfer aus. 1900 *ff.*

10. wunderlicher Einfall; Verrücktheit. ↗ spinnen 1. Berlin 1967 *ff.*

11. pfui, ~!: Ausdruck des Abscheus. Spinnen gelten als Ekeltiere; von da aus verallgemeinert. Seit dem 19. Jh.

12. wütend wie eine ~ = überaus wütend. Wohl vom kannibalischen Geschlechtsverhalten mancher Spinnenarten übertragen. 1950 *ff.*

13. die ~n husten hören = sich für sehr klug halten; zutreffend ahnen. Analog zu „die ↗ Flöhe husten hören". 1950 *ff.*

'spinne'feind *adv* jm ~ sein = mit jm unversöhnlich verfeindet sein. Manche Spinnenarten fallen auch ihresgleichen an und saugen sie aus. Seit dem 15. Jh.

Spinnefeindschaft *f* unversöhnliche Feindschaft. 1800 *ff.*

spinnen *intr* **1.** wunderliche Gedanken hegen; nicht recht bei Verstand sein. Entweder verkürzt aus „Gedanken spinnen = Gedanken aneinanderreihen, verknüpfen" oder herzuleiten von den Zucht- und Arbeitshäusern, in denen früher auch die Geisteskranken untergebracht waren, die wie die Häftlinge mit Spinnarbeiten beschäftigt wurden. Seit dem späten 18. Jh, vorwiegend *südd* und *westd.*

2. ich glaube (denke), ich spinne!: Ausruf der Verwunderung. Man ist dermaßen erstaunt, daß man sich wie von Sinnen vorkommt. 1960 *ff.*

3. einer spinnt immer = in einer Gruppe gibt es stets einen, der unsinnig handelt oder redet. Der Ausdruck wird auch als „geistvoller" Wandschmuck geschätzt. 1920 *ff.*

4. übertreibend berichten; prahlen. 1900 *ff.*

5. eine Arrest-, Zuchthausstrafe verbüßen; mit ei-

*Die Spinne erregt im allgemeinen Gefühle des Abscheus und des Ekels, und insofern muß es verwundern, daß die Dame auf dem Foto unten, auf deren Kopf sich ein überdimensioniertes Exemplar dieser Spezies breit gemacht hat, dies mit einem Lächeln und und einer Geste trägt, die wohl ausdrückt, daß sie sich an eine solche unangenehme Nachbarschaft gewöhnen könne. Projeziert man dieses Empfinden auf die Spinne der Umgangssprache, so scheinen hier zwei Interpretationen möglich: Zum ersten könnte damit eine Lehrerin gemeint sein (**Spinne 2.**), die sich nolens volens mit der geringen Wertschätzung seitens ihrer Schüler abgefunden hat, zum andern aber, wenngleich in diesem konkreten Fall kaum wahrscheinlich, eine ihre Opfer aussaugende Prostituierte. (**Spinne 9.**).*

ner Strafstunde bestraft worden sein. *Vgl* ↗spinnen 1. Spätestens seit dem ausgehenden 19. Jh.
6. zur Strafe eine bestimmte Menge Bier trinken müssen. Aus dem Vorhergehenden weiterentwikkelt zur Bedeutung „eine Strafe erleiden". *Stud* seit dem späten 19. Jh.
7. viel essen. Vom Fleiß beim Spinnen übertragen auf Fleiß beim Essen. *Sold* und *rotw* seit dem ausgehenden 19. Jh.
8. ununterbrochen reden. ↗Garn 4. Seit dem 19. Jh.
9. auf etw (jn) ~ = es auf jn abgesehen haben; etw übereifrig begehren; in jn verliebt sein. Wie eine Spinne lauert man auf sein Opfer. Im Nebensinn beeinflußt von der Vorstellung der Wunderlichkeit. *Bayr* 1910 *ff, sold.*

Spinnenbeine *pl* dünne, lange Beine. Seit dem 19. Jh.

Spinnenfinger *pl* dünne, lange Finger. Seit dem 19. Jh.

Spinnenfresser *m* Wenigesser. 1900 *ff.*

Spinnenkopf *m* wirres, abstehendes Haar. Es erinnert an das langstielige Gerät, mit dem man Spinnweben entfernt. 1900 *ff.*

Spinnennetz *n* Schleier. ↗Spinne 1. 1920 *ff.*

Spinner *m* **1.** Phantast; Mann, der nicht bei Verstand ist; Irrer. ↗spinnen 1. Seit dem 19. Jh.
2. Mensch, der sich närrisch stellt. *Sold* 1939 *ff.*
3. Mann, der auf eine Sache begierig ist. ↗spinnen 9. 1930 *ff.*
4. Vorgesetzter, der sich nur dienstlich gebärden kann; Unteroffizier, Feldwebel o. ä. In den Augen der Mannschaften ist jenen Wunderlichkeit zu eigen. *Sold* seit dem späten 19. Jh bis heute.
5. intellektueller ~ = Gebildeter mit wunderlichen (wunderlich erscheinenden) Vorstellungen. 1965 *ff.*

Spinne'rei *f* **1.** Phantasiegebilde; Hirngespinste; unsinnige Gedanken; Torheit. ↗spinnen 1. Seit dem 19. Jh.
2. Nervenheilanstalt. 1900 *ff.*

spinnert (spinnat, spinnet) *adj* überspannt; wunderlich; halbverrückt. *Bayr* und *österr,* seit dem 19. Jh.

spinnig *adj* närrisch, wunderlich, geistesverwirrt. Seit dem 19. Jh.

Spinnmaschine *f* Gehirn. ↗spinnen 1. 1920 *ff.*

Spinnonkel *m* verschrobener Mann. *Schül* 1900 *ff.*

spin'nös *adj* verschroben, wunderlich, närrisch. 1900 *ff.*

Spinnreese *f* Mensch mit blühender Phantasie. ↗reesen. 1945 *ff.*

Spinnritter *m* Phantast. 1955 *ff.*

Spinnweben *pl* **1.** sitzen, bis man ~ ansetzt = auf etw lange und vergeblich warten. 1900 *ff.*
2. ~ auf den Augen haben = ungenau wahrnehmen; Naheliegendes nicht erkennen. Spinnweben behindern den freien Blick. 1920 *ff. Vgl span* „tener telarañas en los ojos".

Spinnwebenjagd *f* Revierreinigen. *BSD* 1965 *ff.*

Spinnwinde *f* Nervenheilanstalt. ↗Winde; *vgl* ↗Spinnerei 2. *Schweiz* 1900 *ff.*

Spinster *n* ältliche Ledige. Eigentlich das Gesponnene. Hier vielleicht zusammengezogen aus „Spinnschwester", dem weiblichen Gegenstück zum „↗Spinnbruder". 1920 *ff.*

spinti'sieren *intr* **1.** nutzlos grübeln; Falsches denken. Streckform zu „spinnen", vielleicht beeinflußt von „phantasieren" oder „simulieren". Seit dem 16. Jh.
2. Erlogenes erzählen. 1900 *ff.*

Spinti'sierer *m* Grübler; Melancholiker. Seit dem 19. Jh.

Spinti'siere'rei *f* Grübelei; nutzloses Nachdenken. Seit dem 19. Jh.

Spinti'sierstube *f* Einzelzimmer in einer Heimschule o. ä. 1920 *ff.*

spinxen (spingsen, spinksen) *intr* spähen, äugen, gucken. Aus „↗spicken 1" entstanden mit Nasal-Infix und Aussprache-Erleichterung. Doch *vgl* auch „↗spitzen 2." Vorwiegend *westd,* seit dem 19. Jh.

Spinxer (Spingser, Spinkser) *m* Späher, Spion. *Westd* seit dem 19. Jh.

Spion *m* **1.** Klassensprecher. *Schül* 1960 *ff.*
2. ~ für Deutschland = Vertrauenslehrer. Zurückzuführen auf den gleichlautenden Titel des 1956 mit Werner Peters gedrehten *dt* Spielfilms. *Schül* 1958 *ff.*

Spionagereißer *m* erfolgreicher Spionagefilm. ↗Reißer. 1930 *ff.*

Spio'nitis *f* **1.** weitverbreitetes Bestreben der ungesehenen Beobachtung. Im frühen 20. Jh aufgekommen im Sinne einer krankhaften Handlungsweise.
2. Einsetzung von Spionen in Behörden. 1968 *ff.*

Spirafankerl *n* ↗Spadifankerl.

Spiralaugen *pl* kreisender, geschlechtlich erregender Blick. 1960 *ff.*

Spirale *f* **1.** Schallplatte. Die Nadel folgt einer Spiralrille. *Halbw* 1960 *ff.*
2. jn zur ~ machen = jn entwürdigend behandeln; jn rücksichtslos drillen. Man läßt ihn Kehrtwendungen ausführen oder immer kleinere Runden um den Kasernenhof laufen. *Sold* 1939 *ff.*

Spiralsülze *f* Magazinsendung des Hörfunks. Sie bringt substanzlose Beiträge und Schallplattenmusik. Funkreporterspr. 1960.

Spirifankerl *n* ↗Spadifankerl.

Spiritiosen *pl* Alkoholika. Aus „Spirituosen" umgewandelt unter Einfluß von „Pretiosen". *Stud* 1950 *ff.*

Spiritist *m* **1.** Brennereibesitzer. Meint eigentlich den Anhänger des Spiritismus; hier scherzhaft bezogen auf „↗Sprit". 1910 *ff.*
2. Alkoholiker. 1910 *ff.*

Spirituosengurgler *m* Trinker. 1920 *ff.*

Spiritusfaß *n* Trinker. *Vgl* ↗Sprit. 1900 *ff.*

Spirituskocher *m* Leichtmotorrad; Moped; Kleinauto. In spöttischer Auffassung wird es mit Spiritus betrieben. Etwa seit 1910.

Spirituskommode *f* **1.** Gaststättenregal mit Schnapsflaschen. ↗ Sprit. Berlin 1930 *ff.*
2. Hausbar. Berlin 1930 *ff.*
3. Trinkermagen. *Sold* 1935 *ff.*

Spiritus rector *m* Schnapsfabrikant. Meint eigentlich den belebenden Geist, die treibende Kraft. Wortwitzelei. 1890 *ff, stud.*

Spiritusverdampfer *m* Trinker. Berlin 1910 *ff.*

Spirkel (Spürkel) *m* schmächtiger Mensch. ↗ Sperk. 1920 *ff.*

Spitalfenster *n* du hast wohl lange nicht mehr aus dem ~ geguckt?: Drohfrage. 1910 *ff.*

Spitalsuppe *f* Wassersuppe. Seit dem 17. Jh, *westd.*

Spitalwachtel *f* **1.** ältere Krankenpflegerin. „Wachtel = Feldhuhn" steht geringschätzig für „Frau"; spielt hier wohl auch auf Wachdienst (Nachtwache) an. *Sold* in beiden Weltkriegen; *ziv* bis heute.
2. unansehnliche ältere Frau. Wohl beeinflußt von „↗ Spinatwachtel". 1920 *ff.*

Spitz *m* **1.** Penis. Aufzufassen als spitzer Auswuchs. Seit dem 19. Jh.
2. leichter Rausch. Mit „Spitze" wird eine kleine Menge angegeben (eine Messerspitze Salz). Kann auch als Analogie zu „↗ Zacken" (= spitzer Auswuchs) aufgefaßt werden. 1500 *ff. Vgl gleichbed franz* „pointe".
3. Mensch, der einen anderen mit der Fußspitze tritt (um ihn auf etw aufmerksam zu machen). Verkürzt aus „Spitzschuh". *Schül* 1930 *ff, österr* und *bayr.*
4. Freund. Geht auf „Spezial" zurück. *Oberd* und *westd,* 1900 *ff.*
5. mein lieber ~!: vertrauliche Anrede, zuweilen mit leicht verwundertem oder drohendem Klang. *Vgl* das Vorhergehende. 1900 *ff,* vorwiegend *schül, stud* und *sold;* auch arbeiterspr.
6. mein lieber ~ und Bogenpisser (Spitz- und Bogenpisser)!: freundliche Anrede unter männlichen Personen. Aus dem Vorhergehenden weiterentwickelt unter Anlehnung an die verschiedenen Kurven des Harnstrahls. 1920 *ff.*
7. jm einen ~ geben = jn mit der Fußspitze treten. ↗ Spitz 3. *Schül* 1930 *ff,* bayr und österr.
8. einen ~ kriegen = mit der Fußspitze (ins Gesäß) getreten werden. 1930 *ff, schül, bayr* und *österr.*
9. auf ~ und Knopf stehen = zur äußersten, letzten Entscheidung stehen. Gemeint ist „auf Degenspitze und Degenknauf". 1600 *ff.*
10. sich den ~ verbrennen = sich eine Geschlechtskrankheit zuziehen (vom Mann gesagt). ↗ Spitz 1. 1900 *ff.*
11. sich den ~ vergoldet haben = geschlechtskrank geworden sein (vom Mann gesagt). Anspie-

*Das Spinxen der Umgangssprache (**spinxen**) auf mythologische Quellen zurückzuführen, wäre eine bloße **Spintisiererei**, auch wenn die glühenden Augen der ihres Löwenhinterteils beraubten Sphinx auf der Abbildung oben eben dies nahelegen könnte. Eher schon erinnern sie an die **Spiralaugen**, auch wenn dieses Fabelwesen sich auf eine ganz andere Art und Weise als männermordend erwies. Denn jene Sphinx der griechischen Mythologie saß einst vor den Toren der Stadt Theben und gab jedem Vorbeikommenden ein Rätsel auf. Erst Ödipus fand die Antwort auf die Frage, welches Wesen es wohl sei, daß zwei, drei und vier Füße habe, und dessen Kraft dann am geringsten sei, wenn es sich auf die meisten Füße stützen könne: Der Mensch nämlich, als Kind auf allen Vieren, als Erwachsener und als Greis an einem Stock.*

lung auf gelb-eitrigen Ausfluß. Vgl ↗ Spitz 1. *Sold* 1935 *ff.*

spitz *adj* **1.** schmächtig, dünn; kränklich. Hergenommen von der schmalen Form des Gesichts, der Nase o. ä. Seit dem 19. Jh.
2. hervorragend; besonders geglückt. Mit „spitz" und „steil" betont man den Gegensatz zu „stumpf" und „flach". *Halbw* 1955 *ff.*

3. sinnlich veranlagt; geschlechtlich erregt. Versteht sich nach dem Vorhergehenden. *Vgl* auch ↗Spitz 1. *Sold* 1939 *ff; halbw* 1950 *ff.*

4. etw ~ haben = etw ergründet haben; etw wissen. *Vgl* das Folgende. Seit dem 19. Jh.

5. etw ~ kriegen = etw ergründen, begreifen. „Spitz" hatte früher auch die Bedeutung „übermäßig fein ausgeklügelt" (heute noch in „spitzfindig" erhalten). Das Spitze hebt sich deutlich von seiner Umgebung ab. Hieraus weiterentwickelt zur Vorstellung „deutlich; greifbar; genau". *Vgl* auch die Metaphern „geschärfte Sinne", „scharfer Verstand" und „gespitzte Ohren". 1700 *ff.*

6. jn ~ kriegen = jn durchschauen, ausfindig machen. 1900 *ff.*

6a. jn ~ machen = jn geschlechtlich erregen. ↗Spitz 3. 1939 *ff.*

7. auf etw ~ sein = etw besitzen wollen. Die Sinne sind auf das Ziel der Wünsche „gespitzt = geschärft". 1920 *ff.*

8. auf jn ~ sein = a) jn nicht leiden können. Spitz = unfreundlich, wortkarg, sichtlich abweisend. 1920 *ff, sold* und *ziv.* – b) jn geschlechtlich begehren. ↗Spitz 3.

Spitzbauch *m* hervortretender Leib. 1900 *ff.*

Spitzbogen *m* erfolgsichere List; glaubwürdige Ausrede. „Bogen" deutet auf Umschweife hin, und „spitz" ist soviel wie „gut ersonnen". *Sold* und *ziv* 1940 *ff.*

Spitzbohne *f* Gerstenmalzkorn. Dient als Ersatz für die Kaffeebohne. Etwa seit 1910. Gemein-

deutsch ohne Bayern.

Spitzbohnenkaffee *m* Kornkaffee. 1910 *ff.*

Spitzbohnenmokka *m* Kornkaffee. 1910 *ff.*

Spitze *f* **1.** hervorragender Könner. Der Sportsprache entlehnt im Sinne von „Bester im Wettrennen"; „Spitzenkönner". 1920 *ff.*

2. Note „sehr gut". *Schül* 1930 *ff.*

3. kameradschaftlicher Mann. 1930 *ff.*

4. prahlender Schüler. *Sächs* 1900 *ff.*

5. Sieben der Trumpfkarte. Ist sie auch die niedrigste Karte, ist sie doch „spitz" genug, um einen „Stich" zu machen. Auch ist sie gewissermaßen die Spitze eines Eisbergs. Kartenspielerspr. 1920 *ff.*

6. absolute ~ = das Allerbeste; Spitzenkönner. Absolut = unüberbietbar. ↗Spitze 1. 1840 *ff* (Mendelssohn-Bartholdy).

7. einsame ~ = Unüberbietbarkeit; Hauptkönner. 1950 *ff.*

8. halbe ~ = unvollkommene Leistung. Gegen 1920 in der Theatersprache aufgekommen, wohl mit Bezug auf eine Tänzerin, die bei niedrigen Eintrittspreisen nicht ihr volles Leistungsvermögen entfaltet. *Sold* 1935 *ff.*

8a. irre ~ = Hervorragendes. ↗irr 1. 1970 *ff, jug.*

9. untere ~ = die Klassenschlechtesten. *Schül* 1960 *ff.*

10. einer Sache die ~ abbrechen = der sicheren Wirkung einer Sache zuvorkommen. Der Fechtersprache entlehnt: der Degen, dessen Spitze abge-

*„Absolute Spitze", ein Ausdruck für Unübertreffliches und Einzigartiges (***Spitze 6.***), soll das Produkt sein, für das auf der Abbildung rechts geworben wird. Ikonographisch wird dies durch die berühmten Pyramiden von Gizeh, wohl die bekanntesten Spitzen der Welt, versinnbildlicht, in deren Nachbarschaft mittlerweile jedoch ein sie noch überragender Quader steht: Ein recht deutlicher Hinweis auf die versprochene „superlange Lebensdauer". Da allerdings fast jedes Erzeugnis für sich in Anspruch nimmt, zu den besten zu gehören oder gar das Beste zu sein, ist letztendlich auch die umgangssprachliche ***Spitze*** in der Werbung nicht gerade selten vertreten. Das links wiedergegebene Beispiel (vgl. ***Spitze 7.***) scheint jedoch etwas flacher zu sein, nicht nur der abgerundeten Bögen des Markenzeichens wegen, und zielt auch nicht, was dem Produkt durchaus angemessen ist, auf ewige Werte. Dies würde dieser Sache nämlich die Spitze abbrechen (***Spitze 10.***), sprich: Den Umsatz stagnieren lassen. Die Waren sind dem ihnen übertragenen Verständnis nach Spitze und zugleich auf den Konsumenten gerichtete Spitzen. Wenn er selbst Spitze sein will (vgl. ***Spitze 14.***), so muß er sich, wie ihm suggeriert wird, auch all die Waren aneignen, die bereits dort sind, einsam und absolut – und doch in millionenfacher Ausführung.*

brochen ist, ist zum Kampf unbrauchbar. 1800 *ff* (3. 1. 1862 Mörike).

11. ~n abschießen = anzügliche, treffsichere Bemerkungen machen. Spitze = spitzige Rede = verletzende Rede. 1950 *ff*.

12. das hat keine sittliche ~ = das nutzt nichts; das ist zwecklos. Bezieht sich eigentlich auf eine moralische Nutzanwendung. Sinnverwandt mit *franz* „pointe". Zur Sache *vgl* auch „↗Nährwert 3". Berlin 1900 *ff*.

13. du kannst dir deine ~n an die eigene Hose (Buxe) nähen = die Sticheleien auf uns beziehe getrost auf dich selber! Wortspielerei mit „Spitze = Anzüglichkeit" und „Spitze = Borte". Hamburg 1930 *ff*.

14. das (er) ist ~ = das (er) ist hervorragend, unübertrefflich. 1920 *ff*; vorwiegend seit 1950, *halbw*. Sehr volkstümlich durch die ZDF-Sendung „Dalli-dalli".

15. etw auf die ~ treiben = die äußerste Entscheidung anstreben. Spitze = Schwertspitze: eigentlich will man es zum offenen Kampf kommen lassen. 1800 *ff*.

spitze *adj* (unveränderlich) hervorragend, unübertrefflich. *Halbw* 1960 *ff*.

Spitzel (Spitzl) *n* kleiner Penis. ↗Spitz 1. Seit dem 19. Jh.

spitzeln *intr* **1.** mit Worten sticheln. Gehört zu „Spitze = Anzüglichkeit". 1920 *ff*.

2. den Fußball geschickt mit der Schuhspitze treten. *Sportl* 1950 *ff*.

3. beim Sturz die Spitzen der Skier abbrechen. *Bayr* und *österr* 1950 *ff*.

Spitzelsalat *m* Bruch der Skispitzen. 1920 *ff*.

spitzen *v* **1.** etw ~ = etw übermäßig fein ausklügeln; einen erfolgsicheren Trick ersinnen; eine glaubwürdige Ausrede finden. *Vgl* ↗spitz 5. *Halbw* 1950 *ff*.

2. *intr* = spähen, lauern, lauschen; zu erfahren, zu ergründen suchen. Man „spitzt" die Sinne und hat ein „scharfes, stechendes" Auge. ↗spitz 5. Seit *mhd* Zeit; im 19. Jh wiederaufgelebt im *Oberd* und *Westd*.

3. *intr tr* = vom Mitschüler abschreiben; sich vom Mitschüler vorsagen lassen. Seit dem 19. Jh, vorwiegend *westd*. 1930 *ff*.

4. *intr* = koitieren. ↗Spitz 1. 1900 *ff*.

5. *intr* = staunen. *Bayr* 1870 *ff*.

6. auf etw ~ (sich auf etw ~) = auf etw gespannt sein; auf etw lauern; etw ungeduldig erwarten. ↗spitzen 2. Seit *mhd* Zeit.

7. auf jn ~ = auf jn sticheln. Spitze = Anzüglichkeit. 1920 *ff*.

8. über etw ~ = über eine Sache anzügliche Bemerkungen machen. Seit dem 19. Jh.

Spitzengedicht *n* reich mit Spitzen gearbeitete Damenunterwäsche. ↗Gedicht. 1900 *ff*.

Spitzenklasse *f* **1.** ~ sein = eine hervorragende, unüberbietbare Leistung zeigen. *Sportl* 1950 *ff*.

2. einsame (totale) ~ sein = der unüberbietbare Hauptkönner sein. 1950 *ff*.

Spitzenkraut *n* schlechter Tabak. Gemeint ist nicht etwa in *iron* Sinne ein Qualitätstabak, sondern ein Kraut, das man nur auf Bergspitzen rauchen kann, wo der Wind den Qualm rasch verweht. 1939 *ff.*

spitzenmäßig *adj* unübertrefflich. Umgangssprachlich steht „mäßig" für „gemäß". *Schül* 1975 *ff.*

Spitzenreiter *m* Anführer einer Verbrecherbande. Meint eigentlich den Vorreiter bei Wagenfahrten fürstlicher Personen, dann auch den Reiter, der in einem Rennen an der Spitze liegt, und überhaupt den Sportler, der einen Wettbewerb oder eine Rangliste anführt. 1920 *ff*, großstadtspr.

Spitzensalat (Spitzlsalat) *m* zerbrochene Spitzen der Skier. ↗Salat 1. *Oberd* 1920 *ff.*

Spitzkopf (-kopp) *m* **1.** Polizeibeamter. Fußt wahrscheinlich auf „spitze Kappe = Dienstmütze, Tschako" und meint insbesondere die früher übliche Pickelhaube. Kann aber auch mit „↗spitzen 2" (= spähen, lauschen, zu ergründen suchen) zusammenhängen. Kundenspr. seit 1850.
2. spitzfindiger Mensch. ↗spitz 5. 1500 *ff.*
3. unkameradschaftlicher Mann. Er ist wohl zu spitzfindig und zu sehr dialektisch geschult, als daß von ihm Sympathie ausgine. *Jug* 1950 *ff.*

spitzköpfig *adj* klug, gescheit; spitzfindig. ↗Spitzkopf 2. 1500 *ff.*

Spitzkühler *m* hervortretender Leib. Hergenommen von der Kühlerform, die etwa seit 1910 in der Automobiltechnik gebräuchlich war.

Spitzmarke *f* **1.** Überschrift eines Zeitungsartikels; Stichwort als Schlagzeile. Marke = Orientierungspunkt. 1900 *ff, journ.*
2. Fettgedrucktes unter einem Bild in einer Illustrierten. *Journ* 1900 *ff.*
3. Spitzname eines Verbrechers. 1920 *ff.*

Spitzmaus *f* schmächtiges, schlankes Mädchen. ↗Maus 2. 1920 *ff.*

Spitzmausgesicht *n* **1.** sehr hageres, mageres Gesicht. 1900 *ff.*
2. pfiffiges Gesicht. 1900 *ff.*

Spitznase *f* vorlautes, schnippisches Kind. Analog zu „↗Vorwitznase". 1920 *ff.*

'spitz'nüchtern *adj* völlig nüchtern. „Spitze" als „Äußerstes" entwickelt sich zum höchsten Steigerungsgrad schlechthin. Seit dem 19. Jh.

Spitzpudeldachspinscher *m* Hund ohne gesicherten Stammbaum. 1920 *ff.*

Spitzwegerich-Expreß *m* Lokalbahn; kleine Eisenbahn durch ein Ausstellungsgelände. Sie fährt so langsam durch begrünte Auen, daß man unterwegs bequem Spitzwegerich pflücken kann. 1960 *ff.*

Spitzwindhund *m* mopsgedackelter ~ = Hund ohne Stammbaum. 1920 *ff.*

Spitzzahn *m* sehr sinnlich veranlagtes Mädchen. ↗Zahn 3; ↗spitz 3. *Halbw* 1960 *ff.*

Spixikon *n* ↗Spicksikon.

Spleen (*engl* ausgesprochen) *m* wunderliche Wesensart; eigentümliche Laune, an der man eigensinnig festhält. Im ausgehenden 18. Jh aus dem *Engl* übernommen. Lieblingswort der Sophie von La Roche (1731–1807).

Spleenager (*engl* ausgesprochen) *m* „Teenager" mit wunderlichem Benehmen; ältere Frau, die sich eher mädchenhaft gebärdet. Zusammengesetzt aus „↗Spleen" und „↗Teenager". 1960 *ff.*

Spleenidee (Bestimmungswort *engl* ausgesprochen) *f* festeingewurzelte, unsinnige Idee; törichtes Vorhaben. 1890 *ff.*

spleenig *adj* verrückt, töricht. Seit dem 19. Jh.

Spleenigkeit *f* Wunderlichkeit. Seit dem 19. Jh.

splen'did *adj* gebefreudig. Stammt aus *franz* „splendide = glänzend, prachtliebend" und ist beeinflußt von „↗spendieren". 1900 *ff.*

Splen'dierhosen *pl* die ~ anhaben = freigebig sein; in Gebelaune sein. ↗Spendierhosen. Belegt für 1628 in einer Verordnung der Stadt Lychen. Im ausgehenden 19. Jh wiederaufgelebt.

Splitt *m* Kleingeld. Analog zu ↗Schotter. Gegen 1930 aufgekommen.

Splitter *m* **1.** langer ~ = Penis. Berlin seit dem frühen 19. Jh, *prost.*
2. sich einen langen ~ einreißen = einen Freier finden. Berlin 1820 *ff, prost.*
3. sich einen ~ in die Hand einreißen (reißen) = einen Baumstumpf (o. ä.) stehlen. Berlin 1840 *ff.*

'splitter'faser'nackt *adj* völlig unbekleidet. Eigentlich soviel wie „von Holzsplittern und -fasern befreit" im Sinne von „ohne Baumrinde". „Rinde", „Schale", „Hülse" u. ä. stehen umgangssprachlich für „Kleidung". 1600 *ff.*

splitternackeln *intr* **1.** unbekleidet gehen. 1920 *ff.*
2. Anhänger der Freikörperkultur sein. 1920 *ff.*

'splitter'nackt *adj* völlig nackt. Eigentlich soviel wie „rindenlos wie ein Holzsplitter". Seit dem 15. Jh.

Splittertüte *f* Stahlhelm. Aufgefaßt als tütenförmiger Schutz gegen umherfliegende Granatsplitter. *BSD* 1965 *ff.*

Spok (Spök, Spöks) *m* Ulk, Streich, Spaß, Lärm, Unruhe. Nebenform zu „Spuk = Gespenst; Gespenstertreiben". *Niederd* 1700 *ff.*

Spökenkieker *m* Spuk-, Hellseher. *Niederd* Wort, vor allem auf Leute mit dem „Zweiten Gesicht" bezogen. Vorwiegend in Westfalen und Ostfriesland beheimatet. 1700 *ff.*

spökern *intr* spuken. *Niederd* 1700 *ff.*

Spompa'nadeln (Spomper'nadeln) *pl* überflüssige Umstände; Widersetzlichkeiten; unnötiges Beiwerk; Prahlerei. *Österr* Wort seit dem frühen 19. Jh, fußend auf *ital* „spompanata = Aufschneiderei".

Spontis *pl* spontane Demonstranten; Anhänger einer unorganisierten, undogmatischen Gruppe, voller Mißtrauen gegen Ideologien jeglicher Art. 1974 *ff.*

Sporen *pl* **1.** sich bei jm goldene ~ verdienen = sich bei jm hervortun. Beim Ritterschlag wurden die Sporen als Zeichen der Würde verliehen. 1920 *ff*.

2. ~ verlieren = degradiert werden. 1920 *ff*.

sporkeln *intr* prahlen; übertreiben. Geht wahrscheinlich zurück auf *ital* „spargere = ausstreuen; ausposaunen; unter die Leute bringen". *Südd* 1930 *ff*.

Sport *m* **1.** Liebhaberei. Gegen 1850 im *Dt* landläufig geworden; anfangs nicht auf turnerische Betätigung bezogen.

2. immer von neuem und listig betriebene Handlungsweise; Mutprobe. 1900 *ff*.

3. (internationaler) ~ = Geschlechtsverkehr. Aus der Liebhaberei ist „Liebe" geworden. 1910 *ff*.

4. sich aus etw einen ~ machen = etw leidenschaftlich gern tun. 1900 *ff*.

Sportabzeichen *n* **1.** bayerisches (Südtiroler, Tegernseer) ~ = Kropf. Meint eigentlich die seit 1913 übliche Auszeichnung für gute, vielseitige körperliche Leistungsfähigkeit; hier Anspielung auf den in Gebirgsländern dermaßen häufigen Kropf, daß er als ein landsmannschaftliches Ehrenzeichen gilt. 1935 *ff*.

2. goldenes ~ = Ehering. Eigentlich das Abzeichen in Gold für Amateursportler, die in 15 Kalenderjahren die geforderten Leistungen erfüllt haben. 1920 *ff*.

Sportangler *m* Marineangehöriger. *BSD* 1965 *ff*.

Sportanzug *m* **1.** Drillichzeug. *Sold* in beiden Weltkriegen.

2. Schlafanzug. Verkürzt aus „↗Nachtsportanzug". 1940 *ff*.

Sport-As *n* hervorragender Sportler. ↗As 1. *Sportl* 1920 *ff*.

Sportbiene *f* Sportlerin. ↗Biene 1. 1955 *ff*.

Sportbier *n* Limonade o. ä. Aktive Sportler sollen keinen Alkohol trinken. 1920 *ff*.

Sport-Charmeur (Grundwort *franz* ausgesprochen) *m* Sportreporter im Fernsehen. 1960 *ff*.

Sport-Chinesisch *n* für Laien schwerverständliche Sportlersprache. ↗Chinesisch. 1955 *ff*.

sporteln *intr* Sport treiben; Freiübungen machen. 1945 *ff*.

sporten *intr* Sport treiben. 1955 *ff*.

Sportfex *m* leidenschaftlicher Sportler; Sportsfreund. ↗Fex. Seit dem ausgehenden 19. Jh.

'Sport'fexerei *f* übertriebene Sportbegeisterung. 1890 *ff*.

Sportfimmel *m* leidenschaftliche Schwäche für den Sport. ↗Fimmel. 1900 *ff*.

sportfimmelig *adj* übertrieben sportbegeistert. 1900 *ff*.

Sportflecken *pl* getrocknetes Sperma am Hemd o. ä. ↗Sport 3. 1910 *ff*.

Sportflitzer *m* schnelles Sportauto. ↗Flitzer. 1955 *ff*.

Sportfreund (Sportsfreund) *m* Anrede freund-

schaftlicher Art unter Männern. Spätestens seit 1945.

Sporthopser *m* Sportflugzeug. Hopsen = hüpfen; *vgl* ↗Grashüpfer 5. 1960 *ff*.

Sportkabriolet *n* zweisitziges ~ mit Energieschaltung = Tandem. *Jug* 1955 *ff*.

Sportkanone *f* hervorragender Sportler. ↗Kanone 1. 1920 *ff*.

Sportkrähe *f* kleines Privatflugzeug. 1930 *ff*.

Sportkulisse *f* Gesamtheit der Zuschauer bei einer Sportveranstaltung. 1960 *ff*.

Sportlerbier *n* Milch. *Vgl* ↗Sportbier. 1960 *ff*.

Sportlerlatein *n* Sportlersprache (dem Laien teilweise unverständlich). ↗Latein 1. 1955 *ff*.

Sportmogul *m* Sportbundpräsident; Veranstalter von sportlichen Wettkämpfen. ↗Mogul. 1920 *ff*.

Sportmolle *f* im Bierglas aufgetischter, schäumender Apfelsaft. ↗Molle. *Vgl* ↗Sportbier. Berlin 1950 *ff*.

Sportmuffel *m* Mann ohne Sinn für Sport. ↗Muffel. 1970 *ff*.

Sportnixe *f* hervorragende Schwimmerin. ↗Nixe. 1955 *ff*.

Sportpalastwalzer *m* von Translateur komponierter Walzer „Wiener Praterleben". 1920 bekannt geworden im Zusammenhang mit dem Berliner Sportpalast und dem Berliner Original „Krücke": die Anwesenden begleiten die Klänge mit rhythmischem Klatschen und Pfeifen.

Sportplatz *m* Glatze. 1920 *ff*.

Sportrentner *m* aus dem aktiven Sport ausgeschiedener Sportler. 1970 *ff*.

Sportrummel *m* dem Sport in seinem Wesen fremde, geschäftstüchtige Betriebsamkeit bei Großveranstaltungen; Kommerzialisierung des Sports. ↗Rummel. 1960 *ff*.

Sportsfreund *m* ↗Sportfreund.

Sportunfall *m* Geschlechtskrankheit. ↗Sport 3. Es ist ein Unfall beim „Liebessport", bei „Liebesübungen". 1955 *ff*.

Sportverbraucher *m* Sportfreund. Er konsumiert den Sport wie ein lebensnotwendiges Nahrungsmittel. 1960 *ff*.

Sportverein *m* Sicherungsverwahrung. Deutung der Abkürzung „SV". 1950 *ff*, verbrecherspr.

Sportwagentempo *n* im ~ = sehr schnell. 1955 *ff*.

Spott *m* um einen ~ = um eine Kleinigkeit; für wenig Geld. Es ist so wenig, daß man seinen Spott damit treiben könnte; es ist eine verspottenswerte Kleinigkeit. Seit dem 17. Jh.

'spott'billig *adj* sehr billig; äußerst preiswert. Es ist so billig, daß es die Leute zum Spotten reizt. Oder daß es wie ein Spott auf den gewohnten Preis wirkt. Seit dem 18. Jh.

Spottdrossel *f* Spötter(in); Mensch, der mit den gesanglichen oder stimmlichen Eigenheiten eines anderen seinen Spott treibt. Die Drossel ahmt Tierstimmen und Geräusche nach. 1840 *ff*.

spotten *v* sich nicht ~ lassen = großzügig, freigebig sein. Man läßt sich nicht als geizig oder kleinlich verspotten. Seit dem 19. Jh.

'Spott'geld *n* geringer Preis; sehr niedrige Geldsumme. ↗spottbillig. Seit dem 17. Jh.

'spott'günstig *adj* sehr preiswert. Werbetexterspr. 1965 *ff.*

'spott'leicht *adj* sehr leicht; unschwer; mühelos. Seit dem 18. Jh.

'Spott'preis *m* sehr niedriger Preis. Kaufmannsspr. 1700 *ff.*

'spott'schlecht *adj* sehr schlecht; überaus minderwertig. Seit dem 18. Jh.

Spottvogel *m* Spötter(in). ↗Spottdrossel. Seit dem 15. Jh.

'spott'wenig *adj adv* sehr wenig. Zur Erklärung vgl „↗spottbillig". 1800 *ff.*

spotzen *intr* spucken. Zusammengezogen aus „spuckezen" zu *mhd* „sputzen, spiutzen". Seit dem 19. Jh.

Spotzer *pl* Musikkorps. Analog zu ↗Blechspucker. *Sold* in beiden Weltkriegen.

Sprachbeschädigung *f* literarisches Erzeugnis von minderwertigem Rang. Der „Sachbeschädigung" nachgebildet. 1920 *ff.*

Sprache *f* **1.** kosmetische ~ = gezierte, unnatürliche Sprechweise. 1960 *ff.*
2. nicht mit der ~ rausrücken (rauswollen) = kein Geständnis ablegen; etw geheimhalten; die Antwort schuldig bleiben; stumm bleiben. 1700 *ff.*
3. in allen ~n schweigen = kein Wort sagen. Entstellt aus „in sieben Sprachen schweigen" (Ausspruch von Friedrich August Wolf auf den Philologen Immanuel Bekker; frühes 19. Jh). Berlin 1955 *ff.*
4. ihm bleibt die ~ weg = dem Rundfunk-, Fernsehsprecher wird der Ton abgeschaltet. 1965 *ff.*

Sprachfieselei *f* übertriebene sprachliche Genauigkeit. ↗fieseln. 1960 *ff.*

Sprachhopser *m* Sprachunrichtigkeit. Hopsen = springen; lustige Sprünge machen. 1958 *ff.*

Sprachlehrer *m* akustischer ~ = Schallplatte mit fremdsprachlichem Lehrgang. 1960 *ff.*

sprachlos *adv* ~ vis-à-vis stehen = einer Sache ratlos gegenüberstehen. ↗Vis-à-vis. *Stud* 1878 *ff.*

Sprachlos-Preis *m* sehr stark herabgesetzter Preis. Werbetexterspr. 1970 *ff.*

Sprachmuffel *m* **1.** instinktloser Übersetzer. ↗Muffel. 1970 *ff.*
2. Mann, der an Fremdsprachen uninteressiert ist. 1970 *ff.*

Sprachpolizei *f* Gremium, das sich gegen Verschandelung der Sprache zur Wehr setzt. Titel einer Sendung des österreichischen Rundfunks seit 1952.

Sprachprotz *m* Mensch mit schwülstiger Redeweise. ↗Protz. Er prunkt mit Redeblumen. 1960 *ff.*

Sprachrohr *n* Klassensprecher. Eigentlich die zur Verständigung zwischen Stockwerken dienende Rohrleitung; auch soviel wie der Schalltrichter oder das Megafon. 1950 *ff.*

Sprachrülpser *m* Versprecher. Aufgefaßt als eine Art anstandswidrigen Schluckaufs. 1955 *ff.*

Sprachsalat *m* mit Fremdwörtern durchsetztes Deutsch. ↗Salat 1. 1955 *ff.*

Sprachschlamperei *f* mangelhafte Sprachsorgfalt. ↗Schlamperei. 1950 *ff.*

Sprachschluderei *f* Unbekümmertheit im Umgang mit der Sprache. ↗schludern. 1950 *ff.*

Sprachschnitzer *m* **1.** Versprecher. ↗Schnitzer. 1920 *ff.*
2. Sprachunrichtigkeit. ↗Schnitzer. Seit dem 19. Jh.

Sprachschnoddrigkeit *f* ungepflegte Sprechweise. ↗schnoddrig. 1920 *ff.*

Sprachwasser *n* **1.** Schnaps, Alkohol. Er macht redselig. 1870 *ff.*
2. ~ haben = betrunken sein. 1900 *ff.*

spraddelig (sprattelig) *adj* zappelnd. *Vgl* das Folgende. Nördlich der Mainlinie, seit dem 19. Jh.

spraddeln (spratteln) *intr* zappeln; sich spreizen; im Wasser spielen. Verwandt mit *nordd* „spranteln, spranten = spreizen, strampeln". Seit dem 19. Jh.

spragein *v* **1.** *tr* = spreizen. Geht zurück auf *mhd* „sprenzen = spreizen; einherstolzieren". *Bayr* und *österr*, 1800 *ff.*
2. *refl* = sich zieren. *Bayr* und *österr*, 1800 *ff.*

spranzen *tr intr* vom Mitschüler, aus einer Übersetzung, vom Täuschungszettel abschreiben; plagiieren, nachzeichnen. Spranz = Spalt. *Vgl* ↗spellen. *Österr* 1900 *ff*, *schül* und *stud*.

sprattelig *adj* ↗spraddelig.

sprattein *intr* ↗spraddeln.

Sprayschiß (Bestimmungswort *engl* ausgesprochen) *m* Durchfall. *Engl* „to spray = sprühen". ↗Schiß 1. *BSD* 1965 *ff.*

Sprechanismus *m* Redseligkeit; Geschwätzigkeit. Zusammengesetzt aus „sprechen" und „Mechanismus". Technisierung des Menschen. Berlin 1850 *ff.*

Sprechapparat *m* Mund, Kehle. 1900 *ff.*

Sprechautomat *m* **1.** Mensch mit unversieglichem Redefluß. 1910 *ff.*
2. Rundfunksprecher(in). 1925 *ff.*

Sprechdurchfall *m* uneindämmbare Redseligkeit. Dem „Brechdurchfall" nachgebildet. 1900 *ff.*

Spreche *f* Sprechweise. Als Gegenstück zu „↗Schreibe 2" entwickelt. 1950 (?) *ff.*

sprechen *v* **1.** keiner spricht mit keinem = es herrscht Zerwürfnis, Kriegszustand. *Sold* 1939 *ff.*
2. auf jn gut zu ~ sein = viel von jm halten; jm wohlwollen. Erweitert aus „gut zu sprechen sein = in guter Stimmung sein; zugänglich, umgänglich sein". 1700 *ff.*

Sprechfehler *m* dreiste Lüge. Euphemistisch dargestellt als Irrtum in der Wortwahl. 1930 *ff.*

Sprechmaschine *f* Mensch mit unversieglichem Redefluß. 1910 *ff.*

Sprechmatismus *m* Geschwätzigkeit, Zungengeläufigkeit. Gekreuzt aus „sprechen" und „Automatismus". 1900 *ff.*

Sprechmechanismus *m* Redseligkeit. 1900 *ff.*

Sprechmuffel *m* redefauler Mensch. ↗Muffel 2. 1970 *ff.*

Sprechstunde *f* du hast heute wohl keine ~?: Frage an einen Schweigenden. Der Betreffende ist heute nicht zu sprechen. 1950 *ff.*

Sprechtüte *f* Megafon. Es hat einen tütenförmigen Schalltrichter. 1920 *ff.*

Sprechwasser *n* 1. Alkohol. ↗Sprachwasser. 1870 *ff.*
2. ~ haben = (in der Trunkenheit) viel reden. 1900 *ff.*
3. ~ kriegen = redselig werden; ins Schwätzen geraten. 1900 *ff.*
4. das ~ verloren haben = betrunken sein. 1900 *ff.*

Spree-Athen *n* Berlin. „Athen" spielt an auf die Pflege von Kunst und Wissenschaft sowie auf die Wiederbelebung antiker Architektur. Seit 1706 (Erdmann Wircker in einem Gedicht auf den ersten Preußenkönig).

Spree-Athener *m* Berliner. Seit dem 19. Jh.

Spree-Metropole *f* Berlin. Nach 1950 aufgekommen, als Journalisten und Fremdenverkehrsdezernenten die Bedeutung ihrer Großstädte durch „Metropole" zu heben suchten.

Spreewasser *n* mit ~ getauft = in Berlin geboren. Berlin seit dem 19. Jh.

Spreisel (Spreißel) *m* hagerer Mensch; Heranwachsender. Meint im Fränkischen soviel wie „Splitter, Span". Seit dem 19. Jh.

spreizen *refl* 1. sich brüsten; prahlen. Hergenommen von der Körperhaltung des Prahlers: er spreizt die Beine und erweckt dadurch den Eindruck größerer Standfestigkeit und Gewichtigkeit (Wichtigtuerei). Seit dem 16. Jh.
2. sich sträuben; Umstände machen; Widerworte geben. Man stellt sich breitbeinig hin und hat dadurch mehr Halt; *vgl* auch „sich auf die ↗Hinterbeine stellen". Seit dem 19. Jh.

Spreizen (Spreizn, Spreiz, Spreitzl, Spreitzerl) *f* 1. Zigarette. *Oberd* „Spreiz = Balken, Stange, Stab". Analog zu „↗Stäbchen". 1900 *ff*, von Studenten ausgegangen und in die Soldatensprache und ins *Rotw* eingedrungen.
2. Penis. Die Bezeichnungen für die Zigarette gelten weitgehend auch für das männliche Glied, wohl in Anspielung auf Fellation. *Österr* 1920 *ff.*

Spreizer *m* Prahler. ↗spreizen 1. *Oberd* 1800 *ff.*

Spreizlafette *f* beischlafwilliges Mädchen. Die Lafette ist die Unterlage für das Geschützrohr, letzteres in übertragenem Sinne soviel wie „Penis"; außerdem Anspielung auf das Spreizen der Beine. *Sold* 1935 *ff.*

sprengen *v* 1. *intr* = harnen. Eigentlich soviel wie „befeuchten, begießen". *Jug* 1920 *ff.*
2. *tr* = jn fortjagen, entlassen, abwählen. Aufzufassen als „jn springen machen". Seit dem 19. Jh.

Sprengkammer *f* Chemiesaal. *Schül* 1950 *ff.*

Sprengkapsel *f* starkes Abführmittel. Es sprengt die Stuhlverhärtung. Lazarettspr. in beiden Weltkriegen.

Sprengkommando *n* Gruppe von Leuten, die den Ablauf einer Veranstaltung vereiteln wollen. 1925 *ff.*

Sprengkraft *f* Durchsetzungsvermögen beim Publikum. Eigentlich die Kraft des Sprengstoffs. 1960 *ff.*

Sprengmeister *m* Mann, der Versammlungen zu vereiteln sucht. Eigentlich einer, der mit Dynamit o. ä. Sprengungen vornimmt. 1925 *ff.*

Sprengort (-raum, -saal) *m* Chemiesaal. *Schül* 1950 *ff.*

Sprengstoff *m* ~ in den Beinen haben = den Fußball sehr kräftig stoßen. *Sportl* 1950 *ff.*

Sprengstoff-Blondine *f* temperamentvolle, anziehende Blondine. Ihr Temperament hält man für dynamitartig. 1950 *ff.*

Sprengstoff-Star *m* temperamentvolle Schauspielerin mit anziehenden Körperformen. 1950 *ff.*

Sprengwagen *m* vierbeiniger ~ = Hund, der im Laufen harnt. ↗sprengen 1. Berlin 1920 *ff.*

Sprieß *m* Flasche Wein. Gehört zu „sprießen = hervorkommen, gedeihen" und meint „Wachstum" oder „Kreszenz". 1950 *ff.*

Springbock *m* Handelsvertreter, der von Tür zu Tür seine Ware anbietet. Eigentlich Name einer gazellenartigen Antilope, mundartlich auch der Heuschrecke. 1920 *ff.*

Springbrunnen *m* Vagina. 1920 *ff, mitteld.*

springen *v* 1. *intr* = koitieren. Aus der Viehzucht übernommen. Seit dem 19. Jh.
2. *intr* = eilfertig zu Diensten sein; sich anstrengen. Man bewegt sich in Sprüngen. 1900 *ff.*
3. *intr* = vorzeitig in die nächsthöhere Schulklasse versetzt werden. Man überspringt einen Jahrgang. 1920 *ff.*
4. *intr* = das Studienfach wechseln. 1920 *ff, stud.*
5. *intr* = von einer Fahrspur auf die andere wechseln. 1950 *ff.*
6. jn ~ lassen = jn antreiben, gefügig machen. ↗springen 2. 1900 *ff.*
7. etw (Geld) ~ lassen = Geld leichtfertig ausgeben; Geld hergeben. Früher warf man die Münzen auf die Tischplatte, damit man am Klang hören konnte, ob sie echt waren. 1600 *ff.*

Springer *m* 1. Zeitungsbezieher, der vom Dauerbezug zurücktritt. 1950 *ff.*
2. Schüler, der eine Schulklasse überspringt. ↗springen 3. 1920 *ff.*
3. beischlafwilliges Mädchen; intime Freundin. ↗springen 1. 1950 *ff.*
4. Studienwechsler. 1920 *ff, stud.*

5. fluchtverdächtiger Verbrecher. Man befürchtet, daß er zu entspringen sucht. 1950 *ff*, polizeispr.

6. Kraftfahrer, der (oft) die Fahrspur wechselt. 1950 *ff*.

7. Einzelgänger. *Schül* 1960 *ff*.

8. Mann, der häufig den Arbeitsplatz wechselt oder Aufstieg mit Gehaltsverbesserung anstrebt. 1965 *ff*.

9. Schnappmesser. 1950 *ff*.

Springerl *n* **1.** kohlensäurehaltiges Getränk. Kohlensäure bringt das Wasser zum „Springen", vor allem nach kräftigem Schütteln der Flasche. *Bayr* 1900 *ff*.

2. Abführmittel. Wer es einnimmt, springt oft zum Abort. 1900 *ff*, bayr.

Springerurlaub *m* Familienurlaub. ↗springen 1. 1960 *ff*, *BSD*.

Spring'inkerl (Spring'ingerl, Spring'ginkerl) *n* (*m*) = sehr lebhaftes Kind; unruhiger, nervöser Mensch; leichtsinniger Bursche; Geck. Gehört zu „ginkeln, gankeln = hin- und herschwanken; umherschlendern". Vorwiegend *oberd* seit dem 19. Jh.

'springle'bendig *adj* sehr beweglich, munter. Hergenommen von den springfrohen Lämmern. Seit dem späten 19. Jh.

Springmaus *f* **1.** Kellnerin. ↗springen 2; ↗Maus 2. *Jug* 1955 *ff*.

2. Tanzmädchen; Ballettmädchen. *Jug* 1955 *ff*.

Springrausmesser *n* Schnappmesser. 1950 *ff*.

Springstrecke *f* kurze Entfernung. Aus der Fliegersprache übernommen; eigentlich die kurze Strecke zwischen zwei Orten, die angeflogen werden. *Sold* und *ziv* 1939 *ff*.

Springwurzel *f* Penis. Name eines Zauberkrauts, mit dem man nach altem Aberglauben ein Schloß oder einen Riegel öffnen kann. Spätestens seit 1900.

Sprinter *m* **1.** junger Mann. Eigentlich der Kurzstreckenläufer (bis 400 m). Nach den Olympischen Spielen Berlin 1936 aufgekommen.

2. junger ~ = a) Rekrut. *Sold* 1936 *ff*. – b) Neuling, Berufsanfänger. 1950 *ff*.

Sprit *m* **1.** Schnaps, Alkohol. Aus „Spiritus" verkürzt. 1870 *ff*.

2. Benzin, Treibstoff. 1920 *ff*.

3. Geld. Es ist der Betriebsstoff für den Lebensunterhalt. 1965 *ff*, halbw.

4. ~ in die Antenne schieben = Funkverbindung aufnehmen. Sprit = elektrischer Strom. Fliegerspr. 1939 *ff*.

5. ist bei dir der ~ alle? = kannst du nicht weiter? bist du am Ende deiner Kraft? Hergenommen vom Kraftfahrzeug, dessen Motor bei Treibstoffmangel selbsttätig zum Stillstand kommt. *Sold* 1939 *ff*.

Sprit-Ameise *f* Kraftwagen in langer Kolonne. Lange Kolonnen von Autos, vor allem auf den Autobahnen und von hochgelegenem Beobach-

tungstand aus gesehen, gleichen einem Zug von Ameisen. 1955 *ff*.

Spritbassin (Grundwort *franz* ausgesprochen) *n* Trinker. *Sold* 1910 *ff*.

Spritbruder *m* Schnapstrinker. ↗Sprit 1. 1920 *ff*.

Spritbude *f* Wirtshaus. *BSD* 1960 *ff*.

Spritbunker *m* **1.** Kraftstofflager. *BSD* 1960 *ff*.

2. Soldatenkneipe. *BSD* 1960 *ff*.

spriten *intr* Alkohol trinken. ↗Sprit 1. *BSD* 1960 *ff*.

Spritfahne *f* nach Alkohol riechender Atem. ↗Fahne 1. 1920 *ff*.

Spritfaß *n* Trinker. 1920 *ff*.

Spritflitzer *m* Auto. ↗Sprit 2; ↗Flitzer. 1960 *ff*.

Spritfresser *m* Auto mit hohem Kraftstoffverbrauch. 1920/30 *ff*.

Spritheini *m* gerichtlich vereidigter Alkoholsachverständiger. ↗Sprit 1; ↗Heini 1. 1950 *ff*.

spritig *adj* **1.** bezecht. ↗spriten. *Sold* 1960 *ff*.

2. alkoholhaltig. *Halbw* 1960 *ff*.

Spritinsel *f* Gastwirtschaft. *Vgl* die ältere Bezeichnung „↗Köm-Insel". *BSD* 1960 *ff*.

Spritkommode *f* **1.** Gaststättenregal für Schnapsflaschen. Vgl auch ↗Spirituskommode. Berlin 1930 *ff*.

2. Hausbar. Berlin 1930 *ff*.

3. Trinkermagen. *Sold* 1935 *ff*.

Spritkopf *m* Trinker. 1910 *ff*.

Spritkutsche *f* Auto. ↗Sprit 2. 1910 *ff*.

Spritkutscher *m* **1.** Kraftfahrer. *Marinespr* in beiden Weltkriegen.

2. Versorgungsfahrer. *BSD* 1960 *ff*.

Spritladen *m* Kantine. ↗Sprit 1. *Sold* 1935 *ff*.

Spritlager *n* Kraftstofflager. ↗Sprit 2. *BSD* 1960 *ff*.

Spritonkel *m* Tankwart. *Sold* 1935 *ff*.

spritaufend *adj* viel Kraftstoff benötigend. 1950 *ff*.

Spritsäufer *m* Auto mit großem Benzinverbrauch. 1950 *ff*.

Spritschnauze *f* **1.** Einfüllstutzen am Benzintank des Autos. *Sold* 1935 *ff*; halbw 1955 *ff*.

2. Mund des Alkoholikers; Alkoholiker. 1955 *ff*.

Spritschuppen (-tempel) *m* **1.** Kraftstofflager. *BSD* 1965 *ff*.

2. Wirtshaus. *BSD* 1965 *ff*.

Spritverdampfer *m* Kopf; Trinker. *Marinespr* in beiden Weltkriegen.

Spritvernichter *m* Trinker. *Sold* 1939 *ff*.

Spritvernichtungsschlacht *f* allgemeine große Zecherei. *Sold* 1939 *ff*.

'Sprit'zahn *m* Mädchen, das Alkohol nicht verschmäht; zechfreudige weibliche Person. ↗Zahn 3. *Halbw* 1950 *ff*.

Spritzbüchse *f* **1.** weibliche Person. Anspielung auf die Entleerung der Harnblase. Wahrscheinlich *stud* Herkunft. 1700 *ff*.

2. liederliche weibliche Person; Prostituierte. ↗spritzen 3. Kundenspr. seit dem 19. Jh.

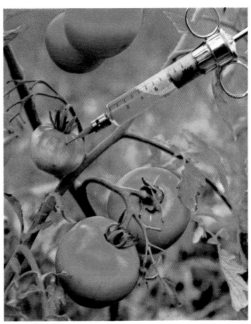

Die beiden Abbildungen zeigen zwei Spritzen ganz verschiedener Provenienz, die aber nichtsdestotrotz gemein haben, daß diejenigen, die mit dem konfrontiert werden, was da gespritzt wird, sich früher (vgl. **Spritze 7, 16.**) *oder später – doch das hängt jetzt wieder von der Spritze ab – in einem nicht sehr angenehmen Zustand befinden. Wer an solch einer Spritze steht (***Spritze 25.***) gehört in den seltensten Fällen zu denen, welche die Umgangssprache damit meint. Eher schon holt er, und dabei ist auch der Ursprung dieser Wendung genannt, für andere die Kastanien aus dem Feuer. So besehen hängt auch er an der Spritze, selbst wenn er sie nicht gegen sich selbst richten sollte (vgl.* **Spritze 23 a.**)*.*

Spritzdüse *f* Harnröhrenmündung beim Mann. 1945 *ff,* Wortschatz der Medizinstudenten.

Spritze *f* **1.** kleine Vergnügungsreise; Ausflug. Verkürzt aus ↗Spritzfahrt. Seit dem 19. Jh.

2. Sendeantenne. Verkürzt aus ↗Saftspritze 1. Technikerspr. 1955 *ff.*

3. Mädchen. Spielt entweder auf die Harnröhrenmündung und das Wasserlassen an oder gehört zu „spritzen = eilen; geschäftig sein". Seit dem 16. Jh.

4. Prostituierte. Seit dem 19. Jh.

5. Vorzimmerdame, Chefsekretärin. Bürospr. 1950 *ff.*

6. Penis. Vielleicht verkürzt aus ↗Samenspritze. 1900 *ff.*

7. Gewehr, Karabiner. Verkürzt aus ↗Kugelspritze. *Sold* seit dem späten 19. Jh bis heute.

8. Pistole, Revolver, Maschinenpistole; Maschinengewehr. *Sold* 1914 bis heute.

9. Geschütz; leichte Flak; Panzerkanone o. ä. *Sold* 1935 bis heute.

10. Spöttelei. Von „spritzig" beeinflußte „Spitze = Anspielung". Kann auch von der Injektionsspritze des Arztes her aufgefaßt werden als antreibendes, aufmunterndes Mittel. 1930 *ff.*

11. ~! = ich verdruple den Spielwert! Deutlich von der Injektionsspritze hergenommen. Kartenspielerspr. seit dem späten 19. Jh.

12. Borgversuch; Geldhilfe. Übertragen von der Injektion eines stärkenden Medikaments. 1930 *ff.*

13. Betrug, Diebstahl. ↗spritzen 8. 1900 *ff,* Wien.

14. dreckige ~ = Zuführung von verbotenen Reizmitteln, um die sportliche Leistungskraft zu steigern. 1920 *ff.*

15. schnelle ~ = a) Klistier. 1910 *ff.* – b) Nachhilfe, wenn der Motor nicht anspringen will; Benzineinspritzung in den Vergaser. Kraftfahrerspr. 1925 *ff.*

16. schwere ~ = schweres Maschinengewehr. ↗Spritze 8. *Sold* 1939 *ff.*

17. voll wie eine ~ = volltrunken. Übertragen von der Feuerlöschspritze. Seit dem 18. Jh.

18. jn durch eine finanzielle ~ dopen = jn durch Geldzuwendung zu vermehrter Anstrengung anspornen. 1960 *ff.*

19. mit der ~ (wie mit der ~) essen = hastig essen. Hergenommen von den sogenannten „Bouillonkellern", in denen die Suppe mittels einer Spritze in die Vertiefung des Tisches gespritzt wurde. 1900 *ff.*

20. jm eine ~ geben (verpassen) = jn antreiben, aufmuntern. Von der Injektionsspritze des Arztes übernommen. 1910 *ff.*

21. dem Motor eine ~ geben = mehr Gas geben. Kraftfahrerspr. 1930 *ff.*

22. jm eine ~ geben = jn für sich einnehmen. Herzuleiten von der Injektionsspritze mit einem betäubenden Medikament. 1945 *ff.*

23. eine ~ haben = überheblich sein. Fußt auf der Vorstellung, daß man Hochmut mittels einer Spritze einflößen könne. 1920 *ff.*

23 a. an der ~ hängen = rauschgiftsüchtig sein. 1960 *ff.*

23 b. jn von der ~ holen = einen Rauschgiftsüchtigen entwöhnen. 1970 *ff.*

24. eine ~ kriegen = a) mit verbotenen Anregungsmitteln zu höchsten (übernormalen) Leistungen befähigt werden. Turfspr. 1910 *ff.* – b) aufgemuntert, angespornt werden. 1920 *ff.* – c) sich von jm einnehmen lassen. ↗Spritze 22. 1945 *ff.* – d) einen Fehlschlag erleiden. Hergenommen vom kalten Wasserstrahl, von der kalten Dusche o. ä. 1955 *ff.* – e) heftig gerügt werden. Man kühlt den Übermut ab wie mit einer Wasserspritze. 1925 *ff.*

25. an der ~ sein (stehen) = in leitender Stellung sein. Leitet sich her vom Leiter der Feuerwehr oder der Löscharbeiten. 1840 *ff.*

26. eine intravaginöse ~ verpassen = koitieren. Aus „intravenös" (= in eine Vene gegeben) umgewandelt in Anlehnung an „Vagina". Medizinerspr. 1935 *ff.*

spritzen *v* **1.** *intr* = einen (kurzen) Ausflug unternehmen. Hergenommen vom Davoneilen mit der Feuerspritze. *Stud* 1800 *ff.*

2. *intr* = eilen; in höchster Eile laufen. Eilige Schritte lassen den Straßenschmutz, das Wasser aus Pfützen usw. aufspritzen. *Sold* 1914 *ff.*

3. *intr tr* = koitieren, ejakulieren. ↗Spritze 6. 1900 *ff.*

4. *intr* = onanieren. 1925/30 *ff.*

5. *intr* = sich Rauschgift injizieren. 1955 *ff.*

6. jn ~ = jn aus dem Dienst entlassen; jn ohne Ehren verabschieden; jn vertreiben; jn von der Schule verweisen. Faktitivum zu „↗spritzen 2". *Österr* und *nordd*, seit dem 19. Jh.

7. jn ~ = durch „Kontra" den Spielwert verdoppeln. ↗Spritze 11. Kartenspielerspr. seit dem späten 19. Jh.

8. etw (jn) ~ = etw stehlen; jn bestehlen, betrügen, belügen. Meint eigentlich „jn beharnen"; analog zu „↗anpinkeln 1". Wien 1900 *ff.*

9. etw ~ = eine Arbeit nicht verrichten; einen Unterrichtsstoff nicht lernen. Man „spritzt" über

ihn hinweg = man überspringt ihn. *Schül* 1950 *ff.*, österr.

10. jn ~ = auf jn sticheln. ↗Spritze 10. 1930 *ff.*

11. jn (etw) ~ lassen = von etw Abstand nehmen; etw aufgeben. Analog zu „etw ↗sausen lassen". Österr 1930 *ff.*

'spritzen'duhn *adj adv* volltrunken. ↗duhn; ↗Spritze 17. *Nordd* 1900 *ff.*

Spritzenhaus *n* Stehabort. Eigentlich das Haus für die Feuerlöschspritze; hier gilt „spritzen = harnen". 1950 *ff*, *schül.*

Spritzenmann *m* **1.** Feuerwehrmann. Spritze = Feuerlöschspritze; ↗Spritze 25. 1900 *ff.*

2. Mann mit Pistole. ↗Spritze 8. 1950 *ff.*

Spritzenparty *f* Party mit Gebrauch von Aufputschdrogen. ↗Spritze 23 a. 1960 *ff.*

Spritzenprobe *f* Geschlechtsverkehr vor der Hochzeit. ↗Spritze 6. 1910 *ff.*

Spritzensportler *m* mit Anregungsmitteln behandelter Sportler. Dem „Spitzensportler" nachgebildet. 1960 *ff.*

'spritzen'voll *adj* volltrunken. ↗Spritze 17. 1900 *ff.*

Spritzer *m* **1.** kleine Menge; Beimischung von Sodawasser zum Wein o. ä. Vorwiegend *oberd*, seit dem 19. Jh.

2. kleiner Ausflug. ↗spritzen 1; ↗Spritze 1. Spätestens seit 1900.

3. leichter Rausch. Im Sinne von „↗Spritzer 1" hat man nur eine kleine Menge Alkohol getrunken. 1900 *ff.*

4. Trickbetrüger; Betrug. ↗spritzen 8. 1900 *ff.*

5. Diebstahl, Einbruch. ↗spritzen 8. Wien 1900 *ff.*

6. Rauschgiftsüchtiger. 1965 *ff.*

7. Zuhälter. ↗Spritze 4. 1973 *ff, prost.*

8. ~ auf der weißen Weste = Makel. 1950 *ff.*

9. junger ~ = a) Rekrut; Soldat ohne ausreichende militärische Erfahrung; Offiziersbursche. Gehört zu „↗spritzen 2"; denn beim Militär wird „geeilt". 1914 bis heute. – b) junger Mann. 1900 *ff.* – c) Schüler der Unterstufe. 1950 *ff.*

10. schwarzer ~ = Vorstrafe. Sie ist der dunkle Fleck auf der weißen Weste. 1950 *ff.*

11. einen ~ machen = geschlechtlich verkehren. ↗Spritze 6. 1920 *ff.*

Spritzereien *pl* Stehabort (in der Schule). Spritzen = harnen. 1935 *ff.*

Spritzfahrer *m* Mensch, der eine kurze Ausflugsfahrt unternimmt. ↗spritzen 1. 1920 *ff.*

Spritzfahrt *f* kurze Ausflugsfahrt. ↗spritzen 1; ↗Spritze 1. *Stud* seit dem 19. Jh.

Spritzflasche *f* **1.** Penis. Eigentlich die Sodawasserflasche. ↗spritzen 3. 1900 *ff.*

2. Harnorgan von Mann und Frau. 1900 *ff.*

Spritzhusten *m* Durchfall. *BSD* 1965 *ff.*

Spritzraum *m* Schwimmbad (in der Schule). 1960 *ff.*

Spritztour *f* **1.** Ausflug; kleine, kurze Vergnü-

Das Foto kann vielleicht vor Augen führen, was die Umgangssprache unter **Spritze** und **spritzen** versteht, wenn diese Vokabeln sich auf Sexuelles beziehen. Spritze kann in diesem Zusammenhang Mädchen (**Spritze 3.**), Prostituierte (**Spritze 4.**) Penis (**Spritze 6.**) oder Geschlechtsverkehr (vgl. **Spritze 26.**) bedeuten, und spritzen für koitieren (**spritzen 3.**) oder onanieren (**spritzen 4.**) stehen. Die allgemein zur Regel gemachte Unauffälligkeit des Trieblebens, siehe Tabuisierung, scheint durch solche Umschreibungen mehr als hinfällig zu sein, doch sind diese letztendlich nur Ausdruck anders gelagerter Frustrationen, die sich in irrealen Projektionen und, was damit einhergeht, einer Verdinglichung der Sexualität Ausdruck verschaffen, etwa durch eine **Spritztour** in die Peepshow.

gungsreise. ↗spritzen 1; ↗Spritze 1; ↗Tour. *Stud* seit dem frühen 19. Jh.

2. Arztbesuch am Krankenbett mit Vornahme von Spritzungen. 1930 *ff*, medizinerspr.

3. Geschlechtsverkehr. ↗spritzen 3. 1920 *ff*.

Spritztourist *m* Ausflügler; Vergnügungsreisender. 1850 *ff*.

Sprossen *pl* zuviel (zu wenig) ∼ haben = nicht recht bei Verstand sein. Von der (schadhaften) Leiter hergenommen. 1900 *ff*.

Sprößling *m* **1.** Sohn, Tochter. Eigentlich der Pflanzentrieb. Seit dem 19. Jh.

2. Schulneuling. 1930 *ff*.

3. *pl* = Sommersprossen. 1960 *ff*.

Sprößlingsschule *f* Heimschule; Landschulheim. Eigentlich Bezeichnung für die Baumschule des Gärtners. 1960 *ff*, *schül*.

Sprotte *f* **1.** lebenslustiges, frisches Mädchen. Es gilt noch als Kleinfisch. *Jug* 1955 *ff*, Berlin.

2. Beamtenanwärter. Er will erst noch ein „großer Fisch" werden. 1950 *ff*.

Sprottenkiste *f* vollbesetztes öffentliches Verkehrsmittel. Parallel zu ↗Sardinenbüchse 1. 1948 *ff*, Berlin.

Sprottenstadt *f* Kiel. Anspielung auf die „Kieler Sprotten". 1960 *ff*.

Sprotten-Torero *m* Inhaber eines Fischgeschäfts. Berlin 1910 *ff*.

Sprottenzähler *m* geiziger Mensch. Er verkauft die Sprotten nicht nach Gewicht, sondern nach der Zahl; er zählt seinen Gästen die Sprotten vor. *Jug* 1950 *ff*.

Sprotzaugen *pl* stark hervortretende Augen. *Vgl* das Folgende. *Oberd* seit dem 19. Jh.

sprotzen *intr* starr blicken. Geht zurück auf „Protz = Frosch" mit s-Vorschlag. *Oberd* seit dem 19. Jh.

sprotzig *adj* hervorstehend (auf die Augen bezogen). *Oberd* seit dem 19. Jh.

Spruch *m* **1.** Klang des Motors. Sprechen = Laut geben. *Österr* 1940 *ff*, *jug*.

2. Redegewandtheit. *Österr* 1940 *ff*, *jug*.

3. faule Sprüche = verlogene Reden. ↗faul 1. Seit dem 16. Jh.

3 a. flotte Sprüche = leichtfertige, aber eindrucksvolle Äußerungen. ↗flott 1. 1950 *ff*.

3 b. fromme Sprüche = unaufrichtige Beteuerungen. 1960 *ff*.

4. große Sprüche = pathetische Redensarten; übertriebene Zusagen. Seit dem 19. Jh.

5. bei jm seine Sprüche nicht anbringen können = mit seinen leeren Redensarten keinen Eindruck auf jn machen können. 1920 *ff*.

6. schöne Sprüche draufhaben (am Leib haben) = pathetisch ohne Gehalt sprechen. „Am Leib = an sich". 1920 *ff*.

7. Sprüche klopfen (kloppen) = leere Redensarten machen; Höflichkeiten ohne Überzeugung sagen. „Spruch" meint die feierliche, formelhafte

Äußerung (wohl nach dem Predigergebrauch des Bibelspruchs). „Klopfen" führt über „dreschen" zu der anschaulichen Redewendung „leeres ↗Stroh dreschen". 1900 *ff*.

8. (dicke, starke) Sprüche machen = leere Worte sagen; die Wahrheit durch Ausreden oder Umschweife verschleiern. Beliebter Schüler-, Studenten- und Soldatenausdruck seit dem späten 19. Jh gegenüber Äußerungen, die schwülstig, aber substanzlos sind.

9. in Sprüchen reisen = a) Geistlicher sein. *Sold* in beiden Weltkriegen. – b) Wander-, Propagandaredner sein. 1930 *ff*.

10. Sprüche reißen = a) das große Wort führen. *Bayr* seit dem späten 19. Jh. – b) Witze machen. 1900 *ff*.

Spruchbeutel *m* Mensch, der leere Redensarten von sich gibt; Mann, der sich aufspielt. *Oberd*, spätestens seit 1900.

Spruchblase *f* blasenförmige Textgestaltung zu Bildergeschichten. 1950 *ff*.

Spruchbude *f* Parlament. Die breite Masse der Bevölkerung hört von den Abgeordneten vorwiegend leere „Sprüche". 1900 *ff*.

Sprücheklopfer (-klopper) *m* Mensch, der pathetisch redet, ohne Verläßliches zu sagen; Prahler; Phantast. ↗Spruch 7. 1900 *ff*.

Sprücheklopferei (-klopperei) *f* leeres Pathos; Prahlerei. 1900 *ff*.

Sprüchemacher *m* Mensch, der Redeschwulst von sich gibt. 1900 *ff*.

Sprucherl *n* Redegewandtheit. ↗Spruch 2. *Österr* 1940 *ff*.

sprucherln *intr* reden; schwatzen; zu beschwatzen suchen. *Österr* 1940 *ff*.

Sprudel *m* alkoholisches Getränk. Ironie. Eigentlich Bezeichnung für Mineral-, Sodawasser. *Halbw* 1955 *ff*.

Sprudelball *m* alkoholfreies Tanzvergnügen junger Leute. 1950 *ff*.

Sprudelfee *f* **1.** nette Bedienerin im Sprudelhaus eines Heilbads. 1920/30 *ff*.

2. Abortwärterin. 1950 *ff*.

sprudeln *intr* sich ereifern; zu schimpfen beginnen. Man braust auf wie kochendes Wasser. 1910 *ff*.

Sprudelorden *m* Kriegsabzeichen für Minensuch-, Unterseebootjagd- und -sicherungsverbände. Gestiftet am 31. August 1940. Über leicht gekräuseltem Wasser erhebt sich die silberne Fontäne einer explodierenden Mine oder Wasserbombe. *Sold* 1940 *ff*.

Sprudelware *f* Tanzstättengäste, deren Zeche nur aus einer Flasche Sprudel besteht. 1920 *ff*.

Sprudler *pl* Beine, Füße. Sprudeln = Speichel ausspritzen; weiterentwickelt zur Bedeutung „Schweißgeruch verströmen". *Österr* 1910 *ff*.

Sprung *m* **1.** kurze Weile. Von der kurzen räumlichen Entfernung übertragen auf die zeitliche (der Uhrzeiger springt). Seit dem 18. Jh.

2. Geschlechtsverkehr. Hergenommen von der Begattung beim Vieh. 1900 *ff*; wohl älter.

3. weibliches Geschlechtsorgan. Wird gern auf einen Kinderausspruch zurückgeführt: Beim Anblick des neugeborenen Schwesterchens sagt Karlchen „die tauschen wir um; die hat ja einen Sprung!". 1900 *ff*.

4. Gelegenheitsfreund(in). *Halbw* 1960 *ff*.

4 a. ~ ins gemachte Bett = vorteilhafte Einheirat. ↗ Bett 14. 1900 *ff*.

5. ~ nach oben = plötzliches Bekanntwerden eines Künstlers. 1960 *ff*.

6. ~ ins kalte Wasser = risikoreiches Vorhaben. 1960 *ff, journ*.

7. einen ~ im Kasten (in der Schüssel) haben = nicht recht bei Verstand sein. 1920 *ff*.

8. große Sprünge im Kopf haben = sich mit großen Plänen aufspielen. 1920 *ff*.

9. tolle Sprünge im Kopf haben = übermütig sein. 1920 *ff*.

10. jm auf die Sprünge helfen (jn auf die Sprünge bringen) = jm aus einer Verlegenheit aufhelfen; einen Begriffsstutzigen belehren. Bezieht sich eigentlich auf den Jagdhund, der dem Jäger auf die Spur (Sprünge = Trittsiegel) hilft. 1700 *ff*.

11. zu jm auf einen ~ kommen = jm einen kurzen Besuch abstatten. ↗ Sprung 1. Seit dem 18. Jh.

12. jm auf (hinter) die Sprünge kommen = jds Schliche und Ränke erkennen. Stammt aus der Jägersprache: der Jäger folgt den Spuren des Wilds. 1700 *ff*.

13. Sprünge machen = leichtfertig leben; sich ausleben. *Vgl* das Folgende. Seit dem 19. Jh.

14. keine großen Sprünge machen können = ein eingeschränktes Leben führen; keinen großen Aufwand entwickeln können. Das Weidevieh kann nicht weit springen, weil man ihm die Vorderbeine zusammengebunden und ein Stück Holz daran befestigt hat. 1600 *ff*.

15. keine großen Sprünge mehr machen = hinfällig sein. 1900 *ff*.

16. nicht viel Sprünge machen = ohne Umstände an eine Arbeit gehen. Übertragen von den Tanzsprüngen. 1900 *ff*.

17. einen ~ machen = einen kurzen Besuch abstatten; zum Kaufmann eilen. ↗ Sprung 1. 1800 *ff*.

18. auf dem ~ sein (stehen) = bereit sein; eine Sache gerade vorhaben; es eilig haben. Meint eigentlich „bereit zum Springen sein; gerade springen wollen". 1600 *ff*.

19. jm auf den Sprüngen sein = jds geheime Machenschaften oder Absichten aufdecken. ↗ Sprung 12. 1700 *ff*.

Sprungaufmännchen *n* gedrillter Soldat, der jedem noch so sinnlosen Befehl widerspruchslos und augenblicklich nachkommt. Geht zurück auf das Kommando: „Sprung auf, marsch, marsch!" in Anlehnung an das Kinderspielzeug „Stehaufmännchen". 1960 *ff*.

Sprungbein *n* Penis. Eigentlich das Bein, mit dem der Sportler beim Anlauf abspringt. Hier bezogen auf „↗ springen 1". 1870 *ff*.

Sprungbrett *n* **1.** leicht zugängliches Mädchen. Meint eigentlich das Hilfsgerät zum Springen; ↗ springen 1. 1960 *ff*.

2. ~ zu den Sternen = Mine. *BSD* 1965 *ff*.

Sprunggeld *n* Entgelt für den Geschlechtsverkehr. Meint in der Viehzucht die Deckgebühr. *Vgl* ↗ Sprung 2. 1920 *ff*.

Sprunghäschen *n* junger, unerfahrener Fallschirmspringer. *Sold* 1939 *ff*.

Sprunghügel *m* Liegestatt des Liebespaares. Aus dem Skisport übernommen in Anlehnung an „↗ Sprung 2". 1925 *ff*.

Sprungklasse *f* Tauglichkeitsgrad. Meint eigentlich die Zugehörigkeit zu einer Leistungsklasse im Hoch-, Weit-, Stabhochsprung u. a. *BSD* 1965 *ff*.

Sprungpille *f* Ei. Es fördert angeblich die geschlechtliche Potenz. ↗ Sprung 2. 1960 *ff, BSD*.

Sprungratte *f* (erfahrener) Fallschirmspringer. *Sold* 1939 *ff*.

Sprungriemen *m* Penis. ↗ Riemen 2; ↗ Sprung 2. 1910 *ff*.

Sprungschanze *f* Liegestatt des Liebespaares. ↗ Sprunghügel. Vom Skispringen übernommen. 1910 *ff, sold* und *ziv*.

Sprungtablette *f* Ei. ↗ Sprungpille. *BSD* 1960 *ff*.

Sprungteufel *m* Fallschirmspringer. „Teufel" meint anerkennend den mutigen Könner. *BSD* 1965 *ff*.

Sprungurlaub *m* Familienurlaub. Anspielung auf den Geschlechtsverkehr; ↗ Sprung 2. *BSD* 1968 *ff*.

Spucht I *m* **1.** Streich, Ulk. Leitet sich her von „Spuk = gespenstisches Treiben"; weiterentwickelt zu „Lärmen" und „Schabernack". *Oberd* und *fränkisch* seit dem 19. Jh.

2. hagerer Mensch. Er wirkt wie eine Spukgestalt. 1700 *ff*.

Spucht II *f* leere Redensart; Ausrede; Lüge. Versteht sich nach „Spucht I 1". Seit dem 19. Jh, *oberd* und *fränkisch*.

spuchtig *adj* großwüchsig und hager. ↗ Spucht I 2. 1700 *ff*.

Spucke *f* **1.** Speichel. Fußt auf dem Intensivum „spucken" zu „speien". 1700 *ff*.

2. pfui, ~!: Ausdruck des Widerwillens, der Verachtung. Seit dem 19. Jh.

3. wie ~ und Asche aussehen = bleich, fahl aussehen. 1950 *ff*, Ruhrgebiet.

4. die ~ erneuern = ein Glas Alkohol zu sich nehmen. 1900 *ff*.

5. ~ machen = Speichel bilden. Kinderspr. 1900 *ff*.

6. mir bleibt die ~ weg = ich bin sehr erstaunt, bin sprachlos. Hängt mit der Tatsache zusammen, daß im Augenblick starker innerer Erregung vorübergehend der Speichelfluß versiegt. 1900 *ff*.

7. das nimmt ihm die ~ weg = daraufhin verstummt er. 1950 *ff*.

8. die ~ wird lang = man langweilt sich. Anspielung auf den trockenen Mund und wohl auch auf den Mangel an alkoholischen Getränken. 1900 *ff*, *schül* und *stud*.

9. nicht die ~ wert sein = niederträchtig sein. 1840 *ff*.

'spucke'billig *adj* äußerst billig. 1900 *ff*, *ostmitteld*.

spucken *intr* **1.** schimpfen; wütend sein; sich heftig ärgern. Jede Hervorbringung des Menschen, vor allem die aus dem Mund, dient zur Bezeichnung groben Anherrschens. Hier vielleicht vom Fauchen der Katzen übertragen. 1840 *ff*.

2. sich über jn gehässig äußern. 1950 *ff*.

3. ein Geständnis ablegen. 1920 *ff*.

4. spuck' nicht, Alter!: Redewendung, mit der man Erwachsene zu reizen sucht. Hamburg 1967 *ff*, Rockerspr.

5. dann spuckt es = dann gibt es eine erregte Auseinandersetzung; dann gibt es Prügel, Rügen o. ä. 1900 *ff*.

6. sich erbrechen. Hehlwort. 1920 *ff*.

7. sich ekeln. *Vgl* ↗Spucke 2. 1920 *ff*.

8. schießen, feuern. Man speit Feuer. *Sold* in beiden Weltkriegen.

9. wohin man spuckt = überall. Gehört dem späten 19. Jh an und steht im Zusammenhang mit den Spucknäpfen, die man damals in öffentlichen Gebäuden reichlich aufstellte.

10. auf etw ~ = etw gründlich verachten, angewidert ablehnen. 1900 *ff*.

11. (Geld) ~ = Geld hergeben, ausgeben. Seit dem frühen 19. Jh.

12. ich spucke nicht ins Bier = ich trinke gern Bier. *Vgl* ↗spucken 10. 1920 *ff*.

13. der Motor spuckt = der Motor arbeitet unregelmäßig. Seit dem ausgehenden 19. Jh.

Spuckerl *n m* **1.** kleinwüchsiger Mensch. Gehört zu „spucken" im Sinne des schleimigen Auswurfs; hier übertragen auf Minderwertigkeit und Minderleistungsfähigkeit. *Österr* seit dem 19. Jh.

2. Kellnerlehrling. *Österr* seit dem 19. Jh.

3. kleiner, armseliger Apparat; kleines, wenig taugliches Fahrzeug; unbrauchbares Werkzeug. *Österr* 1900 *ff*.

Spuckerlbetrieb (-geschäft) *m (n)* Geschäftsbetrieb mit wenigen Angestellten; kleine Fremdenpension. *Österr* und *bayr*, 1900 *ff*.

Spuckerling *m* Speichel. Wien 1950 *ff*.

Spuckesieder *m* Tabakspfeife. Mildere Variante zu „↗Rotzkocher". *Jug* 1950 *ff*.

Spuckkuchen *m* Kuchen mit nichtentsteinten Kirschen. Jeden Kern muß man einzeln ausspukken. 1920 *ff*, *jug*.

Spucklocken *pl* **1.** an der Seite des Kopfes dicht anliegende Locken. Spöttisch vermutet man, sie seien mit Speichel angelegt. 1840 *ff*, Berlin.

2. Stirnlocke o. ä. Berlin 1955 *ff*.

Spucknapf *m* **1.** Kochgeschirr. *Sold* 1935 *ff*.

2. Suppentasse. Wegen einer gewissen Formähnlichkeit. 1920 *ff*.

3. Herrenhut mit gleichmäßig eingedrückter Kopffläche. Er ähnelt einem Spucknapf. 1900 *ff*.

4. Mensch, den man zur Zielscheibe von Spott, Hohn und Verleumdung macht. *Vgl* ↗spucken 1 und 2. 1900 *ff*.

5. würdelos ergebener Untergebener. 1930 *ff*.

Spuckorgel *f* Mundharmonika. Sie wird mehr oder minder mit Speichel befeuchtet. *Sold* in beiden Weltkriegen.

Spuckschuster *m* unbedeutender Mensch. Anspielung auf den geringen gesellschaftlichen Stand des Flickschusters. *Sächs* 1900 *ff*.

Spucksuppe *f* **1.** Suppe mit nichtentsteinten Kirschen. 1900 *ff*.

2. Suppe mit Buchweizengrütze. Die Spelze des Buchweizens waren so schlecht geschält, daß die Soldaten beider Weltkriege sie ständig ausspukken mußten.

Spucktorte *f* Torte mit nichtentkernten Kirschen. 1920 *ff*, *jug*.

Spuckwut *f* leichte Erregbarkeit; Nörgelsucht. ↗spucken 1. 1930 *ff*, *ziv* und *sold*.

spuckwütig *adj* nörgelsüchtig; launisch; gern schimpfend. *Ziv* und *sold* 1930 *ff*.

Spuk *m* ~ machen = energisch einschreiten; strenge Strafen verhängen. Spuk = gespenstisches Treiben; polterndes Auftreten. 1900 *ff*.

spuken *v* bei ihm spukt es (im Kopf) = er ist nicht recht bei Verstand. 1700 *ff*.

'spuk'häßlich *adj* abschreckend häßlich. So häßlich, wie man sich eine Spukgestalt vorstellt. Seit dem 19. Jh.

Spukschloß *n* Türschloß, das sich gespenstisch leicht (auch ohne den dazugehörigen Schlüssel) öffnen läßt. Polizeispr. 1975 *ff*.

Spülbecken *n* Trinkerkehle. Eigentlich das Becken, in dem Wäsche oder das Geschirr gespült wird. *Nordd* und Berlin, 1900 *ff*.

Spule *f* **1.** das rollt keine ~ = das ist unerheblich. Witzelnd verdreht aus „das spielt keine Rolle". 1920 *ff*.

2. setz' dich auf eine ~ und roll' ins Ausland!: Aufforderung zum Weggehen. *Schül* 1955 *ff*, Graz.

spulen *v* **1.** *intr* = nicht bei Verstand sein; wirr reden. Parallel zu „↗spinnen 1". 1920 *ff*.

2. *intr tr* = essen. ↗spinnen 7. *Rotw* seit dem späten 19. Jh.

spülen *v* bitte ~!: Zuruf zum Zutrinken. Hergenommen aus der Zahnarztpraxis. 1900 *ff*.

Spulendreher (-gerät, -kiste) *m (n, f)* Tonbandgerät. *Halbw* 1960 *ff*.

Spulkasten *m* **1.** Filmkamera. Sie war anfangs ein Kurbelkasten für die Filmspule. Die Bezeichnung gilt eigentlich dem Kasten zum Aufbewahren der Spulen zum Spinnen. Filmspr. 1920 *ff*.

2. Tonbandgerät. *Jug* 1960 *ff.*

Spulmaschine *f* Tonbandgerät. *Jug* 1960 *ff.*

Spülmittel *n* Ehemann, der Geschirr spült. Wortwitzelei. 1960 *ff.*

Spülstein *m* hochherrschaftlicher ~ = im Essen nicht wählerischer Mensch. Er äße auch, was bei hohen Herrschaften in den Spülstein wandert. 1900 *ff, westd.*

Spülung *f* zieh' die ~! = begehre nicht auf (weil es zwecklos ist)! verwinde die Bemerkung wortlos! Hergenommen von der Spülung des Wasseraborts. *Sold* und *ziv* 1910 bis heute.

Spülwasser *n* Wassersuppe; gehaltloses Getränk. Das Abwaschwasser ist eine trübe Flüssigkeit, die man niemandem zum Trinken anböte. Johann Fischart („Gargantua", 1590) sprach von „spulwasserigen Hofsuppen". In der heutigen Form seit dem 19. Jh gebräuchlich.

Spulwürmer *pl* Makkaroni, Spaghetti. Wegen der Formähnlichkeit. Im Zweiten Weltkrieg beim Deutschen Afrikakorps und an der Italienfront aufgekommen.

Spülwurm *m* Geschirrspüler. Wortspiel mit „Spulwurm" und „Wurm" (= unbedeutender Mensch). 1955 *ff.*

Spulwurmkasten *m* Tonbandgerät. *Jug* 1960 *ff.*

Spund *m* **1.** Penis. Eigentlich der Zapfen, mit dem man ein Faß verschließt. Seit dem späten 19. Jh.
2. Vagina, Vulva. Ursprünglich soviel wie „Faßöffnung" und „Kerbe, Schlitz". 1900 *ff.*
3. After. 1900 *ff.*
4. Kleinwüchsiger. Meint im engeren Sinne den Knabenpenis. 1900 *ff.*
5. junger ~ = a) Rekrut; junger Soldat; Soldat ohne ausreichende militärische Erfahrung. Gewertet als Besitzer eines Penis. *Sold* seit dem frühen 20. Jh. – b) Halbwüchsiger; unreifer junger Mann; Schulanfänger u. ä. 1900 *ff.*
6. mieser ~ = unkameradschaftlicher Schüler. ↗ mies. Berlin 1950 *ff.*
7. reicher ~ = wohlhabender junger Mann. 1950 *ff.*
8. ihm hat's den ~ rausgehauen = er läßt Darmwinde entweichen. Der Schließmuskel des Afters versagt. ↗ Spund 3. 1920 *ff.*

Spundapparat *m* Prostituierte. ↗ Spund 1 u. 2. 1920 *ff.*

Spundbohrer *m* **1.** Penis. ↗ Spund 2. 1920 *ff.*
2. Geschlechtsverkehr. 1920 *ff.*

Spundkontrolle *f* ärztliche Untersuchung der Prostituierten. ↗ Spund 2. 1920 *ff.*

Spundloch *n* **1.** Schimpfwort. Über „Spund = After" Parallele zu „↗ Arschloch". 1900 *ff.*
2. Trinker. 1900 *ff.*
3. voll bis ans ~ sein = bezecht sein. 1900 *ff.*

Spundlochriecher *m* Zollbeamter. 1900 *ff.*

Spundschau (-beschau) *f* polizeiärztliche Untersuchung der Prostituierten. ↗ Spund 2. *Österr* 1950 *ff*; wohl älter.

Spundschuster *m* Frauenarzt. ↗ Spund 2. *Österr* 1920 *ff.*

Spundus *m* Angst; Respekt. Die seit dem späten 19. Jh in Österreich verbreitete Vokabel beruht vielleicht auf *ital* „spunto = bleich, fahl", oder hängt in latinisierter Form zusammen mit „↗ Spund 3" (Versagen des Schließmuskels).

Spur *f* **1.** heiße ~ = Spur, die zur Ergreifung des Täters führt. 1950 *ff*, polizeispr.; Kriminalroman- oder -filmvokabel.
2. kalte ~ = fruchtlos verfolgter Hinweis auf einen Täter. 1950 *ff.*
3. keine ~ = durchaus nichts; überhaupt nicht; nicht im geringsten. Übertragen vom fruchtlosen Versuch, die Fährte eines Wilds ausfindig zu machen. Seit dem 19. Jh.
4. lauwarme ~ = wenig ergiebiger Hinweis auf einen Täter. 1960 *ff.*
5. tote ~ = fruchtloser Täterhinweis. 1960 *ff.*
6. nicht die ~ einer ~ finden = überhaupt nichts finden. 1960 *ff.*
7. aus der ~ geraten = das Gleichgewicht verlieren. Spur = Karren-, Räderspur. 1900 *ff.*
8. keine ~ von einer Ahnung haben = nicht das mindeste ahnen. Seit dem 19. Jh, *jug.*
9. nicht die ~ von einer Idee haben = nichts besitzen; nichts ahnen; nichts wissen; nichts begreifen. Seit dem 19. Jh.
10. neben der ~ laufen (sein) = nicht recht bei Verstand sein. ↗ Spur 7. 1900 *ff.*
11. aus der ~ springen = den Gedankenzusammenhang verlieren. Spur = Räderspur = Gedankenfaden. 1930 *ff.*

spuren *v* **1.** *intr* = gefügig sein; sich einordnen; einer Weisung nachkommen; mitarbeiten; richtig auffassen. Hergenommen von Rädern, die spuren, wenn sie genau in der Spur des Vorderrads oder in der des vorangefahrenen Fahrzeugs laufen. Bei den Soldaten gegen 1920 aufgekommen.
2. *impers* = den erwarteten Verlauf nehmen; glücken. 1920 *ff.*
3. *intr* = gehen. Man geht der Spur nach. *Rotw* 1850 *ff.*

Spurer *m* folgsamer, unterwürfiger Mann. ↗ spuren 1. 1940 *ff.*

Spürer *m* **1.** Kundschafter. *Österr* 1920 *ff.*
2. Kriminalbeamter. *Österr* 1920 *ff.*

Spürhund *m* **1.** Zollbeamter. 1920 *ff.*
2. Kriminalpolizeibeamter. 1920 *ff.*
2 a. Spitzel, Spion. Seit dem 19. Jh.
3. *pl* = Bundesgrenzschutz. *BSD* 1965 *ff.*
4. *pl* = Feldjäger. Sie spüren Versprengte und Deserteure auf. *BSD* 1965 *ff.*
5. *pl* = ABC-Abwehrtruppe. Sie wittern Kampfstoffe. *BSD* 1965 *ff.*
6. weißer ~ = a) Polizeibeamter, der die Fußabdrücke im Schnee verfolgt. 1920 *ff.* – b) Schnee (in dem sich Fährten gut abzeichnen und leicht verfolgen lassen). 1920 *ff.*

'**Spurius** *m* 1. Ahnung, Vorgefühl, Gespür. Latinisierung zu „spüren". *Österr* seit dem 19. Jh.

2. auf den ~ kommen = eine Sache ergründen, durchschauen. 1910 *ff*.

Spürnase *f* 1. Detektiv, Kriminalpolizeibeamter; Staatsanwalt. 1900 *ff*.

2. Erfinder, Entdecker. 1900 *ff*.

Spurtnicht *m* (beim Start) versagender US-Erdsatellit. Dem „Sputnik" scherzhaft nachgebildet. 1957 *ff*.

Spuse *f* Freundin. Aus „↗Gespusi" verkürzt. *Bayr* 1955 *ff*, *halbw*.

sputen *refl* sich beeilen. Fußt auf *ahd* „spuot = Fortgang, Gedeihen". 1600 *ff*.

Sputnik *m* 1. Gefährte, Kamerad, Mitschüler. Russisch „sputnik = Weggenosse, Reisegefährte". Aufgekommen 1957 mit den ersten russischen Erdsatelliten.

2. einflußloser Persönlicher Referent eines Ministers. Bonn 1957, *journ*.

3. junger Mann, der stets in Begleitung derselben weiblichen Person gesehen wird. Berlin 1957 *ff*.

4. Schüler, der dem Lehrer immer zustimmt; bei den Lehrern beliebter Schüler. 1958 *ff*.

5. Kind einer Ledigen. 1960 *ff*.

6. schnellfahrender Zug. Neben dem Begriff „Begleiter" verbindet sich mit „Sputnik" die Vorstellung der Schnelligkeit. 1958 *ff*.

7. rascher Läufer. *Sportl* 1958 *ff* (DDR).

8. flinker Fußballspieler. *Sportl* 1960 *ff*.

9. aufgeregter Chef auf dem Weg durch den Betrieb. 1958 *ff*.

10. schlechteste Leistungsnote. In der Zensurenkonferenz bewirkt sie ein Scheitern mit Sputnik-Geschwindigkeit. 1957/58 *ff*, *schül*.

11. hochprozentiges alkoholisches Getränk. Seine Wirkung macht sich rasch bemerkbar, und es be-

ginnt im Kopf des Trinkenden zu kreisen. 1958 *ff*.

12. Schnellimbißstube. 1958 *ff*.

13. Kleinauto. *Iron* Anspielung auf die Fahrgeschwindigkeit. 1958 *ff*.

14. dummer Mensch. Die „Sputniks" senden hohe Signaltöne aus. Daher Anspielung auf die Vorstellung „bei ihm ↗piept es". Auch ein Zusammenhang mit der Redewendung „er ist hinter dem ↗Mond" erscheint möglich. 1957 *ff*.

15. Frikadelle. Anspielung auf die Rundform sowie auf „Sputnik II", der die Hündin Laika an Bord hatte: man vermutet in der Frikadelle Hundefleischbeimengung. 1957 *ff*.

16. *pl* = Flugabwehrraketenverband. Erdsatelliten wurden anfangs stets mittels Raketen in ihre Umlaufbahn geschossen. Der Abwehrraketenverband bekämpft feindliche Objekte mittels Raketen. *BSD* 1967 *ff*.

sputniken *intr* ein Mädchen umwerben; intime Beziehungen mit einem Mädchen unterhalten. ↗Sputnik 3. 1958 *ff*, Berlin, *halbw*.

spütz *adj* spitz; mit Worten verletzend. Gilt manchen Leuten als vornehmere Aussprache von „spitz". 1920 *ff*.

square (*engl* ausgesprochen) *adj* in gesellschaftlicher Hinsicht altmodisch. *Vgl* das Folgende. *Halbw* 1960 *ff*.

Squares (*engl* ausgesprochen) *pl* die Erwachsenengeneration. Das Wort meint im *engl* Slang soviel wie „Quadratschädel; Klotzkopf; Spießer". *Halbw* 1960 *ff*.

staaken (staaken) ↗staken.

staakig ↗stakig.

Staakigkeit ↗Stakigkeit.

staaksen ↗staksen.

staaksig ↗staksig.

Staaksigkeit ↗Staksigkeit.

Staat *m* 1. Putz, Pracht; Stattlichkeit; beste Kleidung. „Staat" bezeichnete anfangs den gesellschaftlichen Stand, dann auch den Vermögensstand. Daraus entwickelte sich der Begriff „kostspieliger Lebensunterhalt" und „äußerliche Ansehnlichkeit". 1700 *ff*.

2. alles an den ~ hängen = sein Geld für Kleider ausgeben; auf elegantes Äußeres bedacht sein. Seit dem 19. Jh.

3. ~ machen = sich festlich kleiden. Seit dem 18. Jh.

4. mit etw ~ machen = mit etw prunken. Seit dem 18. Jh.

5. mit etw (jm) keinen ~ machen können = mit etw kein Aufsehen erregen können; mit jm keine Ehre einlegen. 1700 *ff*. *Vgl franz* „faire état de quelqu'un qn" und *ital* „fare gran stato".

6. es ist ein ~ (daß es ein ~ ist) = es ist überaus prunkvoll, herrlich anzusehen; es macht einen großartigen Eindruck. Seit dem 19. Jh.

7. das ist ein wahrer ~ = das ist überaus prächtig, wohlgelungen. Seit dem 19. Jh.

---

*Jene Person, die da recht vermummt und sich wie ein Chamäleon seiner Umgebung anpassend eine Hand durch eine Öffnung streckt, mag vielleicht eine heiße Spur gefunden haben (**Spur 1.**), möchte selbst aber sicherlich keine Spur hinterlassen (**Spur 2.**). Für die Umgangssprache sind solche Menschen auf den Hund gekommen, sie macht sie zum **Spürhund**, womit wohl ausgedrückt werden soll, daß sie sich gleich ihren vierbeinigen Namensgebern auf ein bestimmtes Wild abgerichtet worden sind und wohl auch deshalb spuren (**spuren 1., 3.**). Das Mittel, dessen sich die **Spürnase** auf dem Foto oben bedient, um seine Physiognomie vor einem unerwünschten Betrachter verbergen zu können, scheint indes recht antiquiert. Allerdings diente ein solcher Fächer in früheren Zeiten nicht nur dem Zufächeln frischer Luft, und so manche Dame, die seelisch aus der Spur geriet (**Spur 7.**) hielt sich dann schnell dieses Instrument vor das Gesicht, so daß keiner die Spur einer Spur zu finden vermochte (**Spur 6.**).*

8. im ~ sein = gut, elegant, vorschriftsmäßig gekleidet sein. ⁊Staat 1. Seit dem 19. Jh.

9. das ist nur zum ~ = das dient nur zu prunkvoller Ausschmückung; das soll nur großartig wirken. Seit dem 19. Jh.

10. sich in ~ werfen (schmeißen) = sich festlich kleiden. Seit dem 18. Jh.

staats (staatsch) *adj adv* **1.** geputzt, prächtig; stattlich. Wohl aus dem Bestimmungswort „Staats-" in substantivischen Zusammensetzungen verselbständigt; vielleicht von „statiös" beeinflußt. 1700 *ff.*

2. sich ~ machen = sich elegant kleiden. Seit dem 19. Jh.

Staatsaffäre *f* aus etw eine ~ machen = eine Sache wichtiger darstellen als der Wirklichkeit entsprechend; etw aufbauschen. Moderne Variante des Folgenden. 1920 *ff.*

Staatsaktion *f* aus etw eine ~ machen = eine belanglose Sache aufbauschen. Ursprünglich Bezeichnung für ein Schauspiel, in dem Staatsbegebenheiten dargestellt wurden; dann wegen „⁊Staat 1" die prächtig herausgeputzte Handlung (Ausstattung) mit dem Nebensinn des Umständlichen, Unnötigen und Übertriebenen. 1900 *ff.*

Staatsanwalt *m* **1.** fragen wie ein ~ = unerbittlich fragen; keine Ausreden oder Umschweife zulassen. 1920 *ff.*

2. da hat der ~ noch den Finger drauf = dieses Mädchen ist noch keine 16 Jahre alt. Anspielung auf § 182 StGB. Seit dem ausgehenden 19. Jh.

3. da hat der ~ noch sein Siegel drauf = das Mädchen ist noch keine 16 Jahre alt. 1890 *ff.*

Staatsanzug *m* **1.** Sträflingskleidung. Sie wird vom Staat zur Verfügung gestellt. 1900 *ff.*

2. von der Militärverwaltung gelieferte Uniform. *Sold* 1905 *ff.*

'Staats'anzug *m* Festtagsanzug. ⁊Staat 1. Seit dem 19. Jh.

'Staats'baum *m* prächtiger Baum; eindrucksvoller Weihnachtsbaum. 1900 *ff.*

Staatsbegräbnis *n* ~ Erster Klasse = a) ehrenvoll abgelehnter Parlamentsantrag. 1920 *ff.* – b) feierliche Verabschiedung eines wegen Erreichens der Altersgrenze ausscheidenden Mitarbeiters (Beamten o. ä.). 1920 *ff.*

'Staats'bengel *m* stattlicher junger Mann. ⁊Staat 1. 1900 *ff.*

'Staats'bier *n* sehr gutes Bier. 1910 *ff.*

Staatsbürger *m* ~ in Uniform = Angehöriger der Bundeswehr. ⁊Bürger. Gegen 1955 geprägt von Graf von Baudissin.

'Staats'dame *f* gefallsüchtige Frau. ⁊Staat 1. 1900 *ff.*

Staatsdienst *m* im ~ sein = eine Freiheitsstrafe verbüßen. Euphemismus. 1900 *ff.*

'Staats'essen *n* vorzügliches Essen. 1800 *ff.*

Staatsfaulenzer *m* Behördenbediensteter. 1920 *ff.*

Staatsfrack *m* Sträflingskleidung. ⁊Staatsanzug 1. 1900 *ff.*

Staatsfrau *f* Ministerin, Staatssekretärin. Gegenwort zum „Staatsmann". Spätestens seit 1980.

'Staats'frau *f* stattliche Frau. 1900 *ff.*

staatsfromm *adj* staatsbejahend; (kritiklos) regierungsfreundlich. 1920 *ff.*

Staatshämorrhoidarier *m* Staatsdiener; Beamter. Im Anschluß an den 1844 von Franz Graf Pocci in den „Fliegenden Blättern" entwickelten „Staatshämorrhoidarius" im späten 19. Jh aufgekommen.

Staatshämorrhoidenbesitzer *m* Beamter. Sitzende Beschäftigung begünstigt die Hämorrhoidenbildung. 1870 *ff.*

Staatsherberge *f* Hotel für Staatsbesucher. 1970 *ff.*

Staatshotel *n* Gefängnis. Euphemismus. 1900 *ff.*

'Staats'hund *m* Luxushund. 1900 *ff.*

'Staats'hut *m* Hut für festliche Gelegenheiten. 1870 *ff.*

Staatskarosse *f* Luxusauto für den Dienstgebrauch der Regierung. 1955 *ff* (wohl erheblich älter).

'Staats'kerl *m* stattlicher, gesunder, anstelliger Mann. Seit dem 19. Jh.

'Staats'kleid *n* kostbares Kleid; Festkleid. Seit dem 18. Jh.

Staatskosten *pl* **1.** auf ~ = auf Kosten der Vereinskasse. Betont den Gegensatz zu „auf eigene Kosten". 1900 *ff,* wandervogelspr.

2. auf ~ leben = eine Freiheitsstrafe verbüßen. 1900 *ff.*

Staatskrüppel *m* **1.** junger Mann, der bei der Musterung für „dauernd untauglich" erklärt wird. Er gilt als gebrechlicher Mensch mit staatlicher Anerkennung. *Sold* 1900 *ff.*

2. Wehrdienstbeschädigter. *Sold* 1939 *ff.*

3. Pensionierter. 1945 *ff.*

4. anerkannter Wehrdienstverweigerer. 1960 *ff.*

Staatslogis (Grundwort *franz* ausgesprochen**)** *n* Gefängnis. 1880 *ff.*

'Staats'mädchen (-mädel) *n* schönes, stattliches, anstelliges Mädchen von gutem Charakter. 1800 *ff.*

Staatsmagen *m* Finanzbehörde. Sie „schluckt alles", ohne Verdauungsbeschwerden wegen Überfütterung. 1920 *ff.*

'Staats'mantel *m* sehr eleganter Mantel. 18. Jh.

Staatsmäuse *pl* weiße ~ = Eskortenfahrer in Bonn bei Staatsbesuchen. ⁊Maus 11 b. 1955 *ff.*

'Staats'mütze *f* Festtagsmütze. Seit dem 19. Jh.

Staatsnerv *m* Steuereinnahme. *Vgl* ⁊nervus rerum. 1920 *ff.*

Staatsobulus *m* Rente. 1960 *ff.*

Staatspapa *m* Reichs-, Bundespräsident. Von der Präsidentschaft Hindenburgs (1925–1934) übergegangen auf alle Präsidenten der Bundesrepublik Deutschland.

Das Urtheil ist verfaßt, und ich darf doch kein Wort
ich seh den Stab zerbrechen, zu meinen Vortheil sprechen.

Der oben abgebildete Stich aus dem 18. Jahrhundert zeigt, wie über Joseph Süß Oppenheimer der Stab gebrochen wird (**Stab 2.**). Oppenheimer, der „Jud Süß" des gleichnamigen Romans von Lion Feuchtwanger (1884–1958), trieb als Finanzbeamter des Prinzen Karl Alexander von Württemberg die Industrialisierung des Landes voran und handelte sich damit die Gegnerschaft der um ihre althergebrachten Privilegien fürchtenden Landstände ein. Als diese Auseinandersetzung sich zuspitzte, wurde er der Staatsraison geopfert und nach einem sich lange hinziehenden Prozeß das Todesurteil über ihn ausgesprochen. Äußeres Zeichen der Macht, die ihn an den Galgen brachte, ist der Stab, das Zepter des Herrschers und der Gerichtsstab des Richters. Solange der Vorsitzende ihn in seinen Händen hielt, wurde auch weiter verhandelt; legte er ihn aber auf den Richtertisch, so galt die Sitzung als geschlossen. Einen zum Tode Verurteilten wurde vor der Vollstreckung der Stab über dem Haupt zerbrochen und ihm vor die Füße geworfen, wozu der Richter sagte: „Nun helf dir Gott, ich kann dir nicht ferner helfen." (Nach Lutz Röhrich)

Staatspension (-pensionat) f (n) **1.** Gefängnis, Arrest. Scherzhaft aufgefaßt als staatlich eingerichtetes Fremdenheim mit kostenloser Verpflegung oder als vom Staat bezahlter Erholungsurlaub. Seit dem 19. Jh.
2. ~ auf Lebenszeit = lebenslängliche Zuchthausstrafe. 1900 ff.

Staatspensionär m Zuchthäusler o. ä. 1920 ff.

Staatspesos pl Geldstücke. Übernommen von der Münzbezeichnung in mittel- und südamerikanischen Staaten. 1945 ff.

'Staats'puppe f putzsüchtiges Mädchen; nach der neuesten Mode gekleidetes Mädchen. ↗ Puppe. Seit dem 19. Jh.

'Staats'robe f Festtagskleid. 1900 ff.

'Staats'strauß m prächtiger Blumenstrauß. Seit dem 19. Jh.

'Staats'stube f (nur) bei besonderen Gelegenheiten benutztes, kostbar eingerichtetes Zimmer. Spätestens seit 1900.

'Staats'stück n Feiertagskleid; prächtiger Gegenstand. Seit dem 19. Jh.

Staatsverdrossenheit f Bürgerunzufriedenheit mit der staatlichen Verwaltung o. ä. 1965 ff.

Staatsvogel m Siegelmarke des Gerichtsvollziehers. Anspielung auf das Adleremblem. 1900 ff.

Staatswald m einen ganzen ~ zersägen = laut schnarchen. ↗ sägen 1. 1920 ff.

'Staats'weib n stattliche, tüchtige, gutgekleidete, charakterlich einwandfreie Frau. Seit dem 19. Jh.

'Staats'wein m besonders guter Wein. 1800 ff.

'Staats'zimmer n bestes Zimmer der Wohnung. Seit dem 19. Jh.

Stab m **1.** einer vom ~ = hohe Karte, die nicht überspielt werden kann. Wer dem Stab angehört, hat von vielen Vorgängen eher Kenntnis als die nachgeordneten Formationen; daher kommt er sich wichtig und unangreiflich vor. Kartenspielerspr. 1900 ff.
2. über jn den ~ brechen = über jn ein vernich-

tendes Urteil fällen. Fußt auf der Rechtspraxis des 16. Jhs: der Richter brach über dem Kopf des zum Tode Verurteilten den Stab zum Zeichen, daß sein Leben verwirkt sei (abgebrochen werde), und warf ihm die Stücke vor die Füße. 1700 *ff.*

Stäbchen *n* **1.** kleiner Penis; Knabenpenis. 1900 *ff.*

2. Zigarette. Formähnlich mit einem kleinen Stab. Analog zu „↗Span", „↗Spreizen" u. a. 1900 *ff,* vorwiegend *sold* und *halbw.*

3. lungenfreudiges ~ = Filterzigarette. 1955 *ff.*

Stäbchenpause *f* Pause zum Zigarettenrauchen. *Sold* 1920 *ff.*

staben *intr* wandern. Man geht am Wanderstab. 1900 *ff.*

Staber *m* **1.** Stabsarzt. Hieraus verkürzt, wohl auch mit Anspielung auf den Äskulapstab auf den Schulterstücken. *Sold* 1914 bis heute.

2. Stabsfeldwebel, -unteroffizier. *Sold* seit 1939.

Stabi I *m* Stabsfeldwebel, -gefreiter. Kosewörtliche Bezeichnung. *Sold* 1939 *ff.*

Stabi II *f* Staatsbibliothek. Hieraus verkürzt. 1910 *ff.*

Stabo *m* **1.** Stabsarzt. *BSD* 1965 *ff.*

2. Stabsbootsmann. *BSD* 1965 *ff.*

Stabsbulle *m* Angehöriger einer höheren Befehlsstelle. ↗Bulle. *Sold* 1939 *ff.*

Stabsfeld *m* Stabsfeldwebel. Hieraus verkürzt. *Sold* 1939 bis heute.

Stabsheini *m* Stabsoffizier. ↗Heini. *Sold* 1939 bis heute.

Stabshengst *m* Stabsoffizier. ↗Hengst 1. *Sold* seit dem späten 19. Jh.

Stabsoffizier *m* Schulden haben wie ein ~ = tiefverschuldet sein. ↗Major 2. 1830/40 *ff.*

Stabwechsel *m* Amtsübergabe an den Nachfolger. Vom Stafettenlauf übernommen. 1970 *ff.*

Stachel *m* **1.** Penis. Aufzufassen als Stechwerkzeug; stechen = koitieren. 1935 *ff.*

2. ~ mit Hilfsmotor = Ungeziefer. Der „Hilfsmotor" befähigt zur Fortbewegung. *Sold* und *ziv* seit 1940 *ff.*

Stachelbeere *f* **1.** *pl* = streng anzügliche Bemerkungen. Beruht auf „sticheln" und „aufstacheln". 1935 *ff.*

2. rasierte ~ = Weintraube. *BSD* 1968 *ff.*

Stachelbeerbeine *pl* stark behaarte (Männer-) Beine. Aufgekommen im Zusammenhang mit der Reform der Badekleidung, auch mit der Kurzhosentracht des Wandervogels. 1900 *ff.*

Stachelbeerwaden *pl* stark behaarte Waden. 1900 *ff.*

Stacheldraht *m* **1.** hochprozentiger Schnaps. Er „sticht" in der Gurgel, als habe man Stacheldraht verschluckt. 1910 *ff.*

2. Regelbinde. Zu verstehen als Vorfeldhindernis für den „↗Stachel 1". *Sold* in beiden Weltkriegen.

3. Dörr-, Gefriergemüse o. ä. ↗Drahtverhau 1. *Sold* in beiden Weltkriegen.

4. ~ auf den Zähnen haben = unverträglich sein; strenge Strafen verhängen. Verstärkung von „↗Haare auf den Zähnen haben". 1900 *ff, schül.*

5. den möchte ich mal nackt durch den ~ ziehen!: Redewendung auf einen unsympathischen Menschen. 1920 *ff.*

Stacheldrahtkoller *m* Gefangenschaftspsychose. ↗Koller. *Sold* 1914 bis 1955.

Stacheldrahtverhau *m* Dörr-, Trockengemüse. ↗Drahtverhau 1. *Sold* in beiden Weltkriegen.

Stachelhaarschnitt *m* gleichmäßig kurzgeschnittene Männerfrisur. ↗Igelfrisur. 1900 *ff.*

Stachelsau *f* unrasierter Mann. 1900 *ff.*

Stachelschwein *n* **1.** schlechtrasierter Mann. 1900 *ff.*

2. widerborstiger Mensch. 1900 *ff.*

3. ein ~ am Arsch lecken = eine aussichtslose Sache beginnen; eine empfindliche Abfuhr erleiden. 1900 *ff, sold.*

stackern *intr* steif, ungelenk gehen. ↗staken. Seit dem 18. Jh. *Vgl engl* „to stagger".

stad *adj* still, ruhig, friedlich, langsam. Geht zurück auf *mhd* „staete = bleibend, beständig" (= *hd* „stet"). *Bayr* und *österr,* 1800 *ff.*

stadeln *intr* koitieren. Stadel = Scheune *(südd).* *Vgl* ↗Heu 7. 1900 *ff.*

Stadtanzeiger *m* Schwätzer(in). Über alles weiß man zu reden wie die Zeitung. 1900 *ff.*

Stadtblättchen *n* geschwätziger Mensch. Blatt = Zeitung. 1900 *ff.*

Stadtbummel *m* zielloser Spaziergang durch die Stadt; ziellose Autofahrt in der Stadt. ↗Bummel 1. 1870 *ff.*

stadtbummeln *intr* ziellos durch die Stadt schlendern (und die Schaufensterauslagen ansehen). Werbetexterspr. 1970 *ff.*

Städte-Ehe *f* Zusammenschluß zweier Städte. Aufgekommen gegen 1960 mit der Verwaltungsreform.

Städte-Hochzeit *f* Zusammenschluß zweier Städte. 1960 *ff.*

stadtfein *adj* **1.** gut gekleidet. Man kleidet sich nach Städterart. ↗landfein. 1920 *ff.*

2. sich ~ machen = sich zum Ausgehen anziehen. 1920 *ff.*

Stadtfex *m* Städter *(abf).* ↗Fex. Seit dem 19. Jh, *bayr.*

Stadtflittchen *n* leichtes Mädchen aus der Stadt. ↗Flittchen. 1900 *ff.*

Stadtfloh *m* Kleinauto im Stadtverkehr. ↗Floh 3. 1925 *ff.*

Stadtfose *f* Prostituierte in der Stadt. ↗Fose 2. 1920 *ff.*

Stadtfrack *m* Städter *(abf).* „Frack" spielt auf die bürgerliche Alltagskleidung des Städters in früherer Zeit an, im Gegensatz zum „Kittel" des Bauern. Etwa seit 1870, vorwiegend *bayr* und *österr.*

Stadt-Husaren *pl* städtische Arbeiter. ↗Husar. 1950 *ff, bayr.*

Stadtklatsch *m* in der Stadt umlaufendes Gerede. ↗Klatsch. 1600 *ff*.

Stadtklatsche *m* (verleumderisch) geschwätziger Mensch in einer Stadt; Verbreiter(in) von Gerüchten. ↗Klatsche. 1600 *ff*.

Stadtmensch *m* Städter *(abf)*. Seit dem 19. Jh.

Stadtmief *m* **1.** unsaubere Großstadtluft. ↗Mief. 1970 *ff*.
2. kleingeistiges Städtertum. 1920 *ff*.

Stadtpark *m* ~, erste Sorte = minderwertiger Tabak. Das „Kraut" ist im Stadtpark geerntet worden. 1930 *ff* (1914 *ff*?).

Stadtpflanze (-pflänzchen) *f (n)* Mädchen aus der Stadt; Städter. ↗Pflanze. Seit dem 19. Jh.

Stadtpinkel *m* feiner ~ = Städter *(abf)*. ↗Pinkel 5 a. 1900 *ff*.

Stadtrandsiedlung *f* große Glatze mit schmalem Haarkranz. 1950 *ff*.

Stadtstreicher *m* Obdachloser in Städten. Dem „Landstreicher" nachgebildet. Während „↗Stadtstreicherin" wesentlich früher bezeugt ist, war für das männliche Gegenstück kein Beleg vor 1960 zu finden.

Stadtstreicherei *f* städtisches Obdachlosentum. 1960 *ff*.

Stadtstreicherin *f* in Städten vagabundierende weibliche Person; prostituierende Obdachlose; Straßenprostituierte. 1840 *ff*.

Stadtstrich *m* Großstadtprostitution. ↗Strich. 1920 *ff*.

Stadttrompete *f* Mensch, der das in der Stadt umlaufende Gerede verbreitet. ↗Trompete. 1900 *ff*.

Stadttrottel *m* Städter *(abf)*. ↗Trottel. 1900 *ff*.

Stadtvertrocknete *pl* Stadtverordnete *(abf)*. Wortwitzelei mit Anspielung auf Schwunglosigkeit und Gegenwartsfremdheit. 1920 *ff*, *sächs*.

Stadtzicke *f* Städterin *(abf)*. ↗Zicke 1. 1920 *ff*.

Stafette *f* die ~ übergeben = dem Nachfolger das Amt übergeben. ↗Stabwechsel. 1970 *ff*.

Stafettenwechsel *m* Amtsübergabe. 1970 *ff*.

Staffeln *pl* ~ schneiden = das Haar verschneiden. Staffel = Treppe am Hauseingang; Leitersprosse. Analog zu „↗Treppen schneiden". Seit dem 19. Jh, *südd*.

stageln *intr* **1.** den Unterricht (Kirchgang o. ä.) absichtlich versäumen. Gehört zu „Steg" und „steigen" und meint das Wandern über Weg und Steg. Wien 1940 *ff*, *schül*.
2. langsam gehen; schlendern. Wien 1920 *ff*.
3. koitieren. *Vgl* ↗steigen. Wien 1920 *ff*.

Stagflation *f* mit Geldentwertung verbundener Stillstand der wirtschaftlichen Aufwärtsentwicklung. Zusammengesetzt aus „Stagnation" und „Inflation". Gegen 1970 aus dem *angloamerikan Sprachgebrauch übernommen*.

Stagler *m* **1.** Hinauswurf, Entlassung. ↗stageln 1. Hier faktitiv gemeint. Wien 1920 *ff*.
2. Beischlaf. ↗stageln 3. Wien 1920 *ff*.

Stahl *m* **1.** ~ und Eisen = Steinhäger, gemischt mit Kräuterschnaps. Geläufig an Rhein und Ruhr, etwa seit 1950.
2. hart wie ~ = seinen Grundsätzen treu. 1930 *ff*.
3. aus ~ sein = unerschrocken sein. Man hat „Nerven aus Stahl". 1920 *ff*.

Stahlbaron *m* Stahlgroßindustrieller. Geht zurück auf die Erhebung von Großindustriellen in den Freiherrenstand unter Kaiser Wilhelm II. 1900 *ff*.

'stahl'blau *adj* schwer bezecht. Verstärkung von „↗blau 5". 1920 *ff*.

Stahlboß *m* Stahlindustrieller. ↗Boß 1. 1950 *ff*.

Stahler *m* Kinderspielkügelchen aus schimmerndem Metall. Berlin 1950 *ff*.

Stahlesel *m* Fahrrad (mit Hilfsmotor). Umgeformt aus ↗Drahtesel. 1925 *ff*.

Stahlgebiß *n* Zahnspange. 1970 *ff*, *jug*.

stahlhart *adv* ~ durchgreifen = unnachsichtig vorgehen; keine Milde walten lassen. 1930 *ff*.

Stahlhelm *m* **1.** ich glaube, mein ~ hat einen Knutschfleck!: Ausdruck der Verwunderung. Zur Erklärung *vgl* ↗Hamster. *BSD* 1965 *ff*.
2. ihm geht der ~ hoch = er braust auf. Analog zu „ihm geht der ↗Hut hoch". *Sold* 1935 *ff*.
3. zu lange ~ getragen haben = glatzköpfig sein. Im Ersten Weltkrieg aufgekommen. Älter ist die gleichbed Redewendung „zu lange Helm getragen haben".

Stahlhelmständer *m* **1.** Kopf des Soldaten. *Sold* 1935 *ff*.
2. (Front-)Soldat. *Sold* 1935 *ff*.

Stahlhelm-Widerlager *n* Kopf. *BSD* 1968 *ff*.

Stahlhut *m* Stahlhelm. *Sold* 1917 bis heute.

Stahlkammer *f* Panzerkampfwagen. Eigentlich der stählerne Banktresor. *Sold* 1916 *ff*.

Stahlkasten *m* Panzerkampfwagen. *Sold* 1939 *ff*.

Stahlkoch *m* Stahlindustrieller. 1960 *ff*. (1920?)

Stahlkocher *m* Schwerindustrieller an der Ruhr; Stahlwerksarbeiter. 1950 *ff* (1920?).

Stahlkutscher *m* Panzerfahrer. *Sold* seit 1939.

Stahlnerven *pl* widerstandsfähige Nerven; Unerschütterlichkeit. 1920 *ff*.

stahlnervig *adj* nervlich stark belastbar; seelisch unerschütterlich. 1950 *ff*.

Stahlpanzer *m* Korsett, Büstenhalter. ↗Panzer. 1900 *ff*.

Stahlroß *n* **1.** Fahrrad. Scherzhafte Wertsteigerung nach dem Muster von „Dampfroß = Lokomotive". „Stahl" spielt auf stählerne Speichen und Stahlrohre an. Seit dem ausgehenden 19. Jh.
2. Motorroller. 1955 *ff*.
3. motorisiertes ~ = Moped. 1955 *ff*.

Stahlroßkavallerist *m* Angehöriger einer Radfahrtruppe. Hängt zusammen mit dem Umstand, daß die ehemaligen Kavallerie-Regimenter ihre Pferde abgeben und auf Panzer oder Fahrräder umsteigen mußten. 1930 *ff*.

Stahlsarg *m* **1.** Panzerkampfwagen. *Sold* 1934 bis heute.

2. Unterseeboot. *Sold* 1939 *ff*.

Stahlspäne *pl* mit ~n gegurgelt haben = heiser sein. 1940 *ff*.

Stahltüte *f* Stahlhelm. ↗Hurratüte. *Sold* 1939 bis heute.

Stahlvogel *m* (Kampf-)Flugzeug. *Sold* 1914 bis heute.

stakelbeinig (stakbeinig) *adj* steifbeinig. ↗staken. Seit dem 19. Jh.

stakelig *adj* steifbeinig. Seit dem 19. Jh.

staken (staaken, stakern) *intr* schwerfällig, ungelenk, mit großen Schritten gehen. Stake = lange Stange. Man geht auf Stelzen, wie es die Kinder gern tun. Nördlich der Mainlinie seit 1700.

Staken *m* **1.** Penis. Analog zu „↗Latte", „↗Stange" u. a. 1900 *ff*.
2. *pl* = dünne Beine. Seit dem 19. Jh.
3. langer ~ = großwüchsiger, hagerer Mensch. Seit dem 19. Jh.

Stakenfahrer *m* Skiläufer. Meint mit „Staken" entweder den Skistock oder (beim Slalomlauf) die Torstange. *Nordd* 1900 *ff*.

Stakettrang *m* erhöhter Sitz außerhalb der Einfriedigung eines Sportplatzes. Stakett = Eisen-, Holzgitter. Dem „Parkettrang" im Theater nachgebildet. 1955 *ff*, Berlin, *jug*.

Stakhölzer *pl* lange, dünne Beine. ↗Staken 2. 1900 *ff*, *nordd*.

stakig (staakig) *adj* steif, unbeholfen; großwüchsig und ungelenk. ↗staken. Seit dem 19. Jh.

Stakigkeit (Staakigkeit) *f* Ungelenkheit. Seit dem 19. Jh.

stakrig *adj* steif; starr aufgerichtet; in allzu straffer Haltung. ↗staken. Seit dem 19. Jh.

Staks *m* langer ~ = großwüchsiger, ungelenker Mensch. Seit dem 19. Jh.

staksen (staaksen) *intr* steif, ungelenk gehen. Intensivum zu ↗staken. Seit dem 19. Jh.

staksig (staaksig) *adj* hager, ungelenk. 19. Jh.

Staksigkeit (Staaksigkeit) *f* Hagerkeit; steife Körperhaltung. Seit dem 19. Jh.

Stalin *m* Winter-, Postenmantel. Stalin trug auf vielen Bildern einen langen, gefütterten Mantel. *BSD* 1965 *ff*.

Stalinbecher *m* aus einer Konservendose hergestellter Trinkbecher. Kriegsgefangenenspr. (Rußland), 1941 *ff*.

Stalinbonbons *pl* Sonnenblumenkerne. *Sold* 1941 *ff*, Ostfront.

Stalin-Gedächtnismantel *m* Winter-, Postenmantel. ↗Stalin. *BSD* 1965 *ff*.

Stalingrad-Gedächtnismantel *m* Winter-, Wachmantel. Erinnerung an die verschlissene Winterkleidung der Soldaten der bei Stalingrad geopferten 6. Armee (1942/43). *BSD* 1965 *ff*.

Stalin-Häcksel *m* Machorka. Aufgefaßt als gehacktes Stroh. *Sold* 1941 *ff*, Ostfront.

Stalin-Kleister *m* Brotaufstrich minderwertiger Art. 1948 aufgekommen.

Stalin-Konfekt *m* Sonnenblumenkerne. *Vgl* ↗Stalinbonbons. Sold 1941 *ff*, Ostfront.

Stalinorgel *f* russisches Salvengeschütz („Katjuscha"). Vorform ist 1870/71 „Orgelgeschütz = Mitrailleuse": sie besaß mehrere Rohre, die schnell nacheinander oder gleichzeitig feuerten. *Sold* 1941 *ff*.

Stalinschokolade *f* Sonnenblumenkerne. Soll 1941 von deutschen Soldaten aus der russischen Bezeichnung übernommen sein. *Vgl* ↗Stalin-Konfekt.

Stalintorte *f* trockenes Brot; Brotschnitte ohne Aufstrich und Belag. Kriegsgefangenenspr. 1941 *ff*; später auch in Ost-Berlin verbreitet.

Stall *m* **1.** Schule, Unterrichtsgebäude; Klassenzimmer. Eigentlich der Raum, in dem Vieh eingestellt wird. Ähnlich eingepfercht empfinden sich die Schüler. 1840 *ff*.
2. kleine Wohnung; Zimmer; Daheim. *Halbw* 1950 *ff*.
3. schlechte, dürftige, vor Schmutz starrende Wohnung. Seit dem 19. Jh.
4. Lokomotiv-, Straßenbahn-, Flugzeugschuppen; Autogarage. 1910 *ff*.
5. Kaserne; Baracke; Kasernenstube. *Sold* seit dem späten 19. Jh bis heute.
6. Klublokal. *Halbw* 1960 *ff*.
7. zweifelhaftes Lokal. Wohl gekürzt aus „Sau-, Schweinestall". 1920 *ff*.
8. Abstammung, Elternhaus. Seit dem späten 19. Jh entwickelt aus der Vorstellung „Gestüt".
9. Arbeitsraum, Büro o. ä.; Geschäftsbetrieb. 1920 *ff*.
10. Stammeinheit; Kompanie, Zug o. ä. Meint die Behausung einer zusammengehörigen Gruppe. *Sold* 1900 bis heute.
10 a. Lager der Betreuer eines Sportlers. 1950 *ff*.
11. Schauspieler-Ensemble. Theaterspr. 1900 *ff*.
12. Gesamtheit der Prostituierten, die demselben Zuhälter unterstehen. Für ihn ist es das „Gestüt", und die Prostituierten sind seine „↗Pferdchen". 1920 *ff*.
13. Hosenlatz. Aufgefaßt als Stalltür, hinter der sich der „↗Bulle" befindet. Seit dem frühen 19. Jh.
14. ein ~ voller Kinder (ein ganzer ~ voll) = viele Kinder. Übernommen vom Stall des Bauern, dessen Viehbestand sein Reichtum ist, oder vom Kaninchenstall. Seit dem 19. Jh.
15. bester ~ = hervorragender Körperbau. Vom Reitpferd übertragen. 1900 *ff*.
16. guter ~ = achtbares Elternhaus; Abstammung von vornehmer (ehrenwerter) Familie. Meint eigentlich das Gestüt mit hochgezüchteten, rassereinen Pferden. Seit dem späten 19. Jh.
17. ~ zu, Affe drin!: Redewendung, wenn ein Junggeselle einen Ehepartner gefunden hat. 1955 *ff*.
18. einen ~ ausmisten = gründlich Ordnung

Die Orgel ist ein Instrument, das zumindest in früheren Zeiten fast ausschließlich religiöse Kulte untermalte. Und wenn auch die **Stalinorgel** *oft genug zu hören gewesen sein mochte, als die Gebeine derer, die dem mörderischen Angriffskrieg der deutschen Armee zum Opfer fielen, verscharrt wurden, so verdankt sie ihren Namen doch ausschließlich den wie Orgelpfeifen angeordneten Abschußrohren dieses Salvengeschützes. Die Rote Armee rüstete ganze Divisionen damit aus. Schoß ein solcher militärischer Verband dann eine Salve ab, flogen gleichzeitig 3840 Raketen auf die feindlichen Stellungen zu.*

schaffen; üble Mißstände beseitigen. Übernommen vom Augiasstall der Heraklessage. *Vgl* ↗ausmisten 1. Spätestens seit dem 19. Jh.

19. jm den ~ austun = jn beim Kartenspiel plündern. Austun = leeren. Kartenspielerspr. seit dem 19. Jh.

20. in einem guten ~ stehen = a) einen guten Posten haben. *Rotw* 1920 *ff.* – b) gute Verpflegung haben. *Rotw* 1930 *ff.*

Stallaterne *f* 1. ihm geht eine ~ auf = er begreift plötzlich die Zusammenhänge. Bildhafte Verstärkung von „ihm geht ein ↗Licht auf". Spätestens seit 1900.

2. etw mit der ~ suchen = etw mühselig suchen. 1900 *ff.*

Ställchen *n* Bett. Eigentlich der Stall für Jungtiere; dann auch Laufgitter und Kinderbett. 1900 *ff.*

Stalldienst *m* Dienst des Abendregisseurs. ↗Stallwache. Theaterspr. 1920 *ff.*

Stalldrang *m* Bedürfnis heimzugehen, möglichst bald zur Familie zurückzukehren, den Heimathafen anzulaufen o. ä. *Sold* 1939 *ff.*

stallen *intr* harnen. Wird seit dem 14. Jh von den Pferden gesagt. Das Wort fußt auf einem Grundwort mit der Bedeutung „tröpfeln" und meint weiter das Stillhalten, um zu harnen. Im 18. Jh von Studenten übernommen und später in die Soldatensprache übergegangen, vor allem bei berittenen und bespannten Truppengattungen.

Stallgefährte *m* Rennwagen derselben Firma. Vom Gestüt übertragen. 1920 *ff.*

Stallgeruch *m* in vielen Jahren erworbene Zugehörigkeit zu einer Gruppe o. ä. 1950 *ff.*

Stallhase *m* 1. zahmes Kaninchen. Zum Unterschied vom Feldhasen. *Westd* und *südd* seit dem späten 19. Jh.

2. rachitischer ~ = Schimpfwort. Rachitis als Knochenerweichung spielt hier auf charakterliche Schwäche an. *Jug* 1950 *ff.*

Stallknecht *m* 1. Arzt für männliche Geschlechtskranke. Stallknechte gelten als grobe Gesellen. Hier Anspielung auf ↗Stall 13. 1940 *ff.*

2. schimpfen wie ein ~ = unflätig schimpfen. 1900 *ff.*

Stallknechtdeutsch *n* sehr unfeine, grobe, unflätige Ausdrucksweise. 1900 *ff.*

Stalltrieb *m* Drang, möglichst rasch zur Familie zurückzukommen. ↗Stalldrang. 1939 *ff.*

Stalltür *f* Hosenschlitz, -latz; Klappe an der Klapphose der Knaben. ↗Stall 13. Seit dem 19. Jh.

Stallwache *f* 1. Person, die im vorübergehend verwaisten Haus zurückbleibt. Eigentlich der Knecht, der Nachtwache im Pferdestall hat. 1920 *ff.*

2. Abendregisseur. Theaterspr. 1920 *ff.*

3. ärztlicher Bereitschaftsdienst; Bereitschaftsapotheke. 1920 *ff.*

4. Vertreter für den abwesenden Amtsleiter. 1920 *ff.*

5. Dienststunden der Fernsehansager(innen) zwischen An- und Absage. 1955 *ff.*

Stallwächter *m* Amtsvertreter. 1920 *ff.*

Stamm I *m* **1.** der (die, das) letzte seines (ihres) ∼s = der (die, das) letzte. Geht zurück auf „Ich bin der letzte meines Stammes" aus Schillers Drama „Wilhelm Tell" (II 1). 1870 *ff.*
2. vom ∼e Nimm sein = a) lieber nehmen als geben. Scherzhafte Hinzufügung eines Stammes zu den aus der Bibel bekannten israelitischen Stämmen. Spätestens seit 1830. – b) diebisch sein. 1930 *ff.*
3. ∼ sein = Stammgast sein. 1965 *ff*, Berlin.

Stamm II *n* Stammgericht; Essen für Stammgäste; preiswertes Standardgericht eines Eßlokals. Früh im Zweiten Weltkrieg aufgekommen im Zusammenhang mit der Lebensmittelbewirtschaftung.

Stammbaum *m* **1.** Baum, an dem der Hund zu harnen pflegt. Wortwitzelnd nachgebildet den Begriffen „Stammplatz", „Stammgast", „Stammlokal", wobei „Stamm-" soviel meint wie „angestammt". Spätestens seit 1900.
2. den ∼ abhacken = ohne Nachkommen sterben. 1930 *ff.*

Stammbeisel *n* **1.** Stammlokal. ↗Beisel. Wien seit dem 19. Jh.
2. Klublokal. *Halbw* 1955 *ff*, österr.

Stammbeize *f* Stammlokal. ↗Beize I. *Bayr* seit dem 19. Jh.

Stammboy *m* fester Freund eines Mädchens. *Halbw* 1955 *ff.*

Stammbruder *m* intimer Freund einer Halbwüchsigen. ↗Bruder 4. *Halbw* 1955 *ff.*

Stammbulle *m* altgedienter Soldat. ↗Bulle 1. *Sold* in beiden Weltkriegen.

Stammfrau *f* intime Freundin eines Halbwüchsigen. ↗Frau 3. *Halbw* 1955 *ff.*

Stammfreier *m* Stammkunde einer Prostituierten. ↗Freier 2. 1920 *ff.*

Stammhase *m* intime Freundin. ↗Hase 2. 1955 *ff.*

Stammkneipe *f* **1.** Stammlokal. ↗Kneipe 1. Seit dem 19. Jh.
2. Klublokal der jungen Leute. *Halbw* 1955 *ff.*

Stammpfanne *f* intime Freundin eines jungen Mannes. ↗Pfanne 2. *Halbw* 1960 *ff.*

Stammpinte *f* Stammlokal. ↗Pinte. 19. Jh.

Stammschraube *f* intime Freundin. ↗Schraube 1. *Halbw* 1955 *ff.*

Stammsitz *m* primitive Feldlatrine; Latrinenstange. Stamm = Baumstamm, Balken. *Sold* in beiden Weltkriegen.

Stamm-Strich *m* Stadtbezirk, in dem eine Prostituierte Kunden sucht. ↗Strich. 1950 *ff.*

Stammtisch-Casanova *m* Mann, der in Abwesenheit seiner Frau sich mit Liebesabenteuern brüstet, aber daheim von seiner Frau beherrscht wird. 1920 (?) *ff.*

Stammtischfeldherr *m* Mann, der am Biertisch seiner strategischen Besserwisserei die Zügel schießen läßt. *Sold* und *ziv* in beiden Weltkriegen. *Vgl engl* „beer parlor cracle".

Stammtischheld *m* Mann, der am Stammtisch sich als mutiger Soldat aufspielt. *Sold* in beiden Weltkriegen und nachher.

Stammtischlöwe *m* Mann, der am Stammtisch mit seinem angeblichen Mut (seinen angeblichen Heldentaten) prahlt. 1950 *ff.*

Stammtischstratege *m* Mann, der sich besseres strategisches Können zutraut als den Feldherren; Besserwisser am Biertisch. *Sold* und *ziv* 1914–1945.

Stammzahn *m* **1.** angestammte intime Freundin eines Halbwüchsigen; Dauerfreundin. ↗Zahn 3. *Halbw* 1950 *ff.*
2. fester Freund einer Halbwüchsigen. *Halbw* 1950 *ff.*
3. Dauer-, Stammgast in einer Vergnügungsstätte. *Halbw* 1950 *ff.*

Stamp *m* Kartoffelbrei. Die Kartoffeln werden gestampft. Seit dem 19. Jh.

Stampe *f* **1.** kleine Schenke. Aus *franz* „estaminet" entstanden während oder nach der Besetzung Berlins durch die französischen Truppen (1806–1813). Vorwiegend Berlin und *mitteld*.
2. Tanzlokal. Als Sonderbedeutung aus dem Vorhergehenden entwickelt, wohl mit Anspielung auf die stampfenden Beine der Tänzer. *Vgl* auch ↗Bums 6. 1900 *ff*, Berlin.
3. dickwandiges Schnapsgläschen. Ihm schadet kräftiges Aufsetzen nicht. Schlesien seit dem 19. Jh (1826 Joseph von Eichendorff, „Aus dem Leben eines Taugenichts").

stampen *tr* jn hinauswerfen, entlassen. Nebenform zu „stampfen = stoßen, wegstoßen". *Bayr* und *österr*, seit dem 17. Jh.

Stamper *m* großer Schnaps. ↗Stampe 3. *Marinespr* 1914 *ff.*

Stamperl *n* Gläschen. Verkleinerungsform von ↗Stampe 3. *Bayr* und *österr*, seit dem 19. Jh.

stampern *v* **1.** jn ∼ = jn vertreiben; jm die Tür weisen. ↗stampen. *Oberd* seit dem 18. Jh.
2. jn ∼ = jn zur Rede stellen. *Bayr* 1900 *ff.*
3. *intr tr* = koitieren. Analog zu ↗stoßen. *Österr* 1900 *ff.*

Stampes (Stamps) *m* dicker Brei; Kartoffelbrei. ↗Stamp. Rheinland und Hessen, seit dem 19. Jh.

Stampf *m* dicke, breiartige Speise; lieblos zubereiteter Eintopf. *Südd* und *mitteld*, seit dem 19. Jh.

stampfbeinig *adj* plump auftretend. 1920 *ff.*

Stampfbeton *m* **1.** feststehen wie ∼ = unerschütterlich sein. *Sold* 1939 *ff*; *jug* 1955 *ff.*
2. feststehen wie ∼ mit eingelegten U-Eisen = sich durch nichts aus der Fassung bringen lassen. *Sold* 1939 *ff*; *jug* 1955 *ff.*

Stampfer *pl* (dicke) Beine. Verkürzt aus ↗Sauerkrautstampfer. 1914 *ff.*

stampig *adj* dickflüssig; dickgekocht (vom Essen gesagt). ↗Stamp. *Niederd* seit dem 19. Jh.

Stamps *m* ↗Stampes.

Stand *m* aus dem ~ = ohne Vorbereitung. Aus der Sportlersprache übernommen im Sinne von „ohne Anlauf"; der Schütze schießt „aus dem Stand" (= stehend). 1920 *ff*.

Standardvisage (Grundwort *franz* ausgesprochen) *f* Gesicht ohne individuelle Züge. ↗Visage. Standard = Richtschnur; Einheitsmaß. 1930 *ff*.

Standarte *f* **1.** stark nach Alkohol riechender Atem. Steigernde Parallele zu ↗Fahne 1. 1910 *ff*. **2.** erigierter Penis. 1920 *ff*.

standeln (ständeln) *intr* beisammenstehen; für kurze Zeit stehenbleiben. 1900 *ff*.

Ständer *m* **1.** erigierter Penis. Eigentlich der freistehende Pfosten, der längliche, aufrechtstehende Gegenstand o. ä. Seit dem 16. Jh. **2.** Bein. Im späten 19. Jh aufgekommen, vorwiegend *sold* und *halbw*. **3.** ausgespielte Karte, die weder übertrumpft noch überspielt werden kann („Stehkarte"). Kartenspielerspr. Seit dem 19. Jh.

Ständerchen *n* ein ~ machen = zum Plaudern auf der Straße stehenbleiben. Seit dem 19. Jh.

Standerl *n* ~ machen = für kurze Zeit stehenbleiben und miteinander plaudern. *Österr* 19. Jh.

Ständerling *m* einen ~ halten (machen) = im Stehen miteinander plaudern. *Oberd,* 1500 *ff*.

ständern *intr* plaudernd umherstehen. *Ostmitteld* seit dem 19. Jh.

Standesamt *n* **1.** kein ~ gründen wollen = die Gesellschaft beenden müssen; nicht länger zusammenbleiben wollen. 1900 *ff*. **2.** hier ist kein ~ = hier darf man sich getrost niedersetzen. Aufforderung an Gäste, die im Stehen plaudern und nicht Platz nehmen. 1900 *ff*.

Standesperson *f* **1.** Markthändler. Eigentlich eine Person von Stand, von Adel; hier scherzhaft auf den Marktstand bezogen. 1910 *ff*. **2.** ich bin eine ~ = ich setze mich nicht; ich bleibe lieber stehen. 1900 *ff*.

Ständige *f* intime Freundin eines Halbwüchsigen. *Vgl* das Folgende. *Halbw* 1955 *ff*.

Ständiger *m* üblicher Begleiter einer weiblichen Person; intimer Freund einer Halbwüchsigen; Freund (Zuhälter) einer Prostituierten. Verkürzt aus „ständiger ↗Begleiter". 1955 *ff*.

Standler *m* Händler am Verkaufsstand. *Bayr* und *österr,* seit dem 19. Jh.

Standlerin *f* Inhaberin eines Verkaufsstands. *Bayr* und *österr,* seit dem 19. Jh.

Standlfrau *f* Marktfrau. *Bayr* 1900 *ff*.

Standlichter *pl* halb geöffnete Augen. Von der Beleuchtungstechnik der Kraftfahrzeuge übernommen. *Halbw* 1960 *ff*.

Standlmann *m* Besitzer eines Verkaufsstands auf dem Markt, auf dem Kirmesplatz o. ä. *Bayr* 1900 *ff*.

Standnotenzauber *m* Standkonzert. Notenzauber = Musizieren *(abf)*. *BSD* 1970 *ff*.

Standortältester *m* ausdauerndster Bewohner eines Obdachlosenheims. Eigentlich Bezeichnung für den dienstältesten Offizier des Standorts. Kundenspr. 1950 *ff*.

Standortberauschungsprobe (-bierprobe) *f* erstmaliges Ausführen der Rekruten. *Sold* 1935 *ff*.

Standortheiliger *m* Standortpfarrer. *BSD* 1968 *ff*.

Standortkomödiant *m* Standortkommandant. Wortspielerei mit gehässiger Nebenabsicht. *Sold* 1939 *ff*.

Standortpfarrer *m* erzähl' dein Leben dem ~!: Redensart zur Abweisung eines üblen Schwätzers. *BSD* 1968 *ff*.

Standpauke *f* **1.** heftige Zurechtweisung; Strafrede. ↗Pauke 1. Seit dem späten 19. Jh. **2.** Standkonzert. Wegen der Paukenschläger. *BSD* 1968 *ff*.

Standpaukenregister *n* Zeugnisheft. ↗Standpunkte 1. 1960 *ff, schweiz*.

Standpunkt *m* **1.** Fuß (auf dem einer dem anderen steht). Wortwitzelei. 1950 *ff*. **2.** jm den ~ klarmachen = jn energisch in seine Grenzen weisen; jn heftig zurechtweisen. Meint eigentlich den Gesichtspunkt, von dem aus man eine Sache betrachtet und zu dem man den anderen umstimmen will. Seit dem 19. Jh.

Standuhr *f* stehengebliebene Uhr; Uhr, die dauernd stehenbleibt. Eigentlich die aufrecht stehende Zimmeruhr. 1900 *ff*.

Standwild *n* Prostituierte, die an bestimmten verkehrsreichen Punkten Aufstellung nimmt und Interessenten anlockt. Der Jäger nennt so dasjenige Wild, das im Revier festen Einstand hat. 1920 *ff,* großstadtspr.

Stange *f* **1.** großwüchsiger Mensch. Verkürzt aus „↗Bohnenstange", „↗Hopfenstange" o. ä. 1800 *ff*. **2.** hohes, schlankes Trinkglas; Glas Bier. Wegen der zylindrischen Form. Seit dem frühen 19. Jh. **3.** Flasche. Analog zu ↗Rohr 3. 1950 *ff, halbw*. **4.** Tüte oder schlanke Büchse für Flüssigkeiten. Berlin 1950 *ff, halbw*. **5.** (erigierter) Penis. Vorwiegend *sold* und *stud,* etwa seit dem späten 19. Jh. **6.** 20 Packungen Zigaretten. 1950 *ff*. **7.** eine ~ Geld = sehr viel Geld. Geht zurück auf die Form, in der man unverarbeitetes Metall herstellt, aufbewahrt und in den Handel bringt; auch gerolltes Hartgeld (Geldrolle) sieht wie eine Stange aus. Seit dem späten 19. Jh. **8.** von der ~ = nicht individuell; unpersönlich; einheitlich, vorfabriziert. Gegen 1900 aufgekommen mit Bezug auf die (an der Kleiderstange aufgereiht hängende) Konfektionskleidung im Gegensatz zur Maßschneiderei. Nach 1950 auch auf Kunststoffgegenstände bezogen. Ein überaus geläufiger Ausdruck, der nach dem Zweiten Weltkrieg im Zusammenhang mit der Konsumgesellschaft und deren materieller Einebnung der Standesunterschiede fast täglich zu hören und zu lesen ist; auch in übertragenen Bedeutungen wie: Gesinnung, Moral, eine Krankheit, eine Tugend usw. „von der Stange".

9. abgefaßte ~ = Glas Bier, das man seinem Tischnachbarn fortnimmt, wenn er es 3 Minuten vor sich hat stehen lassen, ohne es anzutrinken. ↗Stange 2. *Stud* 1900 *ff*.

10. lange ~ = a) großwüchsiger, hagerer Mensch. ↗Stange 1. Seit dem 19. Jh. – b) lange Zeit. 1935 *ff*.

11. eine ~ angeben = sich stark aufspielen. ↗angeben 1. 1910 *ff*.

12. aussehen wie von der ~ = einheitlich gekleidet sein. ↗Stange 8. 1920 *ff*.

13. eine ~ blechen = eine hohe Zahlung leisten. ↗blechen. 1920 *ff*.

14. bei der ~ bleiben (sich bei der ~ halten) = a) standhaft aushalten; nicht abschweifen; keine Ausflüchte machen; zu seiner Meinung stehen. Hergenommen von der Fahne(nstange, um die sich die Soldaten scharen und die sie bis zum letzten zu verteidigen haben. 1700 *ff*. – b) den erlernten Beruf (trotz Schwierigkeiten) beibehalten. 1950 *ff*.

15. sich eine ~ einbilden = sich viel einbilden. 1920 *ff*.

16. auf die ~ fliegen = zu Bett gehen. Vom Verhalten der Hühner übertragen. 1900 *ff*.

17. von der ~ gehen = a) Fahnenflucht begehen. Stange = Fahnenstange. *BSD* 1965 *ff* – b) eine abweichende Meinung mannhaft vertreten. 1980 *ff*. .

18. ~n im Kopf haben = überheblich, ehrgeizig sein. Vergröberung von „↗Nagel I 10". 19. Jh.

19. jm die ~ halten = a) treu zu jm stehen; für jn eintreten. Leitet sich her vom Turnier oder vom gerichtlichen Zweikampf: der Grieswart hielt die Stange und war stets bereit, mit ihr zum Schutze des bedrohten oder besiegten Gegners einzugreifen; er hielt sie schützend über den Gefallenen oder trennte mit ihr die Kämpfer. 1600 *ff*. – b) sich von jm nichts vorgaukeln lassen; jm gewachsen sein. Hergenommen vom Zweikampf mit Lanzen. Seit dem 17. Jh.

20. jn bei der ~ halten = jn nicht abschweifen lassen; jn zu folgerichtigem Vorgehen anhalten. Steht entweder mit der Fahnenstange oder mit der Deichsel in Zusammenhang. Seit dem 19. Jh.

21. ihn haut es von der ~ = er erleidet einen völligen Zusammenbruch. Leitet sich her vom Huhn, das tot von der Sitzstange fällt. 1930 *ff*, bayr.

22. ihn hat's von der ~ gehaut (gehauen) = er ist tot, tödlich verunglückt. *Bayr* 1930 *ff*.

23. einen von der ~ holen = onanieren. ↗Stange 5. Hinter „einen" ergänze "Samenerguß". 1900 *ff*.

24. von der ~ kaufen = Fertigkleidung kaufen; Vorgefertigtes kaufen; ein Fertighaus kaufen. ↗Stange 8. 1900 *ff*.

25. mit der ~ im Nebel rumfahren (rumstochern) = nach Ausflüchten suchen; unsicher raten. Seit dem 19. Jh.

26. eine ~ Sprit vor sich her schieben = nach Alkohol riechen. ↗Sprit 1. *Marinespr* 1914 *ff*.

27. siehst du den Hut dort auf der ~? = siehst du da die großwüchsige Frau mit dem (auffallenden) Hut? Fußt wortwitzelnd auf Schillers „Wilhelm Tell" in der Szene mit dem Geßlerhut. ↗Stange 1. 1900 *ff*.

28. eine ~ in die Ecke stellen (wegstellen, kaltstellen; eine ~ Wasser in die Ecke stellen) = im Stehen harnen. Übertragen von dem in Stangen gelieferten Eis. 1900 *ff*, vorwiegend *sold, stud* und *schül*.

29. die ~ vergolden = analkoitieren. ↗Stange 5; vergolden = mit Kot beschmutzen. *Sold* 1939 *ff*.

30. eine schöne ~ vertragen = viel Alkohol vertragen. 1920 *ff*.

stangeln *intr* dem Schulunterricht absichtlich fernbleiben. Hängt vielleicht mit „Stange, Stangerl = Baumstamm" zusammen und spielt auf einen Waldspaziergang an. *Vgl* auch ↗stageln 1. Wien 1900 *ff*.

'stangen'dürr *adj* sehr hager. ↗Stange 1. 1950 *ff*.

Stangenfieber *n* **1.** Verlangen nach Geschlechtsverkehr. ↗Stange 5. 1870 *ff*.
  2. Unfähigkeit zur Gliedversteifung. 1920 *ff*.

Stangenfigur *f* für die üblichen Konfektionsgrößen passender Körperbau. ↗Stange 8. 1930 *ff*.

Stangenkledage (Endung *franz* ausgesprochen) *f* Konfektionskleidung. ↗Stange 8; ↗Kledage. 1900 *ff*, Berlin.

Stangenlocken *pl* strähnige, lange, glatte Haare. 1960 *ff*.

Stangenmilch *f* Milch aus der Flasche; Dosenmilch. ↗Stange 3. 1950 *ff*, *schül*.

Stangenreiter *m* den ~ machen = die Führung übernehmen. Der Stangenreiter ist der Reiter neben der Deichsel, wenn „vom Sattel gefahren" wird: er lenkt Pferd und Fahrzeug vom Sattel aus. *Sold* und *ziv* 1910 *ff*.

Stangenschick *m* Einheitseleganz; Konfektionsgarderobe. ↗Stange 8. 1920 *ff*.

Stangenschiß *m* Notdurftverrichtung auf einer Feldlatrine. ↗Schiß 1. *Sold* in beiden Weltkriegen.

Stangenspargel *m* wie ~ in Büchsen verfrachtet werden = in überfüllten Verkehrsmitteln zusammengepfercht befördert werden. 1950 *ff*.

Stangenvergolder *m* Homosexueller. ↗Stange 29. 1920 *ff*.

Stangerl *n* Zigarette. Verkleinerungsform von „Stange". *Vgl* auch ↗Stengel. *Bayr* 1920 *ff*.

Stangerlgucker *m* Lorgnette. *Bayr* seit dem 19. Jh.

Stangerlzwicker *m* Lorgnette. *Österr* 19. Jh.

Stanitzel *n* Papiertüte. Soll auf *ital* „scartoccio = Tüte" und *slovak* „kornut = Tüte" zurückgehen. *Oberd* 1500 *ff.*

Stank *m* Unfriede, Zank; Verdruß. ↗stänkern. Seit dem 14. Jh.

Stankdrache *m* streitlüsterner, unverträglicher Mensch. 1900 *ff*, *mitteld.*

Stänker *m* 1. Zänker, Unfriedenstifter, Stören-fried. ↗stänkern. 1600 *ff.*
2. stark riechender Käse. Er verbreitet Gestank. Seit dem 19. Jh.

Stänkerbock *m* Unfriedenstifter, Zänker. Eigent-lich Bezeichnung des Ziegenbocks wegen seines aufdringlichen Geruchs; übertragen auf den Men-schen, der „↗Stank" macht. Berlin 1840 *ff.*

Stänkerbold *m* Zänker. 1900 *ff.*

Stänkerbude *f* Chemiesaal in der Schule. 1965 *ff.*

Stänke'rei *f* 1. Streitlüsternheit; Wortwechsel; Ver-ärgerung. ↗stänkern. 1600 *ff.*
2. Nörgelei; Äußerung des Mißmuts. 1700 *ff.*

Stänkerer *m* Zänker, Unfriedenstifter. 1700 *ff.*

Stänkerfritze *m* Nörgler; Zänker. ↗Fritze. Seit dem 19. Jh.

Stänkerich *m* Unfriedenstifter. ↗stänkern. Seit dem 19. Jh, *sächs.*

stänkerig *adj* streitsüchtig, unverträglich. *Nordd* und Berlin, 1840 *ff.*

Stänkerkopf (-kopp) *m* Unfriedenstifter. Seit dem 19. Jh.

Stänkerkraut *n* minderwertiger Tabak. ↗Kraut. 1916 *ff.*

Stänkerlaune *f* streitlüsterne Stimmung. 1920 *ff.*

stänkern *intr* Unfrieden stiften; zanken. Faktiti-vum zu „stinken = Gestank verbreiten". Übler Geruch „sticht" in der Nase. 1600 *ff.*

Stan-Matthews-Schlüpfer (Name *engl* ausge-sprochen) *m pl* Turnhose. Benannt nach Stanley Matthews, dem Fußballspieler, der 35 Jahre in der höchsten englischen Spielklasse spielte und 1965 von der britischen Königin in den Adels-stand erhoben wurde. *BSD* 1968 *ff.*

stantebeene *adv* sofort. Aus *lat* „stante pede" ein-gedeutscht in Anlehnung an „Beene = Beine". Berlin, *sächs* und *schwäb*, seit dem 19. Jh.

stante'pe *adv* sofort. Geht zurück auf *lat* „stante pede = stehenden Fußes". 1700 *ff.*

stante pene *adv* mit erigiertem Penis. Studentische Wortprägung, etwa seit 1900.

Stanz I *m* Hinauswurf, Entlassung. ↗stanzen. *Österr*, seit dem 19. Jh.

Stanz II *f* 1. auf die ~ gehen = auf Suche nach Mädchen gehen. ↗Stenz II. Scherzhaft ist (pho-netisch verwechselbar) das Gegenteil von „auf Distanz gehen" gemeint. *Bayr* seit dem 19. Jh.
2. auf der ~ sein = auf Suche nach einem Mäd-chen sein. *Bayr* seit dem 19. Jh.

stänzeln *intr* Mädchen den Hof machen. ↗Stenz II. *Schwäb* seit dem 19. Jh.

stanzen (stänzen) *tr* 1. jn prügeln, nieder-schlagen. Gehört zu „Stenz = Rohrstock". *Österr, bayr* und fränkisch seit dem 19. Jh.
2. jn wegjagen, entlassen. Man treibt ihn mit Prü-gelschlägen fort. Seit dem 19. Jh, *südd, rhein* und *hess.*
3. jn von der Schule verweisen. *Österr,* 1900 *ff.*

Stapel *m* 1. etw auf dem ~ haben = schwanger sein. Stapel = Unterlage, auf der ein Schiff wäh-rend der Bauzeit aufliegt. 1800 *ff.*
2. eine Äußerung vom ~ lassen = eine Erklärung abgeben; eine Verfügung erlassen; etw mündlich oder schriftlich von sich geben. Hergenommen vom Stapellauf des Schiffes. Seit dem 18. Jh.
3. vom ~ laufen = geboren werden. Seit dem 19. Jh.
4. eins auf ~ legen = eine Frau schwängern. 1800 *ff.*
5. einen ~ machen = schwängern. Seit dem 19. Jh.
6. einer etw auf den ~ setzen = eine Frau schwängern. 1800 *ff.*

Stapellauf *m* Geburt. Übertragen vom Schiffbau: Das in der Werft fertiggestellte, „vom Stapel lau-fende" Schiff gleitet erstmals ins Wasser, d. h. in das Element seiner Bestimmung. Spätestens seit 1900.

stapeln *intr* 1. gehen, eilen; umherziehen. Gehört wohl zu „Stab = Wanderstab" oder zu „stapfen = treten, schwerfällig gehen". 1755 *ff, rotw.*
2. betteln. Versteht sich als „bettelnd umherzie-hen". *Rotw* 1755 *ff.*
3. betrügen, stehlen. Bezieht sich ursprünglich auf einen, der nicht aus Not, sondern betrügerisch bettelt. *Rotw* seit dem 19. Jh.
4. prahlen. Verkürzt aus „hochstapeln = den An-schein von Anständigkeit, Wohlhabenheit, Vor-nehmheit erwecken, aber im Grunde ein Gauner sein". *Halbw* 1955 *ff.*
5. im Gasthaus Mitgebrachtes verzehren. Man schichtet die „Mitbringsel" auf dem Tisch auf. 1900 *ff.*

Stapelware *f* Diebes-, Hehlergut. ↗stapeln 3. Seit dem 19. Jh.

Stapler *m* 1. Bettler. ↗stapeln 2. Seit dem 18. Jh, *rotw.*
2. Zechpreller. ↗stapeln 3. 1900 *ff, österr.*
3. Prahler. ↗stapeln 4. *Halbw* 1955 *ff.*
4. klammer ~ = langweiliger Prahler. ↗klamm. *Halbw* 1955 *ff.*

Star *m* 1. Klassenbester. Stammt aus dem *Anglo-amerikan*, wo „star" den Stern und dann den ge-feierten Künstler meint. 1955 *ff, schül.*
2. Klassenwiederholer. *Iron* gemeint. 1955 *ff, schül.*
3. ~ des leichten Gewerbes = Prostituierte, die nur wohlhabende Kunden empfängt. 1960 *ff.*
4. dufter ~ = gutangezogener, netter junger Mann. ↗dufte 1. *Halbw* 1950 *ff.*

5. schnafter ~ = Könner. ↗schnafte. *Jug* 1955 *ff.*

6. vom ~ gestochen = für Filmschauspieler(innen) schwärmend. ↗Star 8 c. 1955 *ff.*

7. sich einen ~ sehen = lange und vergeblich Ausschau nach etw halten; sich in seinen Hoffnungen gröblich getäuscht sehen. Hier auf die Augenkrankheit bezogen. Seit dem 19. Jh.

8. jm den ~ stechen = a) jm über seinen Irrtum, über schlimme Verhältnisse die Augen öffnen. Man befreit ihn von einem argen Augenfehler. 1600 *ff.* – b) jn heftig zurechtweisen. 1900 *ff.* – c) jds Schwärmerei für Filmschauspieler(innen) tatkräftig entgegentreten. Doppeldeutige Redewendung. 1960 *ff.*

Starenhaus *n* kleines Haus für eine große Familie. *Österr* 1950 *ff.*

Starenkasten *m* **1.** Schirmmütze. Sie beherbergt den „Vogel"; *vgl* „einen ↗Vogel haben". *Sold* 1935 *ff.*

2. Bergmütze. Wegen einer gewissen Formähnlichkeit. *BSD* 1965 *ff.*

3. hoch über dem Erdboden befindlicher Beobachtungsstand des Verkehrspolizeibeamten. Er ähnelt dem an hoher Stange angebrachten Vogelhaus. 1955 *ff.*

Starenkastl *n* Hosenschlitz. ↗Taubenschlag. *Österr* 1930 *ff, schül.*

Starfabrik *f* Schule für Bühnenkunst und Schaugeschäft. 1965 *ff.*

Starfighter (*engl* ausgesprochen) *m* **1.** Klassenbester. Anspielung auf das sehr leistungsfähige und schnelle Mehrzweck-Kampfflugzeug. *Schül* 1964 *ff.*

2. Mensch, der oft zu Boden fällt; Epileptiker. Anspielung auf die Absturzhäufigkeit des Flugzeugtyps. *Jug* 1967 *ff.*

Starfimmel *m* übertriebene Verehrung von beliebten Künstlern; Künstlervergötterung. ↗Fimmel. 1950 *ff.*

stark *adj* **1.** unübertrefflich; sehr eindrucksvoll. Steht im Zusammenhang mit der Wertschätzung der körperlichen Stärke; vor allem im Gefolge des Ringer- und Boxsports aufgekommen. *Halbw* 1960 *ff.*

2. sich für etw ~ machen = sich eine Leistung zutrauen; sich für eine Sache einsetzen. Meint eigentlich die Vorbereitung für eine körperliche (sportliche) Anstrengung. Etwa seit dem späten 19. Jh. *Vgl franz* „se faire fort de quelque chose".

3. sich für jn ~ machen = sich für jn verbürgen; für jn einstehen. 1900 *ff.*

4. ~ gewachsen sein = sehr üppige Körperformen aufweisen; dick sein. 1950 *ff.*

5. das ist ~ = das ist unerträglich, unzumutbar; das ist arg. Spätestens seit 1800.

6. ~ auf der Brust sein (ganz schön ~ sein) = bei Geld sein; wohlhabend sein. Die Stärke gilt der Stelle, wo sich die Brieftasche befindet. 1950 *ff.*

Drei Abbildungen zum Thema **Star**: Links oben ein Portrait des amerikanischen Stardirigenten und Komponisten Leonard Bernstein, danebn die „Stars" des norwegischen Zeichners Olaf Gulbransson (1873–1958), und oben schließlich einer der Stars, denen man jeden Tag begegnen kann. Gleiches gilt auch für den umgangssprachlichen Star, der sich nur selten in solchen Höhen aufhält (vgl. **Star 1.–5.**), daß man sich dabei einen Star sehen müßte (vgl. **Star 7.**). Diese Wendung bezieht sich allerdings auf eine Augenkrankheit gleichen Namens, die man früher auf eine recht einfache Weise heilen zu können glaubte (vgl. **Star 8a.**). Von dem, der den Star in einem doppeldeutigen Sinne stechen möchte (**Star 8c.**), wird da schon mehr Phantasie verlangt, etwa die Gulbranssons, dessen Skizzen zeigen, daß hinter dem eleganten Äußeren sich ganz normale Menschen verbergen, denen man bei genauerem Hinsehen auch anmerkt, daß der Glanz, in dem sie erstrahlen, nicht einmal ihr eigener ist.

'starkbe'bust *adj* einen üppigen Busen habend. 1955 *ff*.

Starkbierfestspiele *pl* Volksfest, das sich über mehrere Wochen erstreckt. Gern auf das Münchner Oktoberfest bezogen. München 1905 *ff*; auch Berlin.

stärken *refl* trinken, zechen. Man kräftigt sich mit Alkohol. 1900 *ff*.

Starker *m* **1.** kräftiger Kaffeeaufguß. Seit dem 19. Jh. **2.** kräftiger Alkoholrausch. 1900 *ff*.

'Starkicker *m* gefeierter Fußballspieler. *Vgl* ↗ Star 1; ↗ Kicker. *Sportl* 1950 *ff*.

Starkoller *m* anmaßendes Auftreten eines gefeierten Künstlers. ↗ Koller. 1955 *ff*.

Starkstrom *m hochprozentiger Schnaps.* 1930 *ff*.

Starkstrombeize *f* Branntweinausschank. ↗ Beize I. *Südd* 1930 *ff*.

Starkstromroß *n* Straßenbahn. Dem „Dampfroß" nachgebildet. 1930 *ff*.

Starlet-Aquarium *n* Schwimmbad. „Starlet" nennt man seit 1950 nach *angloamerikan* Muster die Nachwuchs-Filmschauspielerin oder eine, die es gern werden möchte. Nach den Illustrierten-Berichten zu urteilen, bilden Schwimmbad und Badestrand die günstigsten Örtlichkeiten, um sich von Filmproduzenten, Managern u. a. „entdecken" zu lassen. 1960 *ff*.

Starpreis *m* teures Eintrittsgeld. 1930 *ff*, Berlin.

Star-Rummel *m* übermäßige Betriebsamkeit um gefeierte Künstler, Sportler u. a. ↗ Rummel. 1920 *ff*.

Starschnupfen *m* vorgeschützte Unpäßlichkeit von Künstlern. 1960 *ff*.

Startbahnfeger *m* Luftwaffenangehöriger. *BSD* 1965 *ff*.

starten *intr* geboren werden. Man beginnt den Lebenslauf. 1920 *ff*.

Startfiguren *pl* Starthelfer bei Segelfliegern und Ballonfahrern. ↗ Figur 1. 1930 *ff*.

Star-Tick *m* Überheblichkeit von gefeierten Künstlern o. ä. ↗ Tick. 1960 *ff*.

Startloch *n* **1.** günstige Ausgangsbasis für eine aussichtsreiche berufliche Laufbahn. Der Sportsprache entlehnt, wo man so die Löcher für die Füße des sich zum Start anschickenden Läufers bezeichnet. 1950 *ff*. **2.** ins ~ gehen (am ~ graben; im ~ stehen; sich in die Startlöcher begeben) = sich auf den Antritt einer Stellung vorbereiten; sich zum Handeln anschicken. 1950 *ff*. **3.** in die Startlöcher treten = sich zum Dienst fertigmachen; antreten. *BSD* 1960 *ff*.

Startprotz *m* Auto, das in wenigen Sekunden eine Geschwindigkeit von 100 Stundenkilometern erreicht. ↗ Protz. Werbetexterspr. 1967 *ff*.

Stationen *pl* ~ beten (machen) = nacheinander etliche Gasthäuser aufsuchen; kein Wirtshaus auslassen. Hergenommen vom Kreuzwegbeten in der katholischen Kirche. Die Leidensgeschichte Jesu wird in „Stationen" dargestellt. 1930 *ff*, rhein.

Statio'nöse *f* Stationsschwester im Krankenhaus. Meist ist sie gesetzten Alters und versteht es, ihre Autorität geltend zu machen. Von „↗ Kommandeuse" beeinflußt. 1920 *ff*, sold, medizinerspr. u. a.

Stationsvorsteher *m* Mann mit rötlichem Haar. Anspielung auf die rote Mütze des Stationsvorstehers der Eisenbahn. 1900 *ff*.

Statist *m* wegen einer Verletzung mit vermindertem Einsatz weiterspielender Spieler. Eigentlich der stumme Darsteller auf der Bühne. *Sportl* 1950 *ff*.

Statistengeneral *m* Chef der Komparserie. Theaterspr. 1920 *ff*.

Stativkutscher *m* Kamera-Assistent; Bühnenarbeiter, der den Kamerawagen steuert. Stativ = Auflagegestell für die Filmkamera. Filmspr. 1920 *ff*.

Stätte *f* ~ der Erleichterung = öffentliche Bedürfnisanstalt. 1920 *ff*.

Stau *m* das Essen. ↗ stauen. Marinespr. 1910 *ff*.

Staub *m* **1.** Kleingeld. Auch Bezeichnung für Bleischrot; dadurch analog zu „↗ Pulver". *Rotw* 1847 *ff*. **2.** Rauschgift. Es handelt sich um weißes Pulver. 1925 *ff*. **3.** Überbleibsel eines Essens. Es ist nicht der Rede wert. 1950 *ff*, rotw. **4.** das geht ihn einen feuchten (nassen) ~ an = das geht ihn nichts an. „Feuchter Staub" ist Umschreibung für „↗ Dreck". 1900 *ff*. **5.** ~ ansetzen = aus der Mode kommen; veralten. 1900 *ff*. **6.** ~ aufwirbeln (aufrühren, machen) = Anlaß zu lebhafter Erörterung geben. Herzuleiten von unzweckmäßigem Kehren, bei dem der Staub nicht beseitigt, sondern aufgewirbelt wird, oder vom Wirbelwind. Seit dem 17./18. Jh. *Vgl franz* „faire de la poussière". **7.** jm den ~ ausklopfen = jn verprügeln. Euphemismus. Seit dem 19. Jh. **8.** jm den ~ aus den Augen (Ohren) blasen = jm über schlimme Vorgänge die Augen öffnen. 1900 *ff*, westd. **9.** das gibt ~ = das erregt unangenehmes Aufsehen. ↗ Staub 6. Seit dem 19. Jh. **10.** ~ unter der Kappe haben = betrunken sein. Analog zu „↗ benebelt sein". 1920 *ff*, hess. **11.** keinen ~ hinter der Stirn haben = klug sein. *Halbw* 1960 *ff*. **12.** es interessiert ihn einen feuchten (nassen) ~ = es interessiert ihn überhaupt nicht. ↗ Staub 4. 1900 *ff*. **13.** jm den ~ aus der Jacke klopfen = a) jn stürmisch umarmen und dabei heftig beklopfen. 1900 *ff*. – b) jn prügeln, züchtigen. 1890 *ff*. **14.** sich um etw einen nassen (feuchten) ~ kümmern = sich um etw überhaupt nicht kümmern; etw nicht beherzigen. *Vgl* ↗Staub 4. 1900 *ff.*

15. ~ machen = die Untergebenen hin- und herhetzen. Man meint, eine lebhafte Tätigkeit hervorzurufen. *Vgl* ↗Staub 6. 1900 *ff, ziv* und *sold.*

16. sich aus dem ~e machen = fliehen; wegeilen. Im Qualm und Rauch des Schlachtfeldes, auch im Staub der Landstraßen und Wege kann man unauffällig entkommen. 1500 *ff.*

17. aus jm keinen ~ rausschlagen können = jm keine Äußerung (kein Geständnis; kein Geheimnis) entlocken können. Übertragen vom Teppichklopfen. 1960 *ff.*

18. den ~ von den Schuhen schütteln = eiligst davongehen; fliehen. Durch schnelle Bewegung verschwindet der Staub von den Schuhen. *Sold* in beiden Weltkriegen.

19. jm ~ in die Augen streuen = jn täuschen. Analog zu „↗Sand 23". 1964 *ff.*

20. in etw mal ~ gewischt haben = sich kurz und flüchtig mit etw beschäftigt haben. 1955 *ff.*

21. einen feuchten ~ wissen = nichts wissen. *Vgl* ↗Staub 4. 1900 *ff.*

22. den ~ zusammenfegen = dem Gegner die kleinen Trümpfe abfordern. Kartenspielerspr. 1900 *ff.*

Staubarchitekt *m* Putzfrau. Aufgekommen nach 1950 im Zusammenhang mit der ranglichen Aufbesserung der immer stärker gemiedenen Putzfrauentätigkeit.

'Staubaus *m* letzter Tanz; Kehraus. 19. Jh.

'staubaus gehen *intr* sich davonmachen. 19. Jh.

'staubaus machen *intr* mit einer Sache Schluß machen. Seit dem 19. Jh.

Staubdompteuse (Grundwort *franz* ausgesprochen) *f* Putzfrau, Hausgehilfin, Zimmermädchen. 1960 *ff.*

'staub'dumm *adj* **1.** taubstumm. Hieraus scherzhaft umgestellt. Seit dem späten 19. Jh.

2. überaus dumm. 1860/70 *ff.*

stauben *v* **1.** *tr* = jn verjagen; jm die Tür weisen. Der Betreffende soll „sich aus dem Staube machen". Seit dem 19. Jh, vorwiegend *oberd* und *fränkisch.*

2. *tr* = etw stehlen. Gemeint ist ursprünglich das Entwenden beim Staubwischen; *vgl* ↗abstauben. 1900 *ff.*

3. hier staubt es = a) hier fehlt es an Getränken. Berlin seit dem späten 19. Jh. – b) hier herrscht Aufregung, Unfriede, lebhaftes Kommen und Gehen. ↗Staub 15. 1900 *ff.* – c) hier fliegen Granatsplitter o. ä. Anspielung auf den Staub des Schlachtfeldes. *Sold* in beiden Weltkriegen.

4. es staubt = es wird gefährlich. 1940 *ff, rotw.*

5. gleich staubt es!: Drohrede. Man will dem Betreffenden „den Staub aus der Jacke klopfen"; ↗Staub 13 b. 1950 *ff.*

6. jn ~ = jn prügeln. *Vgl* das Vorhergehende. 1950 *ff.*

7. jn ~ = jn im Fahren überholen; jm überlegen sein. ↗abstauben. *Österr* 1930 *ff.*

8. einen ~ = ein Glas Alkohol zu sich nehmen; sich betrinken. Man spült den Staub aus der Kehle. 1920 *ff.*

9. eine Zigarette (o. ä.) ~ = eine Zigarette rauchen. Man verwandelt sie in stäubende Asche. *Bayr* und *österr,* 1900 *ff.*

10. *intr* = mit der Zigarre viel Rauch entwickeln. 1920 *ff.*

11. *intr* = eilig gehen. Die Schuhe wirbeln den Staub auf. 1900 *ff.*

stäuben *tr* jn prügeln; jn nachdrücklich an seine Pflichten gegenüber der Gruppe erinnern. ↗Staub 7. 1930 *ff.*

staubengehen *intr* weglaufen. ↗stauben 11. 1900 *ff.*

Stäuber *m* Mitglied einer Diebesbande. ↗stauben 2. 1930 *ff.*

Staubfänger *m* **1.** verstaubendes (seinen ideellen Wert einbüßendes) Erinnerungsstück, Siegespokal. 1900 *ff.*

2. veraltetes Bühnenstück. ↗Staub 5. 1900 *ff.*

Staubgefäß *n* **1.** Nase. Wortwitzelei mit dem *bot* Begriff. Der Blütenteil, der den Blütenstaub erzeugt, wird hier zum Staubfilter. 1920 *ff.*

2. Abfalleimer Staub = Schmutz, Kehricht. 1920 *ff.*

staubig *adj* **1.** ärmlich, elend. Mildernder Ausdruck für „schmutzig". 1900 *ff.*

2. kleinbürgerlich, kleingeistig; veraltet. Man ist „verstaubt" in den Ansichten und Lebensgewohnheiten. *Vgl* ↗Staub 5. *Jug* 1960 *ff.*

3. betrunken. ↗stauben 8. 1920 *ff.*

4. ihm geht es ~ = er muß sich schwer abmühen; er ist in schlimmer Lage. Analog zu „ihm geht es ↗dreckig". 1920 *ff.*

Staubkammer (-kammerl) *f (n)* Turnhalle. Es staubt aus den Polstermatten. *Österr* 1950 *ff, schül.*

Staubmäuse *pl* lose zusammengeballter Staub in länger nicht gereinigten Räumen. Er bewegt sich bei Luftzug und erinnert an huschende Mäuse. Berlin 1950 *ff.*

Staubsauger *m* **1.** Ballkleid mit Schleppe. 1900 *ff.*

2. Nase. 1930 *ff.*

3. Gasmaske o. ä. 1930 *ff.*

4. Infanterist. Er „schluckt Dreck". *Sold* in beiden Weltkriegen.

5. Fußgänger im (motorisierten) Straßenverkehr. 1925 *ff.*

6. Putzfrau. 1925 *ff,* Berlin.

7. Radfahrer. 1925/30 *ff.*

8. Registraturbeamter. *Österr* 1930 *ff.*

9. dummer Mensch. In geistiger Hinsicht nimmt er nur „Dreck" auf. *Schül* 1950 *ff.*

10. fliegender ~ = Flugzeug. *Schweiz* 1965 *ff.*

11. rostiger ~ = Trinkernase. ↗Staubsauger 2. „Rostig" spielt auf die Rötung an. 1930 *ff.*

Die Gasmaske erscheint umgangssprachlich auch als Staubsauger (**Staubsauger 3.**, vgl. **Einheitsgesicht**), womit indes wohl kaum auf die Funktion eines solchen vor giftigen chemischen Stoffen schützenden Instruments angespielt wird, denn wer diese Grauen erregende Maske aufsetzt, will damit so vermeiden, selbst zum **Staubschlucker** zu werden. Es kann allerdings sein, daß diese Vokabel auf die äußeren Umstände verweist, die es notwendig machen, sich dieses Schutzinstruments zu bedienen: Man befindet sich im wahrsten Sinne des Wortes im Dreck, und im Falle einer militärischen Verwendung dieses Requisits (vgl. **Staubsauger 4.**) vermeint man nicht zu Unrecht, darin geradezu zu versinken. Da der Einsatz chemischer Waffen verboten ist, nicht aber, und diese Logik verstehe wer will, deren Herstellung und Lagerung, würde damit auch in einem anderen Sinne viel Staub aufgewirbelt werden (**Staub 6.**).

Staubsaugerfee f Hausgehilfin; (jugendliche) Putzfrau. 1955 ff.

Staubsauger-Geschwader n Putzfrauenkolonne. Sold 1935 ff.

Staubsaugerkapitän m Mann bei Betätigung des Staubsaugers. Mit dem Staubsauger fährt er wie mit einem Boot über die Teppiche. 1978 ff.

Staubsaugerlaborantin f Hausgehilfin; (jugendliche) Putzfrau. 1955 ff.

Staubsaugerpilotin f Putzfrau. ↗Staubsauger-Geschwader. 1960 ff.

Staubsaugfee f Hausgehilfin. 1955 ff.

Staubsäugling m Staubsauger. Wortwitzelei. 1920 ff.

Staubschlucker m 1. Bergmann. Anspielung auf den Gesteinsstaub. 1920 (?) ff, westf.
2. Heeresangehöriger. BSD 1965 ff.

'staub'trocken adj streng sachlich. 1920 ff.

Staubtuchgymnastik *f* Arbeiten im Haushalt. 1955 *ff.*

Staubtuchwedler *m* Hausgehilfin, Putzfrau o. ä. 1955 *ff.*

Staubwedel *m* den ~ schwingen = den Ehemann beherrschen. 1870 *ff.*

Staubwolke *f* **1.** *pl* = ganz wenig Staub auf Gewehrteilen. Übertreibender Ausdruck im Mund des Soldatenausbilders. *Sold* 1935 *ff.*
2. ich bin eine ~ = ich verschwinde. *Vgl* ↗Staub 15; ↗stauben 11. 1950 *ff.*

Staubwühler *m* Rock'n'Roll-Tänzer. 1955 *ff.*

Staubzucker *m* jm ~ in den Arsch blasen = sich bei jm einzuschmeicheln suchen. ↗Puderzucker 1a. 1935 *ff.*

Stauche *f* Beigefügtes; Ein-, Hinzugeschüttetes. Nebenform von „stauen = eine Schiffsladung sachgerecht stapeln". Berlin 1955 *ff, jug.*

stauchen *v* **1.** *tr* = jn schlagen. Meint eigentlich „einen Gegenstand kräftig gegen einen anderen stoßen". Man staucht den Sack, indem man ihn vor dem Zubinden schüttelt und aufstößt, damit sich der Inhalt zusammendrückt. Der Schmied staucht, wenn er kräftig auf das Schmiedeeisen schlägt. Seit dem 17./18. Jh.
2. *tr* = jn zurechtweisen. Aus dem Vorhergehenden entwickelt im Sinne eines kräftigen moralischen Stoßes. ↗zusammenstauchen. 1800 *ff.*
3. *tr* = jn im Dienst hart plagen; jn rücksichtslos drillen. *Sold* seit dem späten 19. Jh.
4. *tr* = etw einschütten, hinzufügen. ↗Stauche. 1955 *ff, jug.*
5. *tr* = essen, trinken. Man drückt es in den Magensack. 1900 *ff.*
6. *tr* = Bier mittels eines Bierwärmers erwärmen; die Bierflasche in heißes Wasser tauchen. 1900 *ff.*
7. *tr* = stehlen; Begehrtes listig beschaffen. Man staucht das Gestohlene in den Sack oder in die Tasche. „Stauche" ist auch der sehr weite Ärmel, in dem man kleinere Gegenstände leicht verstecken kann. Seit dem späten 19. Jh. Anscheinend in Süddeutschland aufgekommen und später nordwärts gewandert.
8. *intr* = sich heftig anstrengen; angestrengt lernen. Man staucht den Wissensstoff in das Gedächtnis. *Schül* 1900 *ff.*

Staucher *m* **1.** starke (meist körperliche) Anstrengung. ↗stauchen 3. 1870 *ff.*
2. heftige Rüge. ↗stauchen 2. 1870 *ff.*
3. Vorgesetzter, der seine Untergebenen vorzugsweise anherrscht; strenger Soldatenausbilder. ↗stauchen 2. *Sold* 1935 *ff.*
4. Turnlehrer. ↗stauchen 3. *Schül* 1960 *ff.*

Stauchung *f* Anherrschung. ↗stauchen 2. 1950 *ff.*

Staude *f* **1.** Hemd. Vielleicht verkürzt aus veraltetem „Hanfstaude = Hemd": aus der Bastfaser des Hanfs stellt man Nähgarn, Bindfaden und gröbere Gewebe her. *Rotw* seit dem frühen 19. Jh; seit 1870 auch *sold.*

2. Strickweste. Kundenspr. 1920 *ff.*
3. Kleidung. *Bayr* und *österr,* 1920 *ff.*
4. leichtes Mädchen; Prostituierte. Meint eigentlich die krautige Blattpflanze; dadurch analog zu „↗Pflänzchen". *Österr* 1900 *ff.*
5. ~ (lange ~) = großwüchsiger Mensch. Von der hochgewachsenen Blattpflanze auf den Menschen übertragen. Seit dem 19. Jh.
6. nasse ~ = rasch zu Tränen neigende weibliche Person. *Nordd* und *mitteld,* 1900 *ff.*
7. trockene ~ = hagere Frau höheren Alters. 1900 *ff.*
8. jn aus der ~ hauen = jn niederschlagen. Analog zu „jn aus dem ↗Anzug schlagen". 1920 *ff.*

Stauden-Emil *m* Zuhälter. ↗Staude 4. 1900 *ff.*

Staudenhure *f* Prostituierte, die im Gebüsch (im Grünen, im Freien, an jedem beliebigen Platz) ihr Gewerbe ausübt. 1900 *ff.*

Staudenmensch (-menscherl) *n* Prostituierte, die in Parkanlagen tätig wird. ↗Mensch II. *Österr* 1900 *ff.*

stauen *tr* essen, viel essen. Meint eigentlich „schichten; Waren im Schiffsleib unverrückbar zusammensetzen, stapeln." Verwandt mit ↗stauchen 1. *Marinespr* und seemannsspr. seit dem späten 19. Jh.

Staufferfett *n* Butter, Margarine o. ä. Meint eigentlich das nach dem Hersteller benannte, salbenartige Schmiermittel für Maschinen. *Sold* 1939 bis heute.

Staune *f* die große ~ kriegen = sehr in Erstaunen geraten. *Jug* 1960 *ff.*

staunen *v* da staunt der Laie, und der Fachmann wundert sich (da staunt der Fachmann, und der Laie wundert sich): Ausdruck des Erstaunens. Wohl hergenommen von irgendeinem technischen (chemischen, physikalischen) Versuch, der eine unvorhergesehene Entwicklung nimmt. *Schül* und *stud,* 1900 *ff.*

Stauraum *m* noch ~ haben = noch nicht gesättigt sein. ↗stauen. 1955 *ff, schül* und *stud.*

Stausee *m* ~ spielen = sich langsam betrinken. Stausee ist die Flußmenge, die vor einer Talsperre gestaut wird. Wahrscheinlich 1934 unter Studenten aufgekommen gelegentlich des Baus des Baldeney-Sees in Essen.

stechen *v* **1.** *tr intr* = stecken. Mundartlich nördlich der Mainlinie verbreitete Variante von „stecken" (wo hast du gestochen? = wo hast du gesteckt?). Seit dem 19. Jh.
2. *intr* = die Kopfbedeckung zum Gruß lüften. Hergenommen vom eckigen („stechenden") Schwung, mit dem der Schüler und Studenten die Mütze abnehmen und wieder aufsetzen mußten. 1930 *ff.*
3. *intr* = koitieren. Der Penis als Stechwerkzeug. ↗Stecher 2. 1500 *ff.*
4. auf jn ~ = auf jn anzüglich anspielen. Verwandt mit *gleichbed* „sticheln". 1900 *ff.*

Steckbrief
des grossen Neuen:

Sein Name: Mocca Gold. Sein Aroma: Einzigartig. Schmeckt wie frisch gemahlener Bohnenkaffee. Besondere Merkmale: Natürliche Reinheit. Auserlesene Kaffeesorten. Frischgeröstet. Spezialgefiltert und mit dem Mocca Gold-Verfahren gefriergetrocknet. Das Äussere: Originelles Boutique-Glas. Wichtiger Hinweis: Günstiger Preis! Auch koffeinfrei erhältlich.

exklusiv ~~Fr. 7.20~~
bei ~~-oi~~ Fr. 5.70

*Der umgangssprachliche Steckbrief gibt sich recht undramatisch (vgl. **Steckbrief 1.–3.**), wenngleich diese Vokabel verrät, daß man es eigentlich gern ein bißchen aufregender hätte. Davon zeugen nicht zuletzt die auf fast jedem größeren Volksfest zu findenden Buden, in denen ein jeder, der den dafür verlangten Obulus entrichtet, ein mit seinem Konterfei geziertes Fahndungsplakat erwerben kann. Der oben abgebildete Steckbrief bezieht sich nicht auf eine von der Polizei gesuchte Person, sondern auf eine Ware, die derjenige, der sie im Regal des nächsten Supermarkts entdeckt, unverzüglich dingfest machen soll.*

5. jm etw ~ = jm etw heimlich zu verstehen geben; durch eine Bemerkung jn treffen oder bloßstellen. Analog zu „jm etw ↗stecken" (↗stecken 8). 1700 *ff, stud, schül* und *rotw*.
6. was sticht? = was geht hier vor? wie ist die Stimmung? Hergenommen von der Frage des Skatspielers nach der Trumpffarbe, etwa im Sinne von „was gibt hier den Ausschlag?". *Sold* 1939 *ff*.
7. *intr* = Erfolg haben. Übertragen vom Kartenspieler, der eine Karte überspielen oder übertrumpfen kann und dadurch den Stich gewinnt. *Sportl* 1950 *ff*.

8. es sticht bei mir nicht = es macht auf mich keinen Eindruck; es überzeugt mich nicht. Versteht sich nach dem Vorhergehenden. 1960 *ff*.
9. einen ~ = ein Glas Alkohol trinken. Wohl hergenommen vom Stechheber, mit dem man Wein aus dem Faß nimmt, oder verkürzt aus der Vorstellung, daß man sich „einen Schluck in die Brust sticht". Seit dem 19. Jh.
10. jm eine ~ = jn ohrfeigen. Stechen = die Hand vorschnellen lassen. Doch *vgl* auch „jm eine ↗Bremse stechen" 1800 *ff*.
11. was sticht dich? = warum ist dein Benehmen verändert? Analog zu „es ↗juckt mich". 1900 *ff*.
12. ein komisches ~ in der Blase verspüren = Schlimmes ahnen. Analog zu „es im ↗Urin haben". *Sold* in beiden Weltkriegen.
Stecher *m* **1.** Fahrtenmesser. Verkürzt aus ↗Krötenstecher. 1945 *ff, jug*.
2. Penis. ↗stechen 3. Seit dem 19. Jh; wahrscheinlich sehr viel älter.
3. intimer Freund eines Mädchens; Bräutigam. ↗stechen 3. 1900 *ff*.
4. Zuhälter; nichtzahlender Freund einer Prostituierten *(abf)*. 1960 *ff, prost*.
5. alter ~ = bejahrter Mann; alter Homosexueller. 1900 *ff*.
6. doller ~ = Mann, der keine Gelegenheit zu geschlechtlichem Verkehr versäumt. 1920 *ff*.
7. unheimlicher ~ = sexueller Kraftmensch. *Halbw* 1965 *ff*.
Stechgroschen *m pl* Prostituiertenentgelt. ↗stechen 3. Seit dem 16. Jh.
Stechkontakt *m* Geschlechtsverkehr. 1910 *ff*.
Stechkontaktaugen *pl* lüstern blickende Augen. 1920 *ff*.
Steckbrief *m* **1.** Personenbeschreibung; Lebenslauf. Eigentlich die Beschreibung (das Fahndungsplakat) eines polizeilich gesuchten Verbrechers. 1920 *ff*.
2. Wehrpaß. *BSD* 1965 *ff*.
3. erfreuliche Nachricht. Diese Nachricht kann man an den Spiegel stecken; *vgl* ↗Spiegel 6. 1900 *ff*.
steckbriefen *refl* seinen Lebenslauf schreiben. *Halbw* 1955 *ff*.
Steckbrief-Visage (Grundwort *franz* ausgesprochen) *f* Gesichtszüge eines Verbrechers. ↗Visage. 1900 *ff*.
Steckdose *f* **1.** Vagina. Von der Elektrotechnik übernommen. *Vgl* ↗Dose 1; ↗stecken 5. 1900 *ff*.
2. Prostituierte, Hure. 1935 *ff, sold* und *ziv*.
3. Mädchen. *BSD* 1967 *ff*.
4. Nachrichtenhelferin. Anspielung auf die Steckdose bei der Handvermittlung eines Telefongesprächs und auf den freizügigen Lebenswandel, der weiblichen Bediensteten beim Militär nachgesagt wurde/wird. *Sold* 1939 *ff*.
5. hier ist eine ~, da kannst du dich waschen: absichtlich unsinnige Redensart. Anspielung auf das

Rasieren mittels elektrisch betriebenen Rasiergeräts: der Unrasierte fällt eher unangenehm auf als der Ungewaschene. *BSD* 1970 *ff*.

Steckelbeine *pl* lange, hagere Beine. Steckel = Stange. Seit dem 19. Jh.

Stecken *m* **1.** hagerer Mensch. Analog zu ↗Stange 1. Seit dem 19. Jh, vorwiegend *oberd* und *westd.*

2. ich gehe am ~!: Ausdruck höchster Verwunderung. Analog zu „da gehst du am ↗Stock!". 1935 *ff*.

3. etw am ~ haben = nicht unbescholten sein. *Vgl* „↗Dreck am Stecken haben". 1900 *ff*.

stecken *v* **1.** *intr* = sich befinden (wo steckst du? = wo bist du?). „Stecken" meint allgemein „in eine(r) Öffnung stecken", im engeren Sinne „sich versteckt halten". Seit dem 16. Jh.

2. drin ~ = in Not (Geldverlegenheit) sein. Verkürzt aus „in der ↗Patsche stecken". Seit dem 19. Jh.

3. da steckt alles drin = das hat Zukunft, hat gute Aufstiegsmöglichkeiten, hat Wert. Hergenommen vom Lostopf, der noch Gewinne enthält, oder vom Skat, in dem gute Karten liegen. 1870 *ff*.

4. da steckt nichts drin = das hat keinen Wert. 1870 *ff*.

5. *intr tr* = koitieren. Seit dem 19. Jh.

6. hinter etw ~ = an etw insgeheim maßgeblich beteiligt sein. Seit dem 18. Jh. *Vgl engl* „to be behind".

7. sich hinter jn ~ = sich um jds Fürsprache bemühen; für den eigenen Vorteil einen anderen vorschieben. Man tritt selbst nicht in Erscheinung, hält sich verborgen. Seit dem 18. Jh.

8. jm etw ~ = a) jm eine Heimlichkeit anvertrauen. Hergenommen vom Steckbrief aus den Zeiten des Femgerichts: die Ladung zum Femgericht steckte der Bote an das Tor des Beschuldigten. 1700 *ff*. – b) jm heftige Vorhaltungen machen; jm etw streng untersagen. Vielleicht hergenommen von der Grenzmarkierung zum Nachbarn hin. Seit dem 19. Jh.

9. jm eine ~ = jn ohrfeigen; jm einen Stoß versetzen. ↗stechen 10. 1800 *ff*.

10. jn ~ lassen = jm in der Not nicht helfen. ↗stecken 2. Seit dem 19. Jh.

11. etw nicht ~ lassen = etw nicht auf sich beruhen lassen; einen Vorwurf nicht unwidersprochen lassen. Seit dem 19. Jh.

Steckenbeine *pl* dünne, hagere Beine. ↗Stecken 1. Seit dem 19. Jh.

steckenbeinig *adj* lang-, hagerbeinig. Seit dem 19. Jh.

steckenbleiben *intr* eine Strafstunde verbüßen. Man verbleibt in der Schule, bis die Stunde vorbei ist. *Schül* 1900 *ff*.

Steckenpferd *n* sein ~ füttern = seinen Liebhabereien nachgehen. 1960 *ff*.

Stecker *m* Penis. ↗stecken 5. 1900 *ff*.

Steckerleis (Steckerl-Eis) *n* Eis am Stiel. Steckerl = kleiner Stab. *Bayr* 1950 *ff*.

Stecknadel *f* etw wie eine ~ suchen = etw sehr gründlich suchen. Fußt auf der Metapher von der „Stecknadel im Heuhaufen". Seit dem 18. Jh. *Vgl engl* „we looked for it like for a pin in a haystack", *franz* „chercher une aiguille dans une botte de foin".

Stecknadelköpfe *pl* Augen wie ~ = stechende Augen mit kleiner Pupille. 1965 *ff*.

Steckrübenkind *n* in Notzeiten aufgewachsenes Kind. Anspielung auf den „↗Steckrübenwinter". 1917 *ff*.

Steckrübenseminar *n* Landwirtschaftsschule o. ä. 1900 *ff*.

Steckrübenstudent *m* Schüler der Landwirtschaftlichen Winterschule, der Landwirtschaftsschule o. ä. 1900 *ff*.

Steckrübenwinter *m* Winter 1917/18. Steckrüben bildeten damals die vorherrschende Nahrungsgrundlage.

Steckzwiebel *f* ältliche weibliche Person. Eigentlich die kleine, stark ausgetrocknete Setzzwiebel. 1920 *ff*.

Steftn *m* grober Mann; langweiliger Mann. Soviel wie „Pflock, Stift"; analog zu „↗Stift = Penis". *Bayr* seit dem 19. Jh.

Stehanstalt *f* Stehabort. 1955 *ff*.

Stehaufmännchen (Stehaufmännlein) *n* **1.** Mensch, der sich aus noch so argen Fehlschlägen wieder aufrafft; lebhafter, munterer, unruhig sitzender Mensch. Stehaufmännchen sind kleine Figuren für Kinder; sie haben eine halbkugelförmige, mit Blei ausgegossene Grundfläche und richten sich stets wieder auf. 1800 *ff*.

2. Penis. 1900 *ff*.

Stehaufmännchen-Natur *f* große gesundheitliche Widerstandskraft; körperliche (und geistige) Unverwüstlichkeit. Seit dem 19. Jh.

Stehaufmännchensalat *m* Selleriesalat. Wegen angeblicher Einwirkung von Sellerie auf die geschlechtliche Potenz. ↗Stehaufmännchen 2. *BSD* 1965 *ff*.

Stehausschank *m* riechen wie ein ~ = aufdringlich nach Alkohol riechen. 1960 *ff*.

Stehbier *n* im Stehen getrunkenes Glas Bier. Seit dem 19. Jh.

Stehbierhalle *f* Stehabort. Eigentlich die Gastwirtschaft, in der man sein Bier im Stehen trinkt. 1900 *ff*.

Stehbolzen *m* **1.** erigierter Penis. ↗Bolzen 3. Seit dem 19. Jh.

2. *pl* = (plumpe) Beine. 1900 *ff*.

Stehbrötchen *n* hastig verzehrtes Morgenfrühstück. Man ißt sein Brötchen rasch im Stehen. 1955 *ff*, *jug*, Berlin.

Stehbrotzeiter *m* Mann, der in einem Stehausschank (Stehimbiß) sein Frühstücksbrot verzehrt. ↗Brotzeit. 1965 *ff*.

*Es ist zu hoffen, daß das, was jene drei Politiker da im Stehen abmachen (**stehen 11.**), auch steht (**stehen 1.**), und sie nicht wie weiland Luther vor dem Reichstag in Worms ausrufen müssen: „Hier steh ich! Ich kann nicht anders. Gott helfe mir! Amen.". Allerdings wäre dies einem Politiker schon eher möglich, als es bei einem einfachen „Da steh ich nun" zu belassen, denn dies würde wohl ein jeder durch das berühmte „ich armer Tor! Und bin zu klug als wie zuvor" (Goethe, Faust 1) vervollständigen.*

Stehbums *m* Stehbierlokal. ↗Bums 6. 1900 *ff.*

Steh-C. *m* tägliches Treffen der Verbindungsstudenten an einem bestimmten Punkt des Hochschulgebäudes und zu festgesetzter Zeit. Verkürzt aus „Steh-Convent". *Stud* 1900 *ff.*

stehen *intr* **1.** das steht = das ist erfolgversprechend, günstig. Es hat festen Grund und schwankt nicht. 1910 *ff.*

2. steht! = a) einverstanden! Auf die Frage „steht das fest?" antwortet man „(es) steht!". *Sold* in beiden Weltkriegen; *ziv* 1950 *ff.* – b) die Sendung ist fertig aufgenommen. Rundfunkspr. 1930 *ff.*

3. auf jn ~ = es auf jn abgesehen haben; auf jn Wert legen; es gut mit jm meinen; sich zu jm be-

kennen. Hergenommen von der Antenne, die auf einen Sender „steht" (= eingestellt ist). Gegen 1920/30 im *Oberd* aufgekommen und seit 1950 eine der häufigsten Halbwüchsigenvokabeln im *dt* Sprachraum.

4. auf etw ~ = für etw schwärmen; etw bevorzugen. *Vgl.* das Vorhergehende. 1920 *ff.*

5. es steht mir bis hier (wobei man auf den Hals oder unterhalb des Mundes zeigt) = ich bin dessen überdrüssig. Anspielung auf Brechreiz. Seit dem 19. Jh. *Vgl franz* „en avoir jusqu'ici".

6. es steht mir bis oben = es widert mich an. *Vgl* das Vorhergehende. Seit dem 19. Jh.

7. das steht nicht drin (davon steht nichts drin) = das ist nicht vorgesehen. Drin = im Brief, im Vertrag, im Gesetz, in der Zeitung o. ä. 1950 *ff, bayr.*

8. damit (davon) steht gar nichts drin = davon kann keine Rede sein. *Vgl* das Vorhergehende. 1950 *ff.*

9. für etw ~ = sich für etw verbürgen. Seit dem 19. Jh.

10. ihm steht er = sein Penis erigiert. *Vgl* ↗Steher 4. 1900 *ff.*

11. etw im ~ abmachen = a) etw schnell, oberflächlich erledigen. Seit dem 19. Jh. – b) eine Freiheitsstrafe ohne Reue verbüßen. 1900 *ff.*

12. neben sich ~ = eine Bühnenrolle ohne innerliche Beteiligung spielen (singen). Theaterspr. 1920 *ff.*

13. jn ~ lassen = den Läufer überholen; im Wettkampf siegen; davonlaufen. 1925 *ff, sportl.*

14. nichts ~ lassen können = diebisch sein. 1900 *ff.*

15. mit dem ~ geht's gut, nur mit dem Gehen steht's schlecht: Antwort auf die Frage nach dem Befinden. Wortspielerisch zusammengebastelt aus den Fragen „wie geht's?" und „wie steht's?". 1920 *ff.*

16. ~ üben = Posten stehen. Scherzhaft meint man, auch diese Fertigkeit könne der Soldat nur durch Üben erwerben. *BSD* 1960 *ff.*

stehend *adv* **1.** ~ freihändig = mühelos; gekonnt; lässig; im Vertrauen auf ziemlich sicheres Wissen hin; auswendig. Hergenommen entweder vom Schießen, wobei der Schütze steht und das Gewehr nicht auflegt, oder vom Radfahren, bei dem man steht und die Lenkstange nicht berührt; in beiden Fällen sind Standsicherheit und große Konzentration vonnöten. Seit dem frühen 20. Jh, *schül, stud* und *sold.*

2. ~ sterben können = eine große Schuhnummer haben. Die Schuhe sind so groß wie kleine Särge. 1900 *ff.*

Steher *m* **1.** Freund einer Halbwüchsigen. ↗stehen 3. *Halbw* 1955 *ff.*

2. Mann, der seinen Standpunkt beibehält. Er hat „↗Stehvermögen". 1950 *ff.*

3. erfahrener Verbrecher; Verbrecher, der die Mittäter nicht benennt. Es gelingt ihm, die Verhöre

Vielleicht hat der so verdrießlich dreinschauende Herr es bis zu seinem Stehkragen satt (**Stehkragen 6.**), *daß sein Bier (ein allerdings nicht zu dieser eher förmlichen Kleidung passendes Getränk schon wieder keinen Stehkragen vom Format des rechts oben abgebildeten Gebräus hat* (**Stehkragen 1.**) *und auch nicht bis dahin, zum Stehkragen nämlich, gefüllt ist* (**Stehkragen 3.**)*, was den Zeitpunkt, bis er selbst bis zum Stehkragen voll ist* (**Stehkragen 4.**)*, allerdings nicht allzuweit nach hinten schieben dürfte. Und wenn er es dann bis zum Stehkragen stehen hat* (**Stehkra-**

gen 8.)*, tät er gut daran, recht schnell ein Stehkonvent abzuhalten* (**Stehkonvent 3.**)*. Man sieht schon: Dieser umgangssprachliche Stehkragen ist nicht von jener Steifheit, die seinem textilen Urbild zu eigen ist. Dazu paßt das „bis", das alle Wendungen mit dieser Vokabel bestimmt (vgl.* **Stehkragen 3.-8.**)*; und die Strecke, die es absteckt, ist bis auf eine Ausnahme (vgl.* **Stehkragen 8.**) *immer nach oben hin begrenzt, oft im Sinne der Redensart „es steht mir bis hier"* (**stehen 5.**)*, die hier wörtlich verstanden werden muß.*

„durchzustehen", ohne „umzufallen". 1950 *ff*.
4. Versteifung des Penis. *Vgl* ↗ stehen 10. 1900 *ff*.
Stehfick *m* im Stehen vollzogener Geschlechtsverkehr. ↗ Fick. 1900 *ff*.
Stehhosen *pl* enge Hosen, in denen Bücken unmöglich ist. 1900 *ff*.
Stehjaule *f* Standkonzert. Die „Musik" erinnert an das Jaulen eines Hundes oder bringt die Hunde zum Jaulen. *BSD* 1965 *ff*.
'Stehjuch'he *n* Stehplätze auf der obersten Theatergalerie. ↗ Juchhe 1. Spätestens seit 1900.
Stehkleid *n* enganliegendes Kleid, in dem man schlecht oder nicht sitzen kann. 1950 *ff* (1900?).
Stehkneipe *f* kleine, schmale Wirtsstube; Stehbierlokal. ↗ Kneipe 1. 1870 *ff*.

Stehkontakt *m* Geschlechtsverkehr im Stehen. *Vgl* ↗ Stehfick. 1900 *ff*.
Stehkonvent *m* **1.** Unterhaltung im Stehen. Stammt aus dem Studentenleben (↗ Steh-C.). 1920 *ff*.
2. Gesamtheit der Gäste, die sich nicht entschließen, Platz zu nehmen. 1920 *ff*.
3. einen ~ abhalten = gemeinsam den Stehabort aufsuchen. 1920 *ff*.
Stehkragen *m* **1.** Schaum auf dem Glas Bier. Wegen der Formähnlichkeit. Seit dem späten 19. Jh bis heute.
2. liegender ~ = Schillerkragen. 1920 *ff*. (Karl Valentin ?).
3. bis zum ~ gefüllt = bis obenhin gefüllt. 1950 *ff*.

Das Foto gibt ein gutes Bild davon, was unter einem **Stehkragenarbeiter** *zu verstehen ist: Ein in Verwaltung, Management oder Forschung Beschäftigter, dem man auch ansehen soll, daß er nicht an einer Maschine steht. Die Vokabel bringt dies zwar zum Ausdruck, doch reduziert sich dieses Anderssein auf ein Äußeres und gibt damit zu erkennen, daß selbst der, der etwas abschätzig auf den Arbeiter im* **Blaumann** *herabsehen mag, wie dieser auch gezwungen ist, seine Arbeitskraft zu verkaufen.*

4. voll bis zum ~ = a) volltrunken. 1950 *ff.* – b) dichtbesetzt. 1950 *ff.*

5. das Gaspedal bis zum ~ durchdrücken = so schnell wie möglich fahren. 1935 *ff.*

6. es satt sein (haben) bis zum ~ = einer Sache völlig überdrüssig sein. *Vgl* das Folgende. 1950 *ff.*

7. es steht mir bis zum ~ = es widert mich an. Anspielung auf Brechreiz. *Vgl* ↗stehen 5. 1950 *ff.*

8. es bis zum ~ stehen haben = Harndrang verspüren. *Sold* 1939 bis heute.

Stehkragenarbeiter *m* Angehöriger eines starken intellektuellen Berufsstandes. Der Stehkragen gilt noch immer als Sinnbild der Zugehörigkeit zu einem nichthandwerklichen Beruf (Nichtfabrikarbeiterberuf), verbunden mit einer gewissen Vornehmtuerei und äußerer Gepflegtheit. 1960 *ff.*

Stehkragenbetrüger *m* Wirtschaftsverbrecher o. ä. ↗Weiße-Kragen-Kriminalität. 1960 *ff.*

Stehkragenheini *m* Angehöriger der nichthandwerklichen Berufe. ↗Heini 1. 1950 *ff.*

Stehkragenkriminalität *f* Wirtschaftsverbrechen. Geht zurück auf *angloamerikan* „white-collar-criminality". 1960 *ff.*

Stehkragenkrimineller *m* Wirtschaftsstraftäter. 1960 *ff.*

Stehkragenlouis (Grundwort *franz* ausgesprochen) *m* elegant gekleideter Zuhälter. ↗Louis. Berlin 1920 *ff.*

Stehkragenprolet (-proletarier) *m* **1.** Mann niederen Ranges, der sich durch Schlips und Kragen aus seinem Stande hervorzuheben sucht. ↗Stehkragenarbeiter. Im späten 19. Jh aufgekommen.

2. Büroangestellter, Beamter. Zur Erläuterung *vgl* auch „↗Stehkragenarbeiter". 1870 *ff. Vgl engl* „white-collar-worker".

3. Schüler mit abgebrochener höherer Schulbildung. 1920 *ff.*

4. Zivilist. *Marinespr* in beiden Weltkriegen.

Stehkragenproletariat *n* gesellschaftliche Mindergeltung von Berufstätigen, die ihren niedrigen gesellschaftlichen Rang durch gepflegtes Äußeres zu heben suchen. 1900 *ff.*

Stehkragentäter *m* Wirtschaftsstraftäter. 1960 *ff.*

Stehkrämer *m* Händler, der vom vorgebundenen Tablett verkauft. 1950 *ff*, Berlin.

Stehldieb *m* Taschen-, Ladendieb; Gelegenheitsdieb ohne Gewaltanwendung. Die Bezeichnung betont den Unterschied zum räuberischen Diebstahl. 1920 *ff.*

stehlen *v* **1.** er kann mir gestohlen werden (bleiben)! = er ist mir gleichgültig; an ihm liegt mir nichts; er soll mich in Ruhe lassen! Was ungestraft gestohlen werden kann, ist wertlos. Im frühen 19. Jh aufgekommen.

2. gestohlen bei Tietz (o. ä.), als das Licht ausging: Antwort auf die Frage, woher man diesen Gegenstand habe. 1930 *ff.*

3. ich habe mein Geld nicht gestohlen = unnötige Ausgaben finanziere ich nicht. 1900 *ff.*

Stehlratz *m* diebischer Mensch. *Oberd* „Ratz = Ratte". 1900 *ff.*

Stehpartie *f* Geschlechtsverkehr im Stehen. 1900 *ff.*

Stehpiepelsalat *m* Selleriesalat. ↗Piepel 1. Sellerie fördert angeblich die Potenz des Mannes. *BSD* 1960 *ff.*

Stehpietz *f* pralle Frauenbrust. ↗Pieze 1. Seit dem 19. Jh, *mitteld.*

Stehpille *f* Droge, die die männliche Potenz angeblich hebt. 1920 *ff.*

Stehpint *m* erigierter Penis. ↗Pint. 1900 *ff.*

Stehpinte *f* Stehbierlokal. ↗Pinte. 1900 *ff.*

Stehreise *f* im Stehen verbrachte Eisenbahnfahrt. 1944 *ff.*

Stehrumchen *n m* Mann (Empfangschef), der im Restaurant die Gäste begrüßt. Er „steht rum". 1925 *ff*, Berlin.

Stehschoppen *m* rasch (im Stehen) getrunkenes Glas Wein (Bier). 1870 *ff*.

Stehsitz *m* 1. Stehplatz. Berlin seit dem ausgehenden 19. Jh; auch Wien.
2. Zuschauerplatz der Zaungäste auf Bäumen, Laternenpfählen, Stehleitern usw. 1910 *ff*.

Stehumfallkragen *m* weicher Sportkragen. *Vgl* ↗Stehkragen 2. 1920 *ff*.

Stehvermögen *n* Durchhaltekraft. Aus *engl* „standing-power". Meint in der Sportsprache die länger anhaltende Leistungsfähigkeit eines Sportlers. 1950 *ff*.

Steiblift *m* Bleistift. Durch Buchstabenumstellung entstanden. *Schül* 1930 *ff*.

steif *adj* 1. betrunken. Man ist bis zur Erstarrung bezecht. Seit dem 19. Jh.
2. etw ~ und fest behaupten (erklären, glauben, versprechen usw.) = etw mit aller Bestimmtheit behaupten. „Steif" (= unbeugsam, hartnäckig) und „fest" (= bestimmt, unerschütterlich) sind hier formelhaft verbunden. 1700 *ff*.
3. sich ~ halten = sich ablehnend verhalten; nicht nachgeben; nicht freigebig sein. „Steif" bezieht sich hier auf das Rückgrat, das sinnbildlich für Unnachgiebigkeit und aufrechte Gesinnung steht. 1500 *ff*.
4. sich ~ machen = sich ablehnend verhalten. 1950 *ff*.
5. sich ~ trinken = sich sinnlos betrinken. ↗steif 1. Seit dem 19. Jh.

Steifbock *m* ungewandter Mensch; Versager. Fußt auf dem Vergleich „steif wie ein ↗Bock". *Schül* 1900 *ff*.

'steif'duhn *adj* volltrunken. ↗steif 1; ↗duhn 1. Seit dem 19. Jh.

Steifer *m* 1. erigierter Penis. Seit dem 19. Jh.
2. starker Grog; hochprozentiger Branntwein. *Vgl* auch ↗Grog. *Nordd* seit dem 19. Jh.

Steifkopf *m* starrsinniger Mensch. 1900 *ff*.

steifköpfig *adj* eigensinnig, störrisch. 1900 *ff*.

Steifleder *n* ungelenker Mensch. Seit dem 19. Jh.

steifledern *adj* ungewandt. Seit dem 19. Jh.

steifleinen (steifleinern) *adj* in alten Anschauungen verharrend; ungewandt; spröde; prüde. Übertragen von der stark appretierten Rohleinwand (Schneiderleinen, als Einlagestoff verwendet). 1820 *ff*.

steifpetrig *adj* gesellschaftlich ungewandt. Etwa seit 1800, Berlin.

'steif'staats *adv* gut gekleidet. ↗staats 1. *Westd* seit dem 19. Jh.

Steigboy *m* Fahrstuhlführer. 1930 *ff*.

Steigbügelhalter *m* Helfershelfer. Seit dem 18. Jh.

Steige *f* Unterkunft. Verkürzt aus ↗Absteige. 1960 *ff*, Hamburg.

steigen *v* 1. *intr* = gehen; sich begeben. Meint eigentlich das Schreiten, dann auch das Aufwärts- oder Abwärtssteigen. Man „steigt" ins Bett, ins Bad, in den Keller, in das Examen, in die Operation usw. *Stud* seit dem späten 18. Jh.
2. *intr* = jm auf den Fuß treten. *Bayr* 1930 *ff*.
3. *intr* = aufbrausen; die Beherrschung verlieren. Analog zu ↗hochgehen. Seit dem 19. Jh.
4. *impers* = stattfinden (ein Fest steigt; eine Rede steigt). Ursprünglich nur auf ein Lied bezogen, dessen Klänge zur Zimmerdecke aufsteigen; dann auch auf andere Gegebenheiten angewendet. 1700 *ff*, *stud*.
5. hinter etw (dahinter) ~ = etw ergründen, aufdecken, verstehen. 1900 *ff*, *schül* und *stud*.
6. hinter jn ~ = Interesse an einem Mädchen haben. ↗nachsteigen. 1900 *ff*.
7. in etw ~ = sich an etw beteiligen; sich anschließen. ↗einsteigen 1. *Halbw* 1960 *ff*.
8. in ein Kleid (in die Hose) ~ = ein Kleid von unten anziehen, aufwärtsziehen. Seit dem 18. Jh.
9. mit jm ~ = ein Mädchen begleiten. Analog zu „mit jm ↗gehen". Seit dem 19. Jh, *südd*.
10. etw ~ lassen = etw stattfinden lassen; ein Lied anstimmen; eine Rede beginnen. ↗steigen 4. Seit dem 19. Jh.
11. jn ~ lassen = jn in Verlegenheit bringen; jn verulken; jn erzürnen. ↗steigen 3. Seit dem 19. Jh.

Steiger *m* 1. Mann, der Mädchen nachstellt; Frauenheld. ↗steigen 6 u. 9. *Österr*, 19. Jh.
2. alter ~ = geschlechtlich leistungsfähiger Mann. *Österr* seit dem 19. Jh.

Steign *f* 1. flaches Kistchen ohne Deckel für Obst und Gemüse. Entwickelt aus *mhd* „stige = Stall für Kleinvieh" mit Anspielung auf das Lattengitter. *Bayr* und *österr*, seit dem 19. Jh.
2. Bett, Liege. Ursprünglich wohl Bezeichnung für das Gitterbett. *Österr* 1950 *ff*, *halbw*.
3. Unterkunft. *Vgl* ↗Steige. *Österr* 1950 *ff*.
4. zaundürre ~ = hagere Frau. Analog zu ↗Latte I 9. *Österr* 1900 *ff*.

steil *adj* 1. höchst eindrucksvoll; von guter Figur; anziehend; sehr sympathisch. Leitet sich her von der Vorstellung steil aufsteigender Berge und Gebirgszüge; wohl beeinflußt von *angloamerikan* „steep". *Halbw* 1955 *ff*.
2. unübertrefflich. 1965 *ff*.
3. unnahbar, abweisend. Vom Begriff „steil aufragend" über „schwer erreichbar" weiterentwickelt zu „trotzig, stolz". 1400 *ff*. Nach 1950 erneut aufgelebt.

steilbusig *adj* eindrucksvolle Brüste habend. 1955 *ff*.

steilen *v* 1. etw ~ = etw schwieriger darstellen als der Wirklichkeit entsprechend. 1935 *ff*, *ziv* und *sold*.
2. *intr* = übertreiben, prahlen. 1935 *ff*, *ziv* und *sold*.

Steilzahn *m* **1.** sehr nettes, anziehendes junges Mädchen. ↗steil 1; ↗Zahn 3. 1955 *ff*.

2. spätjugendlicher ~ = weibliche Person, die sich dem dreißigsten Lebensjahr nähert. 1960 *ff*.

steilzahnig *adj* überaus sympathisch im Wesen und von Gestalt. 1960 *ff*.

Stein *m* **1.** Geld, Markstück, Schweizer Franken. Analog zu „Kies", „Bims", „Schotter", „Splitt" usw. *Rotw* 1800 *ff*.

2. Maßkrug. Er ist aus Steingut. *Vgl angloamerikan* „stone = Bierkrug". Seit dem 19. Jh.

3. auf ~ beißen = auf unüberwindlichen Widerstand stoßen. ↗Granit. 1920 *ff*.

4. den ~ ins Rollen bringen = den ersten Anstoß geben. Der ins Rollen geratene Stein kann eine Lawine auslösen. Seit dem 19. Jh.

5. ihm fällt ein ~ vom Herzen = er wird von einer schweren Sorge befreit. Die Sorge erscheint umgangssprachlich meist unter dem Bild einer Last. „Stein auf dem Herzen" gehört dem 16. Jh an; die heutige Redensart kam im 18. Jh auf.

6. deswegen fällt (bricht) ihm kein ~ aus der Krone = deswegen vergibt er sich nichts; dadurch wird sein Ehrgefühl nicht gekränkt. In volkstümlicher Auffassung trägt der Dünkelhafte eine Krone, wohl in Nachahmung der Fürstenkrone, auch der Brautkrone; fällt aus der Brautkrone ein Stein, deutet sich Unheil an. Seit dem 19. Jh.

7. es friert ~ und Bein = es friert heftig. „Stein" und „Bein" sind schon früh Sinnbilder der Festigkeit, der Stärke und der Verläßlichkeit, weswegen sie zu einer verstärkenden Formel geworden sind; man sagt „der Boden ist steinhart (oder knochenhart) gefroren". 1600 *ff*.

8. bei jm einen ~ im Brett haben = bei jm viel gelten. Geht zurück auf die beliebten Brettspiele (Schach, Dame, Mühle, Puff usw.): wer mit den eigenen Steinen ins Feld des Gegners gelangt, hat Vorteil. Seit dem 16. Jh.

9. ~ und Bein auf jn halten = fest zu jm stehen; jm nichts Ehrenrühriges zutrauen. ↗Stein 7. 1800 *ff*.

10. ~ und Bein jammern (klagen) = herzzerreißend jammern. ↗Stein 7. Seit dem 19. Jh.

11. lieber ~e klopfen (kloppen) als . . . = lieber schwere körperliche Arbeit verrichten als . . . Seit dem 19. Jh.

12. der ~ kommt ins Rollen = die Sache nimmt ihren Anfang. ↗Stein 4. Seit dem 19. Jh.

13. jm ~e in den Weg legen (werfen) = jm Hindernisse bereiten; jds Vorhaben erschweren. Seit dem 16. Jh.

14. zwei harte ~e mahlen selten klein = fallen die beiden höchsten Karten im selben Stich, so hebt sich ihre Wirkung auf, und sie bringen wenig ein. Kartenspielerspr. Seit dem 19. Jh.

15. einen ~ plumpsen hören = von drohender Gefahr befreit sein; sich befreit fühlen. ↗Stein 5. 1920 *ff*.

16. ~ und Bein schimpfen = heftig schimpfen. ↗Stein 7. Seit dem 19. Jh.

17. schlafen wie ein ~ = tief schlafen. Fußt auf der Vorstellung von der Unbeweglichkeit. 1900 *ff*.

18. schweigen wie ein ~ = sehr verschwiegen sein. 1900 *ff*.

19. ~ und Bein schwören = etw fest versichern; etw kräftig beteuern. ↗Stein 7. 1500 *ff*.

20. es ist ihm ein ~ am Bein = es behindert seine Freiheit. Einen schweren Stein befestigte man früher mittels einer Kette am Bein des Gefangenen, um ihn am Entlaufen zu hindern. Seit dem 19. Jh.

21. sich bei jm einen ~ ins Brett setzen = durch eine Gefälligkeit das Wohlwollen eines anderen erringen. ↗Stein 8. Seit dem 19. Jh.

22. er stolpert über den spitzen Stein: spottende Charakterisierung norddeutscher Aussprache. Seit dem 19. Jh.

23. ~e verdauen (vertragen) können = einen sehr gesunden Magen haben. Eine übertreibende Redewendung, vielleicht zusammenhängend mit dem Märchen von Rotkäppchen und dem Wolf. 1900 *ff*.

24. jm ~e in den Weg werfen ↗Stein 13.

25. sich ~ und Bein wundern = sich sehr verwundern. ↗Stein 7. 1900 *ff*.

Steinacher *m* einen ~ fabrizieren = Spielkarten chemisch präparieren. Leitet sich her von der Verjüngungskur nach Professor Steinach. Falschspielerspr. 1964 *ff*.

'stein'alt *adj* sehr alt. 1500 *ff*.

Steinbrecher *m* Militärzahnarzt. Bezeichnet eigentlich den Arbeiter im Steinbruch. Hier Anspielung auf die primitiven Zustände in den Zahnstationen. *Vgl* aber auch ↗Steinbruch 1. *Sold* in beiden Weltkriegen.

Steinbruch *m* **1.** schlechter Zahnbefund; lückenhaftes Gebiß. 1910 *ff*.

2. Arbeitsstätte, an der die Arbeitnehmer körperlich überfordert werden. Die Arbeit ist schwer wie die im Steinbruch. Seit dem 19. Jh.

Steinbrucharbeiter *m* Zahnarzt. ↗Steinbrecher; ↗Steinbruch 1. 1920 *ff*.

Steinbruchingenieur *m* Zahnarzt. 1920 *ff*.

Steinerweichen *n* **1.** es ist zum ~ = es ist zum Verzweifeln; es geht einem seelisch sehr nahe. Seit dem 19. Jh.

2. zum ~ schluchzen (weinen o. ä.) = erschütternd weinen. 1700 *ff*. Früher auch in der Form „es möchte einen Stein erbarmen".

3. zum ~ singen = sehr schlecht singen. 19. Jh.

steinerweichend *adj* mitleiderregend. Seit dem 19. Jh.

Steinesel *m* Schimpfwort auf einen dummen Menschen. Aus „steinalt" entwickelt sich „Stein-" zu einer Steigerungspartikel. Seit dem 19. Jh, vorwiegend *oberd*.

Steinhäger-Krematorium *n* dicker Bauch. *Westf* 1965 *ff*.

Die Vokabel **Steinsetzer** *als Bezeichnung für einen Schachspieler entstand Anfang des 20. Jahrhunderts. Dem voraus ging eine Vereinheitlichung der ehedem oft bizarr geformten Schachfiguren. Entworfen wurden die auch heute noch auf allen Turnieren gebräuchlichen „Steine" (vgl.* **Stein 8., 21.**) *im vorigen Jahrhundert von dem Engländer Howard Staunton. Wolfram Runkel hat in seinem Artikel „Die Dame verliert ihr Gesicht" im „Zeit-Magazin" (37/84) die Geschichte des Schachs und der Figuren, mit denen es gespielt wird, kurz skizziert. Die Einführung der genormten Schachfiguren sieht er in einem Zusammenhang mit der Professionalisierung dieses Spiels in den letzten Jahrzehnten des vorigen Jahrhunderts: „Je besser das Schachspiel wurde, desto langweiliger wurden die Figuren. In früheren Jahren traten auch Turnierspieler oft mit raffiniert geschnitzten, vielleicht phantasiebeflügelten Figuren an. Es kam vor, daß ein Meister sich beklagte, er habe verloren, weil er sich in die gegnerische Dame verliebt habe. (Unlogische Ausrede: Eigentlich sollte die Verliebtheit ein Grund mehr sein, der Dame den König – oder dem König die Dame – wegzunehmen.) Jedenfalls spielen heute die Turniermatadoren höchst ungern mit ‚schönen' Figuren."*

'**stein'hart** *adj* sehr hart. Seit *mhd* Zeit auf dem Vergleich „hart wie ein Stein" beruhend.

Steinklopfer *m* **1.** (Hoch-)Alpinist. Anspielung auf das Hakeneinschlagen. 1900 *ff.*
   2. akademischer ~ = Mineraloge, Geologe. Eigentlich ein Mann, der Steine zerkleinert. 1900 *ff.*

Steinmeer *n* Großstadt. Anspielung auf die geringe Zahl der Grünflächen. 1920 *ff.*

'**stein'müde** *adj* sehr müde, abgespannt. Wie ein Stein könnte man ins Bett fallen. *Bayr* und *österr,* seit dem 19. Jh.

Steinpils (Steinpilz) *m n* Steinhäger zum Glas Bier. Wortspiel mit „Pils" (= Pilsner Bier) und „Pilz". Gegen 1950 in Westfalen aufgekommen.

Steinpilskur (Steinpilzkur) *f* Genuß eines Steinhägers in Verbindung mit einem Glas Bier. Westfalen 1950 *ff.*

'**stein'reich** *adj* sehr wohlhabend. Meint ursprünglich wohl „reich an Edelsteinen" oder „Geld haben wie Steine". Seit dem 15. Jh.

'**steinreich** *adj* **1.** reich an Edelsteinen. 1900 *ff.*
   2. eine reichhaltige Steinsammlung besitzend. Seit dem 19. Jh.
   3. reich an Gallen-, Blasen-, Nierensteinen. 1900 *ff.*

Steinschleuder *f* Gewehr, Karabiner. Scherzhafter Rückgriff auf frühere Geschosse. *BSD* 1965 *ff.*

Steinschraube *f* sehr alte Frau mit altmodischem Benehmen und entsprechenden Ansichten. Diese „↗Schraube" stammt noch aus der Steinzeit. 1925 *ff, halbw.*

'**stein'schwer** *adj* überaus schwierig. 1950 *ff.*

Steinsetzer *m* Schachspieler. 1905 in Berlin im Café Kerkau aufgekommen.

'**stein'übel** *adv* Brechreiz verspürend. Seit dem 19. Jh.

Steinwüste *f* Großstadt ohne (mit nur wenigen) Grünflächen. 1920 *ff.*

Steinzeit *f* **1.** Ansichten wie in (aus) der älteren ~ = völlig veraltete Ansichten. 1930 *ff.*
   2. das ist ja mein Reden seit der ~ = das habe ich ja schon immer behauptet. *Stud* 1950 *ff.*
   3. es bei jm verschissen haben bis zur (nächsten) ~ = sich jds Wohlwollen gründlich verscherzt haben. ↗verscheißen. 1920 *ff.*
   4. es bei jm verschissen haben, rückwirkend bis in die ~ = sich mit jm überworfen haben. 1920 *ff.*

Steinzeitlümmel *m* grober, ungesitteter Bursche; flegelhafter Halbwüchsiger. ↗Lümmel 1. 1958 *ff.*

Steinzeitnarkose *f* kräftiger Schlag auf den Kopf. Anspielung auf die Keule der Steinzeitmenschen, die im 20. Jh in Wort und Bild volkstümlich gemacht wurden und beliebter Gegenstand der Witzzeichner sind. 1939 *ff.*

steinzersetzend *adj* herzerweichend; seelisch sehr eindrucksvoll. Selbst wer ein Herz von Stein hat, wird seelisch ergriffen. Abwandlung von „↗steinerweichend". Seit dem frühen 20. Jh.

Steiß *m* **1.** ~ mit Ohren = Schimpfwort. Klingt weniger derb als „↗Arsch mit Ohren". 1950 *ff.*
2. feuchter ~ = Angst; Hosenbeschmutzung von innen. Der Schließmuskel des Afters versagt. 1914 *ff.*
3. ihm geht der ~ mit Grundeis = er hat Angst. Gemilderte Variante von „↗Arsch 110". 1900 *ff* (Bert Brecht).
4. den ~ hochtragen = hochmütig sein. 1900 *ff.*
5. mit dem ~ jodeln = a) im Gespräch mit einem Höhergestellten ständig Verbeugungen machen. 1900 *ff.* – b) liebedienerisch sein. 1900 *ff.*
6. mit dem ~ rascheln = a) Empfangschef in einem Restaurant sein. Berlin 1930 *ff.* – b) liebedienern. 1940 *ff, sold* und *ziv.*
7. den ~ schwingen = aufreizend mit den Hüften wackeln. 1920 *ff.*
8. setz' dich auf deinen ~! = setz' dich hin! 1900 *ff.*
9. sich den ~ verrenken = liebedienern. 1900 *ff.*
10. der ~ wackelt = man ist würdelos dienstbeflissen. 1920 *ff.*
11. jm den ~ weisen (zeigen) = a) jm den Rücken zukehren. Seit dem 18. Jh. – b) davoneilen; flüchten. 1914 *ff.*
Steißarbeiter *m* Mensch, der eine sitzende Tätigkeit ausübt. 1920 *ff.*
Steißbeinakrobat *m* **1.** widerlich schmeichlerischer Mensch. 1910 *ff.*
2. Empfangschef in Restaurants, Warenhäusern u. ä. 1920 *ff.*
Steißbeinklopfer (-raßler, -trommler) *m* Lehrer. Anspielung auf die Prügelstrafe. 1920 *ff,* wohl älter.
steißen *intr* fleißig lernen. Der Schüler sitzt auf dem Steiß. 1950 *ff.*
Steißer *m* lerneifriger Schüler. 1950 *ff.*
Steißfutteral *n* **1.** enger Sessel. 1920 *ff.*
2. kurze, enganliegende Hose. 1948 *ff.*
Steißgeburt *f* schwieriges (auch: verunglücktes) Unternehmen. 1900 *ff, ziv* und *sold.*
Steißgerber *m* Lehrer. ↗gerben 1. 1920 *ff, schül.*
Steißgerbermeister *m* Schulleiter. 1920 *ff, schül.*
Steißklopfer (-klopper) *m* Lehrer. *Schül* seit dem späten 19. Jh.
Steißpauken *n* angestrengtes Lernen. ↗pauken. Meint eigentlich „auf das Gesäß schlagen" und weiter „den Wissensstoff jm mittels Hieben beibringen". 1950 *ff.*
Steißpauker *m* Lehrer. Weniger derbe Analogie zu „↗Arschpauker". 1900 *ff.*
Steißstolz *m* zurückhaltendes, überhebliches Wesen. *Vgl* ↗Steiß 4. 1945 *ff.*
Steißtrommelei *f* Schulunterricht. 1920 *ff.*
Steißtrommler *m* **1.** Grund-, Hauptschullehrer. Er benutzt das Gesäß seiner Schüler als Trommelfell. Seit dem späten 19. Jh.
2. okulierter ~ = Gymnasiallehrer. Er gilt als veredelte Form des Volksschullehrers. 1920 *ff.*

Steißverrenker *m* würdelos untertäniger Mensch; überaus dienstbeflissener Mensch; Empfangschef in Hotels, Restaurants usw. ↗Steiß 9. 1900 *ff.*
Steißverrenkung *f* würdelose Liebedienerei. 1900 *ff.*
Steißwipper *m* würdelos ergebener Mensch. ↗Steiß 10. 1925 *ff.*
'stekum *adv* heimlich, leise, sachte. Fußt auf *jidd* „schtiko = Stillschweigen". 1830 *ff.*
Stel'lage (Stel'laschi) *f* Gestell. Durch die *franz* Endung „-age" erweitertes Verb „stellen". Vom *Ndl* gegen 1500 eingewandert.
Stelle *f* **1.** sterbliche ~ = erogene Stelle. Geht zurück auf die Worte „Hier ist die Stelle, wo ich sterblich bin" aus Schillers Drama „Don Carlos" (I 6). 1920 (?) *ff, prost.*
2. weiche ~ = a) schwacher Punkt an der Front. Hergenommen von der weichen Stelle im Obst; hier bezogen auf „weich = ungenügend gesichert". *Sold* in beiden Weltkriegen. – b) Schwäche des Menschen gegenüber bestimmten Einflüssen. 1920 *ff.* – c) in Vorschriften nicht ausreichend festgelegte Maßnahme. 1950 *ff.*
3. der Text hat ~n = der Text enthält anstößige Stellen. Übertragen von den angestoßenen, fleckigen Stellen im Obst. 1920 *ff.*
4. eine dünne ~ haben = an einer falschen Überlegung kranken; einen wichtigen Umstand unberücksichtigt lassen. Übernommen von der dünnen Stelle eines Gewebes oder von der schwachbesetzten oder schwachgesicherten Frontstelle. 1930 *ff.*
5. hüpf' auf der ~, bis der Tod eintritt: Rat an einen, der sich langweilt. *BSD* 1970 *ff* (Ausbilderjargon).
6. auf der ~ stehen = keine Fortschritte erzielen. Leitet sich her von der wartenden Menge o. ä. 1950 *ff.*
7. auf der ~ treten = nicht weiterkommen. Stammt aus dem preußischen Exerzierreglement: man tritt auf die Stelle, wenn man auf demselben Fleck die Bewegung des Marschierens macht, um Gleichschritt und Gliedrichtung zu erhalten. 1920 *ff.*
stellen *v* **1.** *refl* = dem Einberufungsbescheid nachkommen. Meint eigentlich „sich der Polizei stellen", „sich freiwillig zur Verhaftung melden". *BSD* 1960 *ff.*
2. sich auf jn ~ = für jn eintreten; sich jm zur Seite stellen; jn unterstützen. Bezeichnet den Eintritt eines Zustands, dessen Abschluß „auf jn stehen" angibt; ↗stehen 3. 1920 *ff.*
Stellenklau *m* Streichung von Planstellen. ↗Klau. 1950 *ff.*
Stellenpolster *n* Personalreserve. Verwaltungsspr. 1960 *ff.*
Stellschraube *f* ältliche Prostituierte. Eigentlich die verstellbare Schraube an Apparaten; hier bezogen auf eine „↗Schraube", die sich auf die Straße stellt. 1925 *ff,* großstadtspr.

Stellung *f* **1.** für etw ~ beziehen = für etw Partei ergreifen. Stammt aus dem *Milit:* Stellung ist der besetzte Geländeabschnitt mit ausgebauten Schützengräben usw. *Sold* in beiden Weltkriegen; auch *ziv.*
2. eine sitzende ~ einnehmen = eine Freiheitsstrafe verbüßen. ↗sitzen 1. 1870 *ff.*
3. in ~ gehen = a) betrunken niedersinken. *Sold* 1935 *ff.* – b) sich zum Geschlechtsverkehr anschicken. Stellung = Lage der Koitierenden. 1935 *ff.* – c) nicht am Dienst teilnehmen. Man begibt sich in Ruhestellung. *BSD* 1968 *ff.*
4. die ~ halten = a) sich hartnäckig behaupten. Übertragen von der Verteidigung eines Geländeabschnitts bis zum äußersten. 1914 *ff.* – b) sich wohlfühlen und keine Stellenveränderung wünschen. *Sold* in beiden Weltkriegen.
Stellungsbefehl *m* Aufforderung, die Freiheitsstrafe anzutreten. 1950 *ff.*
Stellungskrieg *m* **1.** Geschlechtsverkehr. Bezieht sich eigentlich auf Kampfhandlungen in einem von Schützengräben durchzogenen Gelände; hier „Stellung = Lage der Koitierenden". 1935 *ff.*
2. erbitterter Kampf zweier Personen um eine Amtsstellung. 1950 *ff.*
Stellungswechsel *m* **1.** Abwechslung im Geschlechtsverkehr. Eigentlich der Einsatz einer Truppenformation an anderer Frontstelle. 1915 *ff.*
2. ~ machen = fortgehen. 1915 *ff.*
Stelze *f* **1.** *pl* = Beine; lange, dünne Beine. Stelze ist die hölzerne Stütze an langen Laufstangen, wie sie bei Kindern beliebt sind, dann auch die einzelne Laufstange selber. 1600 *ff.*
2. *sg* = Eisbein. ↗Haxe 1. *Österr* seit dem 19. Jh.
3. ausschweifende ~n = auswärtsgebogene Beine o. ä. 1930 *ff*, *ziv* und *sold.*
4. mager wie eine ~ = hager, dünn. Hergenommen von der Bach- oder Wasserstelze. 1950 *ff.*
5. jm die ~n beschlagen = jm ernste Vorhaltungen machen; jn anherrschen. Stelzen = Stelzenschuhe. *Vgl* ↗versohlen. 1900 *ff*, *westd.*
6. auf ~n gehen = geziert, dünkelhaft schreiten; übervorsichtig gehen. Stelze = hoher Schuhabsatz. 1500 *ff.*
stelzen *intr* steifbeinig gehen; schlendern. 1500 *ff.*
Stelzenbeine *pl* lange hagere Beine. ↗Stelze 1. Seit dem 19. Jh.
Stelzenheini *m* langbeiniger Mann. ↗Heini. 1935 *ff.*
Stelzer *m* **1.** *pl* = Menschenbeine. 1900 *ff.*
2. *sg* = langbeiniger Mensch. 1920 *ff.*
Stelzfuß *m* langbeiniger Mensch. 1920 *ff.*
Stelzmaschine *f* Menschenbeine. 1950 *ff.*
Stemmeisen *n* **1.** Eßbesteck. Eigentlich das Handwerksgerät zum Meißeln, auch zum Anheben schwerer Gegenstände. *Sold* in beiden Weltkriegen.
2. Penis. Das Stemmeisen dient auch zum gewaltsamen Aufbrechen. 1910 *ff.*

Stemmeisengilde *f* Einbrecher; Bande, die Panzerschränke aufbricht und ausraubt. 1920 *ff.*
stemmen *v* **1.** *tr intr* = stehlen, einbrechen. Leitet sich her von der Verwendung des Stemmeisens. Seit dem späten 19. Jh.
2. *tr intr* = koitieren. ↗Stemmeisen 2. Seit dem 19. Jh.
3. *tr intr* = essen. ↗Stemmeisen 1. 1910 *ff.*
4. einen ~ = Alkohol zu sich nehmen. Analog zu „einen ↗heben". 1910 *ff.*
5. jn ~ = jn aus seinem Amt entlassen. Weiterentwickelt aus der alten Bedeutung „einen Baum fällen". 1920 *ff.*
6. *intr* = den Schulunterricht (o. ä.) absichtlich versäumen. Tarnender Bedeutungsaustausch: die Bedeutung „koitieren" entspricht dem Wort „schwänzen", und „schwänzen" bedeutet auch „dem Unterricht fernbleiben". *Südwestd* 1950 *ff.*
Stemmer *m* **1.** Einbrecher; Geldschrankaufschweißer. 1900 *ff.*
2. Krankenzimmer in der Heimschule. ↗stemmen 6. *Südwestd* 1950 *ff.*
3. *pl* = plumpe Menschenbeine. Wohl von „stämmig" beeinflußt. 1900 *ff.*
Stemmschnitt *m* Sizilianischer ~ = Rundschnittfrisur. Sie sieht aus, als habe man die Haare nicht geschnitten, sondern (mit dem Stemmeisen) abgestemmt. Wahrscheinlich hergenommen vom Haarschnitt von Gastarbeitern aus Sizilien. *BSD* 1970 *ff.*
Stemmzeug *n* Eßbesteck. ↗Stemmeisen 1. Berlin, spätestens seit 1900.
Stempel *m* **1.** schmales, kurzes Trinkglas. Wohl wegen des gedrungenen Fußes. Seit dem 19. Jh.
2. Penis. Übertragen vom Stößel im Mörser. Stößel und Mörser bilden zusammen ein Sexualsymbol. Seit dem 18. Jh.
3. Gaspedal. Mit seinem Gummibelag läßt es an einen Gummistempel denken. 1950 *ff.*
4. *pl* = kräftige Beine. Hergenommen von den hölzernen Stützen an Möbeln oder von den Grubenholz-Stützen. Seit dem 19. Jh. *Vgl engl* „piano legs".
5. jm einen ~ aufdrücken = koitieren (vom Mann gesagt). ↗Stempel 2. 1900 *ff.*
6. jm seinen ~ aufdrücken = einen anderen nach der eigenen Art behandeln; jn abrichten. Man prägt dem anderen sein Zeichen auf. ↗abstempeln. 1900 *ff.*
Stempelamt *n* Arbeitsamt. Wegen der Abstempelung der Meldekarten der Arbeitslosen. 1925 *ff.*
Stempelbeine *pl* dicke Beine. ↗Stempel 4. Seit dem 19. Jh.
Stempelbewahrer *m* Beamter. 1950 *ff.*
Stempelbruder *m* Empfänger von Arbeitslosenunterstützung (Arbeitslosengeld). Gegen 1924 aufgekommen mit dem Ende der Inflation.
Stempelbude *f* Arbeitsamt. ↗Stempelamt. 1925 *ff.*

Stempe'lei *f* **1.** Arbeitsamtsgebäude. ↗Stempelamt. 1925 *ff*.
2. Arbeitslosmeldung beim Arbeitsamt. 1925 *ff*.
Stempelgeld *n* Arbeitslosenunterstützung, -geld. 1925 *ff*.
Stempelkarte *f* Meldekarte des Arbeitslosen. 1925 *ff*.
Stempelkissen *n* Prostituierte. ↗stempeln 1. 1960 *ff*.
Stempelmark *f* Arbeitslosengeld. 1960 *ff*.
Stempelmaxe *m* Arbeitsloser. Berlin 1925 *ff*.
stempeln *v* **1.** *intr* = koitieren. ↗Stempel 2. Seit dem 19. Jh.
2. *intr* = als Prostituierte polizeilich zugelassen sein. 1920 *ff*.
3. *intr* = Arbeitslosenunterstützung empfangen (auch in der Form: „stempeln gehen"). Vom Begleitumstand (der Abstempelung der Meldekarten an den Kontrolltagen) übertragen auf den gesamten Sachverhalt. Kurz nach 1920 aufgekommen.
4. jn ~ = jn zu einer Aussage bewegen; jm ein Verhalten anerziehen. ↗Stempel 6. 19. Jh.
5. jn zu etw ~ = jn auf eine Bühnen- oder Filmrolle festlegen; jn in immer gleicher Rolle auftreten lassen; jm eine bestimmte, unveränderliche Wesensart zuerkennen; jn für einen Könner (Lügner, Versager o. ä.) erklären. Zusammenhängend mit der Unverbrüchlichkeit eines amtlichen Stempels, auch mit der Brandmarke. 1800 *ff*.
Stempler *m* **1.** Bezieher von Arbeitslosengeld, -unterstützung. ↗stempeln 3. 1925 *ff*.
2. Postbeamter. Wegen der Entwertung der Freimarken. 1950 *ff*.
Stengel *m* **1.** Zigarette, Zigarre, Zigarillo. Verkürzt aus ↗Glimmstengel. 1910 *ff*.
2. Penis. Aufgefaßt als kleiner Stiel. 1900 *ff*.
3. großwüchsiger, hagerer Mensch. ↗Stange 1. 1920 *ff*.
4. *pl* = Beine. *BSD* 1968 *ff*.
5. vom ~ fallen = a) herabfallen. „Stengel" meint die Sitzstange im Vogelkäfig o. ä. Seit dem 19. Jh. – b) erstaunt sein. Gemeint ist, daß man vor Überraschung oder Erschrecken das Gleichgewicht verliert und niederfällt. *Vgl* ↗Stange 21. Scheint gegen 1820 in Berlin aufgekommen zu sein. – c) abmagern. 1950 *ff*.
6. einen heißen ~ haben = geschlechtskrank sein (vom Mann gesagt). ↗Stengel 2. 1935 *ff*.
7. ihn haut's vom ~ = er ist (darüber) sehr verwundert; er verliert die Geduld. *Vgl* ↗Stengel 5. 1950 *ff*.
Stengelkieke *f* Lorgnette. ↗Kieke 1. Berlin 1910 *ff*.
stengelschlank *adj* knabenhaft schlank (auf Mädchen bezogen). 1950 *ff*.
Steno *f* Kurzschrift. Aus „Stenographie" verkürzt. 1920 *ff*.
Stenografie *f* ~ sprechen = sehr schnell sprechen. 1950 *ff*.

Stenologie *f* Kurzschrift. Wissenschaftsbezeichnungen nachgebildet (Bio-, Philo-, Archäologie). 1950 *ff*, *schül.*
Stenosprache *f* Verständigung durch Abkürzungen. 1954 *ff*, *jug.*
Stenz I *m* **1.** Stock, Rohrstock, Wanderstab. Stammt von „stemmen = sich auf etw stützen". *Rotw* 1800 *ff*. Vorform „Stems" im 17. Jh.
2. Regenschirm. Meint ursprünglich den Stockschirm. 1920 *ff*.
3. Zuhälter. Hergenommen von der Bedeutung „Stock": der Stock ist das Handwerkszeug des Viehtreibers, und „Sautreiber" oder „Schweinehirt" sind Bezeichnungen für den Zuhälter. Seit dem 19. Jh.
4. Vornehmtuer; Prahler; junger Mann, der sich überaus wichtig nimmt. Wahrscheinlich trug er ursprünglich ein Spazier- oder Stutzerstöckchen. 1925 *ff*.
5. intimer Freund einer Halbwüchsigen. Hier meint „Stenz" über die Bedeutung „Stab" wohl den Penis. *Österr* 1900 *ff*.
6. Hinauswurf, Entlassung. ↗stenzen 4. 1900 *ff*.
7. Diebstahl. ↗stenzen 7. 1900 *ff*.
8. *pl* = Prügel. ↗stenzen 2. Seit dem 19. Jh.
Stenz II *f* auf der ~ sein = Mädchenbekanntschaft suchen. ↗stenzen 8. *Vgl* ↗Stanz II 2. Seit dem 19. Jh.
stenzen *v* **1.** *intr* = vornehm ausgehen; modisch gekleidet auf- und abstolzieren; sich geckenhaft benehmen; sich brüsten. ↗Stenz I 4. 1925 *ff*.
2. *tr* = jn hart behandeln, schikanieren; jn schlagen. ↗Stenz I 1. 1800 *ff*.
3. *tr* = jn antreiben, aufstacheln. Man treibt ihn mit Prügelandrohung vorwärts. Seit dem 19. Jh.
4. *tr* = jn fortjagen; jn aus dem Zimmer weisen; jn von der Schule weisen. Versteht sich wie das Vorhergehende. 1850 *ff*.
5. *tr* = jm Vernunft beibringen; jn beschwatzen. Auch hierbei wird wohl zum Prügelstock gegriffen oder mit ihm gedroht. Berlin, 1880 *ff*.
6. *tr* = jn einschüchtern. *Ostmitteld*, 19. Jh.
7. *tr* = stehlen, einbrechen. „Stenz" meint hier über die Bedeutung „Stab" das Stemmeisen. 1800 *ff*, vorwiegend *südwestd.*
8. *intr* = umherschweifen; den Mädchen nachstellen; mit einem Mädchen ausgehen. Gehört entweder zu „↗stenzen 1" oder zu „stenzen = stoßen (zärtlich in die Seite stoßen; koitieren)". Seit dem 19. Jh.
9. *intr* = Zuhälterei treiben. ↗Stenz I 3. 1920 *ff*.
10. *intr* = koitieren. Analog zu ↗stoßen. 1850 *ff*.
11. *intr* = einen lockeren Lebenswandel führen. 1950 *ff*.
12. *intr* = seinen Lebensunterhalt auf unlautere Art erwerben. 1950 *ff*.
Stenzer *m* Schüler, der einen Kameraden dem Lehrer meldet. Gehört wohl zu „↗Stenz I 4". 1925 *ff*.

Stephan (Stephansjünger; Jünger Stephans) *m* Postbeamter. Benannt nach Heinrich von Stephan, dem Organisator des deutschen Postwesens. 1890 *ff.*

Stephansturm *m* großwüchsiger Mensch. Benannt nach dem Turm des Stephansdoms zu Wien. Wien 1920 *ff.*

Stepp *m* Geschlechtsverkehr. Geht zurück auf *zigeun* „stepen = Sprung". Parallel zu „↗Sprung 2". 1900 *ff.*

steppen *intr* koitieren. *Vgl* das Vorhergehende; doch ist „steppen" auch soviel wie „↗nähen", und dies bezieht sich ebenfalls auf den Geschlechtsverkehr. 1900 *ff.*

Steppensau *f* viermotorige ~ = Schimpfwort. Technisierende Umdeutung des ungestüm laufenden Wildschweins. *Sold* 1939 *ff; halbw* 1955 *ff.*

Steppenwolf *m* 1. Einzelgänger. Fußt auf dem Titel des Romans von Hermann Hesse (1927). *Jug* 1965 *ff.*

2. Nichtseßhafter. 1970 *ff.*

Steppke *m* 1. kleiner Junge (auch Kosewort). *Niederd* Form von *hd* „Stiftchen" als Bezeichnung des Knabenpenis. Seit dem späten 19. Jh, vorwiegend Berlin und *ostmitteld.*

2. Antreiber. Übertragen vom Hütejungen. 1870 *ff.*

Sterbchen machen dahinsiechen und schließlich sterben. 1920 *ff.*

sterben *intr* 1. nicht ums ~ = um keinen Preis; unter keinen Umständen. Gemeint ist „und wenn ich deswegen sterben müßte, ich bleibe bei meinem Nein!". Mildere Variante zu „nicht ums ↗Verrecken". Seit dem 19. Jh.

2. für etw ~ = an etw leidenschaftlich interessiert sein. Jungmädchenspr. 1900 *ff.*

3. der Motor stirbt = der Motor kommt zum Stillstand, wegen eines Defekts oder wegen Treibstoffmangels. 1930 *ff,* kraftfahrerspr.

4. gestorben sein = nicht mehr funktionieren; entzwei sein. 1930 *ff.*

5. du bist wohl soeben gestorben?: Frage an einen, der einen Darmwind hat entweichen lassen. Anspielung auf Leichengeruch oder auf das Entweichen des Lebenshauchs. 1914 *ff.*

6. gestorben sein = aufnahmetechnisch (drucktechnisch, redaktionell) beendet sein. Die Arbeit ist gestorben = die Arbeit ist erledigt. 1920 *ff.*

7. für jn gestorben sein = als Gegner abgeschlagen sein. *Sportl* 1950 *ff.*

8. er ist für mich gestorben = ich habe an ihm kein Interesse mehr; er ist für mich erledigt; die Beziehungen zu ihm sind abgebrochen. 1900 *ff.*

9. diese Sache ist für mich gestorben = diese Sache ist für mich endgültig abgetan. 1920 *ff.*

10. die Zeitung ist gestorben = die Zeitung hat ihr Erscheinen eingestellt. 1920 *ff.*

11. hier ist einer gestorben = hier ist eine Arbeit unfertig liegen geblieben. 1920 *ff.*

12. er ist gestorben = er ist nicht anwesend. 1920 *ff.*

13. einfach gestorben sein = das Spiel mit 30 bis 50 Punkten verloren haben. Kartenspielerspr. 1900 *ff.*

14. ihm fällt das ~ leicht = er ist dumm. Er hat nicht viel Geist aufzugeben. 1900 *ff.*

15. einen Plan ~ lassen = einen Plan aufgeben; eine Regelung abschaffen. 1950 *ff.*

'sterbens'fade *adj* überaus langweilig. Das Gemeinte ist nicht (er)lebenswert, sondern so reizlos und einschläfernd, daß man dabei sterben möchte. Seit dem 19. Jh.

'sterbens'langweilig *adj* sehr langweilig. *Vgl* das Vorhergehende. Seit dem 19. Jh.

Sterbenswort (-wörtchen) *n* kein ~ sagen = nicht das mindeste äußern. Meint ursprünglich das „sterbende = vergehende", nur noch gehauchte Wort des Sterbenden. 1800 *ff.*

Sterblicher *m* normaler ~ = Durchschnittsbürger; Angehöriger des Mittelstandes; Mensch mit gesundem Menschenverstand. Denker und Dumme liegen über (unter) der Norm. 1930 *ff.*

Stereo *f* Stereometrie. Hieraus verkürzt. *Schül* 1950 *ff.*

'stereoty'pipp *adv* unverändert starr; unveränderbar; langweilig. Wortwitzelnd aus „stereotyp" und „typisch" zusammengebastelt. *Stud* 1950 *ff.*

steril *adj* gut, tüchtig, einwandfrei, verläßlich. Eigentlich soviel wie „keimfrei". *BSD* 1960 *ff.*

Stern *m* 1. gefeierter Bühnenkünstler. Er ist der strahlende Stern am Bühnenhimmel. *Vgl* ↗Star 1. Seit dem 17. Jh.

2. bevorzugter Junge; geliebtes Mädchen. Aus *engl* „star" übersetzt oder aus „↗Augenstern" verkürzt. 1920 *ff.*

3. Liebchen, Liebschaft. 1920 *ff.*

4. Klassenbester. *Schül* 1960 *ff.*

5. ein ~ = ein besonderes Lob. Hergenommen von der Kennzeichnung in den Reisehandbüchern von Baedeker. 1950 *ff.*

6. ~ am Himmel aller Nationalpflaumen = großer Versager. „Nationalpflaume" ist aus „Nationalspieler" verändert mit Anspielung auf „↗Pflaume 5". *Schül* 1950 *ff.*

7. Gebiß wie die ~e = künstliches Gebiß. Wortspielerei: die Sterne wie die künstlichen Zähne „kommen abends heraus", die einen am Himmel, die anderen aus der Mundhöhle. 1920 *ff.*

8. einen ~ ansagen = zu Sturz kommen. Leitet sich her vom Sturz auf dem Eis, bei dem die Eisdecke Sprünge bekommt, die sternförmig auseinanderlaufen. *Österr* 1920 *ff.*

9. einen ~ bauen = beim Skilaufen stürzen. *Vgl* das Vorhergehende. Auch bilden die gekreuzten Skier eine Sternform. 1920 *ff.*

10. laß mal die ~e kreisen! = laß' mal die Weinbrandflasche kreisen! Anspielung auf den mit drei Sternen gekennzeichneten Weinbrand. 1960 *ff.*

Sternbild

Sie betreten nun die mythologische Abteilung der Typographica GmbH. Der Retusche-Retorte entsteigen Fabelwesen. Fabelhaft, was die Typographica mit Retusche und Fotomontage zaubert. Die Augen werden Ihnen aufgehen (überlaufen!). Aus Bruchstücken wird eine Einheit geschaffen, Neues hinzugefügt, Gutes verbessert. Und das Ergebnis hält den kritischsten Argus-Augen stand.

Schließlich handelt es sich hier um einen Werbetext für eine Retusche-Abteilung, und da darf dann auch mal an der Semantik retuschiert werden. In der Umgangssprache hat sich die Sternstunde ohnehin schon längst vom Sternbild gelöst, und Stefan Zweig (1881–1942) definierte in seinem Buch „Sternstunden der Menschheit" einen solchen glücklichen Moment wie folgt: „Was ansonsten gemächlich nacheinander und nebeneinander abläuft, komprimiert sich in einem Augenblick, der alles bestimmt und entscheidet."

Während der Herr zur Rechten in den Sternen liest und dabei vielleicht sogar eine **Sternstunde** haben mag, sieht die Dame oben wohl Sterne (vgl. **Stern 13.**). Und auch die Sterne, die damit gemeint sind, sind von einer ganz anderen Qualität, wie überhaupt Astrologie und Sterndeuterei nicht die Rolle spielen, die ihnen angesichts der in fast jeder Wochenzeitung abgedruckten Horoskope eigentlich zustünde. Allerdings ist in dem „Sternbild" oben zumindest verbal ein entfernter Verwandter der Sternstunde zu sehen:

11. einen ~ reißen = a) auf dem Eis, mit den Skiern stürzen. ↗ Stern 8. *Österr* 1920 *ff.* – b) auf dem Boden liegen und alle vier Gliedmaßen von sich strecken. *Österr* 1920 *ff.* – c) sterben; im Sterben liegen. *Österr* 1930 *ff, rotw.*

12. ~e sehen = heftigen Schmerz empfinden; vorübergehend das Bewußtsein verlieren. Leitet sich her von einem Schlag aufs Auge, wobei sternähn-

liche Gebilde erkannt werden; sehr beliebtes Requisit der Witzzeichner. 1920 *ff.*

13. ich sehe ~e!: Ausdruck höchster Verwunderung. Vor Überraschung oder Erschrecken verliert man das Gleichgewicht und sinkt ohnmächtig zu Boden. 1950 *ff, schül.*

14. nach den ~en sehen = a) ein Glas Alkohol trinken; aus der Flasche trinken. Die Haltung der

an den Mund gesetzten Flasche erinnert an die Haltung des zum Himmel gerichteten Fernrohrs. 1910 *ff*. – b) den Abort aufsuchen. Tarnausdruck. Der Abort befand sich früher außerhalb des Wohnhauses. 1900 *ff*.

15. vom andern ~ sein = homosexuell sein. 1950 *ff*.

16. es verdient drei ~e im Reiseführer = es ist ausgezeichnet, verdient hohes Lob. ↗Stern 5. 1950 *ff*.

'sternbe'soffen *adj* volltrunken. „Stern" ist zu einem steigernden Präfix geworden, wohl im Hinblick auf die Unzählbarkeit der Sterne und ihrer großen Erdenferne. Seit dem 19. Jh.

Sternchen *n* **1.** kleines Mädchen; junges Mädchen (Kosewort). ↗Stern 2. 1920 *ff*.

2. Nachwuchskünstlerin. Lehnübersetzt aus *engl* „starlet". Nach 1950 aufgekommen.

3. ~ ausradieren = jn degradieren. Anspielung auf die Dienstgradabzeichen. *BSD* 1970 *ff*.

Sterndeuter *m* Feldwebel; Ausbilder. Er sagt seinen Untergebenen die (in seinen Augen gemeinhin finstere) Zukunft voraus: „aus Ihnen wird nie etwas Gescheites!". *Sold* 1935 *ff*.

sternen *intr* zu Sturz kommen. ↗Stern 8. *Österr* 1920 *ff*.

Sternfahrt *f* Bezechtheit nach reichlichem Weinbrandverzehr. Anspielung auf den Drei-Sterne-Weinbrand. Das Wort selbst ist Verdeutschung von *engl* „rallye". Kellnerspr. 1960 *ff*.

'sterngra'naten'voll *adj* volltrunken. ↗sternbesoffen. Das steigernde Präfix „Stern-" (stern-) ist hier und in anderen Zusammensetzungen gekoppelt mit Wörtern gleichen Steigerungsgrads. Seit dem 19. Jh.

Sterngucker *m* **1.** Astronom. Seit dem 16. Jh.

2. Astrologe. 1900 *ff*. Wohl viel älter.

3. Mensch, der scheinbar geistesabwesend nach oben blickt, aber das Gespräch belauscht. Seit dem 19. Jh.

4. Mann, der Alkohol aus der Flasche trinkt. ↗Stern 14. 1910 *ff*.

'stern'hagelbe'soffen (-be'trunken) *adj* volltrunken. ↗sterngranatenvoll. Seit dem 19. Jh.

'stern'hagel'blau *adj* volltrunken. *Vgl* das Vorhergehende; ↗blau 5. Seit dem 19. Jh.

'stern'hagel'dick und -'duhn *adj* volltrunken. ↗dick 4; ↗duhn 1. Seit dem 19. Jh, *nordd* und *ostmitteld*.

'stern'hagel'dumm *adj* äußerst dumm. Steigerung nach „↗sternhagelbesoffen" o. ä. 1920 *ff*.

'stern'hagel'voll *adj* volltrunken. Seit dem 18. Jh.

Sternkieker *m* **1.** Astronom. Seit dem 16. Jh.

2. Phantast. Seit dem 19. Jh.

Sternschnuppe *f* **1.** Liebschaft eines (verheirateten) Kurgasts. Das Verhältnis ist kurzlebig wie die Sternschnuppe. Auch heißt es: „Erst war sie sein Stern; jetzt ist sie im schnuppe". 1960 *ff*.

2. Gelegenheitsfreundin. *Halbw* 1965 *ff*.

3. junge Filmschauspielerin. Für manche von ihnen endet die ersehnte Laufbahn schon bald. 1955 *ff*.

'stern'schnuppe *adv* völlig gleichgültig. Steigerung von ↗schnuppe. 1925 *ff*, Berlin.

Sternstunde *f* sehr gute Stunde. Hängt mit der Sterndeuterei zusammen und meint eigentlich die Glücksstunde, zu der der Glückstern eine sehr günstige Stellung einnimmt. Nach 1960 häufig in der Politiker- und Journalistensprache, nachdem der Ausdruck in den zwanziger Jahren in der Dichtersprache heimisch war. (Stefan Zweig, „Sternstunden der Menschheit"; 1927).

Sterntaler *m* Leutnant. Er trägt auf den Schulterstücken einen Stern. Beeinflußt von dem Märchen „Die Sterntaler" der Brüder Grimm. *BSD* 1965 *ff*.

Sternträger *m* Offizier. *BSD* 1965 *ff*.

'stern'voll *adj* volltrunken. ↗sternbesoffen. 1600 *ff*.

Sternwarte *f* **1.** Bühnenausgang. Dort wartet man auf den umschwärmten „↗Stern" (↗Stern 1). *Schweiz*, theaterspr. 1960 *ff*.

2. Treffpunkt, an dem man sein Mädchen erwartet. *Schweiz* 1960 *ff*, *schül*.

Sterz *m* **1.** Gesäß. *Gleichbed* mit Schwanz, Hinterteil. Seit dem 19. Jh.

2. Penis. Analog zu ↗Schwanz 2. Seit dem 16. Jh.

3. keine Ruhe im ~ haben = unruhig sitzen. Seit dem 19. Jh.

4. pack' deinen ~! = setz' dich hin! 1900 *ff*.

5. setz' dich auf deinen ~! = setz' dich hin! Seit dem 19. Jh.

6. jm auf den ~ treten = jn kränken. Parallel zu „jm auf den ↗Schwanz treten". Seit dem 19. Jh.

7. sich den ~ verbiegen = überaus diensteifrig sein; würdelos unterwürfig sein. 1910 *ff*.

8. sich den ~ verbrennen = sich eine Geschlechtskrankheit zuziehen (vom Mann gesagt). ↗Sterz 2. Seit dem 19. Jh.

sterzen *intr tr* koitieren. Über „↗Sterz 2" analog zu ↗schwänzen 6. Seit dem 19. Jh.

Steuer I *f* ~ einnehmen = betteln. Der freiwillige Geber wird hier als Zahlungspflichtiger angesehen: nach Auffassung der Bettler hat der Arme moralischen Anspruch auf die Mildtätigkeit der Wohlhabenden. Kundenspr. 1900 *ff*.

Steuer II *n* **1.** über ~ gehen = verlorengehen; zerbrechen. Steuer = Steuerruder, Steuerbord. Das Gemeinte fällt über Bord. 1920 *ff*.

2. das ~ rumreißen = eine einschneidende Änderung vornehmen. 1900 *ff*.

Steuerbescheid *m* gerollter ~ mit Tabakgeschmack (~, in den etwas Tabak eingerollt ist) = Zigarette. Anspielung auf die hohe steuerliche Belastung der Zigarette. 1958 *ff*.

Steuerchrist *m* Christ, der seine Zugehörigkeit zu einer der christlichen Kirchengemeinschaften nur durch Zahlung der Kirchensteuer bekundet. 1960 *ff*.

Steuereinnehmer *m* Bettler. ↗Steuer I. Kundenspr. 1900 *ff.*

Steuerformular *n* voll wie ein ~ = volltrunken. Finanzbeamtenspr. 1935 *ff,* Berlin.

Steuerfrisur *f* Verfälschung der Steuererklärung. ↗frisieren. 1955 *ff.*

Steuerfritze *m* Finanzbeamter. ↗Fritze. 1890 *ff.*

Steuerfuchs *m* erfahrener Finanzbeamter. ↗Fuchs. 1920 *ff.*

Steuergelder *pl* ~ schinden = keine Steuern zahlen. ↗schinden 1. 1960 *ff.*

Steuergroschen-Häscher *m* Finanzbeamter. 1960 *ff.*

Steuerhimmel *m* Land mit geringer Besteuerung. Beruht auf der Vorstellung vom Himmel als dem Aufenthaltsort der Seligen. 1955 *ff.*

Steuerhunne *m* Finanzbeamter. ↗Hunne. 1955 *ff.*

Steuerklasse *f* in der höchsten ~ sein = unverheiratet sein. 1970 *ff.*

Steuerklau *m* Wohnsitzverlegung in ein Land mit milder Steuergesetzgebung. ↗klauen. 1970 *ff.*

Steuerknüppel *m* 1. Steuergerät des Flugzeugs. ↗Knüppel 4. 1914 *ff.*
2. Penis. ↗Knüppel 3. Fliegerspr. 1935 *ff.*
3. Steuereintreiber. ↗Knüppel 1. 1970 *ff.*

Steuerkünstler *m* geschickter Steuerhinterzieher. 1960 *ff.*

Steuerlatte *f* große Steuerschuld. ↗Latte I 5. 1920 *ff.*

Steuermann *m* 1. Omnibus-, Lastwagenfahrer; Autofahrer. In der Vorstellung verwandt mit „↗Kapitän der Landstraße", „↗Straßenkreuzer" u. ä. 1960 *ff.*
2. Mannschaftsführer; Spielleiter; Vorstand. *Sportl* 1950 *ff.*
3. Finanzbeamter. 1900 *ff.*

Steuermarke *f* Erkennungsmarke des Soldaten. Hergenommen von der Hundesteuermarke. *BSD* 1970 *ff.*

Steuermensch *m* Finanzbeamter. 1920 *ff.*

steuern *intr* gradeaus ~ = offen und aufrichtig vorgehen; Winkelzüge verachten. 1930 *ff.*

Steueroase *f* Land mit milder Steuergesetzgebung. 1955 *ff.*

Steuerparadies *n* Land, in dem die Bürger sehr niedrige Steuern zahlen. 1955 *ff.*

Steuerschraube *f* 1. verstärkter Druck der Steuerschuld; Steuererhöhung. Nach 1860 aufgekommen als volkstümliche Veranschaulichung der den Notwendigkeiten anpaßbaren, strengeren oder milderen Steuergesetzgebung. Mit der Steuerschraube reguliert man den Druck auf den Steuerzahler. Wohl nicht ohne Anspielung auf mittelalterliche Folterinstrumente wie die „Daumenschraube" u. ä. 2. Finanzamtsangestellte. ↗Schraube 1. 1970 *ff.*

Steuerschreck *m* Finanzbeamter. 1950 *ff.*

Steuerschwitzer *m* Steuerpflichtiger, der unrichtige Angaben macht; Bilanzfälscher. 1950 *ff.*

Steuersünder *m* Steuerhinterzieher. ↗Sünder. 1950 *ff.*

stibitzen *tr* etw stehlen; einen kleinen Diebstahl begehen. Gestreckt aus „stitzen = stehlen" oder aus „stippen = sich etw aneignen", beeinflußt von der sogenannten Bi-Sprache der Schüler. 1700 *ff.*

Stibitzer *m* Dieb. *Vgl* das Vorhergehende. 1900 *ff.*

Stibitze'rei *f* Diebstahl; Diebischsein; Stehlsucht. Seit dem 19. Jh.

Stich *m* 1. Geschlechtsverkehr. ↗stechen 3. 1600 *ff.*
2. ~ ins Blaue = leichter Rausch. Stich = Anflug (die Farbe hat einen Stich ins Rote). ↗blau 5. 1920 *ff.*
2 a. ~ ins Höhere = Mehrgeltungsstreben. 1955 *ff.*
3. ~ ins Rötliche = geistige Nähe zum Sozialismus. 1950 *ff.*
4. ~ ins Ungewisse = verminderte Zurechnungsfähigkeit. 1920 *ff.*
5. ein ~ zu wenig = kurzbeiniger Mensch. Man hat ihn zu kurz genäht. *BSD* 1965 *ff.*
6. fetter ~ = Stich mit vielen zählenden Augen. Kartenspielerspr. seit dem 19. Jh.
7. keinen ~ bekommen = erfolglos bleiben. Aus der Kartenspielerspr. übernommen. 1950 *ff.*
8. einen ~ haben = a) angetrunken sein. Stich = kleine Menge (ein Stich Butter); auch Bezeichnung für den Beigeschmack von Verdorbenem (Angesäuertsein). Seit dem 18. Jh. – b) närrische Einfälle haben; ein hochmütiger Geck sein; nicht ganz bei Sinnen sein. Versteht sich nach dem Vorhergehenden. Spätestens seit 1600. – c) nicht mehr unbescholten sein. Übertragen von wurmstichigem Obst. 1920 *ff.*
9. einen ~ bei (in der) Birne haben = verrückt sein. Geht entweder zurück auf „↗Stich 8 b" oder auf „einen ↗Sonnenstich haben". ↗Birne 1. 1910 *ff.*
10. einen ~ ins Grüne haben = a) nicht recht bei Verstand sein. Grün = unerfahren; noch nicht zum Gebrauch der Vernunft gelangt. 1920 *ff.* – b) nicht gesellschaftsfähig sein. Grün = jung (womit sich Vorstellungen wie „unreif, ungesittet, ungezähmt" u. ä. verbinden). 1920 *ff.*
11. einen Stich in der Pflanzkartoffel haben = törichte Äußerungen tun; unsinnige Pläne hegen. 1950 *ff.*
11 a. gegen jn keinen ~ kriegen = der Unterlegene bleiben. Vom Kartenspiel auf den Sport übertragen. 1960 *ff.*
11 b. jm keinen ~ lassen = jn nicht zum Handeln kommen lassen. *Sportl* 1970 *ff.*
12. einen ~ machen = a) einen Erfolg erzielen. Von den Kartenspielern hergenommen. 1950 *ff.* – b) einen Tortreffer erzielen. *Sportl* 1950 *ff.*
13. bei jm keinen ~ machen = bei jm nichts ausrichten; jds Wohlwollen nicht erringen. 1950 *ff.*
14. keinen ~ tun = nichts tun. Hergenommen

vom Schneider, vom Gärtner o. ä. Seit dem 19. Jh.

'stiche'dunkel *adj* völlig dunkel. Beim Nähen „nicht einen Stich sehen" war in *mhd* Zeit *gleichbed* mit „ganz im Dunkeln sein". Hieraus scheint das Wort spätestens um 1600 zusammengewachsen zu sein.

'stiche'duster (-'düster) *adj* völlig dunkel. *Vgl* das Vorhergehende. 1600 *ff.*

stichelhaarig *adj* zänkisch, unverträglich, widerspenstig; schnell ausfällig werdend; rasch aufbrausend. Hergenommen vom Hund (Terrier) mit seinen kurzen, steifen, emporstehenden Haaren; analog zu ↗widerborstig. Seit dem 19. Jh.

Stichflamme *f* 1. liebesgierige weibliche Person. Hier ist die Bedeutung von „↗Flamme 1" verdeutlicht durch den Zusatz „Stich = Geschlechtsverkehr". 1900 *ff.*
2. nach Alkohol riechender Atem. Meint eigentlich die durch Gasdruck entfachte, scharfe Flamme. 1920 *ff.*
3. eine ~ schießt in ihm hoch = er braust auf. 1930 *ff.*

Stichologe *m* Schneider. Der Bezeichnung von Wissenschaftlern nachgebildet zwecks scherzhafter Rangerhöhung. 1920 *ff.*

Stichologie *f* Schneiderhandwerk. 1920 *ff.*

Stichprobe *f* 1. Klassenarbeit. Aufgefaßt als Prüfung eines Teilstücks, wonach auf das Ganze geschlossen wird. *Schül* 1940 *ff.*
2. erster Geschlechtsverkehr; Defloration. ↗stechen 3. 1900 *ff.*

Stichprobenfach *n* Handarbeitsunterricht. Anspielung auf den Nähstich. 1950 *ff.*

Stichtag *m* 1. für den Geschlechtsverkehr vorgesehener Tag. ↗Stich 1. 1920 *ff, stud.*
2. Hochzeitstag; Tag der Schwängerung; Tag, an dem man Nachturlaub erhält. Eigentlich der für eine Erhebung festgesetzte Termin. 1920 *ff.*

Stick *m* Zigarette. Eigentlich soviel wie „spitzer Stab; Stift". Analog zu ↗Stäbchen. *Halbw* 1950 *ff.*

Stickel *m* unbeholfener Mann. Eigentlich soviel wie „Stock, Stab"; man ist steif und starr wie ein Stock. Seit dem 19. Jh.

stickelig *adj* ungelenk, unbeholfen. *Vgl* das Vorhergehende. Seit dem 19. Jh.

Sticken *m* 1. Streichholz. Soviel wie „Stab, Stift". *Westf* seit dem 19. Jh.
2. *pl* = dünne Beine. 1900 *ff.*

Sticker *m* Aufkleber. Aus dem *Engl.* 1965 *ff*, kraftfahrerspr.

sticksen *intr* faulig riechen. *Niederd* Intensivum, zu *hd* „Stich = Angesäuertsein" gehörig. Seit dem 19. Jh.

sticksig *adj* schimmelig, moderig. Seit dem 19. Jh.

Stiebel *m* ↗Stiefel.

stief *adv* 1. sehr; viel. Stammt aus *jidd* „stif = üppig"; wohl beeinflußt von *niederd* „stief = steif". 1900 *ff, nordd* und *westd.*

2. ~ haben = zu einer hohen Freiheitsstrafe verurteilt sein. 1900 *ff.*
3. ~ sitzen = eine mehrjährige Freiheitsstrafe verbüßen. 1900 *ff.*

Stiefel *m* 1. große Menge. Hergenommen vom stiefelförmigen Trinkgefäß. Seit dem 16. Jh.
2. Unsinn; überflüssige Umstände; Aufbauschung. Wegen der Menge des Unsinns usw. Seit dem 19. Jh.
3. Art und Weise; Angewohnheit; gewohnte Handlungsweise; gleichbleibendes Vorgehen. Vermutlich von Studenten des 18. Jhs aus „Stil" scherzhaft gestreckt.
4. ungesitteter, grober Mensch. Er stampft mit den Stiefeln auf, tritt mit dem Stiefel, o. ä. Seit dem 19. Jh.
5. alter ~ = a) alter Mann. Seit dem 19. Jh. – b) längst Abgetanes; Allbekanntes. Oft in der Form „oller Stiebel". Seit dem ausgehenden 19. Jh.
6. ehrlicher ~ = ehrlicher, zuverlässiger Mann. 1900 *ff.*
7. lauter linke ~! = alles verkehrt! alles unbrauchbar! *Sold* 1935 *ff.*
8. süßer ~ = Stiefel, in dem der Kinder-Nikolaus nachts seine Gaben niederlegt. 1920 *ff.*
9. sich etw an den ~n abgelaufen haben = einen Standpunkt überwunden haben; über eine Sache Erfahrungen gesammelt haben. Parallel zu „↗Schuh 9". Seit dem 19. Jh.
10. sich an jm die ~ abputzen = jn entwürdigend behandeln. 1900 *ff.*
11. einen ~ angeben = lauthals prahlen; stark übertreiben. ↗Stiefel 1. *Vgl* auch ↗Stiefel 22. 1920 *ff.*
12. die ~ anhaben = a) die Führung haben. Bei Fußtruppen trugen früher nur die Offiziere Stiefel. 1890 *ff.* – b) im Hause herrschen. 1900 *ff.*
13. ~ anhaben, an denen Pech klebt = zu keinem Torball (Tortreffer) kommen. *Sportl* 1955 *ff.*
14. jm die richtigen ~ anpassen = jn nach seinen Wünschen formen; jds Verhalten in der wünschenswerten Richtung beeinflussen. 1920 *ff.*
15. sich einen ~ antrinken = sich betrinken. ↗Stiefel 1. Seit dem 19. Jh.
16. (sich) den ~ anziehen = eine Äußerung auf sich beziehen. Analog zu „↗Schuh 13". 19. Jh.
17. seinen eigenen ~ arbeiten = selbständig, nach eigener Art eine Arbeit verrichten. ↗Stiefel 3. Seit dem 19. Jh.
18. seinen guten ~ arbeiten = gut in der Arbeit vorankommen. 1800 *ff.*
19. das zieht einem die ~ aus (da zieht's dir die ~ aus) = darüber gerät man in Erregung; das ruft beträchtlichen Unmut hervor. Analog zu ↗Schuh 17. 1870 *ff.*
20. in den ~n bleiben = sachlich, beherrscht bleiben. *Sold* 1935 *ff.*
21. ihn drückt der ~ = er hat Sorgen. ↗Schuh 21. Seit dem 15. Jh.

Ob die Dame, die da die Stiefel anhat (vgl. **Stiefel 11.**), in den Stiefeln bleibt (**Stiefel 20.**) und ihren Stiefel fährt (**Stiefel 23.**) oder sich einen Stiefel zusammenfährt (**Stiefel 66.**), sind zweierlei Stiefel (vgl. **Stiefel 50.**) und umgangssprachlich sogar noch mehr. Denn während jener erste Stiefel das Schuhwerk eines Offiziers meint und so eine gewisse Kompetenz ausdrückt, so verweist jener zweite, aus dem man kippen kann (vgl. **Stiefel 29.**), eher auf die seelische Verfassung der entsprechenden Person.

22. sich einen ~ einbilden = sehr dünkelhaft sein. ↗Stiefel 1. Kann auch meinen, daß der Betreffende sich brüstet, er könne einen Stiefel Bier allein austrinken. 1900 *ff*.

23. seinen ~ fahren (wegfahren) = in gewohnter Geschwindigkeit fahren. ↗Stiefel 3. 1800 *ff*.

24. in den ~ fahren = nach Italien reisen. Auf der Landkarte hat Italien die Form eines Stiefels. 1950 *ff*.

25. aus den ~n fallen = völlig erschöpft sein. Vor Ermüdung hat man keinen Halt mehr in den Stiefeln und stürzt nieder. *Sold* 1939 *ff*.

26. seinen ~ fortarbeiten = in gewohnter Weise weitermachen. ↗Stiefel 3. Seit dem 19. Jh.

27. einen im ~ haben = betrunken sein. Wohl eine scherzhafte Umschreibung für das Torkeln. 1900 *ff*.

28. es haut einen aus den ~n = es überrascht, erschreckt sehr; es ist unerträglich. Man verliert das Gleichgewicht und stürzt zu Boden. 1940 *ff*.

29. aus den ~n kippen = zu Boden fallen. 1940 *ff*.

30. nicht aus den ~n kommen = sich keine Ruhe gönnen können. 1940 *ff*.

31. es kostet einen tollen ~ = es kostet sehr viel; es erfordert kostspieligen Aufwand. 1900 *ff*.

32. seinen ~ laufen = seine Art bewahren; seine Grundsätze (o. ä.) aufrechterhalten. ↗Stiefel 3. 1920 *ff*.

32 a. nach dem eigenen ~ leben = seine Lebensweise frei gestalten. ↗Stiefel 3. 1950 *ff*.

33. jm die ~ lecken = sich vor jm erniedrigen. 1920 *ff*.

34. einen guten ~ leisten = viel Alkohol vertragen. Seit dem 19. Jh.

35. mach' nicht so einen ~! = handle nicht so umständlich! rede nicht so weitschweifig! ↗Stiefel 2. 1900 *ff*.

36. sich in die eigenen ~ machen = seinem Ansehen schaden. Gemeint ist, daß man in die eigenen Stiefel harnt. ↗Stiefel 38. 1940 *ff*.

37. in die ~ müssen = zum Wehrdienst herangezogen werden. 1965 *ff*.

38. sich in die eigenen ~ pissen = sich gröblich irren; sich selbst schädigen. ↗Stiefel 36. 1940 *ff*, *sold*.

39. einen ~ quatschen (reden o. ä.) = viel, aber unsinnig reden. ↗Stiefel 2. Seit dem 19. Jh.

40. jn in die richtigen ~ reinpassen = jn zum richtigen Verhalten anleiten. 1920 *ff*.

41. es reißt ihn aus den ~n = er braust auf, springt vor Wut aus dem Sessel hoch. ↗Schuh 30. 1950 *ff*.

42. seinen ~ runterdiktieren = in gewohnter Weise diktieren. ↗Stiefel 3. 1920 *ff*.

43. seinen ~ runterdudeln = weiter wie bisher konzertieren. ↗dudeln. 1950 *ff*.

44. seinen ~ runterreißen = seelenlos seiner Amtspflicht genügen. *Vgl* ↗abreißen 6. 1950 *ff*.

45. seinen eigenen ~ runterspielen = die Bühnenrolle ohne jegliche Veränderung spielen; Fußball spielen, ohne Rücksicht auf das Zusammenspiel zu nehmen. 1950 *ff*.

46. jm in die ~ scheißen = a) jm einen häßlichen Streich spielen. Ursprünglich durchaus wörtlich gemeint. *Sold* 1939 *ff*. – b) jn dem Vorgesetzten melden. *Sold* 1939 *ff*.

47. einen schönen ~ schreiben = schlecht schreiben; schlechten Briefstil haben; einen schlechten Schulaufsatz schreiben. Ironie. ↗Stiefel 3. Seit dem 19. Jh.

48. im ~ sein = betrunken sein. ↗Stiefel 27. Seit dem 19. Jh.

49. voll sein wie ein ~ = volltrunken sein. 1900 *ff*.

50. das sind zwei Paar (zweierlei) ~ = das sind unvereinbare Sachen. Seit dem 19. Jh.

51. den gewohnten ~ spielen = in der üblichen Weise Fußball spielen. *Sportl* 1950 *ff*.

52. einen guten ~ spielen = ein guter Fußballspieler sein. *Sportl* 1920 *ff*.

53. einen schönen ~ spielen = schlecht musizieren. Ironie. Seit dem 19. Jh.

54. jm auf die ~ spucken = jm offen Mißachtung bezeigen. Seit dem 19. Jh.

55. seinen guten ~ trinken = wacker zechen können. 1700 *ff*.

56. einen schönen ~ verpacken = viel Alkohol vertragen. 1930 *ff*.

57. einen ~ vertragen können = viel Alkohol vertragen können; viel aushalten können. Seit dem 16. Jh.

58. den ~ vollhaben = betrunken sein. Seit dem 19. Jh.

59. sich die ~ vollhauen = sich betrinken. *BSD* 1968 *ff*.

60. das geht seinen ~ weiter = es wird gedankenlos, ohne die notwendigen Änderungen fortgesetzt. 1920 *ff*.

61. seinen ~ weitermachen = sich in der Arbeit durch nichts stören lassen; seinen Plan unentwegt verfolgen. 1920 *ff*.

62. sich einen ~ zurechtlügen = überaus lügnerisch sein; dreist lügen. ↗Stiefel 1. 1900 *ff*.

63. sich einen ~ zurechtschwätzen = viel und dumm reden; unüberlegt sprechen. Seit dem 19. Jh.

64. sich einen ~ zusammenbauen = bei der Arbeit unsachgemäß zu Werke gehen. 1900 *ff*.

65. sich einen ~ zusammenessen = viel von vielerlei essen. 1900 *ff*.

66. sich einen ~ zusammenfahren = ein schlechter Autofahrer sein. 1930 *ff*.

67. (sich) einen ~ zusammenreden = Unsinn reden; viel reden. Seit dem 19. Jh.

68. sich einen ~ zusammenreimen = übertrieben schildern; haltlose Verdächtigungen aussprechen. 1900 *ff*.

69. sich einen ~ zusammenschlafen = viel schlafen. 1900 *ff*.

70. sich einen ~ zusammenschmarren = dummschwätzen. ↗schmarren. *Bayr* 1900 *ff.*

71. sich einen ~ zusammenschreiben = Briefe (Zeitungsbeiträge) voller Irrtümer aufsetzen. Seit dem 19. Jh.

72. sich einen ~ zusammensingen = viel singen; unmusikalisch singen. Seit dem 19. Jh.

73. (sich) einen ~ zusammenspielen = a) schlecht, lustlos Fußball spielen. *Sportl* 1930 *ff.* – b) unmusikalisch musizieren. 1930 *ff.*

74. sich einen ~ zusammentrinken = von vielerlei Getränken viel trinken. Seit dem 19. Jh.

Stiefelausziehen *n* es ist zum ~ = es ist zum Verzweifeln, ist unerträglich. ↗Stiefel 19. 1900 *ff.*

Stiefelbrumme *f* weibliche Person in hohen Stiefeln. ↗Brumme. 1960 *ff.*

Stiefeletten *pl* Halb-, Knöpfstiefel; Gamaschen; Schuhwerk. Fußt entweder auf *ital* „stivaletto" oder auf *dt* „Stiefel" mit der *franz* Endung „-ette". Seit dem 17. Jh.

Stiefelfrau *f* Prostituierte für masochistische Kundschaft. 1920 *ff.*

Stiefelknecht *m* **1.** Mann, der einem anderen den Stiefel auszuziehen sucht, indem er den Stiefel zwischen die Oberschenkel preßt, während der andere mit dem freien Bein gegen das Gesäß des Helfers stößt. 1900 *ff.*

2. würdeloser Einschmeichler. 1910 *ff.*

Stiefellecker *m* unterwürfiger Schmeichler. 1920 *ff.*

stiefeln (stiebeln) *intr* langsam gehen; wandern; einen beschwerlichen Weg gehen. Meint ursprünglich „Stiefel anziehen" und seit dem 18. Jh soviel wie „(in Stiefeln) schreiten".

Stiefelnutte *f* **1.** Prostituierte, die ihre Kunden peitscht. ↗Stiefelfrau. 1920 *ff.*

2. Straßenprostituierte, die bei Wind und Wetter ihrem Gewerbe nachgeht. 1920 *ff.*

Stiefelschaft *m* das möchte ich nicht im ~ haben: Redewendung angesichts der Menge dessen, was ein anderer gegessen und getrunken hat. Berlin 1960 *ff.*

Stiefelsohlen *pl* **1.** sich die ~ ablaufen = eilen; Gewaltmärsche zurücklegen. Aufgekommen im Ersten Weltkrieg im Zusammenhang mit den sehr weiten Entfernungen, die die Fußtruppen zurücklegen mußten.

2. sich um etw die ~ ablaufen = um etw viele Gänge machen; sich um eine Sache sehr bemühen. 1920 *ff.*

3. sich etw an den ~ abgelaufen haben = etw genau kennen; etw gründlich beherrschen. ↗Stiefel 9. Seit dem 19. Jh.

Stiefelwichse *f* das ist klar wie ~ = das ist völlig einleuchtend. Entweder *iron* gemeint oder Anspielung auf den Glanz, den die Stiefelwichse den Stiefeln verleiht. Seit dem 19. Jh.

Stiefliebste *f* Geliebte eines Verheirateten; ehemalige Geliebte. „Stief-" geht zurück auf *ahd* „stiu-

fen = berauben"; „stief = verwaist": die betreffende Person ist Ersatzperson für eine andere. Berlin seit dem 19. Jh.

Stiefliebster *m* intimer Freund einer Verheirateten. Berlin, seit dem 19. Jh.

Stiefpuppe *f* Neben-, Ersatzgeliebte. ↗Puppe. 1930 *ff.*

Stiegenläufer *m* Einschleichdieb. „Stiege = Treppe" ist hier im Nebensinn von „↗stieke" überlagert. *Rotw* seit dem ausgehenden 18. Jh, *oberd.*

Stiegenratte *f* Einschleichdieb. *Rotw* seit dem 19. Jh.

Stiegenscheißer *m* (gärender) Most. Most braust im Darm; zuweilen erreicht man nicht mehr rechtzeitig den Abort. *Österr* und *mitteld,* seit dem 19. Jh.

Stiegensteiger *m* **1.** Einschleichdieb; diebischer Hausbettler. *Vgl* ↗Stiegenläufer. *Rotw* 1700 *ff,* *oberd.*

2. Handelsvertreter. 1920 *ff.*

stieke *adv* still, leise, vorsichtig. Nebenform von ↗stekum. *Rotw* 1830 *ff.*

stiekum *adv* heimlich. ↗stekum. *Rotw* 1750 *ff.*

Stiel *m* **1.** Penis. 1900 *ff.*

2. die Augen sitzen auf ~en = man will sehr genau sehen. Stark hervortretende Augen nehmen sich aus, als säßen sie auf Stielen. Spätestens seit 1900.

3. seine Augen kriegen ~e = er blickt starr. 1900 *ff.*

4. er hat nicht die ~e an die Kirschen gemacht = er ist dumm. 1920 *ff,* *südwestd.*

5. an etw keinen ~ kriegen = etw nicht verstehen. Man weiß nicht, wie man etwas „anfassen" soll oder wie man an einer Hacke o. ä. einen Stiel befestigt. 1900 *ff.*

Stielaugen *pl* **1.** große, stark hervortretende Augen. ↗Stiel 2. Spätestens seit 1900.

2. Fernglas. 1950 *ff.*

3. ~ kriegen = gierig, neugierig blicken. 1900 *ff.*

4. ~ machen = gierig, neugierig, starr blicken. 1900 *ff.*

stieläugeln *intr* gierig, starr blicken. 1950 (?) *ff.*

Stielaugentechnik *f* Absehen (Abschreiben) des Schülers vom Neben- oder Vordermann. *Schül* 1920/30 *ff.*

stielig *adj* langweilig. Verkürzt aus ↗langstielig. 1900 *ff.*

stiemen *intr* rauchen. Gehört zu *engl* „steam = Dampf". *Marinespr* 1900 *ff.*

Stier *m* **1.** plumper, grober Mann. Seit dem 19. Jh.

2. Klassenbester. Übertragen vom Bullen als dem Sinnbild der Kraft. *Schül* 1900 *ff.*

3. Lehrer. Wohl Anspielung auf die blinde Wut des Bullen. *Schül* 1955 *ff.*

4. Alkoholgegner. Wie ein Stier trinkt er nur Wasser. 1920 *ff.*

5. Zahlungsunfähigkeit. ↗stier 1. *Österr* seit dem 19. Jh.

6. ~ ohne Hörner = Mittelloser. 1950 *ff, schül.*

7. ~ in der Tüte = Stiersperma für künstliche Besamung. Berlin 1955 *ff.*

8. gequetschter ~ = Büchsenrindfleisch. *Sold* 1925 *ff.*

9. uriger ~ = derber, kraftvoller Mann. ↗urig. 1920 *ff.*

10. zweibeiniger ~ = Tierarzt für künstliche Besamung. 1955 *ff,* Berlin.

11. den ~ im Wappen führen = mittellos sein. ↗stier 1. 1930 *ff, oberd.*

12. im Zeichen des ~s geboren sein = mittellos sein. ↗stier 1. 1930 *ff, oberd.*

13. den ~ bei den Hörnern packen = tatkräftig handeln, ohne Gefahr zu scheuen; dem Gegner beherzt entgegentreten. 1850 *ff.*

stier *adj adv präd* **1.** zahlungsunfähig; mittellos; geldlich beengt. Nebenform zu „starr = unbeweglich". Auch sagt der Bauer, seine Kuh sei stier, wenn sie der Bulle nicht aufgenommen hat, oder sie sei stier, wenn sie keine Milch gibt. Vorwiegend *oberd,* seit dem 19. Jh.

2. geschäftsstill. *Österr* seit dem 19. Jh.

3. betrunken. Analog zu ↗steif 1. 1900 *ff.*

Stierauge *n* Spiegel-Ei. Parallel zu ↗Ochsenauge. *Südwestd* 1500 (?) *ff.*

stieren *v* **1.** *intr* = nach Geschlechtsverkehr verlangen (auf weibliche Personen bezogen). Die Kuh verlangt nach dem Stier. 1900 *ff.*

2. *intr* = stochern. Fußt auf *mhd* „stüren = stöbern, stochern". Seit dem 14. Jh.

3. es stiert mich = es erbost mich. Leitet sich her entweder von der Blindwütigkeit des Bullen oder von der Verärgerung, die im Innern „stochert". *Österr* seit dem 19. Jh.

4. jm eine ~ = jn ohrfeigen; jm einen Schlag versetzen. *Bayr* 1900 *ff.*

Stierer *m* Penis. Versteht sich nach ↗stieren 2. Seit dem 19. Jh.

Stiergalopp *m* im ~ = sehr schnell. 1920 *ff.*

stierig *adj* **1.** streitlüstern, angriffslustig; ungestüm. Vom Verhalten des Bullen übertragen auf menschliches Verhalten. 1900 *ff.*

2. langweilig. Gehört zu „starr, stur". Die hartnäckige Wiederholung derselben Sache erzeugt Langeweile. *BSD* 1960 *ff, bayr.*

Stieri'tät *f* Geldmangel. Aus „, stier 1" gebildet nach dem Muster von „Kalamität, Schwulität" o. ä. *Österr* und *bayr,* 1920 *ff.*

Stierkasten *m* Fernsehgerät. Stieren = starr blicken. 1960 *ff.*

stierln *intr* **1.** stochern. Iterativum zu ↗stieren 2. *Österr* seit dem 19. Jh.

2. gegen jn ~ = gegen jn hetzen; auf jn sticheln; jm Vorhaltungen machen. *Österr* seit dem 19. Jh.

Stiernacken *m* kräftiger, gedrungener Nacken. Seit dem 19. Jh.

stiernackig *adj* unbeugsam, unbeirrbar. 1950 *ff.*

Stiesel *m* ungebildeter, ungesitteter Mensch; be-

griffsstutziger Mann; langsam handelnder Mensch. Gehört zu *mhd* „stiezen = stoßen". „Stößer" ist auch der stoßende Schafbock, und „Schaf" ist der dumme Mensch. Berlin 1840 *ff; ostd, mitteld* und *westd.*

stieselig *adj* ungeschickt, unbeholfen; grob. Seit dem 19. Jh.

Stieseligkeit *f* Unbeholfenheit, Ungelenkheit. Seit dem 19. Jh.

Stieze *f* großwüchsiger Mensch. Meint im *Nordd* die Bohnenstange, auch die (Wäsche-)Stütze. 1900 *ff.*

Stift I *m* **1.** Penis. Seit dem 16./17. Jh.

2. kleinwüchsiger Junge; junger Mann; Sohn. Vom Knabenpenis übertragen, pars pro toto. 1600 *ff.*

3. Kaufmanns-, Kellnerlehrling u. ä. 1800 *ff.*

4. Rekrut. *Sold* in beiden Weltkriegen.

5. Schüler der Unterstufe; Schulanfänger. Seit dem 19. Jh.

6. Schüler, der Nachhilfestunden erhält. Er ist ein „Lehrling". 1900 *ff.*

7. Kautabak. Er ist nagelähnlich. Kundenspr. und *marinespr* seit dem späten 19. Jh.

8. Studienreferendar. Im Verhältnis zu den Studienräten ist er noch Lehrling. 1920 *ff.*

9. *pl* = Bartstoppeln. Wie kleine harte Stifte stehen sie hervor. Seit dem 19. Jh.

10. einen ~ setzen = koitieren. ↗Stift I 1. 1920 *ff.*

11. sich auf den ~ setzen = koitieren (von weiblichen Personen gesagt). 1920 *ff.*

Stift II *n* Mädchenschule. Anspielung auf die strengen Regeln, vergleichbar jenen in geistlichen Heimen, Nonnenklöstern usw. *Halbw* 1950 *ff.*

Stiftebier *n* Stiftungsfest einer Studentenverbindung. Das Bier hierzu wurde früher wohl gestiftet. Seit dem späten 19. Jh.

Stiftekopf (-kopp; Stiftenkopp) *m* Kopf mit gleichmäßig kurzgeschnittenem Haar. Die Haare ragen wie kleine Stifte hervor. *Vgl* ↗Stift I 9. Seit dem späten 19. Jh.

stiften *v* **1.** *tr* = etw schenken; in Geberlaune sein. Stiften = etw als Gabe darbringen; etw zum Andenken schenken. Seit dem 19. Jh.

2. *intr* = Tabak kauen. ↗Stift I 7. Kundenspr. und *sold* seit dem späten 19. Jh.

3. *intr* = flüchten, ausbrechen; weggehen. ↗stiftengehen. *Sold* in beiden Weltkriegen.

4. *tr intr* = koitieren. ↗Stift I 1. Seit dem 19. Jh.

stiftengehen *intr* sich heimlich entfernen; flüchten; Fahnenflucht begehen. Gehört zu *mhd* „stieben = Staub aufwirbeln; schnell laufen". *Sold,* verbrecherspr. und polizeispr. 1900 *ff.*

Stiftsherr *m* Oberkellner. Ihm unterstehen die Kellnerlehrlinge. ↗Stift I 3. 1910 *ff.*

Stiftzahn *m* **1.** Schülerin. Hat mit dem Zahn nur in wortspielerischem Sinne zu tun; ↗Zahn 3; ↗Stift II. *Halbw* 1955 *ff.*

2. junge Mädchenschullehrerin. *Halbw* 1955 *ff.*

3. Freundin eines Lehrlings. ↗ Stift I 3; ↗ Zahn 3. *Halbw* 1955 *ff.*

4. angebrochener ∼ = Turmruine der Kaiser-Wilhelm-Gedächtniskirche zu Berlin. Stiftzahn = mittels eines Stiftes in der Zahnwurzel befestigter künstlicher Zahn. Berlin 1958 *ff.*

5. einen hinter den ∼ plätschern = ein Glas Alkohol zu sich nehmen. *Westf* 1950 *ff.*

6. sich einen hinter den ∼ schaukeln = Alkohol trinken. *Westf* 1950 *ff.*

Stiftzahnbrecher *m* altes Brötchen; harte Brotrinde. 1915 *ff.*

stikum *adv* heimlich, unbemerkt. ↗ stekum. *Rotw* 1750 *ff.*

Stil I *m* pumpejanischer ∼ = mit Leihgeldern errichteter Bau. Aus „pompejanisch" umgewandelt unter Einfluß von „↗ pumpen 1". 1960 *ff.*

Stil II *f* Übersetzung eines fremdsprachlichen Textes. Hierbei soll der Schüler zeigen, bis zu welchem Grade er den Text in guten deutschen Stil übertragen kann. 1930 *ff.*

Stilbock *m* Fehler im Sprachstil. ↗ Bock 15. 1960 *ff.*

still *adj* **1.** seitdem „∼ ruht der See" = seitdem herrscht Schweigen; seither bleibt Nachricht aus; seitdem wird über die Sache nicht mehr geredet; die Frage bleibt unbeantwortet. Dem Eingang des von Heinrich Pfeil gedichteten und komponierten Lieds gleichen Namens entlehnt: „Still ruht der See; die Vöglein schlafen, ein Flüstern nur, du hörst es kaum . . .". Seit dem späten 19. Jh.

2. erst warst du ∼, jetzt sagst du gar nichts (mehr): Redewendung an einen Schweigenden. 1930 *ff.*

Stille *f* ∼ der Gefräßigkeit (gefräßige ∼) = Verstummen der Unterhaltung bei Beginn der Mahlzeit. Seit dem ausgehenden 19. Jh.

Stilleben *n* Verbüßung einer Freiheitsstrafe. Als ruhiges Leben (Leben in der Stille) aufgefaßt. 1910 *ff.*

Stil'lentium *n* Ruhe; Sprechverbot. Durch „still" abgewandeltes „Silentium". *Schül* und *stud,* 1870 *ff.*

Stillgeld *n* Löhnung, Sold. Eigentlich das Geld für die stillende Mutter; hier das Geld, mit dem man den Durst stillen kann. *BSD* 1968 *ff.*

stillstehen *intr* Sie stehen still, und wenn tausend nackte Weiber vorbeigehen, da bewegt sich nicht mal das kleinste Haar am Sack!: Aufforderung zu regungslosem Stillstehen. Redensart des Rekrutenausbilders. *BSD* 1968 *ff.*

stillvergnügt *adj* harmlos, ungefährlich. Ursprünglich soviel wie „seelenruhig"; weiterentwickelt zu „heiter" mit dem Nebensinn einer gewissen Dümmlichkeit. 1840 *ff.*

Stimmathlet *m* bedeutender, kraftvoller Sänger. 1920 *ff.*

Stimmband *n* **1.** falsches ∼ = After. Anspielung auf laut entweichende Darmwinde. *Ziv* und *sold* 1930 *ff.*

2. einen über die Stimmbänder jodeln = kräftig singen. 1950 *ff.*

Stimmbandartist (-athlet, -held) *m* Sänger. 1920 *ff.*

Stimmbandhengst *m* **1.** Sänger, Heldentenor. ↗ Hengst 1. 1920 *ff.*

2. stimmgewaltiger, schreiender politischer Redner. 1930 *ff.*

Stimmbürger *m* Bürger, dessen politische Aktivität sich im Gang zur Wahlurne erschöpft. 1965 *ff.*

Stimme *f* **1.** ∼ aus dem Keller = tiefe Stimme. ↗ Kellerbaß. 1920 *ff.*

2. eine ∼ wie eine Kreissäge = kreischende Stimme. ↗ Kreissäge 3. Theaterspr. 1920 *ff.*

3. ∼ der Natur = laut entweichender Darmwind. 1900 *ff, ziv* und *sold.*

4. ∼ des Volkes = Klassensprecher. *Schül* 1960 *ff.*

5. angeräucherte ∼ = rauhe, tiefe Stimme. 1900 *ff.*

6. blecherne ∼ = klangunschöne Stimme. 1920 *ff.*

7. blonde ∼ = Sopran, Diskant. Blond = hell. 1920 *ff.*

8. eingerostete ∼ = nicht mehr klangreine Singstimme. 1950 *ff.*

9. fettige ∼ = weiche, nicht markige Stimme. 1950 *ff.*

10. gepreßte ∼ = Stimme auf Schallplatte. 1955 *ff.*

11. gequetschte ∼ = unklare, unfreie Stimme. 1900 *ff.*

12. heiße ∼ = temperamentvolle, leidenschaftliche Stimme. 1950 *ff.*

13. knödelige ∼ = gutturale Stimme. ↗ knödeln 2. 1900 *ff,* theaterspr.

14. nachtschwarze ∼ = tiefe Alt-, Baßstimme. Steigerung von „dunkle" Stimme. 1930 *ff.*

15. rauchige ∼ = tiefe, herbe Stimme. 1900 *ff.*

16. rostige ∼ = rauhe, klangunreine Stimme. 1920 *ff.*

17. rußige ∼ = rauhe Stimme. Seit dem 19. Jh.

18. schwarze ∼ = tiefe Stimme. 1930 *ff.*

19. technisierte ∼ = durch Lautsprecher und andere technische Mittel verstärkte Singstimme. 1960 *ff.*

20. verbeulte ∼ = unfreie, klangunreine Stimme. 1960 *ff.*

21. verhangene ∼ = unfreie, gedämpfte, leicht trübe Stimme. 1950 *ff.*

22. verrostete ∼ = heisere, tiefe, leicht gebrochene Stimme. Seit dem 19. Jh.

23. verrußte ∼ = tiefe, etwas rauhe Stimme. 19. Jh.

24. versoffene ∼ = heisere, rauhe Stimme. 1900 *ff.*

25. verweinte ∼ = schluchzende Gesangsstimme. 1955 *ff.*

26. die ∼ ist im Keller = man krächzt, ist heiser. *Vgl* ↗ Stimme 1. Theaterspr. 1930 *ff.*

Stimm-Ehe *f* guter stimmlicher Einklang von Sänger und Sängerin. 1960 *ff.*

stimmen *v* **1.** jn ~ = jn veralbern, übertölpeln, belügen. Übertragen vom Stimmen eines Musikinstruments: man sucht die richtige Tonhöhe zu erzielen, indem man die Saiten spannt. Ähnlich behandelt man einen Menschen, den man in die gewünschte Stimmung zu versetzen trachtet. Seit dem 15. Jh, *oberd.*

2. stimmt's, oder habe ich recht?: Frage, mit der man Zustimmung heischt. Scherzhaft entstellt aus „stimmt's, oder habe ich unrecht?". Im ausgehenden 19. Jh in Berlin entstanden.

Stimmengulasch *m n* Stimmengewirr. 1920 *ff.*

Stimmenklau *m* **1.** Nachahmung einer Stimme. ↗klauen. 1960 *ff.*

2. Stimmenimitator. 1960 *ff.*

Stimmenkonserve *f* Tonband-, Schallplattenaufnahme einer Stimme. ↗Konserve. 1920 *ff.*

Stimmen-Krösus *m* Kandidat, der bei einer Wahl die weitaus meisten Stimmen erhalten hat. Krösus = unermeßlich Reicher. 1960 *ff.*

Stimmenpolster *n* Gesamtheit der von einem Kandidaten erzielten Stimmen. 1960 *ff.*

Stimmenverleih *m* Synchronisierung. 1960 *ff.*

Stimmfutter *n* kritikloser Wähler. Dem „↗Kanonenfutter" nachgeahmt. 1950 *ff.*

Stimmkanone *f* hervorragender Sänger. ↗Kanone 4. 1920 *ff.*

Stimmprotz *m* Künstler mit kräftiger, klangschöner Stimme, die er bei jeder Gelegenheit zur Geltung bringt. ↗Protz. Theaterspr. 1870 *ff.*

Stimmritze *f* **1.** Schlitz der Wahlurne. Eigentlich der Spalt zwischen den Stimmbändern im Kehlkopf. 1920 *ff*, Berlin.

2. die ~ ölen = zechen. 1920 *ff.*

Stimmritzenöl *n* alkoholisches Getränk. 1920 *ff.*

Stimmung *f* **1.** dicke ~ = schlechte Stimmung; Zanksucht. Nachahmung von „dicke ↗Luft". 1920 *ff.*

2. faule ~ = Mißgestimmtheit; ungünstige Voraussetzung für einen Plan, für eine Erörterung, für eine Bitte o. ä. ↗faul 1. Seit dem 19. Jh.

3. schwarze ~ = schlechte Laune; Bedrücktsein; Schwermut; Trauer. Schwarz = ungünstig. Seit dem 19. Jh.

4. die ~ abtasten = die Gemütslage vorsichtig zu ergründen suchen. ↗abtasten. 1939 *ff.*

5. die ~ anheizen = die Stimmung steigern; die Leute zu begeistern suchen; die Zuhörer aufnahmebereit machen. ↗anheizen 1. 1920 *ff.*

6. die ~ ankurbeln = die Stimmung aufmuntern. ↗ankurbeln 1. 1920 *ff.*

7. ~ tanken = mit Frohen froh werden. ↗tanken. 1920 *ff.*

Stimmungsbarometer *n* **1.** seelische Stimmung. Vom Luftdruckmesser übertragen auf die seelische Wetterlage. 1920 *ff.*

2. das ~ hängt (steht) auf Tief = es herrscht gedrückte (gereizte) Stimmung. 1950 *ff*, politikerspr. und *sportl.*

Stimmungsbombe *f* **1.** Mensch, der ausgelassene Stimmung verbreitet; hervorragender Unterhalter einer Gesellschaft. ↗Bombe 1. 1950 *ff.*

2. die Stimmung anfeuernder Schlager o. ä. 1950 *ff.*

Stimmungsbomber *m* Stimmungsmacher. ↗Bomber 2. 1960 *ff.*

Stimmungseinheizer *m* Propagandist. Einheizen = aufhetzen. *Vgl* auch ↗Stimmung 5. 1920 *ff.*

Stimmungskanonade *f* Aufeinanderfolge heiterer Darbietungen. Kanonade = langanhaltender Artilleriebeschuß. 1955 *ff.*

Stimmungskanone *f* **1.** Mensch, der gute Stimmung verbreitet. ↗Kanone 4. 1900 *ff.*

2. stürmische Heiterkeit hervorrufendes Bühnenstück (Film o. ä.). 1920 *ff.*

Stimmungsknick *m* Mißgestimmtheit; Niedergeschlagenheit. ↗geknickt 1. *Sold* 1939 *ff.*

Stimmungsknüller *m* sehr stimmungsvolles Schlagerlied. ↗Knüller 1. 1955 *ff.*

Stimmungskulisse *f* Zuschauer bei Sportwettkämpfen. *Journ* 1960 *ff.*

Stimmungsmache *f* listige Erzeugung einer beabsichtigten Stimmung. ↗Mache 3. Ein politisches Schlagwort, etwa seit 1930.

Stimmungsorgel *f* elektrische Schalttafel für farbige Beleuchtung in Kabaretts o. ä. 1962 *ff.*

Stimmungspeitsche *f* Mittel zur Anregung der Stimmung. 1960 *ff.*

Stimmungsrübe *f* Mensch, der in Gesellschaft gute Stimmung verbreitet. ↗Rübe 4. 1920 *ff.*

Stimmungsspeicher *m* Schalttafel für die Bühnenbeleuchtung. Theaterspr. 1960 *ff.*

Stimmungstief *n* Niedergeschlagenheit. Vom Wetterbericht beeinflußt. 1960 *ff.*

Stimmvieh *n* kritiklose Wählermasse. Als politisches Schlagwort gegen 1860 aus *angloamerikan* „voting cattle" übersetzt.

Stina (Stine) *f* einfältige, unbeholfene weibliche Person. Kurzform von Vornamen wie Christine oder Justine. 1700 *ff.*

Stingel (Stingl) *m* großwüchsiger junger Mann mit ungelenkem Benehmen. Meint eigentlich den Fruchtstiel oder den Blumenstengel. (Anspielung auf den Penis?) Wohl parallel zu „↗Pflänzchen". Vorwiegend *südd*, seit dem 19. Jh.

Stinkaas *n* **1.** Mensch, der unangenehmen Geruch verbreitet. Meint eigentlich den verwesenden Tierleichnam. Seit dem 19. Jh.

2. widerlicher Mensch. ↗Aas. 1920 *ff.*

3. träger, arbeitsscheuer Mensch. Er „stinkt vor ↗Faulheit". Seit dem 19. Jh.

Stinka'dores *f* (*m*) **1.** minderwertige Zigarre; schlechter Tabak. Entstanden aus „stinken" und der *span* Endung „-dores" nach dem Muster von *span* „fumadores = Raucher". Eigentlich eine Mehrzahlbildung. Etwa seit 1840.

2. übelriechender Käse. 1900 *ff.*

3. Auto. Wegen der Auspuffgase. 1930 *ff.*

4. unsauberer Mensch. 1920 *ff.*

5. Säugling, der seine Windeln beschmutzt hat. 1920 *ff.*

6. Stinkendes jeglicher Art. 1920 *ff.*

Stinka'dorius *m* stark riechender Käse. Aus „↗Stinkadores 2" latinisiert. 1950 *ff.*

'Stinka'dur *m* Romadur. *BSD* 1960 *ff.*

Stinka'torium *n* Chemiesaal. Zusammengesetzt aus „stinken" und „Laboratorium". Spätestens seit 1900, *schül.*

Stinkbalken *m* Zigarre. Analog zu ↗Kotzbalken. 1920 *ff.*

Stinkbeine *pl* Schweißfüße. *BSD* 1960 *ff.*

'stinkbe'leidigt *adj* schwer gekränkt. „Stink-" hängt mit der Miene zusammen, die „↗sauer" oder „↗muffig" ist. 1920 *ff.*

'stinkbe'soffen *adj* volltrunken. Der Betrunkene verbreitet üblen Alkoholgeruch. Seit dem 19. Jh.

Stinkbeutel *m* Schimpfwort auf einen unreinlichen Mann. Beutel = Hodensack. *Niederd* 1900 *ff.*

'Stinkbla'mage (Endung *franz* ausgesprochen) *f* sehr peinliche Bloßstellung. ↗Blamage. 1920 *ff.*

'stinkbla'miert sein arg bloßgestellt sein. ↗blamieren. 1920 *ff.*

'stinkbla'moren sein peinlich bloßgestellt sein. ↗blamoren. 1920 *ff.*

'stink'blau *adj* volltrunken. ↗blau 5. 1900 *ff.*

Stinkbock *m* unreinlicher Mann. Böcke verbreiten einen sehr strengen Geruch. 1700 *ff.*

Stinkbolzen *m* **1.** Zigarre *(abf).* ↗Bolzen 2. *Sold* und kundenspr. seit dem späten 19. Jh.

2. Tabakspfeife. 1900 *ff.*

3. Kraftfahrer. „Bolzen" meint wohl das Auspuffrohr. *Sold* 1930 *ff.*

4. Querulant. Er stiftet „↗Stank". 1950 *ff.*

Stinkbombe *f* **1.** niederträchtige, falsche Bezichtigung. Eigentlich ein Scherzartikel, dem beim Zerplatzen Gestank entströmt. 1900 *ff.*

2. üble Enthüllung; Aufdeckung eines Skandals. 1900 *ff.*

3. Motorrad. 1920 *ff, jug.*

4. Bohnengemüse. Es erzeugt Blähungen. 1935 *ff.*

5. ~n loslassen = bösartige Bezichtigungen aussprechen. 1900 *ff.*

Stinkbombenaktion *f* Fahndung auf Grund einer böswilligen Verdächtigung. 1920 *ff.*

Stinkbomber *m* mit ungedämmtem Auspuff (ohne Auspufftopf) fahrendes Kraftfahrzeug; Fahrer eines solchen. 1950 *ff.*

Stinkbude *f* **1.** verräucherte Gaststätte. 1900 *ff.*

2. Gasübungsraum; Gasmasken-Prüfraum. *Sold* in beiden Weltkriegen.

3. Chemiesaal. *Schül* 1955 *ff.*

4. Lehrerzimmer. Weil die Lehrer dort rauchen. 1950 *ff.*

5. Party-Keller. Wegen unzureichender Entlüftung und wegen der Geruchsmischung aus Tabakrauch, Parfüm, Alkohol usw. *Halbw* 1955 *ff.*

Stinkbüdel *m* übelriechender Mann; Schimpfwort. ↗Stinkbeutel. *Nordd* 1900 *ff.*

Stinkburger (Stinkeburger) *m* Limburger Käse. 1920 *ff.*

'stink'bürgerlich *adj* engbürgerlich; Reformen ablehnend; sozialdemokratischen und sozialistischen Gedankengängen verständnislos gegenüberstehend. Mit den Unruhen der sechziger Jahre des 20. Jhs aufgekommen als Schlagwort der revoltierenden Jugend.

'stink'doof *adj* überaus dümmlich. ↗doof 1. Zu „stink-" *vgl* ↗stinken 4 a. 1920 *ff.*

Stinkdrüse *f* **1.** After. Eigentlich die ein stinkendes Sekret absondernde Drüse. *Sold* 1914 *ff.*

2. Kraftfahrzeug. 1914 *ff.*

'stink'duhn *adj* volltrunken. ↗duhn 1. 1920 *ff.*

'stink'dumm *adj* sehr dumm. *Vgl* ↗stinkdoof. 1920 *ff.*

Stinke *f* Chemiesaal. 1900 *ff, schül.*

'stink'echt *adj* unverfälscht; genau das Ziel treffend. „Stink-" als steigerndes Präfix, entwickelt aus Dingen und Zuständen besonders aufdringlichen Geruchs. 1935 *ff.*

'stinke'gal *adv* völlig gleichgültig. 1910 *ff.*

stinken *v* **1.** es stinkt = es bahnt sich Übles an; hier herrscht starker Beschuß; Feindeinbruch steht zu befürchten; im Betrieb herrscht Kampfstimmung. Übertragen von der Wahrnehmung heftigen Gestanks. Der Ausdruck in Goethes „Faust I" (Am Brunnen) bezieht sich auf Schwangerschaft. 1900 *ff;* vorwiegend *sold.*

2. ihm stinkt es = er hat bange Befürchtungen; es mißfällt ihm sehr; es ärgert ihn sehr. 1900 *ff.*

3. die Sache stinkt = die Sache ist bedenklich; hier wird unredlich gehandelt. 1800 *ff.*

4. das täte mir ~ = das ließe ich mir nicht gefallen. *Schwäb* 1900 *ff.*

4 a. er stinkt mir = ich kann ihn nicht leiden. *Jug* 1920 *ff.*

5. hier stinkt es = hier hat sich einer selbst gelobt. „Eigenlob stinkt", heißt es sprichwörtlich. Spätestens seit 1900 *ff.*

6. er stinkt vor sich hin = a) er ist wütend. Er macht eine „muffige" Miene und hat eine „↗Stinkwut". 1940 *ff.* – b) er schmiedet üble Pläne; er überlegt, wie er sich rächen kann. 1940 *ff.*

7. er lügt, daß er stinkt = er lügt dreist. Vorstellung von der „stinkigen Lüge"; stinkig = unverkennbar. Seit dem 19. Jh.

8. er ist so geizig, daß er stinkt = er ist überaus geizig. Wahrscheinlich geizt er auch mit Wasser und Seife. Seit dem 19. Jh.

9. du stinkst ja!: Redewendung, mit der man die Richtigkeit einer Behauptung in Zweifel zieht. Stinken = lügen. *Vgl* ↗stinken 7. 1930 *ff.*

10. etw ~ = einen Duft oder Gestank wahrnehmen (gern in der Form: „stink' mal, wie das hier riecht!"). Seit dem späten 19. Jh, Berlin.

Stinker *m* **1.** Gesäß. 1700 *ff.*

D 7

Mir stinkts - auf deutsch gesagt!

Es ist nicht bekannt, warum es der Dame stinkt, da sie aber jener Äußerung des Mißfallens die fast schon entschuldigende Bekräftigung ,,auf deutsch gesagt" hinzufügt, ist zu vermuten, daß der Eindruck erweckt werden soll, als drücke sie sich ansonsten etwas ,,gepflegter" aus. Einen Sinn hat dieser Nachsatz jedoch nur dann, wenn er auf einen nicht konkretistisch zu verstehenden Gebrauch dieses Verbs, wenngleich diese umgangssprachliche Bedeutung (vgl. stinken 1. – 9.) sich wiederum auf etwas sehr Konkretes bezieht, auf den Zustand bestimmter Nahrungsmittel nämlich, deren Genuß großen Verdruß bereiten könnte.

2. kleiner Junge (Kosewort). Ursprünglich eine zärtliche Benennung des Wickelkinds mit Anspielung auf die verunreinigten Windeln. *Vgl* ↗Scheißerl 1. Seit dem 19. Jh.

3. Schüler der Unterstufe; Schulanfänger. 1950 *ff*.

4. mürrischer, langweiliger Mensch. Wohl weil er ,,↗Stank" stiftet. 1900 *ff*.

5. widerlicher Mann; würdelos unterwürfiger Mann; überdiensteifriger Soldat. 1920 *ff*.

6. stark riechender Käse. 1920 *ff*.

7. *pl* = ABC-Abwehrtruppe. *BSD* 1965 *ff*. Im Ersten Weltkrieg galt die Vokabel als *sold* Bezeichnung der Gaspioniere.

8. alter ∼: zärtliche Anrede. ↗Stinker 2. 1900 *ff*.

9. fauler ∼ = arbeitsscheuer Mann. Er ,,stinkt vor ↗Faulheit". 1900 *ff*.

10. kleiner ∼ = unbedeutender Mensch. Mildere Variante zu ,, ↗Scheißer 6 b". 1920 *ff*.

11. mein kleiner ∼!: Koseanrede. ↗Stinker 2 u. 8. 1900 *ff*.

stinkerig *adj* sehr gefährlich. ↗stinken 1. *Ziv* und *sold* 1939 *ff*.

Stinkerl *n* Auto. *Bayr* und *österr*, 1930 *ff*.

'**stink**'**ernst** *adj* sehr ernst; äußerst traurig. 1920 *ff*.

Stinkerraum *m* Abort. *Jug* 1920 *ff*.

Stinkersaal (-stube) *m* (*f*) Chemiesaal. *Schül* 1950 *ff*.

'**stink**'**fade** *adj* **1.** sehr langweilig. *Oberd* seit dem 19. Jh.
2. abgestanden, schal; unschmackhaft. 1900 *ff*.

'**stink**'**faul** *adj* sehr träge. Adjektivisch entwickelt aus „vor ↗Faulheit stinken". 1600 *ff*.

'**stink**'**fein** *adj* vornehmtuerisch; übertrieben vornehm; bis zur Ungemütlichkeit vornehm. Mildere Variante zu „↗scheißfein". 1920 *ff*.

Stinkfisch *m* unsauberer, ungepflegter Mensch. Er riecht wie ein in Verwesung übergegangener Fisch. 1916 *ff*.

'**stink**'**foin** *adj* übertrieben vornehm (geziert). ↗foin. 1920 *ff*.

'**stink**'**freundlich** *adj* unecht-freundlich. ↗scheißfreundlich. 1950 *ff*.

Stinkfritze *m* **1.** Kraftfahrer. 1910 *ff*.
2. Mann, der Darmwinde entweichen läßt. 1935 *ff*.

Stinkfuhrmann *m* Fahrer eines Wagens der Straßenreinigung, der Abortgrubenentleerung. Berlin 1900 *ff*.

'**stink**'**geizig** *adj* überaus geizig. ↗stinken 8. Seit dem 19. Jh.

'**stinkge**'**launt** *adj* sehr schlecht gelaunt. *Vgl* ↗stinken 6. 1900 *ff*.

'**stinkge**'**mein** *adj* niederträchtig; rücksichtslos; charakterlos. 1920 *ff*.

Stinkgurke *f* minderwertige Zigarre. Anspielung auf die Form und den üblen Geruch. 1920 *ff*.

Stinkhaken *m* Tabakspfeife. Sie ist hakenförmig gebogen. Seit dem 19. Jh.

Stinkhalle *f* Turnhalle. Wegen der Schweißausdünstungen. *Schül* 1950 *ff*.

Stink-Happening (Grundwort *engl* ausgesprochen) *n* Übung mit der ABC-Schutzmaske. *Engl* „happening = Ereignis, Geschehen". *BSD* 1965 *ff*.

Stinkhengst *m* Motorradfahrer (Autofahrer), der mit ungedämmtem Auspuff (ohne Auspufftopf) fährt. ↗Hengst 1. 1930 *ff*.

Stinki *m* unreinlicher Mensch. Berlin 1965 *ff*, *jug*.

stinkig *adj* **1.** unbrauchbar; sinnlos; nicht unbescholten. Übernommen von faulenden Dingen und anrüchigen Zuständen. 1900 *ff*.
2. unangenehm; heikel; gefahrdrohend. ↗stinken 1. 1900 *ff*.
3. verdrießlich, mürrisch. Wegen der „↗muffigen" Miene. *Vgl* ↗stinken 6. 1800 *ff*.
4. langweilig. ↗stinken 2. *Oberd* 1950 *ff*.

Stink-Kabinett *n* Chemiesaal. *Schül* 1950 *ff*.

Stinkkarosse (-karre) *f* Kraftfahrzeug. Meint ursprünglich das qualmende, mit ungedämmtem Auspuff (ohne Auspufftopf) fahrende Auto. 1920 *ff*.

Stinkkasten *m* **1.** Dampfschiff. ↗Kasten 8. 1920 *ff*.
2. Bett. ↗Kasten 3. *Marinespr* 1910 *ff*.
3. Auto mit qualmendem Auspuff. 1920 *ff*.
4. Lastkraftwagen. 1930 *ff*.
5. Chemiesaal. *Schül* 1950 *ff*.

'**Stink**'**kerl** *m* unsympathischer, niederträchtiger Bursche. 1910 *ff*.

Stinkkolben *m* Tabakspfeife. ↗Kolben 6. 1920 *ff*.

Stinkkorb *m* Bett; Hängematte. ↗Korb 2. *Marinespr* in beiden Weltkriegen.

Stinkkübel *m* **1.** Nebelbombe. Als Begleiterscheinung strömt sie unangenehmen, ätzenden Gestank aus. *BSD* 1965 *ff*.
2. Aschenbecher. *BSD* 1965 *ff*.

Stinkkutsche *f* **1.** Auto aus der Frühzeit des Automobilismus. 1900 *ff*.
2. Auto, das mit ungedämmtem Auspuff (ohne Auspufftopf) fährt. 1940 *ff*.

Stinkkutscher *m* Autofahrer. 1940 *ff*.

'**Stinkla**'**bor** *n* Chemiesaal. *Schül* 1950 *ff*.

'**Stink**'**laden** *m* anrüchiger Geschäftsbetrieb. 1920 *ff*.

'**Stinkladen** *m* Chemiesaal. *Schül* 1950 *ff*.

'**stink**'**langweilig** *adj* überaus langweilig; keinerlei Abwechslung bietend. *Halbw* seit dem frühen 20. Jh. Eine gelegentliche bayrische Nebenform lautet: „gschtingat langweilig".

Stinklatte *f* widerlicher Mann. Wohl Anspielung auf den unsauberen Penis; ↗Latte I 2. 1950 *ff*.

'**Stink**'**laune** *f* sehr schlechte Laune. *Vgl* ↗stinkgelaunt. 1900 *ff*.

'**stinklibe**'**ral** *adj* durch und durch liberal ohne Zugeständnisse an andere politische Überzeugungen. Zur Sache vgl „↗stinkbürgerlich". 1960 *ff*.

Stinkloch *n* Chemiesaal. *Schül* 1960 *ff*.

Stinkmann *m* unehrlicher, unzuverlässiger Mann. Er hat einen „stinkigen" Charakter. *Vgl* ↗stinkig 1. 1920 *ff*.

Stinkmoppel *n* Auto. ↗Automoppel. 1920 *ff*.

Stinkmorchel *f* **1.** minderwertige Zigarre. Vom Namen des streng riechenden Pilzes übertragen. 1910 *ff*.
2. bereits ausgedrückte Zigarre, die, wieder angezündet, üblen Geruch verbreitet. *Sold* in beiden Weltkriegen; auch *ziv*.
3. Schimpfwort. Bezogen auf einen Menschen, dessen Charakter „stinkt" wie der Pilz. 1910 *ff*.

Stinknagel *m* Tabakspfeife. Analog zu ↗Stinkhaken. 1850 *ff*, vorwiegend *oberd*.

'**stink**'**nobel** *adj* unecht vornehm. 1950 *ff*.

'**stinknor**'**mal** *adj* **1.** geistig völlig normal; ohne irgendwelche Außergewöhnlichkeit. Das Wort hat tadelnden bis abfälligen Nebensinn für Leute, die das Normale für rückständig und veraltet ansehen. *Vgl* ↗stinkbürgerlich. 1950 *ff*.
2. in geschlechtlicher Hinsicht normal veranlagt. Verächtliche Bezeichnung im Munde von Homosexuellen. 1950 *ff*.

'stink'nüchtern *adj* völlig nüchtern. 1950 *ff.*

'Stinkomo'bil *n* viel Qualm ausstoßendes Auto. Berlin 1900 *ff.*

Stinkorden *m* Gesamtheit der Umhertreiber und „Gammler". Anspielung auf Unsauberkeit, die manche zu kultivieren verstehen. 1965 *ff.*

Stinkowitz (Stinkewitz) *m* unreinlicher Mensch; Mann, der Darmwinde unbekümmert entweichen läßt. Eine *dt-slaw* Mischform. Im 19. Jh in Wien aufgekommen und nordwärts vorgedrungen, wohl durch Vermittlung von Urlaubsreisenden oder im Gefolge der Annexion Österreichs, 1938.

Stinkpott *m* Mensch, dem man nicht trauen darf. 1900 *ff.*

Stinkrachen *m* Mensch mit üblem Mundgeruch. 1900 *ff.*

Stinkrakete (Stinkerrakete) *f* **1.** minderwertige Zigarette o. ä. Kundenspr. seit dem ausgehenden 19. Jh; später auch *halbw*.
2. ~n loslassen = Darmwinde laut abgehen lassen. *Jug* 1955 *ff.* „Stinkrakete" hieß im Ersten Weltkrieg die Gasgranate.

Stinkraum *m* Chemiesaal. 1920 *ff, schül.*

'stink'reich *adj* sehr wohlhabend. Der Betreffende „stinkt nach ↗Geld". 1900 *ff.*

'stink'richtig *adj* völlig irrtumsfrei. 1950 *ff, halbw.*

Stinksaal *m* Chemiesaal. *Schül* 1920 *ff.*

Stinksack *m* **1.** unreinlicher Mensch. *Vgl* ↗Sack 5; ↗Stinkbeutel. Seit dem 19. Jh.
2. Schimpfwort auf einen niederträchtigen Menschen. Von äußerlicher Unsauberkeit übertragen auf charakterliche Unsauberkeit. 1920 *ff.*
3. Kraftfahrer. *Sold* in beiden Weltkriegen.

'stink'sauer *adj* sehr verstimmt; verärgert; wütend. Steigerung von ↗sauer. 1950 *ff.*

Stinkschäse *f* **1.** Auto mit starker Rauchentwicklung. ↗Schäse. Seit dem Ende des 19. Jhs.
2. mit Holzgas betriebenes Auto. 1939 *ff.*

'stinkseri'ös *adj* sehr redlich; sehr ehrenwert. Die Vokabel hat abfälligen Nebensinn: die Überzeugung von der Redlichkeit als einer auszeichnenden Tugend wird in Frage gestellt. 1950 *ff.*

Stinkspargel *m* minderwertige Zigarre. Wegen der Formähnlichkeit. 1914 *ff.*

Stinkstengel *m* schlechte Zigarre. ↗Stengel. 1950 *ff.*

Stinkstiefel *m* **1.** Angestellter der Straßenreinigung; Abortgrubenentleerer; Kanalisationsarbeiter. Man trägt hohe Wasserstiefel, watet mit den Stiefeln in stinkendem Unrat. Berlin 1870 *ff.*
2. unreinlicher Mann; Mann mit Schweißfüßen. Spätestens seit 1900, vorwiegend *schül, arb* und *sold.*
3. niederträchtiger Mann; Schimpfwort auf einen Schikanierer. 1910 *ff.*
4. Zänker. 1920 *ff.*
5. Feigling. *Sold* in beiden Weltkriegen.
6. unkameradschaftlicher Soldat; Soldat, der sich dem Dienst zu entziehen sucht. *BSD* 1965 *ff.*

7. übellauniger, unhöflicher, unverträglicher Mann. 1920 *ff.*

Stinkstoff *m* **1.** Stickstoff. Scherzvokabel. Seit dem 19. Jh.
2. verbrauchte Zimmerluft. 1920 *ff, lehrerspr.*

Stinkstummel *m* minderwertige Zigarre. ↗Stummel. 1914 *ff.*

Stinkstunde *f* Chemieunterricht. 1950 *ff, schül.*

'stink'stur *adj* gänzlich unnachgiebig; unerschütterlich in den Grundsätzen. ↗stur. 1920 *ff.*

Stinktiegel *m* Tabakspfeife. Ihr Kopf ist tiegelförmig. 1910 *ff.*

Stinktier *n* **1.** allgemeines Schimpfwort. Eigentlich *dt* Bezeichnung für den amerikanischen Skunk: es verspritzt bei Erregung (in Angst) eine stinkende Flüssigkeit aus Afterdrüsen. Übertragen auf einen äußerlich und charakterlich unsauberen Menschen. Seit dem 19. Jh.
2. Kraftfahrer. 1910 *ff.*
3. Klassenschlechtester. 1950 *ff, schül.*
4. ungewaschener und ungepflegter Jugendlicher, der beschäftigungslos und arbeitsscheu sich umhertreibt. 1965 *ff.*
5. Querulant. 1945 *ff.*
6. altes ~: vertrauliche Anrede. *Halbw* 1950 *ff.*

'stink'voll *adj präd* **1.** volltrunken. ↗stinkbesoffen. Seit dem 19. Jh.
2. voll besetzt; überfüllt. 1930 *ff.*

'stink'vornehm *adj* sehr, übermäßig vornehm; unbehaglich vornehm. Mildere Variante zu „↗scheißvornehm." 1920 *ff.*

Stinkwanze *f* Auto; qualmendes Auto; Auto mit Diesel-Antrieb. Wanzen scheiden ein übelriechendes Sekret aus. Seit dem frühen 20. Jh.

'Stink'wut *f* große Wut. Zusammengezogen aus „↗stinkig 3" und „Wut". 1900 *ff.*

'stink'wütend *adj* sehr wütend. 1900 *ff.*

Stinkzelle(-zimmer) *f (n)* Chemiesaal; Klassenzimmer. *Schül* 1950 *ff.*

Stinos *pl* geschlechtlich normal veranlagte Personen. Abgekürzt aus „↗stinknormal". Verächtliche Bezeichnung im Munde von Homosexuellen. 1950 *ff.*

Stint *m* **1.** Jugendlicher; Halbwüchsiger. Eigentlich der kleine Lachsfisch. 1900 *ff.*
2. besoffen (voll) wie ein ~ = volltrunken. Hierzu und zu den folgenden Ausdrücken *vgl* „↗Stint 6". Spätestens seit 1900.
3. vergnügt wie ein ~ = sehr vergnügt; sehr lebenslustig, unternehmungslustig. 1900 *ff.*
4. verliebt wie ein ~ = heftig verliebt. Berlin 1816 *ff.*
5. sich ärgern wie ein ~ = sich heftig ärgern. Seit dem 19. Jh.
6. sich freuen wie ein ~ = sich übermäßig freuen. Geht zurück auf die Verse des Predigers Schmidt aus Werneuchen (erschienen im Berliner Musen-Almanach für 1795): „O sieh, wie alles weit und breit / An warmer Sonne minnt! / Vom Storche

bis zum Spatz sich freut, / vom Karpfen bis zum Stint!". Seit dem 19. Jh.

7. saufen wie ein ~ = trunksüchtig sein. 1900 *ff.*

Stipendiatensilo *m* Wohnhochhaus für Studenten. *Österr* 1960 *ff.*

Stipp *m* **1.** Kleinigkeit. Gehört zu „↗stippen 1" und meint den Stich, den Punkt, das Tüpfelchen. *Nordwestd*, seit dem 19. Jh.

2. auf einen ~ = für einen Augenblick; gleichzeitig. Seit dem 19. Jh.

3. auf dem ~ sein = sofort bereit sein. 19. Jh.

Stippbesuch *m* kurzer Besuch. ↗stippen 1. 1800 *ff.*

Stippe *f* Tunke. *Vgl* das Folgende. Seit dem 19. Jh, *nordd* und *westd.*

stippen *v* **1.** *tr* = etw eintauchen, eintunken. Ein *nordd* Wort, Nebenform zu „steppen = nähen": sowohl beim Nähen als auch beim Eintauchen wird der Gegenstand nur kurz in Stoff oder Flüssigkeit eingeführt. 1600 *ff.*

2. *tr* = etw unterschlagen, stehlen. Meint eigentlich soviel wie „angeln". Seit dem 19. Jh.

3. *intr* = mittels Leimrute Geld aus der Ladenkasse (o. ä.) stehlen. seit dem frühen 19. Jh, *rotw.*

4. *intr* = mit Hilfe eines feinen Drahts oder eines kleinen Bohrers den Spielautomaten leeren. 1950 *ff.*

Stipper *m* **1.** Ladenkassen-, Opferstockräuber o. ä.; Dieb. ↗stippen 3. *Rotw* 1805 *ff.*

2. Angler. 1900 *ff.*

Stippvisite *f* **1.** kurzer Besuch. Versteht sich nach „↗stippen". Seit dem späten 18. Jh.

2. Stoßtruppunternehmen. *Sold* in beiden Weltkriegen.

3. intimes Betasten; Petting. *Halbw* 1955 *ff.*

Stips (Stipps) *m* **1.** Kleinigkeit. ↗Stipp 1. Seit dem 19. Jh.

2. kleiner Junge. Seit dem 19. Jh.

3. leichter Stoß. Seit dem 19. Jh.

4. Stipendium. Hieraus verkürzt. 1940 *ff.*

Stirn *f* **1.** entlaubte ~ = Stirnglatze. 1950 *ff.*

2. erweiterte ~ = Vorderhauptglatze. 1920 *ff, stud.*

3. hohe ~ = Stirnglatze. 1920 *ff.*

4. kahle ~ bis auf den Hinterkopf = Längsglatze. 1870 *ff.*

5. plissierte ~ = gekrauste Stirn; Stirnfalten. 1950 *ff.*

6. überhöhte ~ = Scheitelglatze. 1910 *ff.*

7. verlängerte ~ = Stirnglatze. 1920 *ff.*

8. die gußeiserne ~ haben = sich zu etw erdreisten. Verstärkung von „eiserne Stirn" (nach Jesaya 48, 4). Seit dem 19. Jh.

9. eine hohe ~ hintenhin (bis in den Nacken) haben = glatzköpfig sein. 1920 *ff.*

10. die ~ gewinnt an Höhe = es bildet sich eine Stirnglatze. 1920 *ff.*

11. jm die ~ massieren = jn an den Kopf schlagen; jn besinnungslos schlagen. 1910 *ff,* verbrechersprr.

12. die ~ reicht (wächst) bis in den Nacken (Rükken) hinein = man hat (bekommt) eine Vollglatze. 1870 *ff.*

Stirngardine *f* in die Stirn gekämmtes, kurz und geradlinig geschnittenes Kopfhaar. 1925 *ff.*

Stirntipper *m* Mensch, der einem Kraftfahrer die Dummheitsgebärde zeigt. Tippen = leicht berühren. 1955 *ff.*

stöbern *intr* Hausputz halten. Gehört zu „Staub". *Bayr* 1900 *ff.*

stochen *intr* kräftig auf das Gaspedal treten. Übernommen vom Heizen, vom Schüren in der Glut. 1950 *ff.*

Stocher *m* **1.** Penis. Anspielung auf die Bewegung beim Geschlechtsverkehr. 1900 *ff.*

2. Lastwagenfahrer; Kraftfahrer. ↗stochen. *BSD* 1965 *ff.*

Stocherheinis *pl* Kraftfahrtruppe; Transportkolonne. *BSD* 1965 *ff.*

stochern *intr* rasch fahren. ↗stochen. 1960 *ff, jug.*

Stock *m* **1.** eigensinniger, störrischer Mensch. Er ist steif und starr wie ein Stock. 1500 *ff.*

2. Flasche Rotwein für die Runde. Meint vielleicht die Grundlage unter den Nahrungsmitteln oder entstammt *engl* „stock = Brühe, Suppe". Gammlerspr. 1962 *ff.*

3. schlechteste Note. Wohl weil (Stock-)Schläge zu erwarten sind. 1940 *ff.*

4. *pl* = hagere Beine. 1900 *ff.*

5. oberer ~ = Kopf, Gehirn. Stock = Stockwerk. 1900 *ff.*

6. wasserdichter ~ = Stockschirm. 1900 *ff.*

7. sein siebter ~ ist abgebrannt = er ist nicht recht bei Verstand. Stock = Stockwerk. *Schül* 1950 *ff.*

8. dasitzen (dastehen) wie ein ~ = regungslos sitzen (stehen). 1600 *ff.*

9. mit einem weißen ~ davongehen = leer ausgehen; in Elend geraten. Der weiße Stock (oder Stab) war schon im Mittelalter das Zeichen des Elends und der Dürftigkeit (Bettelstab). Der ausgepfändete Bauer, der Haus und Hof verlassen mußte, ging „mit einem weißen Stock" davon. 1900 *ff, nordd.*

10. etw mit dem ~ fühlen (greifen) können = etw unschwer einsehen. Vom Blinden hergenommen, der mit dem Stock tastet. ↗Blinder 5. Seit dem 19. Jh.

11. am ~ gehen = a) nichts mehr zu essen haben. Stock = Bettelstab. Kriegsgefangenenspr. 1945 *ff* (Rußland). – b) mittellos sein; Not leiden. Kriegsgefangenenspr. 1945 *ff.* – c) krank sein. Man stützt sich auf den Krückstock. Kriegsgefangenenspr. 1945 *ff,* Rußland.

12. da gehst du am ~ (Stöckchen)!: Ausdruck der Überraschung. Man ist dermaßen verwundert, daß man nach dem Stock greift, um nicht umzufallen. 1930 *ff,* vorwiegend *schül, stud, arb* und *sold.*

13. auf den ~ gehen = dem Lehrer die Antwort schuldig bleiben; hartnäckig schweigen. „Stock" hieß früher das Arresthaus. Auch kann der Hieb mit dem Rohrstock gemeint sein. *Schül* 1900 *ff.*

14. einen ~ im Rücken haben = sich nicht verneigen. 1700 *ff.*

15. sich steif halten wie ein ~ = sich abweisend verhalten; kein Entgegenkommen zeigen. 1920 *ff.*

16. ~ und Hut nehmen = amtsenthoben sein. 1900 *ff.*

17. einen ~ verschluckt haben = sich nicht verbeugen; sich steif bewegen; unnachgiebig sein. ↗Stock 14. Seit dem 19. Jh.

Stock- (stock-) 1. ~ in Verbindung mit Landschafts-, Stammes-, Konfessions- oder Nationalitätsbezeichnungen besagt, daß bei dem Betreffenden die Eigenart seiner Heimat, seines Vaterlandes oder seiner geistigen (konfessionellen) Grundeinstellung besonders stark ausgeprägt ist und daß er im letzten nur sie gelten läßt. „Stock-" drückt hier das starre, unerschütterliche Festhalten aus, auch die Unzugänglichkeit gegenüber Eigenart und Daseinsrecht anderer. „Stock" meint die festverwurzelte Pflanze (und sei's in einem noch so engen Blumentopf).

2. ~ in Verbindung mit Adjektiven meint soviel wie „völlig"; herzuleiten von Wendungen wie „keinen Stock sehen" oder „dunkel wie im Stock (Gefängnis)" oder „steif wie ein Stock"; auch der Begriff „verstockt" spielt gelegentlich hinein. Hieraus entwickelt sich „stock-" zu einem verstärkenden Präfix.

'stockbe'soffen *adj* volltrunken. 1900 *ff.*

'Stockbe'soffenheit *f* Volltrunkenheit. 1900 *ff.*

'stockbe'trunken *adj* volltrunken. 1900 *ff.*

'stock'blau *adj* völlig betrunken. ↗blau 5. 1900 *ff.*

'stock'blind *adj* völlig blind. Der Blinde orientiert sich mit Hilfe eines Stocks. 1500 *ff.*

'Stock'blindheit *f* völlige Blindheit. 18. Jh.

'stock'britisch *adj* britisch-konservativ; durch und durch britisch. Seit dem 19. Jh.

'stock'bürgerlich *adj* von bürgerlichen Anschauungen durchdrungen. *Vgl* auch ↗stinkbürgerlich. 1950 *ff.*

Stöckchen *n* ein ~ verstecken = geschlechtlich verkehren. Stock = Penis. 1960 *ff, prost.*

Stöckchenbeine *pl* dünne, hagere Beine. 1920 *ff.*

'stock'damisch *adj* völlig verwirrt; verrückt. ↗damisch. *Oberd* seit dem 19. Jh.

'stock'dämlich (-'doof) *adj* sehr dümmlich. ↗dämlich 1; ↗doof 1. 1920 *ff.*

'stock'duhn *adj* volltrunken. ↗duhn 1. 1920 *ff.*

'stock'dumm *adj* überaus dumm. 1600 *ff.*

'Stock'dummheit *f* große Dummheit. Seit dem 18. Jh.

'stock'dunkel *adj* völlig dunkel. Eigentlich soviel wie „dunkel wie im Stock (Gefängnis)". 1600 *ff.*

'Stock'dunkelheit *f* völlige Dunkelheit. Seit dem 19. Jh.

'stock'duster (-'düster) *adj* ganz dunkel. Seit dem 19. Jh.

Stöckel *pl* hochhackige Damenschuhe ohne Schnüre und Spangen. Verkürzt aus ↗Stöckelschuh. Im 19. Jh von Österreich und Bayern ausgegangen.

Stöckelabsatz *m* hoher, schmaler Absatz am Frauenschuh. Seit dem 19. Jh.

Stöckelbeine *pl* hagere Beine. ↗Stöckchenbeine. 1920 *ff.*

Stöckelfinger *pl* hagere Finger. 1920 *ff.*

Stöckelhenne *f* ältliche Straßenprostituierte. ↗stöckeln 2. 1925 *ff,* Berlin.

stöckeln *intr* **1.** Schuhe mit hohen, schmalen Absätzen tragen. ↗Stöckelschuh. Seit dem 19. Jh.

2. steif, mühsam gehen. 1920 *ff.*

Stöckelpflaster *n* Holzpflaster. Es ist aus Holzstöckeln gefügt. *Österr* 1900 *ff.*

Stöckelpumps (Grundwort *engl* ausgesprochen) *pl* hochhackige Damenschuhe ohne Schnürung. Aus *engl* „pump" = leichter Halbschuh". 1920 *ff.*

Stöckelschirm *m* zierlicher Sonnenschirm. Er paßt zum „Stöckelschuh". 1900 *ff.*

Stöckelschuh (Stöckleinsschuh) *m* Damenschuh mit hohem, schmalem Absatz. „Stökkel" ist Verkleinerungsform von „Stock" und meint den stöckchendünnen Schuhabsatz. Um die Mitte des 17. Jhs in Wien aufgekommen und ziemlich bald gemeindeutsch geworden.

'Stock'engländer *m* Engländer, der das Wohl seines Vaterlands allen anderen Interessen voranstellt. 1800 *ff.*

Stockerl *n* **1.** Hocker. Eigentlich der halbhohe Klotz. *Bayr* und *österr,* 1900 *ff.*

2. Zahn. Meint den „Stockzahn" (Backzahn). *Österr* 1900 *ff.*

Stockerlmacher *m* Zahnarzt, Dentist. *Vgl* das Vorhergehende. *Österr* 1900 *ff.*

stockern *tr* jn reizen, hetzen, kränken. Nebenform zu „stochern" im Sinne von „mit einem Stock stechen", „sticheln". 1920 *ff.*

'stock'faul *adj* sehr träge. *Oberd* 1900 *ff.*

'stock'finster *adj* völlig dunkel. ↗stockdunkel. 1500 *ff.*

'Stock'finsternis *f* völlige Finsternis. 1600 *ff.*

Stockfisch *m* **1.** steifer, ungewandter Mensch. Hergenommen vom Fisch, der zum Trocknen auf einen Stock gespießt oder an einen Stock gehängt und gepökelt wird; durch das Trocknen und das Salz wird er steif. 1500 *ff.*

2. sehr dummer Mensch. Von körperlicher Ungelenkheit auf den Mangel an geistiger Wendigkeit übertragen. Seit dem 16. Jh.

3. wie ein ~ = steif, unbeweglich. 1600 *ff.*

4. stur wie ein ~ = unzugänglich; unerschütterlich. 1935 *ff.*

'Stockfran'zose (-fran'zösin) *m* (*f*) chauvinistischer Franzose (fremdenunfreundliche Französin). Seit dem 18. Jh.

'**stockfran'zösisch** *adj* chauvinistisch. 1800 *ff.*

'**stock'fremd** *adj* völlig fremd, ortsfremd. 18. Jh.

'**Stockge'lehrter** *m* äußerst gelehrter Mann; kleinlicher Gelehrter *(iron).* Seit dem 19. Jh.

Stockgymnasium *n* Schule für geistig behinderte Kinder. „Stock-" ist Verkürzung von „↗Stockfisch 2" oder von „↗stockdumm". *Schül* 1950 *ff.*

'**stock'heiser** *adj* völlig heiser. Seit dem 19. Jh.

'**Stock'heiserkeit** *f* völlige Heiserkeit. Seit dem 19. Jh.

stockig *adj* eigenwillig, unbeholfen, unzugänglich, befangen. ↗Stock 1. *Oberd* seit dem 19. Jh.

'**Stock'jude** *m* vom Judentum leidenschaftlich überzeugter Jude. Seit dem 18. Jh (Lessing, „Nathan der Weise").

'**Stockkatho'lik** *m* Katholik, der engstirnig nur seine religiöse Überzeugung gelten läßt. Seit dem 19. Jh.

'**stockka'tholisch** *adj* unduldsam gegenüber jeder anderen kirchlichen Lehre. Seit dem 19. Jh.

'**stock'konservativ** ('**stockkonserva'tiv**) *adj* unbelehrbar nur die konservative Einstellung befürwortend. Seit dem 19. Jh.

'**stock'langweilig** *adj* überaus langweilig. 1900 *ff.*

'**stock'leer** *adj* völlig geleert. 1920 *ff.*

Stocklocken *pl* Locken aus unechtem Haar. Das unechte Haar wird um einen Stock gewickelt und dann befestigt. Seit dem 19. Jh.

'**Stock'müde** *adj* sehr müde. 1900 *ff.*

'**Stock'narr** *m* Schwachsinniger. 1600 *ff.*

'**stock'narrisch** *adj* ganz verrückt. *Oberd* 1600 *ff.*

'**stock'naß** *adj* völlig durchnäßt. 1920 *ff.*

'**stocknatio'nal** *adj* nationalistisch. 1920 *ff.*

'**stocknor'mal** *adj* vom als normal geltenden Verhalten nicht abzubringen. 1950 *ff.*

'**stock'nüchtern** *adj* völlig nüchtern. 1900 *ff.*

'**stockper'vers** *adj* unheilbar abartig. 1930 *ff.*

'**Stockphi'lister** *m* sehr kleinlicher Mensch; unbelehrbarer Mensch kleinbürgerlichen Denkens. ↗Philister 1. Seit dem 19. Jh.

'**Stock'preuße** *m* ganz in preußischem Geist aufgewachsener Bürger. 1800 *ff.*

'**stock'preußisch** *adj* nur-preußisch eingestellt. Seit dem 19. Jh.

'**Stockprote'stant** *m* fanatischer Protestant. Seit dem 19. Jh.

'**stockprote'stantisch** *adj* ausschließlich der protestantischen Sache hörig. Seit dem 19. Jh.

'**stockreligi'ös** *adj* nur die religiösen Wahrheiten anerkennend. 1800 *ff.*

stöckrig *adj* unschön-hager; ohne ausgeprägte Waden. ↗Stock 4. 1900 *ff.*

'**stock'sauer** *adj* 1. sehr sauer. 1920 *ff.*
2. mißmutig, unversöhnlich verärgert; wütend; sehr unzufrieden. ↗sauer 1. 1945 *ff.*
3. langweilig; keinerlei Abwechslung bietend. 1955 *ff.*

Stockschirm-Ganove *m* Wirtschaftsstraftäter. 1970 *ff* (Wortschatz des Bundeskriminalamts).

'**Stock'schwabe** *m* Schwabe, dem Schwaben und schwäbische Lebensart über alles gehen. 1800 *ff.*

'**stock'schwäbisch** *adj* fest in schwäbischer Art verwurzelt. Seit dem 19. Jh.

'**stock'schwarz** *adj* strengkatholisch; fanatisch-katholisch. ↗schwarz 1. Seit dem 19. Jh.

'**stockseri'ös** *adj* überaus redlich. 1900 *ff.*

'**stockso'lide** *adj* Ausschweifungen jeder Art meidend. 1920 *ff.*

'**stock'steif** *adj* 1. sehr steif; streng förmlich. 1600 *ff.*
2. sinnlos betrunken. Man fällt steif um und bleibt regungslos liegen. Seit dem 19. Jh.

'**stock'stern'hagel'besoffen** *adj* volltrunken. ↗sternhagelbesoffen. 1920 *ff.*

'**stock'stern'hagel'voll** *adj präd* völlig betrunken. ↗sternhagelvoll. 1920 *ff.*

'**Stock'stiefel** *m* 1. ungelenker Mensch. ↗Stiefel 4. 1920 *ff.*
2. hochmütiger Mensch. 1920 *ff.*

'**stock'still** *adj* völlig lautlos, regungslos. Seit dem 15. Jh.

'**stock'stumm** *adj* gänzlich stumm; ohne ein Wort zu sagen. Seit dem 19. Jh.

'**stock'stur** *adj* hartnäckig, unbeugsam, unbelehrbar. ↗stur. 1950 *ff.*

'**Stock'sturheit** *f* völlige Unzugänglichkeit gegenüber anderer Meinung. 1950 *ff.*

'**stock'taub** *adj* völlig taub. 1700 *ff.*

'**Stock'taubheit** *f* völlige Taubheit. 18. Jh.

'**Stocktheo'loge** *m* Theologe, der nur theologische Gedankengänge gelten läßt. Seit dem 19. Jh.

'**stock'trocken** *adj* geistlos, schwunglos; streng sachlich. 1950 *ff.*

'**stock'voll** *adj präd* 1. völlig gesättigt. 1950 *ff.*
2. volltrunken. Seit dem 19. Jh.

'**stock'vornehm** *adj* überaus (übertrieben) vornehm; unbehaglich vornehm. 1920 *ff.*

Stockwerk *n* im obersten ∼ nicht richtig sein (o. ä.) = nicht recht bei Verstand sein. 1900 *ff.*

'**Stockwest'fale** *m* Westfale, der ganz von der Eigenart seiner Heimat geprägt ist. 1800 *ff.*

Stockzahn *m* 1. unentschlossenes Mädchen. Eigentlich der Backzahn; hier beruhend auf „↗Zahn 3". Gemeint ist ein Mädchen, das mit der Rede (vor allem mit dem Wörtchen „ja") stockt. *Halbw* 1960 *ff.*
2. auf dem letzten ∼ gehen (daherkommen o. ä.) = erschöpft, entkräftet sein. 1950 *ff.*
3. auf seinem ∼ lachen (lächeln; auf den hinteren Stockzähnen lächeln) = heuchlerisch lächeln; verhalten lachen; schadenfroh sein. Seit dem ausgehenden 18. Jh, vorwiegend *oberd.*

Stoff *m* 1. Benzin, Kraftstoff. Hieraus gekürzt. 1920 *ff.*
2. Geld. Entweder als „Betriebsstoff" für den Lebensunterhalt aufgefaßt oder übernommen aus dem *angloamerikan* Slang: „stuff = Zaster, Geld". 1950 *ff.*

3. alkoholisches Getränk. Aus „Trinkstoff" abgekürzt. *Stud* Herkunft seit dem frühen 19. Jh.

4. anregende, aufputschende Pille; Rauschgift. Aus *engl* „stuff" entlehnt. 1920 *ff*.

5. schikanöser Drill; strenge Behandlung; Bestrafung. „Stoff" meint die bewirkende Kraft, die Energie. Hieraus weiterentwickelt zu „energische Handlungsweise" und „Strenge". *BSD* 1965 *ff*.

6. heißer ~ = pornografischer Filmstoff. 1970 *ff*.

7. roter ~ = Rotwein. ⁊Stoff 3. *BSD* 1965 *ff*.

8. ~ geben = Gas geben. Kraftfahrerspr. ⁊Stoff 1. 1920 *ff*.

Stöffchen *n* **1.** Qualitätstuch. Die Verkleinerungssilbe gilt kosewortähnlich zur Kennzeichnung von Lob. 1920 *ff*.

2. ausgezeichnetes alkoholisches Getränk. 1920 *ff*.

Stoffel *m* dummer, einfältiger, ungelenker, plumper Mann. Verkürzt aus dem männlichen Vornamen Christoph, vermutlich unter Einfluß der Legendengestalt des Christophorus, mit dem die Volksfrömmigkeit die Vorstellung von einem ungeschlachten Mann verbindet. Seit dem 18. Jh.

stoffelig *adj* ungewandt; unhöflich aus Ungelenkheit. Seit dem 19. Jh.

Stoffeligkeit *f* Ungewandtheit; Mangel an guten Umgangsformen. Seit dem 19. Jh.

stoffeln *intr* einhertappen; unaufmerksam gehen. Seit dem 19. Jh.

stoff-frei *adj* unbekleidet. *Journ* 1960 *ff*.

Stoffhändler *m* Rauschgifthändler. ⁊Stoff 4. 1955 *ff*.

Stoffkeiler *m* Mann, der an der Wohnungstür Kleiderstoffe anpreist. ⁊keilen 4. 1950 *ff*.

stoffkräftig *adj* hochprozentig (auf den Alkoholgehalt bezogen). ⁊Stoff 3. Seit dem 19. Jh.

Stoffnepper *m* Hausierer, der mit minderwertigem Tuch handelt. ⁊neppen. 1950 *ff*.

Stoffwechsel *m* **1.** Kleiderwechsel; Neuanschaffung von Kleidungsstücken. Meint eigentlich die Gesamtheit der chemischen Umsetzungsvorgänge in lebenden Organismen. 1910 *ff*.

2. Einberufung zum Wehrdienst; Umtausch der Zivilkleidung gegen die Uniform. 1910 *ff*.

3. Verprügelung mit dem Stock o. ä. Der Lehrer wechselt den Lehrstoff und greift zum Prügelstock. 1950 *ff*.

Stoffwechselassistentin *f* Abortwärterin. Scherzhafte Rangerhöhung. Berlin um 1960.

Stoffwechselendprodukt *n* sich des ~s entledigen = koten, harnen. Offiziersspr. 1970 *ff*.

Stoffwechselkabine *f* Abort. *Schül* 1965 *ff*.

Stoffwechselkrankheit *f* **1.** Spottwort der Schadenfreude angesichts der Betriebsamkeit, die der Befehl zu mehrmaligem Uniformwechsel auslöst. *Sold* 1935 *ff*.

2. Üblichkeit des Umtauschs gekaufter Kleiderstoffe. 1959 *ff*.

Stöhnaufmännchen *n* Schlagersänger, der seine Darbietung durch Stöhnlaute o. ä. untermalt.

Dem „Stehaufmännchen" nachgebildet. 1962 *ff*, *journ*.

Stöhnmichel *m* Mann, der durch Stöhnen lästig fällt. 1920 *ff*.

Stoker (*engl* ausgesprochen) *m* Schiffsheizer. Stammt aus *engl* „to stoke = heizen". *Marinespr* 1900 *ff*.

Stokis *pl* Kraftfahrtruppe. Aus dem *Engl* wie das Vorhergehende übernommen. *Vgl* ⁊Stocherheinis. *BSD* 1965 *ff*.

Stolperdraht *m* **1.** Fallstrick; unlösbare Aufgabe, an der einer scheitert; Maßnahme, die einen Angreifer zu Fall bringt; Äußerung, durch die einer seinen Posten gefährdet. Meint den im Vorgelände der Stellungen niedrig und unauffällig überm Boden gespannten Draht, an dem Angreifer ins Stolpern kommen. 1910 *ff*.

2. Achtung, ~!: Mahnung zur Vorsicht; Warnung vor Betrügern. 1910 *ff*.

Stolperer *m* **1.** Fehltritt mit Sturzgefahr. Seit dem 19. Jh.

2. Versprecher; absichtliche „Verquatschung". Die Zunge gerät ins Stolpern. Seit dem 19. Jh.

Stolperhans *m* Stolpernder; ungeschickter Mann. Seit dem 19. Jh.

Stolperjan (Stolprian) *m* Stolpernder. Zusammengesetzt aus „stolpern" und der Kurzform Jan des Vornamens Johann. *Mitteld* und *westd*, seit dem 19. Jh.

Stolperstein *m* verfängliches Hindernis. 1960 *ff*.

Stolz *m* der ~ der Kompanie = Klassensprecher. Fußt auf dem Titel eines Militär-Lustspielfilms. *Schül* 1958 *ff*.

stolz *adj* stattlich. Hergenommen von der in der Haltung zum Ausdruck kommenden Selbstsicherheit. Seit *mhd* Zeit.

stoned sein (Adverb *engl* ausgesprochen) unter dem Einfluß von Rauschgift stehen. Stammt aus dem *angloamerikan* Slang. Gegen 1970 aufgekommen.

Stop *m* auf ~ reisen = von Autofahrern, die man angehalten hat, mitgenommen werden. 1950 *ff*.

Stopf *m* Standortpfarrer. Die dienstliche Abkürzung ist „StoPf". *BSD* 1965 *ff*.

stopfen *v* **1.** ~! = aufhören! Schluß machen! Übernommen aus der *milit* Kommandosprache („das Feuer einstellen!") Das Kommando ist in der preußischen Armee 1859 eingeführt worden. Etwa seit 1900.

2. *intr tr* = koitieren. Analog zu ⁊nähen 3. 1920 *ff*, vorwiegend *bayr*.

Stopfengeld *n* an den Wirt zu zahlendes Entgelt für mitgebrachte Getränke. Seit dem 19. Jh.

Stopfgans *f* dickes, viel essendes Mädchen. Eigentlich die Mastgans. 1900 *ff*.

Stopfkarte *f* Freikarte. Mit ihr stopft man die Lücken im Zuschauerraum. Theaterspr. 1920 *ff*.

Stopfung *f* Tabakmenge für eine Pfeife. Häftlingsspr. 1960 *ff*.

Stoppel I *m* kleiner Junge; Kleinwüchsiger. *Oberd* Form von „↗Stöpsel" (= Kork, Pfropfen). 1900 *ff*.

Stoppel II *f* schlecht geworfene Kegelkugel, die schließlich aus der Bahn springt. Meint eigentlich das untere Stück des abgemähten Getreidehalms o. ä.; hier vielleicht Anspielung auf den Umstand, daß früher die Kegelbahn auf freiem Feld hergerichtet war. Keglerspr. 1900 *ff*.

Stoppelbart *m* den ~ abgeigen = sich rasieren. 1910 *ff*.

Stoppelbeine *pl* behaarte Frauenbeine. 1920 *ff*.

Stoppe'lei *f* unkünstlerische Darbietung, die gleichwohl für Kunst ausgegeben wird. ↗stoppeln 1. 1950 *ff*.

Stoppelfeld *n* unrasiertes Gesicht. Eigentlich das abgeerntete Getreidefeld. Seit dem 19. Jh.

Stoppelfrisur *f* kurzgeschnittene Frisur. 1900 *ff*.

Stoppelglatze *f* gleichmäßig sehr kurz geschnittenes Haar. *Österr* 1950 *ff*.

Stoppelhobel *m* Rasierapparat. 1920 *ff*.

Stoppelhobler *m* Herrenfrisör. 1920 *ff*.

Stoppelhopsen *n* Geländedienst; infanteristische Ausbildung. Man benutzt dazu auch abgeerntete Getreidefelder. 1900 *ff*.

Stoppelhopser *m* **1.** Bauer; Gutsverwalter; Eleve. Hüpfend bewegt er sich über die Stoppeläcker. 1850 *ff*.
2. Infanterist; Heeresangehöriger; Panzergrenadier. ↗Stoppelhopsen. *Sold* 1870 bis heute.
3. Hase. *Österr* 1900 *ff*.
4. kleinwüchsiger Mann. ↗Stoppel I. 1955 *ff*.
5. Jazztänzer. 1955 *ff*.

Stoppelhuhn *n* **1.** unansehnliche, hagere Frau. Sie hat Haarstoppeln im Gesicht. 1910 *ff*.
2. Ährenleserin auf abgeerntetem Getreidefeld. 1945 *ff*.

stoppelig *adj* schlecht rasiert. Seit dem 19. Jh.

Stoppelkalb *n* **1.** dumme Person. ↗stoppeln 1. 1900 *ff*.
2. gesellschaftlich ungewandte, ungesittete Person. 1900 *ff*.

Stoppelkopf *m* Kurzhaarschnitt. 1900 *ff*.

stoppelköpfig *adj* mit gleichmäßig kurzgeschnittenem Haar. 1900 *ff*.

Stoppelkratzer *m* Herrenfrisör. 1900 *ff*.

Stoppelmäher *m* Elektrorasierer. 1950 *ff*.

stoppeln *tr* **1.** etw mühsam zustandebringen; etw unsachgemäß bewerkstelligen. Eigentlich das Ährenlesen auf abgeerntetem Kornfeld. 1800 *ff*.
2. Liegengebliebenes diebisch an sich nehmen. 1900 *ff*.

Stoppelroder *m* Elektrorasierer; Benutzer eines Elektrorasierapparats. 1950 *ff*.

Stoppen *m* Raucherware. *Niederd* Form zu *hd* „Stopfen = Flaschenverschluß". Wie einen Pfropfen „stopft" man die Zigarre (o. ä.) in den Mund. *Vgl* auch ↗Stopfung. Häftlingsspr. 1960 *ff*.

Auf einem Stoppelfeld ist nur schwerlich noch etwas zu ernten, und mit einem **Stoppelfeld**, *das versucht die oben wiedergegebene Werbung zu suggerieren, schon gleich gar nichts. Das Gesicht wird zur Flur, die regelmäßig bearbeitet werden muß. Das Instrumentarium, das die Umgangssprache dafür anbietet, ist recht vielfältig und reicht von der Geige (vgl.* **Stoppelbart**) *über den Hobel (* **Barthobel**) *bis hin zum Roder (* **Stoppelroder**). *Wer diese Gerätschaften nicht richtig zu bedienen weiß, der stoppelt (vgl.* **stoppeln 1.**), *wenngleich es wohl nur bei einem schlecht konditionierten Meisterbarbier angebracht wäre, hier von einer* **Stoppelei** *zu reden.*

'stoppen'voll ('stoppe'voll) *adj präd* dichtbesetzt. Zusammengezogen aus „gestopft voll". Seit dem 19. Jh.

Stopper *m* **1.** Taschendiebsgehilfe, der im Gang eines Zuges einen Fahrgast darauf aufmerksam macht, daß er sich im falschen Wagen befindet, oder der einen auf ihn zugetriebenen Menschen auflaufen läßt. Er arbeitet zusammen mit dem „↗Bremser 8". 1970 *ff*.
2. Vereitelung, Untersagung, Eingriff. 1970 *ff*.
3. seinen ~ haben = eine Ruhepause haben. Stoppen = eine Maschine zum Stehen bringen. *Nordd* 1960 *ff*.

'stoppe'satt *adj präd* völlig gesättigt. Aus „gestopft satt" zusammengezogen. Seit dem 19. Jh.

In den Anfangszeiten des Telefons wurden die Ver-
bindungen hergestellt, indem die einzelnen Leitungen
mit Hilfe von Steckkontakten, den Stöpseln, zusam-
mengeschlossen wurden. Die diesem Instrument eige-
nen Zweideutigkeiten (vgl. **Stöpsel 2.**) *wurden dann*
auch auf die mit dieser Aufgabe betrauten Frauen
übertragen (vgl. **Stöpselfee 2.**) *oder gar ganz von*
dieser Profession getrennt (vgl. **Stöpselfräulein 3.**
und **stöpseln 3.**). *Wenn auch ironisch gebrochen,*
kommt in einer Vokabel wie **Stöpselfee** *noch zum*
Ausdruck, wie diese einst revolutionäre Technik auf
ihre ersten Benutzer gewirkt haben mag.

'stoppe'voll *adj* ↗stoppenvoll.

Stop'pine *f* weibliche Person, die Kraftfahrer anhält und um Mitnahme bittet. Stoppen = anhalten. Nach 1945 aufgekommen.

Stopplicht *n* **1.** plötzliche Einschränkung der
Handlungsfreiheit. Vom Verkehrswesen übertragen. 1920 *ff*.

2. sein ~ brennt = a) sein Leistungsvermögen
läßt nach; er ist den Anforderungen nicht länger
gewachsen. 1920 *ff*. – b) er verliert seinen Einfluß
1920 *ff*. – c) er liegt im Sterben. 1920 *ff*.

Stöpsel *m* **1.** kleinwüchsiger, untersetzter Mensch;
kleiner Junge. Beruht auf einer gewissen Formähnlichkeit mit dem Flaschenkorken. *Stud* seit
dem späten 18. Jh.

2. Penis. Seit dem späten 19. Jh.

3. Versager; dummer Mensch. ↗stöpseln 1.
1900 *ff*.

4. einen ~ im Ohr haben = etw absichtlich überhören. 1900 *ff*.

Stöpse'lei *f* unterdurchschnittliche Leistung.
↗stöpseln 1. 1920 *ff*.

Stöpseler *m* Versager. ↗stöpseln 1. 1900 *ff*.

Stöpselfee *f* Telefonistin. Bei der Handvermittlung wird die Verbindung mittels Stöpseln hergestellt. Seit dem späten 19. Jh.

Stöpselfräulein *n* **1.** Telefonistin. *Vgl* das Vorhergehende. 1880/90 *ff*.

2. Nachrichtenhelferin. Zweideutige Vokabel,
denn „stöpseln" bezieht sich sowohl auf die Fern-
sprechvermittlung als auch auf den Geschlechtsverkehr. *Sold* 1939 *ff*.

3. beischlafwillige weibliche Person. ↗stöpseln 3.
Sold 1939 *ff*.

Stöpselgeld *n* **1.** an den Wirt zu zahlende Entschädigung für mitgebrachte Getränke. ↗Stop-
fengeld. Seit dem 19. Jh.

2. Prostituiertenentgelt. ↗stöpseln 3. 1910 *ff*.

'stopselig ('stöpselig) *adj* schwunglos, langweilig. ↗stöpseln 1. *Halbw* nach 1950.

Stöpselmaschine *f* bejahrte Telefonistin. *Vgl*
↗Stöpselfee. Berlin 1930 *ff*.

stöpseln *intr* **1.** halbe Arbeit leisten; schlecht arbeiten. Intensivum zu „↗stoppeln 1". Spätestens seit
1900.

2. Ferngespräche vermitteln. ↗Stöpselfee. Etwa
seit 1880.

3. koitieren. ↗Stöpsel 2. 1890 *ff*.

Stör *f* Arbeitsleistung im Hause des Kunden. Fußt
auf „stören" im Sinne der Beeinträchtigung der
Zunftordnung: man wirkt außerhalb der Zunft in
einer Tätigkeit, die dem Zunftzwang unterliegt.
1500 *ff*.

Storch *m* **1.** langbeiniger Mensch. Seit dem 19. Jh.

2. hochgestellte Persönlichkeit. Ursprünglich auf
den General bezogen wegen der breiten roten
Streifen an der Hose. 1920 *ff*.

3. altes Auto. Es klappert laut und ausdauernd
wie der Storch. 1955 *ff, jug*.

4. Frau ~ = Hebamme. Weil man Kindern weis-
machte, der Storch habe sie ins Elternhaus gebracht. 1900 *ff*.

5. ~ im Salat = langbeiniger Mensch mit stelzenden Schritten. Seit dem 19. Jh.

6. abbestellter ~ = empfängnisverhütendes Mittel. Zur Erklärung *vgl* ↗Storch 4. 1920 *ff*.

7. gefesselter ~ = Empfängnisverhütungsmittel.
1955 *ff*, werbetexterspr.

8. gelenkter ~ = künstliche Befruchtung bei Tier
und Mensch. 1930 *ff*.

9. schneller ~ = Geburt kurz nach der Eheschließung. 1920 *ff.*

10. der ~ hat angerufen (angeläutet) = die Frau
ist schwanger geworden. 1920 *ff.*

11. sich etwas beim ~ bestellen = ein Kind zeugen. Seit dem 19. Jh.

12. da brat' mir einer 'nen ~! = das ist unerhört!
man sollte es nicht für möglich halten! Oft mit
dem Zusatz: „aber die Beine recht knusprig!".
Der Storch gehört zu den Vögeln, die unter das
Mosaische Speiseverbot fallen (Leritieus 11).
Nördlich der Mainlinie, etwa seit 1800.

13. du kannst mir einen ~ braten!: Ausdruck der
Abweisung. *Vgl* das Vorhergehende. *Sächs*
1870 *ff.*

14. vom ~ ins Bein gebissen sein = schwanger
sein; bald niederkommen; niedergekommen sein.
An Kinder gerichtete Redensart: der Biß ins Bein
hindert die Mutter am Gehen. *Vgl* ↗Storch 4.
Etwa seit 1800.

15. dich hat wohl ein ~ gebissen?: Frage an einen,
der törichte Behauptungen aufstellt oder unsinnige Pläne entwickelt. 1900 *ff, jug.*

16. wie der ~ im (durch den) Salat gehen = steif-
beinig schreiten; stelzen. Hergenommen von der
Hochbeinigkeit des Storchs und seiner stelzenden
Gangart. ↗Storch 5. 1840 *ff.*

17. einen ~ haben = a) sehr hochmütig sein;
prahlen. Der Betreffende macht sich groß und
klappert. 1500 *ff.* – b) nicht recht bei Verstand
sein. Der Storch ist eine besonders große Form jenes „↗Vogels", den einer im Kopf hat. *Sold* in
beiden Weltkriegen.

18. der ~ hat Hochsaison = die geburtenstärksten
Monate sind angebrochen. 1960 *ff.*

19. der ~ klappert schon = die Niederkunft steht
unmittelbar bevor. 1900 *ff,* hebammenspr.

20. beim ~ gewesen sein = schwanger sein.
1900 *ff.*

21. vom ~ überfallen werden = a) unerwartet
plötzlich niederkommen. 1900 *ff.* – b) kurz nach
der Heirat niederkommen. 1900 *ff.*

Storchel *m* langbeiniger Mensch. 1900 *ff, südwestd.*

storchen (storcheln) *intr* ungelenk, steifbeinig
gehen. Seit dem 19. Jh.

Storchenbein *n* **1.** langbeiniges Mädchen. 1900 *ff.*
2. *pl* = lange, hagere Menschenbeine. 1500 *ff.*

Storchenmode *f* Kleidung für schwangere
Frauen. 1960 *ff.*

Storchennest *n* Liegestatt der Neuvermählten.
1870 *ff.*

Storchentante *f* Hebamme. ↗Storch 4. Etwa seit
1900.

Störer *m* Handwerker, der als Nichtmitglied der
Zunft im Haus des Kunden arbeitet. ↗Stör.
1500 *ff.*

Störfeuer *n* Versuch, im Gang befindliche Ver-
handlungen zu beeinträchtigen. Meint eigentlich

*Die Zeiten, da noch erzählt wurde, daß es der Storch
sei, der die kleinen Kinder ins Haus trage, sollten eigentlich der Vergangenheit angehören, und das nicht
nur, weil diese Tiere in unseren Breiten immer seltener werden. Umgangssprachlich lebt der Storch jedoch weiter, wenngleich nicht wenige der Zusammenhänge, in denen diese Vokabel gebraucht wird, erkennen lassen, daß diejenigen, die sie in den Mund nehmen, über die Ursachen eines solchen Segens sehr
wohl Bescheid wissen (vgl. **Storch 6.–9.**).*

den auf militärische Vorbereitungen (Truppenan-
sammlung o. ä.) gelenkten Beschuß in ungleichen
Zeitabständen. 1950 *ff.*

storksen *intr* steifbeinig gehen; stelzen. Iterativum
zu „storchen = wie ein Storch gehen". „Storck"
ist neben „Storch" in einigen Landschaften üblich. 1900 *ff.*

storksig *adj* ungelenk, steif. 1900 *ff.*

Störsender *m* aufdringlicher Mensch. Hergenommen vom Rundfunksender, der den Empfang ei-

nes anderen Senders auf gleicher Welle beeinträchtigt. 1940 *ff.*

Story *f* **1.** unglaubwürdige Erzählung. Nach 1945 aus dem *Engl* übernommen. *Jug.*
2. Schulaufsatz. 1955 *ff.*

Stoß *m* **1.** vollständiges Spiel Karten. Stoß = aufgeschichteter Haufen. Kartenspielerspr. seit dem 19. Jh.
2. Glücksspiel. Herleitung unbekannt. Wien 1920 *ff.*
3. gesamtes Diebesgut. *Rotw* 1850 *ff.*
4. Geschlechtsverkehr. ↗stoßen 3. Spätestens seit 1900.
5. linker ~ = vorschriftswidrige Handlungsweise. ↗link. 1960 *ff.*
6. seelischer ~ = a) schwere Enttäuschung. Vielleicht vom Boxsport hergenommen. 1940 *ff.* – b) böse Vorahnung. 1940 *ff.*
7. mit ~ = mit Verdopplung des Spielwerts. Kartenspielerspr. 1920 *ff.*
8. einen kräftigen ~ unter den Rock brauchen = den Beischlaf nötig haben (auf weibliche Personen bezogen). 1900 *ff.*
9. einen ~ geben = beim Skatspiel Kontra geben. Kartenspielerspr. 1920 *ff.*
10. einen ~ machen = die Gegner zu keinem Stich kommen lassen. Der Gewinner besitzt schließlich den ganzen „Stoß" (↗Stoß 1). Kartenspielerspr. seit dem 19. Jh.
Stoßbank *f* zum Beischlaf geeignete Ruhestätte. ↗stoßen 3. 1910 *ff.*
Stoßbrüder *pl* Straßenmusikanten vor dem Hochzeitshaus o. ä. Sie hatten die Angewohnheit, so lange „ins Horn zu stoßen", bis man sich mit einer Spende ihren Abgang sicherte. 1850 *ff.*
Stößchen *n* **1.** Schnapsglas; kleines Glas Bier. Meint vor allem das kleine Glas mit massivem Glasfuß: es ähnelt dem Stößel im Mörser. 1920 *ff, westd* und Berlin.
2. Koitus. ↗stoßen 3. 1900 *ff.*
Stößchenwiese *f* Schäferstündchen im Grünen. 1900 *ff.*
Stoßdame *f* Geschlechtspartnerin. ↗stoßen 3. 1950 *ff.*
Stoßdämpfer *m* **1.** Präservativ. Aus der Kraftfahrzeugtechnik übernommen. *Sold* 1935 bis heute; auch *ziv.*
2. *pl* = Eltern. Sie fangen alle Unannehmlichkeiten ab und dämpfen die Geschlechtslust der heranwachsenden Kinder. 1950 *ff, jug.*
stoßen *v* **1.** *tr* = eine Zigarette an einer anderen anzünden. Die Zigarettenenden stoßen aneinander. *Sold* in beiden Weltkriegen; auch *stud* und *schül.*
2. *tr* = eine Zigarette rauchen. Stoßen = in den Mund stecken. 1914 *ff.*
3. *tr intr* = koitieren. Aus der Viehzucht übertragen. Spätestens seit 1900.
4. jm etw ~ = jm etw nachdrücklich zu verstehen

geben; jm ernste Vorhaltungen machen. Analog zu „jm ↗Bescheid stoßen" und „jm etw ↗stecken". 1900 *ff.*
5. jn ~ = jn erinnern, an eine Geldschuld gemahnen. Parallel zu „jn ↗treten". *Österr* 1920 *ff.*
6. jn um etw ~ = jn um Geld ansprechen. 1900 *ff.*
7. *intr* = betteln. Der Bettler stößt sein Opfer an, um es auf sich aufmerksam zu machen. *Rotw* seit dem 19. Jh.
8. *intr tr* = stehlen; Diebesgut ankaufen. ↗Stoß 3. Man stößt die Beute rasch in den Sack. *Rotw* 1820 *ff; wohl älter (↗Stößer 4).*
9. *intr* = zahlen, vorauszahlen. Man stößt die Summe ab. 1900 *ff, südwestd.*
10. *intr* = auswendig lernen. Man stößt den Wissensstoff in sich hinein, wie man etwa eine Gans mästet. 1900 *ff, schül.*
11. etw nach innen ~ = etw essen. Vom Mästen hergenommen. 1935 *ff.*
12. sich ~ = sich täuschen; sich arg verrechnen. Aus eigener Unachtsamkeit trägt man einen Stoß davon. Seit dem 19. Jh.
Stoßenschieber *m* Hehler. ↗stoßen 8. Er stößt die Diebesbeute in den Sack und verschiebt sie. *Rotw* seit dem 19. Jh.
Stoßer *pl* Straßenmusikanten, die ungebeten vor einem Hochzeitshaus musizieren. ↗Stoßbrüder. *Nordd* und Berlin, 1850 *ff.*
Stößer *m* **1.** Zylinderhut. Verkürzt aus ↗Wolkenstößer. Seit dem 19. Jh.
2. Draufgänger in Liebesabenteuern. Stammt vielleicht aus der Jägersprache: der Habicht stößt auf sein Opfer. Doch *vgl* auch „↗stoßen 3". 1920 *ff.*
3. Penis. ↗stoßen 3. 1920 *ff.*
4. Dieb. ↗stoßen 8. *Rotw* 1350 *ff.*
5. Hinauswurf, Entlassung. Stoßen = fortstoßen, verweisen. 1920 *ff.*
stoßfest *adj* im Geschlechtsverkehr erfahren und anspruchsvoll. ↗stoßen 3. 1955 *ff.*
Stoßgeschäft *n* **1.** plötzlich einsetzender Hochbetrieb in einem Ladengeschäft; Geschäft mit Verkaufsspitzen; schnell abgewickeltes Geschäft. Die Kunden kommen in Stößen und Schüben zur Ladentür herein, und man „stößt die Ware ab". 1910 *ff.*
2. Bordell. ↗stoßen 3. 1910 *ff.*
stößig *adj* leicht beischlafwillig. ↗stoßen 3. 1930 *ff.*
Stoßkeil *m* Penis. Als Ausdruck der militärischen Taktik seit 1939 bekannt; kurz danach in übertragenem Sinne geläufig, beeinflußt von „↗stoßen 3".
Stoßkneipe *f* Gaststätte, in der auch Gelegenheit zum Geschlechtsverkehr geboten wird. ↗stoßen 3. 1939 *ff.*
Stoßkraftbrühe *f* **1.** vor dem Angriff ausgegebener Schnaps. Zusammengesetzt aus „Stoßkraft = Angriffsstärke" und „Kraftbrühe = Bouillon". *Sold* in beiden Weltkriegen.

*Die Abbildung zeigt ein Stroßtruppunternehmen deut-scher Soldaten während der Zeit des Zweiten Welt-krieges. Der umgangssprachliche Stroßtrupp scheint von einer solchen Aggressivität weit entfernt: Wer ei-nen Stoßtrupp macht (**Stoßtrupp 3.**), benimmt sich zwar etwas rüpelhaft, wenn er sich recht ungestüm durch eine dichte Menge drängt, bringt dabei aber weder sein Leben noch das anderer Menschen in Ge-fahr. Die Zeit, in der diese Wendung entstand, das*

*Jahr 1939, ist indes auch die, in der die faschistische Wehrmacht in verbrecherischer Manier die Grenzen überschritt und, auf den ersten Augenschein hin, von Sieg zu Sieg eilen konnte, ohne dabei selbst ein Risiko eingehen zu müssen, so daß es durchaus möglich ist, daß jene zwei Bedeutungen dieser Vokabel sich über-lagert haben könnten. Dem eher erotischen Stoßtrupp (**Stoßtrupp 1., 2.**) ist das Militärische dagegen nur ironisches Beiwerk.*

2. Tee. *Iron* Bezeichnung. *Sold* 1939 *ff.*

Stoßlade *f* Ehebett o. ä. ↗stoßen 3. Lade = Ver-schlag, (Bett-)Gestell. 1920 *ff,* schreinerspr.

Stoßseufzer *m* Äußerung beim Eintritt des Orgas-mus. ↗stoßen 3. 1960 *ff.*

Stoßstange *f* mit der ~ schießen = mit dem Auto überfahren und töten (vorwiegend auf Wild bezo-gen). Die Stoßstange als Jagdwaffe. 1930 *ff.*

Stoßstangenfahren *n* Autofahren mit zu gerin-gem Sicherheitsabstand. 1965 *ff.*

Stoßstangenfahrer (-kleber, -ritter) *m* Kraft-fahrer, der zum Vordermann einen zu geringen Sicherheitsabstand einhält. 1965 *ff.*

Stoßtag *m* für den Geschlechtsverkehr vorgesehe-ner Tag. ↗stoßen 3. 1900 *ff.*

Stoßtrupp *m* **1.** Nachturlaub. Eigentlich der An-griffstrupp; hier bezogen auf „↗stoßen 3“. *BSD* 1968 *ff.*

2. ~ laufen = Hochzeitsurlaub antreten. *BSD* 1968 *ff.*

3. ~ machen = sich durch eine Menge drängen. *Sold* und *ziv* 1939 *ff.*

Stoßverhältnis *n* Liebesverhältnis. ↗stoßen 3. 1950 *ff.*

Stoßvisite *f* kurzer Besuch. Parallel zu ↗Stipp-visite 1. 1800 *ff.*

Stoßzahn *m* **1.** Penis. Eigentlich (in der Zoologie) der Zahn, der als Waffe dient. ↗stoßen 3. 1910 *ff,* *ziv* und *sold.*

2. äußerst anziehendes Mädchen; Mädchen mit aufreizenden Körperformen. ↗Zahn 3. *Halbw* 1955 *ff.*

3. beischlafwilliges Mädchen. *Halbw* 1955 *ff.*

4. schöne Stoßzähne = gut entwickelter Busen. 1950 *ff.*

5. so ein ~!: Redewendung zur Kennzeichnung ei-ner längst bekannten Tatsache, einer völlig veral-teten Sache. Bei diesem Ausdruck fährt die Hand vom Mund aus weit abwärts, um die Länge des (fiktiven) Zahns anzudeuten; die Bewegung ähnelt der beim Aussprechen von „so ein ↗Bart!“. 1955 *ff.*

Stoßzeit *f* **1.** Hauptgeschäftszeit; Zeit des Hochbe-triebs. *Vgl* ↗Stoßgeschäft 1. 1930 *ff,* kauf-mannsspr.

2. Hochzeitsurlaub o. ä. ↗stoßen 3. *BSD* 1968 *ff.*

Stotterbremse *f* Bremsbetätigung in Intervallen. Die Bremse wird kurz angedrückt, losgelassen und wieder betätigt. Kraftfahrerspr. 1950 *ff.*

Stottereleganz *f* auf Teilzahlung gekaufter Klei-derprunk. ↗stottern 1. 1930 *ff.*

Stotterer *m* **1.** Ratenzahler. ↗stottern 1. 1925 *ff.*

2. Klassenwiederholer. *Schül* 1950 *ff.*

Stottergeschäft *n* Verkauf/Kauf auf Raten. 1925 *ff.*

Stotterjan *m* Stotterer. Zusammengewachsen aus „stottern“ und der Kurzform Jan des beliebten Vornamens Johann. Seit dem 19. Jh.

Stotterkauf *m* Teilzahlungskauf. ↗stottern 1. 1925 *ff.*

Stotterkäufer *m* Kunde, der auf Abzahlung kauft. 1925 *ff.*

Stotter-Krimi *m* Kriminalfilm in Fortsetzungen. ↗Krimi. 1965 *ff.*

Stottermantel *m* auf Teilzahlung gekaufter Man-tel. 1925 *ff.*

stottern *intr* **1.** in Teilbeträgen zahlen. Die Zah-lungsweise in Raten ähnelt der Sprechweise des Stotterers. Kurz nach 1920 aufgekommen.

2. wegen der Verkehrsampeln nur mit oftmaligem

Anhalten vorwärtskommen. 1950 *ff*, kraftfahrerspr.

3. stotter' langsam!: Redewendung an einen, der sich beim schnellen Sprechen verspricht. 1950 *ff*, *schül.*

4. der Motor stottert = der Motor arbeitet unregelmäßig, setzt mitunter aus. Fliegerspr. und kraftfahrerspr. seit dem Ersten Weltkrieg.

5. der Sender stottert = der Sender setzt mehrmals in kurzen Zeitabständen aus. 1925 *ff*.

6. auf ~ bezahlen (zahlen) = in Raten zahlen. Spätestens seit 1925.

7. auf ~ kaufen = auf Teilzahlung kaufen. Kurz nach 1920 aufgekommen.

8. etw auf ~ sterben lassen = ein Gebäude absichtlich verfallen lassen. 1950 *ff*.

9. auf ~ verkaufen = auf Teilzahlung verkaufen. 1920 *ff*.

Stotterrate *f* Abzahlungsrate. 1925 *ff*.

Stotterschulden *pl* Abzahlungsschulden. 1925 *ff*.

Stotterschwindel *m* Abzahlungsbetrug. ↗stottern 1; ↗Schwindel 1. 1930 *ff*.

Stotterstreik *m* Streik mit Unterbrechungen; Warnstreik. 1975 *ff*.

Stotterwechsel *m* Wechsel, auf den am Fälligkeitstag nur eine Anzahlung geleistet wird, während der Restbetrag wiederum mit neuer Laufzeit auf Wechsel gestundet wird. 1930 *ff*.

stra'banzen (stra'wanzen) *intr* müßiggehen; als Arbeitsloser sich umhertreiben. Streckform aus ↗stranzen. Vorwiegend *österr, bayr* und *sächs;* seit dem 19. Jh.

Stra'banzer (Stra'wanzer) *m* Müßiggänger; Nichtsnutz. Seit dem 19. Jh.

Strabbelkatze ziehen um einen Gegenstand, um eine Meinung streiten. Gehört zu „streben = sich lebhaft bewegen" und bezieht sich auf „Katzenstrebel" oder „Strebekatze" im Sinne von „Tauziehen". *Bayr* und *schles,* seit dem 19. Jh.

strack *adj präd* volltrunken. Eigentlich soviel wie „ausgestreckt" und daher analog zu „↗steif 1". 1920 *ff*.

Strafa *f* Strafarbeit. Hieraus verkürzt. *Schül* 1950 *ff*.

Strafanstalt *f* Heimschule. Die Schüler empfinden sich wie Häftlinge in einer Haftanstalt. Seit dem ausgehenden 19. Jh.

Strafbank *f* die ~ drücken = wegen eines Fouls vorübergehend vom Spiel ausgeschlossen sein. Hockeyspielersp. 1970 *ff*.

Strafe *f* **1.** dicke ~ = schwere Strafe. 1920 *ff*.

2. saftige ~ = schwere Bestrafung. ↗saftig. 1920 *ff*.

Strafenlatte *f* lange Liste der (Vor-)Strafen. ↗Latte I 6. Seit dem 19. Jh.

Strafer *pl* Strafgefangene. Polizeispr. 1970 *ff*.

Strafes *f* Strafarbeit. Fränkisch 1940 *ff*, *schül*.

straff *adj präd* volltrunken. Über die Bedeutung „angespannt" analog zu „↗strack". 1920 *ff*.

Strafgesetzbuch *n* sie hat noch das ~ zwischen

den Beinen = sie ist noch keine 16 Jahre alt. Zur Sache *vgl* „↗Staatsanwalt 2 u. 3". 1900 *ff*.

Strafhotel *n* Justizvollzugsanstalt. 1840 *ff*.

Strafi *f* Schulstrafe. 1940 *ff*.

sträflich *adv* **1.** sich ~ blamieren = sich peinlich bloßstellen. Seit dem 19. Jh.

2. jn ~ vernachlässigen = sich um jn überhaupt nicht mehr kümmern. Seit dem 19. Jh.

strafmassig werden bestraft werden. ↗gerichtsmassig. *Bayr* seit dem 19. Jh.

Strafrabatt *m* Strafmilderung. ↗Rabatt 1. 1920 *ff*.

Strafraum *m* Vulva. Gegen 1960 aus der Fußballersprache übernommen.

Strafschuß *m* Strafstoß. ↗Schuß 9. *Sportl* 1920 *ff*.

Strafzge (Strafzke, Sträfzke) *f* Strafarbeit; Schulstrafe. *Schwäb* 1950 *ff*.

Strahl *m* **1.** Redefluß. Dem Licht- oder Wasserstrahl nachgebildet. 1830 *ff*.

2. fauler ~ = Schweißfuß. „Strahl" nennt man die keilförmige Hornschicht an der Huf-Unterseite bei Huftieren; durch dauernde Nässe und eindringende Unreinheiten entsteht „Strahlfäule", die einen schweißfußähnlichen Geruch entwickelt. 1900 *ff*, *ziv* und *sold*.

3. einen duften ~ blasen = ausgezeichnet Trompete blasen. *Halbw* und musikerspr. 1955 *ff*.

4. einen ~ auf der Trompete haben = gut Trompete blasen. *Halbw* und musikerspr. 1955 *ff*.

5. einen satten ~ auf der Kanne haben = mitreißend trompeten. Satt = voll, vollendet. ↗Kanne 3. *Halbw* und musikerspr. 1950 *ff*.

6. einen ~ machen = ausgelassen, übermütig sein; sich aufspielen. ↗Strahl 1. 1910 *ff*.

7. einen schiefen ~ landen = a) sich genüßlich betrinken. 1960 *ff*. – b) ein unredliches Geschäft machen; straffällig werden. 1960 *ff*.

8. einen dicken ~ loslassen = langatmig reden; sich aufspielen. ↗Strahl 1. 1840 *ff*.

9. einen bedeutenden ~ reden = sich gewichtig äußern. 1870 *ff*.

10. einen gebildeten ~ reden = viel und anspruchslos reden. Ironie. Berlin 1870 *ff*.

11. einen langen ~ reden (erzählen o. ä.) = eine lange Geschichte erzählen; weitschweifig reden. Seit dem 19. Jh.

12. einen ~ in die Ecke stellen = harnen (vom Mann gesagt). ↗strahlen 1. 1920 *ff*.

Strahlemann *m* Mann mit strahlender Miene. 1920 *ff*.

strahlen *v* **1.** *intr* = harnen. Bezieht sich ursprünglich auf das Harnen des Pferdes. Seit dem 19. Jh.

2. jm eine ~ = jn ohrfeigen. Fußt auf der Grundbedeutung von „Strahl = was von einem Gegenstand in gerader Richtung ausgeht", hier bezogen auf die ausholende und zuschlagende Hand. 1930 *ff*.

Strahlenfalle *f* Fotoapparat; Selenzelle. Die Lichtstrahlen werden wie in einer Falle eingefangen. 1920 *ff*.

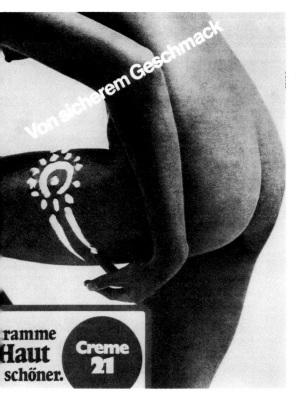

ramme **Haut** schöner.   Creme 21

Von sicherem Geschmack

Der Slogan „Stramme Haut ist schöner" ist keine bloße Aussage, er beinhaltet auch eine unausgesprochene Drohung, die etwa so lauten könnte: Schlaffe Haut ist häßlich. Das Adjektiv **stramm** *wird hier durchaus in seiner umgangssprachlichen Bedeutung verwendet (* **stramm 1.** *), und die Abbildung zeigt auch, welche Körperpartien damit in erster Linie gemeint sind. Hier wird nicht nur die Sexualität in Warenform präsentiert, vielmehr nimmt die Ware selbst den sexuellen Schein in ihren Dienst und kündigt dem, der sich ihrer nicht bemächtigt, den Verlust seiner körperlichen Ausstrahlung an, so wie sie umgekehrt allen, die sich ihrer annehmen, verspricht, daß auch sie angenommen werden.*

Strahlenschutz *m* Alkohol. Nach Ansicht russischer Wissenschaftler mindert Alkohol (Wodka oder Whisky u. ä.) die Gammastrahlenwirkung auf den lebenden Organismus. 1957 *ff.*

Strähne *f* Aufeinanderfolge von Glücks- oder Unglücksfällen. Verkürzt aus „↗Glückssträhne", „↗Pechsträhne". Zur Sache *vgl* „die ↗Gelegenheit beim Schopf ergreifen". 1900 *ff.*

Strähnenmähne *f* in Strähnen herabhängendes Haar. ↗Mähne 1. 1950 *ff.*

Stral'sunder *pl* es sind ∼!: Zuruf an den Skatspieler, der sich nicht schlüssig ist, welche Karte er

ausspielen soll. Der Sprecher vermutet scherzhaft, der Spieler forsche nach der Herkunft der Karten oder nach ihrer Echtheit. Anspielung auf die Stralsund-Altenburger Spielkartenfabrik. Kartenspielerspr. seit dem 19. Jh.

stramm *adj* **1.** wohlgenährt; prall; straff in Schenkeln und Waden (gern auf Mädchen bezogen). Seit dem 19. Jh.
2. hervorragend; tüchtig. Übernommen von der mustergültigen militärischen Körperhaltung. 1900 *ff.*
3. überzeugt (auf Parteianhänger bezogen). 1930 *ff.*
4. betrunken. Analog zu „↗strack" und „↗straff". 1950 *ff.*
5. ∼ im Bett liegen = ernstlich bettlägerig sein. 1950 *ff.*
6. ∼ in Kluft sein = nach der neuesten Mode gekleidet sein. ↗Kluft. Seit dem späten 19. Jh, *sold* und kundenspr.
7. ∼ in der Weste sein = beleibt sein. Die Weste spannt sich über dem Leib. Seit dem 19. Jh, Berlin und *nordd.*
8. ∼ zu tun haben = angestrengt zu arbeiten haben. 1920 *ff.*
9. sich ∼ zurechtmachen = sich sehr modisch kleiden. *Sold* seit dem ausgehenden 19. Jh.

strammeln *intr* gehen. Intensivum zum Folgenden. 1900 *ff.*

strammen *intr (refl)* gehen; stolz einhergehen. Man schreitet in aufrechter Körperhaltung (Bauch 'rein, Brust 'raus!). ↗stramm 2. 1900 *ff.*

strämmen (stremmen) *tr* bei günstiger Gelegenheit stehlen. Meint eigentlich „die Finger zusammenziehen", „einen Gegenstand ergreifen". *Schül* und *sold* seit dem ausgehenden 19. Jh.

Strammer *m* **1.** hochprozentiger Branntwein. Die Kehle wird „gestrammt = zusammengezogen". 1920 *ff.*
2. geschärfter Arrest. Fußt auf der Vorstellung vom Strammziehen der Zügel. *Sold* 1880 *ff.*
3. erigierter Penis. 1920 *ff.*

strammstehen *intr* **1.** einen Tadel ohne Widerspruch entgegennehmen. Dem Soldatenleben entlehnt: der Soldat nimmt straffe Haltung an (↗stramm 2) und redet nur, wenn er gefragt ist. 1920 *ff.*
2. für eine Sache ∼ = für etw die Verantwortung übernehmen; sich bedingungslos zu einer Sache bekennen. Analog zu ↗gradestehen 1. 1900 *ff.*

strammstehend *adj* von Befehlen geleitet; unselbständig; befehlsbereit. 1950 *ff.*

Strammsteher *m* williähriger Mensch. 1950 *ff.*

strammziehen *intr* sich geschlechtlich erregen. Die Erektion des Penis strafft die Hose. 1920 *ff.*

Strampelage (Endung *franz* ausgesprochen) *f* Twist-Veranstaltung. Strampeln = die Beine auf- und abbewegen, hin- und herbewegen, wie es kleine Kinder tun. 1960 *ff*, Berlin.

Strampelauto *n* Spielauto mit Pedalen. 1960 *ff*.

Strampelbruder *m* Radfahrer. Seit dem ausgehenden 19. Jh.

Strampeldinger *pl* Schlittschuhe. 1920 *ff*.

Strampe'lei *f* **1.** (mühsames, lästiges) Radfahren. 1900 *ff*.
    2. heftige körperliche Anstrengung. 1920 *ff*.

Strampeleisen *n* Fahrrad. *Schül* 1950 *ff*.

Strampelfritze *m* Radfahrer, Radrennfahrer. ↗ Fritze. 1890 *ff*.

Strampelhalle *f* Turnhalle. *Schül* 1920 *ff*.

Strampelheld *m* Radfahrer, Radrennfahrer. 1910 *ff*.

Strampelhöschen *n* Kurzhose für Radfahrerinnen. Eigentlich das weite Windelhöschen des Kleinkindes. 1960 *ff*.

Strampelkutsche *f* Fahrrad. *Jug* 1920 *ff*.

Strampelmaxe *m* Radfahrer, Radrennfahrer. Berlin 1900 *ff*.

strampeln *intr* **1.** radfahren. Seit dem ausgehenden 19. Jh.
    2. Rock'n'Roll tanzen; Twist tanzen. *Halbw* nach 1950.
    3. sich heftig bemühen; sich eifrig um etw bewerben. Hängt mit der Vorstellung der „↗ Tretmühle" zusammen. 1800 *ff*.
    4. sich nach oben ~ = berühmt werden; unter Mühen Geltung erlangen. 1920 *ff*.
    5. sich müde ~ = sich abmühen. 1920 *ff*.

Strampelpartie *f* Ausflugsfahrt mit dem Fahrrad. 1910 *ff*.

Strampelpfad *m* Radfahrweg. Dem „Trampelpfad" nachgeahmt. 1920 *ff*.

Strampel-Welle *f* weitverbreitetes Interesse am Radfahren. ↗ Welle. 1965 *ff*.

Strampfetz *f* Klassenarbeit. Vielleicht zusammengesetzt aus „stramm (= angespannt; schwierig)" und „fetzen = eilen". Tübingen 1959 *ff*.

Strampler *m* **1.** Radfahrer, Radrennfahrer. 1890 *ff*.
    2. Liebediener. Tarnwort für „↗ Radfahrer 1". *BSD* 1968 *ff*.

Strand *m* **1.** textilfreier ~ = Nacktbadestrand. ↗ textilfrei. 1960 *ff*, *journ*.
    2. mein ~ ist noch frei = ich bin einem Liebesabenteuer nicht abgeneigt. Da kann man noch „↗ landen". 1960 *ff*.

Strandbad-Casanova *m* Mann, der im Strandbad Damenbekanntschaft sucht. 1920 *ff*.

Strandbiene *f* Mädchen am Strand; Badende; Mädchen, das in sparsamem Badeanzug am Ufer auf- und abgeht. ↗ Biene 3. 1955 *ff*.

Strandbulle *m* Strandaufseher; Bademeister im Strandbad. ↗ Bulle 1. 1920 *ff*.

Strandbummel *m* Spaziergang am Strand. ↗ Bummel 1. 1920 *ff*.

Strandfigur *f* Körperbau, der sich im Badeanzug vorteilhaft darbietet. 1950 *ff*.

Strandgazelle *f* schlanke Badende am Strand. 1955 *ff*.

Strandgutsammler *m* lüsterner Mann, der im Seebad Liebesabenteuer sucht. Eigentlich einer, der von der Flut auf den Strand geschwemmte Gegenstände aufsammelt. 1930 *ff*.

Strandhafer *m* minderwertiger Tabak. Eigentlich eine nicht als Tabakersatz taugliche Dünenpflanze. 1914 *ff*, *sold* und *ziv*.

Strandhahn *m* flirtender Badegast. 1950 *ff*.

Strandhase *m* nettes Mädchen im Seebad. ↗ Hase. 1950 *ff*.

Strandhaubitze *f* besoffen (blau, voll o. ä.) wie eine ~ = volltrunken. ↗ Haubitze 1. 1900 *ff*.

Strandhure *f* **1.** Prostituierte in Strandbädern. Wien 1920 *ff*.
    2. Prostituierte niedersten Ranges. Wien 1920 *ff*.

Strandhyäne *f* lüsterner Mann, der im Seebad weiblichen Personen nachstellt. 1900 *ff*.

Strandindianer *m* gebräunter Strandbadegast. Seine Hautfarbe erinnert an die der Indianer. 1920 *ff*.

Strandjäger *m* Mann, der am Badestrand Damenbekanntschaft sucht. 1920 *ff*.

Strandkanone *f* voll wie eine ~ = volltrunken. Parallel zu ↗ Strandhaubitze. Seit dem ausgehenden 19. Jh.

Strandkrabbe *f* junge Besucherin eines Strand-, Seebads. *Vgl* ↗ Krabbe 2 u. 4. 1920 *ff*.

Strandlöwe *m* Badender; Freund des Badelebens; Mann, der am Strand Liebesabenteuer sucht. Fußt auf dem Muster „↗ Salonlöwe". 1910 *ff*.

Strandnackedei *m* Nacktbadende(r). ↗ Nackedei 1. 1950 *ff*.

Strandnixe *f* nettes Mädchen am Strand; Badende, die lüstern bewundert werden will. ↗ Nixe. 1920 *ff*.

Strandratte *f* Strandbadende auf Suche nach Männerbekanntschaft. 1955 *ff*.

Strandrummel *m* geschäftstüchtige Betriebsamkeit in Seebädern. ↗ Rummel. 1920 *ff*.

Strandsau *f* Badende mit ärgerniserregendem Verhalten. ↗ Sau 1. 1950 *ff*.

Strandschlange *f* weibliche Person, die im Seebad ihre körperlichen Reize zur Schau stellt, um Männer anzulocken. 1950 *ff*.

Strandschrei *m* letzter ~ = Modeneuheit an Badekleidung. ↗ Schrei 3. 1960 *ff*.

Strandsegen *m* Diebesgut; nebenbei und listig beschaffte Gegenstände. Eigentlich das angetriebene Strandgut. *Sold* in beiden Weltkriegen.

Strandsirene *f* verführerische Badende am Strand. ↗ Sirene. 1920 *ff*.

Strand-Strichbiene *f* Badende auf Suche nach einem gelegentlichen Geschlechtspartner. ↗ Strichbiene. 1950 *ff*.

Strandvilla *f* Strandkorb. Seit dem ausgehenden 19. Jh.

Strang *m* **1.** Uhrkette. Diebe unterscheiden zwischen „Stranguhr" (= Uhr an der Kette) und „Banduhr" (= Armbanduhr). *Rotw* 1900 *ff*.

2. vor etw ~ haben = vor etw Angst (Scheu) haben. Geht zurück auf *slaw* „strach = Angst", beeinflußt von „bange" (gemäß Mitteilung von Oberstudienrat Veldtrup, Hagen). Im 19. Jh von russischen oder polnischen Bergleuten eingeschleppt; vorwiegend *rhein* und *westf.*

3. wenn alle Stränge reißen (brechen) = im höchsten Notfall; wenn es kein anderes Mittel mehr gibt. Hergenommen von „Strang = Zuggeschirr". 1700 *ff.*

4. über die Stränge schlagen (hauen) = leichtfertig leben; sich ungestüm gebärden; seine Grenzen überschreiten. Beruht auf der Vorstellung vom übermütigen Pferd, das beim Ausschlagen mit den Hinterbeinen leicht über die Stränge geraten kann. Seit dem späten 16. Jh. *Vgl engl* „to kick over the traces".

5. mit jm am gleichen (an einem) ~ ziehen = mit jm übereinstimmen; denselben Zweck verfolgen wie ein anderer; dieselbe Arbeit verrichten. Hergenommen von Zugtieren, die im selben Geschirr gehen. Etwa seit 1650.

Stranze *f* **1.** Müßiggängerin. ↗stranzen 1. Seit dem 19. Jh, vorwiegend *oberd, rhein* und *hess.*

2. Bett; primitive Lagerstatt. Geht zurück auf *ital* „straccio = Lumpen". *Bayr* und *österr,* 1910 *ff.*

3. lange ~ = großwüchsiger Mensch. Herleitung unbekannt. 1900 *ff,* Magdeburg, Nordharz u. a.

stranzen (stränzen, strenzen) *intr* **1.** umherschlendern; ein faules Leben führen. Intensivum zu *mhd* „strandeln = wackeln". Seit dem 16. Jh, *oberd, rhein* und *hess.*

2. dem anderen Geschlecht nachlaufen. Seit dem 19. Jh.

3. umherschlendern auf der Suche nach einer günstigen Diebstahlsgelegenheit. Seit dem 19. Jh.

Stranzer (Stränzer, Strenzer) *m* **1.** Müßiggänger. ↗stranzen 1. 1500 *ff.*

2. Mann, der weiblichen Personen nachstellt. Seit dem 19. Jh.

strapazieren *tr* **1.** etw ~ = etw immer von neuem vorbringen; etw über Gebühr in Anspruch nehmen. (Er strapaziert die Moral.) 1900 *ff.*

2. strapazier' dich nicht! = gib dir keine Mühe! überanstrenge dich nicht! 1900 *ff.*

Strapse *pl* Schulstrafen. Ablautend zu „Stripse = Prügel". *Schül* 1950 *ff, südwestd.*

Strapser *m* wegen Lernehrgeizes unbeliebter Mitschüler. Gehört zu „strapeln = unruhig sein", wohl auch zu „streben". Auch „strapp" als Nebenform zu „straff" ist heranzuziehen. *Schül* 1950 *ff, fränkisch* und *südwestd.*

Straße *f* **1.** Tropfenreihe auf dem Tischtuch, Fußboden o. ä. Seit dem 19. Jh, vorwiegend *südd.*

2. eine von der ~ = Straßenprostituierte. 1920 *ff.*

3. heiße ~ = Straße, in der die Prostituierten auf Männerfang ausgehen. 1955 *ff.*

4. die ~ ausmessen = bezecht hin- und herschwanken. 1900 *ff.*

5. ... PS auf die ~ bringen = mit einer Motorleistung von ... PS fahren. 1930 *ff.*

6. wo alle ~n enden = Eintragung ins Klassenbuch o. ä. Fußt auf dem *dt* Titel des 1957 mit Richard Widmark gedrehten Films „The Wayward Bus". 1959 *ff, schül.*

7. die ~ fegen = als Straßenprostituierte Kunden suchen. Sie säubert die Straße von potentiellen Prostituiertenkunden. 1900 *ff.*

8. auf die ~ fliegen = plötzlich die Entlassung erhalten; rücksichtslos aus dem Haus gewiesen werden. ↗fliegen 1. 1920 *ff.*

9. auf die ~ gehen = a) Straßenprostituierte sein. 1900 *ff.* – b) seine politischen Ansichten außerhalb des Parlaments verteidigen; öffentlich aufbegehren. 1920 *ff.*

10. die ganze ~ nötig haben = betrunken torkeln. 1900 *ff.*

11. von der ~ kommen = a) den Müßiggang beenden und geregelte Arbeit annehmen. 1920 *ff.* – b) ernstlich ans Heiraten denken und häuslich werden wollen. 1900 *ff.*

12. die ~n leerfegen = ein spannendes Kriminalspiel (Fußballspiel) im Fernsehen senden. 1965 *ff.*

13. auf der ~ liegen = a) auf der Straße spielen. 1900 *ff.* – b) sich außerhalb der Wohnung umhertreiben; müßiggehen; arbeitslos sein. 1880 *ff. Vgl franz* „être sur le pavé". – c) keine feste Unterkunft haben. 1900 *ff.* – d) viel unterwegs sein. 1900 *ff.*

14. willst du die ~ messen?: Frage an einen, der auf der Straße zu Fall gekommen ist. 1870 *ff.*

15. der fetten ~ nachgehen = nur freigebige Bekanntschaften pflegen. Die „fette Straße" ist entweder die Straße, in der lauter wohlhabende und großzügige Anwohner leben, oder sie ist entstellt aus „↗Vetternstraße". 1900 *ff.*

16. mit etw die ~ pflastern können = etw in großer Menge zur Verfügung haben. Leitet sich her von einem, der mit seinen vielen Dukaten die Straße pflastern könnte. Seit dem 19. Jh.

17. jn auf die ~ schicken = eine weibliche Person zur Straßenprostitution anhalten. 1900 *ff.*

18. auf der ~ sein = aus der Arbeitsstelle entlassen worden sein und noch keine neue Arbeit gefunden haben. 1880 *ff.*

19. auf der ~ des Sieges sein = dem endgültigen Sieg entgegengehen. *Sportl* 1950 *ff.*

20. jn auf die ~ setzen = jm rücksichtslos kündigen; jm die Wohnung kündigen. 1900 *ff.*

21. auf der ~ sitzen (stehen) = seine Stellung verloren haben; erwerbslos sein. 1900 *ff.*

22. ~n vermessen = ein Landstreicherleben führen. Kundenspr. 1950 *ff.*

straßeln *intr* **1.** das Gewerbe der Straßenprostituierten ausüben. Wien seit dem 19. Jh.

2. von Lokal zu Lokal gehen. Wien 1900 *ff.*

3. Taxifahrgäste im Fahren suchen (nicht am Taxistand erwarten). Wien 1950 *ff.*

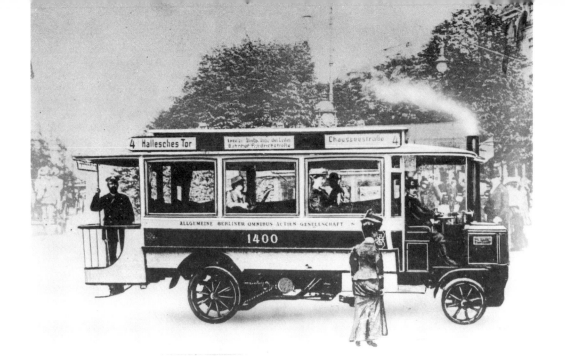

Straßenaquarium *n* verglaster Restaurantraum auf dem Bürgersteig. Man hat von allen Seiten Einsicht. Berlin 1955 *ff.*

Straßenbahn *f* **1.** die ~ bescheißen = mit einer Straßenbahn-Dauerkarte zu Fuß gehen. ↗bescheißen. 1950 *ff.*
2. da nimmt die letzte ~ die Schienen mit = das ist eine sehr ärmliche Gegend; die Gegend ist für Diebereien berüchtigt. *BSD* 1970 *ff.*

Straßenbahnermütze *f* Schirmmütze des Bundeswehrsoldaten. *BSD* 1965 *ff.*

Straßenbeleidiger *m* Kleinauto. Seine geringe Größe wird als Kränkung gegenüber den Straßen aufgefaßt. *Halbw* 1950 *ff*, *bayr.*

Straßenbeleuchtung *f* ihm geht eine komplette ~ auf = er beginnt endlich zu begreifen. Das Dunkel in seinem Gehirn lichtet sich. Scherzhafte Verstärkung zu „ihm geht ein ↗Licht auf". 1920 *ff.*

Straßenbiene *f* junge Straßenprostituierte. ↗Biene 3. 1920 *ff.*

Straßenbolzer *m* Straßenradrennfahrer. ↗Bolzer 6. 1955 *ff.*

Straßenbordfahrerin *f* Prostituierte, die am Straßenrand auf Autofahrer wartet. ↗Bordsteinschwalbe. 1963 *ff.*

Straßenbordfahrer-Kundschaft (-Typ) *f (m)* Autofahrer, der am Straßenrand wartende Prostituierte mitnimmt. 1963 *ff.*

Straßenbummel *m* zielloser Spaziergang durch die Straßen der Stadt. ↗Bummel 1. 1900 *ff.*

Straßenbummler *m* Mann, der ziellos durch die Straßen schlendert. ↗Bummler. 1900 *ff.*

Straßendame *f* Straßenprostituierte. 1920 *ff*, großstadtspr.

Gefährte, wie das auf dem Foto oben wiedergegebene (*vgl.* **Straßendampfer**), *verlangen nach großzügig angelegten und breiten Straßen; und die Architekten und Stadtplaner des 19. Jahrhunderts kamen diesen Erfordernissen nach, auch wenn damals noch nicht abzusehen war, was für Vehikel sich später auf diesen Prachtstraßen ergießen sollten. Dies war indes in den seltensten Fällen eine Sache der Intuition, sondern beruhte, wie Walter Benjamin am Beispiel von Paris gezeigt hat, auf ästhetischen und durchaus politisch motivierten Beweggründen. Da ist zum einen die „im neunzehnten Jahrhundert immer wieder bemerkbare Neigung, technische Notwendigkeiten durch künstlerische Zielsetzungen zu veredeln", in diesem Zusammenhang etwa durch „die perspektivischen Durchblicke durch lange Straßenfluchten", zum andern liegt dem aber auch „die Sicherung der Stadt gegen den Bürgerkrieg" zugrunde: Die breiten und übersichtlichen Boulevards sollten den Barrikadenkampf erschweren, denn wer auf der Straße ist (***Straße 17.***), macht sich da vielleicht auch breit. Zu denen, deren Anwesenheit dort bei weitem weniger Besorgnis erregt, gehören die Damen, die sich dort ihren Lebensunterhalt verdienen (*vgl.* **Straßenengel**, **Straßenmädchen** *usw.*). Das Foto rechts zeigt allerdings eine ganz andere und auch nur fotografisch realisierte Kontaktaufnahme (*vgl.* **Straßenfloh**).*

Straßendampfer *m* breitgebautes Auto. Um 1880 berlinische Bezeichnung für den dampfgetriebenen Kraftwagen. Die heutige Benennung kam kurz nach 1945 auf, anfangs auf die US-Luxusautos bezogen. ↗Straßenkreuzer.

Straßendreck *m* **1.** frech wie ~ = sehr frech, un-

verschämt, dreist. Analog zu „frech wie ↗Dreck". Seit dem 19. Jh, vorwiegend *westd*.

2. dumm wie ~ = sehr dumm. Aus dem Vorhergehenden als neutrale Steigerung übernommen. *Westd* 1900 *ff*.

3. faul wie ~ = sehr arbeitsträge. 1900 *ff*.

Straßenduell *n* Wettfahrt von Kraftfahrzeugen. *Halbw* 1955 *ff*.

Straßenengel *m* junge Straßenprostituierte. 1920 *ff*.

Straßenfeger *m* **1.** Straßenprostituierte. ↗Straße 7. 1900 *ff*.

2. Verfasser eines spannenden Fernsehspiels; Künstler mit sehr großem Publikumserfolg. Beide treiben die Leute von den Straßen vor die Bildschirme. 1963 *ff*.

3. sehr beliebte Fernseh-, Rundfunksendung; Fernseh-Kriminalspiel mit großen Zuschauermengen. 1963 *ff*.

4. knöchellanger Rock, Mantel o. ä. 1970 *ff*.

Straßenfloh *m* **1.** Radfahrer, Motorradfahrer. *Sold* 1914 *ff*.

2. Kleinauto. In den frühen 20er Jahren aufgekommen als Benennung des Hanomag-Klein-

autos; neuerdings verallgemeinert, vor allem in Halbwüchsigenkreisen.

Straßenflunder *f* breitgebautes Luxusauto. Nach 1945 aufgekommen. Die Bezeichnung selbst ist älter: gegen 1928 nannte man so das Ford-Modell 28 mit seiner breiten Bauart und der fischmaulartigen Kühlerform.

Straßenfrau *f* Straßenprostituierte. 1900 *ff*.

Straßengesinnungslump *m* rücksichtsloser Kraftfahrer. ↗Gesinnungslump. 1950 *ff*.

Straßengör (-göre) *n (f)* Straßenkind. ↗Göre. Seit dem 19. Jh.

Straßenhüpfer *m* Kleinauto. Dem „Grashüpfer" (= Heuschrecke) nachgebildet. *Halbw* 1955 *ff*.

Straßenhupferl *n* Kleinauto. 1955 *ff*.

Straßenjumbo *m* Lastkraftwagen. ↗Jumbo. 1970 *ff*.

Straßenjuwelier *m* Steinsetzer, Pflasterer. Seit dem 19. Jh.

Straßenkalfakter *m* Polizeibeamter. ↗Kalfakter. Rockerspr. 1967 *ff*.

Straßenkampf *m* beschwerlicher, zähflüssiger Straßenverkehr mit schlechter Verkehrsdisziplin. 1960 *ff*.

Das Auto ist hierzulande nicht nur ein Mittel, sich auf relativ bequeme Weise fortzubewegen, wenn davon angesichts der oft überfüllten Straßen überhaupt noch die Rede sein kann. Und es ist wohl nicht einmal übertrieben, wenn dieses Ding zum Symbol der bundesrepublikanischen Gesellschaft gemacht wird, deren Maximen sich folglich auch in Blech und Chrom fassen lassen. Großes und natürlich nie erreichtes Vorbild ist auch hier das us-amerikansiche Über-Ich, und

daß die Wagen dort in der Regel größer sind als die hiesigen, kann im Rahmen dieser Weltsicht nur daran liegen, daß dort eben alles größer ist, auch die durch solche **Straßenkreuzer** zum Ausdruck gebrachte individuelle Freiheit. Und im **Straßenduell**, dem Prinzip der freien Konkurrenz mit Rädern untendran, zeigt sich, daß wer wagt auch gewinnt. Mit einer **Straßenrakete** steigen die Chancen von vornherein allerdings ungemein.

Straßenkapitän *m* Lastwagen-, Fernfahrer. ↗Kapitän 5. 1920/30 *ff*.

Straßenkehrer *m* **1.** haarige Raupe. Sie ähnelt den mechanischen Kehrbesen auf Rollen. 1930 *ff*. **2.** langhaariger Hund. 1930 *ff*. **3.** Jagdbomber beim Beschuß der Straßen. Wer auf der Straße ist, flieht ins erste beste Haus. *Sold* 1940 *ff*. **4.** spannende Fernsehsendung. ↗Straßenfeger 2. 1963 *ff*.

Straßenkitzler *m* Straßenkehrer. Seit dem ausgehenden 19. Jh.

Straßenköter *m* **1.** nicht rassereiner Hund. ↗Köter. Seit dem 19. Jh. **2.** Mann mit wahllos vielen Liebesabenteuern. 1920 *ff*.

Straßenkreuzer *m* **1.** breitgebautes Luxusauto. Aus *angloamerikan* „cruiser" kurz nach 1945 entlehnt. **2.** ~ des kleinen Mannes = Fahrrad; Moped. 1955 *ff*, Berlin.

Straßenkreuzung *f* nicht rassereiner Hund. Er ist das Ergebnis einer auf der Straße vollzogenen Rassenmischung. *Österr* 1920 *ff*.

Straßenlady (Grundwort *engl* ausgesprochen) *f* Straßenprostituierte. 1950 *ff*.

Straßenlaus *f* **1.** Fahrrad; Radfahrer. Die Nichtradfahrer halten den Radfahrer für ein lästiges Ungeziefer. 1900 *ff*. **2.** Kleinauto. 1925 *ff*.

Straßenmädchen (-mensch) *n* Straßenprostituierte. *Vgl* ↗Mensch II. Seit dem 19. Jh.

Straßenmetzeler (-metzger) *m* Fahrer eines überschweren Last-, Panzerkampfwagens. Er beschädigt, zerstört die Straßen. 1935 *ff*.

Straßenmieze *f* Straßenprostituierte. ↗Mieze. 1920 *ff*.

Straßenmischung *f* Hund ohne Stammbaum. ↗Straßenkreuzung. *Österr* 1920 *ff*.

Straßen-Möblierung *f* Ausstattung öffentlicher Wege und Plätze mit Laternen, Bänken, Wartehallen, Kiosken usw. 1950 *ff*, großstadtspr.

Straßenpascha *m* Zuhälter, für den mehrere Prostituierte arbeiten. „Pascha" ist Sinnbildbezeichnung für einen herrischen Mann, der müßiggeht und sich von anderen bedienen läßt. Berlin 1920 *ff*.

Straßenpotpourri *n* nicht rassereiner Hund. *Österr* 1920 *ff*.

Straßen-Raffael *m* Pflastermaler. Anspielung auf den *ital* Maler und Baumeister Raffael (Raffaello Santi, 1483–1520). Seit dem späten 19. Jh (Theodor Fontane).

Straßenrakete *f* Rennwagen; Sportwagen. 1960 *ff*.

Straßenräumer *m* sehr beliebte Fernsehsendung. ↗Straßenfeger 2. 1963 *ff*.

Straßen-Sacher *m* kleine, auf Rädern befindliche Hütte, in der abends und nachts in den Straßen Wiens warme und kalte Imbisse verkauft werden. „Sacher" spielt auf das weltbekannte Hotel und Café in Wien an. 1950 *ff*.

Straßenschiff *n* breitgebautes Luxusauto. ↗Straßenkreuzer 1. Nach 1945 aufgekommen.

Straßenschlacht *f* Verkehrschaos. 1960 *ff*.

Straßenschlachter *m* schwerer Lastwagen. ↗Straßenmetzeler. 1950 *ff*.

Straßenschlachtschiff *n* breitgebautes Auto. ↗Straßenkreuzer 1. 1950 *ff*.

Straßenschnecke *f* Traktor; langsames Fahrzeug. 1955 *ff*.

Straßenschönheit *f* Straßenprostituierte. 1920 *ff*.

Straßenschwalbe *f* Straßenprostituierte. Schwalben sind im allgemeinen Zugvögel. ↗Bordsteinschwalbe. 1955 *ff*.

Straßenstrich *m* **1.** Straßenprostitution. ↗Strich 2. Seit dem 19. Jh. **2.** von Prostituierten auf Kundensuche bevorzugte Straße. 1920 *ff*.

Straßenstrolch *m* rücksichtsloser Kraftfahrer. ↗Strolch. 1960 *ff*.

Straßentheater *n* kilometerlanger Verkehrsstau auf den Autobahnen. ↗Theater 1. 1979 *ff*.

Straßentrottel *m* Kraftfahrer ohne ausreichende Fahrpraxis. ↗Trottel. 1960 *ff*.

Straßen-Verkehr *m* Prostitution, bei der dem Auto eine entscheidende Rolle zukommt. Entweder spricht die Prostituierte die Männer vom Auto aus an, oder sie übt ihr Gewerbe im Auto aus. 1965 *ff*.

Straßenwanze *f* **1.** Radfahrer; Fahrrad. ↗Straßenlaus 1. Seit dem ausgehenden 19. Jh. **2.** Kleinauto. Um 1924/25 aufgekommen, anfangs mit Bezug auf das erste DKW-Auto. **3.** dreirädriges Motorfahrzeug. Wien 1950 *ff*. **4.** Straßenprostituierte. 1950 *ff*.

Straßenyacht *f* breitgebautes Auto mit Heckflossen, mit starkem Motor u. ä. ↗Straßenkreuzer 1. 1950 *ff*, kraftfahrerspr.

Stratosphärenfigur *f* großwüchsiger Mensch. Er reicht hoch bis in die Stratosphäre. 1940 *ff*.

Stratege *m* alter S. = a) altgedienter Soldat. 1930 *ff*. - b) erfahrener Alltagspraktiker. 1930 *ff*.

Stratze *f* Schulstrafe. Auf der Grundlage von „Strafe" spielerisch abgewandelt, vielleicht unter Einfluß von „↗Tatze 4". *Schül* 1940 *ff*.

stratzen *intr* **1.** an Durchfall leiden. Schallnachahmung kräftigen Hervorspritzens. *Mitteld* und *westd*, seit dem 19. Jh. **2.** schnell laufen. Parallel zu ↗spritzen 2. 1900 *ff*.

Strauch *m* auf den ~ schlagen = bei jm vorfühlen; etw vorsichtig zu ergründen suchen. Parallel zu „auf den ↗Busch klopfen". Seit dem 19. Jh.

Strauchhuhn *n* leichtes Mädchen, das an den Autobahneinfahrten Autos anhält und Liebesabenteuer sucht. Dem „Strauchdieb" nachgebildet. 1955 *ff*.

Strauchteufel *m* auf der Lauer liegender Kriminalbeamter. 1950 *ff*.

Sträußchen *n* **1.** Vulva. Geht wahrscheinlich zurück auf *lat* „flos = Blume = Bestes". *Österr* 1900 *ff.*
2. etw am ~ haben = nicht unbescholten sein. 1950 *ff.*
Straußenmagen *m* unverwüstlicher Magen. Anspielung auf den exotischen Laufvogel, der alles frißt, auch Steine. Seit dem 16. Jh.
stra'wanzen *intr* ↗strabanzen.
Straxe *f* Strafarbeit des Schülers. 1900 *ff.*
Streber *m* **1.** karrieresüchtiger Beamter. Spätestens seit 1850.
2. mit übertriebenem Ehrgeiz lernender Schüler; Schüler, der nur fleißig ist, um das Wohlwollen des Lehrers zu erringen, und sich unkameradschaftlich verhält; Klassenbester. Von einem, der sich redlich bemüht, übertragen auf einen, dessen Mühegabe ausschließlich selbstsüchtigen Zwecken dient. *Schül* seit dem späten 19. Jh.
3. ehrgeiziger Arbeiter. 1920 *ff.*
streber *adj präd* das ist ~ = das ist ausgezeichnet. Ist über den Begriff „emporstrebend" Analogie zu „↗steil 1". *Halbw* 1955 *ff.*
Streberbatzen (-patzen) *m* unangenehm ehrgeiziger Schüler. „Batzig, patzig" meint im *Oberd* soviel wie „klebrig" und spielt auf würdelose Liebedienerei an. *Bayr* 1950 *ff.*
Streberbude *f* Gymnasium. ↗Streber 2. 1930 *ff.*
Streberei *f* ehrgeiziger Lerneifer. 1870 *ff.*
Strebe'rer *m* Mensch, der mit übermäßigem Ehrgeiz lernt. *Österr* 1930 *ff.*
streberisch *adj* unkameradschaftlich. *Schül* 1930 *ff.*
Streberkasten *m* **1.** Gymnasium. 1930 *ff.*
2. Klassenbester. Kasten = Kopf. 1950 *ff.*
Streberlaus *f* unangenehm fleißiger Mitschüler; Klassenbester. Er erscheint seinen Kameraden als ein übles Ungeziefer. *Österr* 1930 *ff.*
Streberleiche *f* **1.** Schüler, der sich auf Kosten der Kameraden hervorzutun sucht; wegen seines Lernehrgeizes unbeliebter Mitschüler. Für die Mitschüler ist er „ein toter Mann". 1930 *ff.*
2. Alleskönner; sehr begabter Schüler. Sein Wissen und sein Ehrgeiz sind groß; aber an charakterlichen Vorzügen fehlt es ihm. *Schül* 1945 *ff.*
3. Versager. Schülerausdruck seit 1930 für einen Mitschüler, der viel theoretisches Wissen besitzt, aber in praktischer Hinsicht versagt.
Streberling *m* unangenehm strebsamer Schüler. 1930 *ff.*
strebern *intr* **1.** Diensteifer vortäuschen; nur auf die berufliche Laufbahn bedacht sein. ↗Streber 1. Seit dem späten 19. Jh.
2. fleißig, mit übermäßigem Ehrgeiz lernen. ↗Streber 2. *Schül* seit dem ausgehenden 19. Jh.
Streberorden *m* Kriegsverdienstkreuz. Zum Orden erhöhtes Ehrenzeichen, das in vielen Fällen durch widerliche Dienstfertigkeit angestrebt wurde. *Sold* und *ziv* 1939 *ff.*

Strebersau *f* als unangenehm empfundener, strebsamer Mitschüler. 1930 *ff.*
Streberschule *f* **1.** Gymnasium. 1930 *ff.*
2. Abendgymnasium. 1950 *ff.*
Streberseele *f* **1.** karrieresüchtiger Beamter. ↗Streber 1. 1900 *ff.*
2. Schüler, der durch seinen Fleiß bei den Lehrern geschätzt ist, aber den Kameraden mißliebig ist, weil er als Vorbild hingestellt wird. ↗Streber 2. 1920 *ff.*
Streblaus *f* ehrgeiziger Schüler. ↗Streberlaus. *Österr* 1950 *ff.*
Strebsau *f* fleißiger Schüler. Zum Leistungsehrgeiz gesellt sich bei ihm unkameradschaftliches („schmutziges") Verhalten. 1950 *ff.*
Streckarbeit *f* Faulenzerei; langsame Verrichtung einer Arbeit zwecks bequemen Verdienstes. Die Arbeit wird künstlich gedehnt und gelängt. 1900 *ff*, *ziv* und *sold.*
Strecke *f* **1.** auf der ~ bleiben = a) dem Wettbewerb nicht gewachsen sein; unterliegen; nicht als Sieger hervorgehen. Stammt aus der Sportsprache und meint die Rennstrecke bei Pferde-, Auto- und Radrennen. Wer auf der Strecke bleibt, ist Verlierer. Doch *vgl* ↗Strecke 2. 1900 *ff.* – b) sterben; den Soldatentod erleiden. 1900 *ff.* – c) beruflich versagen und verabschiedet werden. 1920 *ff.* – d) scheitern; die Funktionsfähigkeit verlieren; in beschädigtem Zustand zurückgelassen werden. 1920 *ff.* – e) das Klassenziel nicht erreichen; in der Prüfung versagen. 1920 *ff*, *schül* und *stud.*
2. jn zur ~ bringen = a) jn zu Fall bringen; jn aus seiner Stellung verdrängen. „Strecke" stammt hier aus der Jägersprache und meint das Jagdergebnis. Seit dem 19. Jh. – b) jn gefügig machen; jds Widerstand brechen. Seit dem 19. Jh. – c) jn töten, umbringen. Seit dem 19. Jh. – d) im Kartenspiel siegen. Kartenspielerspr. seit dem 19. Jh.
3. über die ~ kommen = den Mitbewerbern gewachsen sein. Strecke = Rennstrecke. 1920 *ff.*
4. jn auf der ~ lassen = jn (geschädigt, enttäuscht o. ä.) zurücklassen. 1920 *ff.*
strecken *v* **1.** *tr* = etw durch Beimischung längen. Übertragen von Tuch, das man straff ausreckt, um es bis zum äußersten auszunutzen. Seit dem 19. Jh.
2. *tr* = jn veralbern. Man legt ihn aufs Streckbett, „spannt ihn auf die ↗Folter" oder „legt ihn aufs ↗Kreuz". *Halbw* 1955 *ff.*
3. *tr* = jn übertölpeln, hintergehen. Versteht sich wie das Vorhergehende. 1950 *ff.*
4. *refl* = das Spiel kampflos aufgeben. Man streckt die Waffen; *vgl* auch ↗krepieren. Kartenspielerspr. 1900 *ff.*
Streckenfresser *m* Schnellreisender. Dem „Kilometerfresser" nachgebildet. 1950 *ff.*
Streckenläuferin *f* Straßenprostituierte. Aus der Sportsprache übernommen. 1960 *ff.*
Streich *m* **1.** alle ~e = alle Augenblicke. Streich =

Zeitspanne; streichen = schlagen. Zusammen-hängend mit dem Glockenschlag. *Vgl* ↗Schlag 12. Seit dem 19. Jh.

2. mit jm zu ~ kommen = mit jm gut auskom-men. Bezieht sich wohl auf „Streich = Schlag mit dem Dreschflegel": man findet mit jm den richti-gen Dreschtakt. Seit dem 19. Jh.

Streichbalken *m* Streichholz. Berlin seit dem spä-ten 19. Jh.

Streichbeine *pl* Streichhölzer. 1900 *ff, sold* und *schül.*

Streicheleinheit *f* **1.** Bekundung freundlicher Ge-sinnung; fühlbares Zeichen von Verträglichkeit. Gegen 1970 erfundene, fiktive Zähl- und Meßgrö-ße.

2. seine ~ (auch *pl*) kriegen = freundlich behan-delt werden. 1970 *ff.*

Streichelkätzchen *n* Heilgymnastin; Masseuse. Nach 1920/30 unter Freiburger Studenten aufge-kommen.

Streichelmaus (-mäuschen) *f (n)* Heilgymna-stin. *Südwestd* 1930 *ff, stud.*

Streichelwiese *f* Zoowiese, auf der Kinder die Tiere anfassen dürfen. 1975 *ff.*

streichen *v* **1.** *refl* = sich davonmachen. Übertra-gen von den abstreichenden Vögeln. 1700 *ff.*

2. einen ~ lassen = einen Darmwind lautlos ent-weichen lassen. Übernommen vom lautlosen Da-hinstreichen der Vögel. Seit dem späten 15. Jh.

Streichfett *n* Margarine. *Stud* 1957 *ff.*

Streichholz *n* **1.** *pl* = dünne, hagere Beine. Seit dem späten 19. Jh.

2. ich geh' am ~!: Ausdruck des Erstaunens. Scherzhafte Verkleinerung von „ich geh' am ↗Stock". 1950 *ff, schül.*

3. haut ihn mit Streichhölzern (oft mit dem Zu-satz: schmeißt ihn mit Popel)!: Aufforderung zu handfestem Vorgehen gegen eine oder mehrere unliebsame Personen. Soll gegen 1888 in Kreisen der Sozialdemokratie aufgekommen sein und ist in den Straßen- und Saalschlachten der National-sozialisten mit ihren Gegnern gegen 1929 wieder-aufgelebt.

4. Streichhölzer rauchen = beim Rauchen einer Zigarre sehr viele Streichhölzer verbrauchen. 1900 *ff.*

Streichholzbeine *pl* sehr dünne, hagere Beine. 1870 *ff*

streichholzdünn *adj* großwüchsig und sehr schlank; ohne weibliche Konturen. 1920 *ff.*

Streichholzfabrik *f* für eine ~ Reklame laufen = großwüchsig und hager sein. 1948 *ff, schül.*

Streichholzfigur *f* überschlanke Figur. 1920 *ff.*

Streichholzfrisur *f* gleichmäßig kurzgeschnittenes Haar. Es hat allenfalls Streichholzlänge und steht ungelockt, d. h. streichholzgerade vom Kopf ab. 1945 *ff.*

Streichholzhaarschnitt *m* gleichmäßig kurzer Haarschnitt. *Vgl* das Vorhergehende. 1945 *ff.*

Streichholz-Mannequin *n* großwüchsige, sehr schlanke Modenvorführerin. 1950 *ff.*

Streichholzpinne *pl* dünne, hagere Beine. Pinn = Holznagel, Stift. *Westf* 1900 *ff.*

Streichholzmodell *n* schlankwüchsige Moden-vorführerin. 1950 *ff.*

Streichholzschachtel *f* Gebäude der United Na-tions Organization (UNO) in New York. Es äh-nelt einer auf der schmalen Kopfseite stehenden Streichholzschachtel. 1960 *ff.*

Streichkolonne *f* Straßenkehrertrupp. 1920 *ff.*

Streichmusik *f* **1.** Tätigkeit der Straßenkehrer. Ei-gentlich die Musik mit dem Bogen gestrichener Saiteninstrumente. 1920 *ff.*

2. Ausgabenverminderung des Staates (nach den Vorschlägen eines parlamentarischen Ausschus-ses). 1965 *ff.*

Streichorchester *n* **1.** Straßenreinigungstrupp. Gemeldet aus Mainz für 1940 im Zusammenhang mit den Aufräumungsarbeiten nach dem Rosen-montagszug.

2. Bundestagsausschuß, beauftragt mit der Kür-zung des Bundeshaushalts. Er hat die Aufgabe, geplante Ausgaben zu streichen. 1965 *ff.*

Streichquartett (-quintett) *n* vier-, fünfköpfige Kommission aus Parlamentariern für die Vorbe-reitung einer langfristig angelegten Haushaltspla-nung; parlamentarischer Sparausschuß. Aufge-kommen nach der Bundestagswahl vom 19. Sep-tember 1965.

Streifen *m* **1.** Trunk; großer Schluck Bier. Meint eigentlich das lange und schmale Stück (Tuch-, Papier-, Ackerstreifen); hier bezogen auf die „Pe-gelstandsänderung" im Glas vor und nach dem Trinken. *Stud* seit dem 19. Jh.

2. Film. Meint eigentlich das Filmband. 1920 *ff.*

3. Dienstzeit des Bundeswehrsoldaten. ↗Maß-band. *BRD* 1970 *ff.*

4. ein ganzer ~ = viel. Versteht sich nach „↗Streifen 1". *Stud* seit dem 19. Jh.

5. heißer ~ = in politischer, moralischer o. ä. Hinsicht gewagter Film. ↗Streifen 2. 1960 *ff.*

5 a. scharfer ~ = Pornofilm. ↗scharf 4. 1965 *ff.*

6. silberner ~ = Hoffnungsstrahl. ↗Silberstrei-fen. 1924 *ff.*

7. mit ~ = mittelmäßig (als Antwort auf die Fra-ge nach dem Befinden). Parallel zu ↗kariert 4. 1910 *ff.*

8. davon kann er sich einen ~ abschneiden = das sollte er sich angelegentlichst merken; das sollte er beherzigen. Streifen = längliches Stück (Kuchen-streifen; Streifen Speck). Analog zu „davon kann er sich eine ↗Scheibe abschneiden". 1930 *ff.*

9. einen ~ fahren = schnell fahren. Weiterentwik-kelt aus „↗Streifen 4". 1950 *ff.*

10. einen ~ haben = a) leicht betrunken sein. Vielleicht auf der Vorstellung vom Streifschuß be-ruhend. *Vgl* aber auch „↗Streifen 1". 1920 *ff.* – b) nicht recht bei Verstand sein. 1920 *ff.*

11. jm einen ~ kommen = jm einen Hochachtungsschluck darbringen. *Stud* seit dem 19. Jh.
12. jm einen gehörigen ~ kommen = jm kräftig zutrinken. *Stud* seit dem 19. Jh.
13. einen ~ mitmachen = viel ertragen müssen. 1940 *ff.*
14. jm ~ nehmen = jn degradieren. Streifen = Dienstgradabzeichen. *BSD* 1968 *ff.*
15. das paßt ihm nicht in den ~ = das sagt ihm nicht zu. „Streifen" meint entweder den Geländestreifen als Schußfeld (ein Hindernis nimmt die Sicht und vereitelt den Schuß) oder das gestreifte Stoff- oder Krawattenmuster. 1870 *ff.*
16. einen seichten ~ quasseln = Plattheiten äußern. 1950 *ff.*
17. einen ~ runterquasseln = langatmig, wortreich, unsinnig reden. 1920 *ff.*
18. einen ~ reden = viel, lange reden. 1900 *ff.*
19. sich für jn in ~ schneiden lassen = sich für jn bedingungslos, bis zum äußersten einsetzen. 1930 *ff.*
20. einen bedeutenden (guten) ~ trinken = viel trinken. ↗Streifen 1. *Stud* seit dem 19. Jh.
21. einen ~ verdienen = viel verdienen. 1920 *ff.*
Streifenbulle *m* **1.** Polizeibeamter auf Streife. ↗Bulle 1. 1920 *ff.*
2. Feldjäger; Angehöriger der Bundeswehrstreife. *BSD* 1960 *ff.*
Streifschuß *m* einen ~ kriegen = a) verhältnismäßig leicht bestraft werden. Man wertet es als leichte Verwundung. *Sold* in beiden Weltkriegen. – b) von einem Mädchen abgewiesen werden. *Sold* 1914–1945. – c) sich mit Gonorrhöe infizieren. Man hält sie für weniger schlimm als die Syphilis. *Sold* in beiden Weltkriegen.
Streik *m* technische Funktionsstörung. ↗streiken 1. 1915 *ff.*
Streikbalken *m* minderwertiges Streichholz. 1914 *ff.*
Streikbrecher *m* kein ~ sein = sich von einem gemeinsamen Vorhaben nicht ausschließen. 1915 *ff.*
streiken *intr* **1.** nicht mehr funktionieren (die Uhr streikt; der Magen streikt). Von der Arbeitsniederlegung übertragen auf Funktionsstörung. 1915 *ff.*
2. nicht länger mitmachen. 1920 *ff.*
Streikhölzer *pl* schlechte Zündhölzer. 1915 *ff.*
Streit *m* **1.** ~ um des Kaisers Bart = Streit um Nebensächlichkeiten. ↗Kaiser 7. Seit dem 19. Jh.
2. einen ~ vom Zaun brechen = unvorbereitet einen Streit beginnen. Gemeint ist, daß man die erste Latte vom Zaun bricht und mit ihr den Gegner bedroht. Seit dem 15. Jh.
3. bloß keinen ~ nicht vermeiden!: Redewendung eines Außenstehenden, der den Eindruck hat, daß zwei einander zum Streit herausfordern. 1920 *ff.*
Streitaxt *f* scharf wie eine ~ = heftig nach Geschlechtsverkehr verlangend. ↗scharf 4. 1920 *ff.*
Streithähne *pl* streitsüchtige Leute. Von Hahnenkämpfen hergenommen. Seit dem 18. Jh.

Streithammel *m* streitsüchtiger Mann. Dem „↗Neidhammel" nachgebildet. Seit dem 18. Jh.
Streithansel (-hansl) *m* streitlüsterner Mann. *Oberd* seit dem 19. Jh.
Streithuhn *f* unverträgliche Frau. Weibliches Gegenstück zum „↗Streithahn". 1900 *ff.*
Stremel *m* **1.** kleines Wegstück; kurze Zeitspanne. *Niederd* Form von „Striemen" im Sinne von „Streifen". Seit dem 19. Jh.
2. Abschnitt in einem Buch; Zeitungsspalte. *Niederd* seit dem 19. Jh.
3. Erzählung; kurze Geschichte. Seit dem 19. Jh.
4. der alte ~ = die alte Gewohnheit. Seit dem 19. Jh.
5. seinen ~ ablaufen = seinen Kurs verfolgen. *Marinespr* 1939 *ff.*
6. einen ~ Schlaf abreißen = ein Schläfchen machen. ↗abreißen 6. Seemannsspr. 1920 *ff.*
7. sich einen ~ lachen = heftig, anhaltend lachen. 1900 *ff.*
8. einen ~ reden (o. ä.) = langatmig reden. Seit dem 19. Jh.
stremmen *tr* ↗strämmen.
streng *adv* **1.** ~ verheiratet sein = von der Ehefrau beherrscht werden. Nachahmung von „streng bestraft sein". 1900 *ff.*
2. ~ verlobt sein = während der Verlobungszeit sich keinen Ausschweifungen hingeben können; vom Verlöbnispartner keinerlei Freiheiten erwarten können. 1900 *ff.*
strengverpackt *adj* züchtig gekleidet. 1960 *ff.*
strenzen *v* ↗stranzen.
Stresemann *m* Gesellschaftsanzug, bestehend aus schwarzer, grau gestreifter Hose und schwarzem Sakko; kleiner Abendanzug. Benannt nach dem Reichskanzler (1923) und Reichsaußenminister (1924-1929) Gustav Stresemann, der diesen Gesellschaftsanzug mit Vorliebe trug. Etwa seit 1925/26.
Stresemannhose *f* schwarze, grau gestreifte Hose. 1925/26 *ff.*
Streß *m* **1.** Leistungsbewertung; Leistungsanforderung; unablässige Anspannung. Aus dem *Engl* nach 1945 bei uns bekannt gewordener, ursprünglich physikalischer Begriff. *Schül* 1960 *ff.*
2. Klassenarbeiten; häusliche Schularbeiten. 1960 *ff.*
stressen *impers* anstrengen; lästig werden. *Vgl* das Vorhergehende. Nach 1945.
Streßerholungsklause *f* Soldatenheim, -kneipe. *Sold* 1960 *ff.*
Streßförderer *m* Lehrer. ↗Streß 1. 1960 *ff.*
Streßhalle *f* Klassenzimmer. 1960 *ff.*
stressig *adj* sehr anstrengend. 1965 *ff.*
Streßmakers (*engl* ausgesprochen) *pl* Leistungsnoten. 1965 *ff.*
Streßman (*engl* ausgesprochen) *m* Lehrer. 1965 *ff.*
Streßquelle *f* Schule. 1965 *ff.*
Streßraum *m* Klassenzimmer. 1965 *ff.*

Streßschule *f* Abendgymnasium. 1965 *ff, schül.*

Streßstufe *f* Oberstufe des Gymnasiums. 1965 *ff.*

Streßwerkzeug *n* Schreibzeug, Schulbuch o. ä. 1965 *ff.*

Streubiene *f* Herumtreiberin; Mädchen auf Suche nach Liebesabenteuern. ↗ Biene 3. 1960 *ff.*

Streudosensystem *n* ziemlich wahl- und gedankenlose Ordensverleihung. 1960 *ff, journ.*

Streune *f* Straßenprostituierte. Streunen = umherstreifen (gern auf Hunde und Katzen bezogen). 1930 *ff.*

Streunkatze *f* sehr leichtlebiges Mädchen. 1960 *ff.*

Streuselkuchen *m* **1.** hautunreines Gesicht. 1910 *ff.*

2. wie ein ~ aussehen = Windpocken haben; unter Pubertäts-Akne leiden. 1910 *ff.*

3. wenn Faulheit Warzen gäbe, hätte er ein Gesicht wie ein ~: Redewendung auf einen Arbeitsträgen. 1950 *ff.*

stri'bitzen *tr* etw stehlen, entwenden. ↗ stibitzen; ↗ stritzen. 1700 *ff.*

Strich *m* **1.** üblicher Spazierweg in der Stadt. Übertragen vom üblichen Strich der Vögel. 1930 *ff.*

2. den Straßenprostituierten vorgeschriebener Stadtbezirk; Straßenprostitution. Hergenommen vom Streichen der Vögel und Fische zum Zwecke der Begattung. Seit der Mitte des 16. Jhs. Die meist zur Herleitung herangezogene Vokabel „↗ Schnepfenstrich" ist jünger.

3. Landstreicherei; Wandergebiet der Hausierer. 1700 *ff.*

4. Beobachtungsbereich des Kriminalpolizeibeamten. 1920 *ff.*

5. Nach-, Wiederholungsprüfung. Fußt auf dem Begriff der „Strichprobe", mit der man auf Goldgehalt prüft. *Österr* 1900 *ff, stud.*

6. schlankwüchsiger, hagerer Mensch. 1900 *ff.*

7. ~ in der Landschaft = schlankwüchsiger Mensch. 1950 *ff.*

8. dickster ~ = Stadtviertel, in dem sich die Prostitution am dichtesten konzentriert. 1955 *ff.*

9. feiner ~ = von elegant gekleideten Prostituierten tagsüber begangene Promenade. Berlin 1820 *ff.*

10. dünn wie ein ~ = sehr schlank; hager. 1900 *ff.*

11. nach ~ und Faden = tüchtig, gehörig. Stammt aus der Fachsprache entweder der Weber (Strich und Faden entscheiden über die Güte der Ware) oder der Artilleristen („Faden" nennt man die Horizontale des Fadenkreuzes, und „Strich" ist die bewegliche Senkrechte). 1914 *ff.*

12. unter dem ~ = a) unter dem normalen Preis. Strich = Schlußstrich einer Berechnung. 1950 *ff.* – b) heimlich; insgeheim. Leitet sich her von der Vereinbarung, die nach der Addition der Kosten getroffen wird. 1950 *ff.* – c) in Summa; alles in allem. 1900 *ff; wohl älter.* – d) sehr minderwertig. *Jug* 1960 *ff.*

13. unter dem ~ bleiben 3000 Mark = nach Abzug aller Ausgaben verbleibt ein Reinverdienst von 3000 Mark. 1900 *ff.*

14. gegen den ~ bürsten (striegeln) = aufbegehren; Geltendes kritisieren. „Strich" ist die Richtung, in der die Haare gewachsen sind. 19. Jh.

15. einen ~ draufhaben = schnell fahren. Hergenommen von der Zeigernadel des Geschwindigkeitsmessers. 1950 *ff.*

16. ~ fliegen = die vorgeschriebene Flugrichtung einhalten; die kürzeste Entfernung zwischen zwei Orten (= Luftlinie) fliegen. Strich = Gerade. Fliegerspr. 1935 *ff.*

17. ~ franzen = durch den Beobachter das Flugzeug in gerade Luftlinie leiten. ↗ franzen. 1914 *ff,* fliegerspr.

18. auf den ~ gehen = a) Straßenprostituierte(r) sein. ↗ Strich 2. Seit dem 18. Jh. – b) Mädchenbekanntschaften suchen. Seit dem 18. Jh. – c) Landstreicher sein. Seit dem 18. Jh. – d) seinen Urlaub antreten; Stadturlaub haben. *Sold* 1935 *ff.* – e) genau bis zum Eichstrich einschenken. 1920 *ff,* gastwirtsspr.

19. das geht (ist) ihm gegen den ~ = das paßt ihm nicht, ist ihm zuwider. ↗ Strich 14. Seit dem 19. Jh.

20. gegen den ~ gekämmt sein = mißlaunig sein. 1900 *ff.*

21. jn auf dem ~ haben = gegen jn auf Vergeltung sinnen; es jm gedenken. „Strich" meint das dachförmige Korn über der Gewehrmündung, auch die den Gewehrlauf fortsetzende Luftlinie. Seit dem 19. Jh.

22. einen ~ haben = a) betrunken sein. „Strich" meint hier über „Streich" den leichten Hieb, von dem man annimmt, er rufe Gehirnerschütterung hervor. Seit dem 18. Jh. – b) nicht ganz bei Sinnen sein. Seit dem 19. Jh.

23. unter dem ~ leben = ärmlich leben. „Strich" bezeichnet hier den Durchschnitt. 1920 *ff.*

24. einen ~ durch die Gemeinde machen = nacheinander viele Wirtshäuser aufsuchen. ↗ Strich 1. 1930 *ff.*

25. jm einen ~ durch die Rechnung (durch etw) machen = jds Absicht vereiteln. Mit einem Strich (einer Durchstreichung) kennzeichnet man die Ausrechnung als falsch. Spätestens seit 1600.

26. unter etw einen ~ machen = einen Unfrieden beenden; einen Streitfall vergessen sein lassen. Hergenommen vom Schlußstrich, den man unter eine Zahlenreihe setzt. Seit dem 19. Jh.

27. jn auf den ~ schicken = eine weibliche Person zur Straßenprostitution anhalten (zwingen). ↗ Strich 2. Seit dem 19. Jh.

28. auf dem ~ sein = munter, gesund sein. Man ist wohlauf wie ein streichender Vogel oder Fisch. Seit dem 19. Jh.

29. es ist unterm ~ = es ist unbegreiflich, unerträglich, überaus schlecht. Strich = Durchschnitt. 1900 *ff.*

30. wissen, wo der rote ~ ist = seine Grenzen kennen; Herr seiner Begierden sein. Hergenommen von dem roten Strich, der den Rand der Schreibseite kennzeichnet, über den der Schüler nicht hinausschreiben darf. 1950 *ff.*

Strichbein *n* **1.** Straßenprostituierte. ↗Bein 1. 1920 *ff.*

2. *pl* = hagere Beine. ↗Strich 10. 1900 *ff.*

Strichbiene *f* Straßenprostituierte. ↗Strich 2; ↗Biene 3. 1950 *ff.*

Strichbube (-bua) *m* **1.** Zuhälter. *Rotw* 1850 *ff.*

2. Prostituierter. 1900 *ff.*

Strichbüchse *f* Straßenprostituierte. ↗Büchse 4. 1950 *ff.*

Strichbursche *m* Prostituiertenkunde; Zuhälter. 1930 *ff.*

Strichdame *f* Straßenprostituierte. 1900 *ff.*

Strichdragoner *m* Straßenprostituierte. ↗Strick 2; ↗Dragoner. 1950 *ff.*

Striche *f* Bordell. Verkürzt aus „Strichlokal" (o. ä.) im Sinne von „Gastwirtschaft mit Bordellbetrieb". 1955 *ff.*

stricheln *intr* Straßenprostitution betreiben. 1950 *ff.*

strichen (strichen gehen) *intr* auf Männerfang ausgehen. Spätestens seit 1900.

Stricher *m* **1.** Junge, der gegen Entgelt zu homosexuellem Verkehr bereit ist; Junge, der auf der Straße oder in öffentlichen Bedürfnisanstalten homosexuelle Bekanntschaften sucht. Spätestens seit 1900.

2. umherstreunendes Mädchen. 1920 *ff.*

Stricherin *f* Straßenprostituierte. ↗Strich 2. 1900 *ff.*

Stricherl *n* Geschlechtsverkehr. *Österr* 1920 *ff*, *rotw.*

Strichfahrerin *f* Prostituierte, die vom Auto aus Kunden zu finden sucht. 1955 *ff.*

*Einige von denen, die unter dem Strich leben (***Strich 23.***), hoffen dem abhelfen zu können, indem sie auf den Strich gehen (***Strich 18.***). Meist geht das schief, und unter dem Strich bleibt so gut wie nichts übrig (vgl.* **Strich 13.***). Über den Strich, den auch die Dame auf dem Foto links frequentiert haben dürfte, streiten sich indes nicht nur die Strichbuben (***Strichbube 1.***), sondern auch die Gelehrten. Geht es bei den einen um eher Konkretes, so bei den anderen um Etymologisches. Eine Ableitung sieht diesen besonderen Strich in einem engen Zusammenhang mit der Vogelstellerei und versteht darunter die Richtung, die von den Zugvögeln eingeschlagen wird, oder auch jene Höhe, welche die Sumpf- und Waldschnepfen bei ihrem abendlichen Balzflügen einzuhalten pflegen (vgl.* **Schnepfenstrich***). Andere Forscher verweisen auf den Strich des Rotwelschen, der dort auch für „Leine" stehen kann, eine Vokabel, die hier die Bedeutung von Grenzlinie hat.*

Strichfrau *f* Prostituierte auf der Straße beim Männerfang. 1900 *ff.*

Strichgang *m* abendliche Kundensuche von Straßenprostituierten. 1950 *ff.*

Strichgängerin *f* Straßenprostituierte. 1950 *ff.*

Strichgebiet *n* Bereich, in dem Straßenprostituierte tätig werden dürfen. ↗Strich 2. 1900 *ff.*

Strichgegend *f* Stadtviertel, in dem weibliche und männliche Prostituierte Kunden suchen. 1900 *ff.*

Strichgirl (Grundwort *engl* ausgesprochen) *n* junge Straßenprostituierte. *Engl* „girl = Mädchen". 1950 *ff.*

Strich-Grenzen *pl* Grenzen des Prostitutions-Sperrbezirks. ↗Strich 2. 1900 *ff.*

Strichhase *m* sehr erfahrene Straßenprostituierte. 1950 *ff, prost.*

Strichhexe *f* Prostituierte höheren Alters. Spätestens seit 1900.

Strichhure *f* Straßenprostituierte; Frau, die, ohne gewerbliche Prostituierte zu sein, gelegentlich auf Männerfang ausgeht. 1900 *ff.*

Stri'chine *f* Straßenprostituierte. Der „Trichine" (= schmarotzender Fadenwurm) nachgeahmt. 1950 *ff.*

Strichinstrument *n* Straßenprostituierte. Dem „Streichinstrument" nachgebildet. *BSD* 1960 *ff.*

Strichjule *f* Straßenprostituierte. ↗Jule. 1920 *ff.*

Strichjunge *m* **1.** Prostituierter; Junge, der gegen Entgelt zu homosexueller Betätigung bereit ist, ohne homosexuell zu sein. Spätes 19. Jh.

2. Gefreiter. Er trägt einen „Strich" (= Streifen) am Oberärmel. In der Meinung der Soldaten ohne Rang auch Anspielung auf besondere Dienstwilligkeit gegenüber Vorgesetzten. *BSD* 1960 *ff.*

3. doppelter ~ = Obergefreiter. Er hat zwei Streifen auf dem Oberärmel. *BSD* 1960 *ff.*

4. dreifacher ~ = Hauptgefreiter. Er hat drei Streifen auf dem Oberärmel. *BSD* 1960 *ff.*

Strichkatze *f* Straßenprostituierte. ↗Strich 2. 1920 *ff.*

Strichkoffer *m* **1.** Kulturbeutel (Kosmetiktasche) der Straßenprostituierten. 1920 *ff.*

2. ABC-Schutzmaskentasche. *BSD* 1965 *ff.*

Strichläuferin *f* Straßenprostituierte. 1920 *ff.*

Strichler *m* **1.** Zuhälter. 1850 *ff, prost.*

2. Prostituierter. 1900 *ff.*

Strichlerin *f* Straßenprostituierte. 1950 *ff.*

Strichmädchen *n* junge Straßenprostituierte. 1900 *ff.*

Strichmamsell *f* Straßenprostituierte. 1955 *ff.*

Strichmary (Grundwort/Name *engl* ausgesprochen) *f* Straßenprostituierte. ↗Mary 1. *BSD* 1965 *ff.*

Strichmaschine *f* Bleistift des Biertrinkers. Mit ihm macht er für jedes Glas einen Strich auf den Bierdeckel. 1965 *ff, kellnerspr.*

Strichmensch (-menscherl) *n* Straßenprostituierte. ↗Mensch II. *Bayr* und *österr*, 1900 *ff,* wohl älter.

Strichmieze *f* Straßenprostituierte. ↗Strich 2; ↗Mieze. 1920 *ff.*

Strich-Milieu (Grundwort *franz* ausgesprochen) *n* Lebensbereich der Prostitution. 1920 *ff.*

Strich'ninchen *n* junge Straßenprostituierte. Entweder Anspielung auf das Gift „Strychnin" (im Sinne allgemeiner Gefährlichkeit) oder zusammenhängend mit „Kaninchen" (mollig faßt es sich an). 1950 *ff.*

Strichnutte *f* Straßenprostituierte. ↗Nutte 1. 1900 *ff.*

Stri'chör *m* Prostituierter, der auf der Straße Kunden sucht. Wortbildung nach dem Muster von „Frisör" o. ä. 1950 *ff.*

Stri'chöse *f* Straßenprostituierte. Weibliche Form des Vorhergehenden. 1950 *ff.*

Strichplatz *m* Platz, an dem die Prostitution blüht. 1950 *ff.*

Strichpunkter *m* Funker, Telegrafist. Hergeleitet von den Strichen und Punkten des Morsealphabets. *Sold* 1935 *ff.*

Strichrabe *m* junger Prostituierter, der bei günstiger Gelegenheit auch Beischlafdiebstahl begeht. ↗Rabe 1 u. 4. 1920 *ff.*

Strichstraße *f* Straße, auf der die Prostituierten auf Männerfang ausgehen. Berlin seit dem frühen 19. Jh.

Strichtante *f* ältliche Straßenprostituierte. 1920 *ff.*

Strichvogel *m* **1.** Prostituierte(r) auf Kundenfang. Seit dem 19. Jh, *prost.*
2. *pl* = umherziehende Schauspielertruppe. Seit dem 18. Jh.

Strichweib *n* Straßenprostituierte; Hure. 1900 *ff.*

Strichzeile *f* von Prostituierten bevorzugte Straße. 1950 *ff.*

Strick *m* **1.** zu Streichen aufgelegter Junge; verschlagener Mann. Mehr Schelt- als Schimpfwort; verkürzt aus ↗Galgenstrick. 1700 *ff.*
2. Krawatte; Langbinder. Verkürzt aus ↗Kulturstrick. *Halbw* 1950 *ff.*
3. Strickjacke; Pullover o. ä. 1930 *ff.*
4. fauler ∼ = träger Mensch. Seit dem 19. Jh.
5. feiner ∼ = schlauer Mensch. Seit dem 19. Jh.
6. loser ∼ = mutwilliger Junge. ↗los I 1. Seit dem 19. Jh.
7. jm aus etw einen ∼ drehen = jn wegen einer Äußerung oder Handlung zu Fall bringen. Leitet sich entweder vom Strick des Galgens her oder vom Fallstrick des Wilddiebs (o. ä.). Seit dem 19. Jh.
8. sich einen ∼ drehen = sich selber ernstlich schaden. Hergenommen vom Strick, an dem man sich aufhängt. 1920 *ff.*
9. jn am ∼ haben = jn beherrschen. Strick = Leitseil der Kuh oder Leine des Hundes. Seit dem 19. Jh.
9 a. Kauf' dir einen ∼ und erschieß' dich! = laß mich in Ruhe! *Schül* 1950 *ff.*
9 b. den ∼ nehmen = sich erhängen. 19. Jh.

10. wenn alle ∼e reißen (brechen) = im höchsten Notfall. Parallel zu ↗Strang 3. Seit dem 18. Jh.
11. am selben ∼ ziehen = a) in Übereinstimmung handeln. Seit dem 19. Jh. – b) derselben Unannehmlichkeit ausgesetzt sein. 1900 *ff.*

stricken *v* **1.** etw ∼ = etw zusammensetzen, basteln, komponieren, schreiben. Von der Strickarbeit als einer Geduld erfordernden Beschäftigung verallgemeinert. 1950 *ff.*
2. an etw ∼ = langsam, geduldig an etw arbeiten; etw einstudieren. 1950 *ff.*
3. das ist eine Menge, da muß eine alte Frau viel für ∼ = das ist sehr teuer. 1955 *ff.*

Strickfräulein (-frau) *n (f)* Handarbeitslehrerin. Spätestens seit 1900, *schül.*

Strickmuster *n* typische Handlungsweise; Entwurf; Plan, nach dem man sich richtet. Von der Strickvorlage übertragen. 1970 *ff.*

Strickschlauch *m* enganliegendes Strickkleid. ↗Schlauch 5 a. 1960 *ff.*

Strickstube (-zimmer) *f (n)* Abort mit Wasserspülung. Hergenommen vom Zugstrick am Hebel des Spülkastens. Wird seit 1939 meistens wiedergegeben als witzige Schilderung eines russischen Kriegsgefangenen über die zivilisatorischen Verhältnisse in Deutschland und Österreich.

striegeln *tr* **1.** jn derb anfassen, prügeln. Meint eigentlich die Fellpflege des Pferdes mit dem Pferdekamm. Der Begriff „säubern" entspricht in volkstümlicher Auffassung sowohl dem Prügeln als auch dem Tadeln. 1700 *ff.*
2. jn ausschelten; jm ernste Vorhaltungen machen. 1700 *ff.*

Striegler *m* Nörgler. *BSD* 1965 *ff.*

strietzen *tr* jn ärgern, quälen, rücksichtslos einexerzieren; jn streng behandeln. Mit s-Vorschlag fußt es auf „↗triezen". Doch *vgl* „strietschen = heftig peitschen" *(Schleswig).* Seit dem späten 19. Jh, vorwiegend nördlich der Mainlinie; *sold* und *schül.*

Strietzer *m* strenger Lehrer. 1900 *ff.*

Strip-Lokal *n* Lokal mit Striptease-Vorführungen. 1956 *ff.*

Stripmädchen *n* Striptease-Vorführerin. 1960 *ff.*

Strip-Orgie *f* mehrmaliger Uniformwechsel in kürzester Zeit. Als Striptease aufgefaßt. *BSD* 1970 *ff.*

Strippe *f* **1.** Bindfaden. *Niederd* und *mitteld* Form, fußend auf *mhd* „strüpfe = Schleife am Kleid; Aufhänger" und weiterentwickelt zu „Schlinge von Bindfaden". Seit dem 19. Jh.
2. Telefonleitung; elektrische Leitung. Seit dem späten 19. Jh.
3. Sammelaufstellung, die den Bankbelegen als Begleitpapier mitgegeben wird. 1950 *ff.*
4. großwüchsiger, magerer Mensch. In übertreibender Darstellung ist er lang und dünn wie ein Bindfaden. Seit dem späten 19. Jh.
5. jm die ∼ abklemmen = jm die Telefonverbindung sperren. 1950 *ff.*

6. die ~ anziehen = energisch werden; Gewaltmaßnahmen ergreifen. Strippe = Leitseil, Leine. Seit dem späten 19. Jh.

7. an der ~ bleiben = a) den Telefonhörer nicht auflegen. 1890 *ff.* – b) ehelich treu bleiben. 1920 *ff.*

8. jm eine(n) an die ~ geben = für jn eine fernmündliche Verbindung herstellen. 1920 *ff.*

9. es gießt ~n = es regnet heftig. Analog zu „es gießt ↗Bindfäden". Seit dem 19. Jh.

10. jn an der ~ haben = a) jn beherrschen. Hergenommen vom Hund an der Leine, vom Kind am Gängelband oder vom Puppentheater. 1870 *ff.* – b) mit jm telefonieren. 1890 *ff.*

11. jn an der ~ halten = mit jm ein Ferngespräch führen. 1890 *ff.*

12. an der ~ hängen = a) (andauernd) telefonieren. Hängen = sich befinden. 1900 *ff.* – b) keine Handlungsfreiheit haben. Strippe = Leitseil. 1930 *ff.*

13. sich an die ~ hängen = sich zu einem Telefongespräch anschicken. 1900 *ff.*

14. jn an die ~ kriegen = einen Fernsprechteilnehmer erreichen. 1900 *ff.*

15. jn von der ~ lassen = jn nicht länger bevormunden. Hergenommen vom Hund, den man von der Leine löst. 1920 *ff.*

16. an der ~ liegen = gehemmt sein; in seiner Bewegungsfreiheit behindert sein. Wie der Hund an der Kette oder Leine. 1880 *ff.*

17. jn an die ~ nehmen = jn in seinem Freiheitsdrang einschränken. 1900 *ff.*

18. es regnet in ~n = es regnet heftig. ↗Strippe 9. Seit dem 19. Jh.

19. ihm reißt die ~ = er verliert die Geduld. „Strippe" meint hier den „Geduldsfaden". 1900 *ff.*

20. an der ~ sein = am Telefon sein. 1900 *ff.*

21. mit beiden Beinen auf der ~ stehen = nichts begreifen. ↗Leitung 19. Berlin 1920 *ff.*

strippen *v* **1.** *tr* = melken. Frequentativum von „strepen = streifen": man streift die Milch heraus. 1700 *ff.*

2. *tr* = etw stehlen; jn ausrauben. Analog zu ↗melken 1. Seit dem 19. Jh.

3. *tr* = Beträge mit der Additionsmaschine addieren. Strippe = länglicher Papierstreifen. ↗Strippe 3. 1950 *ff,* kaufmannsspr.

4. *intr* = ein Zupfinstrument (auch: Akkordeon) spielen. Strippe = Saite (strippen = streifen = ziehen). Halbw 1920 *ff,* Berlin.

5. *intr* = für Geld auf Geselligkeiten musizieren, zur Unterhaltung, zum Tanz aufspielen. *Stud* 1920/25 *ff.*

6. *intr* = Striptease vorführen. Man streift Kleidungsstücke ab. 1955 *ff.*

7. *refl* = sich entkleiden, umkleiden. 1900 *ff.*

Strippenfräulein *n* Telefonistin. ↗Strippe 2. 1930 *ff.*

Strippenlauscher *m* unbefugter Abhörer von Telefongesprächen. 1960 *ff.*

Strippenmädchen *n* Telefonistin. ↗Strippe 2. 1930 *ff.*

Strippenrenner *m* Hund an der Leine. 1950 *ff,* Berlin.

Strippensteher *m* begriffsstutziger Mensch. ↗Strippe 21. Berlin 1920 *ff.*

Strippenzieher *m* **1.** Elektrotechniker, -monteur. ↗Strippe 2. Seit dem späten 19. Jh.

2. *pl* = Fernmeldetruppe. *Sold* 1914 bis heute. (1941 ordnete das Oberkommando der Wehrmacht an, diesen Ausdruck nicht zu verwenden.)

3. *sg* = geheimer Auftraggeber. Parallel zu ↗Drahtzieher 5. 1930 *ff.*

Strippenzimmer *n* Abort mit Wasserspülung. ↗Strickstube. 1910 *ff.*

Stripper *m* Spieler eines Saiteninstruments. ↗strippen 4. 1920 (?) *ff*

Stripperin *f* Striptease-Vorführerin. 1955 *ff.*

Stripper-Lokal *n* Lokal mit Striptease-Vorführungen. 1960 *ff.*

Stripp-strapp-strull *n* Melken. „Strippen" und „strappen" bedeuten „Milch herausstreifen"; strullen = strudeln. 1800 *ff.*

strippstrappstrullen *intr* melken. 1900 *ff.*

Strip-Schuppen *m* Lokal mit Striptease-Vorführungen. ↗Schuppen 1. 1960 *ff.*

Stripse *f* **1.** Frauenbrust. Meint „strippen" sowohl in der Bedeutung „melken" als auch „ein Zupfinstrument spielen". *BSD* 1968 *ff.*

2. *pl* = Prügel. Im *Niederd* ist „Strippe" auch der aus Riemen geflochtene Strang, worauf „strippen" in der Bedeutung „schlagen" zurückgeht. Seit dem 19. Jh.

stripsen *tr* etw entwenden; etw bei Gelegenheit an sich nehmen. Iterativum zu „strippen = melken = bestehlen". Seit dem 19. Jh, *westd* und *mitteld.*

Stripser *m* Mensch, der Kleinigkeiten stiehlt. Seit dem 19. Jh.

Striptänzerin *f* Striptease-Vorführerin. 1955 *ff.*

Striptease (*engl* ausgesprochen) *m* **1.** Gesundheitsbesichtigung. Übernommen von der *angloamerikan* Vokabel „striptease" = Vorführung einer Selbstentkleidungsszene". *BSD* 1960 *ff.*

2. Offenlegung der Geldverhältnisse. 1965 *ff.*

3. politischer ~ = Enthüllung politischer Absichten. 1965 *ff.*

4. seelischer ~ = Lebensbeichte; Memoiren u. ä. 1965 *ff.*

Striptease-Augen *pl* lüsterne Blicke, die jeden Menschen zu entkleiden scheinen. 1958 *ff.*

Striptease-Kappe *f* kleiner, polizeilich vorgeschriebener Schurz vor dem Geschlechtsorgan. 1960 *ff.*

Stripteaserin *f* Striptease-Vorführerin. 1957 *ff.*

Striptease-Schuppen *m* Lokal mit Striptease-Vorführungen. ↗Schuppen 1. 1960 *ff.*

Striptease-Stampe *f* ziemlich minderwertiges

Lokal mit Striptease-Vorführungen u. ä. ↗Stampe 1. 1958 *ff.*

Striptease-Tisch *m* Ausziehtisch. Wortspielerei mit der doppelten Bedeutung von „ausziehen": beim Striptease zieht sich die Vorführerin aus (= entkleidet sich), und den Ausziehtisch kann man auseinanderziehen und durch Einfügung einer Platte verlängern. Gegen 1955/60 aufgekommen und durch eine Rundfunkübertragung aus einem (Wiener?) Kabarett geläufig geworden.

Striptea'söse (Wortstamm *engl* ausgesprochen) *f* Striptease-Vorführerin. 1960 *ff.*

Striptieschen *n* junge Striptease-Vorführerin. 1960 *ff.*

Strip'töse *f* Striptease-Vorführerin. 1933 *ff.*

Strip-Wirt *m* Besitzer (Geschäftsführer) eines Striptease-Lokals. 1960 *ff.*

stritzen (strietzen) *v* **1.** jm etw ~ = jm etw stehlen, wegnehmen. Verkürzt aus ↗stibitzen. Vielleicht zusammenhängend mit „Strieze = Prostituierte" im engeren Sinne von „Beischlafdiebin". ↗Strizze. 1840 *ff.*
2. *intr* = schnell laufen. Zusammengesetzt aus „strieden = weit ausschreiten" und „↗spritzen". 1900 *ff.*

stritzengehen *intr* seine Freizeit außerhalb des Hauses verbringen; aushäusig sein. 1920 *ff, westd.*

Stritzer *m* kleiner Dieb. ↗stritzen 1. 19. Jh.

Strixen (Stricksen) *pl* Prügel. Gehört entweder zu „streichen (mit Ruten streichen)" oder zu „Strick" (mit dem man prügelt). *Bayr* seit dem 19. Jh.

Strizze (Strieze) *f* Prostituierte, die für einen Zuhälter arbeitet. Aus dem *Slaw* entlehnt; *vgl* das Folgende. Seit dem späten 18. Jh, *prost.*

Strizzi (Striezi; Strietzi) *m* **1.** Zuhälter; Prostituiertenbeschützer. Fußt wahrscheinlich auf *tschech* „stryc = Vetter" (*vgl franz* „cousin = Lustknabe"), vielleicht mit Einfluß von *ital* „strizzare = ausbeuten". Großstädtische Prostituiertensprache (Wien, München, Zürich, Berlin) seit dem späten 19. Jh.
2. geckenhafter Müßiggänger; Herumtreiber; Tunichtgut. Vorwiegend *oberd*, seit dem 19. Jh.
3. Freund. *Oberd* seit dem 19. Jh.

Stroh *n* **1.** Lüge. Man entlarvt sie als „leeres Stroh". 1950 *ff.*
2. Schrebers ~ = selbstangebauter Tabak. Anspielung auf den „Schrebergarten". 1945 *ff.*
3. dumm wie ~ = überaus dumm. Hergenommen von leeren Ähren. 1700 *ff.*
4. leeres ~ dreschen = gehaltlos schwätzen; vergebliche Arbeit verrichten. Seit dem 15. Jh geläufige Redewendung, deren Herkunft und Sinn sich von selbst verstehen. *Vgl franz* „hacher la menue paille".
5. ~ im Kopf (Hirn) haben = sehr dumm sein. „Stroh" kennzeichnet sinnbildlich das Hohle, Inhaltslose. 1600 *ff.*

6. nichts als ~ und Heu im Kopf haben = dumm sein. Seit dem 19. Jh.
7. ~ kauen = ohne Appetit essen. 1920 *ff.*
8. man könnte vor Wut ins ~ scheißen: Redewendung eines Zornigen. Vor Wut möchte man ins eigene Strohlager oder Bett exkrementieren. 1910 *ff.*
9. nicht zu ~ sein = a) ansehnlich sein. Seit dem 19. Jh. – b) Liebesgefühlen zugänglich sein. Seit dem 19. Jh.
10. ihm wächst das ~ zwischen den Haaren durch = er ist sehr dumm. 1920 *ff*

Strohblume *f* unverträgliche, mürrische Frau. Eigentlich die Immortelle (*bot* Helichrysum). Auf den Menschen übertragen, ist der trockene, vertrocknete Zustand gemeint. 1900 *ff.*

Strohboden *m* Kopf. Eigentlich der hochgelegene Speicher für das Stroh. 1935 *ff.*

Strohdach *n* **1.** hellblondes Kopfhaar; graues Haar. Seit dem 19. Jh.
2. Strohhut. Seit dem 19. Jh.

'stroh'dämlich (-'doof) *adj* sehr dumm; sehr begriffsstutzig. *Vgl* ↗dämlich 1; ↗doof 1. *Niederd* 1900 *ff.*

Strohdrescherei *f* unsinniges Geschwätz. ↗Stroh 4. Seit dem 19. Jh.

'stroh'dumm *adj* sehr dumm. ↗Stroh 3. 1800 *ff.*

Strohfeuer *n* rasch vergehende Begeisterung. Ein Strohfeuer ist schnell abgebrannt. 1500 *ff.*

Strohficker *m* Dystrophiker. Hieraus verkürzt. Kriegsgefangenenspr. 1941 *ff*, Rußland.

Strohfrau *f* für geschäftliche Zwecke vorgeschobene weibliche Person. Das weibliche Gegenstück zum „Strohmann". 1950 *ff.*

Strohgeflecht *n* blonder Zopf. 1900 *ff.*

Strohgymnasium *n* Schule für geistig behinderte Kinder. ↗Stroh 5. 1950 *ff.*

Strohhalm *m* keinen ~ wert sein = nichts taugen. Seit dem 19. Jh. *Vgl engl* „that is not worth a straw" und *franz* „cela ne vaut pas un fétu".

Strohhutindianer *pl* in Gruppen auftretende Touristen, die eine auffallende Betriebsamkeit entwickeln. Der Strohhut ist ihre einheitliche Kopfbedeckung, vor allem am „Vatertag". „Indianer" spielt auf das Hintereinandergehen an. 1970 *ff.*

Strohhut-Tour *f* Ausflug der Männer am „↗Vatertag" o. ä. *Vgl* das Vorhergehende. 1970 *ff.*

Strohkeks *m* flacher Strohhut. ↗Keks 1. 1920 *ff.*

Strohkopf *m* dummer, begriffsstutziger Mensch. ↗Stroh 5. 1600 *ff.*

Strohmann *m* Mann, der (bei Geschäftsabschlüssen o. ä.) zum Schein vorgeschoben wird. Fußt auf dem *franz* Vorbild des „homme de paille". 1850 *ff.*

'stroh'nüchtern *adj* völlig nüchtern. Fußt auf der Vorstellung vom leeren und trockenen Stroh. 1950 *ff.*

Strohpenne *f* Hilfsschule. ↗Stroh 5; ↗Penne. 1955 *ff.*

Strohpuppe *f* **1.** geistesbeschränktes Mädchen in

Die umgangssprachlich recht häufig anzutreffende Verbindung von Stroh und Kopf (vgl. **Strohkopf, Strohschädel**), spielt auf ein unterdurchschnittlich entwickeltes Denkvermögen an (vgl. **Stroh 3.**), denn das, was da im Kopf ist, das Stroh nämlich, ist zu nichts mehr nütze, und wer sich damit beschäftigt, also leeres Stroh drischt (**Stroh 4.**), tut folglich Dinge, die kein vernünftiges Resultat zeitigen können. Die solches ausdrückenden Wendungen oder sprichwörtlichen Redensarten sind schon seit Jahrhunderten geläufig. Thomas Murner (um 1475–1537), ein entschiedener Gegner der Reformation, wirft in seinem 1522 erschienen satirischen Versepos ,,Von dem großen Lutherischen Narren" dem Reformator vor, nur ,,leres haberstro" zu dreschen. Und Mephistopheles mahnt in der Studierzimmer-Szene des Ersten Teils der Tragödie den Faust: ,,Was willst du dich das Stroh zu dreschen plagen? Das Beste, was du wissen kannst, Darfst du den Buben doch nicht sagen." Eine andere und hier wohl angebrachtere Interpretation der zwei Fotos könnte auf den Zusammenhang von Stroh und Frau verweisen, auf die **Strohwitwe** oder die **Strohfrau**, die allerdings beide auch ein männliches Pendant haben: den **Strohwitwer** und den **Strohmann**. Jene besondere Witwerschaft bezieht sich auf das früher übliche Bettstroh, mit dem der Alleingelassene während der Abwesenheit seines Partners Vorlieb nehmen muß. ,,Geht da stracks in die Welt hinein / Und läßt mich auf dem Stroh allein", klagt, wieder im ,,Faust", die Frau Marthe. (nach Lutz Röhrich)

hübscher Kleidung. Es ist eine ,,↗ Puppe", die Stroh im Kopf hat. 1900 ff.
2. vorgeschobener Mensch als Ersatz für den Verantwortlichen. ↗Puppe 3. Analog zu ↗Strohfrau, ↗Strohmann. 1955 ff.
Strohsack m allmächtiger (gerechter, heiliger, himmelblauer, lieber o. ä.) ~!: Ausruf der Verwunderung oder des Entsetzens. ,,Strohsack" ist hier Hüllform für ,,Hodensack", eingekleidet in die übliche Form der Anrufung Gottes. 1800 ff.

Strohschädel *m* dummer Mensch. ↗Stroh 5. Seit dem 19. Jh.

Strohtopf *m* topfförmiger Strohhut. 1959 *ff.*

'stroh'trocken *adj* dienstlich-sachlich ohne irgendwelche persönliche Regung; schwung-, einfallslos. Es fehlt Saft und Kraft. 1920 *ff.*

Strohwitwe (-wittib) *f* Frau, die für einige Zeit von ihrem Mann getrennt ist. Meint eigentlich das auf dem Stroh im Heuschober entjungferte und danach verlassene Mädchen; etwa seit 1700 gemildert zur heutigen Bedeutung.

Strohwitwenschaft *f* Zustand, wenn der Ehemann oder die Ehefrau für einige Zeit abwesend ist. 1800 *ff.*

Strohwitwer *m* Mann, der für einige Zeit von seiner Frau getrennt ist. Das männliche Gegenstück zur „↗Strohwitwe". 1700 *ff.*

Strohwitwertum *n* Zustand des von der Frau vorübergehend getrennten Ehemanns. 1800 *ff.*

Strolch *m* 1. Vagabund; Umhertreiber; Mann, zu dem man kein Vertrauen haben kann. Geht zurück auf *ital* „astrologo". Im Dreißigjährigen Krieg eingeschleppt.
2. kleiner Junge (Kosewort). ↗rumstrolchen. 1900 *ff.*
3. Rufname des Hundes. 1900 *ff.*

Strolchi *m* 1. kleiner Junge (Kosename). 1900 *ff.*
2. Rufname des Hundes. 1900 *ff.*

Strom *m* 1. Geld. Wie ein elektrischer Strom elektrische Anlagen funktionsfähig macht, so setzt Geld die Lebensmaschine in Bewegung; auch wirkt Geld elektrisierend. 1950 *ff, halbw*, Rocker, *BSD* und *prost.*
2. Streichholz; Feuerzeug. Als Feuerquelle gewertet. *BSD* 1968 *ff.*
3. den ∼ abschalten = einschlafen. Man löscht das „Licht" im Kopf. 1910 *ff.*
4. den ∼ einschalten = a) aufwachen. Das „Licht" im Kopf geht an. 1910 *ff.* – b) begreifen. 1930 *ff.*
5. es gießt in Strömen = der Regen fällt dicht und heftig. Seit dem 19. Jh.
6. gegen den ∼ schwimmen = eigene Wege gehen; nicht wie alle anderen handeln; widerspenstig sein; Opposition treiben. 1500 *ff.*
7. unter ∼ stehen = a) betrunken sein. 1970 *ff.* – b) geschlechtlich erregt sein. 1970 *ff.* – c) unter Rauschgifteinwirkung stehen. 1970 *ff.*

Stromenge *f* Vagina. 1960 *ff, prost.*

Stromer *m* 1. Landstreicher. ↗stromern. Seit dem frühen 19. Jh.
2. Müßiggänger; Nachtschwärmer. 1800 *ff, stud.*
3. *pl* = Stiefel mit kurzem Schaft. Sie werden von Landstreichern getragen. 1930 *ff.*
4. *pl* = in einem Landgasthof vorübergehend einquartierte Kolonne von Starkstromarbeitern. 1975 *ff.*

Strome'rei *f* Landstreicherei. Seit dem 19. Jh.

stromern *intr* landstreichen; umherstreifen; müßig-

gehen; betteln. Entwickelt aus *mhd* „stromen" mit der jüngeren Bedeutung „stürmend einherziehen". Aufgekommen um 1800 mit dem Überhandnehmen des Vagabundentums.

Stromhäuschen *n* Physiksaal. Eigentlich volkstümliche Bezeichnung für die Transformator-Anlage. 1950 *ff.*

Stromheini *m* Physiklehrer. ↗Heini 1. 1950 *ff.*

Stromlinien *pl* wohlgefällige Formen des Frauenkörpers. Übertragen aus der Aerodynamik. 1930 *ff.*

Stromlinienfigur *f* Spitzbrüstigkeit. 1930 *ff.*

Stromlinienflegel *m* rücksichtsloser Fahrer eines hochmodernen Autos. 1950 *ff.*

Stromlinienkarosserie *f* Frauenkörper mit starker Betonung von Brust und Gesäß. ↗Karosserie 1. 1930 *ff.*

Stromlinienschwein *n* Schwein, das länger und schmaler ist, als man seine Artgenossen bisher kennt. Anspielung auf moderne Züchtungsergebnisse. 1962 *ff.*

Stromlinienstrolch *m* rücksichtslos fahrender, prahlerischer Besitzer eines Luxusautos. ↗Strolch 1. 1950 *ff*

Stromstörung *f* Ausbleiben des Orgasmus o. ä. ↗Strom 7 b. 1930 *ff*

Stropp *m* 1. Schlinge. *Niederd* „Strop = Strick, Schnur". Nebenform zu ↗Strippe 1. *Westd* seit dem 19. Jh.
2. übermütiger Junge. Parallel zu ↗Schlingel 1. *Westd* seit dem 19. Jh.
3. Rufname des Hundes. *Westd* 1900 *ff.*

ströppen *intr* Schlingen legen; wilddieben. ↗Stropp 1. *Westd* seit dem 19. Jh.

Ströpper *m* Wilddieb. *Westd* seit dem 19. Jh.

strotten *tr intr* suchen, stöbern, fahnden. Geht zurück auf *mhd* „struten = rauben, plündern". *Bayr* und *österr*, seit dem 19. Jh.

Strotter *m* 1. Zuhälter; Prostituiertenbeschützer. Er plündert die Prostituierte aus, gelegentlich auch den aufbegehrenden Kunden. *Österr* 1900 *ff, prost.*
2. Mann, der im unterirdischen Kanalnetz einer Großstadt nach Abfällen (Wertgegenständen) sucht. Wien 1920 *ff.*

strottern (strottern gehen) *intr* im unterirdischen Kanalnetz nach Wertgegenständen o. ä. suchen. Wien 1920 *ff.*

Strotzer *m* kräftiger, gesunder Mann. Er strotzt vor Gesundheit. *Österr* 1900 *ff.*

Strubbel (Strubel) *m* 1. struppiges, wirres Haar. Gehört zu „stroben = struppig machen; starr emporstehen". Seit dem 19. Jh.
2. Mensch mit wirrem Haar. Seit dem 19. Jh.
3. jugendlicher Straftäter. Anspielung auf ungepflegte Haartracht. 1960 *ff.*
4. Durcheinander; Zank. Seit dem 19. Jh.

Strubbelhaare *pl* struppige, wirre Haare. Seit dem 19. Jh.

Wer gegen den Strom schwimmt (**Strom 6.**), *gibt sich bewußt anders als die Masse, und derjenige, der solches tut, gilt nicht selten als Außenseiter oder Sonderling. Von diesen negativen Konnotationen ist auf der oben abgebildeten Werbung allerdings nichts mehr zu spüren, was letztlich wohl ein Resultat des Massenkonsums und der „Massenkultur" ist, die denen, die sich dadurch in ihrer bürgerlichen Privatheit eingeschränkt sehen, als Bedrohung erscheinen muß.*

So zeigt die Abbildung ein hierzulande recht seltenes und auch nicht für jeden Geldbeutel erschwingliches Auto sich seinen Weg durch eine Herde von Schafen bahnen. Solche Tiere gelten gemeinhin als dumm (*vgl.* **Schaf**) *und treten in der Regel auch in Massen auf, so daß diese Konfrontation des zahlreich Vorhandenen mit dem Singulären, dem, der es sich erwirbt, jenes so erhabene Gefühl vermitteln kann, gegen den Strom des Massenkonsums zu schwimmen.*

strubbelig *adj* ↗struwwelig.
Strubbelkopf *m* ↗Struwelkopf
strubbelköpfig *adj* ↗struwelköpfig.
Strubbelköter *m* langhaariger, zotteliger, nicht rasereiner Hund. ↗Köter. 1920 *ff*.
strubbeln *v* **1.** *tr* = jds Haar in Unordnung bringen, zerzausen. ↗Stubbel 1. Seit dem 19. Jh.
  2. sich ~ = sich zanken. Man „gerät sich in die Haare". 1900 *ff*.
Strubbelpeter *m* ↗Struwwelpeter.
strudeln *intr* **1.** unordentlich arbeiten. Eigentlich soviel wie „wirbeln". Mancher macht um die Arbeit viel „Wirbel", aber erzielt keine gediegene Leistung. 1900 *ff*.
  2. sich allerlei Vergnügungen und Liebesabenteuern hingeben. Man stürzt sich in den Strudel des „süßen Lebens". 1955 *ff, Berlin*.
struff *adj* rauh, stumpf (von Stoffen, Haaren, Fingernägeln usw. gesagt). Gehört zu *niederd* „struven = sich sträuben". Seit dem 18. Jh.

Strühfick *n* Frühstück. Hieraus umgemodelt um des Bezugs zum Geschlechtsverkehr willen. Kellnerspr. 1960 *ff*.
strullen *intr* harnen; in breitem Strahl geräuschvoll Wasser lassen. Schallnachahmender Herkunft, aber auch verwandt mit „strudeln = heftig strömen". 1600 *ff*, vorwiegend nördlich der Mainlinie.
Strullhahn *m* Penis. Hahn = Wasserkran. 1900 *ff*.
Strullmädchen *n* Mädchen vor der Geschlechtsreife. 1900 *ff*.
Strullstall(-stätte) *m (f)* öffentliche Bedürfnisanstalt; Abort. ↗strullen. 1900 *ff*.
Strummel *f* großwüchsiges, unordentliches Mädchen. Gehört zu mundartlich „strummen = rasch, überstürzt laufen". Vorwiegend *fränkisch*, seit dem 19. Jh.
Strumpf *m* **1.** Penis. Meint eigentlich die Vorhaut. 1900 *ff*.
  2. Präservativ. Er wird übergestreift. 1930 *ff*.

3. Schimpfwort auf einen Mann. ↗Strumpf 1 (pars pro toto). Seit dem 19. Jh.

4. Versager. Spielt vielleicht auf Impotenz an. Berlin 1920 *ff.*

5. egal *(adj)* wie ein Paar Strümpfe = einander völlig gleich. 1850 *ff.*

6. egal *(adv)* wie ein Paar Strümpfe = völlig gleichgültig. 1850 *ff.*

7. ein Kerl wie ein Stück ~ = ein unbrauchbarer, ungeschickter Mann. Mit einem Stück Strumpf ist niemandem gedient. 1920 *ff.*

8. fauler ~ = a) träger Mensch. Leitet sich her von der Trägheit des Penis (↗Strumpf 1). 1920 *ff.* – b) nicht vertrauenswürdiger Mensch. ↗faul 1. 1920 *ff.*

9. scharfe Strümpfe = durchsichtige Strümpfe. Sie können eine aufreizende Wirkung haben. 1920 *ff.*

10. vollgefressener ~ = Vielesser; beleibter Mann. ↗Strumpf 3. Seit dem späten 19. Jh; vorwiegend nördlich der Mainlinie bekannt.

11. vollgeschissener ~ = a) unförmig dicker Mann. *Ostpreuß* 1850; Hamburg 1900. – b) Versager; Feigling. *Ziv* und *sold* seit dem späten 19. Jh.

12. vollgestreckter ~ = dicker Mann. Der Strumpf ist gestreckt voll. *BSD* 1968 *ff.*

13. zwei Paar Strümpfe anhaben = schlecht hören; langsam denken; begriffsstutzig sein. Bei zwei Paar Strümpfen findet die Kälte größeren Wider-

stand; ähnlich groß ist die Behinderung der Aufnahmefähigkeit bei hör- oder denkgestörten Menschen. 1870 *ff.*

14. dicke (doppelte) Strümpfe anhaben = schlecht hören; absichtlich nicht hören. *Vgl* das Vorhergehende. 1870 *ff.*

15. wollene Strümpfe anhaben = nichts hören. *Vgl* ↗Strumpf 13. 1870 *ff.*

16. das erzähle einem, der die Strümpfe mit Messer und Gabel anzieht = erzähl' das einem Dummen, aber nicht mir! 1935 *ff.*

17. die Strümpfe verkehrt angezogen haben = übelgelaunt sein. Berlin 1850 *ff.*

18. den ~ auswinden (auswringen) = harnen (auf Männer bezogen). ↗Strumpf 1. 1930 *ff.*

19. jn auf den ~ bringen = jn antreiben; jm beistehen. Man bringt den Betreffenden so weit, daß er Strümpfe anzieht, es also allen gleichtut, oder man ermuntert den Bettlägerigen zum Aufstehen. Seit dem 19. Jh.

20. etw auf die Strümpfe bringen = eine Sache meistern; eine Sache vorantreiben. Parallel zu ↗Bein 40. Seit dem 19. Jh.

21. jn von den Strümpfen bringen = jn hellauf begeistern. Vor Freude (bei freudigem Aufspringen) verliert man Schuhe und Strümpfe. 1950 *ff.*

22. die Strümpfe über einer Regentonne getrocknet haben = nach außen gewölbte Beine haben. *Sold* 1914 *ff.*

---

*Gesetzt den Fall, diese Damen, die da zum Zwecke der Präsentation von Strümpfen auf ihre untere Hälfte reduziert wurden, wollten sich auf eben diese Strümpfe machen (***Strumpf 30.***), so müßten sie sich vorher erst ihrer Schuhe entledigen. Denn obwohl diese Wendung umgangssprachlich ganz allgemein im Sinne von aufbrechen oder sich auf den Weg machen gebraucht wird, so liegt ihr ursprünglich doch eine* *ganz besondere Art des Sich-davonmachens zugrunde: Jenes heimliche Aus-dem-Haus-schleichen nämlich, das am besten ganz ohne Geräusche vor sich gehen sollte, auch wenn das manchem nicht in den Strumpf passen mag (***Strumpf 31.***). Auf die Situationen, in denen ein solch vorsichtiges Gebaren durchaus angebracht sein dürfte, kann vielleicht ein ganz anderer Strumpf hinweisen (vgl.* ***Strumpf 1.***)

23. in den ~ greifen = Geld vom Sparkonto abheben. Anspielung auf den Sparstrumpf. 1900 *ff.*

24. Strümpfe für etw haben = die ausgespielte Karte abtrumpfen oder überspielen können. „Strümpfe" ist entstellt aus „Trümpfe". Kartenspielerspr. seit dem 19. Jh.

25. die Strümpfe haben Hunger = die Strümpfe haben große Löcher. Die Löcher sind hier als gierig aufgesperrte Münder aufgefaßt. 1900 *ff.*

26. krumme Strümpfe haben = krummbeinig sein. Krummbeinigkeit ist hiernach durch krumme Strümpfe verursacht. *Sold* 1939 *ff.*

27. jm auf die Strümpfe helfen = jm aus der Notlage aufhelfen. Leitet sich her von ermunternder Rede an einen bettlägerig Kranken, der endlich wieder die Strümpfe anziehen und aufstehen kann; von physischer Genesung übertragen auf wirtschaftliche Besserung. 1800 *ff.*

28. dir werde ich auf die Strümpfe helfen!: Warnrede an einen Säumigen. 1920 *ff.*

29. auf die Strümpfe kommen = Erfolg haben; zu gesicherter Existenz gelangen. Versteht sich nach ↗Strumpf 27. 1800 *ff.*

30. sich auf die Strümpfe machen = sich auf den Weg machen; aufbrechen; abmarschieren. Parallel zu ↗Socken II 20. Seit dem ausgehenden 18. Jh.

31. das paßt ihm nicht in den ~ = es widerstrebt ihm. Der Strumpf ist wohl zu klein. 1900 *ff.*

32. ihm platzen die Strümpfe = er ist wütend; er ist peinlich verwundert. Zugrunde liegt die Vorstellung von schwellenden Zornesadern. 1900 *ff.*

33. gut im ~ (in den Strümpfen) sein = gesund sein; sich in angenehmer Lage befinden; gutgelaunt sein. Hergenommen vom Genesenden, der das Bett wieder verlassen kann. 1850 *ff.*

34. das sind zwei Paar Strümpfe = das sind sehr verschiedene Dinge. 1900 *ff.*

35. voll sein wie ein ~ = volltrunken sein. 1945 *ff.*

36. für den ~ sparen = sparen um des Sparens willen. Anspielung auf den Sparstrumpf. 1950 *ff.*

37. in den ~ sparen = Spargelder nicht bei Kreditinstituten einzahlen. 1900 *ff.*

38. stramm in den Strümpfen sein = kräftig entwickelte Beine haben. 1960 *ff.*

39. durch die Strümpfe wachsen = Löcher in den Strümpfen haben. Seit dem 19. Jh.

40. den Freund (die Freundin) wechseln wie die Strümpfe = nur kurze Liebesabenteuer schätzen. 1950 *ff.*

41. seine Strümpfe ziehen Wasser = seine Strümpfe hängen herab, schlagen Falten. Von faltenschlagenden Strümpfen nimmt man an, daß sie naß geworden sind und deswegen niederhängen. 1850 *ff.*

Strumpfbandheld *m* Frauenheld. 1920 *ff.*

strumpfen *tr* etw stehlen. Der Gegenstand wird wohl in den Strumpf gesteckt. 1965 *ff.*

Strumpfgeld *n* **1.** erspartes, nicht bei Banken angelegtes Geld. Früher hat man sein Geld in einem Strumpf aufgehoben und ihn im Bettstroh versteckt. 1900 *ff.*

2. erste Tageseinnahme der Prostituierten; freiwilliges Geldgeschenk über das Entgelt der Bordellprostituierten hinaus. Angeblich wird dieses Geld nicht in die Handtasche gesteckt, sondern in den Strumpf. 1850 *ff.*

Strumpfoxyd *n* stiefelsaures ~ = Geruch durchschwitzter Strümpfe. Bezeichnungen chemischer Verbindungen scherzhaft nachgeahmt. *Sold* 1935 *ff.*

strumpfsockert *adj* ohne Schuhe; nur in Strümpfen oder Socken. *Bayr* 1955 *ff.*

Strumpfsparer *m* Bürger, der kein Sparkonto bei einer Bank o. ä. unterhält. 1950 *ff.*

Strumpfstruller *m* Mädchen. ↗strullen. *Nordd* 1900 *ff.*

Strumpfwein *m* saurer Wein. Er zieht die Löcher in den Strümpfen zusammen. 1800 *ff.*

Strunk *m* **1.** Zigarre, deren Deckblatt wegen der sich spreizenden Tabakrippen reißt. Sie ähnelt einem Krautstengel, von dem man das Blattwerk entfernt hat. 1900 *ff.*

2. dickliches, träges Mädchen; ältere Frau. Von der gedrungenen Gestalt eines Baumstumpfes übertragen auf die menschliche Gestalt. Seit dem späten 19. Jh.

Strunz *m* **1.** Prahlerei. ↗strunzen 1. 19. Jh.

2. träger Mensch; Müßiggänger. Gehört zu ↗stranzen. 1900 *ff.*

Strunzbeutel *m* Prahler. Beutel = Hodensack. *Westd* seit dem 19. Jh.

Strunzbock *m* Prahler. *Westd* seit dem 19. Jh.

Strunze *f* **1.** träge weibliche Person; garstige alte Frau. ↗stranzen 1. 1600 *ff.*

2. Herumtreiberin; Straßenprostituierte. 1900 *ff.*

3. unsaubere weibliche Person. 1600 *ff.*

4. ungebildete Frau. Seit dem 19. Jh.

Strunzel *f* **1.** niederträchtige, verkommene Frau. ↗stranzen 1. Seit dem 19. Jh.

2. arbeitsträge Frau. *Mitteld* und *westd,* auch Berlin, seit dem 19. Jh.

3. häßliche alte Frau. Seit dem 19. Jh.

strunzen *intr* **1.** mit etw ~ = mit etw prahlen; sich aufspielen. Nebenform zu „stronzen", das mit Nasal-Infix ein Intensivum zu „strotzen" ist im Sinne von „vor Schmuck strotzen; mit Schmuck prunken". Beeinflußt von „↗stranzen" in der Bedeutung „geckenhaft müßiggehen". Vorwiegend *niederd,* etwa seit 1600.

2. umherschlendern; sich umhertreiben. Nebenform zu ↗stranzen 1. 1600 *ff.*

Strunzer *m* Prahler; stolzer Mann. ↗strunzen 1. 1600 *ff.*

Strunze'rei *f* Prahlerei. 1600 *ff.*

Strunzkluft *f* Ausgehanzug. ↗Kluft 1. *Sold* 1935 *ff.*

Strunzlappen (-tuch) *m (n)* Ziertaschentuch. Seit dem 19. Jh.

Der Struwwelpeter in Mundart

Das Kinderbuch „Der Struwwelpeter" des Arztes Heinrich Hoffmann (1809–1894) stellt seinen kleinen Rezipienten übertrieben gezeichnetes Versinnbildlichungen durchaus „normaler" Unarten vor Augen. Diesen Symbolfiguren ergeht es allerdings so schlecht, daß dahinter selbst die drakonischsten Strafen der strengsten Eltern weit zurückbleiben müssen. Hoffmann wollte zwar, wie er oft genug betonte, keine Moralpredigten halten, und wandte sich auch entschieden gegen eine „zu aufklärerisch-rational" vorgehende Literatur für Kinder, unterscheidet sich von den so inkriminierten Autoren aber nur dadurch, daß er Rohrstock und Sermon in seinen Zeichnungen und Versen so geschickt unterbringt, daß sie auf den ersten Blick nicht zu erkennen sind. Denn wenn die Angst derer, denen das traurige Schicksal des Suppenkaspar zu nah ans Herz geht, nur groß genug ist, kann auf die Zurschaustellung solcher Instrumente getrost verzichtet werden. Darauf, daß dem **Struwwelpeter** auch politische Konnotationen zu eigen sind, hat nicht erst die jüngste Vergangenheit aufmerksam gemacht. Ein Zeitgenosse Hoffmanns, der französische Romantiker Théophil Gautier (1811–1872) schrieb in seiner „Histoire du romantisme": „Sich in einem Theater zu produzieren, wo sozusagen ‚ganz Paris' versammelt ist, mit Haaren ebensolang, wie sie Albrecht Dürer trug . . ., erfordert einen ganz anderen Mut als eine mit todbringenden Kanonen bestuckte Schanze zu stürmen."

Struppi *m (f)* struppiger Hund; struppige Katze. 1900 *ff.*

Struwwelhaare *pl* wirres Haar. ↗struwwelig. Seit dem 19. Jh.

struwwelhaarig *adj* struppig. Seit dem 19. Jh.

struwwelig (strubbelig) *adj* struppig, ungekämmt. Gehört zu „struweln, strubeln, strobeln = struppig machen", verwandt mit „sträuben = starr emporstehen". Seit dem 18. Jh.

Struwwelkopf (Strubbelkopf) *m* struppiges Kopfhaar; Mensch mit wirrem Haar. Seit dem 18. Jh.

struwwelköpfig (strubbelköpfig) *adj* ungekämmt. 1800 *ff.*

Struwwelpeter (Strubbelpeter) *m* Mensch mit ungekämmtem Haar. Im 18. Jh aufgekommen (Goethe hieß „Frankfurter Strubbelpeter") und volkstümlich geworden durch das gleichnamige Kinderbuch des Arztes Heinrich Hoffmann (1844).

Struwwelpeter-Armee *f* Bundeswehr. Anspielung auf die Tracht der langen Haare. 1971 *ff.*

Struwwelpeterfrisur *f* wirres Haar. 1955 *ff.*

Struwwelpeterkopf *m* struppiges Kopfhaar. 1955 *ff.*

Struwwelpetermähne *f* struppiges (langes) Kopfhaar. ↗Mähne. 1955 *ff.*

Struwwelpetermode *f* Mode struppiger Haartrachten. 1955 *ff.*

Struwwelpeternägel *pl* lange Fingernägel. Fußt auf den Versen „An den Händen beiden / Ließ er sich nicht schneiden / Seine Nägel fast ein Jahr" aus dem Kinderbuch „Der ↗Struwwelpeter". 1920 *ff.*

Struwwelpetra *f* weibliche Person mit ungepflegtem Haar. Gegen 1955/60 aufgekommen mit den struppigen Frisuren der jungen Mädchen.

Stubben *m* 1. einfältiger Mann. Meint eigentlich den Baumstumpf, hier als Sinnbild der Ungeschlachtheit im Körperlichen und Geistigen. Seit dem 19. Jh.
2. ungeschickter Mann. Seit dem 19. Jh.
3. pedantischer Beamter. Die Genauigkeit legt man ihm als geistige Unbeweglichkeit aus. 1955 *ff.*
4. schlecht zahlender Prostituiertenkunde. Er führt sich grob und störrisch auf. 19. Jh, *prost.*

Stubbeschen *n* kleine Bierflasche. Als kleiner Baumstumpf aufgefaßt. 1960 *ff.*

Stubbi *n* kleine Bierflasche. *Vgl* das Vorhergehende. 1960 *ff.*

Stube *f* 1. Vagina. 1900 *ff.*
2. grüne ~ = Aufenthaltsplatz im Garten, auf der Terrasse o. ä. 1950 *ff.*
3. gute ~ = a) Salon o. ä.; Besuchszimmer, das nur bei besonderen Gelegenheiten benutzt wird. Seit dem 19. Jh. – b) Festhalle (o. ä.) in einer Stadt. 1950 *ff*, *westd.* – c) Klassenzimmer. *Schül* 1950 *ff.*

4. die gute ~ Deutschlands = Schwarzwald. 1960 *ff*, fremdenverkehrsspr.

5. die ~ zum Fenster rauswerfen = a) verschwenderisch sein. Gemeint ist, daß man den Salon (die kostbare Einrichtung des Salons) verkauft, um sich ein gutes Leben zu machen. Seit dem späten 19. Jh. – b) im Übermut gewagte Streiche ausführen. 1870 *ff*.

Stubenältester *m* ~ im Massengrab = Scheltwort auf einen Kameraden, der sich für wichtig hält, sich unnötig vordrängt, in Verkennung der ernsten Lage zivilistischen Wunschgedanken nachhängt u. ä. Man unterstellt, auch im Massengrab werde er sich vordrängen. *Sold* in beiden Weltkriegen.

Stubenarrest *m* von der Ehefrau verhängtes Ausgehverbot für den Ehemann während seiner Freizeit. Meint eigentlich das Verbot, die Kasernenstube oder die Studierstube zu verlassen. 1900 *ff*.

Stubenfeger *m* Hund. Entweder weil er im Zimmer umherrast, oder weil er mit seinen langen Haaren als Ersatzbesen dienen kann. 1900 *ff*.

Stubenfliege *f* Prostituierte, die ihre Kunden daheim empfängt. ↗ Fliege 4. 1960 *ff*.

Stubenhocker *m* Klassenwiederholer. ↗ Stube 3c. 1950 *ff*.

Stubenladen *m* unbedeutendes Einzelhandelsgeschäft. Der Verkaufsraum dient zugleich als Wohnraum. 1900 *ff*.

Stubenlöwe *m* kleinwüchsiger Hund; Schoßhund. Scherzhafte Vergrößerung. 1930 *ff*.

Stubenprügel *pl* Kameradengericht mit Verprügelung eines Stubengenossen wegen unkameradschaftlichen Verhaltens. *BSD* 1965 *ff*.

Stubenrabatz *m* Herausreißen des Spind-Inhalts (als Schikane). ↗ Rabatz. *Sold* 1930 *ff*.

stubenrein *adj* **1.** nicht anstößig; die Anstandsregeln beherrschend; einwandfrei; erlaubt. Hergenommen vom Hund, der seine Notdurft nicht in der Stube verrichtet. Seit dem späten 19. Jh.

2. politisch (weltanschaulich) unverdächtig; charakterlich einwandfrei. 1900 *ff*.

3. frei von Geschlechtskrankheiten. *Marinespr* 1939 *ff*.

4. nicht ~ = Bomben abwerfend. *Sold* in beiden Weltkriegen; auch *ziv*.

Stubenstinker *m* Stubenhocker. 1900 *ff*.

Stubentierchen *pl* Ungeziefer. *BSD* 1965 *ff*.

Stubentiger *m* Hauskatze. ↗ Stubenlöwe. 1930 *ff*.

Stubenvelo *n* Nähmaschine (ohne Elektromotor). Sie wird mit den Füßen betrieben, ähnlich einem „Velo(ziped) = Fahrrad". Zürich 1950 *ff*.

Stubenzauber *m* Schikane in der Kasernenstube. Der „Zauber" besteht darin, daß das Unterste zu oberst gekehrt wird und die Möbel umgestellt oder umgestürzt werden. *Sold* 1939 *ff*, *österr*.

Stubs *m* ↗ Stups.

stubsen *tr* ↗ stupsen.

Stück *n* **1.** Mensch (gemütliche Schelte). Übernom-

men von der Bezeichnung „Stück Wild" oder „Stück Vieh" für das Einzeltier. Seit dem 16. Jh.

2. verächtliche Bezeichnung für eine Frau, vor allem für die liederliche; Hure; Prostituierte. Verkürzt aus ↗ Weibsstück. 1600 *ff*.

3. Brotschnitte; Stück Brot. Seit dem 19. Jh.

4. Leistung; Streich; Tat, Untat. Gekürzt aus Helden-, Buben- oder Schelmenstück. Seit dem 15. Jh.

5. Geld; 5 Mark (als Wert, nicht immer als 5-Mark-Stück). 1950 *ff*, *prost*.

6. *pl* = Geld. Verkürzt aus „Geldstücke". 1930 *ff*.

7. ~ Arbeit = schwere Arbeit; langwierige Arbeit. Seit dem 18. Jh.

8. ein ~ Beamter = irgendein untergeordneter Beamter. 1900 *ff*.

9. du ~ Dreck!: Schimpfwort auf einen niederträchtigen Menschen. 1935 *ff*.

9 a. ~ Elend = armseliger Mensch. *Vgl* ↗ Häufchen. Seit dem 19. Jh.

10. du ~ Fleisch!: Anrede an ein leichtlebiges Mädchen o. ä. 1930 *ff*.

11. ein ~ Geld (ein hübsches ~ Geld) = eine ansehnliche Geldsumme. *Vgl* ↗ Stück 5. 1900 *ff*.

12. ein ~ vom Himmel = Religionsunterricht. Übernommen vom gleichlautenden Filmtitel, 1957. Schülervokabel.

13. ~ (Stückchen) Malheur = unmilitärischer Mann; Mensch, der stets Mißgeschick erleidet; Versager. 1900 *ff*.

14. ~ Mensch = Schimpfwort. 1939 *ff*.

15. ~ Mist = charakterloser, niederträchtiger Mensch. ↗ Miststück 1. 1930 *ff*.

16. ~ auf Raten = Fernsehspiel in Fortsetzungen. 1960 *ff*.

17. ~ (Stückchen) Scheiße!: Schimpfwort auf einen Prahler, auf einen Versager, auf einen Nichtswürdigen. 1900 *ff*, *jug* und *sold*.

18. du ~ Unglück = du Tunichtgut; harmlose Schelte. Berlin 1840 *ff*.

19. mein (unser) bestes ~ = lobender Ausdruck für ein Tier oder einen Menschen; Kosename. Hergenommen vom Bauern, der die leistungsfähigste Kuh „mein bestes Stück Vieh!" nennt. Seit dem 18. Jh.

20. blödes ~ = dummer Mensch. 1920 *ff*, *schül*.

21. dickes ~ = dickliches, dralles Mädchen. Seit dem 19. Jh.

22. dummes ~ = a) dummer Mensch. 1900 *ff*. – b) minderwertiges, langweilendes Theaterstück. 1900 *ff*.

23. faules ~ = a) träger, energieloser, unordentlicher Mensch. 1900 *ff*. – b) unzuverlässiger, hinterhältiger Mensch. ↗ faul 1. 1900 *ff*.

24. freches ~ = frecher Mensch. 1900 *ff*.

25. großes ~ = großwüchsiger Mensch. 19. Jh.

26. gutes ~ = a) wertvolles Tier; wertvoller Mensch. ↗ Stück 19. Seit dem 18. Jh. – b) Gesellschaftsanzug, Pelz. 1900 *ff*.

Ein starkes Stück.

Mars macht mobil, bei Arbeit, Sport und Spiel.

*Der Werbespruch zielt wohl auf das, was der Rede-
wendung „das ist ein starkes Stück" (***Stück 4.***) real
zugrundeliegt: Auf jenes an sich nicht gern gesehene
Verhalten nämlich, sich aus einer Schüssel, die für alle gedacht ist, schnell das größte und beste Stück her-
auszuholen. Was bei einem gemeinsamen Mahl als
äußerst unhöflich gelten muß, ist auf dem Markt, wo
auch das oben abgebildete starke Stück sich zu beweisen hat, und wo Käufer und Verkäufer um das beste
Stück rangeln, allerdings die Regel. Vielleicht ist daraus zu erklären, warum auch Menschen umgangssprachlich zum Stück werden können (vgl. ***Stück 1.***,
2.); denn das, worum es bei dieser Auseinandersetzung geht – Absatz und Aneignung der fertigen Pro-
dukte, der Waren, zum Zwecke der Reproduktion des
eigenen Lebens – erscheint denen, die sie arbeitsteilig
produzieren, jetzt, auf dem Markt, als ein ihnen
Fremdes, das ihre Beziehung untereinander vermittelt. Das Verhältnis der Personen erscheint als sachli-
ches und das der Sache als gesellschaftliches.*

27. kein ∼!: Ausdruck der Ablehnung oder Verneinung. Analog zu „kein bißchen". 1900 *ff*.

28. linkes ∼ = unehrlicher Mensch. ↗link 1.
1920 *ff*.

29. mieses ∼ = unsympathischer Mensch. ↗mies.
1920 *ff*.

30. steiles ∼ = anziehendes junges Mädchen.
↗steil 1. 1955 *ff*.

31. übles ∼ = schlechter Mensch. 1920 *ff*.

32. verkommenes ∼ = verkommener Mensch.
1900 *ff*.

33. in (an) einem ∼ = ununterbrochen, hintereinander (es regnet in einem Stück; er schwätzt in
einem Stück). Seit dem 16. Jh.

34. sich von etw ein ∼ abschneiden = sich an etw
ein Beispiel nehmen; etw beherzigen. Analog zu
↗Scheibe 24. 1900 *ff*.

35. ein ∼ abziehen = ein Musikstück schwungvoll spielen. ↗abziehen 1. 1930 *ff*.

36. sich große ∼e einbilden = sich viel einbilden.
1800 *ff*.

37. es am ∼ haben = a) nicht aufhören können.
Hergenommen von der Vorstellung eines Zusam-
menhängenden, das man nicht zerstückeln mag
(Stoffballen o. ä.). 1900 *ff*, *westd*. – b) guter Laune
sein; gesprächig sein. Man hat den „Gesprächsfa-
den" ergriffen und läßt ihn nicht mehr los.
1900 *ff*, *westd*.

38. auf jn große ∼(e) halten = von jm viel erwarten; jm sehr vertrauen, viel zutrauen. Meint eigentlich den Einsatz bei einer Wette; „große Stük-
ke" sind die großen Münzen, und „halten" hat
den Sinn von „gegenwetten". Seit dem 17. Jh.

39. sich ein ∼ (nettes ∼) leisten = einen Streich

spielen; eine Übeltat vollbringen. ↗Stück 4. Seit dem 19. Jh.

39 a. sich für jn (etw) in ~e reißen lassen = sich für jn (etw) überzeugt, unbedingt und jederzeit einsetzen. Seit dem 19. Jh.

40. jm etw aufs ~ schmieren = jm etw vorhalten. Über „↗Stück 3" analog zu „↗Butterbrot 4". 1900 *ff.*

41. sich für jn in ~e schneiden lassen = für jn jedes Opfer bringen. 1900 *ff.*

42. das ist ein starkes ~ = das ist eine sehr gewagte Handlungsweise; das ist unerhört; das ist eine unzumutbare Forderung. Kann sich herleiten von dem „starken Stück", das sich einer aus der gemeinsamen Eßschüssel nimmt, oder erklärt sich nach „↗Stück 4". Seit dem 18. Jh. *Vgl engl* „a bit thick".

43. jn in ~e zerlegen = jn umbringen. Vergleich mit der Arbeit des Metzgers. Meist als Drohrede verwendet. 1950 *ff.*

stucken *v* **1.** *intr* = angestrengt lernen; hart arbeiten. Nebenform zu „stauchen = auf den Boden stoßen; einsacken; eintreiben". Auch meint „stucken" im *Oberd* soviel wie „das Meisterstück machen", auch „anstückeln" (etwa im Sinne von „hinzulernen"). *Bayr* und *österr*, spätestens seit 1900.

2. *tr* = jn beim Kartenspiel besiegen. Man „staucht" ihn (man „steckt ihn in den ↗Sack"). Kartenspielerspr. 1900 *ff.*

Stucker *m* fleißiger, ehrgeiziger Schüler. ↗stucken 1. *Bayr* und *österr*, 1900 *ff.*

Stücker *m* ein ~ drei = ungefähr drei Stück. Zusammengewachsen aus „ein Stück oder drei". Seit dem 18. Jh.

stuckerig *adj* holperig. *Vgl* das Folgende. Seit dem 19. Jh, *nordd.*

stuckern *intr* **1.** sich ruckweise, holpernd bewegen; rütteln; erschüttern. Gehört zu „stucken = aufstoßen, aufstampfen, ruckweise bewegen". *Nordd* seit dem 19. Jh.

2. zögern; langsam vonstatten gehen. Seit dem 19. Jh.

3. stottern. Seit dem 19. Jh, *nordd.*

Stuckerpflaster *n* holpriges Pflaster. ↗stuckern 1. Seit dem 19. Jh.

Stucksau *f* Klassenbester; unangenehm strebsamer Schüler. ↗stucken 1. *Südd* 1950 *ff.*

Stuckschwein *n* Klassenbester. Ein „Schwein" ist er wegen seines als niederträchtig empfundenen Lernehrgeizes, der den anderen Schülern lästigerweise zur Nachahmung empfohlen wird. *Südd* 1950 *ff.*

stud. däp. Student der Erziehungswissenschaftlichen Hochschule. „Däp" ist aus „päd(agogisch)" umgestellt und dadurch absichtlich lautgleich mit „Depp": hochmütige Akademiker meinen, nicht die klügsten Abiturienten würden Volksschullehrer. 1950 *ff.*

Student *m* **1.** Häftling. Er besucht die „↗Hochschule". 1950 *ff, rotw.*

2. ~ von Beruf = Student, der sich nicht zur Abschlußprüfung entschließen kann. 1960 *ff, stud.*

3. ewiger ~ = Student, der sich nicht zur Abschlußprüfung meldet. 1900 *ff.*

4. verbummelter ~ = ↗Verbummelter.

5. ~ spielen = Student sein. Leicht *iron* Bezeichnung: man nimmt gern an, der Betreffende studiere nicht aus Neigung und Berufung, sondern mehr zum Zeitvertreib. Wie auf der Bühne stellt er das Studentsein lediglich dar, ohne mit ihm verwachsen zu sein. 1800 *ff.*

6. so spielt man mit ~en: Redewendung, wenn man den Spieler zum Verlierer macht. Der Student als Lernender wird hier als unerfahren behandelt. Kartenspielerspr., spätestens seit 1900.

Studentenarsch *m* Student *(abf)*. Verächtliche Bezeichnung im Munde von Arbeitern. 1967 *ff.*

Studentenboß *m* Vorsitzender des Allgemeinen Studenten-Ausschusses. ↗Boß. 1955 *ff.*

Studentenbude *f* Privatzimmer eines Studenten. Seit dem 19. Jh.

Studentenbutter *f* Margarine. Stammt aus der Zeit kurz nach dem Ersten Weltkrieg, als die meisten Studenten sich mit Rücksicht auf ihren Monatswechsel mit Margarine begnügen mußten.

Studentenfutter *n* Rosinen, Haselnüsse und Mandeln. Seit dem 17. Jh beliebte Mischung in Deutschland und Österreich; gern in den Pausen und auch während der Vorlesungen gegessen.

Studentenkneipe *f* von Studenten besuchtes Wirtshaus. ↗Kneipe. Seit dem 19. Jh.

Studentenkomment *m* Gesamtheit der studentischen Bräuche. ↗Bierkomment. Spätestens seit 1800.

Studentenkotze *f* Fleischsalat. Scheint im frühen 20. Jh bei den Soldaten aufgekommen zu sein, wohl weil sie spöttisch meinten, von allen Lebewesen erbrächen sich Studenten am häufigsten.

Studentenlocher *m* Pistole. Mit ihr macht man Löcher in (aufrührerische) Studenten. Wohl im Zusammenhang mit öffentlichen Ausschreitungen aufgekommen, die nach 1966/67 (auch) von Studenten angeführt wurden. Der Student Benno Ohnesorg wurde am 2. Juni 1967 bei Berliner Studentenunruhen erschossen. 1968 *ff.*

Studentenparkett *n* Stehparkett im Theater. Die Preise sind dem Geldbeutel der Studenten angepaßt. 1965 *ff.*

Studentensilo *m* Studentenwohnhochhaus. 1960 *ff.*

Studentenwichse *f* Speichel. Man sagt den Studenten nach, sie putzten ihr Schuhwerk nicht mit Schuhwichse, sondern mit ihrem Speichel. Seit dem 19. Jh.

Studentinnensilo *m* Wohnhochhaus für Studentinnen. 1960 *ff.*

stud. Hackepeter Angehöriger einer schlagenden

Es soll tatsächlich auch heute noch **Studiker** der Spezies geben, die ihre eigene Überlebtheit dadurch demonstrieren, indem sie, wie Heinrich Heine (1797–1856) in seiner „Harzreise" schrieb, „hordenweis, und geschieden durch Farben der Mützen und der Pfeifenquäste . . . einherziehen, auf den blutigen Waldstätten sich ewig unter einander herumschlagen, . . . und teils durch ihre Duces, welche Haupthähne heißen, teils durch ihr uraltes Gesetzbuch, welches Comment heißt und in den legibus barbarorum eine Stelle verdient, regiert werden." In der Um-

gangssprache kamen diese sich äußerst elitär und nationalbewußt gebenden Herrenmenschen in spe natürlich nicht gerade gut weg, und derjenige, der glaubt, sein Mannestum auf dem Paukboden beweisen zu müssen, erscheint in ihrem Lichte als wenig appetitlicher **stud. Hackepeter.** „Seine Männlichkeit", so heißt in Heinrich Manns (1871–1950) Roman „Der Untertan", „stand ihm mit Schmissen, die das Kinn spalteten, rissig durch die Wangen fuhren und in den kurz geschorenen Schädel hackten, drohend auf dem Gesicht geschrieben."

Studentenverbindung. Hackepeter = Hackfleisch. Anspielung auf die Mensur, bei der mancher übel zugerichtet wird. 1933 *ff.*

stud. hei. (stud. heir.) Studentin, die nur studiert, um an der Hochschule einen Ehepartner zu finden. Die Abkürzung „hei. (heir.)" steht für „heiraten". 1950 *ff.*

Studi *m* Student. Um 1980 Modewort geworden nach dem Muster der vielen auf „-i" endenden, verkürzten Hauptwörter („Knacki", „Knasti" usw.)

Studienarsch *m* Studienassessor. „Arsch" ist allgemeines Schimpfwort auf den Mann. 1950 *ff.*

Studiengebühr *f* Entgelt für praktische Einführung in den Geschlechtsverkehr; Unkosten beim ersten Bordellbesuch, bei der ersten Liebschaft o. ä. Eigentlich die pauschale Summe, die der Student für jedes Semester an die Universitätskasse abzuführen hat. 1900 *ff.*

studieren *impers* sich im Pfandhaus befinden (meine Uhr studiert). Zur Herleitung *vgl* „↗hebräisch". Wien 1700 *ff.*

Studierender *m* ewig ~ = Student, der sich nicht zur Abschlußprüfung meldet. ↗Student 3. 1900 *ff.*

Studierstube *f* Seziersaal, Leichenschauhaus. 1900 *ff.*

Studierter *m* Vorbestrafter. ↗Student 1. 1950 *ff, rotw.*

Studierwinkel *pl* Zurückweichen des Haarwuchses an den Schläfen. Angeblich eine Gelehrteneigentümlichkeit. 1920 *ff.*

Studiker *m* Studierender. Im späten 19. Jh nach dem Muster von „Musiker, Techniker" o. ä. entstanden.

Studio I *m* Student. Verkürzt aus *lat* „studiosus". 1700 *ff.*

Studio II *n* **1.** eigenes Zimmer; abgeschlossene Einzimmerwohnung. *Halbw* nach 1945, *schweiz.*

2. Fachgeschäft. Meint im *Ital* und *Engl* das Künstleratelier, auch den Versuchs- und Vorführraum. Nach 1960 aufgekommenes Modewort (Matratzen-, Bräunungs-, Lern-, Foto-, Küchen-, Näh-, Gardinen-Studio usw.)

3. Arbeitszimmer der gewerblichen Prostituierten. ↗Studio II 1. 1950 *ff.*

Studio-Schuppen *m* Fernsehstudio. 1960 *ff.*

Studium *n* das ~ aufbocken = als Student eine wohlhabende Liebschaft unterhalten. „Aufbocken" sagt man mit Bezug auf das Auto, wenn man es mit den Achsen auf Holzböcke setzt. Eine ähnlich gediegene Unterlage verschafft sich der Student mit dem Geldbeutel seines Mädchens. 1950 *ff.*

stud. mil. Soldat. Er studiert „Militaria". 1939 *ff.*

stud. mist. Student der Landwirtschaftlichen Hochschule. „Mist" gilt als Sinnbild landwirtschaftlicher Tätigkeit. 1950 *ff.*

stud. nub. Studentin, von der man annimmt, sie studiere nur, um Frau eines Akademikers zu werden. *Lat* „nubere = heiraten". 1950 *ff.*

stuff *adj* **1.** verärgert; gekränkt sich abwendend; verwirrt; bestürzt. Dem *gleichbed ital* „stufo" entlehnt. *Oberd* seit dem 19. Jh.

2. einer Sache ~ sein = einer Sache überdrüssig sein. *Österr* seit dem 19. Jh.

Stuffz *m* Stabsunteroffizier. Fußt auf der amtlichen Abkürzung „StUffz". *BSD* 1965 *ff.*

Stuhl *m* **1.** Motorrad. Man sitzt auf ihm wie auf einem Stuhl. *Vgl* ↗Feuerstuhl. 1930 *ff.*

2. elektrischer ~ = Behandlungsstuhl des Zahnarztes. Meint eigentlich den Stuhl, auf dem der zum Tode Verurteilte mittels des elektrischen Stroms hingerichtet wird; hier Anspielung auf die Schmerzen, die der Patient beim Zahnarzt auszuhalten hat, und wohl auch auf den elektrischen Bohrer des Arztes. 1910 *ff.*

3. flotter ~ = Auto mit sehr leistungsfähigem Motor. *Vgl* ↗Feuerstuhl. 1960 *ff.*

3 a. bitte, die kleinen Stühle! Redewendung, wenn einem bei der Mahlzeit etwas auf den Boden fällt. 1920 *ff.*

4. du kannst zwar einer alten Oma den ~ absaugen, aber sonst kannst du nichts!: Redewendung auf einen Prahler. *BSD* 1968 *ff.*

4 a. am ~ ankleben = die Schulklasse wiederholen. 1920 *ff.*

5. jm den ~ ansägen = jds Stellung untergraben. 1920 *ff.*

6. du kannst mir mal den ~ ansaugen!: Ausdruck der Abweisung. Derbe Anspielung auf das Götz-Zitat. 1950 *ff, schül.*

7. jm den ~ unterm Arsch anzünden = jn anfeuern, antreiben. 1940 *ff.*

8. auf dem ~ bleiben = Geduld bewahren; nicht davonlaufen; besonnen bleiben. 1940 *ff.*

9. der ~ brennt unter ihm (brennt ihm unter dem Arsch, unterm Hintern) = vor Ungeduld kann er nicht länger sitzen. 1700 *ff.*

10. den ~ drücken = übergebührlich lange den Besuch ausdehnen. *Vgl* ↗Sessel 3. 1950 *ff.*

11. vom ~ fallen = sehr überrascht, erschrocken sein. Man verliert das Gleichgewicht. Seit dem 19. Jh.

12. einen harten ~ haben = auf seiner Meinung beharren. Von der Stuhlverhärtung übertragen auf Starrsinn. 1920 *ff.*

13. das haut mich vom ~!: Ausdruck der Verwunderung oder Verzweiflung. *Vgl* ↗Sessel 7. 1920 *ff.*

14. vom ~ kippen = sich sehr verwundern. ↗Stuhl 11. 1920 *ff.*

15. die Stühle kleben = hier ist es zu gemütlich, als daß man weggehen mag. ↗kleben 1. 1900 *ff.*

16. am ~ kleben = sich von seinem Posten nicht trennen; sein Mandat nicht aufgeben wollen. 1920 *ff.*

17. mit etw zu ~ kommen = etw begreifen, meistern; etw zustandebringen. Stuhl = Kotabgang.

Von erfolgreicher Verrichtung auf dem Abort übertragen auf jegliche handwerkliche oder geistige Leistung. Seit dem 19. Jh.

18. er kommt nicht zu ~ = er wird beruflich behindert; er findet keinen Anklang. *Vgl* das Vorhergehende. 1900 *ff*.

19. das kostet ihn den ~ = dadurch verliert er seinen Posten. 1920 *ff*.

20. seinen ~ räumen = seinen Posten aufgeben. 1920 *ff*.

21. das reißt ihn vom ~ = das erregt, ärgert, begeistert ihn. Unwiderstehlich springt der Betreffende vom Stuhl auf. *Vgl* ↗Sessel 7. 1950 *ff*, *halbw* und kritikerspr.

21 a. Stühle rücken = Posten umbesetzen. 1970 *ff*.

22. auf dem ~ rumrutschen = Büroangestellter sein. 1950 *ff*.

23. an jds ~ (jm am ~) sägen = jds Stellung erschüttern. *Vgl* ↗Sessel 8. 1920 *ff*.

24. jm einen ~ unter den Hintern schieben = jn zuvorkommend behandeln. 1950 *ff*.

25. jm den ~ vor die Tür setzen = jn zum Haus hinausweisen; jm fristlos kündigen; die Beziehungen mit jm abbrechen. Der Stuhl ist ein altes Rechtssinnbild und drückt Eigentumsrecht und Herrschaft aus; der vor die Tür gesetzte Stuhl versinnbildlicht die Aufhebung des Besitzrechts. Seit dem 16. Jh.

26. sich zwischen zwei Stühle setzen = in der Wahl zwischen zwei Möglichkeiten oder Meinungen unentschieden bleiben; keine Sicherheit erwerben. Seit *mhd* Zeit.

27. auf angesägtem ~ sitzen = mit Entlassung rechnen müssen. 1920 *ff*.

28. zwischen zwei Stühlen sitzen = zwischen zwei gegensätzlichen Meinungen unentschieden stehen; in arger Verlegenheit sein; keinen Wahlkandidaten bevorzugen. *Vgl* ↗Sessel 9. 1500 *ff*. *Vgl franz* „se trouver entre deux selles".

29. sich selber den ~ vor die Tür setzen = durch Eigenverschulden sich von etw ausschließen; kündigen ohne feste Aussicht auf eine neue Stelle. *Vgl* ↗Stuhl 25. 1950 *ff*.

30. dreh' doch mal den ~ um!: Rat an einen vom Mißgeschick verfolgten Kartenspieler. Unter Spielern besagt eine Aberglaubensregel, man solle den Stuhl um die eigene Achse drehen, wenn man dem anhaltenden Spielerunglück ein Ende machen wolle. Kartenspielerspr., spätestens seit 1900.

31. auf dem ~ verwelken = keinen Tanzpartner finden. Weiterführung des Begriffs „↗Mauerblümchen". *Halbw* 1950 *ff*.

32. sein ~ wackelt = seine Amtsenthebung droht. *Vgl* ↗Sessel 10. 1920 *ff*.

33. jm den ~ unterm Hintern wegziehen = jn seines Amtes entheben; jn aus seiner Stellung verdrängen. 1900 *ff*.

34. wollen wir unsere Stühle zusammenstellen? = wollen wir heiraten? 1960 *ff*.

Stuhlbein *n* **1.** *pl* = die beiden Sitzbeinbogen (unterste Teile des Beckenknochengürtels). Ohne sie könnten wir nicht auf einem Stuhl o. ä. aufrecht sitzen. 1900 *ff*.

2. jm die ~e absägen = jds Entlassung bewirken. 1920 *ff*.

3. jm am ~ sägen = jds Verdrängung vom Posten betreiben. 1920 *ff*.

Stühlchen *n* Note „4 = Genügend". Das Zahlzeichen 4 ähnelt einem Stuhl. *Österr* 1950 *ff*.

Stühlerücken *n* Ämterumbesetzung. ↗Stuhl 21 a. 1970 *ff*.

Stuhlgang *m* **1.** ~ der Seele = Alkoholismus. Durch Alkohol meint man sich von Kummer und Sorgen befreien zu können. 1920 *ff*.

2. positiver ~ = heftiger Durchfall. *Sold* 1939 *ff*.

3. seelischer ~ = a) Auflockerung des Gemüts durch Alkohol. 1920 *ff*. – b) Schimpfen, Fluchen. Von NS-Propagandaminister Dr. Goebbels zu Beginn des Zweiten Weltkriegs in der Zeitung „Das Reich" aufgebracht.

4. jds ~ fördern = jn in gefahrvolle Lage bringen; jm Angst einflößen. Bei großer Angst versagt leicht der Schließmuskel des Afters. 1940 *ff*, *ziv* und *sold*.

5. einen schweren ~ haben = an einem lebensgefährlichen Unternehmen teilnehmen. Hergenommen von dem anekdotisch überlieferten, an Luther auf dem Weg zum Reichstag von Worms 1521 gerichteten Wort: „Mönchlein, du gehst einen schweren Gang". 1915 *ff*, *sold* und *ziv*.

6. harten ~ haben = begriffsstutzig sein. *Vgl* ↗Stuhl 12. 1920 *ff*.

7. saufen ist der ~ der Seele = Trinken erleichtert (vorübergehend) das Ertragen mancher Pein. ↗Stuhlgang 1. 1920 *ff*.

8. dir vermache ich den letzten ~ = dich verachte ich zutiefst. 1950 *ff*, Zürich.

Stuhlgangbremse *f* Schokolade, Kakao. Schokolade (im Übermaß genossen) bewirkt Verstopfung. 1930 *ff*.

Stuhlgangszigarette *f* Zigarette nach dem Frühstück. Nach weitverbreiteter Ansicht regt die Zigarette die Darmtätigkeit an. 1925 *ff*.

Stuhlriese *m* Mensch mit langem Oberkörper auf kurzen Beinen. Analog zu ↗Sitzriese. Seit dem späten 19. Jh.

Stuhlsitz *m* **1.** Abortöffnung. Stuhl = Kotabgang. 1900 *ff*.

2. Hockstellung beim Koten im Freien. *Sold* 1939 *ff*.

Stuhlwarmhalter *m* Klassenwiederholer. 1950 *ff*.

Stuka *m* **1.** Stützverband mit Cramerschienen. Cramerschienen sind biegsame Drahtschienen aus Aluminium, benannt nach dem Chirurgen Friedrich Cramer (1847–1903). Die Bezeichnung hat nichts zu tun mit der gleichlautenden Abkürzung

Optischer Blickfang dieser Anzeige wie auch anderer aus einer Werbekampagne zur Steigerung des Bekanntheitsgrades eines Einrichtungsverbandes ist der „Schiefe Stuhl" des Objektkünstlers Stefan Wewerka. Wer es fertig bringe, eine halbe Stunde auf diesem Stuhl zu bleiben (vgl. **Stuhl 8.***), der dürfe, so heißt es, sich zur Belohnung eine dieser seltsamen Sitzgelegenheiten in den eigenen vier Wänden aufstellen. Dieses Ding mag ja recht unbequem sein, interessant ist es auf jeden Fall, auch was den Stuhl der Umgangssprache anbelangt, der, selbst wenn er ganz andere Urbilder haben mag, doch oft genug an jenes besondere Exemplar denken läßt, etwa wenn davon die Rede ist, daß es einen vom Stuhl haut (***Stuhl 13.***), man vom Stuhl fällt (***Stuhl 11.***) oder kippt (***Stuhl 14.***). Die Überraschung oder Verzweiflung ist anscheinend so groß, daß selbst ein Stuhl keinen festen Halt mehr zu verleihen vermag. Keinen Zweifel dürfte es aber daran geben, daß dieser schiefe Stuhl nicht für Leute gedacht ist, die an ihrem Stuhl kleben (vgl.* **Stuhl 15., 16.***), und insofern wäre diesem Produkt insbesondere auf Behörden und in Büros eine größere Verbreitung zu wünschen. Da dem aber nicht so ist, muß noch immer mancher Stuhl einfach vor die Türe gesetzt werden (***Stuhl 25.***). Der Stuhl, auf den hier angesprochen wird, bezieht sich auf einen alten Rechtsbrauch und symbolisiert Eigentums- und Herrschaftsrechte: Wer etwas besitzt, dem gehört das, und wenn einem der Stuhl unter dem Hintern weggezogen wird (***Stuhl 33.***), fällt er auch in einem nicht wörtlich zunehmenden Sinn auf den Hintern, so wie umgekehrt diejenigen, die ihre Stühle zusammenstellen (***Stuhl 34.***), nicht nur an einem gemeinsamen Tisch sitzen. Im Plural tritt der Stuhl ansonsten nur noch dann auf, wenn es darum geht, sich nicht entscheiden zu können, wo denn wohl der beste Platz zu finden sei, und man sich schließlich zwischen zwei Stühlen auf dem Boden wiederfindet (vgl.* **Stuhl 26., 28.***). Diese Redensart kommt bereits in einem Lied Walthers von Metze (um 1250) vor: „Ez ist ein wunder an mir/ daz ich elliu wip dur si mide/ sus bin ich an die blozen stat/ zwischen zwein stüelen gesezzen/ An der selben stat hat si min vergezzen." (Zitiert nach Lutz Röhrich)*

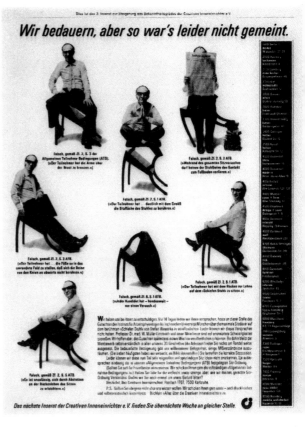

Wir bedauern, aber so war's leider nicht gemeint.

Das nächste Inserat der Creativen Inneneinrichter e. V. finden Sie übernächste Woche an gleicher Stelle.

für „Sturzkampfflugzeug", sondern ist zusammengesetzt aus „Stu" (für Stützverband) und „Ka" (eigentlich „Cra") für Cramer. *Sold* 1939 *ff.*
2. Wanze. Sie stürzt senkrecht (von der Zimmerdecke) auf ihr Opfer nieder wie ein Sturzkampfbomber. *Sold* 1939 *ff.*
3. Stechmücke. *Sold* 1939 *ff.*
4. ~ zu Fuß = a) schwerer Minen-, Granat-, Nebelwerfer. *Sold* 1939 *ff.* – b) Raketengeschoß. *Sold* 1943 *ff.* – c) Stielhandgranate. *BSD* 1968 *ff.*
5. kein ~ sein = langsam arbeiten; nicht schneller arbeiten können. *Sold* 1939 *ff.*
Stuka-Angriff *m* heftiges Liebeswerben um eine

Frau. 1940 *ff, sold* und *ziv.*
stuken *tr* etw hart aufstoßen, heftig stoßen; jn prügeln. Nebenform zu „stauchen = stoßen". *Niederd* und *Berlin,* seit dem 19. Jh.
Stulle *f* **1.** Butterbrot; Brotschnitte. Fußt auf *ndl* „stul = (Butter-)Stück", woraus sich *ostmitteld* „Stulle = kleiner Brotlaib" entwickelte. Vorwiegend nördlich der Mainlinie verbreitet, seit dem 17. Jh.
2. ~ mit Brot = Brotschnitte ohne Belag. Ironie. 1900 *ff.*
3. ~ mit Faltenwurf = dicht mit überquellendem Aufschnitt belegte Scheibe Brot. „Faltenwurf" meint in der bildenden Kunst die Art und Weise, wie die menschliche Figur bekleidet ist. Die Gewandung geht notwendig über den Umriß des Körpers hinaus. *Berlin* und *mitteld,* spätestens seit 1900.
4. ~ mit Fransen = dick mit Fleisch oder Wurst belegte Brotscheibe, wobei der Aufschnitt weit überragt. Übertragen von den Hängefäden an Tischdecke oder Teppich. 1920 *ff.*
5. ~ mit Schleppe = reichlich belegte Brotschnitte. Bildhaft verstärkt nach „↗Stulle 3". *Berlin* 1900 *ff.*

6. schwangere ~ = dick mit Aufschnitt belegtes Butterbrot. Vielleicht beeinflußt von *ital* „panino gravido = schwangeres Brötchen". 1955 *ff,* Berlin, *jug.*

Stullenbrett *n* breites Schulterstück russischer Offiziere. Es ist breit wie ein Frühstücksbrettchen. *Sold* 1941 *ff;* auch Vokabel der Kriegsgefangenen in Rußland.

Stullendampfer *m* Hausangestellte; Köchin; Koch. Wohl ein „↗Schraubendampfer", von dem Butterbrote zu erwarten sind. 1930 *ff.*

Stullenloge (Grundwort *franz* ausgesprochen) *f* Theatergalerie; Zirkusstehplatz. Hier verzehren die Zuschauer die mitgebrachten Butterbrote, was auf den teureren Plätzen für unschicklich gilt. 1920 *ff,* Berlin.

Stullen-Muffel *m* Student, der mitgebrachte Butterbrote verzehrt, statt in der Mensa zu essen. ↗Muffel. 1966 *ff,* Hamburg (laut Mitteilung von Julius Hansen).

Stullenpaket *n* Butterbrotpaket. 1900 *ff.*

Stullenpapier *n* Butterbrotpapier. Seit dem 19. Jh, Berlin.

Stullenrentner *m* **1.** Mann, der sich aus Ärmlichkeit nur von Butterbroten ernährt. Berlin 1920 *ff.* **2.** Empfänger von Sozialunterstützung. 1950 *ff.*

Stullenverhältnis *n* Liebesverhältnis mit dem Hintergedanken an eine gute Verpflegung. Vorläufer von ↗Bratkartoffelverhältnis. Berlin 1900 *ff.*

stülpen *tr* ein Glas Alkohol zu sich nehmen. Stülpen = umkehren, umstürzen. Analog zu „einen ↗kippen". 1870 *ff, hess* und *rhein.*

Stülpi *m n* Präservativ. Hängt mit „überstülpen" zusammen. 1970 *ff.*

stumm *adj* **1.** jn ~ machen = a) jm durch Schläge auf den Kopf die Besinnung rauben. *Sold* 1939 *ff.* – b) jn umbringen. *Sold* 1939 *ff.* – c) jds Stillschweigen durch Bestechung erkaufen. 1950 *ff.* **2.** ~ sein = mittellos sein; nicht bei Geld sein. Man schweigt, weil man nicht bestellen (und bezahlen) kann. *BSD* 1960 *ff.*

Stumme *f* auf die ~ = wortlos; beredt blicken. Verkürzt aus „auf die stumme ↗Tour". Dazu das gereimte Liebesgeständnis eines Berliners: „Dein Blick gesteht mir auf die Stumme: du bleibst immer meine Brumme!". *Halbw* 1955 *ff.*

Stummel *m* **1.** kleines, kurzes Endstück eines zylinderförmigen Körpers. Gehört zu „Stumpf = abgeschnittenes Stück". 1500 *ff,* vorwiegend *niederd;* seit 1900 auch bis nach Österreich vorgedrungen. **2.** kleine, gedrungene Nase; Stumpfnase. 1900 *ff.* **3.** Penis. Seit dem 19. Jh. **4.** kleines Kind (Kosewort). Seit dem 19. Jh. **5.** kein ~ = nichts; keineswegs. 1920 *ff.*

Stummelbeine *pl* kurze, gedrungene Beine. Meint eigentlich die Beinstümpfe. 1900 *ff.*

Stümmelchen *n* Kosewort für Kind, Frau und Mann. 1900 *ff.*

stummelfüßig *adj* kurzbeinig. 1900 *ff.*

Stummelhaxen *pl* kurze, gedrungene Beine. ↗Stummelbeine; ↗Haxe 1. *Bayr* 1900 *ff.*

stümmeln *tr intr* koitieren. ↗Stummel 3. *Westf* 1950 *ff.*

Stummelpfeife *f* kurze Tabakspfeife. 1700 *ff.*

Stummelquäler *m* **1.** Mann, der Zigarren oder Zigaretten bis auf den kürzestmöglichen Rest aufraucht. Berlin 1870 *ff.* **2.** Mann, der Zigarren- oder Zigarettenendstücke auf der Straße oder aus Aschenbechern aufliest. Berlin 1870 *ff.*

Stummelstecher *m* Aufklauber von Zigarren- oder Zigarettenendstücken. 1900 *ff.*

Stummelzöpfchen *pl* kurze Zöpfe. 1920 *ff.*

Stummerl *m* Taubstummer. *Österr* seit dem 19. Jh.

Stump (Stumpen) *m* **1.** unteres Reststück; Stumpf. *Niederd* und *mitteld* Form für *oberd* „Stumpf". 1600 *ff.* **2.** Penis. Analog zu ↗Stummel 3. Seit dem 19. Jh.

Stümpchen *n* kleines Kind (Kosewort). 1700 *ff, niederd, mitteld* und *südwestd.*

stumpen *v* **1.** *tr* = etw (jn) stoßen. Mit Nasalinfix fußend auf „stupfen = stoßen, antreiben". *Hess* und *rhein,* seit dem 19. Jh. **2.** *tr intr* = koitieren. Analog zu ↗stoßen; *vgl* auch ↗Stump 2. Spätestens seit 1900. **3.** *tr* = kurzschneiden, stutzen. Versteht sich als „stumpf machen; kürzen". Spätestens seit 1900.

Stumper *m* kleine Beule in der Blechkarosserie. ↗stumpen 1. 1930 *ff.*

Stümper *m* Versager; Nicht-Fachmann. Gehört zu *niederd* „stump" und *hd* „stumpf" im Sinne von „körperlich geschwächt". Seit dem 17. Jh.

stümperhaft *adj* unfachmännisch. Seit dem 17. Jh.

Stümperhaftigkeit *f* unsachgemäße Verrichtung. Seit dem 17. Jh.

stümperig *adj* mangelhaft ausgeführt; ungekonnt. 1900 *ff.*

stümpern *intr* unzweckmäßig arbeiten. 17. Jh.

Stümperverein *m* Volksschule, Grundschule; die Volks-/Grundschüler. *Abf* Bezeichnung im Munde von Gymnasiasten. 1950 *ff.*

stumpf *adj* schlecht, unbedeutend; unvollkommen. *Vgl* das Gegenwort „↗spitz 2". Halbwüchsigenvokabel seit 1950; aber bereits um 1500 erstmals bezeugt.

Stumpf *m* etw mit ~ und Stiel aufessen (vertilgen o. ä.) = etw völlig aufessen; von der Speise nichts übriglassen. Stumpf ist der Wurzelstock, und Stiel ist der Stengel. 1500 *ff.*

Stumpfbock *m* langweiliger, geistig träger, bildungsfähiger Mann. Stumpf = plump, grob. 1870 *ff.*

stumpfen *intr* gedankenlos dreinblicken; sich langweilen. Gehört zu der Vorstellung vom „stumpfen Blick". Spätestens seit 1900.

Stumpferl *n* Zigarettenendstück. Verkleinerungsform von „Stumpf". *Österr* 1900 *ff.*

stumpig *adj* untersetzt, gedrungen. ↗Stump 1. 1800 *ff.*

Stunde *f* **1.** Nachhilfestunde. Hieraus gekürzt. Seit dem 19. Jh.

2. ~ der Umkehr = Religionsunterricht. Geht auf den Titel eines Films zurück. *Schül* 1967 *ff.*

2 a. ~ der Wahrheit = Parlamentswahl; Offenlegung der politischen Absichten; Geständnisablegung; Bewährungsnachweis; Schulabschlußprüfung; Körpergewichtsprüfung; Konkurs o. ä. Fußt wahrscheinlich auf dem *dt* Titel des Orson-Welles-Films „Histoire immortelle" (1967). Gegen 1970 bezeugt.

3. blaue ~ = Dämmerung. Mit „blau" gibt man den Farbeindruck der verschwimmenden Ferne wieder. Seit dem 19. Jh.

4. schwache ~ = a) Stunde, in der man der Verführung erliegt. „Schwach" bezieht sich auf die Schwächung des Widerstands. 1900 *ff.* – b) nicht ganz 60 Minuten. 1900 *ff.*

5. trockene ~ = militärischer Unterricht. Das Adjektiv spielt an auf die Geistlosigkeit des Gegenstands und der Unterweisungsart. *Sold* 1935 *ff.*

6. ~n schieben (machen) = Überstunden machen. ↗schieben 1. 1950 *ff.*

7. wem die ~ schlägt = a) Augenblick vor der Austeilung der Schulzeugnisse. Fußt auf dem *dt* Titel des 1943 mit Ingrid Bergman gedrehten amerikanischen Films „For Whom the Bell Tolls" nach dem gleichnamigen Buch von Ernest Hemingway. *Schül* 1958 *ff.* – b) Musterung. *BSD* 1971 *ff.*

Stunden-Absteige *f* Hotel, in dem Liebespaare ein Zimmer stundenweise mieten können. ↗Absteige. 1920 *ff.*

Stundenbraut *f* Prostituierte. 1958 *ff*, Berlin.

Stundendiva *f* Prostituierte. „Diva" bezeichnet eigentlich die gefeierte Bühnenkünstlerin. 1960 *ff.*

Stundenfrau *f* Prostituierte. Meint eigentlich die Putzfrau, deren Dienste stundenweise bezahlt werden. 1930 *ff.*

Stundenhotel *n* **1.** Hotel, das Zimmer stundenweise vermietet. Seit dem 19. Jh.

2. fahrbares ~ = breitgebautes Auto. Anspielung auf den Geschlechtsverkehr, der dort praktiziert werden kann. 1960 *ff*, halbw.

Stundenkartoffel *f* Taschenuhr. ↗Kartoffel 1. 1935 *ff.*

Stundenkavalier *m* Frauenheld (dem es nur auf den Geschlechtsverkehr ankommt). 1920 *ff.*

stundenlang *adv* **1.** ihm könnte ich ~!: Drohrede. Verkürzt aus „ihm könnte ich stundenlang ins Gesicht schlagen, ins Gesicht spucken" u. ä. 1910 *ff.*

2. ~ mit (wachsender) Begeisterung = lange Zeit, ohne zu ermüden (ich könnte ihm stundenlang mit wachsender Begeisterung in die Fresse hauen!). 1910 *ff.*

Stundenlohn *m* Prostituiertenentgelt. 1955 *ff.*

Stundenlöhnerin *f* Prostituierte. 1955 *ff.*

Stundenlutscher *m* großes Bonbon am Stiel. 1965 *ff.*

Stunk *m* Zank; Unfrieden; streitlüsterne Stimmung; Anherrschung. Nebenform zu ↗Stank. 1880 *ff*, Berlin, *mitteld* u. a.; vorwiegend *sold* und *schül*.

Stunkladen *m* übelbeleumdetes Wirtshaus. Berlin 1880 *ff.*

Stunkmacher *m* Unfriedenstifter, Zänker. 1920 *ff.*

Stunkstengel *m* Sendemast von Rundfunkanstalten in Diktaturen. 1970 *ff.*

Stupf *m* Stoß. *Vgl* das Folgende. *Oberd* seit dem 19. Jh.

stupfen *tr* jn leicht stoßen; jn an etw erinnern. *Gleichbed* in *ahd* und *mhd* Zeit. Heute vorwiegend *oberd.*

Stupfer *m* leichter Stoß. 1500 *ff.*

Stu'pidienrat *m* **1.** Studienrat (an einer Mädchenschule). Wortwitzelei, zusammengesetzt aus „stupid(e)" und „Studienrat". Nach 1900 aufgekommen; noch heute verbreitet. Das Wort war am 17. April 1970 auf einem Transparent bei einer Protestversammlung deutscher Studienräte in Essen zu lesen.

2. Hilfsschullehrer. 1910 *ff.*

Stupp *m* auf den ~ = ganz genau. „Stupp" ist das stumpfe Ende des Eies, auch das Wurstende und die Fingerspitze. 1900 *ff.*

Stüppchen *n* **1.** kleines Mädchen (Kosewort). 1900 *ff.*

2. Rufname der Katze. 1900 *ff.*

Stups (Stubs) *m* Stoß. *Vgl* das Folgende. Seit dem 18. Jh.

stupsen (stubsen) *tr* gelinde stoßen. *Niederd* Form zu *hd* „stupfen". Seit dem 18. Jh.

Stupser (Stubser) *m* Stoß. Seit dem 19. Jh.

Stupsi *m* **1.** Kosewort für eine weibliche Person, auch für den Mann. Wohl wegen einer gewissen Gedrungenheit der Gestalt, vielleicht auch wegen der „↗Stupsnase". 1900 *ff.*

2. Rufname des Hundes. 1900 *ff.*

3. Rufname der Katze. 1900 *ff.*

stupsig *adj* kurz, gedrungen, zusammengedrückt (auf die Nase bezogen). 1900 *ff.*

Stupsnase *f* **1.** aufwärtsgerichtete Nase. Ein Stoß hat ihre normale Form verändert. Seit dem 19. Jh.

2. Mensch mit aufwärtsgerichteter Nase. Seit dem 19. Jh.

stupsnasig *adj* aufwärtsgerichtet, kurz, stumpfig (auf die Nase bezogen). Seit dem 19. Jh.

stur *adj* **1.** eigenwillig; unbeirrbar vorgehend; hartnäckig; unbeugsamen Charakters. *Niederd* „storr = störrisch" entspricht *hd* „stier, starr". Seit dem 19. Jh, vorwiegend in Preußen.

2. ~ und steif = starr aufgerichtet. Seit dem 19. Jh.

3. ~ heil!: Landsergruß. Nach dem Muster von „Petri Heil", „Weidmannsheil", „Ski Heil" o. ä.;

vielleicht auch schon *(iron)* beeinflußt von „unbeirrbar Heil (Hitler)". *Sold* und *ziv* 1933 *ff.*

4. ~ heil *(adv)* = unbeirrbar; unbelehrbar in gleicher Richtung bleibend; grundsatztreu; unverbesserlich. 1933 *ff.*

5. auf ~ schalten = sich zu rücksichtslosem Vorgehen entschließen; bei seiner ablehnenden Haltung bleiben; nicht im geringsten nachgeben. 1935 *ff.*

Sturbock *m* dummer, begriffsstutziger Mann. 1900 *ff.*

sturen *intr* geistlos vor sich hinstarren. 1900 *ff.*

Sturheit *f* Hartnäckigkeit; geistige Unbelehrbarkeit; Unbeugsamkeit; Unnachgiebigkeit. 1920 *ff.*

Sturkopf *m* starrsinniger Mensch. Seit dem späten 19. Jh.

sturköpfig *adj* starrsinnig. Seit dem späten 19. Jh.

Sturköpfigkeit *f* Starrsinn. Seit dem späten 19. Jh.

sturm *adj* aufgeregt, verwirrt; schwindelig. Aus dem Substantiv im Sinne heftiger Gemütsbewegung entwickelt. *Oberd* seit dem 19. Jh.

Sturm *m* **1.** in Gärung übergehender Most. Der Gärungsvorgang erscheint als eine Form von Aufruhr und Tumult. *Österr* seit dem 19. Jh.

2. sich im ~ befinden = wütend sein; einen cholerischen Anfall haben. 1920 *ff.*

3. einen ~ haben = betrunken sein. Vom brausenden, rauschenden Wind übertragen auf den berauschten Zustand. Seit dem 19. Jh.

4. in ~ kommen = berauscht werden. 19. Jh.

5. ~ läuten = heftig und wiederholt klingeln. Hergenommen vom *trad* Glockenläuten bei einer Feuersbrunst. 1900 *ff.*

6. im ~ sein = betrunken sein. Seit dem 19. Jh.

Sturmbeutel *m* Hodensack. Eigentlich der kleine Rucksack, in dem der Soldat bei Kampfhandlungen die notwendigsten Gegenstände mit sich führte. Die mit der Vokabel gemeinte „Kampfhandlung" ist der Geschlechtsverkehr, auch „Nahkampf" genannt. 1941 *ff, sold.*

Sturmbude *f* Hotel, in dem man Zimmer stundenweise mieten kann. Sturm = Geschlechtsgier. 1940 *ff.*

Stürmer-Star *m* hervorragender Stürmer einer Fußballmannschaft. ↗ Star 1. *Sportl* 1950 *ff.*

sturmfrei *adj* frei von jeglicher Behelligung durch den Vermieter (bezogen auf ein Zimmer mit gesondertem Eingang). Sturmfrei ist eine befestigte militärische Anlage, die für die Infanterie uneinnehmbar ist. Seit dem späten 19. Jh, vorwiegend *stud;* heute vor allem in Halbwüchsigenkreisen geläufig.

Sturmfreiheit *f* durch gesonderten Eingang gewährleistete Nichtbelästigung des (Unter-)Mieters durch den Vermieter. 1870 *ff.*

Sturmfrisur *f* hochtoupierte Frisur. *Halbw* 1965 *ff.*

Sturmgepäck *n* **1.** in geschlechtlicher Erregung erigierter Penis und anschwellender Hodensack. ↗ Sturmbeutel. 1910 *ff.*

2. kleines ~ = Wanderausrüstung bei einer Urlaubsfahrt. Eigentlich die Kampfausrüstung des Soldaten samt Brotbeutel, Feldflasche usw. Kurz nach dem Ersten Weltkrieg aufgekommen.

sturmreif *adj* **1.** nach Geschlechtsverkehr verlangend; beischlafwillig. Sturm = Geschlechtsgier. 1939 *ff.*

2. eine ~ machen = eine weibliche Person beischlafwillig machen. Meint eigentlich den langanhaltenden Beschuß, bis der Sturmangriff Erfolg verspricht. *Sold* 1939 *ff.*

Sturmriemen *m* erigierter Penis. ↗ Riemen 2. Eigentlich der Kinnriemen an Mütze oder Helm. 1910 *ff.*

Sturmtank *m* hervorragender Stürmer einer Fußballmannschaft. Eigentlich der angreifende Panzerkampfwagen. *Sportl* 1950 *ff.*

Sturmtolle *f* hochgekämmte Haarsträhne. ↗ Tolle. 1920 *ff.*

Sturmwasser *n* **1.** Schnaps. Eigentlich der vor dem Angriff ausgegebene Alkohol. *Sold* in beiden Weltkriegen.

2. Sekt. Angeblich steigert er den Drang zum anderen Geschlecht. Sturm = Geschlechtsgier. 1950 *ff.*

Sturschädel *m* starrsinniger Mensch. ↗ stur 1. Seit dem späten 19. Jh.

Sturtipper *m* Mann, der immer wieder auf dieselben Wettreihen setzt. ↗ tippen. 1960 *ff.*

Sturz *m* einen ~ drehen = (mit dem Fahrrad) stürzen. 1920 *ff.*

'sturzbe'trunken (-be'soffen) *adj* volltrunken. Man ist so bezecht, daß man sich nicht auf den Beinen halten kann und niederstürzt. Nördlich der Mainlinie, 1900 *ff.*

'sturz'blau *adj* völlig betrunken. *Vgl* das Vorhergehende. ↗ blau 5. 1900 *ff.*

Sturzbomber *m* schnell absteigende Fußballmannschaft. Übernommen vom Sturzkampfbomber, zugleich mit Anspielung auf einen durch Abstürze berüchtigten Flugzeugtyp. *Sportl* 1965 *ff.*

Sturzelhaar *n* kurzgeschnittene Jungmädchenfrisur. „Sturzel" ist der Torso eines Standbilds. 1960 *ff.*

stürzen *tr* **1.** jn bestrafen. Man stürzt ihn ins Gefängnis. *Rotw* 1840 *ff.*

2. jn beschimpfen. Mit abfälliger Kritik stürzt man ihn vom Thron, vom Denkmalssockel: man entzieht ihm seine erhabene Größe. Seit dem 19. Jh.

3. sich in den Ehestand ~ = heiraten. *Iron* Bezeichnung im Munde von Junggesellen, verquickt mit dem Nebensinn „sich ins Unglück stürzen". 1955 *ff.*

Sturzfighter (Grundwort *engl* ausgesprochen) *m* Starfighter. Anspielung auf die zahlreichen Abstürze dieses Flugzeugtyps. *BSD* 1970 *ff.*

Sturzflieger *m* von der Schule verwiesener Schüler. ↗ Flieger 1. 1950 *ff.*

Sturzflug *m* **1.** Schulverweisung. *Vgl* das Vorhergehende. 1950 *ff.*
2. hast du schon etwas von Sturzflügen gehört?: Drohfrage. Seemannsspr. 1930 *ff.*
Sturzgeburt *f* übereilte Handlung. Eigentlich die ungewöhnlich schnelle, ruckartig erfolgende Geburt. 1900 *ff.*
Sturzkampfbomber *m* anrüchiges Lokal, in dem der Soldat leicht Mädchenbekanntschaften machen kann. Man hat dort leichten Angriff, stürzt sich auf das Ziel und zerstört es am Boden. *Sold* 1939 *ff.*
Sturztüte *f* Sturzhelm. *Vgl* ↗Hurratüte. *BSD* 1968 *ff.*
Sturzwelle *f* Scheitel. Er ähnelt dem Einschnitt einer Sturzwelle. 1960 *ff, jug.*
Stuß *m* **1.** leeres Gerede; Unsinn; Dummheit, Torheit. Fußt auf *jidd* „schtus = Narrheit, Torheit, Unsinn". Aufgekommen in der ersten Hälfte des 18. Jh, *rotw* und *stud.*
2. Unsinnschwätzer. 1920 *ff.*
3. ~ mit Fransen = Unsinn. 1900 *ff.*
4. gediegener ~ = Unsinn, der durch seine Form nicht sofort als solcher erkennbar ist. 1930 *ff.*
5. höherer ~ = völliger Unsinn. 1920 *ff.*
6. verdrallter ~ = Unsinn von besonderer Güte. Wie der Gewehrlauf hat er einen Drall. 1960 *ff.*
stussen *intr* sich aufspielen. ↗Stuß 1. *Jug* 1965 *ff.*
stussig *adj* unsinnig, albern. 1965 *ff.*
Stußkopf *m* Unsinnschwätzer. 1920 *ff.*
Stußmann *m* Dummer, Dummschwätzer. 1920 *ff.*
Stute *f* **1.** Frau. Eigentlich das weibliche Pferd, das Mutterpferd. 1500 *ff.*
2. träge weibliche Person. 1500 *ff.*
3. bejahrte, wenig ansehnliche Frau. 1900 *ff.*
4. Prostituierte. Meist befindet sie sich im „↗Gestüt" eines Zuhälters. 1920 *ff.*
5. kräftig gebaute Frau; Frau mit üppigem Busen. 1920 *ff.*
6. alte ~ = wegen vorgerückten Alters nicht mehr erwerbsfähige Prostituierte. 1920 *ff.*
7. junge ~ = junge Straßenprostituierte. 1920 *ff.*
8. warme ~ = Lesbierin. ↗warm. 1920 *ff.*
Stutenschau *f* Schönheitswettbewerb. Der Züchtersprache entlehnt: bei der Pferde-Stutenschau werden die körperlich besten oder ansprechendsten Stuten prämiiert. 1920 *ff.*
Stutenschule *f* höhere ~ = Mädchengymnasium. Ursprünglich ein Begriff des Reitsports im Sinne von „Hohe Schule", „Schulreiten". ↗Stute 1. Berlin nach 1950, *schül.*
Stutz *m* **1.** (Klein-)Geld; Schweizer Franken. Herleitung unbekannt. *Schweiz* 1900 *ff.*
2. auf einen (den) ~ = plötzlich, sofort. Stutz = Stoß, Schlag. 1500 *ff.*
Stütze *f* **1.** Arbeitslosengeld; Sozialhilfe. Kurz nach 1920 verkürzt aus „Unterstützung".
2. ~ der Hausfrau = Korsett, Mieder. Fußt auf dem 1904 patentamtlichen Begriff „Bruststütze".

Um 1920 aufgekommen. (Das Stichwort steht veraltend auch für „Haushaltshilfe".)
3. geistige (kleine) ~ = unerlaubte Übersetzung; Täuschungszettel. Verkürzt aus ↗Gedächtnisstütze. *Schül* 1920 *ff.*
stutzen *intr* mit den Gläsern anstoßen. Intensivum zu „stoßen". *Fränkisch* und *schwäb*, seit dem 18. Jh.
Stutzkopf *m* eigensinniger Mensch. Er ist „stößig = widerspenstig". 1900 *ff.*
Stuzzi *m f* intime Freundin. Stammt aus Österreich und fußt auf *ital* „stuzzicare = stochern, stacheln, reizen", vielleicht beeinflußt von *ital* „astuzia = List, Schlauheit". Auch Entstehung aus „stutzen = stoßen" ist möglich, zumal „stoßen" soviel meint wie „Koitieren". 1920 *ff.*
subkat'tun (subka'tun) *adv* heimlich, vorsichtig. Medizinersprachlich verdreht aus „subkutan". 1930 *ff.*
subku'tan *adv* heimlich, unauffällig. Eigentlich „unter der (unter die) Haut". *Stud* 1900 *ff.*
Sublaterner *m* niederer Beamter; Offizier (vom Leutnant bis zum Hauptmann). Verdreht aus „Subalterner". 1900 *ff.*
Substantivitis *f* übertriebene Neigung zur Verwendung von Substantiven. Krankheitsbezeichnungen nachgeahmt. 1930 *ff.*
Subteen (*engl* ausgesprochen) *m* Junge oder Mädchen unter 13 Jahren. ↗Teen. Gegen 1955/60 aufgekommen, entweder in Halbwüchsigenkreisen oder von den Modeschöpfern geprägt.
subtrahieren *v* **1.** *tr* = onanieren. 1930 *ff.*
2. *intr refl* = weggehen. Meint eigentlich „eine Zahl von einer anderen abziehen"; abziehen = weggehen. *Schül* seit 1900 *ff.*
Subvention *f* private ~ = Bestechung. Nach 1950 aufgekommen.
subventionieren *v* geistig ~ = dem Mitschüler vorsagen. 1965 *ff.*
Subventionitis *f* Subventionsunwesen. 1960 *ff.*
Such- und Hackapparat *m* Schreibmaschine. „Suchen" und „Hacken" beschreiben das Vorgehen ungeübter Benutzer. 1960 *ff.*
Suckel *m* **1.** schmutzendes Kind; unflätiger Erwachsener. Eigentlich das Saugferkel, auch das Mutterschwein. *Oberd* 1700 *ff.*
2. Schnuller. ↗suckeln. Seit dem 19. Jh.
Suckelkind *n* Säugling. Seit dem 19. Jh, *oberd* und *mitteld.*
suckeln (sückeln) *tr intr* saugen. Hierzu als Intensivbildung spätestens im 19. Jh aufgekommen.
Sud *m* **1.** Bräune; Bräunung durch die Sonne. Gehört zu „sieden". *Österr* 1930 *ff.*
2. einen ~ aufziehen = erröten. *Österr* 1930 *ff, jug.*
3. ~ schinden = ein Sonnenbad nehmen. ↗schinden 1. *Österr* 1930 *ff.*
4. einen ~ schwingen = a) sonnengebräunt sein. *Österr* 1930 *ff.* – b) erröten. *Österr* 1930 *ff.*

Sudeln *heißt, daß jemand unsauber arbeitet, und das Resultat solchen Tuns, das* **Sudelwerk**, *erscheint im Lichte der ursprünglichen Bedeutung des Wortes „Sudel" (vgl. Stichwortartikel) als eines, das durch Pfützen, Schmutz und Jauche gegangen ist, oder, um's ins Metereologische zu wenden, lange Zeit einer Witterung ausgesetzt war, die, und das versteht sich aus dem vorigen, die Bezeichnung* **Sudelwetter** *nicht umsonst trägt. Wer indes aus freien Stücken sudeln geht (***sudeln gehen***), bewegt sich in einem Klima, das mit dem, welches das Foto oben zeigt, nur insofern etwas zu tun hat, als sich die Perspektiven des Betrachters gleichen. Es ist dies der schaurige Blick von innen nach draußen.*

Sudelarbeit *f* unangenehme, unordentliche Arbeit. ↗ sudeln. 1600 *ff.*

Sudelbier *n* minderwertiges, abgestandenes Bier; Tröpfelbier. ↗ sudeln. Seit dem 19. Jh.

Sude'lei *f* Schmutzerei; unsaubere, nachlässige Arbeit; nachlässige Schrift; Schmähschrift. 1700 *ff.*

Sudelheini *m* schlechter, unsauberer Koch. ↗ Heini 1. 1914 *ff.*

sudelig *adj* unsauber. 1700 *ff.*

Sudelkoch *m* schlechter Koch. 1600 *ff.*

Sudelküche *f* Gruppe von Verleumdern. 1945 *ff.*

sudeln *intr* unsauber arbeiten; unreinlich sein; unsauber schreiben o. ä. Gehört zu „Sudel = Pfütze, Schmutz, Jauche". Seit dem 15. Jh.

sudeln gehen *intr* ausschweifend leben. Fußt auf dem Begriff der sittlichen Unsauberkeit. *Österr* 1920 *ff.*

Sudelsau (Suddelsau, Suttelsau) *f* unsauberer, schmutzender Mensch. 1930 *ff.*

Sudelschnauze *f* unflätige Redeweise; unflätig Redender. 1920 *ff.*

Sudelwerk *n* liederliche Arbeit. 1500 *ff.*

Sudelwetter *n* regnerisches Wetter. 1600 *ff.*

Süden *m* unterer Teil des Rückens. 1900 *ff;* wohl älter.

Sudler *m* unsauber, unsorgfältig arbeitender Mensch. ↗ sudeln. 1500 *ff.*

Südlicht *n* Süddeutscher. Analog dem ↗ Nordlicht. 1975 *ff.*

Südpol *m* Gesäß. 1900 *ff.*

Südseite *f* Gesäß. Seit dem späten 19. Jh, *sold* und theaterspr.

Südwind *m* leise entweichender Darmwind. ↗ Süden. *Sold* in beiden Weltkriegen.

Suezpreise *pl* Preissteigerung. 1956 aufgekommen mit der Verknappung und Verteuerung der Waren in wirklichem oder angeblichem Zusammenhang mit der Suezkrise. Seitdem verallgemeinert.

Suff *m* **1.** das Zechen. Nomen actionis zu „saufen". 1500 *ff.*

2. gewohnheitsmäßiges Trinken; Trunksucht. 1800 *ff.*

3. Rausch. 1800 *ff*.

4. Gesamtheit der alkoholischen Getränke. Kaufmannsspr. vor 1850; *halbw* 1955 *ff*.

5. halber Liter Bier. Mannheim, *halbw* 1960 *ff*.

6. gesetzlicher ~ = Höchstgrenze des Blutalkoholgehalts eines Kraftfahrers. Gegen 1950 aufgekommen.

7. heimlicher (stiller) ~ = heimliches Trinken; Trinksucht ohne Gesellschaft. Seit dem frühen 19. Jh.

8. das kommt vom unregelmäßigen ~: Redewendung, wenn einer bezecht einschläft, im Zimmer sich erbricht o. ä. Berlin seit dem ausgehenden 19. Jh.

Suffa *f* Berliner Gastwirtsmesse. 1966 *ff*.

Süffel (Süffer, Süffler) *m* **1.** Mensch, der gern, aber nicht regelmäßig alkoholische Getränke zu sich nimmt. ↗süffeln. 1800 *ff*.

2. alter ~ = Auto mit großem Benzinverbrauch. 1950 *ff*.

Süffe'lei *f* (auch *pl*) = Getränke. *Jug* 1950 *ff*.

süffeln *intr* gern trinken; in kleinen Schlucken genüßlich trinken. Iterativum zu „saufen". Seit dem 19. Jh.

Suffgör (-göre) *n (f)* im Alkoholrausch gezeugtes Kind. ↗Gör. Berlin 1900 *ff*.

süffig *adj* **1.** angenehm zu trinken. Gegen 1850 aufgekommen.

2. flott geschrieben; schwungvoll, spritzig. 1850 *ff*.

Süffiges *n* alkoholische Getränke. 1900 *ff*.

Süffigkeiten *pl* alkoholische Getränke. 1920 *ff*, *stud*.

Suffing *f* Zechgelage. ↗Saufing. *Marinespr* 1900 *ff*.

Suffkind *n* im Alkoholrausch gezeugtes Kind. 1900 *ff*.

Suffkopf (-kopp) *m* **1.** Zustand der Trunkenheit. Seit dem ausgehenden 19. Jh, Berlin.

2. Trinker. 1890 *ff*, Berlin.

Süffling *m* Trinker. *Oberd* seit dem 18. Jh.

Suffologie studieren viel trinken. Aus dem „Saufen" ist eine Wissenschaft geworden. *Stud* 1950 *ff*.

Sufftäter *m* Trunkenheitstäter. 1920 *ff*.

Suffvisage (Grundwort *franz* ausgesprochen) *f* Gesicht eines Gewohnheitstrinkers. ↗Visage. 1920 *ff*.

Suhlbad(-becken); Suhle *n (f)* Schwimmbad. Eigentlich die Lache oder der flache Tümpel, in deren Schlamm Rot- und Schwarzwild sich suhlen. *Schül* 1955 *ff*.

suhlen *refl* sich wohlig dehnen und strecken. Meint in der Jägersprache soviel wie „sich in einer Lache wälzen". 1950 *ff*.

Suite *f* eigenes Zimmer. Meint eigentlich die Zimmerflucht, vor allem in Schlössern und Palästen. *Halbw* 1965 *ff*.

Sultan *m* **1.** Mann, der gleichzeitig mehrere Ehen (oder eheähnliche Verhältnisse) unterhält. Der Sultan ist die Sinnbildgestalt der Vielweiberei im

Morgenland. *Rotw* seit dem frühen 19. Jh.

2. großer Hund. Anspielung auf Größe, Beleibtheit und Schwerfälligkeit. Seit dem 19. Jh.

Sülzbacke *f* Schwätzer. ↗sülzen 1. Berlin 1950 *ff*.

Sülzbeine *pl* **1.** Schweißfüße. Sülze = salzige Brühe; sulzen = ein Sekret absondern. 1900 *ff*.

2. wacklige Beine. Sie sind unfest wie Sülze. 1920 *ff*.

Sülze *f* **1.** Gehirn, Kopf. Anspielung auf die weiche Gehirnmasse. 1910 *ff*.

2. Geschwätz; haltloses Gerede; Unsinn. Dergleichen ist substanzlos wie Sülze. 1920 *ff*.

3. enttäuschendes Ergebnis eines Einbruchs. *Rotw* 1920, Berlin.

4. Verkehrsunfall. Anspielung auf das Durcheinander. Kraftfahrerspr. 1955 *ff*.

5. sich wie zehn Pfund ~ auf nassem Asphalt benehmen = sich übertrieben, hysterisch gebärden. 1959 *ff*.

6. ~ in den Beinen (Knien) haben = vor Schreck oder Überraschung schwanken. *Sold* in beiden Weltkriegen.

7. ~ im Kopf haben = geistesbeschränkt sein. ↗Sülze 1. 1920 *ff*.

8. jm einen auf die ~ hauen (kloppen o. ä.) = jm auf den Kopf schlagen. ↗Sülze 1. 1910 *ff*.

9. aus jm ~ machen (jn zu ~ machen; jn zu ~ verarbeiten) = jn entkräften, widerstandslos machen; jn völlig erledigen. Gern als Drohrede gebraucht. Man macht den Betreffenden gewissermaßen weich wie Sülze, bricht ihm die Knochen oder schlägt ihm die Knochen aus dem Fleisch. Seit dem frühen 20. Jh, vorwiegend *sold* und *jug*.

sülzen *intr* **1.** inhaltslos, aber pathetisch sprechen. „Sülze" ist hier Sinnbild der Substanzlosigkeit. *Sold* 1915 *ff*; *jug* 1935 *ff*.

2. schöntun, kosen, flirten; Komplimente machen. Derlei erscheint der Nachkriegsjugend als haltloses Gerede. *Halbw* 1950 *ff*.

Sülzfüße *pl* **1.** große, weiche Füße. 1900 *ff*, österr.

2. Schweißfüße. ↗Sülzbeine 1. *Österr*, 1900 *ff*.

Sülzgehirn *n* Geistesschwäche. ↗Sülze 7. 1920 *ff*.

Sülzhaxen *pl* **1.** Schweißfüße. ↗Haxe 1. *Bayr* 1900 *ff*.

2. sehr dicke Beine. Wien 1900 *ff*

sülzig *adj* ihm ist ~ zumute = er ist energielos, unentschlossen; er traut sich nicht. 1920 *ff*, Berlin und *nordd*.

Sülzknie *pl* weiche Knie. 1950 *ff*.

Sülzkopf (-kopp) *m* Dummschwätzer; seichter Redner. ↗sülzen 1. 1920 *ff*.

Sülzkoteletts *pl* Schweißfüße. 1910 *ff*.

Sülzmauken *pl* Schweißfüße. ↗Mauke 4. *Sold* in beiden Weltkriegen.

Sülznase *f* **1.** laufende Schnupfennase. Sulzen = ein Sekret absondern. 1900 *ff*, Berlin.

2. freche, vorlaute Person. Analog zu ↗Rotznase. 1900 *ff*.

3. Schimpfwort. 1935 *ff*.

Sülzpropeller *pl* Schweißfüße. *BSD* 1965 *ff.*

Sülzquanten *pl* Schweißfüße. ↗Quante 1. 1920 *ff;* *sold* 1939 bis heute.

Sülztatzen *pl* Schweißfüße. ↗Tatze. 1900 *ff, jug.*

Suma'wuscha *f* Mädchen, das man sich in körperlicher und geistig-seelischer Hinsicht nicht besser wünschen kann. Abgekürzt aus „supermaximale ↗Wunderschabe". Zürich 1960 *ff, halbw.*

Sumirp *m* Klassenschlechtester. Umgedreht aus „Primus": der Klassenschlechteste ist der „Primus von hinten". 1950 *ff.*

Summchen *n* Geliebte; Bettgenossin. Analog zu „Bienchen"; ↗Biene 3. 1960 *ff.*

Sümmchen *n* hübsches ~ = sehr ansehnlicher Geldbetrag. 1900 *ff.*

Sumper *m* unaufmerksamer, unbeholfener, schwerfälliger Mann. Fußt wahrscheinlich auf romanisch „sumber = Trommel"; übertragen auf einen dickbauchigen Krug und auf einen beleibten Mann. *Österr* seit dem 19. Jh.

Sumpf *m* 1. Bar o. ä., in der Prostituierte und Homosexuelle verkehren; Barbesitzer. ↗sumpfen. 1920 *ff,* großstadtspr.
2. den ~ austrocknen (trockenlegen) = Staatsfeinde und deren Helfershelfer unschädlich machen. Aufgekommen mit der Bekämpfung des Terrorismus. 1977 *ff.*
3. ich glaube, ich stehe im ~!: Erwiderung auf eine unglaubwürdige Behauptung. *Vgl* ↗Hamster. *Jug* 1970 *ff.*

Sumpfbiber *pl* Pioniere. ↗Biber 5. *BSD* 1965 *ff.*

Sumpfblüte *f* sittlich verkommene Person; Prostituierte. Sie ist ein „↗Pflänzchen", das im sprichwörtlichen „Sumpf der Großstadt" gedeiht 1920 *ff.*

Sumpfdotterblume *f* Straßenprostituierte. *Vgl* das Vorhergehende. 1920 *ff.*

sumpfen *intr* liederlich leben; sich alkoholischen und (oder) geschlechtlichen Ausschweifungen hingeben. Im „Sumpf des Lasters" sinkt man ein und geht unter. 1850 *ff.*

Sumpfer'ei *f* liederliche Lebensweise. 1870 *ff.*

Sumpfgeige *f* Mädchen, das sich gern auslebt. ↗Geige 3. *Halbw* 1950 *ff.*

Sumpfgenosse *m* Zechgenosse. ↗sumpfen. 1900 *ff.*

Sumpfgewächs *n* 1. leichtes Mädchen; Prostituierte. ↗Sumpfblüte. 1920 *ff.*
2. das Haar ist ein ~, – es hält sich nur auf Wasserköpfen: anzügliche Schülerweisheit. 1970 *ff.*

Sumpfhahn *m* lasterhafter junger Mann. ↗sumpfen. 1860 *ff.*

Sumpfhenne *f* Säufer(in). 1900 *ff.*

Sumpfhuhn *n* leichtfertiger, liederlicher Mensch; Trinker. Dem Tiernamen ist durch „↗sumpfen" eine neue Bedeutung untergeschoben worden. *Stud* 1850/60 *ff.*

Sumpfkuh *f* liederliche weibliche Person. ↗Kuh 1. *Jug* 1950 *ff.*

Sumpfleben *n* liederliche Lebensweise. Seit dem 19. Jh.

Sumpfloch *n* anrüchiges Lokal. 1920 *ff.*

Sumpfnudel *f* Zecher. ↗Nudel 4. 1920 *ff.*

Sumpfpflanze *f* leichtlebiges Mädchen; zwielichtiger Mensch. ↗Sumpfblüte. 1920 *ff.*

Sumpftour *f* ausschweifende Lebensweise; nächtliches Umherziehen von einer Bar o. ä. zur anderen. ↗Tour. 1920 *ff.*

Sumpfvogel *m* liederlicher Mensch. 1920 *ff.*

Sumpfzehe *f* Mensch mit ausschweifendem Lebenswandel. „Sumpfzehe" ist ein Sumpfhühnchen, das längere Zehen hat als die Rallen. Analog zu ↗Sumpfhuhn. 1960 *ff.*

Sums *m* 1. Wortschwall ohne Wert; Unsinn; nichts Gediegenes. Entwickelt aus dem Intensivum „sumsen" zu „summen"; man erzeugt einen dumpfen Dauerton (die Leistung verbleibt im akustischen Bereich). Etwa seit 1830/40.
2. viel ~ machen = viel Aufhebens machen; eine Sache aufbauschen; viel leeres Gerede machen. 1830/40 *ff.*

sumsen *intr* 1. ausschweifend leben; einen verschwenderischen Lebenswandel führen. Nebenform zu ↗sumpfen. 1870 *ff.*
2. nörgeln. Schallnachahmend wie ↗brummen 3. Seit dem 19. Jh, *österr* und *schwäb.*
3. langsam arbeiten. *Österr* 1900 *ff.*

Sumser *m* 1. Versager, Nichtskönner. ↗sumsen 3. *Österr,* 1900 *ff.*
2. Student mit hoher Semesterzahl. *Österr,* 1900 *ff.*
3. langweiliger Mensch. *Österr,* 1900 *ff.*
4. Nörgler. ↗sumsen 2. *Österr* seit dem 19. Jh.
5. Liebediener. Er macht viel „↗Sums", etwa im Sinne von „beschwatzen" oder „zum Munde reden". *Österr* seit dem späten 19. Jh.

Sumsgesüßel *n* schmeichlerische Rede ohne Substanz. ↗Sums 1; ↗Gesüßel. 1920 *ff.*

Sumskopf (-kopp) *m* Schwätzer, Schmeichler. ↗Sums 1. 1920 *ff.*

Sünde *f* 1. gerichtliche Vorstrafe. Eigentlich die mit voller Erkenntnis vollzogene Übertretung von Gottes Gebot. Verweltlicht spätestens seit dem 19. Jh.
2. Verstoß gegen die Straßenverkehrsordnung. 1950 *ff.*
3. ~ vom Dienst = Bordellprostituierte (soweit sie gerade keinen Urlaubstag hat). 1920 *ff.*
4. ~ im Dienst = Bühnendarstellung der Leichtlebigkeit; Schauspielerin in gewagter Rolle. 1955 *ff.*
5. weiße ~ = Unterlassung rechtzeitiger Warnung vor Lawinengefahr. 1966 *ff, journ.*
6. dumm wie die ~ = geistesbeschränkt. Soll auf Evas Verhalten in der biblischen Paradiesgeschichte zurückgehen: Eva war so dumm, zu sündigen, weil sie auf die Verführerschlange hörte. Spätestens seit dem 19. Jh.
7. faul wie die ~ = sehr träge, arbeitsscheu. Die Sünde lähmt die Tatkraft. Seit dem 19. Jh.

Das Gemälde „Die Sünde tritt zwischen Satan und den Tod" (um 1793–1796) des schweizer Malers Johann Heinrich Füssli (1741–1825) gehört zu den Werken seiner Galerie zum „Verlorenen Paradies" von John Milton (1608–1674), in der ganz im Sinne der romantischen Interpretation dieses Werks durch William Blake (1757–1827), einem Freund Füsslis, ein als furchtloser Rebell gegen die Herrschaft Gottes gezeichneter Satan die auffälligste Figur ist. Die Allegorie der Sünde erscheint dagegen fast konturlos. Gleiches gilt auch für die umgangssprachliche Sünde, wenngleich die Zusammenhänge, in denen da gesündigt wird, von der Dramatik dieser Darstellung weit entfernt sind. Zu solchem oft ironisch gemeintem frevlerischem Tun stiften allerdings nicht selten die Nachfahren Evas an, die, schön wie die Sünde (**Sünde 9.**), schon eine Sünde wert sind (**Sünde 14.**). Äußerungen wie diese lassen indes wieder an die literarische Vorlage des oben wiedergegebenen Werks denken; denn in Milton Epos trägt Eva die Hauptschuld am Sündenfall, während Adam ihr in freiem Willensentscheid folgt.

8. schäbig wie die ~ = charakterlos. 1900 *ff.*

9. schön wie die ~ = verführerisch schön. Seit dem 19. Jh.

10. ihm fallen alle ~n bei (ein) = er ist sehr schuldbewußt; urplötzlich regt sich sein Gewissen; plötzlich fällt ihm eine Unterlassung ein. Seit dem 19. Jh.

11. ~n auf dem Buckel haben = vorbestraft sein. ↗Sünde 1. Seit dem 19. Jh.

12. etw hassen wie die ~ = etw sehr hassen, verabscheuen. Seit dem 19. Jh.

13. es ist eine ~ und Schande = es ist schändlich, unverzeihlich. Seit dem 13. Jh.

14. er (sie) ist eine ~ wert = er (sie) ist so schön, daß man sich mit ihm (ihr) vergehen könnte. Seit dem 19. Jh.

Sündenabwehrkanone *f* **1.** Militärpfarrer. *Vgl* ↗Sak. *Sold* 1915 bis heute.
2. fahrbarer Feldaltar. Der „Gulaschkanone" nachgebildet. *Sold* 1915 bis 1945.

Sündenabwehrschule *f* Erziehungs-, Besserungsanstalt. Polizeispr. 1955 *ff.*

Sündenbabel *n* durch Laster aller Art berüchtigte Stadt. Fußt auf der Offenbarung Johannis, wo Babel (= Babylon) als Mutter der Hurerei, der Gottfeindlichkeit und aller erdenklichen Greuel geschildert ist. Seit dem 18./19. Jh.

Sündenbock *m* Unschuldiger, der für die Schuld eines anderen mitsamt ihren Folgen büßen muß. Geht zurück auf 3. Moses 16, 21: ein mit den Sünden des Volkes beladener Bock wird in die Wüste geschickt, wie es einer jüdischen Sitte am Versöhnungsfest entsprach. Seit dem 18. Jh.

Sündenbüchlein *n* Zeugnisheft. *Schweiz* 1960 *ff.*

Sündenfall *m* Verstoß gegen die Straßenverkehrsordnung. Eigentlich die biblische Ursünde, die zur Vertreibung aus dem Paradies führte. ↗Sünde 2. 1950 *ff.*

Sündenfibel *f* Illustrierte Zeitung. Anspielung auf Halb- oder Ganznacktfotos, auf Schilderungen aus dem Geschlechtsleben usw. 1950 *ff.*

'Sündenge'halt *n* sehr hohes Gehalt. Die Doppelbetonung läßt erkennen, daß „Sünde" hier die Geltung einer Verstärkung besitzt, fußend auf der Vorstellung von der Sündhaftigkeit. 1950 *ff.*

'Sündengeld *n* **1.** Prostituiertenentgelt. Meint eigentlich das Bußgeld, das früher der Sünder an die Kirche oder den Geistlichen zu entrichten hatte, wenn er von seinen Sünden losgesprochen werden wollte. 1950 *ff.*
2. Entgelt für die Abtreiberin (den Abtreiber). 1960 *ff.*

'Sünden'geld *n* sehr viel Geld. ↗Sündengehalt. Meint eigentlich das unrechtmäßig erworbene Geld. 1800 *ff.*

Sündenkonto *n* Gesamtheit der Straftaten. 1900 *ff.*

'Sündenlohn *m* Prostituiertenentgelt. Gemeint ist der durch Sünde verdiente Lohn. 1950 *ff.*

'Sünden'lohn *m* sehr hoher Lohn. ↗Sündengehalt. 1950 *ff.*

Sünden-Offenbarungseid *m* Beichte. 1910 *ff.*

Sündenregister *n* **1.** Gesamtheit der Fehler, Versäumnisse o. ä. Meint im ursprünglichen theologischen Sinne das Verzeichnis der einzelnen Sünden, wie man es beispielsweise für die Zwecke der Beichte anfertigt; von da übertragen auf ungeistliche Alltagsvorgänge, etwa seit dem ausgehenden 18. Jh.
2. Strafregister. Die Führung eines solchen Registers wurde im Deutschen Reich 1882 vorgeschrieben. 1900 *ff.*
3. Klassenbuch. 1920 *ff.*

Sündenring *m* Callgirl-Ring. 1960 *ff.*

Sündenschnüffel (-schnüffler) *m* katholischer Geistlicher im Beichtstuhl. Er fragt den Gläubigen nach seinen Sünden aus. 1910 *ff.*

Sündenstunde *f* Besuch bei einer Prostituierten. 1960 *ff.*

Sündensuchgerät 08/15 *n* Militärseelsorger. *Vgl* ↗Null-acht-fünfzehn. *Sold* 1939 *ff.*

Sündenwagen *m* Ford-Auto. Laut Moses sündigten die ersten Menschen „in einem fort". Dieses „fort" wird wortwitzelnd als „Ford" aufgefaßt. 1925 *ff.*

Sündenwiese *f* **1.** Couch, Liegesofa o. ä. Anspielung auf den Geschlechtsverkehr. 1920 *ff.*
2. Bordell. *Sold* 1939 *ff.*

Sündenzettel *m* Schulzeugnis. Seit dem ausgehenden 19. Jh.

Sündenziege *f* ältliche Prostituierte. ↗Ziege 1. Berlin 1920 *ff.*

Sünder *m* Bürger, der – absichtlich oder fahrlässig – gegen öffentlich-rechtliche Bestimmungen verstößt; Gesetzesübertreter; Straftäter. ↗Sünde 1. Seit dem 19. Jh.

Sünderbank (-bänkchen, bankerl) *f* (*n*) Angeklagtenbank. 1900 *ff.*

Sünderkartei *f* Verkehrszentralregister in Flensburg. Verkürzt aus ↗Verkehrssünderkartei. 1958 *ff.*

Sünderpunkte *pl* Strafpunkte in der ↗Sünderkartei. 1958 *ff.*

Sündflut *f* auf dem Boden reichlich verschüttetes Wasser; anhaltend heftiger Regen. 1890 *ff.*

sündhaft *adj adv* **1.** *adj* = groß, stark; sehr viel (sündhaftes Geld; sündhafte Preise). Gemeint ist eigentlich, daß, wer solche Preise fordert oder soviel Geld besitzt, sich versündigt. Seit dem 19. Jh.
2. sehr (sündhaft teuer; sündhaft viel Geld). Seit dem 18. Jh.

sündig *adv* ~ blicken = lüsterne Blicke werfen. 1920 *ff.*

'sünd'teuer *adj adv* sehr teuer. Seit dem 18. Jh.

super *adj präd* **1.** hervorragend; unübertrefflich; hochmodern. Nach *angloamerikan* Vorbild nach 1945 in der Halbwüchsigensprache aufgekommen. Beliebt bei Werbetextern.

2. überlegen; sehr leistungsfähig. 1950 *ff, schül.*

3. total ∼ (echt; unheimlich ∼) = unübertrefflich. *Jug* 1965 *ff.*

Super-As *n* Hauptkönner. ↗ As 1. 1950 *ff.*

su'perb *adj* hervorragend. Aus *franz* „superbe" gegen 1950 übernommen; *schül.*

Superbediene *f* **1.** ausgezeichnete Sache. ↗ Bediene 2. *Halbw* 1955 *ff.*
2. eine unheimlich schaue ∼ aufreißen = ein sehr nettes Mädchen kennenlernen. ↗ schau I; ↗ aufreißen 8. *Halbw* 1955 *ff.*

Super-Biene *f* sehr nette, anziehende weibliche Person. ↗ Biene 3. 1950 *ff.*

superbillig *adj* äußerst preiswert. Werbetexterspr. 1970 *ff.*

Superblattl *n* Zwölfer-Treffer des Schützen. Blatt = Zielscheibe. *Bayr* 1950 *ff.*

Superbombe *f* hervorragende Künstlerin; künstlerische Leistung von sehr hohem Rang. ↗ Bombe 1. 1950 *ff.*

Superboy *m* pfundiger ∼ = großartiger Kamerad. ↗ pfundig. 1950 *ff, schül.*

Superbrötchen *n* Frikadelle. Sie ist ein „Über-Brötchen", weil es sogar Fleisch enthält. *BSD* 1965 *ff.*

Super-Brumme *f* überaus nettes Mädchen. ↗ Brumme 2. 1950 *ff.*

Superbulle *m* sehr leistungsfähiges Schubschiff. Der Bulle ist Sinnbild der Kraft. 1955 *ff.*

Superbusen *m* besonders schön geformter (üppiger) Busen. 1955 *ff.*

Superdepp *m* schwerwiegend übervorteilter (sehr dummer) Mann. ↗ Depp. 1955 *ff.*

superdienstgeil *adj* übertrieben diensteifrig. ↗ dienstgeil. *BSD* 1965 *ff.*

Superding *n* **1.** tollkühner Einbruch; Raubüberfall; Großschmuggel u. ä. ↗ Ding II. 1950 *ff.*
2. Großkrankenhaus. 1968 *ff.*
3. sehr eindrucksvolle Sache. *Halbw* 1960 *ff.*
4. besonders aufwendige Veranstaltung. 1960 *ff.*

superdoof *adj* geistesbeschränkt. ↗ doof 1. *Schül* 1965 *ff.*

superdufte *adj* überaus schön. ↗ dufte. 1950 *ff.*

Superdüse *f* **1.** sehr schöne Frau. Versteht sich nach dem Folgenden. 1950 *ff.*
2. *pl* = sehr üppig entwickelte Brüste. 1950 *ff.*

superelegant *adj* ausgeklügelt, raffiniert. Vom Begriff für modisch geschmackvolle Kleidung übertragen zur Bedeutung „sehr fein". *Jug* 1955 *ff.*

supereng *adj* sehr enganliegend. 1955 *ff.*

superer *adj* überlegener; noch besser. Komparativ zu „↗ super 1". 1955 *ff, halbw* und *sportl.*

Superfaß *n* sehr großer Könner. ↗ Faß 6. 1955 *ff, halbw.*

superfein *adj* ausgezeichnet. Im 16. Jh in der Kaufmannssprache aufgekommen.

Superfest *n* unüberbietbare „Party". 1960 *ff.*

Superfete *f* sehr gelungene Veranstaltung. ↗ Fete. 1960 *ff.*

superfix *adj* überaus schnell. ↗ fix. 1960 *ff.*

Superflasche *f* völliger Versager; Mann, auf den man sich überhaupt nicht verlassen kann. ↗ Flasche 1. 1960 *ff.*

Superform *f* überragende Leistungsfähigkeit. ↗ Form 1. *Sportl* 1955 *ff.*

Superfrau *f* Idealfrau. 1955 *ff.*

Supergammler *m* **1.** Halbwüchsiger, der sich für keine sinnvolle Freizeitbeschäftigung entscheidet. ↗ Gammler. 1960 *ff.*
2. Schüler der Unterstufe. In der Meinung der älteren Schüler wird in der Unterstufe der Müßiggang recht nach Herzenslust gepflegt. 1963 *ff.*

Supergauner *m* wagemutiger Straftäter. 1970 *ff.*

Supergescheitle (-gscheitle) *m* Klassenbester. *Schwäb* 1960 *ff.*

Supergirl (Grundwort *engl* ausgesprochen) *n* intime Freundin, wie man sie sich nicht besser wünschen kann; äußerst attraktives Mädchen. *Halbw* 1960 *ff.*

Superglatze *f* besonders beliebte Schallplatte. ↗ Glatze 1. *Halbw* 1955 *ff.*

supergünstig *adj* überaus vorteilhaft. Werbetexterspr. 1970 *ff.*

superhart *adj* überreich an Gewalttaten. ↗ hart. 1960 *ff.*

superheiß *adj* **1.** hochmodern. ↗ heiß 7. 1960 *ff.*
2. sehr obszön. ↗ heiß 2. 1960 *ff.*

Superhotel *n* Großhotel mit allem erdenkbaren Luxus. 1960 *ff.*

Super-hyper-Schuppen *m* Lokal mit Attraktionen aller Art. Berlin 1967 *ff.*

super-irre *adj adv* unübertrefflich. *Vgl* ↗ irr. *Halbw* 1960 *ff.*

Super-Jumbo *m* Flugzeugtyp „Boeing 747". 1965 *ff.*

Superkahn *m* hochmodernes Schiff, Boot o. ä. 1974 *ff.*

Superkerl *m* überaus kräftiger Mann; Weltmeister im Ringen o. ä. 1965 *ff.*

Superklamotten *pl* hochmodische Bekleidung. ↗ Klamotte 7. Werbetexterspr. 1970 *ff.*

Superklamottenrolle *f* Bühnenrolle mit vielen anspruchslos-derben und plumpen Einlagen. ↗ Klamotte 1. Theaterspr. 1955 *ff.*

Superklasse sein unübertrefflich, hochmodern sein o. ä. ↗ Klasse 3. 1955 *ff, halbw* und *sportl.*

superklein *adj* winzig. 1960 *ff.*

superklug *adj* überklug; vermeintlich überklug. Seit dem 19. Jh.

Superknaller *m* **1.** großartige, zugkräftige Sache. ↗ Knaller 4. 1960 *ff.*
2. Hauptkönner. 1960 *ff.*

Superknüller *m* großartige Leistung. ↗ Knüller. 1966 *ff.*

Superknutsche *f* intimes Betasten; sittlich sehr freie „Party". ↗ knutschen. 1960 *ff.*

superkolossal *adj* außerordentlich. ↗ kolossal. 1945 *ff.*

Supermann – der Stählerne, Helfer der Schwachen und Unterdrückten und Schrecken aller Bösewichte. Daß der US-amerikanische Präsident Ronald Reagan auf der oben wiedergegebenen Karikatur im Habit dieses Supermanns präsentiert wird (vgl. **Supermann**)*, hängt ursächlich wohl damit zusammen, daß dessen Weltanschauung in vielem an die in solchen Comics übliche Sicht des Weltgeschehens erinnert. Denn hier wie dort gibt es ein „Reich des Bösen", das von Erzschurken beherrscht wird, die Tag und Nacht nur darauf sinnen, wie sie den Rest der Welt ihrem Schreckensregiment untertan machen könnten. Supermann war außerdem schon immer ein moderner Messias der alleinseligmachenden Lehre vom „american way of life", der mit allen, die sich nicht bekehren lassen wollten, schnell kurzen Prozeß machte.*

Superkomiker *m* ausgezeichneter Komiker. 1960 *ff.*

Superkrimi *m* überaus spannender Kriminalroman oder -film. ↗Krimi. 1960 *ff.*

Superkurven *pl* sehr ausgeprägte Formen des Frauenkörpers. ↗Kurve 1. 1950 *ff.*

superkurz *adj* sehr kurz (auf den Mädchenrock be-

zogen). 1968 *ff.*

Superkutsche *f* Mercedes 600. ↗Kutsche 1. 1965 *ff.*

Super-Leinwand *f* Breitwand im Kino. 1960 *ff.*

Super-Mampf-Markt *m* kaltes Bufett als Abendessen bei den Einheiten des Bundesgrenzschutzes. ↗mampfen. Dem „Supermarkt" nachgebildet. 1967 *ff.*

Supermann *m* überstarker Mann; bester Könner. Eingedeutscht nach dem Titelhelden einer *anglo-amerikan* Bildergeschichten-Reihe (auch verfilmt). 1955 *ff.*

Supermasche *f* außerordentliche und sehr zusagende (sehr erfolgreiche) Leistung. ↗Masche. 1955 *ff.*

Supermieze *f* sehr nettes, schönes, umgängliches Mädchen. ↗Mieze. 1960 *ff.*

Supermini *n* Kleid oder Rock, sehr hoch über dem Knie endend. ↗Mini 1. 1966 *ff.*

supermini *adj* überaus kurz; weit oberhalb des Knies endend (auf den Mädchenrock bezogen). 1966 *ff.*

Superminikleid *n* Kleid mit sehr kurzem Rock. 1966 *ff.*

Superminirock *m* sehr kurzer Jungmädchenrock. 1966 *ff.*

supermodern *adj* hochmodern. 1960 *ff.*

supermodisch *adj* hochmodisch. 1975 *ff.*

Supermutter *f* sehr hübsches Mädchen. *Halbw* 1975 *ff.*

superneu *adj* völlig neu. ↗super 1. Werbetexterspr. 1965 *ff.*

Superparty *f* rauschendes Fest mit Betrieb jeglicher Art. 1960 *ff.*

Super-Pleite *f* Konkurs sehr großen Ausmaßes. ↗Pleite. 1970 *ff.*

Superpreise *pl* sehr niedrige Preise. Werbetexterspr. 1965 *ff.*

'superpyrami'dal *adj* unübertrefflich. ↗pyramidal. 1955 *ff.*

superraffitechnisch *adj* ausgezeichnet. Zusammengesetzt aus „super", „raffiniert" und „technisch". *Schül* und *stud*, 1945 *ff.*

Superreißer *m* sehr publikumswirksamer Film. ↗Reißer. 1960 *ff.*

Super-Sattmache *f* üppige Mahlzeit mit zahlreichen Gängen. Berlin 1955 *ff.*

Supersau *f* sehr liederliche weibliche Person. ↗Sau 1. 1960 *ff.*

supersauer *adj* völlig unzugänglich; barsch abweisend. ↗sauer 1. 1955 *ff.*

Superschaffe *f* sehr eindrucksvolle Sache oder Person; Höchstleistung. ↗Schaffe 2. 1955 *ff.*

superscharf *adj* sehr liebesgierig. ↗scharf 4. 1960 *ff.*

superschau *adj* ganz vortrefflich; hochmodern, hochmodisch. ↗schau I. *Halbw* 1955 *ff.*

Superschau *f* **1.** unübertreffliche Vorführung. ↗Schau 1. 1955 *ff.*

2. wunderschöne, stattliche Gestalt. 1960 *ff.*

Superscheibe *f* hervorragende Schallplatte. ↗Scheibe 2. *Halbw* 1955 *ff.*

Superscheiß *m* arge Wertlosigkeit; Minderwertigstes; kaum mehr zu unterbietende Fehlleistung. ↗Scheiß. 1970 *ff.*

superschick *adj* hochmodern; sehr schwungvoll; sehr ansprechend. ↗schick 1. *Halbw* 1955 *ff.*

Superschinken *m* sehr aufwendiger Film von geringem künstlerischem Wert. ↗Schinken 6. 1955 *ff.*

superschlau *adj* (vermeintlich) sehr schlau. Seit dem 19. Jh.

Superschläue *f* (vermeintlich) besonders kluger Geist. Seit dem 19. Jh.

Superschlitten *m* Luxusauto. ↗Schlitten 1. 1960 *ff.*

Superschnulze *f* überaus rührseliges Musik-, Bühnen-, Filmstück. ↗Schnulze 1. 1955 *ff.*

superschrill *adj* unübertrefflich. ↗schrill. 1980 *ff.*

Superschüler *m* 1. Klassenbester. 1960 *ff.*
2. Klassenwiederholer. Er übertrifft seine Mitschüler, weil er sich den Lehrstoff einer Klasse zweimal aneignet. 1960 *ff.*

super-sehr-furchtbarlich-groß *adj adv* sehr; überaus; außerordentlich. Häufung bedeutungsverwandter Wörter zu einem Superlativ der Superlative. 1950 *ff*, *jug.*

Super-Sex *m* körperliche Geschlechtlichkeit in freiester Form. ↗Sex 1. 1955 *ff.*

Supersexatombombe *f* Film-, Bühnenschauspielerin mit reichen und freigebig zur Schau gestellten körperlichen Reizen. Übersteigerung des Folgenden. 1965 *ff.*

Supersexbombe *f* Filmschauspielerin mit sehr starker sinnlicher Wirkung. ↗Sexbombe 1. 1955 *ff.*

Super-Sex-Star *m* Filmschauspielerin in sehr gewagten Liebesszenen. 1965 *ff.*

supersexy *adj* geschlechtlich aufreizende Körperformen habend. ↗sexy. 1965 *ff.*

Supersirene *f* sehr verführerische Frau. ↗Sirene. 1955 *ff.*

Super-Sonderpreis (Super-Sonder-Spar-preis; Supersparpreis) *m* äußerst vorteilhafter Kaufpreis. Werbetexterspr. 1970 *ff.*

Superspaß *m* besonders großer Spaß. 1960 *ff.*

Supersprit *m* Weinbrand. ↗Sprit 1. *BSD* 1965 *ff.*

superst *adj* am weitesten überlegen. Superlativ von „↗super 1". 1955 *ff*, *halbw* und *sportl.*

superstark *adj* unübertrefflich. ↗stark 1. *Jug* 1960 *ff.*

supersteil *adj* äußerst eindrucksvoll; höchst anziehend. ↗steil 1. 1955 *ff.*

Superstoff *m* Rauschgift mit langanhaltender Wirkung. ↗Stoff 4. *Halbw* 1950 *ff.*

superteuer *adj* überaus kostspielig. 1960 *ff.*

supertoll *adj* hochmodern, hochmodisch; unübertrefflich. ↗toll. *Halbw* 1950 *ff.*

Supertor *n* hervorragender Tortreffer. *Sportl* 1970 *ff.*

Supertyp *m* sehr anziehender Mann. ↗Typ. 1975 *ff.*

Supervilla *f* Luxusvilla. 1960 *ff.*

Supervogel *m* Flugzeugtyp „Boeing 747". 1965 *ff.*

Superweib *n* Idealfrau. 1955 *ff.*

superweich *adj* sehr dumm. Anspielung auf Gehirnerweichung. 1945 *ff.*

Superzahn *m* sehr anziehendes Mädchen. ↗Zahn 3. 1955 *ff.*

Süppchen *n* 1. besonders wohlschmeckende Suppe. Die Verkleinerungssilbe drückt hier kosewörtlich ein Lob aus. Seit dem 19. Jh.
2. mit jm ein ~ kochen = mit jm gemeinsame Sache machen. 1920 *ff.*
3. sein eigenes ~ kochen = den eigenen Vorteil verfolgen. 1920 *ff.*
4. ein schlechtes ~ kochen = unredlich handeln. 1950 *ff.*
5. auf etw sein ~ kochen = aus dem Schaden (aus der Dummheit) anderer seinen Vorteil ziehen. 1920 *ff.*
6. jn sein ~ kochen lassen = jds Absichten nicht vereiteln; sich in jds Pläne nicht einmischen. 1920 *ff.*

Suppe *f* 1. dichter Nebel. ↗Milchsuppe. Seemannsspr., kraftfahrerspr. und fliegerspr. 1920 *ff.*
2. Dünnbier; schales Bier. Verkürzt aus „Wassersuppe": man schmeckt mehr Wasser als Würze. 1950 *ff*, *halbw* und *BSD.*
3. unwahrscheinliches, unerwartetes Glück. Vielleicht hergenommen von einem, der einen Teller Suppe erhält, den er überhaupt nicht erwartet hatte. *Jug* 1920 *ff*; *sold* 1939 *ff.*
4. einmal ~, der Herr!: Redewendung an einen, der unvermutet Glück gehabt hat. *Vgl* das Vorhergehende. *Sold* 1939 *ff.*
5. verschüttete Flüssigkeit jeder Art. 1900 *ff.*
6. (nasser) Straßenschmutz. Seit dem 16. Jh.
7. Not; Bedrängnis; Ungelegenheit; Verlegenheit. Über „Suppe = Straßenschmutz" analog zu „↗Dreck 86". Etwa seit dem 16. Jh.
7 a. ~ ohne Salz = fade, reizlose Sache. Seit dem 19. Jh.
8. ~ aus der Tüte = Fertigsuppe. 1950 *ff.*
9. alte ~ = alte Geschichte; längst Bekanntes. 1800 *ff.*
10. blinde ~ = Suppe ohne Fettaugen. Seit dem 19. Jh.
11. dicke ~ = a) dichter Nebel. ↗Suppe 1. 1920 *ff.* – b) ernste Gefahr; gefährliches Unternehmen. ↗Suppe 7. 1910 *ff.*
12. die ganze ~ = das Ganze; dies alles. 1870 *ff.*
13. gelbe ~ = Bier. 1939 *ff*, *sold.*
14. harte ~ = große Schwierigkeit. ↗Suppe 7. 1950 *ff.*
15. heiße ~ = lebensgefährliches Unternehmen; gefährliche Lage. *Sold* und *rotw.* 1935 *ff.*

16. kalte ~ = Sache, die keinen Beifall findet. 1960 ff.

17. rote ~ = Blut; Nasenbluten. Seit dem 17. Jh.

18. russische ~ = Vorhaben, das einem gründlich verdorben oder gar vereitelt wird. Suppen der russischen Küche sind vielfach sehr scharf gewürzt und gesalzen; *vgl* Suppe 49. *Sold* 1941 ff.

19. stolze ~ = fettlose Suppe. Geht wahrscheinlich auf einen Witz aus dem frühen 20. Jh zurück: Die Suppe guckt einen überhaupt nicht an, nicht einmal mit einem einzigen Fettauge.

20. jm eine ~ anrühren (anrichten, einrühren) = jn in Ungelegenheiten bringen. ↗Suppe 7. 1800 ff.

21. die ~ ausfressen (ausessen, auslöffeln), die man sich eingebrockt hat = für Selbstverschuldetes büßen. Durch Zugabe von Brotbrocken kann man die Suppe längen; aber bei gehaltvoller Suppe fällt es schwer, auch noch das Eingebrockte aufzuessen. Seit dem 15. Jh.

22. die ~ auslöffeln (o. ä.), die ein anderer eingebrockt (angerührt) hat = für das Verschulden anderer zur Rechenschaft gezogen werden. 1900 ff.

23. eine heiße ~ auslöffeln (o. ä.) = eine arge Ungelegenheit durchstehen müssen. ↗heiß 5; ↗Suppe 7. 1935 ff.

24. die ~ blasen = völlig unmusikalisch sein. Reststück eines Witzes: Auf die Frage, ob jd.musikalisch sei, und welches Instrument er spiele, wird geantwortet: „ich blase die Suppe". 1850 ff.

25. sich etw in die ~ brocken = einen Schaden selbst verschulden. ↗Suppe 21. Seit dem 19. Jh.

26. etw in die ~ zu brocken haben = in guten Lebensumständen sein. Seit dem 19. Jh.

27. nicht auf der ~ dahergeschwommen sein = kein Neuling, kein Unerfahrener, keiner von geringer Abkunft sein. Suppe = Schweinesaufe. Wien 1930 ff.

28. sich eine ~ einbrocken (anrühren) = eine Unannehmlichkeit selbst verschulden. ↗Suppe 21. Seit dem 18. Jh.

29. jm eine ~ einbrocken = jn in eine schlimme Lage bringen. *Vgl* ↗Suppe 22. 1800 ff.

29 a. jm in die ~ fallen = jn zur Essenszeit besuchen. 1900 ff.

30. die Uhr geht nach der ~ = die Uhr geht falsch. Anspielung auf wechselnde, unregelmäßige Tischzeiten. Berlin 1840 ff.

31. ich hacke dich in die ~!: Drohrede. Übertragen von den Suppenkräutern, die man zerhackt und in die Suppe gibt. 1950 ff.

32. seine eigene ~ kochen = eigene Pläne verfolgen; sich auf seinen Vorteil verstehen. *Vgl* ↗Süppchen 3 und 6. 1920 ff.

33. seine ~n auf verschiedenen Öfen kochen = vielfach tätig sein. 1950 ff.

34. die ~ am Kochen halten = ein Vorhaben weiterverfolgen. 1950 ff.

35. die ~ kommt ins (ans) Kochen = eine Angele-

genheit steigert sich zur Siedehitze; der Aufruhr ist nicht mehr zu unterdrücken. Seit dem 19. Jh.

36. in eine böse (schlimme) ~ kommen (geraten) = in arge Bedrängnis geraten. ↗Suppe 7. Seit dem 18. Jh.

37. etw zwischen ~ und Gemüse machen = etw in kurzer Frist erledigen. 1950 ff.

38. das macht die ~ nicht fett = das verbessert die Sache nicht wesentlich; das nutzt wenig oder nichts. Analog zu ↗Kohl 11. Seit dem 19. Jh.

39. es regnet ihm in die ~ = er befindet sich in einer unangenehmen Lage. Hergenommen von einem Obdachlosen oder Bettler, der die Suppe vor der Haustür ißt. Seit dem 19. Jh.

40. die ~ muß erst sacken = man muß erst einige Zeit vergehen lassen; man muß warten können; man soll sich nicht vorzeitig aufregen. Die Suppe füllt den Magen; wer weiteressen will, soll abwarten, bis der Magen wieder aufnahmefähig ist. 1930 ff.

41. das ist klar wie ~ = das ist völlig einleuchtend. Kann unverstellt oder *iron* gemeint sein, je nach Art der Suppe. 1900 ff.

42. das ist unter aller ~ = das ist außerordentlich schlecht. Es ist noch schlimmer als die allerschlechteste Suppe. Berlin 1870 ff.

43. jm eine ~ zum Auslöffeln servieren = jn zur Rechenschaft ziehen. ↗Suppe 22. 1950 ff.

44. in der ~ sein (sitzen, stecken) = in bedrängter Lage sein. ↗Suppe 7. 1500 ff. *Vgl engl* „to be in the soup".

45. in einer heißen ~ sitzen = sich in sehr gefährlicher Lage befinden. *Vgl* ↗Suppe 23. *Sold* 1939 ff; *ziv* 1945 ff.

46. jm in die ~ spucken = a) jm etw verleiden; jm die Stimmung verderben; jds Pläne beeinträchtigen; jn kränken. Anfangs wortwörtlich gemeint zum Ausdruck gröbster Anmaßung (Herr-Knecht-Verhältnis); dann zu „kränken" u. ä. gemildert. Seit dem 19. Jh. – b) die feindliche Stellung (unerwartet) unter schweren Beschuß nehmen. *Sold* 1939 ff.

47. ich lasse mir nicht in die ~ spucken! = ich lasse mir das nicht verleiden! ich weise dies als Zumutung energisch zurück! Seit dem 19. Jh.

48. jn in der ~ stecken lassen = jm aus der Notlage nicht aufhelfen. ↗Suppe 7. 1500 ff.

49. jm die ~ versalzen = jm etw gründlich verleiden, verderben; jm alle Freude an einer Sache nehmen. 1500 ff.

50. eine dicke ~ zusammenbrauen = sehr Übles planen. *Sold* 1939 ff.

süppeln (suppeln) *tr intr* trinken; trunksüchtig sein. Iterativum zu *niederd* „supen = saufen". 1900 ff.

Süppelsachen *pl* alkoholische Getränke. *Jug* 1950 ff.

Süppelwasser *n* (alkoholfreies) Getränk. *Jug* 1950 ff.

suppen *intr* **1.** Suppe essen. 1500 *ff.*

2. zechen. Vokalgekürzte Nebenform zu *niederd* „supen = saufen". 1900 *ff.*

3. ausfließen, triefen (Eiter suppt). Ablautende Nebenform zu „↗siepen". Seit dem 19. Jh.

Suppenfechter *m* Bettler. ↗fechten. *Österr* 1900 *ff.*

Suppenfleisch *n* ausgekocht wie ~ = vielerfahren; listig. ↗ausgekocht. 1950 *ff.*

Suppengrün *n* **1.** Blumenstrauß. Seit dem frühen 20. Jh, *schül* und *stud.*

2. Grünbeigabe zu Blumensträußen. Berlin seit 1920 (?) *ff.*

3. künstliche Blumen auf dem Damenhut. 1930 *ff.*

Suppengrünfarm *f* Gemüsegarten. 1935 *ff.*

Suppenhenne *f* Schimpfwort auf eine weibliche Person. Meint vor allem die alte oder ältliche Frau, die hier mit einem Huhn gleichgesetzt wird, das nur noch zum Kochen taugt. Spätes 19. Jh.

Suppenhuhn *n* **1.** weibliche Person *(abf).* Vgl das Vorhergehende. 1870 *ff,* gemeindeutsch.

2. dummer Mensch; Versager. 1930 *ff.*

3. altes ~ = alte, dümmliche Frau. 1870 *ff.*

4. da lachen ja die Suppenhühner! = das ist einfach lächerlich! *Vgl* ↗Huhn 31. 1930 *ff.*

5. da lacht das älteste ~!: Erwiderung auf eine törichte Äußerung. *Schül* 1950 *ff.*

'Suppenkaspar (Suppenkasper) *m* Mensch, der nicht gerne Suppen ißt. Übernommen aus dem Kinderbuch „Der Struwwelpeter" von Heinrich Hoffmann (1844). 1850 *ff.*

Suppenloch *n* Mund. Fränkisch 1930 *ff.*

Suppenpanscher *m* Koch. ↗panschen. *BSD* 1968 *ff.*

Suppenpatscher *m* Koch. ↗patschen. *BSD* 1968 *ff.*

Suppenpott *m* ↗Suppentopf.

Suppenpumper *m* **1.** Student, der sich um einen Freitisch bemüht. ↗pumpen 1. *Österr,* spätestens seit 1900.

2. Bettler. *Österr,* 1900 *ff.*

Suppenrohr *n* Hals, Speiseröhre. *BSD* 1960 *ff.*

Suppenröhre *f* Speiseröhre. *BSD* 1960 *ff.*

Suppenschlauch *m* **1.** Speiseröhre, Gurgel. 1950 *ff.*

2. jm den ~ abzwicken = jn würgen, erwürgen. 1970 *ff.*

Suppenschlitz *m* Mund. 1900 *ff.*

Suppenschlurf *m* junger, ungesitteter Mann. ↗Schlurf. *Österr* 1900 *ff.*

Suppenschmied *m* Koch. Spätestens seit 1700.

Suppenschüler *m* Schüler (Student), der einen Freitisch bekommt. *Bayr* 1930 *ff.*

Suppenschulze *m* (Suppen-)Koch. „Schulze" ist der Gemeindevorsteher. Daraus weiterentwickelt zur Bedeutung „Zuständiger; Sachbearbeiter". 1960 *ff.*

Suppenschüssel *f* **1.** Stahlhelm. ↗Suppentopf 1. *BSD* 1968 *ff.*

2. Radioteleskop. Der Parabolspiegel ähnelt der Schüssel, in der die Suppe aufgetragen wird. 1966 *ff.*

3. über sieben ~n miteinander verwandt = weitläufig verwandt. 1900 *ff.*

Suppenstipper *m* Vollbart. ↗stippen 1. 1900 *ff, nordd.*

Suppentassen *pl* Augen wie ~ = große, weit aufgerissene Augen. 1920 *ff.*

Suppenteller *pl* Augen wie ~ = sehr große, weitgeöffnete Augen; verwunderte Blicke. 1870 *ff.*

Suppentopf (-pott) *m* **1.** Helm, Stahlhelm. Es wird behauptet, im Stahlhelm habe man gelegentlich Suppe gekocht. Gewährsleute haben sich bisher nicht gemeldet. Seit dem späten 19. Jh.

2. durch Nebel verrufene Flußstrecke. Binnenschifferspr. 1900 *ff.*

Suppentutscher *m* Bart mit herabhängenden Enden. ↗tutschen = saugen. Berlin und Mark Brandenburg, 1920 *ff.*

Suppenwürfel *m* ~ mit Motor = Kleinauto. Um 1925 in Berlin aufgekommen als Bezeichnung für den kleinen „Hanomag" wegen seiner würfelförmigen Karosserie; später auch auf andere Kleinwagen bezogen.

Suri *m* Alkoholrausch. Meint eigentlich den Kreisel. Anspielung auf das Gefühl, es drehe sich alles um einen herum. *Bayr* 1900 *ff.*

'Surius *m* saurer Wein. Scherzhafte Latinisierung aus „sauer". 1900 *ff.*

Surm *m* einfältiger Mensch; Bauer. Geht zurück auf *zigeun* „czoro = arm, armselig". *Österr* 1900 *ff.*

Surri *m* ↗Suri.

Surrogatte *m* intimer Freund der Ehefrau o. ä. Zusammengesetzt aus „Surrogat" (= Ersatz) und „Gatte". Spätestens seit 1920.

Surrogattin *f* intime Freundin eines verheirateten Mannes. 1920 *ff.*

Susa *f* Stute. Fußt auf *jidd* „ssuss = Pferd". Kundenspr. 1910 *ff.*

Suse *f* **1.** langsamer, energieloser, unaufmerksamer Mensch; Mensch, der sich alles gefallen läßt. Verkürzt aus „↗Transuse" oder ähnlichen verächtlichen Bezeichnungen mit der Endung „-suse". Seit dem 18. Jh.

2. liederliches, geistesbeschränktes Mädchen. Wohl beeinflußt von *jidd* „ssuss = Stute". *Rotw* 1800 *ff.*

Susi *f (m)* **1.** Soldat mit langen Haaren. Auf der Zeitungsseite „Für junge Leute" wird mit dem Bild eines Mädchens mit lang herabfallenden Haaren auf der Unterschrift „Susi" etwa alle zwei Wochen in verschiedenen Zeitungen beispielsweise in der „Rhein-Zeitung" (Koblenz) die Serie „Aus meinem Tagebuch" veröffentlicht. *BSD* 1971 *ff.*

2. Rufname der Hündin. 1900 *ff.*

3. Rufname der Katze. 1900 *ff.*

Abkürzungen

abf	abfällig	*jd*	jemand
adj	Adjektiv	*jds*	jemandes
adv	Adverb	Jh	Jahrhundert
ags	angelsächsisch	*jidd*	jiddisch
ahd	althochdeutsch	*jm*	jemandem
alem	alemannisch	*jn*	jemanden
altfranz	altfranzösisch	*journ*	journalistensprachlich
angloamerikan	angloamerikanisch	*jug*	jugendsprachlich
arb	arbeitersprachlich		
ärztl	Ärztesprache	*kirchenlat*	kirchenlateinisch
		konj	Konjunktion
bad	badisch		
bayr	bayrisch	*lat*	lateinisch
bds	beides	*lit*	literarisch
Bn	Beiname	Ln	Ländername
bot	botanisch		
brit	britisch	*m*	Maskulinum (männlich)
BSD	Bundessoldatendeutsch	*marinespr*	marinesprachlich
		mhd	mittelhochdeutsch
dän	dänisch	*milit*	militärisch
d. h.	das heißt	*mitteld*	mitteldeutsch
dim	diminutiv (verkleinernd)	*mittellat*	mittellateinisch
dt	deutsch		
		n	Neutrum (sächlich)
engl	englisch	*ndl*	niederländisch
etw	etwas	*nhd*	neuhochdeutsch
		niederd	niederdeutsch
f	Feminimum (weiblich)	*nordd*	norddeutsch
ff	Folgende	*nordgerm*	nordgermanisch
Fn	Familienname	*num*	Zahlwort
franz	französisch		
fries	friesisch	o. ä.	oder ähnlich(es)
frühnhd	frühneuhochdeutsch	*oberd*	oberdeutsch
		oberösterr	oberösterreichisch
ggfs	gegebenenfalls	*obersächs*	obersächsisch
germ	germanisch	On	Ortsname
gleichbed	gleichbedeutend	*österr*	österreichisch
got	gotisch	*ostgerm*	ostgermanisch
griech	griechisch	*ostmitteld*	ostmitteldeutsch
		ostpreuß	ostpreußisch
halbw	halbwüchsigensprachlich		
hd	hochdeutsch	*part*	Partizipium
hebr	hebräisch	*pejorat*	pejorativ (verschlechternd, abschätzig)
hess	hessisch		
		pers	persisch
impers	impersonell	*pl*	Plural (Mehrzahl)
indogerm	indogermanisch	Pn	Personenname
inf	Infinitiv	*poln*	polnisch
interj	Interjektion (Empfindungsausdruck)	*portug*	portugiesisch
		präd	Prädikat
intr	intransitiv	*präp*	Präposition
ir	irisch	*pron*	Pronomen
iron	ironisch	*prost*	prostituiertensprachlich
ital	italienisch		

refl	Reflexivum		*südd*	süddeutsch
rhein	rheinisch		*südwestd*	südwestdeutsch
röm	römisch			
rotw	Rotwelsch		*tr*	transitiv
			trad	traditionell, tradiert
sächs	sächsisch		*tschech*	tschechisch
schles	schlesisch		*türk*	türkisch
schott	schottisch			
schül	schülersprachlich		u. ä.	und ähnlich(es)
schwäb	schwäbisch		*ung*	ungarisch
schwed	schwedisch			
schweiz	schweizerisch		*v*	Verbum
sg	Singular (Einzahl)		*vgl*	vergleiche
slaw	slawisch		*Vn*	Vorname
slovak	slovakisch			
slow	slowenisch		*westd*	westdeutsch
sold	soldatensprachlich		*westf*	westfälisch
span	spanisch		*westgerm*	westgermanisch
sportl	sportlersprachlich			
steir	steirisch		*zigeun*	zigeunersprachlich
stud	studentensprachlich		*ziv*	zivilsprachlich

Benutzerhinweise

a) Bestand der verzeichneten Wörter

Das „Illustrierte Lexikon der deutschen Umgangssprache" registriert alle Wörter und Redewendungen der deutschen Sprache, die im weitesten Sinne dem Bereich der Umgangssprache zuzurechnen sind. Da die deutsche Umgangssprache ihren Wortbestand im wesentlichen aus anderen Sprachbereichen bezieht (Hochsprache, Dialekte, Gruppensprachen, Sondersprachen, Fachsprachen etc.), ist der jeweilige regionale oder soziale Herkunftsbereich (*bad* = badisch; *ärztl* = Ärztesprache) vermerkt. Ebenfalls vermerkt ist der Zeitpunkt, zu dem ein Ausdruck umgangssprachlichen Charakter angenommen hat oder von der Umgangssprache eigens geprägt worden ist (**Blei** Bleistift. 1800 *ff*; **Bleispritze** Gewehr. 1960 *ff*).

b) Reihenfolge der Stichwörter

Die Stichwörter sind in alphabetischer Folge geordnet. Lediglich Abkürzungen wie **A, a. A. d. W, a. d. D. sein** sind den Stichwörtern mit gleichen Anfangsbuchstaben vorangestellt. Die Umlaute (ä, ö, ü) und die wie Umlaute gesprochenen Doppelbuchstaben (ae, oe, ue) folgen auf die entsprechenden Grundlaute: **hanebüchen, hängen, hapern.**

c) Schriftarten

Die Stichwörter sowie die Numerierungen ihrer Bedeutungen sind **fett** gedruckt. *Kursiv* gedruckt sind grammatikalische Bestimmungen (*v* = verbum; *pl* = Plural), Angaben über regionale oder soziale Herkunftsbereiche (*ags* = angelsächsisch; *jug* = jugendsprachlich) sowie alle darüber hinaus im Abkürzungsverzeichnis aufgeführten Hinweise.

d) Verweise

Mit dem Verweisungspfeil ⌐ wird auf andere Zusammensetzungen des Stichworts oder eines seiner Teile (**Bleirotze** Gewehr. ⌐ rotzen.) und auf Stichworte mit ähnlichen Bedeutungen (**Busenloser** Kompaniefeldwebel. Zusammenhängend mit „⌐ Mutter der Kompanie".) hingewiesen.

e) Betonung und Aussprache

Betonungszeichen (**Buˈsento**) und Hinweise auf die Aussprache finden nur dann Verwendung, wenn es sich um Abweichungen von den allgemeinen deutschen Ausspracheregeln handelt oder wenn unterschiedliche Artikulationen desselben Wortes mit unterschiedlichen Bedeutungen einhergehen.

Register

Das auf den lexikalischen Teil des vorliegenden Bandes bezogene Register verzeichnet 1) Orte, Regionen, Länder, soweit sie Herkunft oder Ausbreitung einer Vokabel oder Redewendung lokalisiert, wobei die Bezeichnungen regionaler Sprachformen (etwa bayrisch oder niederdeutsch) mit den entsprechenden Regionen (Bayern, Niederdeutschland) gleichgesetzt sind. 2) Personen, die in den Stichwortartikeln und Bilderläuterungen genannt werden. 3) Sachbegriffe, soweit sie in den Stichwortartikeln und Bilderläuterungen ausdrücklich verwendet werden, wobei der betreffende Sachverhalt auch an anderer Stelle vorliegen kann.

Orte, Regionen, Länder

Babylon 2580
Basel 2503, 2538, 2612
Bayern 2412 ff, 2416, 2418, 2420 ff, 2424 f, 2427, 2435 f, 2438, 2447 f, 2450, 2454, 2457, 2460 ff, 2467, 2476, 2479 f, 2482, 2484, 2489, 2491, 2502 f, 2505 f, 2508, 2520, 2522 ff, 2531 f, 2534, 2540, 2544, 2547, 2558, 2560, 2567, 2572 f, 2576, 2579 f, 2583, 2588, 2597, 2601 ff, 2614, 2618 f, 2622, 2627, 2629 ff, 2639 ff, 2646, 2649, 2651 f, 2655 f, 2661, 2665 ff, 2673, 2680, 2682 f, 2685, 2688, 2690, 2696, 2699, 2702, 2706 ff, 2715, 2718, 2721, 2723, 2735 f, 2741, 2743 f, 2746, 2752, 2755 f, 2760, 2765, 2768, 2770, 2773, 2777, 2782, 2787, 2791, 2795
Berlin 2409 f, 2418, 2420, 2423, 2427, 2434, 2437, 2444, 2446, 2451 ff, 2456 ff, 2462 f, 2466, 2473 ff, 2478, 2482, 2485, 2492, 2494 f, 2498, 2500 ff, 2506 f, 2509 f, 2512, 2521, 2529 f, 2538, 2542 ff, 2546, 2549, 2551 f, 2555, 2557, 2559, 2562, 2564, 2566, 2571, 2576, 2578, 2580, 2585 ff, 2592, 2595, 2597, 2599 ff, 2607, 2611, 2613 ff, 2618 ff, 2622, 2624 ff, 2629, 2630, 2638, 2641 ff, 2651 f, 2655 f, 2658 ff, 2662 ff, 2667, 2670, 2672 f, 2677, 2680, 2683, 2685 f, 2688 f, 2694, 2696, 2704, 2706 f, 2709, 2712, 2717, 2720 f, 2724 ff, 2730, 2735 f, 2744, 2748, 2750, 2752, 2756, 2761, 2766 ff, 2771 f, 2781 ff, 2787, 2792, 2794 f
Bonn 2420, 2455, 2624
Bremen 2452, 2548, 2614
Breslau 2656

China 2439, 2673

Dänemark 2527
Darmstadt 2549
Davos 2440
Deutsche Demokratische Republik 2428, 2549, 2654
Dresden 2483

Elsaß 2551
England 2439 f

Franken 2452 f, 2495, 2500, 2695, 2709, 2713, 2755, 2771, 2795
Frankfurt/M 2475, 2577
Frankreich 2478

Gmunden 2506
Gotha 2586

Hamburg 2588, 2601, 2613, 2626 f, 2660, 2685, 2721, 2772, 2782
Hessen 2454, 2508, 2598, 2755, 2782

Italien 2484, 2669

Jena 2592
Jugoslawien 2484

Leipzig 2600
Lychen 2686

Mainz 2446, 2761
Mitteldeutschland 2423, 2461, 2472, 2489, 2499, 2502, 2517, 2522, 2551, 2553, 2555, 2564 ff, 2572 f, 2576, 2580, 2582, 2596, 2627 f, 2651 f, 2662 f, 2668 f, 2672, 2689, 2706, 2709, 2715, 2736, 2746, 2759, 2766 f, 2773, 2781 ff
München 2569, 2580, 2712, 2768

Nevada 2445
New York 2641
Niederdeutschland 2439, 2455, 2461, 2467, 2470, 2472, 2478, 2480, 2484, 2491, 2496, 2498 ff, 2502, 2506 f, 2514, 2516 ff, 2520, 2522, 2538, 2542 ff, 2548 f, 2557, 2562, 2564 ff, 2572 f, 2580, 2589, 2596, 2600, 2604 f, 2639, 2661, 2664, 2674, 2686, 2707, 2732, 2739, 2747, 2762, 2766 ff, 2770 f, 2773, 2781 ff, 2794 f

Norddeutschland 2428 f, 2439, 2441, 2472, 2489, 2492, 2495 f, 2499, 2502, 2512, 2522, 2540, 2548, 2551, 2553 f, 2557, 2564, 2572, 2580, 2582, 2584, 2588, 2595 ff, 2600, 2603, 2605, 2607, 2627 f, 2637, 2642, 2648, 2651, 2655, 2658, 2660, 2665, 2667, 2669 f, 2672, 2680, 2688, 2692, 2696, 2709, 2715, 2721, 2730, 2732, 2739, 2743, 2747, 2750, 2753, 2773, 2777, 2787

Oberdeutschland 2412, 2416, 2421, 2423, 2432, 2434, 2436, 2440, 2446, 2449 f, 2453 f, 2464, 2467, 2479, 2483 f, 2487 ff, 2496, 2499 f, 2505, 2507 ff, 2513, 2517, 2522 ff, 2531 f, 2533, 2536, 2538, 2548, 2557 f, 2561, 2572 f, 2578 f, 2582 f, 2589, 2592, 2596, 2601 f, 2618, 2621 f, 2630 f, 2639, 2661 f, 2668 f, 2673, 2678, 2683, 2689 f, 2692, 2694 f, 2706 f, 2709, 2713, 2717 f, 2720, 2722, 2735 f, 2738, 2741, 2744 f, 2747, 2755, 2760, 2762, 2777, 2779, 2782 ff
Österreich 2419, 2448, 2507, 2556, 2615, 2661, 2713, 2715, 2721, 2723, 2725 ff, 2735 f, 2741, 2743 f, 2747, 2750, 2752, 2755, 2759 f, 2763 f, 2770, 2775, 2777, 2779 f, 2782, 2784 ff, 2788, 2795
Ost-Berlin 2704
Ostdeutschland 2441, 2605, 2672, 2736
Ostmitteldeutschland 2465, 2491 f, 2495, 2507, 2515, 2537, 2566, 2603 f, 2670, 2672, 2696, 2707, 2726 f, 2730, 2781

Sachbegriffe